ACCESO GRATIS a la Lectura en la Nube

Para visualizar el libro electrónico en la nube de lectura envíe junto a su nombre y apellidos una fotografía del código de barras situado en la contraportada del libro y otra del ticket de compra a la dirección:

ebooktirant@tirant.com

En un máximo de 72 horas laborales le enviaremos el código de acceso con sus instrucciones.

COMITÉ CIENTÍFICO DE LA EDITORIAL TIRANT LO BLANCH

Procedimiento de selección de originales, ver página web:
www.tirant.net/index.php/editorial/procedimiento-de-seleccion-de-originales

CATÁSTROFES NATURALES

Respuesta del derecho administrativo español

CATÁSTROFES NATURALES

Respuesta del derecho administrativo español

José Antonio Monago Terraza

tirant lo blanch
Valencia, 2026

En caso de erratas y actualizaciones, la Editorial Tirant lo Blanch publicará la pertinente corrección en la página web www.tirant.com.

© TIRANT LO BLANCH
EDITA: TIRANT LO BLANCH
C/ Artes Gráficas, 14 - 46010 - Valencia
TELFS.: 96/361 00 48 - 50
FAX: 96/369 41 51
Email: tlb@tirant.com
www.tirant.com
Librería virtual: www.tirant.es
DEPÓSITO LEGAL: V-1114-2026
ISBN: 979-13-7010-740-6

Si tiene alguna queja o sugerencia, envíenos un mail a: *atencioncliente@tirant.com*. En caso de no ser atendida su sugerencia, por favor, lea en *www.tirant.net/index.php/empresa/politicas-de-empresa* nuestro procedimiento de quejas.

Responsabilidad Social Corporativa: http://www.tirant.net/Docs/RSCTirant.pdf

A Ana, mi compañera de vida, cuya dedicación y paciencia han sido un faro constante en mi travesía vital y académica. A lo largo de una gran parte de su existencia, ha compartido generosamente su tiempo, convirtiéndose en el pilar fundamental que ha sostenido mis esfuerzos, y que me ha animado sin condiciones.

A mis hijos, quienes detuvieron sus propios relojes para permitir que el mío avanzara ininterrumpidamente en la creación de esta obra. Su apoyo también incondicional y su comprensión han sido un regalo invaluable, marcando una contribución significativa a este logro académico.

Por tanto, este trabajo no solo es el resultado de mi esfuerzo individual, sino también un testimonio de la generosidad y respaldo constante de mis seres queridos.

A mi admirada Universidad de Salamanca, por permitirme formar parte de su prestigiosa familia, y dar voz a la Tesis Doctoral que comparte título con el presente libro.

A los Profesores Ricardo Rivero Ortega, Pedro Nevado Batalla, Javier Puyol Montero, Jaime Rodríguez-Arana, Sonia Rodríguez Campos y Daniel Terrón Santos, por su inspiradora trayectoria profesional, investigadora y docente en el ámbito del Derecho administrativo.

"Solo el compartir nuestros talentos
encenderá la lámpara de la sabiduría"
Gottfried Wilhelm Leibniz

"Y será esto cosa repentina y no esperada.
El Señor de los ejércitos los visitará, a esta muchedumbre,
en medio de truenos y terremotos y gran estruendo en torbellinos
y tempestades, y de llamas de un fuego devorador."
Isaías, 29:6

Índice

Introducción y aproximación al objeto de estudio

Con la presente tesis y su actualización, se explora en profundidad la respuesta normativa y administrativa ante los desastres naturales en España, analizando con detalle la eficacia de las medidas legislativas en la gestión de crisis provocadas por fenómenos naturales de gran magnitud. Este análisis se ha desarrollado desde una perspectiva histórica, normativa y comparada, con el fin de contribuir a la mejora del marco legal español y europeo en esta materia.

Las catástrofes naturales, como podrá observarse, representan un reto creciente para las sociedades modernas, especialmente en un contexto marcado por los efectos derivados del cambio climático, el aumento de la densidad de población en áreas vulnerables y la complejidad de las infraestructuras. Nuestro país, debido a que cuenta con una geografía rica y diversa, está expuesto a fenómenos como incendios forestales, inundaciones, terremotos, etc., los cuales requieren una respuesta eficaz por parte de las instituciones públicas.

En este sentido, el derecho administrativo desempeña un papel capital en la gestión de estas emergencias, ya que nos provee de marcos normativos que regulan, entre otros aspectos, la prevención, la respuesta y la recuperación frente a las mismas. Se trata de un marco jurídico que se estructura fundamentalmente en torno a la Ley del Sistema Nacional de Protección Civil, el Plan Estatal General de Emergencias de Protección Civil (PLEGEM), la Norma Básica de Protección Civil, aprobada por Real Decreto 524/2023, de 20 de junio, y la Estrategia Nacional de Protección Civil, complementado por otras disposiciones de ámbito europeo y por la normativa autonómica y local que desarrolla y adapta estos instrumentos al territorio.

Además, tras la erupción del volcán de La Palma (2021), se completó la planificación especial de riesgos estatales específicos, como el Plan Estatal de Protección Civil ante el Riesgo de Maremotos (2021) y un Plan Nacional de Reducción de Desastres Naturales "Horizonte 2035", que fue aprobado en 2022.

En 2024 y 2025, el Gobierno español ha tenido que aplicar este marco legal ante eventos catastróficos. Se ha recurrido con frecuencia a la declaración de "zonas afectadas gravemente por una emergencia de protección civil" (antes denominadas zonas catastróficas) para agilizar ayudas en territorios golpeados por inundaciones, incendios u otros desastres. Por ejemplo, tras la histórica DANA de finales de octubre de 2024 en la Comunidad Valenciana, se activó un plan estatal de respuesta inmediata, reconstrucción y relanzamiento, con una batería de medidas urgentes aprobadas por Real Decreto-ley.

Sin embargo, como se señala en esta investigación, aunque existen marcos normativos muy avanzados, hay aún áreas que requieren de un mayor desarrollo y perfeccionamiento.

Uno de los principales ejes de la tesis es el estudio del marco normativo español en materia de protección civil. La Ley 17/2015, de 9 de julio, del Sistema Nacional de Protección Civil, es la principal norma reguladora en este ámbito, y establece los mecanismos de coordinación entre las distintas administraciones públicas y organismos involucrados en la gestión de las emergencias. La ley pone especial énfasis en la planificación previa a los desastres, la prevención de los riesgos y la preparación para una eficaz respuesta.

La normativa española, en este marco, no solo regula la intervención pública en situaciones de emergencia, sino que también establece un sistema de responsabilidades y competencias que abarca desde el ámbito local hasta el nacional. Este sistema es articulado mediante una estructura que coordina a las autoridades y entes tanto municipales, como autonómicos y estatales, permitiendo la intervención directa en los casos en que las capacidades en los distintos niveles son superadas, por el nivel que le precede.

Un aspecto clave que destaca la tesis es el papel de la coordinación entre las administraciones que en muchas ocasiones se ve obstaculizado por la fragmentación de competencias entre los distintos niveles de gobierno. Esta falta de coordinación, como se observa en algunos casos de catástrofes recientes en España, puede generar ineficiencias que retrasen la respuesta y, en última instancia, agravar las consecuencias del desastre.

Para superar esta fragmentación, resulta imprescindible mejorar los protocolos de colaboración entre administraciones, mediante la aprobación de normas técnicas claras que eliminen márgenes interpretativos y aseguren la máxima objetividad procedimental. De este modo, la coordinación no quedará supeditada a la voluntad coyuntural de cada nivel decisorio o de gobierno, sino que se configurará como una obligación jurídica reglada, uniforme y verificable, en consonancia con los principios de eficacia y lealtad institucional que inspiran nuestro derecho administrativo.

La tesis también ofrece un análisis histórico de la evolución de la normativa de protección civil en España, desde sus primeros antecedentes hasta la actualidad. En este repaso histórico, que ha conllevado una parte intensa de investigación, se destacan los principales hitos normativos que han marcado el desarrollo de la legislación en esta área. En la investigación, se ha hecho un trabajo de estudio minucioso en algunos archivos municipales, encontrándose referencias que hasta ahora no habían visto la luz en un estudio de estas características.

Uno de los momentos clave en la evolución de la respuesta administrativa frente a desastres fue la creación de la Unidad Militar de Emergencias (UME) en 2005, una fuerza especializada con origen en el ejército español, que se ha demostrado reiteradamente como experiencia operativa consolidada. La tesis evalúa la eficacia de la UME, destacando su papel de mejora en la capacidad operativa del Estado en situaciones de crisis.

En el marco de la globalización y la creciente interdependencia entre los países, la respuesta a las catástrofes naturales no puede analizarse de un modo aislado. La tesis introduce un análisis comparativo con el derecho internacional y el derecho de la Unión Europea, destacando la relevancia de la Estrategia Nacional de Seguridad Nacional y del Mecanismo Europeo de Protección Civil en la articulación de una respuesta a nivel supranacional.

En este sentido, se pone de relieve la importancia de los tratados internacionales y las iniciativas de la Unión Europea para la reducción de los desastres. Documentos como el Marco de Sendai para la Reducción del Riesgo de Desastres (2015-2030) y los Objetivos de Desarrollo Sostenible (ODS) proporcionan un marco normativo y de políticas orientado a la prevención de desastres, la reducción de riesgos y la promoción e impulso de la resiliencia en las comunidades afectadas. La integración de estas normativas en el derecho español es esencial para garantizar una respuesta coherente y eficaz ante futuras eventualidades de envergadura.

Otro aspecto fundamental que se aborda en la investigación es el papel de la tecnología y la innovación en la mejora de la gestión de riesgos y catástrofes. El uso de herramientas como la inteligencia artificial, el análisis del big data y la simulación de escenarios permite una planificación más precisa y una respuesta más veloz ante las emergencias.

La tesis destaca cómo el desarrollo de modelos predictivos y sistemas de alerta temprana, basados en tecnologías avanzadas, puede mejorar significativamente la capacidad de respuesta ante catástrofes. Estos sistemas permiten no solo prever la ocurrencia de fenómenos naturales, sino también evaluar su impacto potencial y planificar la respuesta de manera más eficiente. El uso de estas tecnologías está en línea con las recomendaciones internacionales sobre la modernización de los sistemas de protección civil y la incorporación de la ciencia y la tecnología en la gestión del riesgo.

La investigación concluye con una serie de recomendaciones para mejorar la capacidad del derecho administrativo español en la gestión de los desastres naturales. Entre estas propuestas destacan la necesidad de una mayor integración de las políticas de prevención y planificación en los ámbitos local y autonómico, así como la mejora de la formación de los empleados públicos encargados de la protección civil.

Se subraya también la importancia de aumentar la inversión en infraestructuras resilientes y en sistemas de alerta temprana, así como de fomentar la participación de los ciudadanos en la gestión del riesgo. La educación y la sensibilización sobre los riesgos asociados a los fenómenos naturales son fundamentales para crear comunidades más preparadas y resilientes.

Además, se insta a una reforma del marco normativo para adaptarlo mejor a los nuevos desafíos que plantea el cambio climático, incluyendo la revisión de la Ley del Sistema Nacional de Protección Civil y la incorporación de las nuevas tecnologías y herramientas de gestión en la normativa vigente.

Esta tesis aporta una visión amplia y detallada sobre la relación entre el derecho administrativo y la gestión de los desastres naturales en España. Se plantea que, aunque la normativa existente ha demostrado ser eficaz en muchos aspectos, es necesario un proceso de actualización y mejora para encarar los retos del futuro.

El trabajo se propone como una herramienta útil tanto para legisladores como para los responsables de la gestión de emergencias, aportando propuestas concretas y un análisis profundo que busca contribuir a la mejora del sistema de protección civil en España.

Ese es el objetivo esencial que desde el inicio, como propósito, se ha perseguido de manera intensa.

1.- EL RIESGO. APROXIMACIÓN HISTÓRICA

Desde nuestros inicios como humanos, los riesgos nos han acompañado, amenazando nuestra existencia sobre la Tierra. Además, existían riesgos que ocasionalmente manifestaban su energía de forma significativa sobre el planeta.

Hace 450.000 años, la evidencia científica nos permite reconstruir períodos glaciales e interglaciares, con fluctuaciones de temperaturas (históricamente los períodos glaciales han durado entre 7 y 9 veces más que los interglaciares)[1], si bien no existíamos como seres humanos. Tuvimos que esperar hasta hace 200.000 años para habitar el sur de África como humanos anatómicamente

1 Utah Geological Survey. (n.d.). Glad you asked: Ice ages – What are they and what causes them? Recuperado 27.03.2024, de https://acortar.link/5jUMO9

modernos[2], lo que entra en conflicto con la hipótesis más aceptada sobre la aparición del Homo sapiens en Etiopía.

Hace 74.000 años, una súper erupción volcánica exhaló a la atmósfera 2.800 kilómetros cúbicos de magma, y provocó el cráter del lago Toba, en la isla de Sumatra, considerada como la erupción más importante de los dos últimos millones de años. Gruesos depósitos de ignimbrita cubrieron hasta 30.000 km2 del norte de Sumatra. La ceniza cubrió una gran área marina y terrestre, desde el Mar Arábigo en el oeste hasta el sur del Mar de China meridional. Este evento es un ejemplo de una 'super-erupción', una clase de erupción que ocurre en promedio una vez cada 100.000 años. Las erupciones volcánicas más devastadoras de la historia registrada, como Tambora y Krakatau, y más recientemente, Pinatubo, resultan de menor magnitud en comparación con aquella.[3]

La comunidad científica ha estudiado dicho lago, indicando que pudo provocar que gran parte de la población humana se extinguiera, a consecuencia de un invierno volcánico que se prolongó durante años. La temperatura media cayó 3,5°C, se mantuvo alrededor de una década y provocó que la Tierra descendiese de temperatura durante mil años.[4]

Tal vez el suceso no fue como se creía, al menos es lo que se concluye de la Conferencia patrocinada por Leverhulme Trust en la Universidad de Oxford: "La súper erupción de Toba: ¿un momento crítico en la evolución humana?", y que ha derivado en muchos estudios científicos que limitan el alcance de su impacto.[5]

Lo que sí sabemos es que, desde hace 74.000 años hasta nuestros días, las catástrofes nos han dejado al desnudo como sociedad con frecuencia. Ese trance nos muestra que algunas sociedades son frágiles, otras son resilientes y unas terceras, "antifrágiles", es decir, que tras superar el trance, salen más robustas y fortalecidas.[6]

---

2 BBC News Mundo, Redacción. 29.10.2019. *Homo sapiens, los científicos que aseguran haber identificado el lugar exacto de donde provienen los humanos modernos.* Recoge las investigaciones de Hayes, V., investigadora del Instituto Garvan de Investigación Médica de Sidney, Australia.
Recuperado de https://bbc.in/3YvPZfB

3 Petraglia, M., Korisettar, R., & Pal, J. N. (2012). The Toba volcanic super-eruption of 74,000 years ago: Climate change, environments, and evolving humans. *Quaternary International*, 1.

4 Stanley H. Ambrose, M. Anne Katzenberg *Biochemical Approaches to Paleodietary Analysis.* https://acortar.link/5jUMO9

5 Petraglia, M. et al. (2012). Reafirman su hipótesis de que el Homo sapiens probablemente fabricó las cajas de herramientas del Paleolítico Medio que se encontraron antes y después de la erupción de Toba. *Quaternary International*, p. 4.

6 Taleb, N. N. (2012). *Antifragile: Things gain from disorder.* Random House.

A veces, la intensidad de la manifestación del riesgo, y su impredecibilidad, tenía un coste en forma de daños de todo tipo. Otras veces, es comprensible que afectaran a los humanos, dada la costumbre de establecerse y vivir junto a los cauces de los ríos, cerca de los manantiales revelados por las fallas, de desarrollar la actividad pesquera en las costas de mares y océanos, o de aprovechar la riqueza de las tierras en las laderas de los volcanes.

Mucho antes de lo ocurrido en el lago Toba, tenemos vestigios que anticipan esa suerte de la que hacíamos mención. Hace dos mil millones de años, a consecuencia del impacto de un asteroide se formó un cráter de un diámetro aproximado de 300 kilómetros en Sudáfrica (Vredefort, a 120 km. al suroeste de Johannesburgo). Es la estructura de impacto de asteroide más grande de la que se tiene aún evidencia visible sobre la Tierra.[7] Los efectos globales fueron devastadores, con cambios evolutivos importantes según algunos científicos.[8]

Hace 1.800 millones de años, otro asteroide impactó en Canadá, concretamente en la cuenca de Sudbury en Ontario, con unos 62 kilómetros de largo, 32 de ancho y unos 15 de profundidad en la actualidad, y en su momento se calcula que tenía unos 250 kilómetros de diámetro. Es el segundo cráter más importante de cuantos se conocen derivados del impacto de un objeto proveniente del espacio.[9]

Al sur de Australia, la región de Acraman, hallamos también un cráter de unos veinte kilómetros de diámetro, formado hace 590 millones de años, cuyo emplazamiento actual alberga un lago salino. Provocó, como los anteriores, una severa perturbación sobre el medio ambiente[10].

En la península de Yucatán, el cráter del Chicxulub, se remonta a 66 millones de años. También fue fruto del impacto de un asteroide de unos 9 kilómetros de diámetro, que provocó un cráter de 180 kilómetros. Este impacto, provocó que se calentaran los hidrocarburos y el azufre de las rocas, lo que formó hollín estratosférico y aerosoles de sulfato, causando un enfriamiento global extremo y sequía. A consecuencia de lo anterior, se provocó la masiva extinción de los dinosaurios.

---

7 King, M., & Hobart, K. (2021). Vredefort impact crater: The largest impact structure with visible evidence on Earth's surface. NASA Earth Observatory. Recuperado el 28 de diciembre de 2021, de https://earthobservatory.nasa.gov/images/92689/vredefort-crater

8 UNESCO. (2021). *Vredefort Dome.* https://whc.unesco.org/en/list/1162/

9 NASA. (s. f.). *Sudbury impact structure.* NASA Earth Observatory. Recuperado el 31 de diciembre de 2025. https://science.nasa.gov/earth/earth-observatory/sudbury-impact-structure-148844/

10 Williams, G.E., & Gostin, V.A. (2010). Geomorphology of the Acraman impact structure, Gawler Ranges, South Australia. *Cadernos Lab. Xeolóxico de Laxe Coruña,* 35, 209-220.

La magnitud del evento pudo verse amplificada por las características geológicas de la región.[11] Aquello sucedió en los finales del Cretácico y el Paleógeno.

Desde que el *Homo sapiens* habita la Tierra, no ha golpeado ningún asteroide de las características anteriores nuestro Planeta[12], de ahí que la suerte nos haya acompañado desde entonces, o como dice FERGUSON, "la humanidad ha sido más o menos absuelta por el espacio exterior".[13] Han sido unos 300.000 años de gracia.

El análisis retrospectivo de estos eventos permite comprender que, para nuestros ancestros —incluso antes de la aparición de la especie humana—, fenómenos de esta magnitud habrían resultado incomprensibles, siendo observados como manifestaciones súbitas e inexplicables de una naturaleza incontrolable.

Para conocer el conjunto de impactos de asteroides que han provocado cráteres, la Universidad de New Brunswick, a través de su Centro de Ciencia Planetaria y del Espacio, publica una base de datos de impacto terrestre (EID, Earth Impact Database), en donde se compendian los 190 cráteres confirmados hasta la fecha.[14]

Y para conocer los impactos futuros, los científicos analizan nuestro universo, y calculan probabilidades. Es el caso del trabajo que realizan, entre otros, el Centro de Vuelo Espacial Goddard de la Nasa, que, en palabras de su científico jefe, James Garvin, señala que el impacto de un asteroide sobre la Tierra "estaría en el rango de cosas serias que suceden".[15] Aunque haya algunos más escépticos, como Bill Bottke, experto en dinámica planetaria del Southwest Research Institute en Boulder, Colorado: "quiero verificarlo más antes de creerlo". Los investigadores estiman que la probabilidad de que un asteroide o un cometa con un diámetro de un kilómetro de ancho impacte sobre la Tierra es de 1 por cada 600.000 a 700.000 años. En cualquier caso, la previsión de Garvin se trata de una hipótesis no probada que habrá que constatar.[16]

---

11 Kaiho, K., & Oshima, N. (2017). Site of asteroid impact changed the history of life on Earth: The low probability of mass extinction. *Scientific Reports,* 7(14855). https://doi.org/10.1038/s41598-017-14199-x

12 Fergusson, N. (2021). *Desastre. Historia y política de las catástrofes.* Debate. (p. 102).

13 Ibídem: pg. 103

14 Planetary and Space Science Centre University of New Brunswick. (2021). *Map of all the confirmed impact craters on Earth.* Recuperado de https://acortar.link/5jUMO9

15 Science. (2023, March 20). Earth at higher risk of big asteroid strike, satellite data suggest. Recuperado de https://bit.ly/3FIklVi

16 Johnson, B. (2012). Tiny 'spherules' reveal details about Earth's asteroid impacts. *Universidad de Purdue.* https://short.do/xGzr8t

No solo los impactos de asteroides han representado una amenaza para la humanidad.

Todas las sociedades y Estados se ven expuestos a un grado permanente de incertidumbre, pues las consecuencias de las catástrofes se extienden más allá del ámbito de la seguridad y la salud, alcanzando a los ámbitos económicos, culturales y políticos[17].

En la actualidad, el avance científico permite explicar las causas, y como dice RÍOS[18], con suerte hasta el cuándo.

Hay fuentes históricas a las que acudir para profundizar en los desastres y las catástrofes, fuentes escritas, sin menospreciar todo el conocimiento que podemos recibir de fuentes no escritas, aunque ello sea menos preciso.

Los registros históricos conocidos del período preindustrial compilan tanto los riesgos como su impacto sobre la sociedad, lo que puede complicar el análisis en ocasiones. Antes de disponer de registros instrumentales, los datos que conocemos de los riesgos y las catástrofes se apoyan[19] en observaciones de carácter directo, así como descripciones de contemporáneos, y en el registro indirecto de procesos y fenómenos afectados por las condiciones ambientales.

Una de las fuentes documentales de mayor relevancia la constituyen las cuentas señoriales inglesas (*English manorial accounts*)[20] que se remontan a principios del siglo XIII. En esta fuente se detalla el número de semillas y áreas destinadas al cultivo del trigo, y la influencia que los fenómenos meteorológicos adversos producían sobre estas, proporcionando una interesante fuente de datos tanto agronómicos como climatológicos.

Pero no siempre hemos contado con fuentes de alto valor como la anterior, y es por ello que hemos acudido a las crónicas, como fuente secundaria. Tal es el caso de la obra de BIRABEN [21], quien recopiló "menciones" de peste, describiendo la plaga de Justiniano de la Alta Edad Media, la Peste Negra en el

---

17 Ferguson, N. (2021). *Desastre. Historia y política de las catástrofes.* Debate. (p. 22).

18 Ríos, B. (2018, enero 22). Las catástrofes naturales que cambiaron la historia. *Geografía Infinita.* Recuperado de https://bit.ly/3woRErе

19 Van Bavel, B., Curtis, D. R., Dijkman, J., Hannaford, M., De Keyzer, M., Van Onacker, E., & Soens, T. (2020). *Disasters and History: The Vulnerability and Resilience of Past Societies.* Cambridge University Press. (pp. 44-54). ISBN 9781108477178.

20 Esta fuente es de un alto valor, y ha servido de base para muchos estudios sobre el clima y la sociedad en la Inglaterra del medievo.

21 Biraben, J.-N. (1975). *Les hommes et la peste en France et dans les pays européens et méditerranéens* [Tesis doctoral, Ès-Lettres]. Paris.

siglo XIV y la peste en la Edad Moderna, continuando hasta la primera mitad del siglo XVIII, período en el cual desaparece en Occidente. Describe el autor cómo esa epidemia, antes desconocida, era observada como la consecuencia de un castigo divino, una conjunción planetaria, el efecto de los eclipses o el paso de un cometa. También explica cómo hacíamos frente a ella: recursos no científicos de carácter ritual y religioso, tales como magia, sacrificios, exorcismos, amuletos, oraciones, plegarias, procesiones... para continuar con la intervención del estado a través de normativas varias con incidencia en la higiene, evitación de la transmisibilidad, controles espaciales para evitar cruce de fronteras regionales o la contratación de personal especializado para curar a los enfermos.

Además, disponemos de catálogos históricos que nos hablan de los riesgos. En Italia tenemos el primer catálogo sobre terremotos[22], elaborado a partir de relatos de testigos de primera mano y crónicas anteriores, desde finales del siglo XVII. Hay también recopilaciones anteriores como el catálogo de tsunamis[23] del Mediterráneo, que data del siglo II a.C. y en el que se ofrece acceso con descripciones de los tsunamis registrados, referencias bibliográficas y estimaciones de su intensidad.

En sociedades no occidentales también se han elaborado catálogos, en ocasiones, de mayor precisión que los europeos, y a veces remontándose a períodos anteriores más extensos. Destacamos los famosos *Nilómetros* Egipcios [24], que se elaboraban para detallar el alcance de la altura de las inundaciones en el Nilo, un dato esencial para la actividad agraria. “A través de este catálogo, se pueden reconstruir series históricas sobre el riesgo de inundaciones y sequías”[25].

---

22 Rohr, C. (2003). Man and natural disaster in the Late Middle Ages: The earthquake in Carinthia and northern Italy on 25 January 1348 and its perception. *Environment and History, 9*, 127-149. The White Horse Press.

23 Maramai, A., Graziani, L., & Brizuela, L. (Año). Italian tsunami effects database (ITED): The first database of tsunami effects observed along the Italian coasts. *Nat. Peligros Tierra Syst. Sci. Discutir.* [Preprint]. https://doi.org/10.5194/nhess-2019-241

24 El nilómetro más básico era una columna vertical hundida en el río, con marcas que indicaban la profundidad o nivel del agua. Otros nilómetros consistían en escaleras que conducían al río, que tenía unas marcas que indicaban la profundidad en sus paredes.

25 Los tramos del río Nilo se desbordaban entre los meses de julio y noviembre, ocupando la llanura aluvial en sus márgenes. Solían retroceder las aguas entre septiembre u octubre, dejando unos ricos y fértiles depósitos aluviales. Inundaciones promedio contribuían a la agricultura próspera, mientras que por debajo de la inundación promedio se producía hambruna, y por encima sería una catástrofe al destruir buena parte de la infraestructura desarrollada entre los años 622 y 999.

Los diarios astronómicos babilónicos contemplan en sus textos, entre otros datos, no solo registros relativos a observaciones astronómicas[26], o predicciones sobre los mercados, sino también, los relativos a las plagas de langostas en los mercados en el siglo IV a.C. Los babilónicos tenían interés en catalogar dichas plagas, pues afectaba al precio del cereal, al escasear este. Describen 35 episodios comprendidos entre los siglos IV y I a.C. En algunos casos se detalla el color y tamaño de la langosta, relacionándolo con la información meteorológica. Un ejemplo son las anotaciones[27] correspondientes al año 123 a.C.: "25 marzo. Viento racheado, con una densa calima, atacan pequeñas langostas", "20 abril. Por la mañana, grandes y numerosas langostas atacan", "29 abril. Viento norte, al mediodía, ataque de muchas langostas". A inicios del verano, en el año 90 a.C. se recoge: "20 junio. Cruzando el cielo y soplando el viento sur, langosta". O en invierno, en el año 349 a.C.: "24 diciembre: langostas. Relámpagos. Viento racheado del sur".

La minuciosidad de estas crónicas meteorológicas incluía la distinción entre truenos y relámpagos, diferentes intensidades de lluvia, presencia de granizo, neblina, niebla o calima. Estos registros constituyen verdaderos antecedentes de los actuales sistemas de observación meteorológica y de alerta temprana, evidenciando que la gestión del riesgo climático tiene raíces mucho más antiguas de lo que pudiera suponerse.

En China, los nomenclátores locales (registros regionales históricos y geográficos) son también una fuente de información muy valiosa de los riesgos. El primero de ellos data de hace 2.000 años. Pero fue durante los períodos de las dinastías Ming y Qing cuando se recopilaron miles de nomenclátores a nivel provincial, prefectural y de condado, tanto por eruditos locales como por funcionarios pertenecientes al gobierno. La mayor parte de los nomenclátores reseñan fenómenos meteorológicos extremos, tales como tormentas e inundaciones (más adelante, también abordan aspectos vinculados a la política y la sociedad de dichos enclaves).

A partir del siglo XIX se observa un notable auge en la elaboración de censos y de informes cada vez más detallados sobre la distribución de la población en el territorio. Los datos relativos a venta de tierras, créditos,

---

26 Haubold, J., Steele, J.M., & Stevens, K. (2019). *Keeping watch in Babylon: The astronomical diaries in context.* Culture and history of the ancient Near East, volume 100. Brill.

27 Mora García, M.A. (2020). Antecedentes históricos de las plagas de langosta. https://bit.ly/3wlcY15

procedimientos penales, nos conducen al conocimiento de la gravedad o no de una crisis, así como el modo en que esta fue afrontada por la sociedad.[28].

De todas las formas en que se puede hacer frente a un riesgo, tal vez las más compleja de reconstruir sean las derivadas de la solidaridad. Se puede seguir el rastro a lo que hacían en la Europa preindustrial las instituciones de socorro o beneficencia, pero no es tan fácil determinar prácticas voluntarias, como puede ser dar limosna o un donativo, aunque estas aparezcan ocasionalmente en relatos o crónicas.

Desde el siglo XVII, y con mayor intensidad durante el siglo XVIII, los historiadores disponen de un volumen creciente de documentación útil para la descripción y el análisis de estos fenómenos. Ello se debe a que los estados van madurando, con una administración burocrática que aumenta y con una necesidad de "medir" para contribuir a aumentar la riqueza de las naciones.

En el terremoto de Lisboa de 1755 tal vez hallemos, por primera vez, un interés marcado por los números y la estadística. Se realizó, por encargo del Marqués de Pombal,[29] una encuesta nacional "para descubrir las causas y el origen del desastre natural, minimizar los riesgos futuros y evaluar los daños que había causado el terremoto"[30]. Dicho estudio resultó vital, pues gracias a él se evitó el hambre y las epidemias debido a la asunción de medidas reglamentarias, así como el control adecuado de los suministros[31].

---

28 Campbell, B. M. S. (2010). Nature as historical protagonist: Environment and society in preindustrial England. *The Economic History Review*, 63(2), 281–314.

29 El Marqués de Pombal (su nombre era Sebastiao José de Carvalho e Mello, 1699-1782), fue un estadista portugués, primer ministro del rey José I. Tras el terremoto de Lisboa se le adjudica la pronta y exitosa reconstrucción de la ciudad.

30 Araújo, A. C. (Año). The 1775 Lisbon earthquake: The catastrophe and the reconstruction. *Storicamente, Laboratorio di Storia*, Universitá di Bologna. https://bit.ly/3J3B8Vj

31 "Los precios de los productos, los salarios y los alquileres se fijaron en los valores que alcanzaron antes del terremoto. Para evitar el acaparamiento, los envíos de pescado, cereales y alimentos fueron distribuidos y vendidos de manera controlada por funcionarios del Senado de la Alcaldía. El monarca hizo distribuir alimentos entre los ciudadanos con más necesidad: a los pobres y a las personas sin hogar. Se construyeron hornos y panaderías y, con la ayuda de destacamentos militares, se organizó la distribución de bienes de la provincia, exentos de impuestos. Los barcos en el muelle fueron rigurosamente inspeccionados en busca de objetos saqueados y obligados a descargar madera, suministros y otros bienes necesarios. A los marineros portugueses se les prohibió unirse a flotas extranjeras y se les obligó a servir, con salarios más bajos, en barcos nacionales (Serrão 2007, 147-53)." Citado por ARAÚJO, A. C.,. The 1775 Lisbon Earthquake: the Catastrophe and the Reconstruction. Universitá di Bologna. Storicamente, Laboratorio di Storia. https://bit.ly/3J3B8Vj.

ARAÚJO lo describe magistralmente en el artículo referenciado, siendo un claro ejemplo de gestión post crisis abordada desde múltiples prismas de una forma ejemplar para la época. Así, tras el suceso, y en los días posteriores, se dictaron más de once ordenanzas, con exenciones de tasas e impuestos sobre los alimentos. Por otro lado, a partir de 1756, a las empresas que operaban en la ciudad de Lisboa se les impuso un tributo mensual del 4% a las mercancías importadas como derechos. Se trata de medidas ex ante y ex post ajustadas certeramente en función del momento de la crisis.

Este tipo de encuestas eran de gran utilidad, como así se demostró también en el brote epidémico de peste bovina[32] que sufrió el sur de los Países Bajos a finales del siglo XVIII, y que devastó Europa a lo largo de ese siglo. Se constató que el sacrificio preventivo era la medida más eficaz prescrita por la burocracia centralizada, y que no siempre era bien acogido en todos los territorios. La tarea no fue fácil, pues la ganadería extensiva dificultaba su control debido a su manejo, movilidad y comercio.

Las fuentes de mayor relevancia se concentran principalmente entre los siglos XIX y XX, impulsadas por las acciones gubernamentales. Hubo un notable crecimiento del registro instrumental de los fenómenos meteorológicos, lo que propició la expansión de las redes puestas en funcionamiento por los Estados desde 1850 hasta la actualidad. En las colonias británicas, especialmente en la India hacia finales del siglo XIX, se registraron las hambrunas con gran detalle, elaborándose informes exhaustivos que describían origen, consecuencias y las medidas políticas adoptadas para su mitigación[33]. Estos gobiernos coloniales también elaboraron informes sobre catástrofes, con un enfoque especial en las hambrunas y en las enfermedades.

En ocasiones, cuando no hemos contado con evidencias arqueológicas directas de un terremoto, hemos acudido al estudio de los textos de la época, para lo cual hemos tenido en cuenta los conocimientos de historiadores, arqueólogos y geofísicos. Es lo que se hizo en 2005 con el estudio del sismo producido en Andújar[34], en 1170, y cuya fuente documental principal son

---

32 Van Roosbroeck, F., & Sunderb, A. (Año). *Culling the herds? Regional divergences in rinderpest mortality in Flanders and South Holland, 1769-1785.* https://bit.ly/3wp1oBN

33 Klein, I. (1984). When the rains failed: Famine, relief, and mortality in British India. *Indian Economic & Social History Review*, 21, 185-214

34 Rodríguez Pascua, M.A., Silva Barroso, P.G., Giner Robles, J., Pérez López, R., Perucha Atienza, M.A., & Martín González, F. (2005). Fuentes medievales y posibles evidencias arqueológicas del terremoto de Andújar de 1170. *Boletín de Estudios Giennenses*, (192), 139-177. I.S.S.N.: 0561-3590.

dos manuscritos árabes de la época[35]: el primero, de Abd al-Malik b. Muhammad b. Ibn Sähib al-Salä, y el segundo, de Ibn Sähib al-Salä, del cual reproducimos un párrafo traducido por HUICI (1969):

«En el mismo año se retrasó la lluvia para los sembrados en al-Andalus hasta el mes de diciembre cristiano del 1169, y cayó [entonces] y sembró la gente. En él ocurrieron grandes terremotos al salir el sol y al declinar el mediodía en la fecha del mes de ˆYumad[36] al-Ūlā del año que historiamos36, y duró en la ciudad de Andújar por espacio de días, hasta que casi desapareció, y se la tragó la tierra; y continuó, después de esto, en la ciudad de Córdoba y Granada y Sevilla y todo el al-Andalus, y el testigo ocular veía que los muros de las casas se estremecían y se inclinaban hacia la tierra, luego se enderezaban y volvían a su estado por la bondad de Dios, y se arruinaron por esto los emplazamientos de muchas casas en las regiones citadas, y los alminares de las mezquitas».

Contamos en la actualidad con especialistas en Arqueosismología [37] en nuestro país, investigadores del Instituto Geológico y Minero de España, Universidad de Salamanca, Escuela Politécnica Superior de Ávila, Junta de Andalucía, Universidad de Alcalá y Universidad Autónoma de Madrid. De sus trabajos se colige, por ejemplo, que Medina Azahara no fue destruida por los bereberes, sino que fue a causa de una cadena de sismos que se produjeron entre 1024 y 1025, así como entre 1169 y 1170[38], que fueron narrados también en fuentes escritas.

La difusión a escala europea del terremoto de Lisboa —no exenta de cierto sensacionalismo— permitió acercar a la ciudadanía la percepción de la inme-

---

35 Peláez, J.A., Castillo, J.C., Sánchez Gómez, M., Martínez Solares, J.M., & López Casado, C. (Año). Fuentes medievales y posibles evidencias arqueológicas del terremoto de Andújar de 1170. *Boletín del Inst. de Estudios Giennenses,* núm 192, 2005, 139-177.

36 de enero a 19 de febrero de 1170.

37 Rodríguez Pascua, M.A., Silva Barroso, P.G., Giner Robles, J., Pérez López, R., Perucha Atienza, M.A., & Martín González, F. (2017, febrero). Arqueosismología, una nueva herramienta para la sismología y la protección del patrimonio. *Revista Otarq. Otras arqueologías*: "La Arqueosismología es una técnica multidisciplinar enfocada al estudio de terremotos en el pasado histórico mediante yacimientos arqueológicos y patrimonio cultural. Los datos procedentes de la arqueología son fundamentales a la hora de poder realizar interpretaciones arqueosismológicas, esto hace que la colaboración interdisciplinar Arqueología-Geología sea fundamental a la hora de elaborar conclusiones fiables." https://bit.ly/3XcjHFs

38 Rodríguez-Pascua, M.A., Perucha, M.A., Silva, P.G., Montejo Córdoba, A.J., Giner-Robles, J.L., Élez, J., Bardají, T., Roquero, E., & Sánchez Sánchez, Y. (2023). Archaeoseismological evidence of seismic damage at Medina Azahara (Córdoba, Spain) from the early 11th century. *Applied Sciences, 13*(3), 1601. https://doi.org/10.3390/app13031601

diatez y magnitud de las consecuencias de un riesgo, en este caso originado por una catástrofe natural de carácter sísmico. La experiencia traumática de los habitantes de Lisboa se hizo comprensible y emocionalmente accesible a poblaciones geográficamente alejadas del epicentro. Los testimonios recogidos en la prensa de la época[39] generaron un profundo impacto más allá de las fronteras del Reino de Portugal, configurando uno de los primeros ejemplos documentados de sensibilización transnacional ante un desastre.

Este "mundo en riesgo", que podemos conocer a través de múltiples fuentes, adquiere particular relevancia en el ámbito de la fotografía periodística, la cual requiere un análisis crítico que considere su capacidad para transmitir realidades complejas. Una imagen puede variar sustancialmente en su significado según el ángulo, el encuadre o la composición elegidos por el fotógrafo. Así, no produce el mismo efecto una toma panorámica de un paisaje afectado por la sequía que la captura de ese mismo paisaje incorporando, en primer plano, a un niño y un perro famélico.

Ejemplos paradigmáticos de este poder narrativo los encontramos en la obra de Sebastião Salgado, particularmente en su reportaje Salt of the Earth[40] (La sal de la tierra), que documenta los efectos de la sequía en África. Este tipo de representaciones visuales no solo tienen valor testimonial, sino que pueden constituir elementos probatorios o documentales relevantes en el estudio jurídico-administrativo de la

---

39 "El sábado, a eso de las nueve y media, me retiré a mi habitación después de desayunar, cuando percibí que la casa empezaba a temblar... como vi que todos los vecinos que me rodeaban corrían escaleras abajo, yo también hice lo que pude... Estaba más oscuro que la noche más oscura que he visto... a causa de las nubes de polvo procedentes de la caída de casas por todos lados. Cuando se aclaró, corrí a una gran plaza contigua [al Terreiro do Paço], el palacio al oeste, la calle en la que vivía al norte, el río al sur, y la aduana y los almacenes al este... pero al ser alarmados por un grito de que el mar se acercaba, toda la gente se agolpó para correr hacia las colinas, yo entre el resto, con el Sr. Wood y familia. Recorrimos cerca de dos millas a través de las calles, trepando sobre ruinas de iglesias, casas, etc., pisando cientos de muertos y moribundos, muertos por la caída de edificios; carruajes, carruajes y mulas, yaciendo todos aplastados en pedazos...". Carta de un Comerciante a su hermano en The Gentleman´s Magazine, vol. 25, diciembre de 1755. la frase: "¿Y ahora? Se entierra a los muertos y se da de comer a los vivos", que resumía lo que comúnmente se conoce como un "manos a la obra" sin dilación."

40 Dirigida por Wim Wenders y Juliano Ribeiro Salgado, Sal da Terra muestra el trabajo del fotógrafo Sebastião Salgado (Brasil, 1944), quien en los últimos cuarenta años ha viajado por todos los continentes para dejar registro con sus fotografías de situaciones, normalmente de adversidad y dolor. Notario de eventos importantes de la historia de la humanidad (guerras, hambrunas, éxodo...), por Sal da Terra, que se estrenó mundialmente en el Festival de Cannes, recibió una Mención Especial del Jurado de la "Un Certain Regard."

gestión de riesgos y de la respuesta institucional ante catástrofes, aportando una dimensión empírica y humana a la formulación de políticas públicas de protección civil.

Hoy en día, ese viejo conocido que hemos venido a llamar riesgo, es contado mediante la utilización de fuentes que compendian datos históricos y las propias ciencias naturales, siendo la investigación de carácter transversal, dada la conjunción de diversas disciplinas. Así, si los historiadores de las catástrofes han comenzado a emplear datos que provienen de las ciencias naturales, los especialistas de estas segundas[41] han comenzado también a utilizar los datos de las primeras, de ahí que haya autores que conecten la variabilidad del clima antaño con los conflictos humanos, los brotes de peste o su incidencia en la productividad agraria. Los avances que se han producido en la paleontología y en la reconstrucción histórica del clima, han podido establecer series muy precisas de cambios climáticos a lo largo del tiempo, algo que ha facilitado el avance de las nuevas tecnologías, que nos han ayudado a procesar grandes volúmenes de datos, lo que nos ha permitido explorar con mayor precisión la interrelación entre el clima y la sociedad, algo que, sin duda, en estos momentos cobra viva actualidad.[42]

El National Centers for Environmental Information[43] (NCEI), perteneciente a NOAA (National Oceanic and Atmospheric Administration)[44], aborda, entre otras, esa tarea de reconstrucción del pasado climático. Sus bases de datos contemplan datos de temperatura, precipitaciones, vegetación, caudales, temperatura de la superficie del mar y otros elementos de las condiciones climáticas del pasado. Sus bases de datos son de código abierto[45], y por lo tanto a disposición[46]

---

41 Van Bavel, B. J., Curtis, D. R., Hannaford, M. J., Moatsos, M., Roosen, J., & Soens, T. (2020). Climate and society in long-term perspective: Opportunities and pitfalls in the use of historical datasets. *WIREs Climate Change*, 10(6), e611. https://bit.ly/3Rij4ch

42 Analizaremos en esta tesis la necesidad de impulsar y desarrollar una auténtica política de datos abiertos, que facilite, como vemos, la tarea de los científicos e investigadores en temas trascendentes para nuestro presente y futuro. En este caso concreto, en el que se han utilizado datos históricos, hay que tener especial cuidado pues no se puede perder de vista la necesaria "objetividad científica", y ello no es fácil cuando los elementos materiales con los que se trabaja son datos cuyas fuentes pueden tener importantes sesgos. De ahí la necesidad de utilizar datos con una visión crítica de los mismos para no caer en trampas.

43 National Centers for Environmental Information, https://www.ncei.noaa.gov/

44 National Oceanic and Atmospheric Administration, United States, https://www.noaa.gov/

45 https://www.ncei.noaa.gov/access/paleo-search/?dataTypeId=3

46 Parlamento Europeo, Consejo de la Unión Europea. (2003). Directiva 2003/98/CE del Parlamento Europeo y del Consejo de 17 de noviembre de 2003 relativa a la reutilización de la información del sector público, modificada por la Directiva 2013/37/UE.

de quienes quieran conocer y profundizar sobre este tema. Existen también bases de datos que atañen a los riesgos de sequía e incendios forestales, huracanes y ciclones tropicales, tornados, así como tsunamis, terremotos y volcanes.

En las bases de datos del NCEI podemos encontrar, por ejemplo, los incendios forestales que han sucedido en una zona muy concreta de nuestro país, y a consecuencia de los cuales se han diezmado las poblaciones de *Pinus nigra* en la cuenca mediterránea. Nos referimos a la Sierra Turmell (Castellón, Valencia). Investigadores de la Universidad de Barcelona[47] han muestreado pequeños relictos en la zona para determinar la estructura del bosque y los incendios que se sucedieron en el pasado, analizando los incendios producidos en los últimos 172 años, y viendo cómo soportaban estas masas arbóreas el fuego respecto de otras áreas geográficas. Como dicen los autores: "este ejemplo puede ser útil para orientar la gestión de los bosques más jóvenes y para la restauración ecológica de las zonas degradadas".

El riesgo, tal y como se ha puesto de manifiesto a lo largo de este análisis, ha acompañado de forma constante a la evolución de las sociedades humanas, circunstancia que ha quedado acreditada mediante las diversas fuentes históricas y científicas disponibles desde tiempos inmemoriales. Reconocida esta realidad, se impone, desde una perspectiva jurídico-administrativa, la obligación de articular mecanismos normativos, institucionales y operativos que garanticen un adecuado nivel de preparación y respuesta frente a los distintos escenarios de amenaza.

Por citar un ejemplo, JONES[48] encabezó un equipo de prevención de riesgos de más de trescientas personas en el Servicio Geológico de Estados Unidos, y llevó a cabo un proyecto que modelaba el escenario del terremoto que se prevé en la falla de San Andrés en sus trescientos kilómetros más meridionales (desde frontera de México hasta las zonas montañosas de Los Ángeles). La simulación arrojó como resultado un sismo de cincuenta segundos sobre la ciudad de Los Ángeles (el de Northridge de 1994 duró siete, y causó daños por valor de

---

https://eurlex.europa.eu/legal-content/ES/TXT/?uri=CELEX%3A32003L0098. Ley 37/2007, de 16 de noviembre, sobre reutilización de la información del sector público. Boletín Oficial del Estado, núm. 276, de 17 de noviembre de 2007, p. 47304-47314. Ley 19/2013, de 9 de diciembre, de transparencia, acceso a la información pública y buen gobierno. Boletín Oficial del Estado, núm. 295, de 10 de diciembre de 2013, p. 97839-97865. Sitio web: Gobierno de España. (s. f.). Portal de datos abiertos. https://datos.gob.es/

47 Fulé, P. Z., Montserrat, R., Gutiérrez, E., Vallejo, R., & Kaye, M. W. (s. f.). Universidad de Barcelona. https://bit.ly/3kHZGcn

48 Jones, L. (2018). *The Big Ones: How Natural Disasters Have Shaped Us (and What We Can Do About Them).* Icon Books Ltd. ISBN: 1785784366.

40.000 millones de dólares), que afectaría alrededor de cien poblaciones, y preveía que se vendrían abajo 150.000 edificios, y otros 300.000 tendrían serios daños. De ese sismo se derivarían asimismo incendios (resultante de los daños en instalaciones de gas, etc.), que podrían provocar tormentas ígneas, como sucediera en los terremotos de San Francisco y Tokio, en 1906 y 1923, respectivamente. Si, además[49], el terremoto ocurriera durante los vientos de Santa Ana, los incendios podrían ser devastadores. Por último, y por concluir con las previsiones de la simulación, se estima que mil ochocientas personas fallecerían y unas cinco mil trescientas demandarían asistencia médica de urgencia.

Como se ha expuesto, el riesgo constituye una constante estructural que difícilmente puede considerarse superada. La pretensión de controlar la dinámica interna y externa del planeta resulta inviable, pues los procesos físicos que la rigen exceden, en gran medida, la capacidad de intervención humana[50]. A lo sumo, la ciencia y la técnica permiten identificar con mayor o menor precisión las áreas geográficas susceptibles de determinados fenómenos —por ejemplo, erupciones en zonas volcánicas activas, inundaciones en cauces fluviales o terremotos en regiones con fallas tectónicas—.

Esta limitación impone la necesidad ineludible de adoptar medidas normativas, técnicas y organizativas que permitan mitigar sus efectos y reforzar la resiliencia social e institucional. Ello incluye, entre otros aspectos, la planificación preventiva, el fortalecimiento de los sistemas de alerta temprana y la formación de la población en protocolos de autoprotección.

La incertidumbre respecto al momento exacto en que estos eventos pueden producirse constituye un factor de riesgo adicional, generador de ansiedad colectiva. El ordenamiento jurídico, en conjunción con el conocimiento científico, debe orientar políticas públicas que reduzcan dicha incertidumbre mediante información veraz, evaluación continua de amenazas y medidas de

---

49 En esta Tesis abordamos qué son los riesgos sistémicos, algo que tiene mucho que ver con lo que se está describiendo

50 Ibáñez, J. M. (2023, 13 de febrero). ¿Qué ha fallado?: Los seísmos se pueden prevenir. *Diario La Razón*, p. 15.: "¿Qué ha fallado? Los seísmos se pueden prevenir." El catedrático del Departamento de Física Teórica y del Cosmos en la Universidad de Granada expresa que: "Los terremotos nunca se pueden predecir, solo se pueden prever. Lo que pasa es que no podemos decir si será dentro de 5, 10 o 20 años. Sin embargo podemos prevenir. Como prevemos que puede haber un terremoto, podemos saber cuál es el movimiento del terreno, cuál es la aceleración y hay que recomendar cómo debe construirse en esa zona".

preparación proporcionadas, evitando así caer en el denominado sesgo de normalidad que conduce a subestimar el peligro hasta que se materializa[51].

Para NOJI[52], muchos de los desastres naturales se pueden evitar con un mínimo de prevención o preparación.

Como indicó MONTANDON[53], en su obra, "La géographie des calamités"[54]:

"La reunión de elementos estadísticos juiciosamente interpretados permitirá descubrir en el futuro algunas de las leyes a las que obedecen esos fenómenos recurrentes y periódicos; y cuando conozcamos esas leyes estaremos mejor preparados para defendernos y para limitar las consecuencias desastrosas de las catástrofes tan diversas que asolan a la humanidad".

Es lo que piensa ROUBINI, que establece como vía de solución a algunos de los peores vaticinios, la necesidad de "descubrir" esas leyes de las que hablaba MONTANDON hace un siglo, haciéndolo de la mano de la fusión nuclear[55].

---

51 El concepto "sesgo de la normalidad" es un sesgo cognitivo que nos lleva a creer, irracionalmente, que nunca nos ocurrirá nada malo porque nunca nos ha ocurrido. Es decir, que todo siempre será "normal" y nada romperá con esa normalidad. Este sesgo se activa ante situaciones de emergencia o desastres. Ruiz Mitjana, L. (s. f.). El concepto "sesgo de la normalidad". En *Psicología y Mente.* Recuperado de https://bit.ly/3YBEfZh

52 Noji, E. K. (1997). *The Public Health Consequences of Disasters.* Oxford University Press. ISBN: 0-19-509570-7.

53 Montandon, R. (1923, 23 de noviembre). Propuesta al Comité Internacional de la Cruz Roja, una "Comisión para el estudio de las calamidades", que se constituyó en Ginebra el 15 de febrero de 1924. También, se aprobó la creación de un periódico científico trimestral por título: "Materiales para el estudio de las calamidades". La creación de dicho periódico estaba muy relacionado con el proyecto de atlas mundial de distribución geográfica de las calamidades del que el Comité Internacional de la Cruz Roja era promotor. Se trata pues de un proyecto de alcance mundial, al objeto de prevenir para cada región del mundo su período de posible repetición. Para ampliar información: https://bit.ly/3lwzHoS

54 Montandon, R. (1924). La géographie des calamités. *Matériaux pour l'Étude des Calamités,* (1), 20.

55 Roubini, N. (2023, 12 de enero). La fusión nuclear como motor de desarrollo económico y social. *La Vanguardia,* p. 37. Señala el analista económico y ex integrante del Consejo de Asesores Económicos de Clinton, que la fusión nuclear "permitiría hundir el precio de la energía, desalinizar agua del mar, cultivar más alimentos y, junto con inteligencia artificial, automatización y cuántica, lograr un crecimiento de un 5% o 6% anual. Así hay dinero para renta básica universal, cambio climático...". Publicado en el Periódico La Vanguardia.

2.- RIESGO Y CIUDADANÍA

Los ciudadanos toman cada vez con más interés todo lo que acontece en nuestro Planeta, y prestan especial atención a la importancia de lo que comúnmente denominamos desastres/catástrofes. Tenemos en la memoria aquellos informativos diarios con informaciones que tenían que ver con el volcán que despertó en La Palma un 19 de septiembre de 2021. Durante 85 días de nuestra existencia, aprendimos vulcanología, conocimos detalladamente de la destrucción de 2988 edificaciones, 1219 hectáreas ocupadas por la colada volcánica, la triste pérdida de una vida humana. Vivimos con zozobra el inicio y la incertidumbre de desconocer el final.

A lo largo de 2023, la opinión pública recibió con especial impacto las noticias relativas a fenómenos catastróficos de distinta naturaleza. Entre ellos, destacan los terremotos que afectaron al sureste de Turquía y a parte del territorio sirio, cuyo balance humano y material alcanzó magnitudes excepcionales. En el ámbito mediterráneo, se registraron numerosos incendios forestales de gran extensión, como el acaecido en el municipio tinerfeño de Arafo y áreas colindantes, que arrasó aproximadamente 15.000 hectáreas en trece municipios, y los ocurridos en Grecia, que provocaron alrededor de cincuenta víctimas mortales. Igualmente, resultó especialmente conmovedor el caso de la ciudad de Derna (Libia), donde intensas precipitaciones asociadas a un fenómeno meteorológico extremo provocaron el colapso de dos presas construidas para la protección urbana, ocasionando la muerte de varios miles de personas y devastando amplias zonas del núcleo poblacional. Este suceso puso de manifiesto la vulnerabilidad de las infraestructuras críticas frente a eventos hidrometeorológicos de alta intensidad y la necesidad de reforzar los sistemas de alerta temprana y de mantenimiento preventivo.

Decayó el interés informativo sobre el volcán de La Palma, así como sobre los sucesos de Turquía, Siria, Grecia y Libia, y los medidores de audiencia reflejaron fielmente esta tendencia mediante una curva de seguimiento descendente. Los medios de comunicación reordenaron las prioridades de sus escaletas, incorporando nuevos temas considerados de mayor repercusión. Este fenómeno puede definirse como "selectivismo informativo", condicionado, en gran medida, por la proximidad[56] temporal del acontecimiento.

---

[56] Un ejemplo es lo sucedido el 15 de enero del 2022, unos meses después del volcán de La Palma, cuando despertó un volcán submarino, el Hunga Tonga-Hunga Ha´apai, asombrando a la comunidad científica. Se llegó a sentir en el espacio, generó vientos de carácter extremo, así como corrientes eléctricas infrecuentes, captadas por naves espaciales tanto de la NASA como de la Agencia Espacial Europea. El tsunami que

Lo mismo sucederá con la DANA que afectó gravemente a España en octubre de 2024 y de cuyas consecuencias tardaremos en recuperarnos. Y los graves incendios forestales del verano de 2025. A estos episodios les seguirán, sin duda, otros, ya sea dentro o fuera de nuestras fronteras. Llegarán a la opinión pública de la mano de los medios de comunicación convencionales, tal y como los conocemos, o a través de las nuevas plataformas y canales de difusión de noticias y mensajes.

Se suma a lo anterior que la velocidad de transmisión de la información es instantánea. Por ello, ahora no solo se narra qué sucede, sino también por qué sucede; analizamos los escenarios, contamos con información sobre los antecedentes, la señal en directo se retransmite en alta definición y los testimonios nos aportan conocimientos e incluso sentimientos. El ser humano tiene una curiosidad innata, y los medios de comunicación lo saben.

Detrás de todas esas imágenes que se corresponden con fenómenos impactantes, existe un corpus normativo (variable en función de los niveles de desarrollo) que regula la respuesta de multitud de instituciones, profesionales e incluso los propios ciudadanos. En España, proviene esencialmente de nuestro derecho administrativo. Ese derecho es imprescindible para la convivencia y el progreso en todo tiempo y lugar como señala el Prof. RIVERO. La calidad de la respuesta, entre otros elementos, tendrá mucho que ver con nuestra calidad legislativa, y de ser capaces de adaptarnos a un mundo cambiante, como nunca se había conocido. De ahí nacerá su auténtica utilidad, orientada al interés general, que es la razón de ser de la Administración pública, cuya organización administrativa "aspira a disponerse del modo más apropiado para alcanzar los objetivos de la sociedad"[57]. Esto viene reflejado en los últimos tiempos en el Real Decreto que regula la Memoria de Análisis de Impacto Normativo[58]. Un instrumento que contribuye a favorecer el bienestar social, que nos exige legislar mejor, es decir, una utilidad que nos impida poner como excusa[59] el tan manido: "no se puede hacer nada".

---

provocó en el Pacífico hizo que las olas llegaran a elevarse 19 metros, cobrándose la vida de dieciséis personas, dos de las cuales, se hallaban en Perú, a más de 10.000 km de distancia. Fuente: NASA, Earth Observatory, https://go.nasa.gov/3G3zFfs

57 Rivero Ortega, R. El Derecho Administrativo, 2º Ed. Editorial Tirant lo Blanch. Pág. 20-21.

58 Real Decreto 931/2017, de 27 de octubre, por el que se regula la Memoria del Análisis de Impacto Normativo. (2017, 14 de noviembre). BOE, núm. 276. https://bit.ly/3Dezv3m

59 Con motivo del terremoto de Turquía, en febrero de 2023, el presidente Erdogan señaló: Es imposible estar preparado para una catástrofe tan grande". BBC News 8.02.23, https://bbc.in/3JSQhsR

Ya en 1990 era muy consciente la Asamblea General de las Naciones Unidas y declaró el decenio que echaba a andar como la Década Internacional para la Reducción de los Desastres Naturales, haciendo un llamamiento al conjunto de la comunidad (científicos, técnicos y políticos) a fin de disminuir el impacto de estos[60].

En esto vamos también a profundizar en esta tesis. Aportaremos un conjunto de conocimientos en el área de los desastres imprescindibles, a mi juicio, para legislar mejor y con eficacia[61]. Para mejorar nuestra existencia. Para ser un instrumento útil al servicio de quienes han de legislar, y para quienes nos gobiernan. Para que la comunidad científica confíe en los legisladores, pues estos tienen muy en cuenta sus observaciones[62], y muchas de estas las vamos a plasmar en este trabajo. Un trabajo que nace con la vocación de aportar una perspectiva innovadora para mejorar la calidad de servicio, demandada justamente por los ciudadanos. En definitiva, garantizar nuestro derecho a la vida y el logro del bienestar común, sin olvidar que, hasta el momento, podemos decir que hemos tenido la suerte con frecuencia de nuestro lado, lo que no quiere decir que siempre esté en tal posición, como veremos a continuación. Se trata pues de derecho, como establece SARASIBAR.[63]

También, se hace con honestidad intelectual, aportando una amplia panoplia de citas que permitan al lector seguir profundizando en las áreas abordadas superando el millar, desde la consciencia que dichas fuentes,

---

60 Decenio Internacional para la Reducción de los Desastres Naturales, 85ª Sesión Plenaria, 22 de diciembre de 1989. https://bit.ly/3KbYtoc

61 Esta es una preocupación que trasciende nuestras fronteras. FARBER, D.A. y CHEN, J., en su libro: "Disasters and the law", ponen de manifiesto que tras determinados desastres (como el huracán Katrina entre otros), se necesitan políticas innovadoras al tiempo que una revisión de la normativa para poder dar respuesta a los mismos, así como acometer la fase de reconstrucción. Ed. Aspen Publishers (12 septiembre de 2006).
Más recientemente, SIMONCINI, M. y HERWIG, A., en su obra: Law and the Management of disasters: The Challenge of Resilience (Law, Science and Society), señalan que el Derecho ha de ir más allá de cómo venía planteando respuestas, para introducir el concepto clave de "resiliencia", y los instrumentos jurídicos que pueden ayudar a esta. Ed. Publisher Quality, (18 de febrero de 2017).

62 En una entrevista publicada en El Español de Lucy Jones, una experta en desastres, señalaba a modo de receta para enfrentarse a cualquier desastre natural, pasar a la acción: "prevenir, formarse, pensar en nosotros mismos y no asumir que los gobiernos nos protegen". https://bit.ly/3Rqiucm

63 Sarasibar Iriarte, M, "El derecho ante los riesgos y desastres naturales", Revista General de Derecho administrativo, 61, 2022.

sin duda, son el complemento perfecto para conformarse una opinión más fundada acerca de los temas abordados.

No podemos tener una visión miope del futuro, ni podemos caer en el cortoplacismo. Como diría BETANCOR[64], el ser humano padece de un sesgo, el cual consiste en preferir "la satisfacción del hoy frente a la del futuro, por muy asegurada que esté e, incluso, de su importancia". Con este trabajo, nos esforzamos por huir del mismo, sentando bases sólidas para un futuro más seguro.

La Comisión Europea ha señalado[65]:

"Teniendo en cuenta el considerable aumento del número y la gravedad de las catástrofes naturales y de origen humano en los últimos años, debido en gran parte al cambio climático, y en una situación en que las futuras catástrofes serán más extremas y complejas y dejarán largas secuelas y consecuencias duraderas, la prevención de las catástrofes es clave para alcanzar un mayor nivel de protección y de capacidad de recuperación. Esto requiere más actuaciones y un planteamiento integrado de gestión del riesgo de catástrofes que establezca un vínculo entre la prevención de riesgos, la preparación y las actuaciones de respuesta."

El profesor NEVADO-BATALLA[66] señala entre los derechos que la política siempre debería proteger (y la política opera a través del derecho administrativo, de manera significativa) varias necesidades públicas inaplazables, entre las que cita, en primer lugar, la seguridad. Esa priorización, la subraya en las situaciones de emergencia[67].

Nos ponemos, pues, manos a la obra, con la lupa esencial del Derecho Administrativo y con el apoyo de un abanico de instituciones y personas que han abierto, y siguen abriendo, caminos de luz en esta materia.

---

64 Betancor, A. (2020). No son los pensionistas. *El Mundo,* 17.

65 Comisión Europea. (2015, 8 de agosto). Directrices de evaluación de la capacidad de gestión de riesgos (2015/C 261/03). *Diario Oficial de la Unión Europea.*

66 Nevado-Batalla, P.T. (2022). *Política vs. Gestión Pública: La tentación del abuso.* Ed. Colex. Pg. 20

67 Sen, A., & Kliksberg, B. (2007). *Primero la gente: Una mirada desde la ética del desarrollo a los principales problemas del mundo globalizado.* Editorial Deusto. Visto en Nevado-Batalla, P.T. (2022). *Política vs. Gestión Pública: La tentación del abuso.* Ed. Colex. Pg. 20. Pg. 20

Capítulo 1. Definición y alcance de los desastres naturales y catástrofes

1.- TERMINOLOGÍA Y CLASIFICACIÓN

1.1. Definiciones de *desastre* y *catástrofe*

Pretendemos arrojar luz sobre los términos *desastre* y *catástrofe*, teniendo en cuenta su dificultad, como veremos, y la vinculación que muestra el término *desastre* con otros términos como es el de *accidente* o la *emergencia*.

Para FOUCE[68], hay características comunes en los desastres, los accidentes y las emergencias: precisa sin demora una intervención según la demanda en una situación emergente, con reacciones psicológicas de los individuos que dependiendo de las circunstancias pueden ser similares, que pueden ser imprevisibles y accidentales (causan pues sorpresa, sensación de vulnerabilidad y desestabilización), comprometiendo la vida y la integridad física.

Pero es pertinente establecer límites que distingan los tres términos anteriores, y que de la mano de WEISAETH[69], veremos un poco más adelante.

Una vez clarificados en cierta medida los términos anteriores y aproximándonos a la definición de desastre, deberíamos preguntarnos qué entendemos por catástrofe[70] o desastre, pues a menudo se utilizan estos términos

---

68 García Renedo, M., Gil Beltrán, J. M., & Valero Valero, M. (2007). *Psicología y desastres, aspectos psicosociales*. Publicaciones de la Universitat Jaume I. ISBN: 978-84-8021-588-6.

69 Weisaeth, L. (1992). Prepare and repair: Some principles in prevention of psychiatric consequences of traumatic stress. *Psychiatria Fennica, 23*(Suppl.), 11-28.

70 Así, se ha distinguido indicando que una catástrofe es un evento natural o humano que actúa como detonante de la crisis. Por su parte, el desastre consistiría en el impacto de esa crisis, en sus perniciosas consecuencias humanas, sociales y económicas. El desastre se produce como consecuencia de un proceso de crisis que es desencadenado por una catástrofe, al actuar sobre una determinada situación de vulnerabilidad preexistente, cuando las comunidades o sectores afectados no disponen de las capacidades necesarias para ejecutar las estrategias con las que

de manera intercambiable, aunque el primero sea más antiguo. Ninguno de los dos es un término técnico y, por tanto, carecen de una única definición aceptada[71]. Incluso, algunos instrumentos internacionales optan por no definir el término en absoluto.[72]

Para el Diccionario de la Real Academia de la Lengua Española, (DRAE), *desastre* es:

1. m. Desgracia grande, suceso infeliz y lamentable. U. t. en sent. fig.
2. m. Cosa de calidad, resultado, organización, aspecto u otras características muy malas. Un desastre de oficina.
3. m. Persona poco hábil, poco capaz, que lo hace todo mal o a la que todo le sale mal.

Y *catástrofe*:

Del lat. tardío *catastrŏphe,* y este del gr. καταστροφή *katastrophḗ,* der. de καταστρέφειν *katastréphein* 'abatir, destruir'.

1. f. Suceso que produce gran destrucción o daño.
2. f. Persona o cosa que defrauda absolutamente las expectativas que suscitaba. El estreno fue una catástrofe.
3. f. Mat. Cambio brusco de estado de un sistema dinámico, provocado por una mínima alteración de uno de sus parámetros.
4. f. T. lit. Desenlace de una obra dramática, al que preceden la epítasis y la prótasis.

---

resistir a tal proceso. Pérez de Armiño, K. (2006). Diccionario de acción humanitaria y cooperación al desarrollo (pp. 187-191). En Fernández Liesa, C. R. (2011). Desarrollos del Derecho Internacional frente a los desastres/catástrofes internacionales. *Anuario Español de Derecho Internacional,* pp. 211.

71 Naciones Unidas. (2009). Protección de las personas en casos de desastre (Informe No. A/CN.4/615). Segundo informe sobre la protección de las personas en casos de desastre del Sr. Eduardo Valencia-Ospina, Relator Especial. p. 205.Visto el 30.11.21 en la web: https://bit.ly/3EtE73M

72 Este es el caso de la Convención Interamericana para Facilitar la Asistencia en Casos de Desastre, de la OEA, que entró en vigor el 16 de octubre de 1996. También el de la Convención sobre asistencia en caso de accidente nuclear o emergencia radiológica, que aunque evita la definición de "desastre", establece los elementos de cooperación en caso de accidente o emergencia nuclear o radiológica.

"Desastre" procede del latín des ("negativo", "desafortunado") y astre ("astro", "estrella"), y por tanto se refiere a un desgraciado suceso que tiene su génesis en los astros o los dioses, y por tanto fuera del control y capacidad del ser humano[73].

No encontraremos pues una respuesta satisfactoria para poder definir estos términos, con el recurso de la ayuda académica antes mencionado, ni acudiendo a otro diccionario, el panhispánico del español jurídico, pues su definición se centra únicamente en los efectos producidos en el ámbito agrario y forestal[74], definición que reproduce literalmente este diccionario cuando acudimos a la voz *desastre natural.*

En el Diccionario Etimológico Online[75], el término *desastre* (disaster) es definido como "cualquier cosa que suceda de naturaleza ruinosa o angustiosa;

---

73 En el Dictionnarie de L'Académie francaise, el término "désastre" en su primer acepción es: "1. Évènement funeste ; grand malheur ; les dommages qui en résultent. *Désastre militaire. Cette campagne militaire fut une suite de désastres. Le désastre de Pavie. Sa mort fut à l'origine du désastre. L'ampleur, l'étendue du désastre. Un désastre irréparable. Courir, aller droit au désastre.* Échapper *au désastre.*" El término "catastrophe" en su segunda acepción es definido como: "2. Évènement soudain qui, bouleversant le cours des choses, amène la destruction, la ruine, la mort, le désespoir. *La disparition de cet homme a* été *une catastrophe pour les siens. Il est arrivé une terrible catastrophe. Une catastrophe maritime, ferroviaire, aérienne. Une catastrophe financière. C'est une catastrophe sur le plan économique. Provoquer une catastrophe. Nous touchons à la catastrophe. Courir à la catastrophe. Cela a tourné en catastrophe. La catastrophe a* été évitée *de* justesse." Como podemos observar, la definición de desastre se enfoca en el daño resultante, en su magnitud, en su carácter irreparable, y el término catástrofe pone el acento también en el daño resultante, y en su carácter repentino.
El diccionario Larousse en su versión francesa define "désastre" como catástrofe en su primera acepción: "1. Catastrophe, événement funeste ; grand malheur, dégâts qui en résultent ", y "catastrophe" como: "1. Événement qui cause de graves bouleversements, des morts. (Abréviation familière : cata.) : Le sang-froid du pilote a évité la catastrophe", poniendo el acento en el daño resultante.

74 El diccionario panhispánico del español jurídico define "catástrofe" como: "suceso imprevisto de índole biótica o abiótica que ocasiona trastornos importantes en los sistemas de producción agraria o en las estructuras forestales y que acaba generando daños económicos importantes en los sectores agrícola o forestal". Vid. https://dpej.rae.es/lema/cat%C3%A1strofe

75 Utiliza las siguientes fuentes: "An Etymological Dictionary of Modern English" de Weekley, "A Comprehensive Etymological Dictionary of the English Language" de Klein, "Oxford English Dictionary" (segunda edición), "Barnhart Dictionary of Etymology", "Holthausen" Etymologisches Wörterbuch der Englischen Sprache "y" Dictionary of American Slang "de Kipfer y Chapman.

cualquier evento desafortunado" [76], y *catástrofe*[77] (catastrophe) como "lo contrario de lo esperado" (especialmente referido al punto de inflexión fatal en un drama).

El término desastre ha tenido también evoluciones terminológicas; así, en el Oxford English Dictionary, encontramos el término "disaster capitalism": "The exploitation of natural or man-made disasters (such as catastrophic weather events, war, epidemics, etc.) in service of capitalist interests; the practice of using unstable social, political, and economic situations to impose or benefit from deregulation, the privatization of public assets, etc."[78]

Para este diccionario, "disaster" es definido como: "a disaster, misfortune, calamity, misadventure, hard chance", así como "anything that befalls of ruinous or distressing nature; a sudden or great misfortune, mishap, or misadventure; a calamity. "[79] Para el Cambridge Dictionary, y el Oxford Learner's Dictionaries, "catastrophe" tiene como sinónimo, entre otros, el término "disaster".[80]

Lo encontraremos como término intercambiable en multitud de ocasiones, lenguas, y definiciones. Un claro ejemplo lo hallamos en la reciente obra de Niall Ferguson, considerado el historiador británico más destacado por The Times y una de las 100 personas más influyentes del mundo: "Las catástrofes son impredecibles por naturaleza porque, la mayor parte de las veces, los desastres no siguen una pauta de distribución normal…".[81]

El Bundesamt für Bevölkerungsschutz und Katastrophenhilfe (BBK)[82], define el término catástrofe (katastrophe) como:

---

[76] https://www.etymonline.com/search?q=disaster

[77] Del latín *catastropha*, del griego *katastrophe* "vuelco, final repentino".

[78] "La explotación de catástrofes naturales o provocadas por el hombre (como fenómenos meteorológicos catastróficos, guerras, epidemias, etc.) al servicio de los intereses capitalistas; la práctica de utilizar situaciones sociales, políticas y económicas inestables para imponer o beneficiarse de la desregulación, la privatización de bienes públicos, etc." (Entre otros, lo podemos encontrar en Klein, N. (2008). *Rise of Disaster Capitalism in Nation.* Picador Paper; First edition. ISBN: 978-0312427993.

[79] "desastre, desgracia, calamidad, desventura, mala suerte", "cualquier cosa que suceda de naturaleza ruinosa o penosa; una desgracia, percance o infortunio súbito o grande; una calamidad"

[80] Shakespeare, W. (1602). Hamlet, en 1602 escribió sobre el desastre: "Stars with trains of fire and dews of blood, Disasters in the sun; and the moist star, Upon whose influence Neptunes empire stands, Was sick almost to dooms-day with eclipse".

[81] Ferguson, N. (2021). *Desastre: Historia y política de las catástrofes* (p. 10). Debate.

[82] Oficina Federal de Protección Civil y Asistencia en Desastres (BBK). (2004). La Oficina Federal de Protección Civil y Asistencia en Desastres en Alemania.

"Un acontecimiento en el que la vida o la salud de un gran número de personas o los fundamentos naturales de la vida o los bienes materiales significativos se ponen en peligro o se dañan de tal manera inusual que el peligro sólo puede evitarse o la perturbación puede prevenirse y eliminarse si las autoridades, organizaciones e instituciones que participan en la protección civil toman medidas para evitar el peligro bajo la dirección y dirección uniformes de la autoridad de protección civil."

Según la Norma alemana DIN 13050:2002-09[83], que aborda términos y definiciones en el ámbito de los servicios de emergencia, se define "catástrofe":

"Suceso que va más allá de un incidente grave y causa destrucción sustancial o daños a la infraestructura local, que no se pueden tratar en el marco de la atención médica con los recursos y estructuras operativas de los servicios médicos de urgencia por sí solos."

Por lo tanto, avancemos de la mano de instituciones internacionales fiables para esclarecer nuestro objetivo terminológico. Además, busquemos la orientación de diversas disciplinas de ciencias sociales.

Para la Federación Internacional de la Cruz Roja (IFRC)[84], *desastres* son:

"perturbaciones graves del funcionamiento de una comunidad que exceden su capacidad para hacer frente con sus propios recursos. Los desastres pueden ser causados por peligros naturales, provocados por el hombre y tecnológicos, así como por diversos factores que influyen en la exposición y vulnerabilidad de una comunidad."

Para la Agencia Federal de Emergencias de Estados Unidos (FEMA) un desastre[85] se define como "una catástrofe natural, accidente tecnológico o evento causado por humanos que provoca daños materiales graves, muertes y/o lesiones múltiples." Observamos que para definir desastre, emplea el término "catástrofe".

La Oficina de las Naciones Unidas para la Reducción del Riesgo de Desastres (UNISDR)[86] define *desastre* como: "Perturbación grave del funcionamiento de una comunidad o sociedad que implica pérdidas e impactos

---

83 Comité de Trabajo NA 053-01-09 del comité de normalización "Servicios de rescate y hospitales" (NARK). (2002). DIN 13050:2002-09: Rettungswesen-Begriffe Emergency Services., https://www.austrian-standards.at/en/shop/din-13050-2002-09~p3064853

84 https://www.ifrc.org/what-disaster, visto el 17 de Noviembre de 2021.

85 https://training.fema.gov/programs/emischool/el361toolkit/glossary.htm. Visto el 16 de noviembre de 2021

86 https://bit.ly/2GEZu9b, Visto el 16 de noviembre de 2021

humanos, materiales, económicos o medioambientales generalizados, que superan la capacidad de la comunidad o sociedad afectada para hacer frente a la situación con sus propios recursos."

En el campo de la sociología, un *desastre* se define como:

"un evento, concentrado en el tiempo y el espacio, en el cual una sociedad, o una subdivisión relativamente autosuficiente de una sociedad, sufre un grave peligro e incurre en tales pérdidas para sus miembros y propiedades físicas que la estructura social se rompe y el cumplimiento de todas o algunas de las funciones esenciales de la sociedad."[87]

Otro sociólogo, ANDERSON,[88] a propósito del término desastre señalaba que:

"desde el punto de vista conceptual, es conveniente diferenciar el desastre como un evento de crisis aguda que perturba físicamente la vida cotidiana, por lo demás normal, en que anticipa la perturbación de la rutina esperada".

La definición anterior estaría vigente hasta la década de los 60/70, en que aparecerá la idea de "emergencias complejas como desastres extendidos en el tiempo o desastres crónicos"[89].

En los 80, QUARANTELLI[90] define el desastre como:

"evento crítico en el que las demandas empiezan a tomar lugar en el sistema humano debido a que el evento excede la capacidad de responder del sistema".

La definición introduce por primera vez el factor de desequilibrio entre exigencias de demandas y capacidad de responder a las mismas.

---

87 Fritz, Ch. E. (1961). Disaster. En Merton, R. K. y Nisbet, R. A. (Eds.), *Contemporary Social Problems* (pp. 651-694). New York: Harcourt.

88 Anderson, J. W. (1968). Cultural adaptation to threatened disaster. *Human Organization, 27*(4), 298-307.

89 Arcos González, P., & Castro Delagado, R. (2015). La construcción y evolución del concepto de catástrofe-desastre en medicina y salud pública de emergencia. *Index de Enfermería, 24*(1-2), 59-61. https://scielo.isciii.es/scielo.php?script=sci_abstract&pid=S1132-12962015000100013

90 Quarantelli, E. L. (1985). What is disaster? The need for clarification in definition and conceptualization in research. Universidad de Delaware. Citado por Arcos González, P., & Castro Delagado, R. (2015). La construcción y evolución del concepto de catástrofe-desastre en medicina y salud pública de emergencia. *Index de Enfermería, 24*(1-2), 59-61. https://scielo.isciii.es/scielo.php?script=sci_abstract&pid=S1132-12962015000100013

Y BRITTON[91] define desastre como: "una expresión de la vulnerabilidad de la sociedad humana y su utilización del medio físico y social". Esta definición cobra relevancia por la incorporación del concepto de "vulnerabilidad", algo que no formaba parte del campo definitorio del término hasta entonces.

Para WEISAETH[92], a la hora de definir el término *desastre* señala una serie de aspectos relevantes a su juicio:

"hay tres aspectos muy importantes en el hecho de declarar un suceso como desastre que son la cantidad de ayuda a ofrecer; el peso emocional, político y económico que influirá en las propias víctimas y en el público en general; y el más importante, la pura magnitud de un desastre, en contraste con otros sucesos serios y traumáticos, que crea unas necesidades que dejan atrás los recursos disponibles".

Los conceptos de riesgo, amenaza y vulnerabilidad se introducen a partir de la década de los 90, definiéndose *desastre* como[93]:

"interrupción grave del funcionamiento de una comunidad o una sociedad que causa pérdidas humanas, materiales, económicas o ambientales y que exceden la capacidad de la comunidad o sociedad afectada para hacer frente con sus propios recursos" .

A partir de esta década es cuando se producen los mayores avances en la definición, como veremos más adelante.

A modo de esquema, se expresan las características de las definiciones de desastre según distintos autores[94]:

---

91 Britton, N. R. (1986). Developing an understanding of disaster. *Australian and New Zealand Journal of Sociology, 22*(2), 254-271. Citado por Arcos González, P., & Castro Delagado, R. (2015). La construcción y evolución del concepto de catástrofe-desastre en medicina y salud pública de emergencia. *Index de Enfermería, 24*(1-2), 59-61. https://bit.ly/3HurtWw

92 Weisaeth, L. (1992). Prepare and repair: Some principles in prevention of psychiatric consequences of traumatic stress. *Psychiatria Fennica, 23*(Suppl.), 11-28. Citado por Arcos González, P., & Castro Delagado, R. (2015). La construcción y evolución del concepto de catástrofe-desastre en medicina y salud pública de emergencia. *Index de Enfermería, 24*(1-2), 5961. https://bit.ly/3HurtWw

93 United Nations International Strategy for Disaster Reduction. (2009). Terminology. Recuperado de https://www.undrr.org/publication/2009-unisdr-terminology-disaster-risk-reduction (consultado 25 octubre 2025).

94 García Renedo, M., Gil Beltrán, J. M., & Valero Valero, M. (2007). *Psicología y desastres, aspectos psicosociales* (p. 39). Publicaciones de la Universitat Jaume I. ISBN: 978-84-8021-588-6.

Tabla 1.

	Evento/ Suceso	Repentino/ In-controlado	Momen-to Crítico	Daños en Infraes-tructuras Sociales	Daños Materia-les y Humanos	Recursos Insu-ficientes	Consecuencias Psicológicas
Fritz (1961)	X		X	X	X		
Barton (1968)	Estrés Colectivo						
Harshbarger (1974)	X	Rápidos	X	X			
Cohen y Ahearn (1980)	X				X		X
Slby et al. (1980)	Huracán, tornado…				X	Asistencia	X
McCaughey (1984)	X	X			X		X
Kreps (1984)	X		X	X	X		X
Shah (1985)	Fuerza externa			X	X		X
Quarantelli (1985)	X			X	X	X	
Raphael (1986)	Situación desbordante			X	X	X	
Britton	Expresión						

Tabla 2.

(1986)	Vulnerabilidad						
Berren y Beigel (1988)	X					X	X
Gist y Lubin (1989)	X			X			
Rodríguez (1999)	X	X				Acción inmediata	
Hernán (1999)	X			X	X	X	X
Puy y Romero (1998)	Situaciones de estrés colectivo			Efectos Sociales	Efectos Sociales		Efectos Sociales
Tierney (1989)	Situación de estrés colectivo	Sujetos al control humano	X	X	X		
Nicolás y otros (2000)	Situación de crisis o suceso					X	X
Cortés (2000-2001)	Situación extraordinario. Resultado riesgo no mejorado			Alteraciones intensas	Alteraciones intensas	X	Alteraciones intensas en las personas

Y en el campo de la Geografía se define el término *desastre* "...cuando un número significativo de personas vulnerables experimentan un peligro y sufren graves daños y/o la interrupción de su sistema de sustento de tal manera que la recuperación es poco probable sin ayuda externa."[95] El geógrafo CLARK, publicó en 2005 que[96]:

"La palabra 'desastre' significa literalmente la pérdida de una estrella, o la pérdida de la luz que te guía. Ya sea que el desastre sea grande o pequeño, íntimo o colectivo, no lo ves venir. Es, por definición, un shock, una sorpresa. Los desastres te sacan de tu eje, te sacuden de tu órbita normal".[97]

Basado en CLARK y otros autores, en el libro "Savage sand and surf"[98], de EARGLE y ESMAIL, y a propósito del huracán Sandy en 2012, realizaron un cuadro explicativo de las diferencias entre catástrofe y desastre[99].

En el ámbito de la Antropología, los *desastres* pueden definirse como eventos/procesos[100]. Y en Psicología, un *desastre* es un "evento potencialmente traumático que se experimenta colectivamente, tiene un inicio agudo y está delimitado en el tiempo. Los desastres pueden atribuirse a causas naturales, tecnológicas o humanas". [101]

---

95 Wisner, B., Blaikie, P., Cannon, T., & Davis, I. (2004). *At risk: Natural hazards, people's vulnerability and disasters* (p. 50). Routledge.

96 Clark, N. (2005). Disaster and Generosity. *The Geographical Journal, 171*(4), 384-386

97 Clark (2005) señaló que el "sacar de tu eje" fue provocado por un temblor submarino que se produjo frente a la Isla de Sumatra, conocido como el terremoto de Sumatra-Andamán, el 26 de diciembre de 2004. Este terremoto tuvo una magnitud de 9,1 y tuvo un impacto significativo en el planeta (Walton, 2005). Se estima que unas 275.000 personas fallecieron como resultado del tsunami posterior, dejando a los sobrevivientes sin la "luz" que los guiaba.
Scientists: Sumatra quake longest ever recorded. *CNN*. Recuperado de https://cnn.it/3jmztQc

98 Eargle, A., & Esmail, A. (Eds.). (2015). *Savage Sand and Surf: The Hurricane Sandy Disaster*. ISBN-13: 978-0761865445.

99 Gulliver-García, T. (2019). Citado por Gulliver-García, T., Directora de Aprendizaje y Asociaciones del Center for Disaster Philanthropy's, en el artículo: Disasters versus Catastrophes: The Difference Matters. https://bit.ly/3WU5ooF

100 OLIVER-SMITH, A (1996). Anthropological Research on Hazards and Disasters. Annual Review of Anthropology 25: 303–328, DOI: https://doi.org/10.1146/annurev.anthro.25.1.303

101 McFarlane, A. C., & Norris, F. H. (2006). Definitions and Concepts in Disaster Research. En F. H. Norris, S. Galea, M. J. Friedman, & P. J. Watson (Eds.), *Methods for disaster mental health research* (pp. 3–19). The Guilford Press.

Para describir una catástrofe internacional, la Academia de Derecho Internacional de La Haya aprobó en 1995 la siguiente definición:

«Acontecimiento a menudo imprevisible, o situación durable, que produce daños inmediatos o diferidos a las personas, a los bienes o al medio ambiente, y de una amplitud tal que llama a una reacción solidaria de la Comunidad nacional o internacional».

Para la Organización Mundial de la Salud[102], se define el *desastre* como:

"interrupción grave del funcionamiento de una comunidad o sociedad que causa pérdidas humanas, materiales, económicas o ambientales, que exceden la capacidad de la comunidad o sociedad afectada para hacer frente con sus propios recursos".

Para el Centro de Investigación de Epidemiología de Desastres de la Universidad de Lovaina[103] *desastre* se define como:

"situación o evento que excede la capacidad de respuesta local, hace necesaria petición ayuda externa nacional e internacional y cumple, al menos uno de los siguientes criterios: 10 o más muertos, 100 o más afectados, declaración del estado emergencia y una petición ayuda internacional."

La definición de catástrofe del Centre for Research on the Epidemiology of Disasters (CRED) es:

"Una situación o acontecimiento que desborda la capacidad local y hace necesaria una solicitud de ayuda exterior a nivel nacional o internacional; un acontecimiento imprevisto y a menudo repentino que causa grandes daños, destrucción y sufrimiento humano".[104]

En el ámbito del derecho internacional, no hay una noción jurídica universalmente aceptada, y sí una pluralidad de acepciones. Las cosas no mejoran en el ámbito nacional. Y hay que reconocer que, sin definición, es difícil acometer cómo establecer unos límites razonables para el alcance de la cuestión.

---

102 EM-DAT International Disaster Database. (s.f.). Glossary. Recuperado de https://bit.ly/3R4HHc1

103 Université Catholique de Louvain. (2009). Disaster Category Classification and peril Terminology for Operational Purposes. Annex II: EM-DAT Data definitions. Working paper.

104 Para que una catástrofe se incluya en sus Bases de Datos, han de cumplirse algunos requisitos como son: que haya declarados 10 o más muertos; que se declaren 100 o más afectados; que haya declaración de estado de emergencia; que se produzca un requerimiento de ayuda internacional.

Como señala VALENCIA-OSPINA, podemos tomar como punto de partida aconsejable el Convenio de Tampere, que versa sobre "el suministro de recursos de telecomunicaciones para la mitigación de catástrofes y las operaciones de socorro en casos de catástrofe". El Convenio de Tampere expresa que:

"Por «catástrofe» se entiende una grave perturbación del funcionamiento de la sociedad que suponga una amenaza considerable y generalizada para la vida humana, la salud, las cosas o el medio ambiente, con independencia de que la catástrofe sea ocasionada por un accidente, la naturaleza o las actividades humanas y de que sobrevenga súbitamente o como resultado de un proceso dilatado y complejo."[105]

España se adhirió al Convenio de Tampere mediante el Instrumento de Adhesión publicado el 5 de abril de 2006, y recoge la definición anterior en su artículo 1.6, reproduciéndola en idénticos términos.[106]

Dentro del Marco de Acción de Hyogo 2005-2015, se hace referencia a la amenaza o peligro en su Preámbulo para definir la respuesta frente a los desastres que se espera de naciones y comunidades. Este marco define dicha respuesta como:

"evento físico potencialmente perjudicial, fenómeno o actividad humana que puede causar pérdida de vidas o lesiones, daños materiales, grave perturbación de la vida social y económica o degradación ambiental. Las amenazas incluyen condiciones latentes que pueden materializarse en el futuro."[107]

Sin embargo, ¿es necesario que el daño se materialice o es suficiente con una amenaza considerable? Para el Convenio Marco de Asistencia en materia de Protección Civil, se considera suficiente la amenaza: "una situación excepcional que puede perjudicar la vida, los bienes o el medio ambiente". Por el contrario, en el Glosario multilingüe de términos internacionalmente acordados en relación con la gestión de desastres, elaborado en 1992 por el Departamento de Asuntos Humanitarios de las Naciones Unidas, se exige la materialización del daño.

---

105 Convenio de Tampere. 18 de junio de 1998. En Sexta Comisión 56, artículo 1, párrafo 6. Mencionado por Finlandia en nombre de los países nórdicos.

106 España. (2006). Instrumento de Adhesión al Convenio de Tampere sobre el suministro de recursos de telecomunicaciones para la mitigación de catástrofes y las operaciones de socorro en caso de catástrofes, hecho en Tampere el 18 de junio de 1998. *Boletín Oficial del Estado*, número 81, p. 13158. https://www.boe.es/boe/dias/2006/04/05/pdfs/A13157-13163.pdf

107 Esta definición se extrae literalmente de la Estrategia Internacional para la Reducción de Desastres (EIRD) de las Naciones Unidas, Ginebra, 2004.

"Interrupción seria de las funciones de una sociedad, que causa pérdidas humanas, materiales o ambientales extensas que exceden la capacidad de la sociedad afectada para resurgir, usando solo sus propios recursos. Los desastres se clasifican comúnmente de acuerdo con [...] las causas (naturales o antropogénicas)."[108]

Un elemento adicional de delimitación sería el alcance, capaz de superar la capacidad de respuesta, con una capacidad destructiva generalizada, excepto en los casos de conflictos armados. Este concepto se expresa en el Acuerdo a través del cual se establece el Organismo del Caribe para la Gestión de Emergencias en Casos de Desastre en su artículo 1, apartado d):

"Por «desastre» se entenderá un suceso repentino imputable directa y exclusivamente a fuerzas de la naturaleza o a la intervención humana, o a ambas, y que se caracteriza por una destrucción generalizada de vida o bienes y por amplias perturbaciones de los servicios públicos, quedando excluidos los sucesos ocasionados por guerras, enfrentamientos militares o mala gestión."

Parece de sentido común centrarnos, a la hora de definir qué es un desastre o catástrofe, en los efectos del hecho, y no necesariamente en los orígenes.[109] Y también, no deberíamos establecer fronteras conceptuales estrictas en el ámbito de las situaciones de desastres, perdiéndonos en disquisiciones sobre si la delimitación se debe limitar únicamente a la pérdida de vidas humanas, y no incluir la salud, o si un desastre ambiental debe exigir la protección de las personas. Las pérdidas materiales y ambientales "están indisolublemente unidas a la vida y la salud humanas y justifican, como un todo, la protección de las personas tras el acaecimiento de un desastre".[110]

Esto queda claramente establecido según el Convenio Marco de Asistencia en materia de Protección Civil: "catástrofe es una situación excepcional que puede perjudicar a la vida, los bienes o el medio ambiente".

En la Decisión No 1313/2013/UE del Parlamento Europeo y del Consejo de 17 de diciembre de 2013, relativa a un Mecanismo de Protección Civil

---

108 ONU/DHA. (1992). Gestion des catastrophes (ESF). DHA/93/36. Internationally agreed glossary of basic terms related to Disaster Management.

109 Valencia-Ospina, E. (2009). "No parece muy útil insistir en una separación estricta entre los desastres naturales y los provocados por el hombre cuando, por un lado, es particularmente difícil establecer una relación causal clara y, por el otro, un criterio de ese tipo no constituiría una aportación importante a la definición del término." En *Segundo Informe sobre la protección de las personas.* Documento A/CN.4/615, p. 207.

110 Naciones Unidas. (2009). Protección de las personas en casos de desastre, A/CN.4/615. Segundo informe sobre la protección de las personas en casos de desastre del Sr. Eduardo Valencia-Ospina, Relator Especial (p. 207, apdo. 38).

de la Unión, se define "catástrofe" como "toda situación que tenga o pueda tener efectos graves para las personas, el medio ambiente o los bienes, incluido el patrimonio cultural".[111]

Además, un criterio presente en algunas definiciones se refiere a la incapacidad de una respuesta adecuada desde la esfera local. Esto se establece en las Directrices Operacionales[112] sobre la protección de los derechos humanos en situaciones de desastres naturales, aprobadas por el Comité Interinstitucional Permanente:

"Por «desastre natural» se entienden las consecuencias de hechos desencadenados por peligros naturales como terremotos, erupciones volcánicas, desprendimientos de tierras, tsunamis, inundaciones y sequías que desbordan la capacidad local de respuesta. Esos desastres trastocan gravemente el funcionamiento de una comunidad o una sociedad provocando pérdidas humanas, materiales, económicas o ambientales generalizadas, que superan la capacidad de la comunidad o la sociedad afectadas de hacerles frente utilizando sus propios recursos".

En términos parecidos se expresa la Estrategia Internacional para la Reducción de Desastres[113]:

"... seria interrupción en el funcionamiento de una comunidad o sociedad que ocasiona una gran cantidad de muertes al igual que pérdidas e impactos, materiales, económicos y ambientales que exceden la capacidad de la comunidad o la sociedad afectada para hacer frente a la situación mediante el uso de sus propios recursos".

Analizadas las distintas acepciones, el Relator Especial cree que el Convenio de Tampere parece ofrecer la mejor definición. Y ello porque contextualiza el origen como complejo entramado de factores, donde es imposible identificar una única causa que baste para explicar la situación. Además, en juego no solo están las vidas humanas, sino también los bienes y el medio ambiente. Aisladamente, cada uno de estos elementos son digno de pro-

---

111 Parlamento Europeo y Consejo de la Unión Europea. (2013). Decisión No 1313/2013/UE del Parlamento Europeo y del Consejo de 17 de diciembre de 2013 relativa a un Mecanismo de Protección Civil de la Unión. https://www.boe.es/doue/2013/347/L00924-00947.pdf

112 *Human Rights and Natural Disasters. Operational Guidelines and Field Manual on Human Rights Protection in Situations of Natural Disaster*, March 2008 https://bit.ly/2ZDmJdz [Visitado el 30 Octubre 2021]

113 Estrategia Internacional para la Reducción de Desastres (UNISDR). (2009). Terminología sobre Reducción del Riesgo de Desastres (pp. 13-14). Ginebra: Naciones Unidas. https://www.unisdr.org/files/7817_UNISDRTerminologySpanish.pdf

tección. Por ello, VALENCIA-OSPINA propone la siguiente definición de desastre[114]:

"Por «desastre» se entenderá una perturbación grave del funcionamiento de la sociedad, con excepción de las situaciones de conflicto armado, que provoque pérdidas humanas, materiales o ambientales importantes y generalizadas.»

Como se habrá podido observar, el Relator Especial se abstiene de indagar en las causas, convencido de que nos encontramos ante la conjunción de un complejo conjunto de factores, con carácter general, originan cualquier desastre.

En la Ley 17/2015, de 9 de julio, del Sistema Nacional de Protección Civil[115] se menciona la catástrofe desde las primeras líneas del Preámbulo hasta el primer artículo, y esta mención continúa a lo largo de todo el articulado. Según esta ley, la "catástrofe" se considera una "emergencia" no evitada[116]. En su artículo 2.6, se define específicamente lo que se entiende por catástrofe:

"Una situación o acontecimiento que altera o interrumpe sustancialmente el funcionamiento de una comunidad o sociedad por ocasionar gran cantidad de víctimas, daños e impactos materiales, cuya atención supera los medios disponibles de la propia comunidad."

En la Ley del Sistema Nacional de Protección Civil, se establece claramente una equivalencia entre los términos "catástrofe" y "desastre". En su artículo 41, dedicado a la "Contribución al Mecanismo de Protección Civil de la Unión Europea":

"El Ministerio del Interior, como punto de contacto español del Mecanismo de Protección Civil de la Unión Europea, tanto en lo que afecta a las actividades de prevención, como en cuanto a las de preparación y respuesta a desastres que se desarrollan en el marco de dicho Mecanismo, actuará, cuando sea oportuno, en coordinación con los Departamentos de la Administración General del Estado afectados, así como con las Comunidades Autónomas".

El Real Decreto 407/1992, de 24 de abril, por el que se aprueba la Norma Básica de Protección Civil (derogado), mencionaba en su Preámbulo el tér-

---

114 Naciones Unidas. (2009). Protección de las Personas en Casos de Desastre, A/CN.4/615. Segundo informe sobre la protección de las personas en casos de desastre del Sr. Eduardo Valencia-Ospina, Relator Especial (p. 208). Visto el 30.11.21 en la web: https://bit.ly/3EtE73M

115 BOLETIN OFICIAL DEL ESTADO. Ley 17/2015, de 9 de julio, del Sistema Nacional de Protección Civil. https://www.boe.es/buscar/pdf/2015/BOE-A-2015-7730-consolidado.pdf

116 Así se expresa el artículo 2.5 al definir qué es una "emergencia de protección civil" a la que se debe responder para "tratar de evitar que se convierta en una catástrofe".

mino "catástrofe", calificándolo de "extraordinaria"[117], un adjetivo que, sin embargo, no se incluye al definir el objeto de la Norma Básica explicitado en su artículo 1.1.3. Este Real Decreto no ofrecía una definición concreta de "catástrofe"; más bien, utilizaba este término en conjunción con expresiones como "grave riesgo colectivo" y "calamidad pública", o en variantes tales como "suceso catastrófico", sin proporcionar mayores explicaciones. En la Resolución de 16 de diciembre de 2020, de la Subsecretaría, por la que se publica el Acuerdo de Consejo de Ministros de 15 de diciembre de 2020, por el que se aprueba el Plan Estatal General de Emergencias de Protección Civil, en su artículo 6.2.1., se equipara el término "catástrofes" con el de "emergencias de nivel superior", sin duda, una novedad que tampoco define el término. A diferencia de la Orden PJC/1430/2024, por la que se publica el Acuerdo del Consejo de Seguridad Nacional de 15 de octubre de 2024, por el que se aprueba la Estrategia Nacional de Protección Civil, el término "catástrofe" viene acompañado del de "emergencia", normalmente con la interjección "y", y con menor frecuencia con la interjección "o". Todo esto destaca la falta de delimitación de la noción de catástrofe/desastre en nuestro derecho administrativo, una cuestión que debería corregirse en el futuro, ya que es algo que en las últimas décadas ha cobrado una gran relevancia.

En la Norma Básica de Protección Civil, aprobada por Real Decreto 524/2023, de 20 de junio, no se proporciona tampoco definición explícita del término "catástrofe". Así, encontramos el término "catástrofe" en el primer párrafo del Preámbulo, cuando define el Sistema Nacional de Protección Civil como un instrumento para dar respuesta adecuada "ante los distintos tipos de emergencias y catástrofes originadas por causas naturales o derivadas de la acción humana". En la Norma, el término "emergencias y catástrofes" siempre aparecen reflejadas en correspondencia, hasta un total de cinco referencias.

El Consejo General del Poder Judicial[118] define grandes catástrofes como:

---

[117] Real Decreto 407/1992, de 24 de abril, Norma Básica de Protección Civil. (1992). Preámbulo, párrafo 1.: "La Ley 2/1985, de 21 de enero, sobre Protección Civil, constituye el marco legal que determina todo el sistema de preparación y de respuesta ante situaciones de grave riesgo colectivo, calamidad pública y catástrofe extraordinaria, en las que la seguridad y la vida de las personas pueden peligrar y sucumbir masivamente, generándose unas necesidades y recursos que pueden exigir la contribución de todas las Administraciones públicas, organizaciones, empresas e incluso de los particulares."

[118] Consejo General del Poder Judicial. (2011). Protocolo de actuación judicial en supuestos de grandes catástrofes. Aprobado por el Pleno del Consejo General del Poder Judicial en su reunión del 23 de noviembre de 2011 (Acuerdo número 24).

«aquellas situaciones de emergencia que se producen, bien por fenómenos naturales de gran envergadura que tienen un origen imprevisible o inevitable (terremotos, tornados o cualquier fenómeno natural desproporcionado), bien por causa de una acción imprudente o dolosa de la que pudieran derivarse responsabilidades legales (rotura de grandes obras públicas, accidentes de aeronaves, colisiones, etc.)».

En la Orden PJC/1430/2024, de 16 de diciembre, que publica la Estrategia Nacional de Protección Civil, aprobada por el Consejo de Seguridad Nacional, nos encontramos en su Preámbulo, en el primer párrafo, con la necesidad de anticiparse a las "catástrofes" y minimizar su impacto mediante avances tecnológicos, así como en el capítulo 1 se describe cómo el cambio climático y otros factores potencian los riesgos de emergencias y "catástrofes", y en el capítulo 3, en el contexto de los objetivos estratégicos, se señala la recuperación "post-catástrofe" y las medidas para mejorar la resiliencia. En el capítulo 1 nos encontramos con la referencia al Plan Nacional de Reducción del Riesgo de "Desastres" Horizonte 2035, y cuando menciona el Marco de Sendai lo hace a propósito de la reducción del riesgo de "desastres" como un instrumento internacional relevante. Al igual que el Real Decreto 524/2023, de 20 de junio, no ofrece una definición explícita de "catástrofe" o "desastre". La Estrategia Nacional de Protección Civil, se aleja pues del marco conceptual anterior y lo sustituye por una terminología más precisa y alineada con los estándares internacionales —especialmente el Marco de Sendai y la terminología de Naciones Unidas y la Unión Europea—. Aquí se introduce una definición formal de desastre: una situación grave provocada por un evento, normalmente inesperado y repentino, que causa daños severos a personas, bienes, servicios o al medio ambiente, y que excede la capacidad de respuesta de la comunidad afectada con sus propios recursos. Este enfoque técnico convierte el concepto en una categoría operativa para la planificación, evaluación y estadística.

El término catástrofe, por su parte, sigue presente en el documento, pero ya no se define de manera autónoma. Su uso es más narrativo que técnico, apareciendo como sinónimo o intensificador de desastre, especialmente en la descripción de riesgos naturales, tecnológicos o antrópicos de gran escala. Así, mientras desastre adquiere un significado jurídico-técnico, catástrofe mantiene un matiz comunicativo y evocador, pero subordinado al lenguaje de gestión de riesgos.

Esta Estrategia no recurre a expresiones como grave riesgo colectivo o calamidad pública -como hiciera la Norma Básica de 1992- sustituyéndolas por un sistema de clasificación basado en la magnitud de los daños y en la capacidad de respuesta. Este cambio refleja la transición desde un lenguaje legislativo genérico, centrado en la excepcionalidad del hecho, hacia una lógica de gobernanza del riesgo, donde lo determinante no es solo la intensidad del evento, sino si desborda o no los recursos disponibles para afrontarlo.

En el Plan Nacional de Reducción del Riesgo de Desastres: la Estrategia Horizonte 2035 se enfocan los esfuerzos en el término "catástrofe", aunque el título, como hemos observado, hace referencia al término "desastres", probablemente inspirado por el Marco Internacional de Acción del Decenio Internacional para la Reducción de Desastres Naturales de 1989, la Estrategia de Yokohama para un mundo más seguro, la Estrategia Internacional para la Reducción de los Desastres de 1999 o el Marco de Acción de Hyogo para 2005/2015: aumento de la resiliencia de las naciones y las comunidades ante los desastres, entre muchos otros marcos de actuación que, como hemos comprobado, utilizan dicho término. En ocasiones, en este Plan, encontramos referencias del tipo "emergencias y catástrofes" o "emergencia o catástrofe", así como "emergencias y desastres".

Hay autores que han explorado la relevancia terminológica en el derecho italiano, como es el caso de OCHOA.[119]

En definitiva el término catástrofe y desastre, en nuestro país, se utilizan indistintamente en la terminología de protección civil, para referirnos a un carácter extraordinario de la emergencia, inclinándonos por la definición aportada por VALENCIA-OSPINA.

1.2.- Diferencias y similitudes con emergencias y accidentes

1.2.1.- Catástrofes naturales o de origen humano

No hace muchas décadas, encontrábamos clasificaciones de los desastres y catástrofes que distinguían entre lo natural, lo producido por el hombre y su duración temporal. Como muestra, se indica a continuación una clasificación elaborada por la Federación Internacional de Cruz Roja en 1993:

- Desastres naturales de ocurrencia súbita e inesperada: avalanchas, terremotos, inundaciones, ciclones, tormentas, tornados, erupciones volcánicas, etc.
- Desastres naturales de larga duración: epidemias, desertificación, hambruna.
- Desastres producidos por el hombre de ocurrencia súbita e inesperada: accidentes estructurales y de transporte; accidentes tecnológicos

[119] Ochoa Monzó, J. (1995, febrero). *El Régimen Jurídico de los Riesgos Mayores. La protección civil.* Universitat d'Alacant, Facultat de Dret, Area de Dret Administratiu. Recuperado de http://rua.ua.es/dspace/handle/10045/3778

industriales; exposiciones químicas o nucleares; contaminación (lluvia ácida, química y atmosférica); fuegos.

- Desastres producidos por el hombre de larga duración: disturbios y guerras civiles o internacionales; desplazamientos.

En la actualidad, distinguir entre lo natural y lo humano en materia de catástrofes puede ser artificial.

Hay una constante interacción entre las sociedades humanas y la naturaleza; por ello, unas fuertes lluvias que provoquen el desbordamiento de un río, sin la presencia de construcciones, no merecen el calificativo de catástrofe. Bien distinto es el caso si dichas construcciones existen. Lo mismo ocurre con un terremoto en medio del océano que genera un tsunami sobre costas deshabitadas, en contraste con aquel que impacta en zonas con viviendas, hoteles y población.

Desde hace décadas, las catástrofes no se consideran algo ajeno a nuestras comunidades o a nuestra sociedad, sino fenómenos multidimensionales que han de ser comprendidos en el contexto de las vulnerabilidades y los riesgos producidos socialmente[120]. Ello tiene consecuencias en la forma en que los humanos interactuamos con nuestro entorno, caracterizado por un determinado modo de desarrollo y crecimiento del que la sociedad en su conjunto manifiesta un legítimo deseo aspiracional de mejora. También se configuran a través de procesos de naturaleza social, económica, cultural o política, y condiciones prácticas, prioridades y valores que se desarrollan a lo largo del tiempo.[121]

Por tanto, cabe concluir que las catástrofes no son fenómenos estrictamente naturales, sino que se producen como consecuencia de decisiones humanas y de la ausencia de políticas y planes eficaces para la reducción del riesgo. En ocasiones, la frontera entre lo natural y lo antrópico es difusa y difícil de delimitar; en otras, resulta nítida, como en el caso de una vivienda construida junto al lecho de un río. No obstante, por razones de divulgación y para acercar el

---

120 Oliver-Smith, A., Alcántara-Ayala, I., Burton, I., & Lavell, A. (2017). The social construction of disaster risk: Seeking root causes. *International Journal of Disaster Risk Reduction, 22,* 469-474. , ISSN 2212-4209, https://doi.org/10.1016/j.ijdrr.2016.10.006. (https://acortar.link/QtQynv)

121 Oliver-Smith, A., Alcántara-Ayala, I., Burton, I., & Lavell. (2017). The social construction of disaster risk: Seeking root causes. *International Journal of Disaster Risk Reduction, 22,* 469–474. Integrated Research on Disaster Risk. (2016). *Forensic Investigations of Disasters (FORIN): A Conceptual Framework and Guide to Research.* Beijing.

concepto a la mayoría de los ciudadanos, continúa utilizándose la clasificación habitual como catástrofes naturales, tecnológicas, humanas, entre otras.[122]

Los riesgos naturales y antrópicos abarcan una amplia variedad de amenazas de carácter ambiental, tecnológico y biológico, incluyendo factores meteorológicos, espaciales, hidrológicos, geológicos, químicos y sociales. La Oficina de las Naciones Unidas para la Reducción del Riesgo de Desastres (UNDRR) y el Consejo Científico Internacional, cuando han abordado la revisión de la definición y clasificación de los riesgos, han descrito más de 300 tipos, que pueden conducir a una catástrofe. Entre estos se encuentran las tormentas o inundaciones, y algunos menos frecuentes como las pandemias o los accidentes químicos (aunque no menos importantes).

Tradicionalmente, las catástrofes se han dividido en sucesos rápidos (como es el caso de los tifones, terremotos o inundaciones repentinas) o eventos cuya evolución es lenta (sequías, intrusión de agua salada o desertificación). Si bien la mayoría de los riesgos son naturales, en otros, en cambio, tienen una etiología humana. También se pueden clasificar en extensivas o intensivas. Las catástrofes extensivas son sucesos que se localizan frecuentemente en un área extensa, dispersa, causando impactos recurrentes a pequeña y mediana escala. Es el caso de las tormentas estacionales, inundaciones y sequías. Las catástrofes intensivas se ciñen a una escala mayor, amplia, que suele afectar a grandes ciudades o a zonas con una alta densidad de población. Su origen se encuentra en riesgos de elevada gravedad e impacto, como es el caso de los terremotos, las inundaciones de gran magnitud u otros fenómenos capaces de generar consecuencias catastróficas.

Pero cuando hablamos de tipos, distinguiendo entre naturales o tecnológicas -como hemos podido conocer hasta ahora, y veremos más adelante-, no podemos establecer con rotundidad su tipo, o mejor dicho, un único tipo. "Las catástrofes no son naturales" señala el Informe de Naciones Unidas para la Reducción del Riesgo de Desastre[123]; estas situaciones derivan de las acciones humanas y la falta de decisiones para reducir los riesgos.

---

122 National Disaster Management Authority. (s.f.). *Clasificación de riesgos*. Recuperado de Http://ndma.gov.in. Así podemos observarlo si acudimos a la página oficial de lo que sería la protección civil de la India, una nación con más de 1.400 millones de habitantes: la National Disaster Management Authority, que lidera el Primer Ministro del país. Al inicio de la misma se clasifican los riesgos en naturales (ciclón, tsunami, ola de calor, deslizamientos, inundaciones urbanas, inundaciones y terremotos) y producidos por el hombre (químico, nuclear y biológico).

123 United Nations Office for Disaster Risk Reduction. (2022). *Global Assessment Report on Disaster Risk Reduction: Our World at Risk: Transforming Governance for a Resilient Future* (p. 54). www.undrr.org/GAR2022

Cuando las consecuencias de una catástrofe se desencadenan en cascada y se propagan a distintos sectores —como sucede en los riesgos sistémicos— es posible que los expertos no hayan podido anticipar todas sus derivadas; sin embargo, existe un consenso sólido en que el mayor impacto recaerá sobre las comunidades más desfavorecidas, especialmente aquellas que habitan en edificaciones de baja calidad o en áreas con infraestructuras deficientes. No es pues la catástrofe algo que ocurra como un acontecimiento aislado en un momento determinado.[124]

Peligro, Amenaza, Riesgo, Vulnerabilidad y Riesgo Mayor:

La palabra "peligro" tiene un significado que puede ser en ocasiones confuso, pues los diccionarios indican definiciones poco precisas[125] o en conjugación con el término "riesgo". Así, algunos diccionarios expresan su definición de "peligro" como "un peligro o riesgo", lo que explica que muchas personas lo utilicen sin distinción.

El término *amenaza*, según CORTÉS, es definido como[126]:

"factor de riesgo externo de un sujeto o sistema, representado por un peligro latente asociado a un fenómeno físico de origen natural, socio-natural o antrópico, que puede manifestarse en un sitio específico y en un tiempo determinado, produciendo efectos adversos en las personas, los bienes y/o el medio ambiente. Probabilidad de ocurrencia de un evento con una cierta intensidad, en un sitio específico y en un lapso determinado".

En el Marco de Acción de Hyogo[127], amenaza se define como:

"Un suceso físico, fenómeno o actividad humana potencialmente perjudicial que puede causar la pérdida de vidas o lesiones, daños materiales, trastornos sociales y económicos o degradación del medio ambiente".

Para la Organización Internacional de Normalización (ISO), el *riesgo* se define como:

---

124 Cutter, S. L., Ismail-Zadeh, A., Alcántara-Ayala, I., Altan, O., Baker, D. N., Briceño, S., ... Wu, G. (2015). Global risks: Pool knowledge to stem losses from disasters. *Nature, 522*(7556), 277– 279.

125 Para la Oficina Federal de Protección Civil y Asistencia en Desastres (BBK) "peligro" (Gefährdung) es: "condición, circunstancia o proceso que pueda causar daños".

126 Citado en GARCÍA RENEDO, M., GIL BELTRÁN, J.M. y VALERO VALERO, M.: Psicología y desastres: aspectos psicosociales. Publicaciones de la Universitat Jaume I., 2007. ISBN 978-84-8021-588-6, pg. 42.

127 United Nations. (2005). *World Conference on Disaster Reduction 18-22 January 2005, Kobe, Hyogo, Japan Framework for Action 2005-2015: Building the Resilience of Nations and Communities to Disasters.* https://bit.ly/3nboMlj

"Combinación de la probabilidad de un suceso y sus consecuencias"[128].

Riesgo también ha sido definido como "situación de riesgo o acontecimiento en el que está en juego algo de valor humano y cuyo resultado es incierto".[129]

Para CORTÉS (2000-01), *riesgo* es definido como[130]: *la probabilidad de exceder un valor específico de consecuencias económicas, sociales o ambientales en un sitio particular y durante un tiempo de exposición determinado.* En otras palabras, significa la probabilidad de sufrir pérdidas o daños más allá de lo aceptable, caso de que la amenaza se materializara en un evento real. Se obtiene de relacionar la amenaza con la vulnerabilidad de la comunidad expuesta, y se expresa usualmente mediante la simple ecuación A x V (Amenaza x Vulnerabilidad = Riesgo): si una comunidad está expuesta a una amenaza, y además es vulnerable ante ella, está en riesgo".

Para Naciones Unidas[131], el *riesgo* "se refiere al número esperado de víctimas (muertos y heridos), daños materiales y desorganización de la actividad económica subsiguientes al proceso natural; de este modo, el concepto de riesgo está directamente relacionado con el coste del desastre".

El *riesgo*[132] es la probabilidad o posibilidad de que un fenómeno accidental produzca en un punto dado los efectos de una gravedad potencial determinada, durante un período dado.

---

128 ISO/IEC Guide 73

129 Rosa, E. A. (2008). White, black, and gray: Critical dialogue with the International Risk Governance Council's Framework for Risk Governance. En O. Renn y K. Walker (Eds.), *Global Risk Governance: Concepts and Practice Using the IRGC Framework* (pp. 101-118). Dordrecht: Springer.

130 Rosa, E. A. (2008). White, black, and gray: Critical dialogue with the International Risk Governance Council's Framework for Risk Governance. En O. Renn y K. Walker (Eds.), *Global Risk Governance: Concepts and Practice Using the IRGC Framework* (pp. 101-118). Dordrecht: Springer. Citado en García Renedo, M., Gil Beltrán, J. M. y Valero Valero, M. (2007). *Psicología y desastres: aspectos psicosociales* (p. 45). Publicaciones de la Universitat Jaume I. ISBN 978-84-8021-588-6.

131 UNDRO: UNDRO. (1979). *Natural Disasters and Vulnerability Analysis.* Ginebra. Recuperado de https://bit.ly/42yEbMk. Van Essche, L. (1985). Algunos aspectos de la estimación de la vulnerabilidad y el riesgo sísmico. En *Seminario sobre Sismicidad y Riesgos Sísmicos* (p. 139).

132 Oficina Federal de Protección Civil y Asistencia en Desastres (BBK). (Año). Definición de "riesgo" (risiko): "Combinación de la probabilidad de ocurrencia de un evento y sus consecuencias". Basado en la terminología de Reducción del Riesgo de Desastres de UNISDR, aprobada en Ginebra en 2009, p. 25.

Peligro se refiere a cualquier fuente de daño potencial, daño o efectos adversos para la salud de algo o de alguien[133].

Por ello, es por lo que un suceso potencialmente peligroso, se convertirá en un riesgo solo si se aplica a una zona donde concurren intereses humanos, económicos y ambientales, y dicha zona tiene un cierto grado de vulnerabilidad. Hablamos pues de una cuestión de la interacción entre el ser humano y su entorno.

El peligro está caracterizado por su probabilidad de materialización (anual, decenal, centuria...) así como su intensidad (magnitud que mide los movimientos sísmicos o velocidad del agua en inundaciones, ancho de banda en los deslizamientos de ladera, velocidad en el caso de los fuertes vientos, etc.).

Para TILLING[134], el *peligro* "representa los efectos físicos de un proceso natural potencialmente perjudicial. Se debe expresar como la probabilidad de que ocurra el fenómeno en un determinado período de tiempo".

En el Marco de Acción de Hyogo, se define la *vulnerabilidad* como:

"Las condiciones determinadas por factores o procesos físicos, sociales, económicos y medioambientales que aumentan la susceptibilidad de una comunidad al impacto de las amenazas".

La vulnerabilidad se refiere a las condiciones determinadas por factores o procesos físicos, sociales y económicos que incrementan la susceptibilidad de un individuo, una comunidad, bienes o sistemas a los impactos de los riesgos.

Es pues una incapacidad de resistencia, determinada por diferentes factores, como pueden ser la edad o la salud de las personas, sus condiciones de salubridad y ambientales, así como la calidad de las edificaciones y su ubicación en relación a los riesgos y amenazas. Es por ello que, si unimos vulnerabilidad y exposición, la ecuación nos hace concluir que las decisiones humanas son muy relevantes en el resultado, y por tanto, factor determinante para evitar sus consecuencias. Los científicos calculan que alrededor de cien de los más de doce millones de terremotos que se producen anualmente a lo largo del planeta son potencialmente generadores de un desastre a causa de su magnitud, y de su cercanía a un núcleo de población. La vulnerabilidad

---

133 Canadian Centre for Occupational Health and Safety (CCOHS). (s.f.). *OSH Answers Fact Sheets: Hazard and Risk – General.* Recuperado de https://bit.ly/2GI57SF

134 Tilling, R. (1993). *Los peligros volcánicos.* Santa Fe de Nuevo México: Organización Mundial de Observatorios Vulcanológicos.Pg. 2. Ortiz, R. op. Cit. Pág. 15.

por tanto se refiere a los defectos en la planificación, ubicación, diseño y construcción de las edificaciones residenciales e infraestructuras.

Para CORTÉS[135], la definición de *vulnerabilidad* es:

"el factor de riesgo interno de un sujeto o un sistema expuesto a una amenaza específica, correspondiente a su predisposición intrínseca a ser afectado o de ser susceptible a sufrir una pérdida. Es el grado estimado de daño o pérdida en un elemento o grupo de elementos expuestos como resultado de la ocurrencia de un fenómeno de una magnitud o intensidad dada."

Tras finalizar la "Década para la Reducción de los Riesgos Naturales", se llegó a un acuerdo generalizado respecto al concepto de *vulnerabilidad*:

"Grado de pérdida de un elemento de riesgo dado o conjunto de elementos, como resultado de la ocurrencia de un proceso natural de determinada magnitud. Se expresa el porcentaje de daño referido a la pérdida total para la acción esperada (0 a 100%)."[136]

De ahí la fórmula extendida de TILLING, R.[137]:

RIESGO = (coste) x (vulnerabilidad) x (peligro)

En Nueva Zelanda (Christchurch)[138], en el año 2011 un terremoto de magnitud 6,2 acabó con la vida de casi 200 personas y ocasionó pérdidas de más de 20.000 millones de dólares. Terremotos de esa magnitud se producen casi a diario y no tienen las consecuencias del anterior. Es la diferencia de un terremoto que se produce bajo un núcleo de población o alejado de esta. Así sucedió cinco meses antes, cuando otro temblor, esta vez de 7,1 grados de magnitud, pero a 45 kilómetros de Christchurch, provocó daños, pero de escasa entidad en comparación con el primero reseñado.

---

135 Tilling, R. (1993). Los peligros volcánicos. Santa Fe de Nuevo México: Organización Mundial de Observatorios Vulcanológicos. Citado en García Renedo, M., Gil Beltrán, J. M., & Valero Valero, M. (2007). Psicología y desastres: aspectos psicosociales (p. 44). Publicaciones de la Universitat Jaume I. ISBN 978-84-8021-588-6.

136 Ortiz, R. (Ed.). (1996). *Riesgo volcánico.* Lanzarote: Casa de los Volcanes-CSIC. p. 15.

137 Tilling, R. (1993). *Los peligros volcánicos.* Santa Fe de Nuevo México: Organización Mundial de Observatorios Volcanológicos. p. 2.

138 Chapple, G. (2021, febrero). Australian Geographic: Christchurch earthquake, 10 years on. Recuperado de https://bit.ly/3kW9kYN. Tuvo una aceleración vertical de 2,2 G, elevando partes de la ciudad "a velocidades similares a las que experimentan los astronautas cuando ascienden al espacio".

Pero ciertamente algo nuevo está ocurriendo. Tanto las vulnerabilidades sociales como el riesgo sistémico alcanzan resonancia en un mundo global, merced a las infraestructuras tanto digitales como físicas, altamente interconectadas, así como las cadenas de suministros integradas a escala mundial y la movilidad de las personas.

El *riesgo mayor*[139] viene determinado por la importancia y alcance del daño que puede producir (un movimiento sísmico en medio del desierto no es un riesgo mayor, en cambio, en el centro de una capital europea, convenimos que lo es).

Hay que considerar también dos tipologías de daños: los directos y los indirectos. Los daños directos son los responsables del final del suceso excepcional (impacto en las edificaciones, en las infraestructuras, las culturas y, en los casos más graves, se traduce en pérdida de vidas humanas). Los daños indirectos son identificables con posterioridad y se vinculan a alteraciones económicas y sociales que producen pérdidas en los balances (destrucción de los elementos esenciales de producción), interrupción de las comunicaciones, agresiones al medio ambiente, etc. El riesgo mayor se caracteriza por una baja frecuencia y una alta letalidad en vidas y heridos, así como daños a la propiedad y al medio ambiente.

1.2.2.- Riesgo sistémico

El término "riesgo sistémico" es un término ampliamente conocido en el ámbito de las finanzas. Así, para el Financial Stability Board (FSB), es "el riesgo de interrupción del flujo de servicios financieros que está causado por un deterioro de todo o parte del sistema financiero, y tiene el potencial de tener graves consecuencias negativas para la economía real".

El Banco Central Europeo asume que no hay una definición comúnmente aceptada[140]. La diferencia estriba en que algunas autoridades financieras ponen el foco en el impacto sobre el sistema financiero, y otras el acento lo ponen en las consecuencias del impacto sobre la economía real. De ahí que proponga describirlo como el riesgo de experimentar un suceso sistémico grave, que podría tener su causa en un choque exógeno (procedente de

---

139 Council of Europe Portal. European and Mediterranean Major Hazards Agreement. Recuperado de https://bit.ly/3QKiovE.

140 International Monetary Fund, Bank for International Settlements, Financial Stability Board. (2009). Report to G20 Finance Ministers and Governors: Guidance to Assess the Systemic Importance of Financial Institutions, Markets and Instruments: Initial Considerations. (p. 5). https://bit.ly/3YaJtLh

fuera del sistema, o bien endógeno, con afectación negativa a una serie de intermediarios o mercados importantes (incluidas las infraestructuras).[141]

Dada la importancia para los mercados financieros, en 2011 se creó una Junta Europea de Riesgo Sistémico (European Systemic Risk Board, ESRB), cuyo cometido consiste en la supervisión del sistema financiero de la Unión Europea con el fin de prevenir y mitigar el riesgo sistémico para la estabilidad financiera, pudiendo emitir recomendaciones y advertencias sobre los riesgos identificados, además de dictámenes sobre las medidas nacionales propuestas, aunque hay que hacer constar que no tienen carácter vinculante[142].

Pero más allá del ámbito financiero, también se utiliza el término riesgo sistémico en el ámbito de los desastres. Así, la UNDRR (United Nations Office for Disaster Risk Reduction), señala la importancia de comprender y gestionar el riesgo sistémico, dado que ahora más que nunca estamos globalmente interconectados[143], en sectores tan diversos como son la alimentación, la energía, el agua, la salud, países y continentes. Con esos sectores interconectados se asocian los impactos en cascada que provoca el riesgo sistémico. Si contamos con sistemas que tienen interdependencias[144] críticas en nuestras sociedades, que además se ven afectados por vulnerabilidades subyacentes, es claro que debemos tener articuladas respuestas en nuestros sistemas de gobernanza y

---

141 ECB, European Central Bank, Financial Stability Review, December 2009, pg. 134. Para profundizar en este concepto, ver De Brandt, O., & Hartmann, P. (2000). Systemic risk: A survey. ECB Working Paper Series, No. 35., November 2000, y De Brandt, O., Hartmann, P., & Peydró, J., "Systemic risk in banking: An update", ECB Working Paper Series. Berger, A., Molyneux, P., & Wilson, J. (Eds.). (2009). *Oxford Handbook of Banking.* Oxford University Press.

142 Banco de España, Financial Stability and macroprudential policy. www.bde.es UNDRR (2022). Briefing Note: Systemic Risk. Recuperado de https://bit.ly/3DtwgFh

143 Gaupp, F. (2020). Extreme events in a globalized food system. One Earth, 2, 518–521. doi:https://doi.org/10.1016/j.oneear.2020.06.001.

144 Amundsen, H., & Dannevig, H. (2021). Looking back and looking forward – adapting to extreme weather events in municipalities in western Norway. Regional Environmental Change, 21(108). https://doi.org/10.1007/s10113-021-01834-7. No siempre es fácil detectar esas interdependencias, más aún, en la mayoría de las ocasiones no son detectadas acudiendo a la experiencia cotidiana con que contamos las personas. Así, aquellas comunidades que han experimentado los efectos de los fenómenos meteorológicos extremos, son más sensibles a implementar políticas públicas para frenar el cambio climático.

sociales, sin olvidar que deberá adquirir carácter de gobernanza multinivel en muchos casos[145], y tener en cuenta la cooperación internacional.

El modelo de desarrollo basado en sistemas humanos inestables e insostenibles, guiados exclusivamente por la ambición de crecimiento económico, incrementa el riesgo sistémico manifestado en fenómenos como el cambio climático y la progresiva pérdida de biodiversidad. De ahí que no invertir en medidas que reduzcan los riesgos, ignorándolos, aumenta la vulnerabilidad de las personas y los grupos sociales, haciendo que lo que sería un riesgo pueda escalar a la categoría de catástrofe. Es clave para tener éxito en la estrategia, identificar los espacios de producción del riesgo sistémico para intervenir en los sistemas reduciendo el mismo. Es lo que se conoce como "puntos clave de apalancamiento" (key leverage points)[146].

Se hace necesario para afrontar el riesgo sistémico que midamos lo que valoramos, diseñemos sistemas que nos ayuden a tomar decisiones, reconfiguremos los sistemas de gobernanza y financieros para que funcionen en todos los ámbitos, y todo ello, consultando a las personas y comunidades afectadas.

En el ámbito práctico se requiere de "respuestas técnicas": mejora de los conocimientos y la experiencia, impulso de la innovación, mejoras en la gestión y cambios de conductas. En el ámbito político se demandan sistemas, estructuras y procesos: normas sociales y culturales, reglas, reglamentos, incentivos e infraestructuras.[147]

Debemos también tener en consideración que los sistemas incluyen diversos subsistemas, elementos o agentes que interactúan y se interrelacionan entre ellos.

Un ejemplo es lo sucedido con la COVID-19. Las medidas preventivas frente a una pandemia fueron consideradas cortas de vista por algunos grupos de expertos, centradas en la respuesta del sistema sanitario, y no tanto en la prevención, la coordinación y el liderazgo. Una combinación de vulnerabilidades preexistentes y de exposición, fue el detonante de un riesgo amplificado que

---

145 Hooghe, L. (Ed.). (1996). Cohesion Policy and European Integration: Building Multi-Level Governance. Oxford, UK: Oxford University Press.

146 Westley, F., Olsson, P., Folke, C., Homer-Dixon, T., Vredenburg, H., Loorbach, D., et al. (2011). Tipping toward sustainability: emerging pathways of transformation. Ambio, 40.doi:10.1007/s13280-011-0186-9.

147 UNDRR, UN Office for Disaster Risk Reduction. 2022. Briefing Note: Systemic Risk (p.12). https://bit.ly/3DtwgFh

nos llevó a impactos sistémicos en cascada.[148] La pandemia del COVID-19 nos ha puesto frente al espejo, y nos ha mostrado lo vulnerable y a la vez lo frágil que es nuestro mundo. Un virus ha trastornado las sociedades, ha puesto en peligro la población mundial y nos ha enseñado las profundas desigualdades que aún existen entre naciones. En menos de un año el virus infectó al menos a 150 millones de personas y acabó con la vida de más de tres millones[149], falleciendo más de 17.000 trabajadores del ámbito sanitario tan solo en ese primer año[150]. Sin duda, se trata de la peor crisis sanitaria y socioeconómica que se recuerda, una catástrofe a todos los niveles[151].

Podríamos afirmar que, más que sufrir de una "miopía", en el caso español fue un verdadero "test de estrés" para las administraciones públicas en su conjunto. Tuvieron que aprender, cooperar y responder ante un evento ciertamente modelizado a nivel teórico en el ámbito de la protección civil. Sin embargo, este requería una gama completa de acciones multinivel en un tiempo récord, implicando aportar capacidades donde se necesitaban, todo respaldado por una elevada dosis de "creatividad" compartida, si se me permite la expresión.[152]

---

148 The Independent Panel for Pandemic Preparedness and Response. Así lo explica el The Independent Panel for Pandemic Preparedness and Response. Ya conocíamos que una pandemia mundial era un riesgo conocido, ya habíamos conocido de la transmisión de enfermedades de animales a humanos (caso del Síndrome de Inmunodeficiencia Adquirida -SIDA-, virus del Ébola, síndrome respiratorio agudo severo -SARS- y la enfermedad del virus del Zika)."

149 World Health Organization. (2021). WHO coronavirus (COVID-19) dashboard. In: World Health Organization [website]. Geneva: World Health Organization. Recuperado de https://covid19.who.int, Consultado el 28 de noviembre de 2022.

150 Amnesty International. (2021). COVID-19: health worker death toll rises to at least 17,000. In: Amnesty International [website]. London: Amnesty International. Recuperado de https://www.amnesty.org/en/latest/press-release/2021/03/covid19-health-worker-death-toll-rises-to-at-least-17000-as-organizations-call-for-rapid-vaccine-rollout/, Consultado el 31 de diciembre de 2022.

151 The Independent Panel for Pandemic Preparedness and Response. (Sin año). Covid-19: Make it the Last Pandemic (p. 4).https://theindependentpanel.org/wp-content/uploads/2021/05/COVID-19-Make-it-the-Last-Pandemic_final.pdf

152 Conocemos la existencia de un chat de WhatsApp establecido entre el Director General de Emergencias y Protección Civil del Ministerio del Interior y los Delegados del Gobierno en las respectivas Comunidades Autónomas. También, de chats de alcaldes en provincias, en mancomunidades, etc. Estos elementos de coordinación no venían establecidos en ninguna norma, pero esa exigencia de respuesta de los ciudadanos exigía una máxima coordinación, e inmediatez en las demandas. En muchos de estos chats, amén de intercambiar necesidades y peticiones de colaboración, se exponían ejemplos de buenas prácticas: a título de ejemplo, en las

De ahí que los procesos intergubernamentales globales estén tomando conciencia de la importancia de considerar el riesgo sistémico. Es el caso de la Agenda Integrada sobre el Riesgo de Desastres 2021-2030 (Integrated Research on Disaster Risk, IRDR de Naciones Unidas), [153] que tiene por objetivo proporcionar tanto fundamentos conceptuales de un marco de investigación integrado conducente a rebajar el riesgo de catástrofes, como facilitar la urdimbre organizativa precisa para la creación de capacidades y el avance de este propósito a nivel global. Las respuestas actuales suelen implementarse para fronteras concretas, pero los riesgos sistémicos son transfronterizos[154].

Son múltiples los trabajos al respecto, desde las publicaciones del Informe de Evaluación Global del Riesgo de Desastres 2019[155], al trabajo del Consejo Internacional para la Gobernanza del Riesgo[156], donde se escrutan los riesgos sistémicos y lo que es más importante tal vez, la futura aparición de estos.[157]

Encontramos muchos aspectos novedosos en la pandemia de la COVID-19, pero uno de ellos es notable: hemos comprendido aceleradamente los riesgos propios del Antropoceno[158], y hemos experimentado que hay una realidad multiescala que hace que sucesos locales pueden originar catástrofes globales. A continuación, se describe un mapa conceptual de la naturaleza sistémica del riesgo del COVID-19 y sus impactos. La pandemia es descrita gráficamente

---

desinfecciones que se hacían en los municipios, el porcentaje de hipoclorito sódico para las desinfecciones de los viales, la maquinaria utilizada, etc.

153 United Nations Office for Disaster Risk Reduction. Fakhruddin, B., et al. (Año). Integrated Research on Disaster Risk (IRDR). Contributing Paper to GAR 2019. https://bit.ly/3Abxjrj

154 Tenemos el caso de la ola de frío en Texas (Estados Unidos) en 2021, que dejó sin microchips a consumidores de todo el mundo a causa de que las fábricas se quedaron sin suministro eléctrico. O la falta de semiconductores provocada por la COVID-19 en las fábricas de Taiwán, con alto impacto global.

155 UNDRR (United Nations Office for Disaster Risk Reduction). (2019). Global assessment report on disaster risk reduction 2019. https://gar.undrr.org/index.html

156 El Consejo Internacional de Gobernanza de Riesgos (IRGC) es una fundación independiente sin ánimo de lucro que busca mejorar la gobernanza de riesgos, centrada en los riesgos sistémicos con afectación a la salud y seguridad de los seres humanos, así como también el medio ambiente, la economía y la sociedad en general. Está ubicado en el campus de la École Polytechnique Fédérale (EPFL) en Lausanne, Suiza.

157 Centeno et al., 2015; IRGC, 2018; UNDRR, 2019; Sillmann et al., 2022

158 Término acuñado por el biólogo estadounidense STOERMER, E.F., y que populariza en los inicios del 2000 el premio Nobel de Química CRUTZEN, P., para designar aquel período en la que las actividades humanas comienzan a provocar cambios biológicos y geofísicos a escala mundial.

como "punta del iceberg" de un riesgo sistémico global, en un esquema metafórico publicado por la revista Global Sustainability, 2021, ilustrando cómo un suceso pandémico está conectado con dinámicas ambientales globales. El COVID-19 emerge como "punta de iceberg", y bajo él, encontraríamos recesión económica, cambio climático y pérdida de biodiversidad.

Deducimos de lo anteriormente descrito que los cambios que se están produciendo en nuestros hábitats, en nuestros pueblos y ciudades, unidos al cambio climático, ponen de manifiesto que hemos sobrepasado lo que podría denominarse "espacio operativo seguro" del sistema terrestre y nos adentramos en espacios que aventuran nuevos riesgos. Hay una sensación generalizada de crisis e inseguridad que para algunos nos impregna desde el final de la Guerra Fría. Dicha inseguridad se ha visto alimentada por el cambio en el clima y no solo por él. Asimismo, por el terrorismo internacional, la economía cambiante, el tráfico de drogas y armas a escala global o las pandemias. Un reciente estudio concluye que la humanidad está operando fuera del límite planetario, con una peligrosa tendencia, como señala CERNEV[159], hacia el colapso global. La resiliencia es una respuesta frente a las inseguridades mencionadas. En términos político-filosóficos, el pensamiento de la resiliencia "intenta aprovechar la fuerza dinámica y creativa del mundo... y utilizarla para crear sistemas sociales y ecológicos sostenibles en un mundo complejo e indeterminado"[160].

Los gobiernos (no todos) han trabajado para la reducción de los riesgos desde que se aprobara el Marco de Sendai en el año 2015. Pero los objetivos fijados en ese Marco para 2030 están aún por alcanzar. Esto se complica a la luz de las encuestas de percepción, pues una cosa es el riesgo notificado, y otra el riesgo percibido y las medidas que se activan para reducir el riesgo. No es lo mismo un euro de pérdida derivado de un riesgo para quien tiene un alto poder adquisitivo, que para quien tiene una capacidad económica personal empobrecida. Una catástrofe cuantificada en 1.000 millones de euros, no tiene la misma dimensión para un país desarrollado que para otro no desarrollado, ni en cuanto al impacto en sus bolsillos, ni el impacto en sus servicios de salud, educación o infraestructuras.

CERNEV lo describe precisamente en un cuadro que llama "GCR". En el GCR, Global Collapse Risk, elaborado en 2022, indica que los escenarios

---

159 Cernev, T. (2022). *Global Catastrophic Risk and Planetary Boundaries: The Relationship to Global Targets and Disaster Risk Reduction.* GAR2022 Contributing Paper. United Nations Office for Disaster Risk Reduction. www.undrr.org/GAR2022

160 Grove, K. (2018). Resilience. Florida International University. p. 268. https://sipa.fiu.edu/people/faculty/global-and-sociocultural-studies/grove.kevin.html

se encuentran en dos ejes: "dentro de los límites" y "fuera de los límites" en la vertical, y "alto riesgo mundial" y "bajo riesgo mundial" en la horizontal. Los cuadrantes representan diferentes estados del planeta en relación con los límites planetarios y el riesgo de colapso global: "planeta bajo incertidumbre", "colapso global", "planeta estable" y "la Tierra amenazada".

Se prevé que, en los próximos 25 años, a fin de mantener el crecimiento económico en el mundo, se invertirán 94 billones de dólares en infraestructuras[161]. El déficit de inversión en infraestructuras sostenibles se estima en 3 billones de dólares al año hasta 2050, cifra inalcanzable para el sector público e inalcanzable para el privado por los frenos sistémicos existentes, que será necesario superar con una estrategia concertada a nivel mundial. Para ello, habrá que priorizar dichas inversiones a largo plazo, caracterizarlas como sostenibles y usar la innovación tecnológica, sin olvidar la exposición de las mismas a los riesgos, tanto nuevos como existentes, que sufren una degradación que podría provocar fallos e impactos en cascada de graves consecuencias.

Un ejemplo de impacto en cascada es el producido en el año 2011 en Tailandia, a causa de las inundaciones. Estas afectaron a 66 de las 77 provincias del país. Dado que la zona inundada alrededor de la ciudad de Bangkok contenía polígonos industriales donde se asentaban un buen número de plantas de producción de alimentos, y de elementos indispensables para la industria, ello provocó un efecto en cascada negativo para la garantía de suministros, para la industria manufacturera e incluso para el PIB del país, y un efecto dominó a nivel mundial pues también se vieron afectadas las cadenas de suministro que abastecían a países alejados como Japón o Estados Unidos. Una inundación local, con impacto global como hemos visto. Las pérdidas aseguradas tuvieron un importe en aquel momento de 15.000 millones de dólares, es decir, las inundaciones más costosas jamás conocidas.

A estas alturas habremos concluido que las catástrofes son el resultado de interacciones dinámicas, que abarcan desde los riesgos, la vulnerabilidad de la zona, hasta la exposición a las mismas. Los humanos con nuestras decisiones y las características socioeconómicas, tecnológicas y demográficas de la sociedad de que se trate.[162] Hablamos de lo sistémico y de lo complejo, es

---

161 Estos datos los informa el Global Infrastructure Hub, una organización sin ánimo de lucro creada por el G20 para avanzar en su agenda de infraestructuras.

162 Gachon, P., Gousse-Lessard, A.-S., Maltais, D., Lessard, L., Motulsky, B., Genereux, M., & Vermeulen, V. (2022). Intersectoral research and multi-risk approaches in Quebec: Systemic risk management and its psychosocial consequences. GAR2022 Contributing Paper. United Nations

decir, de elementos dotados de un gran dinamismo, que pueden, ante un riesgo provocar un efecto negativo, y a su vez, otro resultado negativo, amplificándose o amortiguándose mutuamente. La "gobernanza del riesgo" lo que pretende en este sistema es reducir el riesgo y aumentar la resiliencia, y responder a unos daños que pueden ser considerables en las infraestructuras vitales de las que depende tanto nuestra sociedad como nuestra economía. Actualmente, se reconoce que el cambio climático está conformando un riesgo sistémico superior al que hemos podido conocer anteriormente, en lo que se refiere a las infraestructuras críticas[163].

Es imprescindible invertir en la recopilación y el análisis de datos para comprender con mayor profundidad cómo y por qué se producen las catástrofes. De tales análisis se puede obtener una magnífica hoja de ruta para el legislador, que precisa de un conocimiento y compromiso cierto. Resulta imprescindible disponer de instrumentos políticos innovadores que permitan minimizar, cuando no eliminar, el riesgo sistémico. Dichos instrumentos pueden ser ensayados mediante simulaciones asistidas por medios informáticos, sin perder de vista que las interdependencias entre riesgos varían tanto en su probabilidad como en su relevancia espacial.[164]

Se hace referencia asimismo a una "gobernanza del riesgo de catástrofes o desastres", que debe sustentarse en la transparencia y en el respaldo de la sociedad, articulada mediante una cooperación tanto vertical como horizontal entre todos los actores implicados y orientada a alcanzar el más amplio consenso posible. Hablamos pues de "gobernanza multinivel", con relaciones horizontales entre los actores involucrados y el territorio en cuestión.[165] Y, por supuesto, con el concurso de los gobiernos locales, con sus recursos y capacidades, y una mayor colaboración de la sociedad civil y las comunidades que la conforman.[166] Sin duda, invertir en un futuro sostenible es rentable,

---

Office for Disaster Risk Reduction. www.undrr.org/GAR2022

163 Sarkissian, R. D., Cariolet, J.-M., Diab, Y., & Vuillet, M. (2022). A holistic approach to assess the systemic resilience of critical infrastructures: Insights from the Caribbean Island of Saint Martin in the aftermath of Hurricane Irma [GAR2022 Contributing Paper]. United Nations Office for Disaster Risk Reduction. www.undrr.org/GAR2022

164 Gill, J. C., & Malamud, B. D. (2014). Reviewing and visualizing the interactions of natural hazards. Review of Geophysics, 52, 680–722. DOI:10.1002/2013RG000445

165 Davoudi, S., Evans, N., Governa, F., & Sanangelo, M. (2008). Territorial governance in the making: Approaches, methodologies, practices. Boletín de la Asociación de Geógrafos Españoles, (46), 33–52.

166 Chavda, S., Drigo, V., & Tau, J. (2022). Why are people still losing their lives and livelihoods to disaster? 100,000 perceptions of risk from Views From the Frontline

ya que implica también invertir en un futuro con el menor riesgo posible. Esta responsabilidad recae tanto en los poderes públicos como en el sector privado. Fomentar la resiliencia para prevenir los efectos de riesgos sistémicos es una responsabilidad compartida, aunque con frecuencia estos riesgos son subestimados por las políticas públicas y por la ciudadanía en general. De ahí, que la mayoría de los planes de gestión de riesgos naturales solo se ocupan de los efectos directos de dichos riesgos naturales, sin alzar la vista más allá.

Un ejemplo de riesgo sistémico es la catástrofe nuclear de Fukushima Daiichi. Una catástrofe nuclear, causada por un terremoto que provocó a su vez un tsunami, el cual al llegar a tierra destruyó a su paso infraestructuras críticas[167]. Los efectos fueron múltiples, entre otros, en la agricultura y la cadena alimentaria del país nipón. Los efectos podrían resumirse en[168]:

- Directos e indirectos.
- Inmediatos, a corto y a largo plazo.
- Radiación, producción, económicos, sanitarios, fisiológicos, tecnológicos, organizativos, medioambientales, sociales y políticos. Esperados, reales, probables, percibidos y modelados.
- En los distintos estadios de la cadena agroalimentaria: suministro de insumos, cultivo, almacenamiento de los insumos, en la agricultura, en la fase de venta al por mayor, transporte, distribución, venta al por menor y el consumo.

2019 [GAR2022 Contributing Paper]. United Nations Office for Disaster Risk Reduction. https://www.undrr.org/publication/why-are-people-still-losing-their-lives-and-livelihoods-disaster-100000-perceptions

167 Para profundizar en este accidente, puede verse el Informe de Misión: International Atomic Energy Agency. (2011). The great east Japan earthquake: Expert Mission IAEA international fact finding expert mission of the Fukushima Dai-Ichi NPP accident following the great east Japan earthquake and tsunami [Mission Report, Division of Nuclear Installation Safety, Department of Nuclear Safety and Security]. https://bit.ly/42nFXPJ
También, por su interés, indicamos el Informe Oficial elaborado por una Comisión de Investigación Independiente tras seis meses de investigación: The National Diet of Japan Fukushima Nuclear Accident Independent Investigation Commission. (2012). The National Diet of Japan Fukushima Nuclear Accident Independent Investigation Commission [Informe Oficial], 2012. https://bit.ly/426U103, Pg. 20.

168 Bachev, H., & Ito, F. (2013, September 3). Fukushima nuclear disaster – Implications for Japanese agriculture and food chains. Munich Personal RePEc Archive. Institute of Agricultural Economics, Sofia & Tohoku University, Sendai. https://bit.ly/3VA5eDT. Pg. 2

- Componentes que integran la cadena alimentaria: recursos naturales, mano de obra, activos biológicos, tecnología, finanzas, etc.
- Escalas espaciales: local, regional, nacional, transnacional y mundial.

La interacción de peligros naturales con infraestructuras humanas puede ilustrar claramente cómo percibimos un riesgo sistémico.

1.3. Riesgos y gobernanza

1.3.1.- Riesgos naturales en la Unión Europea

La Comisión Europea y sus órganos técnicos elaboraron un documento[169] de trabajo en el que describieron los principales riesgos naturales (también de origen tecnológico) en la Unión, en cumplimiento de la legislación comunitaria en el ámbito de la protección civil. Aunque Europa es relativamente segura, la pandemia de COVID-19 subrayó la importancia de no bajar la guardia. Una alta dosis de realismo es necesaria al demostrar que, a pesar de esta seguridad relativa, no debemos bajar nunca las defensas que el ordenamiento jurídico y la acción gubernamental puedan ofrecer. Esto cobra más relevancia dados los recientes episodios de extremos climáticos e incendios forestales intensos de norte a sur de Europa, así como fenómenos meteorológicos adversos como lluvias e inundaciones, fenómenos sísmicos, fenómenos volcánicos, etc.

Los datos disponibles indican que las enfermedades infecciosas y las olas de calor han sido los grandes "destructores". Los más lesivos para las arcas públicas fueron: tormentas, inundaciones y terremotos. Pocos eventos, pero de alto impacto: es un dato para tener en consideración a la hora de planificar la prevención, respuesta y recuperación.

Un catalizador del riesgo de cualquier catástrofe natural es el cambio climático (aunque no el único), cuya repercusión económica en la Unión se estima en alrededor de los 12.000 millones de euros al año. El cambio climático afectará en próximos años especialmente al sur de Europa, que habrá de hacer frente a un calor extremo, carencia de agua, períodos intensos de sequía y graves incendios forestales. Por otro lado, en el norte, la reducción de la presencia de hielo conducirá a un aumento de las temperaturas, lluvias e inundaciones.

---

169 European Commission, Directorate-General for European Civil Protection and Humanitarian Aid Operations (ECHO). (2021). Overview of natural and man-made disaster risks the European Union may face: 2020 edition. Publications Office, https://data.europa.eu/doi/10.2795/1521

Un modelo inadecuado de desarrollo urbano, junto con la contaminación y la sobreexplotación de los recursos, genera una progresiva degradación del medio ambiente que limita la capacidad de las sociedades para prevenir, mitigar y recuperarse de los impactos derivados de las catástrofes.

Dada la importancia y el impacto futuro de los incendios forestales en nuestro país, dedicaremos el siguiente capítulo a este tema.

Por su indudable interés, expresamos a continuación el muy valioso trabajo realizado por el CMCC. Ha realizado un Atlas de Riesgo Climático para los países del G20, detallando de manera clara los riesgos futuros en la Unión Europea[170].

No podemos dejar de destacar el informe científico "Cross-border and emerging risks in Europe"[171], que analiza amenazas complejas y de carácter transfronterizo, incluyendo peligros naturales, crisis de origen antropogénico y nuevos riesgos tecnológicos. Este documento subraya la necesidad de enfoques integrados y de una cooperación reforzada entre Estados miembros para anticipar y gestionar dichas amenazas, constituyendo una base de evidencia útil para fundamentar reformas normativas en materia de protección civil y resiliencia.

De carácter más transversal, el informe "Science for Disaster Risk Management 2020: Acting today, protecting tomorrow"[172] aborda el ciclo completo de gestión del riesgo, examinando cómo distintos peligros —naturales y de origen humano— afectan a activos esenciales como la población, el medio ambiente o las infraestructuras críticas. Incluye estudios de caso y buenas prácticas aplicables en el contexto europeo, ofreciendo un respaldo científico a las políticas de reducción del riesgo de desastres.

Asimismo, el documento "Overview of Natural and Man-made Disaster Risks the European Union may face – 2020 edition" ofrece una panorámica integral de los principales peligros naturales y antrópicos que amenazan a la Unión, basada en las evaluaciones nacionales de riesgo de los Estados miembros. Entre los riesgos de mayor preocupación se identifican las inundaciones, los eventos meteorológicos extremos, los incendios forestales y los accidentes industriales

170 CENTRO EURO-MEDITERRÁNEO SUI CAMBIAMENTI CLIMATICI. Climate Change in the Future.G20 Climate Risk Atlas, https://files.cmcc.it/g20climaterisks/Eu27.pdf

171 European Commission. (2023). Cross-border and emerging risks in Europe. JRC Publication Repository. https://acortar.link/5VHOne

172 European Federation of Geologists. (s. f.). EFG contributes to Science for Disaster Risk Management 2020. https://acortar.link/5VHOne

o nucleares. Este diagnóstico común resulta fundamental para la planificación administrativa y la coordinación interestatal en la gestión de riesgos.[173]

1.3.1.1. Relación de los riesgos naturales en el ámbito de la ciberseguridad en la Unión Europea

El informe "2024 Report on the State of Cybersecurity in the Union", publicado por la Agencia Europea para la Ciberseguridad en la Unión Europea (ENISA), el pasado 3 de diciembre de 2024, aborda indirectamente los riesgos o catástrofes naturales al analizar las amenazas emergentes en el ámbito de la ciberseguridad. Dentro de las proyecciones hacia 2030, destaca el impacto físico de perturbaciones naturales o ambientales en las infraestructuras digitales críticas como un elemento de creciente preocupación. Este riesgo se menciona en el marco de la necesidad de preparar sistemas resilientes frente a un amplio rango de desafíos, incluidos los derivados de fenómenos naturales.

Este informe señala que las perturbaciones naturales pueden tener un impacto significativo en infraestructuras digitales críticas que son esenciales para la continuidad de los servicios básicos, desde la salud hasta la energía. Por otro lado, la creciente digitalización y la interdependencia de los sistemas críticos incrementan la posibilidad de que un riesgo natural (como las inundaciones, tormentas solares o terremotos) desencadene interrupciones masivas en infraestructuras cibernéticas.

Cabe sostener que las políticas europeas de ciberseguridad (como la Directiva (UE) 2022/2555, de 14 de diciembre de 2022 (NIS 2), y los mecanismos de emergencia de ciberseguridad) han de integrarse cada vez con mayor intensidad en el marco de la gestión de los riesgos naturales a fin de garantizar que las infraestructuras críticas sean resilientes a múltiples amenazas. No obstante, la Directiva NIS2 contempla ello como un enfoque integral ("all-hazards approach") para la gestión de riesgos, incluyendo la protección de los sistemas de red e información y su entorno físico frente a fenómenos naturales como incendios, inundaciones o fallos en telecomunicaciones y energía. Subraya la importancia de abordar los riesgos físicos y ambientales en las medidas de gestión de riesgos de ciberseguridad, y también reconoce que eventos naturales pueden causar interrupciones en infraestructuras críticas que tienen interdependencias transfronterizas, amplificando el impacto en servicios esenciales en múltiples Estados miembros.

---

173 UNDRR. (2020). The European Commission publishes the new report on disaster risks in the EU. https://acortar.link/5VHOne

1.3.1.2. Los ciudadanos europeos ante la protección civil y los riesgos.

Los resultados del Eurobarómetro Especial 541 (*Comisión Europea, 2023*) confirman que la ciudadanía europea percibe la protección civil no sólo como una herramienta técnica de respuesta ante emergencias, sino como una política estructural de integración y solidaridad efectiva dentro de la Unión. Según el estudio, el 94 % de los europeos conoce que la UE coordina la respuesta ante desastres dentro y fuera de su territorio, y el 90 % considera esencial mantener o ampliar dicha cooperación. En España, el nivel de conocimiento y apoyo es aún mayor, con un 96 % de reconocimiento y un 94 % de respaldo, lo que refleja una alta identificación de la ciudadanía con el principio de solidaridad europea.

Estos datos adquieren una relevancia jurídica sustantiva a la luz del art. 222 del Tratado de Funcionamiento de la Unión Europea (TFUE) —la denominada *cláusula de solidaridad*— y de la Decisión (UE) 2019/420, que modifica la Decisión 1313/2014/UE sobre Mecanismo de Protección Civil de la Unión. La opinión pública europea respalda de forma casi unánime la cooperación supranacional en materia de desastres, legitimando la acción conjunta frente a la lógica restrictiva de la subsidiariedad. Este consenso social consolida el fundamento democrático de una Administración europea de crisis, basada en la cooperación operativa, técnica y financiera entre los Estados miembros.

Asimismo, el Eurobarómetro refleja un avance en la cultura del riesgo: el 63 % de los ciudadanos declara estar informado sobre los peligros que afectan a su región —veinte puntos más que en 2021—, aunque sólo un tercio considera que las autoridades locales están "muy preparadas" para responder. Esta asimetría entre conocimiento social y capacidad institucional sugiere la necesidad de revisar la distribución competencial y los mecanismos de financiación preventiva, tanto desde el Derecho Administrativo nacional como desde el marco jurídico europeo. En este contexto, la consolidación del Mecanismo UCPM y el consenso social que lo sustenta permiten afirmar que la protección civil europea ha alcanzado un rango estructural en el espacio público europeo, integrándose plenamente en el concepto de seguridad común y resiliencia compartida. La evolución normativa —desde la Decisión 1313/2013/UE, su reforma de 2019 y las recientes comunicaciones de la Comisión sobre resiliencia climática— confirma que la solidaridad europea ante los desastres se ha transformado en un principio funcional del Derecho de la Unión, con efectos directos sobre las políticas nacionales de planificación y respuesta[174].

---

[174] Comisión Europea. (2023). *Special Eurobarometer 541: Civil protection*. Dirección General de Comunicación. https://short.do/J0PVvz

1.3.2.- Gobernanza inclusiva de los riesgos naturales

A los riesgos propiamente naturales debe añadirse la consideración de aquellos que surgen de su interacción con los originados por la actividad humana. Las características de los riesgos sistémicos son todo un desafío tanto para los investigadores como para el conjunto de la sociedad. En resumen, la gobernanza de los riesgos naturales adquiere importancia capital al poder ser estos estimuladores de riesgos sistémicos. Por eso, al término "gobernanza" y a lo que este significa habremos de añadir el carácter integrador de ésta y de ahí nace el desarrollar una "gobernanza inclusiva" que focalice su acción en todo el itinerario de toma de decisiones relacionado con los riesgos, es decir, involucrar a las partes interesadas en la gobernanza del riesgo.

Si la gobernanza da título de participación tanto a expertos como a personas interesadas, y público en general, la "gobernanza inclusiva" da un paso más en el análisis del riesgo tal y como lo habíamos conocido hasta ahora, e incorpora más actores interesados, y contextualiza el entorno jurídico, político, económico y social de modo más amplio[175].

En el Marco de Sendai, entre sus principios rectores encontramos el apartado d):

"La reducción del riesgo de desastres requiere la implicación y colaboración de toda la sociedad. Requiere también empoderamiento y una participación inclusiva, accesible y no discriminatoria, prestando especial atención a las personas afectadas desproporcionadamente por los desastres, en particular las más pobres. Deberían integrarse perspectivas de género, edad, discapacidad y cultura en todas las políticas y prácticas, y debería promoverse el liderazgo de las mujeres y los jóvenes. En este contexto, debería prestarse especial atención a la mejora del trabajo voluntario organizado de los ciudadanos. "Y también el g):

"La reducción del riesgo de desastres requiere un enfoque basado en múltiples amenazas y la toma de decisiones inclusiva fundamentada en la determinación de los riesgos y basada en el intercambio abierto y la divulgación de datos desglosados, incluso por sexo, edad y discapacidad, así como de la información sobre los riesgos fácilmente accesible, actualizada, comprensible, con base científica y no confidencial, complementada con los conocimientos tradicionales;"

Encontramos más apelaciones a políticas de gobernanza inclusivas, entre otras, en el apartado j) ("fortalecer el diseño y la aplicación de políticas inclusivas y mecanismos de protección social), en el apartado 35 a) ("...

---

175 Renn, O., Klinke, A., & van Asselt, M. (2011). Coping with Complexity, Uncertainty and Ambiguity in Risk Governance: A Synthesis. *AMBIO: A Journal of the Human Environment*, 40(2), 231-246.

abogar por comunidades resilientes y por una gestión del riesgo de desastres inclusiva...) y el art. 47 b) ("... la ciencia y la innovación inclusiva").

El carácter "inclusivo" supone que todas las partes intervinientes contribuyen en el proceso de gobernanza del riesgo, y que el proceso de comunicación mutua, y los intercambios de ideas, experiencias, valoraciones, suponen una mejora en el resultado final, lejos de representar un freno u obstáculo[176]. En resumen, la conciliación entre hechos y valores, desde una perspectiva integradora, se refleja en el Libro Blanco sobre la Gobernanza del Riesgo de 2025, presentado porel Consejo Internacional para la Gobernanza del Riesgo (IRGC).

En el mencionado Libro Blanco se pretende "desarrollar un enfoque integrado, holístico y estructurado, un marco que nos permita investigar las cuestiones de riesgo y los procesos y estructuras de gobernanza correspondientes" [177]. Las etapas, consecutivas, a la hora de abordar una gobernanza del riesgo serían: preevaluación, valoración, caracterización y evaluación, y gestión.

El principal problema que nos encontraremos con relación a la gestión de los riesgos naturales, y sus posibles derivaciones sistémicas, no nace de la carencia de datos, sino de la dificultad en su procesamiento, y la incertidumbre sobre su precisión y exactitud.

Es clave la caracterización de los conocimientos sobre un riesgo, lo que implica un examen exhaustivo de lo que hasta el momento se conoce. Se trata de despejar incertidumbres y determinar si un riesgo puede ser aceptable, tolerable o intolerable (en este caso la actividad se prohíbe o sustituye). Obviamente nos enfrentamos a la incertidumbre, que será mayor cuantas menos respuestas nos ofrezca la ciencia. Por ello, el legislador debe exigir el máximo rigor en los análisis, sin caer en la tentación de reclamar una infalibilidad imposible ante la complejidad de variables concurrentes. En este marco, la inversión en resiliencia se configura como una de las decisiones más eficientes y necesarias.

Se aconseja la gobernanza inclusiva de los riesgos naturales debido a esa incertidumbre, de carácter temporal, que puede mitigarse mediante la participación de múltiples actores (a veces la ciencia da respuesta a problemas a corto plazo, pues los que tienen horizontes más amplios, a veces no son rentables

---

176 RENN, O., & SCHWEIZER, P.J. (2009). Inclusive Risk Governance: Concepts and Application to Environmental Policy Making. *Environmental Policy and Governance*, 19(3), 174-185.

177 The International Risk Governance Council (IRGC) published a document titled "Risk governance: Towards an integrative approach" in 2005. It is available on the IRGC website en https://irgc.org/wp-content/uploads/2018/09/IRGC_WP_No_1_Risk_Governance__reprinted_version_3.pdf, p.5.

para la investigación). A veces, los conocimientos tradicionales, transferidos de generación en generación, no constituyen datos exactos, coherentes, ni precisos, pero abre vías al conocimiento científico, y pueden ser de gran ayuda para la fase de gestión. Como se señala en la obra de SCHWEIZER y RENN: "La gestión del riesgo tiene por objeto el diseño y la aplicación de las medidas y soluciones necesarias para evitar, retener, reducir o transferir el riesgo. "[178] Pero si es complicado el estudio de los riesgos naturales, los efectos primarios, secundarios y terciarios son altamente complejos, como lo es valorar los efectos de riesgos aparentemente no interconectados ni relacionados con ellos. Esa ambigüedad requiere de un discurso participativo que precise de la sociedad civil para conciliar las normas y los principios, con un objetivo que consiste en encontrar soluciones aceptables y justas para poder hacer frente a las ya expresadas incertidumbres, ambigüedades e interrogantes.

Un ejemplo del trabajo de la gobernanza inclusiva sería el análisis de un riesgo natural, y sus posibles derivaciones sistémicas, y hasta dónde estaríamos dispuestos a llegar con las exigencias normativas, con el consiguiente impacto en las finanzas de una familia, una empresa, o un gobierno de tal o cual nivel para dar satisfacción a la demanda de seguridad. Debemos buscar soluciones equitativas y justas para todos, y especialmente para las personas afectadas[179].

En conclusión, y siguiendo las recomendaciones del Marco de Sendai, para encarar los riesgos sistémicos desde el prisma de una gobernanza inclusiva deberíamos:

- Reforzar la interdisciplinariedad (ciencias naturales, disciplinas técnicas, sociales, etc.) y la transdisciplinariedad (práctica y ciencia).
- Combinar desde las distintas disciplinas científicas los conocimientos prácticos sobre frecuencia, gravedad y expansión de los riesgos naturales.
- De la mano de las ciencias sociales y de la comunicación, mejorar las alertas[180], diseño de asentamientos humanos y la ordenación del territorio.

---

178 RENN, O. and P.-J. SCHWEIZER. 2009. Inclusive Risk Governance: Concepts and Application to Environmental Policy Making. Environmental Policy and Governance, Vol.19, Issue3: 174-185

179 RENN, O., P.-J. SCHWEIZER, U. MÜLLER-HEROLD and A. STIRLING. 2009. Precautionary Risk Appraisal and Management. An Orientation for Meeting the Precautionary Principle in the European Union. Bremen. Europäischer Hochschulverlag

180 En el terremoto acaecido en febrero de 2023, y que afectó gravemente a Turquía y Siria, éste ocurrió en las horas de madrugada, cuando los ciudadanos estaban descansando en sus casas. "El país carece de un sistema de alerta", señaló BBC News Mundo el 6.02.2023. https://bbc.in/3JQzB5t

- Las ciencias administrativas y organizativas pueden contribuir a la mejora y eficacia de las medidas previas y posteriores a la aparición de los riesgos naturales.
- Incorporar el conocimiento experiencial y local en la gestión de los riesgos naturales.

En definitiva, trabajo conjunto y coordinado de los científicos, los gestores locales y regionales, y las partes interesadas del público que pueda verse afectado, de modo transdisciplinar como se ha indicado.

Otras medidas que deben promover los gobiernos consisten en:

- Ofrecer incentivos mediante el apoyo de medidas específicas.
- Armonizar datos locales, regionales, nacionales e internacionales, para evitar su fragmentación (banco general de metadatos).
- Normalizar el contenido de la comunicación y las advertencias para que se logre un aprendizaje eficaz de la población[181].
- Normativa de seguros justas para evitar el parasitismo asegurador[182].
- Crear lazos de comunicación con los afectados y compartir los conocimientos.
- Si bien existen expertos de riesgos específicos, una visión integradora requiere de expertos interdisciplinares en protección civil y prevención de crisis, para ello sería muy positivo dotarse de una red[183].

Como puede observarse, este enfoque de "gobernanza inclusiva" comienza a caminar, y sin duda, es una inversión rentable, pues nos puede ayudar a anticipar los efectos adversos de riesgos sistémicos.

---

181 Si cada Comunidad Autónoma establece sus propios sistemas de alerta a la población, con estrategias de comunicación diferentes, eso exige un aprendizaje al ciudadano de carácter continuo, lo que implica en la mayoría de las ocasiones un esfuerzo ineficaz.

182 Si se produce una catástrofe, y asegurados y no asegurados son receptores de ayudas (para que esto ocurra se produce una elevación del importe de las primas a causa de que muchos practican el parasitismo asegurador) el efecto es desincentivador hacia el aseguramiento. En Alemania la normativa sobre seguros ha dado lugar a lo que se conoce como "riesgos morales", que es que los no asegurados reciben ayudas estatales tras un siniestro, y los asegurados ven elevadas las primas.

183 Podrían gestarse estas redes desde el ámbito educativo, desde las administraciones con competencias en protección civil, y desde el ámbito de las entidades sociales que trabajan en este ámbito.

Una buena ayuda es la que brinda la "Guía de recursos sobre la participación de las partes interesadas" [184] de SCHWEIZER y RENN, del Instituto de Estudios Avanzados en Sostenibilidad (Institute for Advanced Sustainability Studies, IASS), como introducción a un grupo de manuales que explican a las partes interesadas el proceso de gobernanza frente a los riesgos. El marco de gobernanza de riesgos del International Risk Governance Council (IRGC), se expresa en un cuadro[185] que sirve para estructurar y guiar el proceso de evaluación y gestión de riesgos que son complejos. El marco se divide en cuatro componentes principales:

- Preevaluación: etapa inicial donde se identifican los problemas y se establecen las líneas de trabajo, como son el planteamiento del problema, la alerta temprana, el cribado y la determinación de convenciones científicas.
- Evaluación: donde se evalúa el riesgo mediante la identificación de los peligros, la evaluación de la exposición y vulnerabilidad y la caracterización del riesgo.
- Caracterización y evaluación: se realiza una valoración precisa de las percepciones del riesgo, las preocupaciones sociales y los impactos de carácter socioeconómico.

---

184 IRGC (2020). Involving stakeholders in the risk governance process. Lausanne: EPFL International Risk Governance Center. DOI: 10.5075/epfl-irgc-282243

185 El Marco en su conjunto -o partes específicas del mismo- se utilizan a menudo como base o inspiración para que una organización desarrolle su propio marco de gestión de riesgos, y son de indudable ayuda para el legislador. El diagrama muestra un proceso estructurado en cuatro áreas principales que se interrelacionan entre sí: Decisión, Entendimiento, Evaluación y Gestión. Cada área principal tiene subcategorías que detallan acciones específicas o temas a tener en cuenta. Decidir (Deciding): Se enfoca en la toma de decisiones y gestión. Se divide en dos fases principales: Implementación: Incluye la realización de opciones, monitoreo y control, y retroalimentación de la práctica de gestión de riesgos. Toma de decisiones: Involucra la identificación de opciones, generación y evaluación de opciones, y selección de las mismas. Entender (Understanding): Está relacionado con generar y evaluar conocimientos. Se compone de: Pre-evaluación: Marco del problema, alerta temprana, selección y determinación de convenciones científicas. Evaluación del riesgo: Identificación de peligros, evaluación de la exposición y vulnerabilidad, y caracterización del riesgo. Evaluar (Appraisal): Engloba la valoración de aspectos específicos, tales como: Evaluación de riesgos: Considerando la tolerabilidad, aceptabilidad y la necesidad de medidas de reducción de riesgos. Caracterización del conocimiento: Perfil de riesgo, juicio sobre la seriedad del riesgo y conclusiones y opciones de reducción del riesgo. Evaluación de preocupaciones: Percepciones de riesgo, inquietudes sociales y impactos socioeconómicos. Gestionar (Management): Se centra en la gestión de todos estos procesos y tiene aspectos transversales como la comunicación, la participación de los interesados y el contexto.

- Gestión: se centra en la toma de decisiones y gestión, incluyendo las opciones a barajar, el monitoreo y control, retroalimentación práctica de la gestión de riesgos, y por último, la identificación, generación y evaluación de posibles escenarios de decisión.

La gobernanza inclusiva, aunque no resuelve todos los problemas asociados con los riesgos, particularmente los naturales, desempeña un papel significativo en la mejora de la calidad y eficacia de la gestión. Este enfoque no solo permite abordar de manera más efectiva los desafíos y amenazas, sino que también contribuye a fortalecer la legitimidad[186] de las decisiones tomadas en la gestión de riesgos. Al involucrar a diversas partes interesadas y comunidades en el proceso de toma de decisiones, se fomenta la transparencia, la participación y la equidad, creando un marco más robusto para afrontar y mitigar los riesgos de manera sostenible.

1.3.3.- Clasificación de los riesgos naturales utilizada por la base de datos de indemnización del Catálogo Nacional

Se dispone de un estudio realizado por GROEVE et al. que documenta buenas prácticas vinculadas a la recopilación de datos sobre catástrofes en los Estados miembros de la Unión. En este informe, respecto a la información concerniente a nuestro país, se estableció contacto con la Dirección General de Protección Civil y Emergencias del Ministerio del Interior, específicamente con su personal técnico[187], con el objetivo de recabar datos de inundaciones[188] y otros riesgos naturales.

---

186 International Risk Governance Center (IRGC). (2020). Involving stakeholders in the risk governance process (p. 13). Lausanne: EPFL. DOI: 10.5075/epfl-irgc-282243.

187 Contacto con BUSTAMANTE GIL, Almudena. Titulado Superior Riesgos Naturales y Antrópicos de la Dirección General de Protección Civil y Emergencias del Ministerio del Interior, Gobierno de España.

188 El estudio señala que en 1983 se creó en el seno de la Comisión Nacional de Protección Civil un comité, el comité Técnico de Emergencia ante Inundaciones (CTEI). Se han recopilado estudios históricos relativos a inundaciones (más de 3.000 en total a lo largo de los siglos), identificando zonas de inundación (1.036 zonas). En el año 1996 la Dirección General de Protección Civil presentó una guía metodológica en relación con la recopilación de datos. Se data en el Catálogo Nacional de Inundaciones históricas la primera en el siglo I a.C. Con posterioridad, se constituyeron grupos de trabajo por cada cuenca hidrográfica. Desde entonces ha habido un trabajo progresivo y minucioso, cumpliendo el catálogo con los principales objetivos que es de indudable ayuda en la gestión de este tipo de riesgo, y en el que ha habido y hay una participación de las distintas administraciones. El formato adoptado consiste en fichas,

A continuación, expresamos la tabla de clasificación de riesgos naturales relativos a la base de datos indemnizatoria[189] así como sus definiciones[190].

Definiciones:

Indemnity (DGPC)	**Subtype**	**Consortium of Insurance Compensation**	**Subvention (DGPC)**
Drought (Sequías)			Drought (Sequía)
Earthquake (Terremotos)		Earthquake (Terremoto)	Earthquake (Terremoto)
Extreme temperature (Temperaturas extremas)	Cold wave (Frío intenso)		Frost (Heladas)
	Heat wave (Altas temperaturas)		
Flood (Inundaciones)	Coastal/lake flood (Inundaciones costeras)	Extreme flood (Inundación extraordinaria)	Flood – overflow (Inundaciones – Desbordamiento)
	Flash floods (Flash floods)		
	Plain flood (Inundación fluvial lenta)		
	Valley flood (Inundación fluvial rápida)		
Slide (Movimientos del terreno)	Avalanche (Avalancha)		Landslide (Deslizamientos)

las cuales compilan información detallada sobre cada episodio de inundación. Estos registros incluyen los siguientes datos: un mapa actualizado de la cuenca que abarca la zona que es afectada por la inundación específica, la fecha del evento, la duración del periodo de inundación, las causas que la originaron, los daños registrados y las fuentes de datos e información utilizadas. Es el Departamento de Riesgos Naturales de la DGPCE quien elabora listado provisional de inundaciones por provincias, y asegura validar la información en colaboración con las Unidades de Protección Civil de las Delegaciones de Gobierno de cada respectiva provincia, además de contrastarla con otros datos obtenidos de fuentes igualmente confiables.

189 De Groeve, T., Poljansek, K., Ehrlich, D., Corbane, C., & Bustamante Gil, A. (2014). Current status and Best Practices for Disaster Loss Data recording in EU Member States: A comprehensive overview of current practice in the EU Member States (EUR 26879). Luxembourg: Publications Office of the European Union. JRC9229. ISBN 978-92-79-43549-2. pg. 114 basado en la información aportada por BUSTAMANTE GIL, A. Titulado Superior Riesgos Naturales y Antrópicos de la Dirección General de Protección Civil y Emergencias del Ministerio del Interior, Gobierno de España.

190 Ibidem pgs. 115-117.

Indemnity (DGPC)	**Subtype**	**Consortium of Insurance Compensation**	**Subvention (DGPC)**
	Landslide (Deslizamiento)		
	Mudflow (Flujo)		Rockfall (Desprendimientos)
	Rockfall (Desprendimiento)		
	Collapse and subsidence (Hundimiento y subsidencia)		Collapse (Hundimiento)
Volcano (Volcanes)		Volcanic activity (Erupción volcánica); Seaquake (Maremoto); Surge (Embate de mar)	Volcanic activity (Erupción volcánica); Seaquake (Maremoto)
Wave/surge (Tsunamis/ Rissagas)	Tsunami (Tsunami)		
	Tidal wave (Rissaga)		
Wildfire (Incendios Forestales)	Forest (Forestal)	Wildfire (Incendios forestales)	Wildfire (Incendios forestales)
Windstorm (Tormentas)	Urban-forest interface (Interfaz urbano-forestal)	Atypical cyclonic storms (Tempestad ciclónica atípica); Surge (Embate de mar)	Tornado (Tornado)
	Hurricane (Huracán)		Tropical storm (Tormenta tropical)
	Tornado (Tornado)		Windstorm (Temporal de viento)
	Tropical storm (Tormenta tropical)		Snowfall (Nevadas)
	Storm (Vientos fuertes)		Hail (Granizo-Pedrisco)
	Winter storm (Temporal de invierno)		Floods due to rainfall (Inundaciones por lluvias)
	Hail (Pedrisco)		Heavy rain/Storm (Lluvias torrenciales/Tormentas)
	Strong rain (Lluvias intensas)		
Other (Otros)	Lightning (Rayos)	Extra-terrestrial body/ meteorite impact (Caída de cuerpos siderales y aerolitos)	

Tabla 3.

No.	Tipo de Riesgo	Definición (en inglés)	Definición (en español)	Fuente Oficial
1	Sequía (Drought)	*Transient anomaly, more or less prolonged, characterized by a period of time with lower values than normal precipitation in an area.*	Anomalía transitoria, más o menos prolongada, caracterizada por un periodo de tiempo con valores de las precipitaciones inferiores a los normales en un área.	Observatorio Nacional de la Sequía (ONS)
2	Terremoto (Earthquake)	*Sudden shaking of the ground that spreads in all directions, caused by a movement of the earth's crust or deeper point.*	Sacudida brusca del suelo que se propaga en todas las direcciones, producida por un movimiento de la corteza terrestre o punto más profundo.	Consorcio de Compensación de Seguros (CCS)
3	Ola de Frío (Cold Wave)	*Important air cooling or the invasion of very cold air over a large area. The temperatures reached during a cold wave fall within the minimum extreme values.*	Enfriamiento importante del aire o la invasión de aire muy frío sobre una zona extensa. Las temperaturas alcanzadas durante una ola de frío se sitúan dentro de los valores mínimos extremos.	METEOALERTA AEMET
4	Ola de Calor (Heat Wave)	*They usually last a few days to a few weeks. The temperatures reached during a heat wave fall within the maximum extreme values.*	Calentamiento importante del aire o invasión de aire muy caliente, sobre una zona extensa. Suelen durar de unos días a unas semanas. Las temperaturas alcanzadas durante una ola de calor se sitúan dentro de los valores máximos extremos.	METEOALERTA AEMET
5	Inundaciones (Flood)	*Temporary submersion of normally dry land as a result of the unusual contribution, and more or less sudden, of an amount of water greater than is usual in a given area.*	Sumersión temporal de terrenos normalmente secos, como consecuencia de la aportación inusual y más o menos repentina de una cantidad de agua superior a la que es habitual en una zona determinada.	Dirección General de Protección Civil y Emergencias (DGPCE)
6	Inundación Extraordinaria (Extraordinary Flood)	*Waterlogging terrain produced by the direct action of rainwater, from the lakes or having natural outlet, rivers or estuaries or natural watercourses, surface when they overflow their normal channels and sea storms on the coast.*	Anegamiento del terreno producido por la acción directa de las aguas de lluvia, las procedentes de deshielo o las de los lagos que tienen salida natural, de los ríos o rías o cursos naturales de agua en superficie, cuando éstos se desbordan de sus cauces normales, así como los embates de mar en las costas.	Consorcio de Compensación de Seguros (CCS)

7	Avalanchas (Avalanches)	*Very rapid processes of mass falling rocks or debris flowing from steep slopes and may be accompanied by ice and snow.*	Procesos muy rápidos de caída de masa de rocas o derrubios que se desprenden de laderas escarpadas y pueden ir acompañadas de hielo y nieve.	Instituto Geológico y Minero de España
8	Deslizamientos (Landslides)	*Mass movements of soil or rock sliding on one or more net breakage surfaces to overcome the shear strength of these planes or to overcome the shear strength of these planes; mass usually moves together, acting as a unit on its way.*	Movimientos de masa de suelo o roca que deslizan sobre una o varias superficies de rotura netas al superarse la resistencia al corte de estos planos; la masa generalmente se desplaza en conjunto, comportándose como una unidad en su recorrido.	Instituto Geológico y Minero de España
9	Flujos (Flows)	*Mass movements of soil (clay or earth flows), debris (debris washes or "debris flow") or boulders (rock fragment washes) where the material is broken and behaves like a fluid.*	Movimientos de masa de suelos (flujos de barro o tierra), derrubios (coladas de derrubios o "debris flow") o bloques rocosos (coladas de fragmentos rocosos) donde el material está disgregado y se comporta como un fluido.	Instituto Geológico y Minero de España
10	Desprendimientos (Rockfall)	*Sudden free falls of blocks or masses of rock in layers independent of preexisting discontinuity (tectonic, laminated surfaces, tension cracks, etc.).*	Caídas libres repentinas de bloques o masas de bloques rocosos independizados por planos de discontinuidad preexistentes (tectónicos, superficies de estratificación, grietas de tracción, etc.).	Instituto Geológico y Minero de España
11	Hundimientos y Subsidencias (Subsidence)	*Movements vertical component, usually differentiating between sinking, or sudden movements, and subsidence, or slow movements.*	Movimientos de componente vertical, diferenciándose generalmente entre hundimientos, o movimientos repentinos, y subsidencias, o movimientos lentos.	Instituto Geológico y Minero de España
12	ActividadVolcánica (Volcanic Activity)	*Escape of solid, liquid or gaseous material ejected by a volcano.*	Escape de material sólido, líquido o gaseoso arrojado por un volcán.	Consorcio de Compensación de Seguros (CCS)
13	Maremoto (Tsunami)	*Violent agitation of the waters of the sea as a consequence of a shock seabed caused by forces acting inside the globe.*	Agitación violenta de las aguas del mar, como consecuencia de una sacudida de los fondos marinos provocada por fuerzas que actúan en el interior del globo.	Dirección General de Protección Civil y Emergencias (DGPCE)
14	Rissagas o Risagas (Tidal wave)	*Oscillation sea level in ports, coves and bays, caused by weather conditions in resonance conditions.*	Oscilación del nivel del mar en puertos, calas o bahías, motivadas por causas meteorológicas en condiciones de resonancia.	METEOALERTA AEMET

15	Incendios Forestales (Wildfire)	*Fire spreads without control over forest land, affecting vegetation that was not destined to burn.*	Fuego que se extiende sin control sobre terreno forestal, afectando a vegetación que no estaba destinada a arder.	Directriz Básica Incendios Forestales (DGPCE)
16	Tempestad ciclónica atípica (Atypical Cyclonic Storms)	*Extremely adverse weather and rigorous produced by: tropical cyclones violent character, intense cold storms with arctic air advection, tornados; extraordinary winds.*	Tiempo atmosférico extremadamente adverso y riguroso producido por: ciclones violentos de carácter tropical, borrascas frías intensas con advección de aire ártico, tornados; vientos extraordinarios.	Reglamento del Consorcio de Compensación de Seguros (CCS)
17	Tornados (Tornados)	*Extratropical cyclonic low-pressure systems that generate rotating tempests produced by a storm of great violence, taking the form of a small-diameter cloud column projected from the base of a cumulonimbus towards the ground.*	Borrascas extratropicales de origen ciclónico que generan tempestades giratorias producidas por una tormenta de gran violencia, que adopta la forma de una columna nubosa de pequeño diámetro proyectada desde la base de un cumulonimbo hacia el suelo.	Reglamento del Consorcio de Compensación de Seguros (CCS)
18	Extra-terrestrial body/meteorite impact (Caídas de cuerpos siderales y aerolitos)	*Impact on the soil surface of bodies from outer space into the Earth's atmosphere unrelated to human activity*	Impacto en la superficie del suelo de cuerpos procedentes del espacio exterior a la atmósfera terrestre y ajenos a la actividad humana	Reglamento del Consorcio de Compensación de Seguros (CCS)

Es muy pertinente expresar a continuación las definiciones de los riesgos a efectos de indemnización que establece el Catálogo Nacional.

1.3.4.- Clasificación de los riesgos naturales por el Centro de Investigación sobre Epidemiología de los Desastres (CRED) y Munich RE

En 2006, el Centro de Investigación sobre Epidemiología de los Desastres (CRED) inició los trabajos para la creación tanto de normas como definiciones en el ámbito de las catástrofes, que fueran de validez y reconocimiento internacional. Y también, llevó a cabo una revisión profunda sobre lo que hasta entonces se conocía por tipología de las catástrofes, algo relevante para poder reportar con precisión qué ocurre en esta materia, y para poder clasificar los datos obtenidos. Se trata de elaborar una taxonomía que nos evite utilizar terminologías diferentes para los mismos hechos, como por ejemplo, una ola de calor o una sequía, un desprendimiento de tierras o un corrimiento de lodo. Dicha revisión se produjo en 2007 de la mano del

CRED, de Munich RE[191], Swiss RE, Asian Centro Asiático de Reducción de Desastres (ADRC) y el Programa de las Naciones Unidas para el Desarrollo (PNUD). Sin duda, fue un gran paso en el desarrollo de una clasificación internacional normalizada de las catástrofes y la terminología de riesgos hasta entonces empleada, con el empleo de tipos y subtipos. Para ello se utilizó una matriz de datos de las principales fuentes de datos[192].

A continuación, se expresa el resultado de dicho trabajo[193].

Grupo de Desastres Geofísicos:

Tabla 4.

Grupo Genérico de Desastre	Grupo de Desastre	Principal Tipo de Desastre	Subtipo de Desastre	Sub-subtipo de Desastre
Desastre Natural	Geofísico	Terremoto	Temblor de Tierra	
			Tsunami	
		Volcán	Erupción Volcánica	
		Movimiento de Tierra (seco)	Desprendimiento de rocas	
			Avalancha	Avalancha de nieve
				Avalancha de escombros
			Corrimiento de tierras	Alud de barro Flujo de lava Flujo de escombros
			Hundimiento	Hundimiento repentino
				Hundimiento de larga duración

191 Munich RENatCatService es una compañía de vanguardia en la evaluación de riesgos, y que cuenta con una de las bases de datos más amplia para el análisis y evaluación de las pérdidas producidas por los desastres naturales. Durante décadas, ha registrado sistemáticamente este tipo de información.

192 ADRC (GLIDE), CRED (EM-DAT), La Red (DesInventar), Munich RE (NatCatSERVICE) y Swiss Re (Sigma).

193 Université Catholique de Louvain. (2009, octubre). Disaster Category Classification and Peril Terminology for Operational Purposes [Working paper].

Tabla 5. Grupo de Desastres Meteorológicos:

Grupo Genérico de Desastre	Grupo de Desastre	Principal Tipo de Desastre	Subtipo de Desastre	Sub-subtipo de Desastre
Desastre Natural	Meteorológico	Tormenta	Tormenta tropical	
			Ciclón extra tropical (tormenta de invierno)	
			Local/Tormenta convectiva	Tormenta eléctrica
				Tormenta de nieve/ventisca
				Tormenta de arena/tormenta de polvo
				Tormenta genérica (severa)
				Tornado
				Tormenta orográfica[194] (fuertes vientos)

Tabla 6. Grupo de Desastres Hidrológicos:

Grupo Genérico de Desastre	Grupo de Desastre	Principal Tipo de Desastre	Subtipo de Desastre	Sub-subtipo de Desastre
Desastre Natural	Hidrológico	Inundación	Inundación general (río)	
			Inundación repentina	
			Marejada ciclónica/ inundación costera	
		Movimiento de masas (húmeda)	Desprendimiento de rocas	
			Desprendimiento de tierras	Flujo de escombros
			Avalancha	Avalancha de nieve
				Avalancha de escombros
			Hundimiento	Hundimiento repentino
				Hundimiento de larga duración

194 Es un tipo de tormenta cuyo origen o reforzamiento se produce a consecuencia de los efectos montañosos como puede ser la elevación orográfica o la ciclogénesis de sotavento, según definición de la Sociedad Americana de Meteorología.

Tabla 7. Grupo de Desastres Climatológicos:

Grupo Genérico de Desastre	Grupo de Desastre	Principal Tipo de Desastre	Subtipo de Desastre	Sub-subtipo de Desastre
Desastre Natural	Climatológico	Temperaturas extremas	Ola de calor	
			Ola de frío	Heladas
			Condiciones de invierno extremas	Aludes de nieve
				Helada
				Lluvia torrencial
				Avalancha de escombros
		Sequía	Sequía	
		Incendios Forestales	Fuego forestal	
			Incendios terrestres (pastos, matorrales, arbustos, etc.).	

Tabla 8. Grupo de Desastres Biológicos:

Grupo Genérico de Desastre	Grupo de Desastre	Principal Tipo de Desastre	Subtipo de Desastre	Sub-subtipo de Desastre
Desastre Natural	Biológico	Epidemia	Enfermedades infecciosas víricas	
			Enfermedades infecciosas bacterianas	
			Enfermedades infecciosas parasitarias	
			Enfermedades infecciosas por hongos	
			Enfermedades infecciosas por partículas proteicas	
		Infestación por insectos	saltamontes/langostas/gusanos	
		Estampida de animales		

Tabla 9. Grupo de Desastres Extra-terrestres:

Grupo Genérico de Desastre	Grupo de Desastre	Principal Tipo de Desastre	Subtipo de Desastre	Sub-subtipo de Desastre
Desastre Natural	Extra-terrestre	Meteorito/asteroide		

1.3.5.- Definición de los riesgos naturales por el Centro de Investigación sobre Epidemiología de los Desastres (CRED) y Munich RE NatCatService

La armonización de las categorías de catástrofes existentes tanto en el EMDAT, como en el NatCatService, hace necesario definir también la terminología empleada.

A continuación, se recogen las definiciones de desastres que han sido creadas y utilizadas conjuntamente tanto por el CRED como por el NatCatService[195].

Tabla 9.

Desastre	Definición
Avalancha	La avalancha describe una cantidad de nieve o hielo que se desliza por la ladera de una montaña bajo la fuerza de la gravedad. Se produce cuando la carga sobre las capas superiores de nieve supera las fuerzas de adherencia de toda la masa de nieve. A menudo acumula material que se encuentra debajo del manto de nieve, como tierra, rocas, etc. (alud de escombros). Cualquier tipo de movimiento rápido de nieve/hielo.
Catástrofe hidrológica	Acontecimientos causados por desviaciones en el ciclo normal del agua y/o desbordamiento de masas de agua provocados por la acción del viento.
Catástrofes Biológicas	Desastre causado por la exposición de organismos vivos a gérmenes y sustancias tóxicas.
Catástrofes Climatológicas	Eventos causados por procesos de larga duración/meso a macroescala en el espectro de la variabilidad climática intraestacional a multidecenal.
Catástrofes geofísicas	Sucesos originados en la tierra firme.
Catástrofes meteorológicas	Eventos causados por procesos atmosféricos de corta duración/pequeña a meso escala (en el espectro de minutos a días).
Ciclón tropical	Un ciclón tropical es un sistema tormentoso no frontal que se caracteriza por un centro de baja presión, bandas de lluvia en espiral y fuertes vientos. Suele originarse sobre aguas tropicales o subtropicales y gira en el sentido de las agujas del reloj en el hemisferio sur y en sentido contrario en el hemisferio norte. El sistema se alimenta del calor liberado cuando el aire húmedo asciende y el vapor de agua que contiene se condensa (sistema de tormentas de "núcleo caliente"). Por lo tanto, la temperatura del agua debe ser >27 °C. Dependiendo de su ubicación y fuerza, los ciclones tropicales se denominan huracán (Atlántico occidental/ Pacífico oriental), tifón (Pacífico occidental), ciclón (Pacífico meridional/Océano Índico), tormenta tropical y depresión tropical (definida por la

195 Université Catholique de Louvain. (2009, octubre). Disaster Category Classification and Peril Terminology for Operational Purposes: Annex 1: Definition Table [Working paper].

	velocidad del viento; véase la escala Saffir-Simpson). En las zonas tropicales, los ciclones se denominan huracanes, tifones y depresiones tropicales (nombres que dependen de la ubicación).
Condiciones invernales extremas	Daños causados por la nieve y el hielo. Los daños invernales se refieren a los daños a edificios, infraestructuras, tráfico (especialmente navegación) infligidos por la nieve y el hielo en forma de presión de nieve, lluvia helada, vías fluviales congeladas, etc.
Crecida	Elevación significativa del nivel del agua en un arroyo, lago, embalse o región costera.
Desprendimiento de rocas	Cantidad de roca o piedra que se desprende libremente de la pared de un acantilado. Se produce por socavación, meteorización o degradación del permafrost.
Desprendimiento de tierras	Cualquier tipo de movimiento moderado o rápido del suelo, incluidos los aludes, los aludes de lodo y los flujos de escombros. Un deslizamiento es el movimiento de tierra o roca controlado por la gravedad y la velocidad del movimiento suele oscilar entre lenta y rápida. Puede ser superficial o profundo, pero los materiales tienen que formar una masa que sea una porción de la ladera o la ladera misma. El movimiento tiene que ser descendente y hacia el exterior con una cara libre.
Epidemia	Aumento inusual del número de casos de una enfermedad infecciosa ya existente en la región o población afectada, o aparición de una enfermedad infecciosa antes ausente en una región.
Erupción volcánica	Toda actividad volcánica como caída de rocas, cenizas, corrientes de lava, gases, etc. La actividad volcánica describe tanto el transporte de magma y/o gases a la superficie terrestre, que puede ir acompañado de temblores y erupciones, como la interacción del magma y el agua (por ejemplo, aguas subterráneas, lagos de cráter) bajo la superficie terrestre, que puede dar lugar a erupciones freáticas. Dependiendo de la composición del magma, las erupciones pueden ser explosivas y efusivas y dar lugar a variaciones de desprendimiento de rocas, caída de cenizas, corrientes de lava, flujos proclásticos, emisión de gases, etc.
Fuego Forestal (forest fire)	Los fuegos forestales que provocan grandes daños. Pueden iniciarse por causas naturales, como erupciones volcánicas o rayos, o ser provocados por pirómanos o fumadores descuidados, por quienes queman madera o por la limpieza de una zona forestal.
Incendio Forestal (wild fire)	El incendio forestal describe un fuego incontrolado, normalmente en terrenos salvajes, que puede causar daños a la silvicultura, la agricultura, las infraestructuras y los edificios.
Infestación por insectos	Afluencia y desarrollo generalizados de insectos o parásitos que afectan a las personas, los animales, los cultivos y los materiales.
Inundación General	Crecida gradual de las crecidas continentales (ríos, lagos, aguas subterráneas) debida a la gran profundidad total de las precipitaciones o del deshielo. Una inundación general se produce cuando una masa de agua (río, lago) desborda sus cauces normales debido a la subida del nivel del agua. El concepto de inundación general abarca tanto la acumulación de agua en la superficie ocasionada por precipitaciones prolongadas (encharcamiento) como la elevación del nivel freático por encima de la superficie. Además, la inundación por fusión de nieve y hielo, los efectos de remanso y causas especiales como el desbordamiento de un lago glaciar o la rotura de una presa se engloban dentro del término crecida general. Las inundaciones generales pueden esperarse en ciertos lugares (por ejemplo, a lo largo de los ríos) con una probabilidad significativamente mayor que en otros.

Inundación repentina	Inundaciones interiores rápidas debidas a lluvias intensas. Una crecida repentina describe una inundación repentina de corta duración. En terrenos inclinados, el agua fluye rápidamente con un alto potencial de destrucción. En terrenos llanos, el agua de lluvia no puede infiltrarse en el suelo ni escurrir (debido a la escasa pendiente) con la misma rapidez con la que cae. Las inundaciones repentinas suelen estar asociadas a tormentas eléctricas. Una inundación repentina puede producirse prácticamente en cualquier lugar.
Marejada ciclónica	Inundación costera en costas y orillas de lagos inducida por el viento. Una marea de tempestad es la subida del nivel del agua en el mar, un estuario o un lago como consecuencia de un fuerte viento que impulsa el agua del mar hacia la costa. Esta llamada marea de viento se superpone a la marea astronómica normal. El nivel medio de pleamar puede superarse en cinco o más metros. Las zonas amenazadas por las mareas tormentosas son las tierras bajas costeras.
Ola de calor	Una ola de calor es un periodo prolongado de tiempo excesivamente caluroso y a veces también húmedo en relación con los patrones climáticos normales de una determinada región.
Ola de frío	Una ola de frío puede ser tanto un periodo prolongado de tiempo excesivamente frío como la invasión repentina de aire muy frío en una zona extensa. Junto con las heladas, puede causar daños a la agricultura, las infraestructuras y las propiedades. Daños causados por las bajas temperaturas.
Sequía	Fenómeno de larga duración provocado por la falta de precipitaciones. Una sequía es un periodo de tiempo prolongado caracterizado por una deficiencia en el suministro de agua de una región que es el resultado de precipitaciones constantemente por debajo de la media. Una sequía puede provocar pérdidas en la agricultura, afectar a la navegación interior y a las centrales hidroeléctricas, y causar falta de agua potable y hambruna.
Subsidencia	Movimiento descendente de la superficie terrestre respecto a un punto de referencia (por ejemplo, el nivel del mar). La subsidencia seca puede ser el resultado de fallas geológicas, rebote isostático, impacto humano (por ejemplo, minería, extracción de gas natural). El hundimiento húmedo puede deberse al karst, a cambios en la saturación del agua del suelo, a la degradación del permafrost (termokarst), etc.
Temporal de viento (tormenta orográfica)	El temporal de viento local se refiere a los fuertes vientos provocados por fenómenos atmosféricos regionales típicos de una zona determinada. Pueden ser vientos catabáticos, foehn, Mistral, Bora, etc.
Terremoto	Sacudida y desplazamiento del suelo debido a ondas sísmicas. Se trata del terremoto propiamente dicho sin efectos secundarios. Un terremoto es el resultado de una liberación repentina de energía almacenada en la corteza terrestre que crea ondas sísmicas. Pueden ser de origen tectónico o volcánico. En la superficie terrestre se perciben como una sacudida o desplazamiento del suelo. La energía liberada en el hipocentro puede medirse en diferentes rangos de frecuencia. Por ello, existen diferentes escalas para medir la magnitud de un seísmo en función de un determinado rango de frecuencias. Estas son: a) magnitud de onda superficial (Ms); b) magnitud de onda de cuerpo (Mb); c) magnitud local (ML); d) magnitud de momento.

1.3.6.- Los riesgos globales para el Foro Económico Mundial

La 19.ª edición del Informe sobre Riesgos Mundiales (2024) subrayaba la interdependencia entre riesgos de naturaleza climática, social, tecnológica y económica, destacando la necesidad de respuestas inmediatas ante fenómenos con capacidad de generar disrupciones en cascada. Entre las amenazas más críticas se situaban los eventos climáticos extremos y la polarización social, ambos íntimamente vinculados a la aceleración del cambio climático y a la propagación de la desinformación. El informe insistía en que estos factores acumulativos podían desembocar en crisis sistémicas, al tiempo que apuntaba a la inteligencia artificial y las tecnologías emergentes como elementos transformadores de la próxima década, con un potencial ambivalente: generador de progreso, pero también de inestabilidad.

La 20.ª edición (2025) confirma parte de este diagnóstico, aunque introduce un matiz relevante en la jerarquía de riesgos. En el corto plazo, los expertos sitúan en primer lugar el conflicto armado entre Estados, reflejo de un escenario internacional marcado por la guerra en Ucrania y la inestabilidad en Oriente Medio y África. A este se suman la confrontación geoeconómica, la intensificación del ciberespionaje y la ciberguerra, y la desinformación, que se mantiene como el riesgo más crítico en el horizonte inmediato de dos a tres años. En el largo plazo, sin embargo, los riesgos de mayor severidad vuelven a ser los fenómenos meteorológicos extremos y la pérdida de biodiversidad, confirmando la centralidad de los factores ambientales en la agenda global.

La comparación entre ambos informes muestra, por tanto, una cierta continuidad en la relevancia de los riesgos ambientales y tecnológicos, pero también un desplazamiento hacia la dimensión geopolítica y de seguridad inmediata. Mientras el informe de 2024 ponía el acento en la cohesión social y en la erosión de la confianza pública, el de 2025 refleja un mundo aún más fragmentado, donde los conflictos armados y el debilitamiento del multilateralismo condicionan la percepción del riesgo global. Esta evolución evidencia cómo la agenda de riesgos ha pasado de centrarse en la sostenibilidad y la resiliencia social a incorporar con mayor urgencia los desafíos derivados de la confrontación interestatal y la polarización política.

El Global Risks Report 2025 estructura su análisis a partir de tres horizontes temporales. En el plazo inmediato (2025), los expertos consultados identifican como principal amenaza el conflicto armado entre Estados, reflejo de un contexto internacional marcado por la guerra en Ucrania y la inestabilidad en Oriente Medio y África. Junto a este riesgo destacan los eventos climáticos extremos, la confrontación geoeconómica, la desinformación y la polarización social, todos ellos interconectados y con capacidad de intensificarse mutuamente.

En el corto plazo (hasta 2027), el informe concluye que el riesgo más grave para la estabilidad global es la desinformación, que por segundo año consecutivo se mantiene como la amenaza crítica. A este fenómeno se suman los fenómenos meteorológicos extremos, la polarización social, el incremento del ciberespionaje y la ciberguerra, y la persistencia de los conflictos armados entre Estados. La conjunción de estos factores refleja un escenario de elevada fragmentación, donde las tensiones geopolíticas se ven amplificadas por vulnerabilidades tecnológicas y sociales.

En el largo plazo (hasta 2035), el peso de los riesgos ambientales resulta aún más evidente. Los eventos meteorológicos extremos aparecen como la principal amenaza, seguidos de la pérdida de biodiversidad y el colapso de ecosistemas. También se incluyen entre los riesgos prioritarios la escasez de recursos naturales y los efectos adversos de las tecnologías emergentes, en particular la inteligencia artificial y la biotecnología. Estos riesgos de carácter estructural consolidan la idea de que el cambio climático y la presión sobre los ecosistemas seguirán configurando la agenda global en la próxima década.

1.3.7.- Los riesgos en la Estrategia de Seguridad Nacional

La Estrategia de Seguridad Nacional[196] en su Capítulo III, identifica y describe los principales riesgos y amenazas a través de un mapa específico. En este marco, adquieren creciente relevancia las amenazas vinculadas a las denominadas estrategias híbridas, cuya presencia se intensifica progresivamente dentro del panorama de seguridad.

Citados riesgos y amenazas se ponen en relación con el grado de correspondencia de cada uno de ellos con la dimensión tecnológica y con las estrategias de tipo híbrido, sin que podamos avanzar más en este análisis, pues no se aportan valores, simplemente un grafismo, en el Resumen Ejecutivo de esta Estrategia que se hizo desde el Departamento de Seguridad Nacional[197].

---

196 Presidencia del Gobierno. (2021). Estrategia de Seguridad Nacional 2021. Real Decreto 1150/2021, de 28 de diciembre. https://www.boe.es/eli/es/rd/2021/12/28/1150

197 Presidencia del Gobierno. (2021). Estrategia de Seguridad Nacional 2021 [https://acortar.link/kdjlNw]. Página 53.: "En esta Estrategia, los factores que afectan a la Seguridad Nacional se plantean como elementos de un continuo que refleja una gradación progresiva en función de su grado de probabilidad e impacto. Así, los riesgos y las amenazas no son estáticos, sino que se conciben de una manera dinámica." Si entendemos que los factores (riesgos y amenazas) se reflejan en el gráfico en gradación progresiva, se deduce que la probabilidad e impacto de la "tensión estratégica y regional" es mayor que los "efectos del cambio climático", o que el "terrorismo y radicalización

En la Estrategia de Seguridad Nacional, al igual que sucediera en la Norma Básica de Protección Civil, aparecen siempre ligados los términos "emergencias y catástrofes", salvo en una ocasión, cuando se habla de la contribución de España a las capacidades de la OTAN, en el que emplean los términos "desastres y catástrofes". El término "desastre" suele ir ligado en esta Estrategia para referirse a los "desastres naturales".

Como elementos potenciadores de los riesgos, se destacan la interdependencia global y la fragilidad de las cadenas de suministro, que amplifican crisis en cascada; la transformación digital acelerada y el uso de tecnologías emergentes, que nos exponen a ciberataques y a prácticas de espionaje; el impacto del cambio climático, que acrecenta fenómenos extremos así como migraciones masivas. Además, el auge de estrategias híbridas como la desinformación y el ciberespionaje desestabilizan instituciones, mientras que la polarización social y la desigualdad económica, acrecentadas por la pandemia, generan tensiones internas. Estas amenazas se agravan por la competencia geopolítica, la fragilidad del multilateralismo y la vulnerabilidad de las infraestructuras críticas, espacios marítimos y aeroespaciales, exigiendo una respuesta coordinada, tecnológica y resiliente.

En el Resumen Ejecutivo elaborado por el Departamento de Seguridad Nacional, se identifican como riesgos y amenazas las "emergencias y catástrofes", y se identifican como principales riesgos "las inundaciones, los incendios forestales, los terremotos y maremotos, los riesgos volcánicos, los fenómenos meteorológicos adversos, los accidentes en instalaciones o durante procesos en los que se utilicen o almacenen sustancias peligrosas, el transporte de mercancías peligrosas por carretera y ferrocarril, los accidentes catastróficos en el marco del transporte de viajeros y los riesgos nucleares, radiológicos y biológicos."[198]

También se establece como determina la Estrategia de Seguridad Nacional de 2021[199] el riesgo de "epidemias y pandemias". En la Estrategia lo que se hace es proporcionar una visión detallada de los riesgos y amenazas a la Seguridad Nacional, categorizándolos en tres niveles concéntricos según la naturaleza de los riesgos:

---

violenta" está por delante que la "vulnerabilidad energética", o que las "epidemias y pandemias", están por delante de la "inestabilidad económica y financiera".

198 Presidencia del Gobierno. (2021). Estrategia de Seguridad Nacional 2021 (pp. 58-59). https://acortar.link/kdjlNw

199 Presidencia del Gobierno. (2021). Estrategia de Seguridad Nacional 2021 (pp. 54-58). https://acortar.link/kdjlNw

1. Riesgos y amenazas interconectados: este nivel muestra cómo los diferentes riesgos y amenazas están entrelazados y pueden afectarse mutuamente. Esto indica que un evento en una categoría puede tener consecuencias en otra, reflejando la complejidad de la seguridad nacional en un entorno globalizado.
2. Predominio del vector tecnológico: esta categoría pone el énfasis en la importancia de la tecnología y cómo su desarrollo y uso pueden representar tanto oportunidades como desafíos para la seguridad nacional. Esto incluye riesgos en el ciberespacio, como métodos convencionales y no convencionales, para lograr objetivos.
3. Estrategias híbridas: se refiere a tácticas que combinan elementos de diferentes tipos de riesgos y amenazas, como métodos convencionales y no convencionales, para lograr objetivos específicos. Este enfoque puede incluir campañas de desinformación que utilizan tecnología avanzada para influir o desestabilizar.

Dentro de los citados niveles, se incluyen una variedad de riesgos específicos como: tensión estratégica y regional, terrorismo y radicalización violenta, epidemias y pandemias, amenazas a las infraestructuras críticas, emergencias y catástrofes, espionaje e injerencias desde el exterior, campañas de desinformación, vulnerabilidad del ciberespacio, vulnerabilidad del espacio marítimo, vulnerabilidad aeroespacial, inestabilidad económico y financiera, crimen organizado y delincuencia grave, flujos migratorios irregulares, vulnerabilidad energética, proliferación de armas de destrucción masiva, así como efectos del cambio climático y de la degradación del medio natural.

Cada riesgo o amenaza está representado por puntos alineados verticalmente a lo largo de una línea que indica su relevancia con relación con los tres niveles mencionados anteriormente. Esto proporciona una visión general de cómo los diferentes riesgos pueden superponerse o influirse entre sí, creando un panorama de seguridad complejo y multifacético que debe ser abordado de modo integral.

1.3.8.- Los riesgos en la Estrategia Nacional de Protección Civil

La Estrategia Nacional de Protección Civil, aprobada en 2024 y que se examinará detalladamente en un capítulo específico de esta tesis, proporciona una descripción de los riesgos en el ámbito de la protección civil en España, lo que indica un esfuerzo integral para anticiparse a los mismos y poder prevenir y mitigar sus efectos.

Los riesgos de mayor relevancia se encuentran recogidos en la Ley 17/2015, de 9 de julio, del Sistema Nacional de Protección Civil, así como en la Norma Básica de Protección Civil. Este catálogo resulta más amplio y exhaustivo que el contemplado en la anterior Estrategia Nacional de Protección Civil de 2019, evidenciando una evolución en la identificación y gestión de los escenarios de riesgo. Así, cabría destacar, entre otros, el riesgo bélico, derivado del contexto geopolítico global, y que formaría parte de los riesgos englobados en la denominada categoría de riesgos emergentes.

Los riesgos contemplados en la Estrategia Nacional de Protección Civil vigente son:

- Inundaciones[200].
- Incendios forestales.[201]
- Terremotos y maremotos[202].

---

200 Resolución de 31 de enero de 1995: Publicación del Acuerdo del Consejo de Ministros que aprueba la Directriz Básica de Planificación de Protección Civil ante el Riesgo de Inundaciones. (BOE núm. 38, de 14 de febrero de 1995). Real Decreto 903/2010, de 9 de julio: Trata sobre la evaluación y gestión de riesgos de inundación. Este decreto resulta de la transposición de la Directiva 2007/60/CE del Parlamento Europeo y del Consejo de 23 de octubre de 2007 relativa a la evaluación y gestión de los riesgos de inundación. (BOE núm. 177, de 15 de julio de 2010; Diario Oficial de la Unión Europea, L288, 6 de noviembre de 2007). Resolución de 2 de agosto de 2011: Publicación del Acuerdo del Consejo de Ministros de 29 de julio de 2011, que aprueba el Plan Estatal de Protección Civil ante el riesgo de inundaciones.

201 Ley 21/2015, de 20 de julio: Modificación de la Ley 43/2003, de 21 de noviembre, de Montes. (BOE núm. 173, de 21 de julio de 2015). Plan de Actuaciones de Prevención y Lucha contra los Incendios: Aprobado anualmente por el Consejo de Ministros, en el que participan hasta doce Ministerios (Año 2022). Real Decreto 893/2013, de 15 de noviembre: Aprueba la Directriz Básica de Planificación de Protección Civil de Emergencia por Incendios Forestales. (BOE núm. 293, de 7 de diciembre de 2013). Resolución de 31 de octubre de 2014: Publicación del Acuerdo del Consejo de Ministros de 24 de octubre de 2014, por el que se aprueba el Plan Estatal de Protección Civil para Emergencias por Incendios Forestales. (BOE núm. 270, de 7 de noviembre de 2014). Planes Especiales de Protección Civil: Implementados por las respectivas Comunidades Autónomas. Comité de Lucha contra Incendios Forestales: Un comité técnico de cooperación, compuesto por representantes de todas las administraciones responsables de la prevención y lucha contra incendios forestales, se organiza en grupos de trabajo especializados en áreas como información, medios aéreos, prevención, seguridad, entre otros.

202 Resolución de 5 de mayo de 1995, de la Secretaría de Estado de Interior, por la que se dispone la publicación del Acuerdo del Consejo de Ministros por el que se aprueba la Directriz Básica de Planificación de Protección Civil ante el Riesgo Sísmico, BOE núm. 124, de 25 de mayo de 1995.

- Volcánicos[203].

Resolución de 29 de marzo de 2010, de la Subsecretaría, por la que se publica el Acuerdo de Consejo de Ministros de 26 de marzo de 2010, por el que se aprueba el Plan Estatal de Protección Civil ante el Riesgo Sísmico, BOE núm. 86, de 9 de abril de 2010.
Real Decreto 1053/2015, de 20 de noviembre, por el que se aprueba la Directriz básica de planificación de protección civil ante el riesgo de maremotos, BOE núm. 279, 21 de noviembre de 2015. Norma derogada, con efectos de 11 de julio de 2023, por la disposición derogatoria única.2.h) del Real Decreto 524/2023, de 20 de junio. Ref. BOE-A-2023-14679. No obstante, la Directriz Básica continuará aplicándose hasta tanto sea aprobado el nuevo instrumento de planificación que la sustituya, según establece el apartado 3 de la citada disposición.
Real Decreto 953/2018, de 27 de julio, por el que se desarrolla la estructura orgánica básica del Ministerio de Fomento, BOE núm. 183, de 30 de julio de 2018. En su art. 15 se atribuye a la Dirección General el Instituto Geográfico Nacional: c) La planificación y gestión de sistemas de detección y comunicación a las instituciones de los movimientos sísmicos ocurridos en territorio nacional y sus posibles efectos sobre las costas, así como la realización de trabajos y estudios sobre sismicidad y la coordinación de la normativa sismorresistente. Antes en RD 953/2018 (derogado por RD 645/2020), hoy en el Real Decreto 253/2024, de 12 de marzo, por el que se desarrolla la estructura orgánica básica del Ministerio de Transportes y Movilidad Sostenible, y se modifica el Real Decreto 1009/2023, de 5 de diciembre, por el que se establece la estructura orgánica básica de los departamentos ministeriales.
Los Planes Especiales ante riesgo sísmico de las respectivas Comunidades Autónomas obligadas normativamente a ello.
La Norma de Construcción Sismorresistente: Parte General y edificación (NCSE-02), publicada por el Ministerio de Fomento, elaborada por la Comisión Permanente de Normas Sismorresistentes y aprobada por Real Decreto 997/2002, de 27 de septiembre https://bit.ly/3k5nczD

203 Resolución de 21 de febrero de 1996, de la Secretaría de Estado de Interior, disponiendo la publicación del Acuerdo del Consejo de Ministros por el que se aprueba la Directriz Básica de Planificación de Protección Civil ante el Riesgo Volcánico, BOE núm. 55, de 4 de marzo de 1996.
Resolución de 30 de enero de 2013, de la Subsecretaría, por la que se publica el Acuerdo de Consejo de Ministros de 25 de enero de 2013, por el que se aprueba el Plan Estatal de Protección Civil ante el Riesgo Volcánico, BOE núm. 36, de 11 de febrero de 2013.
Real Decreto 953/2018, de 27 de julio, por el que se desarrolla la estructura orgánica básica del Ministerio de Fomento, BOE núm. 183, de 30 de julio de 2018. En su art. 15 se atribuye a la Dirección General el Instituto Geográfico Nacional: d) La planificación y gestión de los sistemas de vigilancia y comunicación a las instituciones de la actividad volcánica en el territorio nacional y determinación de los peligros asociados, así como la gestión de sistemas de observación en materia de geodinámica, geofísica, vulcanología, gravimetría y geomagnetismo y la realización de trabajos y estudios relacionados. Derogado por el Real Decreto 253/2024, de 12 de marzo, por el que se desarrolla la estructura orgánica básica del Ministerio

- Fenómenos meteorológicos adversos[204].
- Accidentes en instalaciones o procesos en los que se utilicen o almacenen sustancias químicas, biológicas, nucleares o radiactivas.[205]
  - Riesgo químico derivado de accidentes en instalaciones en los que se utilicen o almacenen sustancias químicas.
  - Riesgo biológico derivado de accidentes en instalaciones en los que se utilicen o almacenen sustancias biológicas.

---

de Transportes y Movilidad Sostenible, y se modifica el Real Decreto 1009/2023, de 5 de diciembre, por el que se establece la estructura orgánica básica de los departamentos ministeriales, que le amplía competencias.
DECRETO 112/2018, de 30 de julio, por el que se aprueba el Plan Especial de Protección Civil y Atención de Emergencias por riesgo volcánico en la Comunidad Autónoma de Canarias (PEVOLCA).

204 Plan Nacional de Predicción y Vigilancia de Fenómenos Meteorológicos Adversos. Meteoalerta. Versión 9, de 10 de enero de 2025. https://goo.su/P0b4GN
Plan Nacional de Actuaciones Preventivas de los Efectos del Exceso de Temperaturas sobre la Salud. 2019, aprobado por la Comisión Interministerial para la aplicación efectiva del Plan Nacional de Actuaciones Preventivas de los Efectos del Exceso de Temperaturas sobre la Salud en su reunión del 6 de mayo de 2019. https://bit.ly/3ZsSAZ9

205 Directiva 2012/18/UE del Parlamento Europeo y del Consejo de 4 de julio de 2012 relativa al control de los riesgos inherentes a los accidentes graves en los que intervengan sustancias peligrosas y por la que se modifica y ulteriormente deroga la Directiva 96/82/CE, Diario Oficial de la Unión Europea de 24 de julio de 2012.
Real Decreto 1070/2012, de 13 de julio, por el que se aprueba el Plan estatal de protección civil ante el riesgo químico, BOE núm. 190, de 9 de agosto de 2012. Norma derogada, con efectos de 11 de julio de 2023, por la disposición derogatoria única.2.f) del Real Decreto 524/2023, de 20 de junio. Ref. BOE-A-2023-14679. No obstante, la Directriz Básica continuará aplicándose hasta tanto sea aprobado el nuevo instrumento de planificación que la sustituya, según establece el apartado 3 de la citada disposición.
Real Decreto 840/2015, de 21 de septiembre, por el que se aprueban medidas de control de los riesgos inherentes a los accidentes graves en los que intervengan sustancias peligrosas, BOE núm. 251, de 20 de octubre de 2015. Real Decreto 1196/2003, de 19 de septiembre, por el que se aprueba la Directriz básica de protección civil para el control y planificación ante el riesgo de accidentes graves en los que intervienen sustancias peligrosas, BOE núm. 242, de 9 de octubre de 2003. Norma derogada, con efectos de 11 de julio de 2023, por la disposición derogatoria única.2.b) del Real Decreto 524/2023, de 20 de junio. Ref. BOE-A-2023-14679. No obstante, la Directriz Básica continuará aplicándose hasta tanto sea aprobado el nuevo instrumento de planificación que la sustituya, según establece el apartado 3 de la citada disposición.

- Riesgo nuclear derivado de accidentes en instalaciones en los que se utilicen o almacenen sustancias combustibles empleadas en las centrales nucleares. [206]
- Riesgo radiológico derivado de accidentes en instalaciones en los que se utilicen o almacenen sustancias radioactivas. [207]

---

206 Directiva 2008/68/CE del Parlamento Europeo y del Consejo de 24 de septiembre de 2008 sobre el transporte terrestre de mercancías peligrosas, Diario Oficial de la Unión Europea de 30 de septiembre de 2008.
Real Decreto 387/1996, de 1 de marzo, por el que se aprueba la Directriz Básica de Planificación de Protección Civil ante el riesgo de accidentes en los transportes de mercancías peligrosas por carretera y ferrocarril, BOE núm. 71, de 22 de marzo de 1996. Norma derogada, con efectos de 11 de julio de 2023, por la disposición derogatoria única.2.a) del Real Decreto 524/2023, de 20 de junio. Ref. BOE-A-2023-14679. No obstante, la Directriz Básica continuará aplicándose hasta tanto sea aprobado el nuevo instrumento de planificación que la sustituya, según establece el apartado 3 de la citada disposición.
Los Planes Especiales de las respectivas Comunidades Autónomas.
Resoluciones por las que anualmente se establecen desde la Dirección General de Tráfico, una serie de normas, medidas y restricciones a la circulación, para velar por la seguridad vial, como es el caso de la Red de Itinerarios de Mercancías Peligrosas por Carretera (RIMP). La correspondiente a 2022 fue la Resolución de 18 de enero de 2022, de la Dirección General de Tráfico por la que se establecen medidas especiales de regulación de tráfico durante el año 2022, BOE núm. 21 de 25 de enero de 2022

207 La Unión Europea publica Directivas EURATOM que recogen las recomendaciones de la Organismo Internacional de la Energía Atómica (OIEA). La última es la Directiva 2013/59/EURATOM del Consejo de 5 de diciembre de 2013 por la que se establecen normas de seguridad básicas para la protección contra los peligros derivados de la exposición a radiaciones ionizantes, y se derogan las Directivas 89/618/Euratom, 90/641/Euratom, 96/29/Euratom, 97/43/Euratom y 2003/122/Euratom. Diario Oficial de la Unión Europea de 17 de enero de 2014.
Real Decreto 1546/2004, de 25 de junio, por el que se aprueba el Plan Básico de Emergencia Nuclear, BOE núm. 169, de 14 de julio de 2004.
ORDEN INT/1695/2005, de 27 de mayo, por la que se aprueba el Plan de Emergencia Nuclear del Nivel Central de Respuesta y Apoyo, BOE núm. 137, de 9 de junio de 2005.
Los Planes de Emergencia Nuclear Exteriores a las Centrales Nucleares.
Real Decreto 1564/2010, de 19 de noviembre, por el que se aprueba la Directriz básica de planificación de protección civil ante el riesgo radiológico, BOE núm. 281, de 20 de noviembre de 2010. Norma derogada, con efectos de 11 de julio de 2023, por la disposición derogatoria única.2.e) del Real Decreto 524/2023, de 20 de junio. Ref. BOE-A-2023-14679. No obstante, la Directriz Básica continuará aplicándose hasta tanto sea aprobado el nuevo instrumento de planificación que la sustituya, según establece el apartado 3 de la citada disposición. Real Decreto 1054/2015, de 20 de noviembre, por el que se aprueba el Plan Estatal de Protección Civil ante el Riesgo

- Accidentes en el transporte de mercancías peligrosas por carretera y ferrocarril.
- Accidentes de aviación.
- Riesgo bélico.

La Estrategia Nacional ofrece un análisis exhaustivo que incluye la descripción de cada riesgo, los factores que amplifican estos riesgos (potenciadores del riesgo), los instrumentos normativos y de gestión implementados, y las acciones prioritarias que deben llevarse a cabo.

Como principales potenciadores del riesgo encontramos el cambio climático, que amplifica fenómenos meteorológicos extremos; la sobrepoblación urbana y despoblación rural, que dificultan la planificación y aumentan la exposición; la degradación ambiental y pérdida de biodiversidad, que incrementan la vulnerabilidad; y la interconexión global, que propaga crisis con celeridad. Además, la creciente dependencia tecnológica genera riesgos de ciberataques y fallos críticos[208], mientras que las desigualdades sociales, el envejecimiento de la población y la falta de una auténtica cultura preventiva agravan los impactos. Todo esto, sumado a la complejidad en la coordinación entre múltiples actores y niveles administrativos, demanda una planificación integrada, capacidades preventivas fortalecidas y mayor resiliencia para gestionar eficazmente emergencias y catástrofes.

1.3.9.- Gobernanza por tipología de riesgo

Hay una tabla que resume los riesgos, los instrumentos de clasificación, los entes responsables y también aquellos órganos encargados de la coordi-

---

Radiológico, BOE núm. 279, de 21 de noviembre de 2015. Norma derogada, con efectos de 11 de julio de 2023, por la disposición derogatoria única.2.i) del Real Decreto 524/2023, de 20 de junio. Ref. BOE-A-2023-14679. No obstante, el Plan estatal continuará aplicándose hasta tanto sea aprobado el nuevo instrumento de planificación que lo sustituya, según establece el apartado 3 de la citada disposición. Los Planes Especiales de Protección Civil ante el Riesgo Radiológico de las respectivas Comunidades Autónomas.

208 En materia de ciberataques y fallos críticos, el Gobierno de España aprobó la Orden PJC/522/2025, de 23 de mayo, mediante la cual se publica el Acuerdo del Consejo de Seguridad Nacional de 24 de abril de 2025, por el que se establece el procedimiento para la elaboración de una nueva Estrategia Nacional de Ciberseguridad, que sustituirá a la Estrategia Nacional de Ciberseguridad 2019.

nación por cada uno de ellos. Dicha tabla está elaborada por el Ministerio para la Transición Ecológica y el Reto Demográfico en 2021[209].

Tabla 10.

RIESGO CLAVE	Instrumentos de planificación	Organismos responsables	Gobernanza, órganos de coordinación
Precipitaciones extremas e inundaciones	- Directiva 2007/60/CE–Real Decreto 903/2010–Planes de Gestión del Riesgo de Inundación–Plan Nacional de Predicción y Vigilancia de Fenómenos Meteorológicos Adversos (Meteoalerta)	DG Aguas–Demarcaciones hidrográficas–MITERD AEMET – MITERD Protección Civil	Grupo Español de Coordinación para Inundaciones Comisión Permanente de Advertencias Meteorológicas y Medioambientales
Fenómenos costeros	- Ley 22/1988–Estrategia de Adaptación al Cambio Climático de la Costa Española - Plan Nacional de Predicción y Vigilancia de Fenómenos Meteorológicos Adversos (Meteoalerta)	DG Costas–MITERD AEMET – MITERD Protección Civil	GTIA Comisión Permanente de Advertencias Meteorológicas y Medioambientales
Incendios forestales	- Ley 43/2003–Plan Estatal de Protección Civil para Emergencias por Incendios Forestales–Planes de Actuaciones de Prevención y Lucha contra Incendios forestales	DG Biodiversidad – MITERD AEMET – MITERD Protección Civil	Comité Lucha contra Incendios Forestales Comisión Permanente de Advertencias Meteorológicas y Medioambientales
Sequías	- Ley 10/2001, Plan Hidrológico Nacional–Ley 11/2005, por la que se modifica la Ley 10/2001, del Plan Hidrológico Nacional.–Planes Especiales de Actuación en Situaciones de alerta y eventual Sequía	DG Agua – Demarcaciones hidrográficas–MITERD AEMET – MITERD MAPA	Comisión Permanente de Advertencias Meteorológicas y Medioambientales
Vientos extremos	- Plan Nacional de Predicción y Vigilancia de Fenómenos Meteorológicos Adversos (Meteoalerta)	AEMET – MITERD Protección Civil	Comisión Permanente de Advertencias Meteorológicas y Medioambientales
Olas de calor	- Ley 33/2011–Plan Nacional de Actuaciones Preventivas de los efectos del exceso de temperaturas sobre la salud–Plan Nacional de Predicción y Vigilancia de Fenómenos Meteorológicos Adversos (Meteoalerta)	Ministerio de Sanidad AEMET – MITERD Protección Civil	Comisión Interministerial para el Plan Nacional de Actuaciones Preventivas de los efectos del exceso de temperaturas

209 Ministerio para la Transición Ecológica y el Reto Demográfico. (2021). Marco eficaz de gestión del riesgo de catástrofes en España: La organización de la gestión del riesgo de catástrofes en España coherente con la estrategia de adaptación al cambio climático. https://bit.ly/41CkUse

El Grupo Español de Inundaciones fue uno de los frutos alcanzados durante la Jornada Taller[210] que sobre inundaciones y cambio climático organizó el Ministerio de Agricultura, Pesca, Alimentación y Medio Ambiente, celebrado en Madrid, el 21 de junio de 2017. Lo conforman la comunidad científica y distintos responsables de la administración encargados de la gestión del riesgo de inundación, así como representantes que operan en el ámbito empresarial.

La Comisión Permanente de Adversidades Climáticas y Medioambientales es creada mediante Orden Ministerial[211], y su función es coordinar[212] las Unidades, Organismos Autónomos y Agencias del Departamento para ofrecer una ágil y eficaz respuesta ante aquellos escenarios que pueden provocar pérdidas en sectores como el agrario[213], pesquero y medioambiental, a causa de sequías o temporales[214] por ejemplo. Trimestralmente elabora un Boletín[215] de Adversidades Climáticas y Medioambientales.

Desde 2004 se ha venido trabajando en nuestro país en paliar los efectos del cambio climático, marcando un punto de inflexión el Plan Nacional de

---

210 Ministerio para la Transición Ecológica y el Reto Demográfico. (2017). Grupo español de I+D+i en inundaciones. Recuperado de https://www.miteco.gob.es/es/agua/temas/gestion-de-los-riesgos-de-inundacion/idi-inundaciones/grupo-espanol-de-i-d-i-en-inundaciones.html

211 Ministerio de Agricultura, Alimentación y Medio Ambiente. (2013, 27 de noviembre). Orden AAA/2272/2013, por la que se crea la Comisión Permanente de Adversidades Climáticas y Medioambientales. *Boletín Oficial del Estado*, núm. 290, 4 de diciembre de 2013.

212 Comisión Permanente para Situaciones de Adversidad Climática o Medio Ambiental (COPAC). (2022). Título de la página. Recuperado de https://bit.ly/3LJiwvl

213 Real Decreto-ley 4/2022, de 15 de marzo, por el que se adoptan medidas urgentes de apoyo al sector agrario por causa de la sequía. *Boletín Oficial del Estado*, núm. 64, 16 de marzo de 2022.

214 Real Decreto-ley 10/2021, de 18 de mayo, por el que se adoptan medidas urgentes para paliar los daños causados por la borrasca "Filomena". Boletín Oficial del Estado, núm. 119, 19 de mayo de 2021.
Real Decreto 539/2020, de 26 de mayo, por el que se establecen las bases reguladoras de las subvenciones a explotaciones agrícolas y ganaderas por daños causados en la producción previstas en el artículo 3 del Real Decreto ley 11/2019, de 20 de septiembre, por el que se adoptan medidas urgentes para paliar los daños causados por temporales y otras situaciones catastróficas, y se convocan dichas subvenciones para el ejercicio 2020. Boletín Oficial del Estado, núm. 150, 27 de mayo de 2020.

215 Ministerio de Agricultura, Pesca y Alimentación. (2013). *Boletín de Adversidades Climáticas y Medioambientales.* https://www.mapa.gob.es/es/ministerio/servicios/analisis-y-prospectiva/copac/boletin-trimestral

Adaptación al Cambio Climático (PNACC)[216] en 2006, y cuya última revisión es la que comprende el período 2021-2030[217], aprobada en 2020. La Ley 2/2013, de 29 de mayo, de protección y uso sostenible del litoral[218] y de modificación de la Ley 22/1988, de 28 de julio, de Costas, introdujo una regulación específica para afrontar los efectos del cambio climático sobre el litoral español. En su Disposición adicional octava marca la obligatoriedad de elaborar una estrategia[219] para la adaptación de las costas a los efectos del cambio climático.

Dicha estrategia es aprobada el 24 de julio de 2017.

El Comité de Lucha Contra Incendios Forestales se constituyó como órgano técnico en 1994, a fin de coordinar la mejora y actualización de la Estadística General de Incendios Forestales, como instrumento para el análisis. Lo componen representantes de las administraciones tanto estatal como autonómicas competentes en la materia de incendios forestales, y es presidida por la Subdirección General de Política Forestal y Lucha contra la Desertificación.[220] Entre sus funciones están la elaboración de documentos técnicos, así como recomendaciones.[221]

---

216 Oficina Española de Cambio Climático. (2006). *Plan Nacional de Adaptación al Cambio Climático: Marco para la coordinación entre Administraciones Públicas para las actividades de evaluación de impactos, vulnerabilidad y adaptación al cambio climático.* https://bit.ly/42FMshQ

217 Ministerio para la Transición Ecológica y el Reto Demográfico. (2020). *El Plan Nacional de Adaptación al Cambio Climático (PNACC) 2021-2030.* Madrid. ISBN: 978-84-18508-32-5. https://bit.ly/3yXyA4E. Ver también, Ministerio para la Transición Ecológica y el Reto Demográfico. (Año). *Plan Nacional de Adaptación al Cambio Climático, 2021-2030, 21 preguntas y respuestas,* https://bit.ly/3JUgaIm.

218 Ley 2/2013, de 29 de mayo, de protección y uso sostenible del litoral y de modificación de la Ley 22/1988, de 28 de julio, de Costas. *Boletín Oficial del Estado,* núm. 129, de 30 de mayo de 2013.

219 Ministerio de Agricultura y Pesca, Alimentación y Medio Ambiente. (2016). Estrategia de Adaptación al Cambio Climático de la Costa Española. https://bit.ly/3LFvwSf

220 Para ampliar información, ver Código Forestal de Incendios Forestales. Boletín Oficial del Estado. https://bit.ly/3Z4vF4Q

221 Algunos ejemplos son: El Parte de Incendio Forestal (https://bit.ly/3yWf3li), Protocolo de Regulación de Operaciones Aéreas en Incendios Forestales (https://bit.ly/3lzrJvh), Metodología de Codificación Única de los Medios Aéreos de Extinción de Incendios (https://bit.ly/3JU8CWc), Orientaciones Estratégicas para la Gestión de Incendios Forestales en España (https://bit.ly/3lqHCnV), Estándares de Competencias y Formación (https://bit.ly/3LG6gvj), entre otros.

2.- IMPACTO DE LOS DESASTRES EN LA SOCIEDAD

Si nos atenemos a los datos de víctimas, el impacto de los desastres evoluciona, según distintos estudios hacia un menor número de víctimas.

Hablamos de víctimas, no de afectados. Así se desprende de los datos que recopila y confecciona EM-DAT, CRED/UC Lovaina[222].

Tales datos reflejan cómo la mortalidad global asociada a desastres naturales ha sufrido una evolución muy marcada a lo largo del último siglo. A comienzos del siglo XX, las cifras se situaban en torno a las 150.000 muertes anuales, pero en las décadas de 1910 y 1920 se alcanzó un máximo histórico con promedios que superaron el medio millón de fallecidos al año. Ese dramático incremento estuvo muy ligado a las grandes hambrunas de Asia, particularmente en China e India, que se contabilizan dentro de las estadísticas de catástrofes naturales junto con terremotos, inundaciones y tormentas.

A partir de los años treinta se observa un descenso progresivo, que se acelera especialmente desde mediados de siglo. La cifra anual de muertes se redujo a menos de la mitad en los años cuarenta y cincuenta, y a partir de la década de 1960 la caída se vuelve mucho más pronunciada, llegando en los setenta y ochenta a promedios por debajo de las 100.000 muertes anuales.

Ya en el cambio de siglo, pese a episodios trágicos como el tsunami del Índico en 2004 o el terremoto de Haití en 2010, el promedio global se mantiene en niveles muy reducidos respecto a los picos del pasado, estabilizándose en torno a las 20.000 víctimas anuales en la última década. Esto pone de manifiesto que, aunque los desastres siguen siendo frecuentes y en algunos casos más intensos debido al cambio climático, la vulnerabilidad de las poblaciones se ha reducido de forma muy significativa.

El descenso en la mortalidad obedece a una combinación de factores: el desarrollo de sistemas de alerta temprana, la profesionalización y coordinación de los servicios de protección civil, las mejoras en infraestructuras, la cooperación internacional y los avances médicos que permiten una respuesta más eficaz en las emergencias. Así, mientras que en el pasado las catástrofes suponían sobre todo una pérdida masiva de vidas humanas, hoy su impacto

---

222 EM-DAT, CRED/UC Louvain Brussels, Belgium. Our World in Data. Las cifras decenales se miden como la media anual del periodo de diez años siguiente. Esto significa que las cifras de 1900 representan la media de 1900 a 1909, 1910 es la media de 1910 a 1919, etc. https://ourworldindata.org/.

se mide más en términos económicos y sociales que en víctimas mortales, lo que revela un cambio profundo en la capacidad de resiliencia global.

A continuación, se establece una selección de desastres naturales del siglo XX cuya fuente es la Office of U.S. Foreign Disaster Assistance[223].

Tabla 13.

Año	Evento	Lugar	N° aproximado de víctimas
1900	Huracán	Estados Unidos	6.000
1902	Erupción volcánica	Martinica	29.000
1902	Erupción volcánica	Guatemala	6.000
1906	Tifón	Hong Kong	10.000
1906	Terremoto	Taiwán	6.000
1906	Terremoto/Incendio	Estados Unidos	1.500
1908	Terremoto	Italia	75.000
1911	Erupción volcánica	Filipinas	1.300
1915	Terremoto	Italia	30.000
1916	Derrumbe	Italia, Austria	10.000
1919	Erupción volcánica	Indonesia	5.200
1920	Terremoto/Derrumbe	China	200.000
1923	Terremoto/Incendio	Japón	143.000
1928	Huracán/Inundación	Estados Unidos	2.000
1930	Erupción volcánica	Indonesia	1.400
1932	Terremoto	China	70.000
1933	Tsunami	Japón	3.000
1935	Terremoto	India	60.000
1938	Huracán	Estados Unidos	600
1939	Terremoto/Tsunami	Chile	30.000
1945	Inundaciones/Derrumbes	Japón	1.200
1946	Tsunami	Japón	1.400
1948	Terremoto	URSS	100.000
1949	Inundaciones	China	57.000
1949	Terremoto/Derrumbes	URSS	20.000

223 Office of U.S. Foreign Disaster Assistance. (1995). Disaster History: significant data on major disasters worldwide, 1900-present. Washington, D.C.: Agency for International Development.

1951	Erupción volcánica	Papúa Nueva Guinea	2.900
1953	Inundaciones	Costa del Mar del Norte	1.800
1954	Derrumbe	Austria	200
1954	Inundaciones	China	40.000
1959	Tifón	Japón	4.600
1960	Terremoto	Marruecos	12.000
1961	Tifón	Hong Kong	400
1962	Derrumbe	Perú	5.000
1962	Terremoto	Irán	12.000
1963	Ciclón tropical	Bangladés	22.000
1963	Erupción volcánica	Indonesia	1.200
1963	Derrumbe	Italia	2.000
1965	Ciclón tropical	Bangladés	17.000
1965	Ciclón tropical	Bangladés	30.000
1965	Ciclón tropical	Bangladés	10.000
1968	Terremoto	Irán	30.000
1970	Terremoto/Derrumbe	Perú	70.000
1970	Ciclón tropical	Bangladés	500.000
1971	Ciclón tropical	India	30.000
1972	Terremoto	Nicaragua	6.000
1976	Terremoto	China	250.000
1976	Terremoto	Guatemala	24.000

Selección de desastres que representan la vulnerabilidad mundial a los desastres de impacto súbito

En las últimas décadas, las catástrofes naturales se han incrementado[224]. Según datos de la base internacional EM-DAT (CRED) recopilados por Naciones Unidas, entre 1980 y 1999 ocurrieron 4.212 desastres naturales a nivel mundial, que causaron aproximadamente 1,19 millones de muertes y afectaron a 3.250 millones de personas.

En términos económicos, las pérdidas globales en ese período se estimaron en 1,63 billones de dólares. Sin embargo, en el período 2000 a 2019 estas cifras aumentaron considerablemente: se registraron 7.348 desastres (un 74% más que en las dos décadas previas) con 1,23 millones de fallecidos, 4.200 millones

---

224 CHEN, Y.-E., Li, C., Chang, C.-P., & ZHENG, M. (2021). Identifying the influence of natural disasters on technological innovation. *Economic Analysis and Policy*, 70(C), 22-36.

de personas afectadas y unas pérdidas económicas cercanas a 2,97 billones de dólares. En otras palabras, las pérdidas económicas por desastres crecieron en torno al 82% de un período a otro. A pesar de este fuerte incremento en daños materiales, el número de víctimas mortales aumentó ligeramente (de 1,19 a 1,23 millones), lo que sugiere ciertos avances en alerta temprana y respuesta que han mitigado la letalidad de eventos individuales.

Estos datos evidencian que los desastres climáticos han dominado el panorama del siglo XXI. De hecho, gran parte del aumento se debe a la proliferación de eventos relacionados con el clima. Las estadísticas muestran que los desastres climáticos (inundaciones, tormentas, sequías, olas de calor, incendios, etc.) pasaron de 3.656 eventos en 1980-1999 a 6.681 eventos en 2000-2019, reflejando la influencia del cambio climático en la intensificación de fenómenos extremos. En términos de impacto económico global (2000-2019), se estima que del total de pérdidas: un 47% correspondió a tormentas, 22% a inundaciones, 21% a terremotos, 4% a sequías, 3% a incendios forestales y el 2% restante a otros tipos de desastres. Es decir, las tormentas y ciclones han sido el riesgo más costoso a nivel mundial, seguidos muy de cerca por inundaciones y terremotos en ese período. Las inundaciones y tormentas también resultaron ser los eventos más frecuentes, representando en conjunto alrededor de dos tercios de todos los desastres ocurridos. Esta distribución de impactos reafirma la necesidad de priorizar la gestión de riesgos hidrometeorológicos sin descuidar las amenazas geológicas (terremotos/tsunamis) que, si bien menos frecuentes, pueden ocasionar enormes pérdidas humanas.

Durante la pasada centuria, hay estudios donde se estima el impacto económico que han supuesto los mayores desastres naturales acaecidos en el mundo, aunque es difícil juzgar el efecto que han supuesto a largo plazo[225].

País	**Año**	**Desastre**	**Región**	**Continente**	**Daños (US$)**
Japón	1995	Terremoto	Asia Oriental	Asia	131.500.000.000
Unión Soviética	1991	Terremoto	Federación Rusa	Europa	60.000.000.000
Unión Soviética	1988	Terremoto	Federación Rusa	Europa	20.500.000.000
China, R.Pep	1998	Inundación	Asia Oriental	Asia	30.000.000.000
Italia	1980	Terremoto	Unión Europea	Europa	20.000.000.000
Estados Unidos	1992	Ciclón, Huracán	Norteamérica	América	20.000.000.000
Estados Unidos	1994	Terremoto	Norteamérica	América	20.000.000.000

[225] McDonald, R. (2003). *Introduction to Natural and Man-made Disasters and their Effects on Buildings*. Architectural Press. Pg. 13.

Indonesia	1997	Incendio forestal	Sudeste Asiático	Asia	17.000.000.000
Corea, R.Dem. P.	1995	Inundación	Asia Oriental	Asia	15.000.000.000
China, R.Pep	1996	Inundación	Asia Oriental	Asia	12.600.000.000
Estados Unidos	1996	Inundación	Norteamérica	América	12.000.000.000
Estados Unidos	1993	Inundación	Norteamérica	América	12.000.000.000
Japón	1994	Terremoto	Asia Oriental	Asia	11.700.000.000
Rusia	1994	Inundación	Federación Rusa	Europa	11.200.000.000
Estados Unidos	1995	Terremoto	Norteamérica	América	11.000.000.000
India	1990	Ciclón, Huracán	Asia del Sur	Asia	8.800.000.000
China, R. Pep	1991	Inundación	Asia Oriental	Asia	7.500.000.000
China, R. Pep	1996	Terremoto	Asia Oriental	Asia	7.000.000.000
Irán, Rep Islámica	1990	Terremoto	Asia del Sur	Asia	6.300.000.000
China, R. Pep	1996	Inundación	Asia Oriental	Asia	6.000.000.000
China, R.Pep	1994	Inundación	Asia Oriental	Asia	4.300.000.000
Australia	1982	Sequía	Oceanía	Oceanía	3.900.000.000
Italia	1994	Inundación	Unión Europea	Europa	3.700.000.000
China, R.Pep	1994	Inundación	Asia Oriental	Asia	3.500.000.000
Japón	1991	Ciclón, Huracán	Asia Oriental	Asia	3.400.000.000
Estados Unidos	1992	Tormenta	Norteamérica	América	3.200.000.000
NA	1996	Ciclón, Huracán	Euro. Unión	Europa	3.100.000.000
Italia	1997	Terremoto	Unión Europea	Europa	2.900.000.000
España	1995	Sequía	Unión Europea	Europa	2.800.000.000
China, R.Pep	1995	Inundación	Asia Oriental	Asia	2.700.000.000
Polonia	1997	Inundación	Europa del Este	Europa	4.300.000.000
China, R. Pep	1994	Ciclón, Huracán, Tifón	Asia Oriental	Asia	4.000.000.000
México	1985	Terremoto	Centroamérica	América	4.000.000.000
España	1983	Inundación	Unión Europea	Europa	3.900.000.000
Estados Unidos	1998	Ola de calor	Norteamérica	América	3.700.000.000
NA	1996	Ciclón, Huracán, Tifón	Caribe	América	3.579.000.000
Estados Unidos	1996	Ciclón, Huracán, Tifón	Norteamérica	América	3.400.000.000
NA	1990	Tormenta	Unión Europea	Europa	3.200.000.000
India	1998	Ciclón, Huracán, Tifón	Asia del Sur	Asia	3.010.000.000
Argelia	1980	Terremoto	Norte de África	África	3.000.000.000
China, R. Pep	1997	Ola de frío	Asia Oriental	Asia	3.000.000.000
Estados Unidos	1995	Ciclón, Huracán, Tifón	Norteamérica	América	3.000.000.000
Ecuador	1998	Inundación	Sudamérica	América	2.869.300.000

Estados Unidos	1977	Ola de frío	Norteamérica	América	2.800.000.000
China, R. Pep	1989	Inundación	Asia Oriental	Asia	2.789.000.000
Yugoslavia	1979	Terremoto	Europa del Resto	Europa	2.700.000.000
China, R. Pep	1997	Ciclón, Huracán, Tifón	Asia Oriental	Asia	2.675.000.000
Argentina	1998	Inundación	Sudamérica	América	2.500.000.000
Zimbabue	1982	Sequía	África Oriental	África	2.500.000.000
China, R. Pep	1993	Inundación	Asia Oriental	Asia	2.450.000.000
Brasil	1978	Sequía	Sudamérica	América	2.300.000.000
Estados Unidos	1979	Ciclón, Huracán, Tifón	Norteamérica	América	2.300.000.000
India	1990	Tormenta	Asia del Sur	Asia	2.200.000.000
República Dominicana	1998	Ciclón, Huracán, Tifón	Caribe	América	2.193.400.000
Bangladés	1988	Inundación	Asia del Sur	Asia	2.137.000.000
Estados Unidos	1972	Ciclón, Huracán, Tifón	Norteamérica	América	2.100.000.000
Bangladés	1998	Inundación	Asia del Sur	Asia	2.000.000.000
Canadá	1992	Ola de frío	Norteamérica	América	2.000.000.000
Honduras	1998	Ciclón, Huracán, Tifón	Centroamérica	América	2.000.000.000
Italia	1966	Inundación	Unión Europea	Europa	2.000.000.000
Unión Soviética	1991	Inundación	Federación Rusa	Europa	2.000.000.000
Estados Unidos	1995	Tormenta	Norteamérica	América	2.000.000.000
Estados Unidos	1997	Inundación	Norteamérica	América	2.000.000.000
China, R. Pep	1994	Inundación	Asia Oriental	Asia	1.810.000.000
Ecuador	1993	Tormenta	NA	NA	1.800.000.000
NA	1983	Tormenta	Norteamérica	América	1.800.000.000
Estados Unidos	1991	Ciclón, Huracán, Tifón	Asia del Sur	Asia	7.800.000.000
Bangladés	1995	Inundación	Europa del Norte	Europa	7.750.000.000
Países Bajos	1994	Frío	Norteamérica	América	7.500.000.000
Estados Unidos	1986	Ola de calor	Norteamérica	América	7.500.000.000
Estados Unidos	1996	Incendio forestal	Asia Oriental	Asia	7.120.000.000
Mongolia	1987	Tormenta	Unión Europea	Europa	7.000.000.000
Francia	1991	Terremoto	Federación Rusa	Europa	7.000.000.000
Georgia	1990	Inundación	Asia Oriental	Asia	7.000.000.000
Japón	1996	Inundación	Asia Oriental	Asia	7.000.000.000
Corea, R.Dem. P.	1987	Tormenta	Europa del Norte	Europa	7.000.000.000
	1993	Tormenta	Centroamérica	América	6.700.000.000
Reino Unido	1983	Ciclón, Huracán, Tifón	Norteamérica	América	6.500.000.000
México	1990	Inundación	Asia Oriental	Asia	6.500.000.000

Estados Unidos	1986	Inundación	Asia del Sur	Asia	5.600.000.000
China, R. Pep	1996	Ciclón, Huracán, Tifón	Asia del Sur	Asia	5.500.000.000
Irán, Rep. Islámica	1985	Terremoto	Sudamérica	América	5.300.000.000
India	1986	Inundación	Asia Oriental	Asia	5.000.000.000
Chile	1996	Ciclón, Huracán, Tifón	Asia Oriental	Asia	5.000.000.000
China, R. Pep	1986	Terremoto		América	5.000.000.000
China, R. Pep	1991	Sequía	Centroamérica	Europa	5.000.000.000
El Salvador			Unión Europea		
España					
Estados Unidos	1985	Ciclón, Huracán, Tifón	Norteamérica	América	5.000.000.000
Estados Unidos	1991	Incendio forestal	Norteamérica	América	5.000.000.000
Estados Unidos	1996	Tormenta	Norteamérica	América	5.000.000.000
Estados Unidos	1997	Inundación	Norteamérica	América	5.000.000.000
Islas Vírgenes (EE.UU.)	1995	Ciclón, Huracán, Tifón	Caribe	América	5.000.000.000
Estados Unidos	1993	Inundación	Norteamérica	América	4.800.000.000
China, R. Pep	1931	Inundación	Asia Oriental	Asia	4.000.000.000
Estados Unidos	1969	Ciclón, Huracán, Tifón	Norteamérica	América	4.200.000.000
México	1988	Ciclón, Huracán, Tifón	Norteamérica	América	3.500.000.000
Estados Unidos	1995	Inundación	Norteamérica	América	3.500.000.000
Francia	1985	Tormenta	Unión Europea	Europa	3.200.000.000
Argentina	1985	Inundación	Sudamérica	América	3.000.000.000
Alemania, R.Fed	1976	Tormenta	Unión Europea	Europa	3.000.000.000
India	1990	Tormenta	Asia del Sur	Asia	3.000.000.000

Adentrados en el siglo XXI, el análisis del origen de las pérdidas económicas por continente durante el período 2000-2019 revela que América concentró el 45% del total (1,32 billones de dólares), seguida por Asia con un 43% (1,26 billones de dólares). Europa representó un 9% (271.000 millones de dólares), Oceanía un 3% (82.000 millones de dólares) y África apenas un 1% (27.000 millones de dólares).

En contraste, para el período 2019-2024, y de acuerdo con la misma fuente, América incrementó su participación al 62,84% (0,82 billones de dólares), mientras que Asia disminuyó al 26,43% (0,34 billones de dólares). Europa representó el 7,09%, bajando pues ligeramente (92.600 millones de dólares), Oceanía el 2,22% (28.980 millones de dólares) y África el 1,41% (18.430 millones de dólares).

Los daños causados por catástrofes en la Unión Europea han experimentado un notable incremento en las últimas décadas. Entre 1980 y 2023, los eventos climáticos extremos acumularon unas pérdidas estimadas en 738.000 millones de euros. Si ampliamos la cobertura al conjunto de países del EEE-38 (Espacio Económico Europeo, incluidos los Balcanes Occidentales), la cifra asciende a más de 790.000 millones de euros.

Este salto representa un incremento superior al 160 % respecto al período anterior, evidenciando cómo la emergencia climática está elevando con fuerza los costes económicos derivados de los daños por desastres. No obstante, la cifra de 297.730 millones de euros para 2013-2023, aunque relevante, se encuentra significativamente por debajo de las estimaciones que abarcan décadas completas y podría subestimar el verdadero impacto acumulado.[226] En 2023, las estimaciones alcanzaron en la región los 44.000 millones de euros, siendo España el cuarto país con mayor alcance por las pérdidas económicas derivadas de fenómenos climáticos para el período 2003 a 2023, a los que habría que sumar una cifra importante en 2024 por los efectos de la DANA de octubre del mismo año y los derivados por los incendios forestales del verano de 2025[227]. Y las estimaciones de las proyecciones de pérdidas futuras multiplican por entre 2 y 10 veces las cifras mencionadas. Hay que tener, no obstante, cautela con estas cifras, pues, aunque en materia estadística la Unión Europea ha progresado en los últimos años, hay que seguir mejorando las bases de datos. Este fue precisamente el talón de Aquiles del Marco de Acción de Hyogo, y de ahí surge la necesidad de mejorar en la medición de las pérdidas para reducir los efectos de los desastres, por lo que se han establecido acuerdos entre los países para tener un registro mundial de pérdidas por desastres cada vez más preciso. Cuando se aplica, con corrección, el proceso de datos sobre pérdidas por desastres, se generan elementos que ayudan a identificar sus causas, pudiendo medir la contribución relativa a la exposición, la vulnerabilidad, la capacidad de respuesta, la mitigación, en definitiva, una gestión acorde a las necesidades[228].

---

226 Eurostat. (n.d.). Damage caused by weather and climate-related extremes. Recuperado de https://ec.europa.eu/eurostat/databrowser/view/sdg_13_40/default/table?lang=en

227 Somavilla, A., Kokot, M., Zafeiropoulos, K., Madeddu, D., & Pallinger, J. (2024, 12 de noviembre). Las pérdidas por el cambio climático en la UE se disparan un 162% en una década. *El Confidencial*. Recuperado de https://www.elconfidencial.com/mundo/2024-11-12/las-perdidas-por-el-cambio-climatico-en-la-ue-se-disparan-un-162-en-una-decada_4001469/?utm_source=chatgpt.com

228 European Environment Agency. (2017). Climate change adaptation and disaster risk reduction in Europe: Enhancing coherence of the knowledge base, policies

En Europa la mayoría de las bases de datos de pérdidas por catástrofes se sustentan sobre compilaciones de siniestros que se utilizan como base indemnizatoria. Así, el European Union Solidarity Fund [229] reclama la presentación de estimaciones globales de pérdidas. Es por ello por lo que desde el año 2014, la Comisión Europea reúne a especialistas en materias como son el cambio climático, entre otros, y de distintos estados de la Unión Europea, con objeto de intentar alcanzar un registro de datos de pérdidas integrado, dado que apenas existen datos comparables. El principal reto debe ser establecer unas normas comunes para la recopilación y el registro de daños y pérdidas, como así se estableció en las Conclusiones del Consejo[230] sobre la capacidad de gestión de riesgos, al pedir a la Comisión que:

"fomente el desarrollo de sistemas, modelos o metodologías de recogida e intercambio de datos sobre la forma de evaluar el impacto económico de las catástrofes en función de todos los peligros".

Si en diciembre de 2010 las directrices iban encaminadas a la evaluación de riesgos y cartografía para la gestión de catástrofes, en el año 2015 se orientaron a la capacidad de gestión de riesgos[231] como hemos visto, y el registro de datos sobre pérdidas por catástrofes. En la actualidad, la Unión Europea dispone de un portal de pérdidas por desastres (Disaster Loss data portal), de código abierto, con más de 40.000 registros provenientes de más de 10 fuentes diferentes de datos[232].

La Comisión Europea considera esencial la recopilación de datos de pérdidas dentro de un marco común, a fin de comprender y gestionar los impactos

---

and practices (EEA Report No. 15/2017). ISBN 978-92-9213-893-6. (p. 93).

229 Fondo creado para responder a las catástrofes naturales, como medio de expresión solidaria de la Unión Europea, como ayuda destinado a los países que puedan verse afectados por estas en Europa. Surge inicialmente para dar respuesta a las inundaciones del 2002, y desde esa fecha ha operado en más de 100 catástrofes que van desde inundaciones, incendios forestales, terremotos, sequías a tormentas. Ha sido de utilidad a 28 países europeos con un alcance económico superior a los 7.000 millones de euros. https://bit.ly/3St7YSg

230 Consejo de la Unión Europea. (2014, 24 de septiembre). Proyecto de Conclusiones sobre la capacidad de gestión de riesgos. Bruselas. (ST 13375/14, p. 7).

231 Se basan en las conclusiones de De Groeve, T., Poljansek, K., Ehrlich, D., & Corbane, C. (2014). Current status and best practices for disaster loss data recording in EU Member States: A comprehensive overview of current practice in the EU Member States (EUR 26879, JRC9229). Luxembourg: Publications Office of the European Union. ISBN 978-92-79-43549-2.

232 Comisión Europea. (2024). DRMKC-RIsk Data Hub. https://drmkc.jrc.ec.europa.eu/risk-data-hub/#/

de los desastres cuando tienen alcance transfronterizo, además de que la transparencia habilita la suma de esfuerzos. Si tenemos buenos indicadores, será factible el desarrollo de normas como la Directiva de Inundaciones[233], y la política que impulsa la Unión Europea en materia de cambio climático[234].

La recomendación para establecer un estándar común sobre la definición de pérdidas económicas, se fija en la OCDE. Al menos eso es lo que desea el sector privado. El sector privado asegurador y reasegurador, en particular, reclama que la OCDE lidere un estándar homogéneo de reporte, porque la falta de definiciones claras y uniformes introduce distorsiones en la estimación de riesgos financieros. Este esfuerzo se ha visto reflejado en iniciativas como el informe de la OCDE "Improving the Evidence Base on the Costs of Disasters" (2018), donde se plantea avanzar hacia una taxonomía común que permita integrar datos públicos y privados en materia de pérdidas económicas.

La alerta temprana, la preparación y la respuesta ante las catástrofes, han permitido reducir el número de víctimas, sin embargo, es innegable que la naturaleza cada vez más sistémica del riesgo de catástrofes (la superposición de sucesos y la interacción entre otros factores como la pobreza, el cambio climático, la contaminación de la atmósfera, el crecimiento demográfico en zonas donde el control urbanístico no es el adecuado y la pérdida de la biodiversidad) demanda un fortalecimiento de los sistemas de gobernanza frente a este tipo de riesgos y sus efectos. Por eso el papel de la solidaridad es crucial, representando un compromiso ético de los países desarrollados hacia aquellos que no gozan de tal posición, sin bajar la guardia en ningún momento pues bajar la guardia, como se dice coloquialmente, puede tener efectos no deseados.

---

233 Parlamento Europeo y Consejo de la Unión Europea. (2007, 23 de octubre). Directiva 2007/60/CE del Parlamento Europeo y del Consejo de 23 de octubre de 2007 relativa a la evaluación y gestión de los riesgos de inundación. *Diario Oficial de la Unión Europea*, 6 de noviembre de 2007.

234 Los Estados de la Unión Europea se han comprometido a alcanzar la neutralidad climática de aquí a 2050, cumpliendo así lo aprobado en el marco del Acuerdo Internacional de París. El Pacto Verde Europeo es la estrategia con la que se ha dotado la Unión Europea para lograr tal objetivo. Ver Conclusiones de la Reunión del Consejo Europeo de 12 de diciembre de 2019: https://bit.ly/3ySarg2, y Reglamento (UE) 2021/1119 del Parlamento Europeo y del Consejo de 30 de junio de 2021 por el que se establece el marco para lograr la neutralidad climática y se modifican los Reglamentos (CE) número 401/2009 y (UE) 2018/1999 («Legislación europea sobre el clima»), https://bit.ly/3JAeUZD.

En un estudio de GROEVE et al.[235] analizaron las pérdidas por sectores (residencial, infraestructuras, agricultura y ganadería, servicios públicos) provocadas por las inundaciones en España en el período que abarca de 1992-2002 (en euros).

Año	Residencial	Infraestructura	Agricultura y Ganadería	Industria	Servicios Públicos	Total E.
1992	0	1.681.075	150.253	221.398	779.332	2.830.857
1993	0	1.202.024	60.101	120.202	0	1.382.328
1994	201.545	16.446.323	433.665	180	2.320.787	19.402.500
1995	4.722.043	5.742.516	559.970	43.805.016	6.056.073	30.834.671
1996	1.958.332	12.916.758	6.487.514	7.970.851	5.101.563	34.435.018
1997	6.837.921	30.684.655	44.711.456	10.676.906	16.685.909	109.296.310
1998	1.202.024	397.557	527.761	0	1.638.797	3.766.140
1999	1.670.209	5.388.105	325.754	0	358.773	4.707.970
2000	35.685.245	71.537.015	48.202.423	9.740.720	67.188.535	232.353.938
2001	7.664.465	36.907.825	18.511.615	1.612.797	26.421.941	90.818.133
2002	0	1.202.024	0	0	0	1.202.024

Tabla

Sector	Porcentaje
Residencial	11%
Servicios Públicos	34%
Industria	6%
Agricultura y Ganadería	23%
Infraestructura	34%

También se expresan los diez municipios más afectados en el período de referencia, y el montante total (en euros).

Municipios Principales	Pérdida Económica Total 1992-2002 [Euros]
Totana	17.038.462,33
Ourense	14.001.944,11

235 De Groeve, T., Poljansek, K., Ehrlich, D., & Corbane, C. (2014). Current status and best practices for disaster loss data recording in EU Member States: A comprehensive overview of current practice in the EU Member States (EUR 26879, JRC9229). Luxembourg: Publications Office of the European Union. ISBN 978-92-79-43549-2. (p. 63).

Alcora/Alcora, L'	12.921.760,24
Albolote	11.966.496,58
Lerma	9.790.487,18
Sarria	9.616.193,67
Écija	9.498.347,16
Carcaixent	8.901.977,31
Cartagena	8.302.169,54

2.1.- Impacto psicológico y social

Problemas complejos se explican con respuestas complejas, poliédricas en ocasiones. Es algo de lo que ya en la década de los 60 se ocuparon algunos autores en sus investigaciones como WHITE, G., KATES, R. y BURTON, I. La percepción se configura como un factor decisivo que influye de manera significativa en la conformación final de la vulnerabilidad en su conjunto[236]. La percepción del riesgo tiene múltiples facetas, ya que nos adentramos en la esfera de la individualidad y cómo esta percibe los factores que le rodean. Tanto la comunidad local como la comunidad científica tienen conocimientos destacados, sin prevalencia de los unos sobre los otros, constituyendo un sistema de conocimiento. Al igual que hay comunidades locales que incorporan avances tecnológicos en la reducción de riesgos, la comunidad científica puede incorporar los saberes de la comunidad local para la gestión del riesgo de catástrofes. El principio de *Do ut des* es necesario.

PÉREZ MORALES et al.[237], elaboraron el marco conceptual para la evaluación de la vulnerabilidad social. En su centro, donde confluyen todas las áreas se halla la "capacidad de adaptación", que es un factor afectado por todas las áreas a considerar y que son esenciales para la respuesta a la vulnerabilidad. Estas áreas son la vulnerabilidad biofísica, la vulnerabilidad social, la percepción, la amenaza y en el centro, la ya mencionada "capacidad de adaptación". Se produce una superposición de las áreas, lo que indica que no estamos ante factores aislados.

---

236 Lara San Martín, A. (2012). Percepción social en la gestión del riesgo de inundación en un área mediterránea. Universitat de Girona. https://bit.ly/3nAlYxW

237 Pérez-Morales, A., Navarro Hervás, F., & Alvarez Rogel, J. (2016). Propuesta metodológica para la evaluación de la vulnerabilidad social en poblaciones afectadas por el peligro de inundación. Documents d'Anàlisi Geogràfica, 62(1), 137. https://n9.cl/iltuo

Investigadores del Instituto Tecnológico de Nanyang (NTU, Singapur) crearon un sistema como modelo para la gestión de catástrofes. El sistema gira alrededor de un objetivo central, que son las iniciativas para una práctica técnica crítica en la gestión de riesgos de desastres. Tal objetivo se apoya en una serie de elementos y principios que contribuyen a la eficacia de la gestión de las catástrofes. Tales principios son:[238]

- Interdisciplinariedad igualitaria: enfoque colaborativo que involucre a expertos de variadas disciplinas en igualdad de condiciones.
- Creatividad: fomento de la innovación y el pensamiento creativo para resolver problemas y desafíos.
- Reflexividad: reflexionar sobre acciones y estrategias para la mejora continua de los procesos de gestión de desastres.
- Inclusividad: asegurar que todos los sectores sociales tengan representación, con voz en las fases de planificación y respuesta ante desastres.
- Tecnología de espacios abiertos: utilizar la tecnología para facilitar el intercambio entre los actores intervinientes involucrados.

Entre los elementos de diseño propuestos por LALLEMANT et al. encontramos la selección de participantes, las actividades basadas en la localización, actividades orientadas a los resultados, recursos y presupuesto, y el factor tiempo.

Así las cosas, resulta fundamental atender a la construcción jurisprudencial de la materia atendiendo al ámbito europeo.

2.1.1. Pronunciamientos del Tribunal Europeo de Derechos Humanos sobre las catástrofes naturales

El Tribunal Europeo de Derechos Humanos, en relación con las catástrofes naturales, ya se ha pronunciado, y también respecto de las circunstancias en las que se entiende la vulneración por parte del Estado de los derechos humanos de los supervivientes, procediendo en tal caso a su indemnización. Cuando no se adoptan medidas que podrían calificarse como factibles por parte del Estado para mitigar o prevenir los efectos de tales sucesos catastróficos previsibles, estaríamos en un claro supuesto de vulneración del derecho a la vida y,

---

238 Lallemant, D., Loos, S., McCaughey, J. W., Budhathoki, N., & Khan, F. (2020). Supporting equitable disaster recovery through mapping and integration of social vulnerability into postdisaster impact assessments. Informatics for Equitable Recovery Project. Earth Observatory Singapore. https://n9.cl/rrqnm

por ende, una responsabilidad del Estado a la luz del ordenamiento jurídico internacional,[239] con especial referencia al Convenio para la Protección de los Derechos Humanos y de las Libertades Fundamentales (Convenio).[240]

En la causa Öneryildiz contra Turquía, Masžallah Öneryildiz, ciudadano turco, vivía junto a doce miembros de su familia en un poblado chabolista de Hekimbaşi, en Ümraniye, distrito de Estambul. Las viviendas del citado poblado se asentaban alrededor de un vertedero de basuras al que vertían cuatro distritos de Estambul. El Tribunal de instancia de Üsküdar, encargó un informe pericial que se elaboró el 7 de mayo de 1991 a instancias de la alcaldía del distrito de Ümraniye. Dicho informe alertaba de la inexistencia de medidas preventivas frente a una eventual explosión debido a la acumulación en el citado vertedero de gas metano. Las alcaldías de distrito implicadas se vieron incursas en una sucesión de procedimientos judiciales, y el 28 de abril de 1993 se produjo una explosión de gas metano en dicho vertedero, sepultando las basuras y residuos, lo que afectó a once viviendas que se ubicaban wn la falda, entre ellas la del Sr. Öneryildiz, que perdió en dicho suceso a nueve miembros de su familia.

Tras el procedimiento penal y administrativo incoado, se determinó que las alcaldías de distrito de Ümraniye y Estambul incurrieron en responsabilidad, pues la primera no procedió a la demolición de las viviendas ilegales en las inmediaciones del vertedero, y la segunda por no haber adoptado medidas para asegurar el correcto funcionamiento del vertedero o bien haber procedido a su cierre, a pesar del precitado informe pericial de 7 de mayo de 1991.

A resultas de lo anterior, las alcaldías de Ümraniye y de Estambul, el 4 de abril de 1996 fueron condenadas por "negligencia en el ejercicio de sus funciones" a una multa de 160.000 liras turcas (TRL) respectivamente, así como a penas de reclusión que fueron conmutadas por multas.

El Sr. Öneryildiz volvió a recurrir en nombre y representación propia y de sus tres hijos supervivientes ante el Tribunal Administrativo de Estambul, obteniendo sentencia el 30 de noviembre de 1995, condenando a las alcaldías de Ümraniye y de Estambul a abonar al demandante y a sus hijos 100 millones de TRL en concepto de daños morales y 10 millones de TRL en concepto de daños materiales, limitándose la última cantidad indicada a la pérdida del ajuar de la morada.

---

239 Kälin, W., & Haenni Dale, C. (2008). Reducir el riesgo de catástrofes: ¿por qué importan los derechos humanos? Revista Migraciones Forzadas, (31), 38-39.

240 Convenio para la Protección de los Derechos Humanos y de las Libertades Fundamentales. (1979). (BOE, 243, 23564-23570).

Posteriormente, Tribunal Europeo de Derechos Humanos conoció de la demanda (al cual fue presentada el 18 de enero de 1999 y admitida el 22 de mayo de 2001).

El demandante se quejó de que el evento producido, y que causó la defunción de sus familiares, traía causa en la negligencia de las autoridades con competencias en la materia.

El Tribunal constató la existencia de una normativa protectora en estos lugares, y tomó en consideración el informe pericial de 7 de mayo de 1991 que explicitaba que allí se arrojaban basuras sin el debido respeto a normas técnicas existentes. El Tribunal admitió que, si bien las autoridades nacionales no animaron al demandante a instalarse en dicha zona, donde se producía un vertido de basuras, tampoco le disuadieron de hacerlo, por lo que el Tribunal apreció la existencia de un vínculo causal que conectaba las negligencias con el accidente.

Ante la hipótesis de que el ciudadano debiera haber conocido los riesgos, el Tribunal afirmó que no se puede esperar que un ciudadano advierta y prediga los riesgos ligados a la metanogénesis y a los corrimientos de masas de tierras.

Esa información está claramente reservada a los poderes públicos.

El Tribunal [241] consideró que las autoridades administrativas sabían o deberían haber sabido que estos ciudadanos que se asentaban en las inmediaciones del vertedero de basuras y que habitaban viviendas del tipo chabola, estaban bajo una amenaza no incierta, sino real, la cual no remediaron con su pasividad.

Por todo ello, el Tribunal advierte una responsabilidad por la muerte de los familiares del Sr. Öneryildiz, en virtud del artículo 2 del Convenio Europeo de Derechos Humanos (Derecho a la vida)[242] y 1 del Protocolo número 1 (derecho de propiedad).[243]

Por su parte, en el asunto Budaveya y otros contra Rusia, la causa nace tras cinco demandas contra la Federación Rusa presentadas ante el Tribunal en virtud del artículo 34 del Convenio para la Protección de los Derechos Humanos y de las Libertades Fundamentales a instancia de seis ciudadanos de nacionalidad rusa, demandas que fueron acumuladas en una sola causa.

---

241 European Court of Human Rights. (2004). Case of Öneryildiz v. Turkey (Application no. 48939/99). Judgment. Strasbourg. https://bit.ly/3DTRvhr

242 European Court of Human Rights. (Año). Convenio Europeo de Derechos Humanos. Council of Europe, pp. 6-7. https://www.echr.coe.int/Documents/Convention_SPA.pdf

243 Ídem p. 33

Los demandantes entienden que las autoridades de la Federación Rusa eran responsables de la muerte del Sr. Budayev, de poner sus vidas en riesgo y de la destrucción de sus bienes, "como consecuencia de la incapacidad de las autoridades de mitigar los efectos de un deslizamiento de lodo ocurrido en Tyrnyauz entre el 18 y el 25 de julio del 2000, y que no se les concedió un recurso efectivo en este sentido a nivel nacional".[244]

La ciudad de Tyrnyauz se encuentra en región montañosa al pie del Monte Elbrus, en la parte central del Cáucaso, con una población en torno a los 25.000 habitantes. Contaba con un plan de ordenación urbana de la década de los 50, y la presencia de dos afluentes del río Baksan que atraviesan el municipio, con tendencia a provocar deslizamientos de lodo. Dichos deslizamientos están datados documentalmente a finales de la década de los años 30, con deslizamientos intensos en agosto de 1960, agosto de 1977, y agosto de 1999. Según las autoridades del país, los deslizamientos del 18 al 25 de julio del año 2000 fueron los más intensos y graves en sus consecuencias de los conocidos hasta el momento.

En la década de los 50 existía conciencia del peligro y, por eso se elaboran informes que concluyen con varias propuestas de actuación a finales de la década. Las autoridades optaron por ejecutar un colector de retención de barro, que sufrió daños en 1960, por lo que hubo que actualizar y enmendar el proyecto. Finalmente, en 1965 se concluyó la actuación del colector, que trabajó eficazmente durante un período de 35 años, lo que generaba una sensación de seguridad, al menos aparente. En 1977, se reparó tras daños sufridos por un intenso deslizamiento y en 1982 estaba plenamente operativo.

A inicios de 1999, las autoridades actuaron aguas arriba procediendo a construir un dique de retención de barro en la garganta del río Gerhozhan. El dique sufrió graves daños en agosto del mismo año por un alud de lodo. El director del Instituto de Montaña (agencia estatal con competencias en el seguimiento de fenómenos adversos en zonas de altura) solicitó el 30 de agosto que se evaluasen por ente independiente los daños del dique, recomendó qué hacer a distintos departamentos y autoridades, llegando al Primer Ministro de la RKB:

"Como usted sabe, este año, el 20 de agosto, se registró un deslizamiento intenso de un volumen de aproximadamente 1 millón de metros cúbicos en el valle del Río Gerhozhansu. La exploración aérea desde un helicóptero

---

244 European Court of Human Rights. (2008). First Section. Case of Budayeva and others v. Russia (application nos. 15339/02, 21166/02, 20058/02, 11673/02 and 15343/02). Strasbourg. https://bit.ly/3BSshiH

comprobó que se había acumulado material fluido río arriba de uno de los depósitos de contención de barro de Kaya-Arty-Su. Asimismo, se ha formado un depósito de barro en la cuenca del Gerhozhan, en el Río Sakashili-Su, y es posible que las reservas de barro se activen pronto.

Dado que el sistema colector de retención de barro que se encuentra en la desembocadura de la cuenca del deslizamiento ha sido destruido por deslizamientos anteriores, y que el canal del río se ha llenado de depósitos de barro, el desastre podría reincidir a mayor escala. Por lo tanto, solicitamos ayuda económica para establecer puestos de radiocomunicación en la zona superior del río durante el período de septiembre para alertar a civiles y a los servicios [de emergencia] del peligro de barro y para llevar a cabo estudios técnicos para reestablecer la estructura de protección contra el barro, que ahora mismo se encuentra en un estado crítico de deterioro". (Zalikhanov, director del Instituto de Montaña, 30 de agosto de 1999, p. 13)

A ello se sumó el jefe del Distrito de Elbrus el 7 de marzo de 2000:

"En agosto de 1999 el deslizamiento en el tramo Sakashili-Su bloqueó el cauce del Río Baksan y desvió el alud principal de agua fuera del muro de contención en la ladera izquierda del cauce. Por consecuencia, la tierra del lecho y la superficie del muro de contención se han erosionado y continúan erosionándose. En este momento, se halla un tramo de 500 metros de una carretera de circunvalación completamente fuera de servicio.

Los cimientos del muro de retención se acercan a un estado crítico. Cuando lleguen las aguas del deshielo en primavera se podría provocar el colapso de algunos tramos del muro de contención del sistema de protección que sobresale del terreno excavado. Su reconstrucción será muy costosa. El deslizamiento también ha llenado de barro el canal conductor hasta un 25-30% de su capacidad; si ocurre otro deslizamiento, el canal conductor de barro podría desbordarse e inundar los barrios residenciales de Tyrnyauz. Esto supondría una emergencia a una escala imposible de predecir, lo que provocará pérdidas económicas y probablemente víctimas. Teniendo en cuenta lo anterior, la Administración del Distrito de Elbrus solicita apoyo económico para llevar a cabo las obras descritas". (Jefe de Administración del Distrito de Elbrus, 7 de marzo del 2000, pp. 13-14).

Se sucedieron las llamadas de alerta hasta el mismo 10 de julio de 2000, sin resultado positivo.

Alrededor de las 23:00 horas del 18 de julio del 2000, un alud de lodo embistió la ciudad de Tyrnyauz, provocando inundaciones en barrios residenciales. Al día siguiente, durante la mañana, descendieron los niveles del barro y lodo, y volvieron los residentes a sus hogares. A las 13:00 horas de ese día se produce un segundo deslizamiento que golpeó el dique y lo destruyó, a consecuencia de lo cual la ciudad se vio golpeada por una sucesión de deslizamientos hasta el día 25 de julio de 2000.

Se declararon ocho muertos según las autoridades, pero los demandantes alegaron la pérdida de otras 19 vidas humanas.

La Fiscalía del Distrito de Elbrus decidió no ejercer una investigación penal. El Gobierno de la RKB aprobó un catálogo de indemnizaciones por pérdida de vivienda a las víctimas del deslizamiento. La Administración del Distrito de Elbrus declaró que no había recibido preaviso del riesgo de deslizamiento en ninguna ocasión durante los últimos dos años. El Departamento de Finanzas de la mencionada administración informó que no había partidas presupuestarias habilitadas para reparar los daños en el dique de contención acaecidos en el año 1999.

Los demandantes manifestaron en su demanda ante el TEDH que las autoridades no habían cumplido sus compromisos de tomar las medidas adecuadas para mitigar los riesgos a sus vidas contra las amenazas naturales que sufrían, encontrándonos pues ante el artículo 2 del Convenio para la Protección de los Derechos Humanos y de las Libertades Fundamentales:

1. El derecho de toda persona a la vida está protegido por la ley. Nadie podrá ser privado de su vida intencionadamente, salvo en ejecución de una condena que imponga la pena capital dictada por un Tribunal al reo de un delito para el que la ley establece esa pena...

En las alegaciones del Gobierno, cabe destacar que negó toda responsabilidad por la pérdida de vidas y otras consecuencias adversas al deslizamiento de lodo del año 2000, sosteniendo que había sido imprevisible, y alegando que "fue un acto divino", y que dada la intensidad del hecho, habiendo sido incluso previsto, no había elemento técnico con capacidad para frenarlo con tan poco tiempo de respuesta.

El TEDH en su valoración señala que, con relación a la aplicabilidad del Artículo 2 del Convenio:

128. El Tribunal reitera que el Artículo 2 no se refiere únicamente a las muertes resultantes del uso de la fuerza por agentes del Estado, sino que también, en la primera frase de su primer párrafo, establece la obligación positiva de los Estados de tomar las medidas apropiadas para amparar la vida de aquellas personas bajo su jurisdicción (ver, por ejemplo, LCB c. el Reino Unido, citado anteriormente, pág. 1403, 36, y Paul y Audrey Edwards c. el Reino Unido, núm. 46477/99, 54, ECHR 2002-II).

129. Esta obligación positiva implica ante todo un deber primordial del Estado de establecer un marco legislativo y administrativo diseñado para proporcionar una disuasión efectiva contra las amenazas al derecho a la vida (véase, por ejemplo, mutatis mutandis, Osman c. Reino Unido, sentencia del 28 de octubre de 1998, Informes 1998-VIII, pág. 3159, 115; Paul y Audrey Edwards, citado anteriormente, 54; İlhan c. Turquía [GS], núm. 22277/93, 91, ECHR 2000-VII; Kılıç c. Turquía, núm. 22492/93, 62, ECHR 2000-III; y Mahmut Kaya c. Turquía, núm. 22535/93, 85, ECHR 2000-III).

130. Esta obligación debe interpretarse como aplicable en el contexto de cualquier actividad, pública o no, en la que pueda estar en juego el derecho a la vida (véase Öneryıldız c. Turquía [GS], núm. 48939/99, 71, ECHR 2004-XII). En particular, se aplica a la esfera de los riesgos industriales o «actividades peligrosas», como el funcionamiento de vertederos en el caso de Öneryıldız (ibíd., secciones 71 y 90).

131. La obligación del Estado de salvaguardar las vidas de las personas que se encuentran bajo su jurisdicción se ha interpretado de manera que incluya aspectos sustantivos y de procedimiento, en particular una obligación positiva de adoptar medidas reglamentarias e informar adecuadamente al público sobre cualquier emergencia potencialmente mortal, y de asegurarse de que en cualquier caso en que haya muertes resultantes se realice una investigación judicial (Öneryıldız, citado anteriormente, secciones 89-118).

Los aspectos sustantivos a los que hace referencia el Tribunal ponen el acento en la reglamentación de las características especiales de la actividad en cuestión, en particular en lo que se refiere al nivel de riesgo potencial para la vida humana. Por ello, esta actividad reglamentaria debe actuar sobre la concesión de licencias, el establecimiento, el funcionamiento, la seguridad y la supervisión de la actividad, obligando a todos los involucrados a actuar con sus medidas prácticas para proteger a los ciudadanos frente a los riesgos inherentes. Y en esa actuación de todos los actuantes ha de tomar especial relevancia el derecho del público a la información, algo subrayado por la jurisprudencia reiterada de las instituciones del Convenio. También, los reglamentos han de prever mecanismos para identificar deficiencias o errores y poder subsanarlos con anticipación.

En cuanto a la evaluación de la observancia o no por parte del Estado demandado de sus obligaciones, el Tribunal señala:

136. A la hora de evaluar si el Estado demandado había cumplido con la obligación positiva, el Tribunal debe considerar las circunstancias particulares del caso, teniendo en cuenta, entre otros elementos, la legalidad interna de los actos u omisiones de las autoridades (véase López Ostra c.

España, sentencia de 9 de diciembre de 1994, serie A núm. 303-C, págs. 46-47, secciones 16-22, y Guerra y Otros c. Italia, sentencia de 19 de febrero de 1998, Informes 1998-I, pág. 219, secciones 25-27), el proceso interno de toma de decisiones, incluidas las investigaciones y estudios apropiados, y la complejidad de la cuestión, especialmente cuando se trata de intereses conflictivos del Convenio (véase Hatton y Otros, citado anteriormente, 128, y Fadeyeva, citado anteriormente, secciones 96-98).

Pero las obligaciones derivadas del Artículo 2 del Convenio no finalizan con lo expresado hasta ahora. Cuando de vidas humanas se trata, y cuando pueda verse implicado el Estado en cuanto a la existencia de responsabilidad, el Estado ha de garantizar una respuesta adecuada (judicial o de otro tipo) para que el marco legislativo y administrativo opere adecuadamente para proteger el derecho a la vida, y para que ante cualquier conculcación, esta sea reprimida y sancionada.[245]

Si no hay intencionalidad en la violación del derecho a la vida o a la integridad física, el Tribunal expresa que no necesariamente han de accionarse procedimientos penales en todos los casos, y podría bastar con la respuesta en el orden civil, administrativo e incluso disciplinario.[246]

En cambio, cuando se trata de actividades particularmente peligrosas, el Tribunal considera indispensable la apertura de una investigación penal oficial, dado que las autoridades públicas suelen ser las únicas con los conocimientos técnicos suficientes para identificar y determinar el origen de los hechos, dada la complejidad de las variables implicadas. Asimismo, sostiene que, en los supuestos en que los responsables de conductas susceptibles de poner en peligro la vida de las personas no hayan sido acusados de un delito ni se haya incoado un procedimiento de responsabilidad penal, podría configurarse una vulneración del artículo 2 del Convenio Europeo de Derechos Humanos.

¿Y si estamos ante un desastre natural, como es el caso de campistas atrapados en una inundación? El Tribunal señala:

141. El enfoque adoptado por el Tribunal en un caso presentado por víctimas de un desastre natural, a saber, campistas atrapados en una inundación en un sitio de campamento oficial, se ajustaba al tomado en el ámbito de

---

245 (ver, *mutatis mutandis*, Osman, citado anteriormente, pág. 3159, 115, y Paul y Audrey Edwards, citado anteriormente, 54).

246 (ver, por ejemplo, Vo c. France [GS], núm. 53924/00, 90, ECHR 2004-VIII; Calvelli y Ciglio c. Italia [GS], núm. 32967/96, 51, ECHR 2002-I; y Mastromatteo c. Italia [GS], núm. 37703/97, secciones 90 y 94-95, ECHR 2002-VIII).

actividades peligrosas. El Tribunal concluyó que el recurso de indemnización exitoso ante un tribunal administrativo, precedido por un proceso penal integral, constituía un recurso efectivo a los efectos del Artículo 35.1 del Convenio (véase Murillo Saldias y otros, citado anteriormente).

Es decir, que los principios que operan en relación a la respuesta de los órganos jurisdiccionales frente a una actividad peligrosa, pueden operar en el área de socorro en casos de catástrofes naturales. Impera la necesidad de una investigación oficial con los caracteres de independencia e imparcialidad, y que pueda garantizar que se aplique una reprensión penal en la medida que se determine de las conclusiones de la investigación. [247] Las autoridades competentes han de actuar con diligencia, a iniciativa propia, precisando las circunstancias, observando las deficiencias en el sistema regulador, identificando a los funcionarios o autoridades del Estado involucrados en cualquier función de la sucesión de hechos. [248]

No hay menoscabo de tutela judicial en el caso de no determinarse autoridad o funcionario culpable en el orden penal, pues ese no es un derecho del demandante. El Tribunal examina en qué medida los tribunales han realizado un trabajo preciso requerido por el Artículo 2 del Convenio, para que haya una prevención de violaciones del derecho a la vida sin impedimentos.

En el caso que nos ocupa, el Tribunal analizó una presunta falta de mantenimiento de la infraestructura de defensa, así como la respuesta judicial requerida en caso de presuntas infracciones del derecho a la vida: aspecto procedimental del Artículo 2.

Los demandantes alegaron que no percibieron una compensación justa y adecuada por las pérdidas sufridas, basándose en el Artículo 1 del Protocolo número 1 del Convenio:

Toda persona física o jurídica tiene derecho al respeto de sus bienes. Nadie podrá ser privado de su propiedad sino por causa de utilidad pública y en las condiciones previstas por la ley y los principios generales del Derecho Internacional. Las disposiciones precedentes se entienden sin perjuicio del derecho que tienen los Estados de dictar las leyes que estimen necesarias para la reglamentación del uso de los bienes de acuerdo con el interés general o para garantizar el pago de los impuestos, de otras contribuciones o de las multas.

---

247 (véase, *mutatis mutandis*, Hugh Jordan c. el Reino Unido, núm. 24746/94, secciones 105-09, 4 de mayo del 2001, y Paul y Audrey Edwards, citado anteriormente, secciones 69-73).

248 (ver Öneryıldız, citado anteriormente, 94).

En la valoración realizada por el Tribunal, cuando se trata de actividades peligrosas, hay una obligación positiva del Estado, constatando que el vínculo causal establecido entre una negligencia grave atribuible al Estado y la pérdida de vidas humanas también fue aplicable a la inundación por basuras de la casa de un demandante [249] y ello sobre la base de que el tratamiento de residuos está regulado y controlado por el Estado, lo que hace que los accidentes en este ámbito no escapen a su responsabilidad.

En cambio, en las catástrofes naturales, que tienen la nota característica de escapar al control humano, no requieren, pues, del mismo grado de participación estatal. De ahí que las obligaciones positivas respecto a la protección de la propiedad contra los riesgos meteorológicos tengan menos alcance que las actividades peligrosas debido a la acción directa del hombre. En tal caso, las autoridades disponen de un margen más amplio en su universo de decisión para expresar qué medidas adoptar para proteger los bienes de las personas cuando nos hallamos ante peligros climáticos. Esto no es óbice para hacer todo lo que esté dentro del poder de las autoridades en la esfera de socorro, pero entendiendo que la obligación de proteger el derecho al disfrute pacífico de bienes, no puede ir más allá de lo razonable dadas las circunstancias.

Como la indemnización no debe exceder lo razonable, se deben ponderar las medidas aplicadas por las autoridades, teniendo en cuenta la complejidad del suceso, así como los actores implicados, entre otros factores:

182. El Tribunal considera que la obligación positiva del Estado de proteger la propiedad privada de los desastres naturales no puede interpretarse como que obliga al Estado a indemnizar el valor total de mercado de los bienes destruidos. En el presente caso, la totalidad de los daños no pudo atribuirse inequívocamente a la negligencia del Estado, y la presunta negligencia no fue más que un factor agravante que contribuyó a los daños causados por fuerzas naturales. En tales circunstancias, los términos de indemnización deben valorarse a la luz de todas las demás medidas aplicadas por las autoridades, teniendo en cuenta la complejidad de la situación, el número de propietarios afectados y las cuestiones económicas, sociales y humanitarias inherentes a la prestación de ayuda en desastres.[250]

---

[249] (véase Öneryıldız citado anteriormente, 135)

[250] En el caso que nos ocupa, los demandantes recibieron una vivienda gratuita y una indemnización económica, con independencia del procedimiento contencioso ni la necesidad de acreditar las pérdidas reales producidas. Las viviendas ofrecidas fueron equivalentes en superficie a las que tenían. Por tanto, hubo sustitución gratuita y pago único.

Podríamos, a la luz del pronunciamiento del Tribunal, establecer una serie de principios aplicables. De acuerdo con el artículo 13 del Convenio, los sistemas nacionales deben poner a disposición de los ciudadanos un recurso efectivo que faculte a la autoridad nacional competente para abordar el fondo de una denuncia "discutible" en virtud del Convenio. El objetivo es que las personas puedan obtener una reparación adecuada a nivel nacional por violaciones de sus derechos según el Convenio, antes de recurrir al mecanismo internacional de denuncia ante el Tribunal.[251]

El tipo de recurso que ha de facilitar el Estado en virtud del Artículo 13 vendrá dado en función de la naturaleza del derecho que nos ocupe. Si nos hallamos ante violaciones de los derechos consagrados en el Artículo 2, debería ser posible la indemnización por daño material e inmaterial.[252] Los familiares del fallecido tienen derecho a que se determine la responsabilidad, si la hubiere, de los funcionarios u organismos del Estado por actos u omisiones que impliquen el incumplimiento de sus derechos en virtud del Artículo 2, y en su caso, la correspondiente indemnización. Lo que no hay en ningún caso es derecho a la "venganza privada".

Si estamos ante accidentes mortales derivados de actividades peligrosas que son competencia del Estado, el Artículo 2, exige que las autoridades lleven a cabo por iniciativa propia una investigación que procure la determinación de la causa del fallecimiento de las personas. Y ello es así porque la misma escapa a las posibilidades y conocimiento de los particulares. La función del Tribunal en virtud del Artículo 13 es determinar si se pudo ver frustrado el acceso de un particular por la forma en que las autoridades cumplieron sus obligaciones procedimentales en virtud del Artículo 2.[253] Este principio opera también en la presunta omisión del Estado a la hora de ejercitar sus funciones en el área de socorro cuando nos hallamos ante un caso de desastre.

En la causa Budayeva y otros contra Rusia, el Tribunal determinó que hubo violaciones del Artículo 2 del Convenio en su aspecto sustantivo y procedimental. No hubo violación del Artículo 1 del Protocolo núm. 2 del Convenio, ni del Artículo 13 del Convenio conjuntamente con el Artículo 1 del Protocolo

---

251 (ver *Kudła c. Polonia* [GS], núm. 31210/96, 152, ECHR 2000-XI)

252 véanse *Paul y Audrey Edwards*, citado anteriormente, 97; Z y otros c. el Reino Unido, citado anteriormente, 109, y TP y KM c. el Reino Unido [GS], núm. 28945/95, 107, ECHR 2001-V).

253 (véase Öneryıldız, citado anteriormente, secciones 90, 93-94 y 149).

núm. 1 del Convenio. Además, rebajó las pretensiones de los demandantes en la cuantía de la indemnización solicitada por cada uno de ellos.[254]

Los preceptos que hemos podido conocer del caso Budayeva y otros contra Rusia son muy importantes, pues ofrecen a las víctimas reales y potenciales de las catástrofes naturales los argumentos a esgrimir ante las autoridades competentes, al objeto de que eviten la pérdida de vidas humanas y daños materiales, así como a su compensación y determinación de responsabilidades cuando ello se produzca.

2.2.- El papel de los medios de comunicación en catástrofes

Es crucial la comunicación del riesgo, por cuanto es un derecho[255]. Si la comunicación llega distorsionada, o no llega, la percepción del riesgo se muestra desenfocada. Una buena comunicación reduce y evita los riesgos, los actuales y los que están por venir. La falta de comunicación es un catalizador que potencia el riesgo, un ácido para la confianza, una roca en el camino de la adecuada respuesta. Una incorrecta comunicación nos puede producir falsa sensación de seguridad, subestimar o sobreestimar un riesgo, asignar deficientemente los recursos, en definitiva, poner en jaque muchas vidas humanas. Lo hemos podido comprobar en España cuando se ha implementado un sistema de alertas a través del teléfono móvil: la respuesta ha sido muy bien acogida, si bien, la información unidireccional puede ser malinterpretada [256]. La comunicación, de fuentes fiables[257], es una vacuna que nos permite ver con nitidez la diferencia entre historias reales e historias conspiranoicas, evitando incendios comunicacionales fuera de control.

Como decía ATTENBOROUGH, "salvar nuestro planeta es ahora un reto de comunicación."[258] La comunicación es un proceso continuo e interactivo entre

---

254 Ministerio de Justicia, Abogacía General del Estado. (2008). Traducción realizada por Rebecca Sylvia Porwit Laanemagi. Asunto Budayeva y otros contra Rusia (Demandas núm. 15339/02, 21166/02, 20058/02, 11673/02 y 15343/02). Estrasburgo.

255 Ochoa Monzó, J. (2023). El derecho a la información sobre riesgos en las emergencias de protección civil. *Revista Española De La Transparencia*, (18), 105-131. https://doi.org/10.51915/ret.334

256 Eiser, J. R., Bostrom, A., Burton, I., Johnston, D. M., McClure, J., Paton, D., van der Pligt, J., & White, M. P. (2012). Risk interpretation and action: A conceptual framework for responses to natural hazards. International Journal of Disaster Risk Reduction, 1, 5–16.

257 Snyder, T. (2021). El ocaso de la democracia. Debate. Pgs. 112-113.

258 Attenborough, D. (n.d.). Instagram. Recuperado de https://bit.ly/3i8axeb

personas, grupos e instituciones, que ha evolucionado de la unidireccionalidad a la multidireccionalidad. Es cierto que no hay una única fórmula comunicativa[259], de ahí que habrá de ponderarse los recursos disponibles, el riesgo y la sociedad bajo su influencia, así como el momento en que nos hallamos. No es lo mismo hacer frente a una catástrofe que a los momentos previos de la misma. Ante la catástrofe, no es posible una "comunicación" participativa entre expertos y público afectado. En estos casos, la utilidad radica en la inmediatez, la claridad y la coherencia sobre qué deben hacer las personas[260]. Sin olvidar que el derecho a la información está consagrado en la Constitución de 1978, pues una información, que además sea veraz, es una garantía jurídica como señala LÓPEZ DE LERMA, J., para cualquier sociedad democrática que se precie[261].

Una vez producida la catástrofe, no siempre es apropiado con inmediatez dar voz a los supervivientes. Si bien para la superación emocional, contar lo sucedido tiene un poder sanador importante, de ahí que se puedan documentar esas sensaciones y experiencias vividas en múltiples formatos (vídeos, libros, etc.).

Esto tiene un papel inspirador y motivador para la sociedad afectada, además de ser un repositorio de recuerdos que ha de pervivir en el futuro para que formen parte de nuestras señas de identidad.[262] Esos testimonios

---

259 Balog-Way, D., K. McComas and J. Besley (2020). The evolving field of risk communication. Risk Analysis, vol. 40, no. S1, pp. 2240–2262.

260 Wood, M. M., Mileti, D. S., Kano, M., Kelley, M. M., Regan, R., & Bourque, L. B. (2012). Communicating actionable risk for terrorism and other hazards. Risk Analysis, 32(4), 601–615.

261 López de Lerma G., J. The right to receive faithful information in the constitutional system. The professional exercise of journalism as a democratic guarantee: "El derecho a la información a la vez que constituye un derecho subjetivo de libertad cumple una función de garantías en las sociedades democráticas. Así, podemos defender que las Constituciones de los Estados democráticos tienden a concebir el derecho a la información o la libertad de expresión como auténticos derechos humanos, reconociéndolos y protegiéndolos con sistemas específicos de garantías. La veracidad ha sido uno de los elementos que mayor complejidad ha generado en el estudio del derecho a la información desde la disciplina jurídica y periodística. La propia redacción que hace el art. 20. 1 d) de la Constitución española puede incrementar la confusión, al aludir a la expresión «información veraz», una noción cercana a la verdad, que exige un desarrollo posterior para dotarlo de sentido." https://n9.cl/bip17

262 Esto ocurrió en la ciudad de Badajoz, Extremadura, debido a las inundaciones que tuvieron lugar la noche del 5 al 6 de noviembre de 1997. Una ciclogénesis explosiva descargó todo su potencial sobre Badajoz y en algunos núcleos de población próximos, provocando la repentina crecida de dos afluentes del Guadiana. Por este acontecimiento, fallecieron veinticinco personas, así como hubo un volumen de daños muy importante, afectando a más de 1.200 familias que perdieron sus

tienen un valor incalculable en comunicación, pues presentan ante las personas un relato creíble, hecho por personas afectadas: no cabe mayor sinceridad en el diálogo comunicativo.

Especial atención hay que tener ante las informaciones que puedan ser falsas, a las que siempre se responderá con información verificada[263], pudiendo utilizarse los cada vez más presentes servicios de verificación de informaciones. Para ello, hay que examinar la fuente y la información inexacta, así como su alcance[264]. A veces, es muy útil que los medios de comunicación reaccionen

---

viviendas. Como ejemplos de testimonios destacan el especial realizado con motivo del veinte aniversario elaborado por el Diario Regional HOY. (n.d.). Especial 20 aniversario de la riada en Badajoz. Recuperado de https://especial-riada.hoy.es/ y Canal Extremadura TV. (n.d.). Especial 25 aniversario de la riada en Badajoz [Video]. YouTube. Recuperado de https://www.youtube.com/watch?v=638tnuA-I6Y, y que recoge distintas entrevistas-testimonio, entre ellas de quien redacta esta tesis, pues era Teniente de Alcalde Delegado de Protección Civil del Excelentísimo Ayuntamiento de Badajoz. https://www.youtube.com/watch?v=638tnuA-I6Y

263 Tras el terremoto en Turquía, uno puede informarse a través de diferentes fuentes. Sin embargo, las vías oficiales y aquellas especializadas brindan mayor precisión informativa. Así, un tuit donde se puede observar un mapa animado de la sismicidad en las proximidades de los seísmos de Turquía a partir de las 3 de la madrugada, hora local, mostrando la sacudida principal de M7,8 del 6 de febrero (rosa), las primeras réplicas (naranja), la réplica de M7,5 al norte (bronceado) y las réplicas posteriores en el norte (bronceado), es ofrecido por una fuente solvente como es la del United States Geological Survey. https://bit.ly/3RIn1XH

264 Podemos encontrar un ejemplo de buena comunicación en el papel que hacen algunas agencias, como es el caso de la gubernamental Agencia EFE en nuestro país. En este caso, se describe mediante un despacho de agencia la información relativa a una alerta de tsunami con motivo del terremoto de Turquía de 6 de febrero de 2023. Un ejemplo de claridad y asepsia informativa, sin atribuirse la noticia ninguna carga informativa subjetiva, y mucho menos, sensacionalista:
"El terremoto de Turquía provoca una alerta de tsunami en las costas de Italia— Roma, 6 feb (EFE).- El Departamento de Protección Civil italiano ha emitido este lunes una alerta por posibles olas por tsunami en sus costas tras el terremoto de magnitud 7,8 con epicentro entre Turquía y Siria ocurrido esta madrugada, informa la agencia ANSA.
La alerta ha sido emitida sobre la base de los datos procesados por el Centro de Alerta de Tsunami (CAT) del Instituto Nacional de Geofísica y Vulcanología (INGV) de Italia. En un comunicado, Protección Civil "recomienda alejarse de las zonas costeras, acercarse a las zonas más altas cercanas y seguir las indicaciones de las autoridades locales" italianas.
"El tsunami -explica la nota de Protección Civil- consiste en una serie de olas marinas producidas por el *rápido movimiento de una gran masa de agua". La alerta indica la posibilidad de un peligro real para las personas que se encuentran cerca de la costa, especialmente en zonas que no son muy altas, o incluso inferiores al nivel del mar, agrega. EFE"*

con un "silencio estratégico", en otras, se puede recurrir a informadores reputados para transmitir información contrastada y fiable, en función del tipo de audiencia. Los tiempos actuales, hacen que la información falsa y engañosa sea propensa a su propagación, por lo que los riesgos derivados se acrecientan. Así, hay investigaciones[265] que señalan que las noticias falsas a través de X (antiguo Twitter) "se propagan más lejos, más profunda y más ampliamente que la verdad" y todo ello por diversas razones[266]. Cuando sucede una catástrofe, tanto medios de comunicación como ciudadanos están ávidos de información, y hay que ser muy cautelosos en su manejo, pues un deseo de captar audiencia puede basarse en estrategias que poco ayudan a conocer los riesgos, qué ha pasado y qué se puede hacer, y sucumbir a la tentación de ilustrar el dolor, con imágenes descarnadas, explícitas, tal vez, innecesarias.

Resulta muy beneficioso desarrollar una estrategia conjunta con los medios de comunicación locales que trabajan o pueden trabajar en áreas de riesgo. Los encargados de la gestión de prevención frente a emergencias, quienes toman las decisiones y los expertos, pueden realizar una notable labor cooperando con estos medios, brindándoles formación e información técnica, y facilitando así su labor cuando ocurre una catástrofe. Hay que reconocer que los medios de comunicación locales no lo tienen fácil, pues la naturaleza sistémica del riesgo no facilita la tarea[267]. Esto constituye una modalidad de colaboración mutua. Dada su relevancia, a raíz del terremoto que impactó a Turquía y Siria, toda la prensa, tanto nacional como internacional, destacó esta catástrofe en sus coberturas[268]. Tanto en portadas, como en las páginas interiores, se recopiló

---

265 Vosoughi, S., Roy, D., & Aral, S. (2018). The spread of true and false news online. *Science,* 359(6380), 1146–1151.

266 Las razones que llevan a las personas a compartir informaciones falsas y engañosas son variadas, y van desde la diversión a provocar daño, o a la necesidad de generar tráfico de visitas con fines puramente mercantiles, entre otras.

267 DeLozier, J. L., & Burbach, M. E. (2021). Boundary spanning: Its role in trust development between stakeholders in integrated water resource management. *Current Research in Environmental Sustainability,* 3, 100027.

268 A continuación, expresamos titulares de primera página correspondientes al 7 de febrero de 2023 de destacados medios de comunicación escrita en España: EL MUNDO: "Dos terremotos masacran la zona cero del éxodo sirio". ABC: "Horror y esperanza entre los escombros". LA RAZÓN: "Al menos 3.000 muertos en el seísmo de Turquía y Siria". EL PAÍS: "Devastación en Turquía y Siria". LA VANGUARDIA: "Miles de muertos en un terremoto devastador en Turquía y Siria". ELPERIÓDICO: "Tragedia por partida doble". EL PERIÓDICO DE ESPAÑA: "Catástrofe en Siria y Turquía". LA VOZ DE GALICIA: "Devastación". EL CORREO: "Temblores mortíferos". EL DIARIO VASCO: "Catástrofe en Turquía y Siria". EL NORTE DE CASTILLA:

una vasta cantidad de información relacionada. Como es habitual, el interés por la información disminuyó gradualmente con el paso de los días.

Naciones Unidas[269] propone una lista de verificación para la gestión de la información falsa:

- Conocer el origen del rumor o de la información falsa.
- Anticiparse a escenarios negativos, respondiendo con una comunicación rápida, regular y transparente, que evite los vacíos de información.
- Responder con criterio a las informaciones falsas (los científicos pueden ser la vacuna frente a la pseudociencia).
- Prepararse para las "zonas grises": comprender que las creencias y visiones tradicionales tienen un gran arraigo que afecta a la percepción y respuesta ante el riesgo. La colaboración con estos grupos es esencial[270].

En España, el ejercicio de la libertad de información ha de sujetarse a la "*veracidad*" y "*relevancia pública*" de los contenidos que se hacen llegar al público, como ha expresado en numerosas ocasiones el Tribunal Constitucional (STC 29/2009, de 26 de enero, etc.).

La Ley Orgánica 2/1997[271], de 19 de junio, reguladora de la cláusula de conciencia de los profesionales de la información, establece principios éticos y profesionales, así como derechos y deberes, de los periodistas.

La independencia venía plasmada en la regulación de la prensa en nuestro país, que data nada más y nada menos que del año 1966, a través de la Ley 14/1966[272], de 18 de marzo, de Prensa e Imprenta. En esta, se recoge el derecho a obtener información oficial[273].

"Un temblor mortífero". DIARIO DE SEVILLA: "Más de 3.600 muertos en Turquía y Siria". DIARIO DE PONTEVEDRA: "El mayor terremoto en Turquía desde 1939".

269 United Nations Office for Disaster Risk Reduction. (2022). Global Assessment Report on Disaster Risk Reduction. *Our World at Risk: Transforming Governance for a Resilient Future* (p. 136).

270 Paton, D., & Johnston, D. (2017). *Disaster Resilience: An Integrated Approach.* Springfield: Charles C. Thomas Publisher Ltd.

271 Ley Orgánica 2/1997, de 19 de junio, reguladora de la cláusula de conciencia de los profesionales de la información. BOE núm. 147, de 20 de junio de 1997. https://bit.ly/3MWMEUm.

272 Ley 14/1966, de 18 de marzo, de Prensa e Imprenta. *BOE* núm. 67, de 19 de marzo de 1966. https://bit.ly/3MYsqJR

273 El artículo séptimo de la Ley 14/1966, de 18 de marzo, de Prensa e Imprenta establece lo siguiente: "Derecho a obtener información oficial.

Dicho derecho se amplía con la conocida comúnmente como Ley de Transparencia[274], extendiendo el derecho a obtener información oficial al resto de la ciudadanía. Nos encontramos además ante un derecho constitucional. Con el fin de salvaguardar los derechos establecidos en la Ley, incluyendo aquellos relacionados con la transparencia y el buen gobierno, se estableció el Consejo de Transparencia y Buen Gobierno. El Real Decreto 919/2014 ha sido sustituido por el Real Decreto 615/2024, de 2 de julio, que aprueba el nuevo Estatuto del Consejo de Transparencia y Buen Gobierno como Autoridad Administrativa Independiente[275].

Como señala CERRILLO[276], la transparencia no es solo una obligación que cumplir al final del proceso, sino un aspecto inherente al proceso de toma de decisiones o de gestión de los recursos públicos.

La Administración ha de ser transparente, pero el derecho administrativo consagra unos límites en los cuales esta ha de navegar. Parece que nos encontramos ante una contradicción entre los principios democráticos y del Estado de Derecho en relación con esta cuestión, pues la transparencia es transparencia, sin veladuras. O eso parece.

Decimos que parece pues encontramos las citadas "veladuras", por otro lado necesarias: la protección de datos personales, comerciales e industriales, y la propia seguridad pública, de la que ampliamente estamos ocupándonos en la presente Tesis. La búsqueda de equilibrio es una constante, valorando el contexto social, cultural y político, altamente mutable.

Uno. El Gobierno, la Administración y las Entidades públicas deberán facilitar información sobre sus actos a todas las publicaciones periódicas y agencias informativas en la forma que legal o reglamentariamente se determine."

274 Ley 19/2013, de 9 de diciembre, de transparencia, acceso a la información pública y buen gobierno. *BOE* núm. 295, de 10 de diciembre de 2013. https://bit.ly/3onPmIq

275 Anterior regulación dada por el Real Decreto 919/2014, de 31 de octubre, por el que se aprueba el Estatuto del Consejo de Transparencia y Buen Gobierno. Ministerio de Hacienda y Administraciones Públicas. *BOE* núm. 268, de 5 de noviembre de 2014. https://bit.ly/3UPzQkC y https://bit.ly/3LbhOWF
El anterior Real Decreto fue derogado, y lo sustituye el Real Decreto 615/2024, de 2 de julio, por el que se aprueba el Estatuto del Consejo de Transparencia y Buen Gobierno, como Autoridad Administrativa Independiente. Boletín Oficial del Estado, nº 162, 3 de julio de 2024. https://www.boe.es/diario_boe/txt.php?id=BOE-A-2024-15944

276 Cerrillo, A. (Sin año). Catedrático de Derecho Administrativo de la Universitat Oberta de Catalunya. https://bit.ly/3GVTUvI

2.3.- El impacto de los desastres y la desigualdad

La desigualdad se ha demostrado[277] como un factor determinante para agravar el impacto de un desastre en la población. Lo hemos verificado durante la pandemia del virus del COVID-19[278], que se ha cebado, además, con los trabajadores en sectores con mayor intensidad de contactos, con los trabajadores menos cualificados, mujeres y otros grupos vulnerables.

Las epidemias anteriores a la COVID-19 también tuvieron unos efectos económicos negativos, con una intensidad que variaba según el nivel de desigualdad de ingresos. Por ello, el Fondo Monetario Internacional habla de la posibilidad de un círculo vicioso entre las catástrofes naturales y la desigualdad. Se constata que los hogares con menos recursos están más expuestos a los desastres naturales, pues estos carecen de los medios para ubicarse en lugares más seguros o para enfrentarlos[279]. Es el caso del huracán Katrina, donde se analizó la vulnerabilidad de los barrios de Nueva Orleans en función de las vulnerabilidades de carácter social, físico y económico.

Los bajos ingresos económicos disminuyen la capacidad ex post para hacer frente a las pérdidas económicas y para llevar a cabo las inversiones necesarias para restablecer la situación a la normalidad. Su bajo nivel económico también es un freno para el acceso a las señales de los sistemas de alerta temprana. En el ámbito macroeconómico [280], las altas tasas de deuda pública restringen la capacidad de respuesta a las catástrofes, como sucede en muchos países en vías de desarrollo. Factores como una deficitaria atención sanitaria, la pobreza generalizada y la inseguridad alimentaria, entre otros, constituyen elementos potenciadores de los efectos negativos de las catástrofes naturales.

En los estudios analizados, se observa que el impacto de los desastres naturales es mayor en los países avanzados que en aquellos en vías de desarrollo,

---

277 Furceri, D., Loungani, P., Ostry, J. D., & Pizzuto, P. (2020). Will COVID-19 affect inequality? Evidence from past pandemics. *Covid Economics: Vetted and Real-Time Papers*, (12), 138–157. https://bit.ly/3JATFaf

278 *World Economic Outlook.* (April 2021). *After-Effects of the COVID-19 Pandemic: Prospects for Medium-Term Economic Damage* (Chapter 2). Washington, D.C. https://bit.ly/3lzHGl2

279 Masozera, M., Bailey, M., & Kerchner, C. (2007). Distribution of impacts of natural disasters across income groups: A case study of New Orleans. *Ecological Economics*, 63(2-3), 299-306. ISSN 0921-8009, https://doi.org/10.1016/j.ecolecon.2006.06.013

280 Otker, I., & Loyola, J. (2016). Fiscal Challenges in the Caribbean: Coping with Natural Disasters. In Alleyne, R., Otker, I., Ramakrishnan, U., & Srinivasan, K. (Eds.), *Unleashing Growth and Strengthening Resilience in the Caribbean* (Chapter 5). International Monetary Fund. (Publication year of the book is 2017). https://bit.ly/3n9BVeo

probablemente debido al alto valor de los bienes perdidos. Sin embargo, el valor de los costes sociales se invierte[281].

Con carácter general, los terremotos afectan más a las economías avanzadas, mientras que los colectivos con menos ingresos se ven más afectados por epidemias graves, sequías e inundaciones. En definitiva, el efecto de las catástrofes naturales sobre la desigualdad de ingresos varía en función de su gravedad, la frecuencia con la que ocurren en un mismo año, la tipología de la catástrofe y la nación donde se manifiesta.

La respuesta al fenómeno descrito anteriormente ha de venir de la mano de una acción en varios frentes, que son fáciles de describir, pero difíciles de solventar, especialmente en aquellos países con altos niveles de tasas de pobreza. Así, señalar que hay que reducir la vulnerabilidad macroeconómica y socioeconómica preexistente, es un propósito notable en ciertas zonas. Recomendar profundizar tanto en los mercados financieros como en los seguros, potenciar la red de seguridad social, la inversión en infraestructuras que sean resilientes, así como tener acceso a líneas de crédito externo que puedan mejorar la prevención (ex ante) frente a las catástrofes naturales, nos lleva a concluir que en esta materia, en los países desarrollados debemos desplegar nuestra solidaridad.

2.4.- Fallecidos por riesgos naturales en España, 2020-2024

Se incluye una tabla[282] que detalla el impacto en las personas, elaborada por la Dirección General de Protección Civil y Emergencias.

Tabla

Directamente afectados	Víctimas (Victims)	Evacuados (Evacuated)	Confinados (Confined)	Damnificados (Damaged)
-	Fallecidos (Dead)	Auto evacuados (Self-evacuated)	-	-
-	Desaparecidos (Missing)	Forzosos (Forced)	-	-

281 Ahn, M. (2005). The death toll from natural disasters: The role of income, geography and institutions. *Review of Economics and Statistics*, 87(2), 271–284. https://bit.ly/42zaTxp

282 Recogida por De Groeve, T., Polianse, K., Ehrlich, D., & Corbane, C. (2014). *Current status and Best Practices for Disaster Loss Data recording in EU Member States: A comprehensive overview of current practice in the EU Member States* (EUR 26879, JRC9229). Luxembourg: Publications Office of the European Union. ISBN 978-92-79-43549-2. (p. 117) basado en la información aportada por Bustamante Gil, A., Titulado Superior Riesgos Naturales y Antrópicos, Dirección General de Protección Civil y Emergencias, Ministerio del Interior, Gobierno de España.

-	Heridos (Injured)	Preventivos (Preventive)	-	-
-	Permanentes (Permanent Sheltered)	Rescatados (Rescued)	-	-
-	Provisionales (Provisional Sheltered)	-	-	-

Es recomendable definir los indicadores humanos[283] establecidos por la administración competente en esta materia en nuestro país, que en este caso es la Dirección General de Protección Civil y Emergencias.

Tabla

Indicadores de pérdida humana	Definición	Definición (Inglés)	Fuente Oficial
Víctimas (Víctimas)	Personas que padecen daño por culpa ajena o por causa fortuita	People who suffer damage through no fault of or accidental cause	Diccionario de la Real Academia Española (DRAE)
Fallecidos (Fallecidos)	Personas cuya causa de muerte deriva directamente de la emergencia	People whose cause of death derives directly from the emergency	Guía Metodológica para la elaboración del CNIH; Área Riesgos Naturales de la DGPCE
Desaparecidos (Desaparecidos)	Personas que se hallan en paradero desconocido, sin que se sepa si viven	People who are in unknown whereabouts, without knowing if they live	Diccionario de la Real Academia Española (DRAE)
Heridos (Heridos)	Personas que, independientemente de la gravedad de la lesión, han sufrido cualquier tipo de daño corporal como consecuencia directa de la emergencia y precisan asistencia médica	People who, regardless of the gravity of the injury, suffered any type of corporal damage as direct consequence of the emergency and require medical assistance	Guía Metodológica para la elaboración del CNIH; Área Riesgos Naturales de la DGPCE
Albergados (Sheltered)	Personas que precisan ser atendidas para cubrir todas sus necesidades básicas	People who need to be taken care of to cover all their basic necessities	Guía Metodológica para la elaboración del CNIH; Área Riesgos Naturales de la DGPCE
Evacuados (Evacuated)	Personas que al encontrarse en peligro abandonan el lugar en que se encuentran de forma dirigida, espontánea o con ayuda de los servicios de emergencia	People who, when being in danger, leave the place in which they are of directed form, spontaneous or with the help of the services of emergency	Guía Metodológica para la elaboración del CNIH; Área Riesgos Naturales de la DGPCE

283 Ibidem pg. 118

Confinados (Confined)	Personas que deben permanecer en lugares seguros a fin de evitar la exposición a un peligro	People who must remain in safe places in order to avoid the exhibition to a danger	Área Riesgos Naturales de la DGPCE
Damnificados (Damaged)	Personas que han sufrido daño de carácter colectivo o en sus propiedades o han visto modificadas sus condiciones de vida	People who have suffered damage of collective character or in its properties or have been modified their living conditions	Área Riesgos Naturales de la DGPCE

Según se detalla en el Informe de la Dirección General de Protección Civil y Emergencias, Fallecidos por Riesgos Naturales en España, basado en los registros de la Base de Datos Nacional de Fallecidos por Riesgos Naturales (en funcionamiento desde 1990), en el período comprendido entre los años 2000 y 2023 se han contabilizado 1.073 fallecimientos atribuidos a riesgos naturales en nuestro país, con un promedio próximo a los 16, y siendo el peor año fue el 2003, en el que se contabilizaron 99. Aunque la evolución histórica durante estas dos décadas muestra una tendencia general a la disminución, el año 2024 marcó un punto de inflexión, con más de 227 fallecimientos registrados como consecuencia de la DANA (219 en Comunitat Valenciana; 7 en Castilla-La Mancha; 1 en Andalucía) que tuvo lugar en octubre de ese año.[284]

Como indica el Informe[285]: "Los fenómenos meteorológicos, ya sean de forma directa (vientos, rayos, precipitaciones) o indirecta (inundaciones, movimientos del terreno), son los que más pérdidas humanas causan, muy por encima de otros fenómenos de origen natural."

Sin lugar a dudas, se trata de una cifra relativamente modesta si se contrasta con la población total de España[286] que, a 1 de septiembre de 2025 alcanzaba los 49.315.949 habitantes. Este dato adquiere mayor relevancia al contextualizarlo con el número total de defunciones registradas en nuestro país durante el primer semestre de 2025, que ascendió a 271.554, lo que supone un leve incremento en comparación con el mismo período del año anterior. Asimismo, al compararlo con otras causas de fallecimiento, como los accidentes laborales, que contabilizaron un total de 363 víctimas en el

---

284 Lamentablemente, los luctuosos sucesos producidos por la DANA en el Levante español en noviembre de 2024, han pulverizado negativamente dichos registros.

285 Dirección General de Protección Civil y Emergencias; Subdirección General de Prevención, Planificación y Emergencias; Área de Riesgos Naturales. (Abril de 2021). Fallecidos por Riesgos Naturales en España en 2020. https://bit.ly/3vYgP40

286 Instituto Nacional de Estadística. (2025). *Estadística de Defunciones.* www.ine.es

primer semestre de 2025[287], o con los fallecidos por accidentes de tráfico, que en 2025 se cifraron en 658, según datos provisionales aportados por la Dirección General de Tráfico, quedando patente la magnitud relativa de esta cifra frente a otras causas de mortalidad.

A pesar de las cifras anteriores, no hay que trivializar la incidencia en cuanto a número de fallecidos con origen en riesgos naturales. Basta recordar lo señalado en las Conclusiones del Consejo[288] sobre las acciones de protección civil frente al cambio climático:

"4. CONSIDERA que, como consecuencia del cambio climático, los Estados miembros y las instituciones de la Unión deben estar preparados para hacer frente a catástrofes a gran escala, multisectoriales y transfronterizas con efectos en cascada, que pueden producirse de forma simultánea y más frecuente, dentro y fuera de la Unión, y cuyas consecuencias podrían afectar profundamente a la vida y las actividades humanas, así como a la biodiversidad".

Desde el inicio de las lluvias torrenciales del pasado 29 de octubre de 2024 en la zona del levante español, las inundaciones que han afectado a Valencia o provincias del Levante han cobrado la vida de 227 personas. En términos de víctimas mortales, estas inundaciones se sitúan a la cabeza de entre las más letales de los últimos 80 años, marcando un trágico hito en la historia reciente del país.[289] La base de datos Emergency Events Database (EM-DAT), creada en 1988 por el Centre for Research on the Epidemiology of Disasters y la OMS, ha registrado 112 desastres en España entre 1941 y marzo de 2024, con más de 37.000 fallecidos[290]. El número acumulado de fallecidos supera los 37.000, aunque la inmensa mayoría de ellos –el 95%- son atribuibles a eventos de temperaturas extremas como las olas de calor en Andalucía en 2003 o en

287 Ministerio de Trabajo y Economía Social.

288 Consejo de la Unión Europea. (2022). Conclusiones del Consejo sobre las acciones de protección civil frente al cambio climático (2022/C 322/02). *Diario Oficial de la Unión Europea*, p. 322/3.

289 Marín, J. L., & Merino, Á. (2024, 4 de noviembre). *Un siglo de desastres naturales en España.* El Orden Mundial. Recuperado de https://elordenmundial.com/mapas-y-graficos/desastres-naturales-espana/

290 Centre for Research on the Epidemiology of Disasters (CRED). (n.d.). *EM-DAT: The International Disaster Database.* Recuperado de https://www.emdat.be/

el conjunto del país en 2022 y 2023[291], las cuatro catástrofes naturales más mortíferas jamás registradas en España desde que hay datos.[292]

Las inundaciones son el segundo tipo de desastre que más víctimas se ha cobrado, con un total de 1.355 muertes. Dos riadas destacan por encima del resto: la de Barcelona de 1962 y la de Granada, Almería y Murcia de 1973, que acabaron con la vida de 445 y 500 personas, respectivamente. Los terremotos –como el de Lorca en 2011- y los incendios -20 muertos por el fuego Teruel en 1994- son otros de los eventos extremos que aparecen en la base de datos.[293]

2.5.- Impacto fiscal

El impacto fiscal de los fenómenos meteorológicos y climáticos extremos en la Unión Europea es un elemento más para tomar en serio y en consideración la lucha contra el cambio climático. Hay quienes perciben lejano el impacto, pues con frecuencia observan como las catástrofes no se producen en un entorno próximo, o como ya sabemos que ocurre en España, el número de fallecidos no suele ser significativo.

Pero sin duda, el impacto fiscal derivado puede ser alto. Es crucial tomar medidas para garantizar que la sostenibilidad de la deuda relacionada con eventos climáticos y meteorológicos adversos no ponga en peligro los fundamentos de nuestro bienestar y desarrollo dentro de la Unión Europea.

Por ende, el legislador debe tener constantemente en cuenta, al elaborar normativas en el ámbito de protección civil y cambio climático, que la rigurosidad y utilidad de dichas normas repercuten directamente en la seguridad y el futuro de nuestra comunidad.

Los riesgos físicos derivados del cambio climático conllevan por tanto consecuencias en el orden económico y fiscal. Estos impactos económicos adversos pueden ser:

- Impactos en el lado de la oferta.

---

291 Según la AEMET, se considera "ola de calor": un episodio de al menos tres días consecutivos, en que como mínimo el 10% de las estaciones consideradas registran máximas por encima del percentil del 95% de su serie de temperaturas máximas diarias de los meses de julio y agosto del período 1971-2000. https://acortar.link/JFhIdE

292 Marín, J. L., & Merino, Á. (2024, 4 de noviembre). *Un siglo de desastres naturales en España.* El Orden Mundial. Recuperado de https://elordenmundial.com/mapas-y-graficos/desastres-naturales-espana/

293 Íbidem

- Impactos en el lado de la demanda.
- Daños e interrupciones en infraestructuras y propiedades críticas.
- Reducción de productividad laboral.
- Menor consumo e inversión.
- Interrupción de flujos comerciales globales.

Existe un consenso creciente en torno a que los desastres naturales generan, en lo general, impactos negativos a corto plazo sobre el crecimiento económico. Es lógico que así sea si analizamos por ejemplo el impacto de fenómenos meteorológicos adversos sobre la agricultura. Choques de oferta y demanda generan una interrupción inmediata en la producción, y, por ende, en el crecimiento[294].

Pero, ¿qué puede ocurrir a medio y largo plazo?

Se pueden producir tres vías de evolución en los países[295]:

1. Destrucción creativa: después del impacto de un desastre, puede producirse un período de crecimiento más rápido, derivado de los esfuerzos de reconstrucción.
2. Recuperación a la tendencia: se estima que el crecimiento se frenará tras un desastre, con una evolución de la producción que paulatinamente convergerá con el momento previo al desastre, a través de un efecto de recuperación. Hay una temporalidad del impacto.
3. Sin recuperación: cuando se produce la destrucción del capital productivo y los bienes de consumo duraderos. No hay rebote, y el nivel de desarrollo por largo tiempo permanece con valores inferiores al momento antes del desastre.

Estamos ante un tema de alcance y de relevancia, y a pesar de ello, el análisis de riesgos relacionados con el clima, con frecuencia, ha sido algo que no ha ocupado espacio en los marcos de sostenibilidad fiscal, tanto de instituciones nacionales como internacionales.

---

294 Batten, S., Sowerbutts, R., & Tanaka, M. (2016). Hablemos del clima: el impacto del cambio climático en los bancos centrales. Documento de trabajo del Banco de Inglaterra, n.° 603.

295 Batten, S. (2018). Cambio climático y macroeconomía: una revisión crítica (Documento de trabajo del personal del Banco de Inglaterra No. 706).

La mayoría de la doctrina coincide en sostener que el impacto negativo es inmediato en el crecimiento tras un desastre de intensidad alta. Y concluye también que, en el medio y largo plazo, la hipótesis de "sin recuperación" es la más respaldada.

El consenso también es generalizado a la hora de afirmar que el principal factor que contribuye a los shocks macroeconómicos adversos derivados de las catástrofes naturales es la carencia de cobertura de seguro. El seguro cobra una doble virtualidad[296]: minimiza el impacto adverso en el producto y respalda la recuperación. Por ello, las pérdidas aseguradas coadyuvan a una recuperación post catástrofe y también tienen un efecto ex ante, por cuanto contribuyen a la prevención y gestión del riesgo de desastres[297].

Es probable también que los desastres naturales tengan un impacto sobre las cuentas públicas pues pueden provocar una presión al alza sobre el gasto público (caso de los fenómenos meteorológicos adversos y derivados de clima extremo). Hay un impacto, en tanto que hay que realizar inversiones en las sociedades afectadas, y destinar ayudas al sector productivo perjudicado. Incluso, se han de realizar transferencias de capital a instituciones financieras debilitadas. Y también, se puede producir una merma de ingresos fiscales al interrumpirse la actividad económica.

Todo lo anterior nos lleva a habilitar partidas presupuestarias en ocasiones no previstas o que van más allá de los fondos de contingencia de los que pudiéramos prever, y reasignar la programación presupuestaria en curso.

La vulnerabilidad a los desastres naturales genera, pues, incertidumbre y puede afectar a la solvencia y acceso a los mercados financieros internacionales[298].

El impacto fiscal de los desastres naturales en economías avanzadas[299] podría oscilar entre el 0,3% y el 1,1% del PIB, si bien podrían incrementarse

---

296 Fache Rousová, L., Giuizo, M., Kapadia, S., Kumar, H., Mazzotta, L., Parker, M. y Zafeiris, D. (julio de 2021). Cambio climático, catástrofes y los beneficios macroeconómicos de los seguros. Informe de Estabilidad Financiera, Autoridad Europea de Seguros y Pensiones de Jubilación.

297 Lo anterior se deriva de la práctica de compañías de seguros que exigen códigos de construcción y políticas de prevención frente a las catástrofes a la hora de minimizar el impacto de la responsabilidad derivada llegado el caso.

298 Radu, D. (2021). Financiamiento del riesgo de desastres: conceptos principales y evidencia de los Estados miembros de la UE. Economía europea: Documento de debate, 150, octubre de 2021,

299 Heipertz, M. & Nickel, C. (2008). El cambio climático trae días tormentosos: estudios de casos sobre el impacto de los fenómenos meteorológicos extremos en las finanzas públicas. Disponible en SSRN 1997256.

a consecuencia de la previsión de desastres naturales, de mayor envergadura en el futuro, provocados principalmente por el cambio climático.

En el espacio temporal comprendido entre 1980 y 2020, se llevó a cabo un exhaustivo análisis acerca del impacto de los desastres naturales vinculados al tiempo y el clima en la Unión Europea. Estos desastres abarcaron diversas categorías, tales como fenómenos meteorológicos (como temperaturas extremas y tormentas), eventos hidrológicos (incluyendo inundaciones) y fenómenos climatológicos (como sequías e incendios forestales).[300]

Tabla

Eventos	Número Reportes
Meteorológicos	543
Hidrológicos	389
Climatológicos	108

La Base de Datos EM-DAT[301] indica que tanto las tormentas como las inundaciones representan casi el 70% del total de desastres que se han notificado en el período de 1980-2020, las temperaturas extremas han supuesto un 18%, los incendios forestales un 8%, las sequías un 3% y los deslizamientos un 2%.

Para el período anterior, la distribución de los reportes por países de eventos es variable. El más afectado es Francia con un 15% del total de eventos reportados.

Tabla

Países Unión Europea	Porcentaje Reportes de Eventos
Francia	15%
Italia	9,3%
España	8,7%
Rumanía	7,8%

300 Los datos se basan en información proporcionada por la Comisión Europea y en The Emergency Events Database (EM-DAT, CRED, UCLouvain).

301 La EM-DAT ofrece, entre otros, datos sobre seis tipos de desastres naturales (geofísicos, meteorológicos, hidrológicos, climatológicos, biológicos y extraterrestres) y tres tipos de naturaleza tecnológica (accidentes industriales, de transporte y varios). En la base de datos EM-DAT, solo se incluyen los desastres que cumplan con uno de los siguientes criterios: 1) 10 o más personas fallecidas; 2) 100 o más personas afectadas; 3) una declaración de estado de emergencia; 4) una demanda de asistencia internacional.

Alemania	7,3%
Grecia, Polonia, Bélgica, Austria	Alrededor del 5%
Resto de países	Alrededor del 3%
Suecia, Letonia, Eslovenia, Finlandia Estonia,	Menos de 1%

En los últimos 20 años se observa un incremento notable de los desastres en países de Europa Central y Oriental, esto es, Croacia, Chequia, Eslovaquia, Bulgaria, Rumanía y Hungría, a los que habría que añadir algunos países del sur de Europa, como son Italia, Grecia y Portugal. La responsabilidad de dicho incremento reside en los eventos meteorológicos e hidrológicos, fundamentalmente en el período 2000-2020, con el reporte de 368 eventos meteorológicos, cifra que contrasta con los 175 que fueron reportados en el período 1980-1999, y los 274 hidrológicos del período 2000-2020 frente a los 115 del período 1980-1999. Los eventos climatológicos reportados no han sufrido grandes variaciones en los dos períodos anteriores.

En cuanto al número de desastres reportados en el período 2000-2020 por países, es el siguiente:

Tabla

Países Unión Europea	**Número Reportes de Eventos Meteorológicos**
Francia	54
Alemania	40
Polonia	20
Italia	26
Bélgica	24

La mayor parte de los eventos referenciados en la tabla anterior se corresponden con tormentas, que afectaron casi al 60% del total de eventos reportados.

En relación con los eventos hidrológicos, se han incrementado a causa de las inundaciones, que son la mayoría de los eventos reportados en el período 2000-2020:

Tabla

Países Unión Europea	**Número Reportes de Eventos Hidrológicos Inundaciones**
Rumanía	41
Italia y Francia	34
Grecia, España y Bulgaria	Promedio de 22

En relación con los eventos climatológicos (destacan los incendios forestales, los cuales son casi el 80%) para el mismo período:

Tabla

Países Unión Europea	**Número Reportes de Eventos Climatológicos**
España	11
Portugal	10
Grecia	7
Croacia	6
Bulgaria e Italia	5

En el documento "The Fiscal Impact of Extreme Weather and Climate Events", elaborado por la Comisión Europea en Julio de 2022, y elaborado por Gagliardi N., Arévalo, P. y Pamies, S., se indica que se ha producido un incremento en el número de eventos en el período 2000-2020 respecto del 1980-1999:

Meteorológicos: 368 eventos (2000-2020) frente a 175 (1980-1999).

Hidrológicos: 274 eventos (2000-2020) frente a 115 (1980-1999).

Climatológicos: Estables en 108 eventos.

Las pérdidas económicas derivadas de fenómenos meteorológicos extremos y eventos climáticos representan un impacto significativo, alcanzando el 3% del Producto Interno Bruto (PIB) en los países de la Unión Europea durante el período comprendido entre 1980 y 2020, según los datos proporcionados por EM-DAT. A nivel anual, el promedio se sitúa por debajo del 0,1% del PIB en la Unión Europea de 25 países. Estas cifras subrayan la importancia de comprender y abordar los efectos económicos de los eventos climáticos extremos en la región.

Hay que hacer constar que el impacto ha sido desigual en los distintos países. Así, en España alcanzó casi el 8% del PIB para el período 1980-2020, el 7% en Chequia o menos del 1% en Países Bajos y Estonia, Lituania, Suecia, Bélgica e Irlanda.

Los fenómenos que más han impactado en el PIB en el período analizado suelen ir ligados a desastres hidrológicos y meteorológicos, respectivamente.

En el futuro, se prevé que las pérdidas económicas provocadas por los desastres naturales "aumenten al menos dos o tres veces en la UE a mediados de siglo. A finales de siglo, las pérdidas pueden convertirse en un múltiplo adicional"[302].

---

302 Project Center PESETA IV. (Año no disponible). Projection of Economic Impacts of Climate Change in Sectors of the European Union based on Bottom-up Analysis.

Así, según cálculos de la Unión Europea basados en el proyecto PESETA IV[303], el factor de aumento de pérdidas económicas para el escenario de calentamiento de 1.5°C y 2°C a mediados de siglo, tendrá un factor de multiplicación x2 y x2.3 respectivamente en la zona Mediterránea; x2.3 y 3.4 en la zona Atlántica; x1.7 y x2.1 en la zona Continental y x1.6 y x2.3 respectivamente en la zona boreal. Por tanto, el escenario promedio en la Unión Europea será de x1.9 y x2.5 para escenarios de incrementos de 1.5°C y 2°C respectivamente.

Para finales de siglo, el factor de incremento en pérdidas económicas para escenarios de calentamiento de 1,5°C, 2°C y 3°C, serían en la zona mediterránea de x3.2, x6.6 y x10.8 respectivamente; en la zona atlántica de x3.8, x13.9 y x25.1; en la zona continental de x2.6, x5.4 y x11.0; y en la zona boreal de x2.6, x5.6 y x12.8 respectivamente.

En consecuencia, nos enfrentamos a un componente que, aunque es crucial, presenta dificultades significativas, la evaluación de los riesgos fiscales derivados del cambio climático. Este desafío resalta la complejidad asociada con la identificación y cuantificación de los impactos financieros que las variaciones climáticas pueden tener en las finanzas públicas.

Y es importante señalar que los tests de stress realizados a los países de la Unión[304] en este campo, señalan que el país más expuesto es España, lo cual debilita la sostenibilidad de la deuda. Así, se prevé en el caso de nuestro país, para incrementos de 1,5°C y 2°C la proyección de deuda en relación con el PIB es el que alcanza mayor nivel. Así, la ratio deuda/PIB, para 2032, será de 4,5 puntos porcentuales y 5,2 respectivamente, lo cual es preocupante.

2.6.- Impacto económico

Los datos actualizados de la Agencia Europea de Medio Ambiente (European Environment Agency, 2024), en el marco del indicador *Economic losses from weather- and climate-related extremes in Europe*, evidencian la creciente magnitud económica y social de los desastres climáticos en el continente. Entre 1980 y 2023, las pérdidas económicas derivadas de fenómenos meteorológicos

---

European Commission. https://bit.ly/3JZ80Pb

303 PESETA significa 'Proyección de Impactos Económicos del Cambio Climático en Sectores de la Unión Europea basada en un Análisis ascendente'.

304 European Commission. (julio de 2022). The Fiscal Impact of Extreme Weather and Climate Events: Evidence for EU Countries (Discussion Paper 168). Pg. 24. https://bit.ly/3UWdbmV

extremos —inundaciones, olas de calor, tormentas, sequías e incendios forestales— superaron los 650.000 millones de euros en la Unión Europea, con un promedio anual superior a 17.000 millones en la última década. Solo entre 2021 y 2023, las pérdidas acumuladas se aproximaron a 200.000 millones de euros, lo que supone un incremento del 45 % respecto al periodo 2010–2020.

La EEA identifica una tendencia estructural preocupante: alrededor del 70 % de las pérdidas no está cubierto por seguros, lo que pone de manifiesto una vulnerabilidad económica sistémica y una exposición desigual entre los Estados miembros. Alemania, Francia e Italia concentran más del 60 % de las pérdidas absolutas, mientras que los impactos relativos más elevados en proporción al PIB se registran en los países del Sur y Este de Europa. En el caso de España, las pérdidas económicas directas por eventos climáticos se estiman en más de 3.500 millones de euros anuales, situando al país entre los cinco más afectados de la Unión Europea.

La magnitud de estas cifras legitima la incorporación de la variable económica del riesgo climático en la planificación administrativa, en coherencia con los principios de eficiencia, precaución y sostenibilidad financiera. La gestión del riesgo climático deja así de ser una política sectorial para convertirse en una función transversal de la Administración, con implicaciones directas sobre la contratación pública, la ordenación del territorio y la inversión en infraestructuras resilientes.

En definitiva, el indicador de la EEA transforma el dato económico en argumento jurídico: el coste acumulado del cambio climático actúa como una presunción empírica de necesidad pública, que habilita la actuación anticipada de los poderes públicos conforme a los principios de solidaridad intergeneracional y de responsabilidad patrimonial por omisión de medidas preventivas. Esta interpretación refuerza la idea de que la resiliencia climática constituye no solo una obligación moral y política, sino también un deber jurídico derivado del interés general y de la protección de las generaciones futuras[305].

---

305 European Environment Agency. (2024). *Economic losses from weather- and climate-related extremes in Europe — Indicator assessment (updated 2024)*. Publications Office of the European Union. https://www.eea.europa.eu/en/analysis/indicators/economic-losses-from-climate-related

3.- LOS PARADIGMAS DEL DESASTRE: INUNDACIONES, INCENDIOS FORESTALES Y CAMBIO CLIMÁTICO

3.1.- Inundaciones

Sin duda, abordar el desastre de las inundaciones obliga a establecer su vinculación con la ordenación del territorio.

La ordenación del territorio, según "Evolución del marco jurídico la Carta Europea del mismo nombre[306], se define como "la expresión espacial de la política económica, social, cultural y ecológica de toda la sociedad". Sus objetivos fundamentales incluyen el fomento de un desarrollo socioeconómico equilibrado y sostenible, la mejora de la calidad de vida de la población mediante el acceso a servicios e infraestructuras públicas y al patrimonio natural y cultural, así como la gestión responsable de los recursos naturales y la protección del medio ambiente, entre otros aspectos clave.

Nos importa mucho destacar que un elemento esencial para prevenir catástrofes naturales es una adecuada ordenación del territorio como podemos concluir tras conocer los conceptos de riesgo y vulnerabilidad antes descritos.

Es por ello que en toda planificación y desarrollo del territorio se demanda una consulta permanente tanto a las características físicas como a las dinámicas territoriales, siendo el resultado, la sostenibilidad.

Como señalan PEREZ-MORALES et al[307]., los espacios urbanos se han convertido en territorios inclinados al perjuicio económico, así como a la pérdida de vidas humanas, a consecuencia de fenómenos naturales extremos, por lo que la responsabilidad es antrópica, debiendo el ser humano conocer con precisión dónde se va a asentar y a llevar a cabo sus actividades.

Para AYALA[308], *"la imprevisibilidad de los peligros naturales, salvo en el caso de los terremotos, es un sofisma que atenta contra la seguridad de las personas"*. Y lo hace a la luz de la Constitución Española, la Declaración Universal de los

---

306 Consejo de Europa. (20 de mayo de 1983). Carta Europea de Ordenación del Territorio. Aprobada en Torremolinos, España. https://bit.ly/42PMt2F

307 Pérez-Morales, A., Navarro Hervás, F., & Alvarez Rogel, Y. (2016). Propuesta metodológica para la evaluación de la vulnerabilidad social en poblaciones afectadas por el peligro de inundación. Documents d'Anàlisi Geogràfica, 62(1), 133-159. https://portalinvestigacion.um.es/documentos/63c0b3363df4c204fbb01f20

308 Ayala-Carcedo, F. J. (2002). El sofisma de la imprevisibilidad de las inundaciones y la responsabilidad social de los expertos: Un análisis del caso español y sus alternativas. Boletín de la Asociación de Geógrafos Españoles, (33), 79-92.

Derechos Humanos[309], así como la Ley de Aguas[310], a la que califica de *"marco inadecuado para la protección de la vida humana"*, sin olvidar la crítica a la Ley del Suelo vigente en aquel momento, y proponiendo como alternativa la implementación de un Procedimiento Técnico-Administrativo de Evaluación de Riesgos. Este enfoque busca establecer un marco estructurado que permita analizar de manera integral los riesgos asociados a la Ordenación del Territorio, considerando aspectos técnicos y administrativos. La adopción de este procedimiento proporcionaría una herramienta sistemática para evaluar los posibles impactos y tomar decisiones informadas en la planificación territorial, contribuyendo así a un desarrollo más resiliente y sostenible.

Es crucial resaltar el artículo 11 del Texto Refundido de la Ley de Aguas (TRLA), que especifica las "zonas inundables."[311], y el art. 25.4.[312], así como

---

309 https://bit.ly/3KgfzRv

310 Real Decreto Legislativo 1/2001, de 20 de julio, por el que se aprueba el texto refundido de la Ley de Aguas. (2001, 24 de julio). *BOE*, núm. 176.https://bit.ly/3KhnTR5

311 Ministerio de Agricultura, Pesca y Alimentación. (2001). Ley de Aguas (Real Decreto Legislativo 1/2001, de 20 de julio). Boletín Oficial del Estado, núm. 176, de 24 de julio de 2001.
Artículo 11. Las zonas inundables:
1. Los terrenos que puedan resultar inundados durante las crecidas no ordinarias de los lagos, lagunas, embalses, ríos o arroyos, conservarán la calificación jurídica y la titularidad dominical que tuvieren.
2. Los Organismos de cuenca darán traslado a las Administraciones competentes en materia de ordenación del territorio y urbanismo de los datos y estudios disponibles sobre avenidas, al objeto de que se tengan en cuenta en la planificación del suelo y, en particular, en las autorizaciones de usos que se acuerden en las zonas inundables. El Gobierno, por Real Decreto, podrá establecer las limitaciones en el uso de las zonas inundables que estime necesarias para garantizar la seguridad de las personas y bienes. Los Consejos de Gobierno de las Comunidades Autónomas podrán establecer, además, normas complementarias de dicha regulación.

312 Ministerio de Agricultura, Pesca y Alimentación. (2001). Ley de Aguas (Real Decreto Legislativo 1/2001, de 20 de julio). Boletín Oficial del Estado, núm. 176, de 24 de julio de 2001.
Art. 25.4.: Las Confederaciones Hidrográficas emitirán informe previo en el plazo y supuestos que reglamentariamente se determinen, sobre los actos y planes que las Comunidades Autónomas hayan de aprobar en el ejercicio de sus competencias, entre otras, en materia de medio ambiente, ordenación del territorio y urbanismo, espacios naturales, pesca, montes, regadíos y obras públicas de interés regional, siempre que tales actos y planes afecten al régimen y aprovechamiento de las aguas continentales o a los usos permitidos en terrenos de dominio público hidráulico y en sus zonas de servidumbre y policía, teniendo en cuenta a estos efectos lo previsto en la planificación hidráulica y en las planificaciones sectoriales aprobadas por el Gobierno.

el Real Decreto 9/2008[313], donde se define qué es la "zona de flujo preferente", que como concreta el MITECO[314] es:

"La zona de flujo preferente es aquella zona constituida por la unión de la zona o zonas donde se concentra preferentemente el flujo durante las avenidas, o vía de intenso desagüe, y de la zona donde, para la avenida de 100 años de período de retorno, se puedan producir graves daños sobre las personas y los bienes, quedando delimitado su límite exterior mediante la envolvente de ambas zonas."

Los usos del suelo en la zona previamente mencionada, conocida como la zona de flujo preferente, están sujetos a diversas limitaciones que quedan reflejadas en el Real Decreto 638/2016[315], de 9 de diciembre.

Como expresa GUERRA[316], tanto la Ley de Aguas como la Ley estatal del Suelo, establecen las guías sobre las que se asientan "la subordinación de los usos urbanísticos ante los potenciales riesgos de inundaciones", estableciendo en qué órganos se residencian las competencias, y subraya la necesidad de

---

Cuando los actos o planes de las Comunidades Autónomas o de las entidades locales comporten nuevas demandas de recursos hídricos, el informe de la Confederación Hidrográfica se pronunciará expresamente sobre la existencia o inexistencia de recursos suficientes para satisfacer tales demandas.
El informe se entenderá desfavorable si no se emite en el plazo establecido al efecto.
Lo dispuesto en este apartado será también de aplicación a los actos y ordenanzas que aprueben las entidades locales en el ámbito de sus competencias, salvo que se trate de actos dictados en aplicación de instrumentos de planeamiento que hayan sido objeto del correspondiente informe previo de la Confederación Hidrográfica.

313 Ministerio de Agricultura, Pesca y Alimentación. (2008). Real Decreto 9/2008, de 11 de enero, por el que se modifica el Reglamento del Dominio Público Hidráulico, aprobado por el Real Decreto 849/1986, de 11 de abril. *Boletín Oficial del Estado*, núm. 14. https://bit.ly/3GV4NOB

314 Ministerio para la Transición Ecológica y el Reto Demográfico. (Fecha de publicación n/d). Zona de flujo preferente. Recuperado de https://bit.ly/3ovqyOr

315 Gobierno de España. (2016). Real Decreto 638/2016, de 9 de diciembre, por el que se modifica el Reglamento del Dominio Público Hidráulico aprobado por el Real Decreto 849/1986, de 11 de abril, el Reglamento de Planificación Hidrológica, aprobado por el Real Decreto 907/2007, de 6 de julio, y otros reglamentos en materia de gestión de riesgos de inundación, caudales ecológicos, reservas hidrológicas y vertidos de aguas residuales. Boletín Oficial del Estado, núm. 314. https://bit.ly/3KO3iCR

316 Guerra Tschuschke, A. (2022). Zonas inundables y límites a los usos urbanísticos. Actualidad Jurídica Ambiental, (120), "artículos doctrinales". ISSN: 1989-5666. https://doi.org/10.56398/ajacieda.00177

un informe preceptivo que ha de emitir el organismo de cuenca en virtud del Real Decreto Legislativo 1/2001[317].

En la Ley 10/2001[318], de 5 de julio, del Plan Hidrológico Nacional, y cuyo último texto consolidado es de 21 de julio de 2015, se recoge la promoción entre el Ministerio de Medio Ambiente y las Administraciones locales y autonómicas de convenios de colaboración para "eliminar las construcciones y demás instalaciones situadas en dominio público hidráulico y en zonas inundables que pudieran implicar un grave riesgo para las personas y los bienes y la protección del mencionado dominio". La competencia sobre el dominio público hidráulico recae en la Administración hidráulica, mientras que las actuaciones en cauces públicos de las zonas urbanas están bajo la responsabilidad de las Administraciones con competencia en ordenación del territorio y urbanismo.

De la Directiva 2007/60/CE[319] relativa a la evaluación y gestión de los riesgos de inundación, emerge el Sistema Nacional de Cartografía de Zonas Inundables (SNCZI)[320], que se recoge en el art. 14.3 del Reglamento del Dominio Público Hidráulico[321]. Constituye una herramienta fundamental que no sólo da cumplimiento a las exigencias comunitarias, sino que también sirve de base para la ordenación territorial, la gestión urbanística, la contratación de seguros y la elaboración de planes de protección civil frente al riesgo de inundaciones.

Asimismo, la Directiva establece un ciclo de planificación de seis años que obliga a los Estados miembros a revisar y actualizar periódicamente la evaluación preliminar de riesgos, los mapas y los planes de gestión. España ha completado ya el segundo ciclo (2015-2021) y actualmente desarrolla el tercero (2022-2027), en el que resulta especialmente relevante la incorporación de metodologías ligadas al cambio climático. De este modo, el SNCZI se consolida como un instrumento transversal que conecta la política hidráulica, la planificación territorial y la protección civil, reforzando la capacidad del sistema para anticipar, mitigar y gestionar los efectos de las inundaciones en un contexto de creciente vulnerabilidad

---

317 Real Decreto Legislativo 1/2001, de 20 de julio. (2001). Ley de Aguas, artículo 25.4. «BOE» núm. 176, de 24 de julio de 2001.

318 Ley 10/2001, de 5 de julio, del Plan Hidrológico Nacional. (2001). Jefatura del Estado. «BOE» núm. 161, de 6 de julio de 2001, artículo 28.3. https://bit.ly/3KKsLOT

319 Directive 2007/60/EC of the European Parliament and of the Council. (2007). Official Journal of the European Union, 6.11.2007. https://bit.ly/416Odmy

320 Acceso al Sistema Nacional de Cartografía de Zonas Inundables: https://bit.ly/401znfX

321 Real Decreto 849/1986, de 11 de abril, por el que se aprueba el Reglamento del Dominio Público Hidráulico. (1986). Ministerio de Obras Públicas y Urbanismo. BOE núm. 103, de 30 de abril de 1986. https://bit.ly/40hRgY5

climática. El Capítulo III de la Directiva obliga a los Estados miembros a realizar mapas de peligrosidad por inundaciones y mapas de riesgo de inundación.[322].

En el Reglamento de Dominio Público Hidráulico de 1986, expresaba en su art. 14 bis las "limitaciones a los usos del suelo en la zona inundable". Este artículo era muy importante pues señalaba qué ocurría con las nuevas edificaciones y usos asociados en aquellos suelos que se encontraban en suelo rural en la fecha de entrada en vigor del Real Decreto 638/2016, de 9 de diciembre, así como la situación de los suelos que se hallaban a la fecha de entrada en vigor del mencionado Real Decreto en la situación básica de suelo urbanizado, así como las edificaciones ya existentes. Este Real Decreto fue modificado por el Real Decreto 665/2023, de 18 de julio. Establece en su art. 14 bis las limitaciones a los usos del suelo en la zona inundable.[323]

---

322 Directive 2007/60/EC of the European Parliament and of the Council. (2007). On the assessment and management of flood risks. Official Journal of the European Union, 6.11.2007, art. 6.

323 Artículo 14 bis. Limitaciones a los usos del suelo en la zona inundable.
Con el objeto de garantizar la seguridad de las personas y bienes, de conformidad con lo previsto en el artículo 11.3 del TRLA, y sin perjuicio de las normas complementarias que puedan establecer las comunidades autónomas, se establecen las siguientes limitaciones en los usos del suelo en la zona inundable:
1. Las nuevas actividades, edificaciones y usos asociados en aquellos suelos que se encuentren en situación básica de suelo rural a 30 de diciembre de 2016 se realizarán, en la medida de lo posible, fuera de las zonas inundables.
En aquellos casos en los que no sea posible, se estará a lo que al respecto establezcan, en su caso, las normativas de las comunidades autónomas, teniendo en cuenta lo siguiente:
a) Las instalaciones y edificaciones se diseñarán teniendo en cuenta el riesgo de inundación existente y los nuevos usos residenciales se dispondrán a una cota tal que no se vean afectados por la avenida con período de retorno de 500 años, debiendo diseñarse teniendo en cuenta el riesgo y el tipo de inundación existente. Podrán disponer de garajes subterráneos y sótanos, siempre que se garantice la estanqueidad del recinto para la avenida de 500 años de período de retorno, se realicen estudios específicos para evitar el colapso de las edificaciones, todo ello teniendo en cuenta la carga sólida transportada, y además se disponga de respiraderos y vías de evacuación por encima de la cota de dicha avenida. Se deberá tener en cuenta su accesibilidad en situación de emergencia por inundaciones.
b) Se evitará el establecimiento de servicios o equipamientos sensibles o infraestructuras públicas esenciales tales como, hospitales, centros escolares o sanitarios, residencias de personas mayores o de personas con discapacidad, centros deportivos o grandes superficies comerciales donde puedan darse grandes aglomeraciones de población, acampadas, zonas destinadas al alojamiento en los campings y edificios de usos vinculados, parques de bomberos, centros penitenciarios, depuradoras, instalaciones de los servicios de Protección Civil, o similares. Excepcionalmente, cuando tras el

La ordenación del territorio es pues una herramienta jurídico-administrativa para la reducción del riesgo natural[324]. Así, la Ley del Suelo de 2008[325],

---

correspondiente estudio, se certifique por las administraciones competentes en ordenación del territorio y urbanismo que no existe otra alternativa de ubicación, se podrá permitir su establecimiento, siempre que se cumpla lo establecido en el apartado anterior y se asegure su accesibilidad en situación de emergencia por inundaciones.
2. En aquellos suelos que se encuentren a 30 de diciembre de 2016, en la situación básica de suelo urbanizado, podrá permitirse la construcción de nuevas edificaciones, teniendo en cuenta, en la medida de lo posible, lo establecido en las letras a) y b) del apartado 1.
3. Para los supuestos anteriores, y para las edificaciones ya existentes, las administraciones competentes fomentarán la adopción de medidas de disminución de la vulnerabilidad y autoprotección, todo ello de acuerdo con lo establecido en la Ley 17/2015, de 9 de julio, y la normativa de las comunidades autónomas. Asimismo, el promotor deberá suscribir una declaración responsable sobre el riesgo de inundación existente en la que exprese claramente que conoce y asume el riesgo existente y las medidas de protección civil aplicables al caso, comprometiéndose a trasladar esa información a los posibles afectados, con independencia de las medidas complementarias que estime oportuno adoptar para su protección. Esta declaración responsable deberá estar integrada, en su caso, en la documentación del expediente de autorización. En los casos en que no haya estado incluida en un expediente de autorización de la administración hidráulica, deberá presentarse ante ésta con una antelación mínima de un mes antes del inicio de la actividad.
4. Además de lo establecido en el apartado anterior, con carácter previo al inicio de las obras, el promotor deberá disponer del certificado del Registro de la Propiedad en el que se acredite que existe anotación registral indicando que la construcción se encuentra en zona inundable.
5. En relación con las zonas inundables, se distinguirá entre aquéllas que están incluidas dentro de la zona de policía que define el artículo 6.1.b) del TRLA, en la que la ejecución de cualquier obra o trabajo precisará autorización administrativa o declaración responsable de los organismos de cuenca de acuerdo con el artículo 9.4 de este reglamento, de aquellas otras zonas inundables situadas fuera de dicha zona de policía, en las que las actividades serán autorizadas por la administración competente con sujeción, al menos a las limitaciones de uso que se establecen en este artículo, y al informe que emitirá con carácter previo la administración hidráulica de conformidad con el artículo 25.4 del TRLA, a menos que el correspondiente Plan de Ordenación Urbana, otras figuras de ordenamiento urbanístico o planes de obras de la administración, hubieran sido informados y hubieran recogido las oportunas previsiones formuladas al efecto».

324 Olcina, J., et al. (2018). Evaluación de los riesgos naturales en las políticas de ordenación urbana de los municipios. *Cuadernos Geográficos*, *57*(3), 171.

325 La Directiva 2007/60/CE fue traspuesta al ordenamiento jurídico español mediante el Real Decreto 903/2010, de 9 de julio. En el plano urbanístico, el TRLS 2008 (y hoy el TRLSRU 2015) incorpora la consideración del riesgo de inundación en la clasificación/ordenación del suelo y en deberes de prevención. https://bit.ly/3GrYPog

corrigió las imprecisiones de su antecesora con relación a cómo clasificar un suelo como no urbanizable cuando existía un riesgo natural acreditado. La Ley del 2008 y el texto refundido del 2015[326] señalaban la obligatoriedad de elaboración de mapas de riesgos naturales[327]. Dicha obligatoriedad se halla presente también en las leyes del suelo de ámbito autonómico.

En nuestro país, de conformidad con el Real Decreto 903/2010[328], de 9 de julio, antes de su aprobación, los planes de gestión del riesgo de inundación han de pasar por un período de información y de consulta pública. Los planes de gestión del riesgo de inundación (PGRI) son una figura a tener en cuenta, pues compendia todo lo relacionado con el riesgo de inundación, con especial enfoque en la prevención, protección y preparación ante estas, siendo su ámbito territorial el que corresponde a las respectivas demarcaciones hidrográficas. Hay que señalar que estos planes corren a cargo de los organismos de cuenca, así como las Administraciones competentes en las cuencas intracomunitarias, con la coordinación de las autoridades de protección civil[329]. Protección Civil en este ámbito que nos ocupa, y que a nuestro juicio debería liderar la competencia, siendo los organismos de cuenca quienes se coordinaran en los objetivos con aquella.

La información recogida en las cartografías de peligrosidad y de riesgo de inundación, tal como prevén los arts. 8 y 9 del Real Decreto 903/2010, se integrarán en el Sistema Nacional de Cartografía de Zonas Inundables y han de inscribirse para adquirir la condición de oficial, en el Registro Central de Cartografía como contempla el Real Decreto 1545/2007[330], de 23 de noviembre, por el que se regula el Sistema Cartográfico Nacional

El Real Decreto 638/2016, por el que se modifica el Reglamento del Dominio Público Hidráulico[331], se establecen con claridad las limitaciones

---

326 Real Decreto Legislativo 7/2015, de 30 de octubre. (2015) por el que se aprueba el texto refundido de la Ley de Suelo y Rehabilitación Urbana. BOE, núm. 261, de 31 de octubre de 2015. Artículo 22.2. https://bit.ly/400DAAG

327 Íbidem art. 15.2

328 Real Decreto 903/2010, de 9 de julio. (2010). BOE, núm. 171, de 15 de julio de 2010, de evaluación y gestión de riesgos de inundación. https://bit.ly/3Mw0DQP

329 Íbidem art. 13.2.

330 REAL DECRETO 1545/2007, de 23 de noviembre. (2007). BOE, núm. 287, por el que se regula el Sistema Cartográfico Nacional. BOE núm. 287. https://bit.ly/43NEWlm.

331 Real Decreto 638/2016, de 9 de diciembre, por el que se modifica el Reglamento del Dominio Público Hidráulico aprobado por el Real Decreto 849/1986, de 11 de abril, el Reglamento de Planificación Hidrológica, aprobado por el Real Decreto 907/2007, de 6 de julio, y otros reglamentos en materia de gestión de riesgos de

a los usos en la zona preferente en suelo rural, desde instalaciones que pudieran generar perjuicios a la salud humana, a edificaciones que superen los volúmenes de edificabilidad existentes, hasta las acampadas, entre otros[332]. También se expresan conceptos importantes como son la "zona de policía", la "zona de flujo preferente", "zona inundable", etc.

No debemos olvidar los pronunciamientos realizados por el Tribunal Supremo respecto a las limitaciones a los usos urbanísticos del suelo en zonas inundables[333].

Para OLCINA[334], el principal riesgo natural al que nos enfrentamos en España son las inundaciones, que, a causa del cambio climático, devienen en lluvias más intensas en un lapso de tiempo menor, algo en lo que coincide con otros expertos[335]. Por ello propone, entre otras medidas, y dado lo que observamos como realidad, que se amplíe la capacidad de evacuar aguas pluviales con cálculos para 100 litros en una hora, cuando menos. Siempre ha sido un defensor de la elaboración de planes y mapas de riesgo de escala urbanística, y que los procesos [336] de ordenación territorial los incorpore, sin olvidar la escala local ("obras estructurales, ordenación del territorio, educación para el

---

inundación, caudales ecológicos, reservas hidrológicas y vertidos de aguas residuales. BOE núm. 314, 29 de diciembre de 2016. https://bit.ly/3KMIFrQ

332 Íbidem, Art. 9 bis.

333 Reflejadas en la obra de Guerra Tschuschke, A. (2022). Zonas inundables y límites a los usos urbanísticos. Actualidad Jurídica Ambiental, (120), "artículos doctrinales". https://doi.org/10.56398/ajacieda.00177. SSTS, Sala 3ª de lo Contencioso-administrativo, de 20 de enero de 2012 y de 10 de octubre de 2019.

334 Olcina, J. (s.f.). Es Presidente de la Asociación Española de Geógrafos, así como Director del Laboratorio de Climatología de la Universidad de Alicante. https://bit.ly/2mnXfNN

335 Pérez Morales, A. (2009). La valoración del riesgo de inundación en los instrumentos de gobernanza municipales del sur de Murcia. Investigaciones Geográficas, 48, 97-123. Saurí, D., Serra, A., Olcina, J., & Vera, J. F. (2011). Climate change and Europe's regions: Key findings. Case study Spanish Mediterranean coast. En S. Greiving (Coord.), ESPON Climate Change and Territorial Effects on Regions and Local Economies (pp. 30-39). Garmendia, C., Rasilla, D. F., & Rivas, V. (2017). Distribución espacial de los daños producidos por los temporales del invierno 2014 en la costa norte de España: peligrosidad, vulnerabilidad y exposición. Estudios Geográficos, 78(282), 71-104. Citados todos los anteriores en Olcina, J., et al. (2018). Evaluación de los riesgos naturales en las políticas de ordenación urbana de los municipios de la provincia de Alicante. Legislación y cartografía del riesgo. Cuadernos Geográficos, 57(3), 152-176. http://dx.doi.org/10.30827/cuadgeo.v57i3.6390

336 Ayala, F. J. (2002). El sofisma de la imprevisibilidad de las inundaciones y la responsabilidad social de los expertos: un análisis del caso español y sus alternativas. Boletín de la Asociación de Geógrafos Españoles, (33), 79-92. https://bage.age-geografia.es/ojs/index.php/bage/article/view/416

riesgo y gestión de emergencias"), es decir, el papel importante que supone el elaborar planes municipales de gestión del riesgo de inundación[337], así como lo que en el modelo francés son los planes de prevención de riesgos (PPR)[338]. Como hemos podido comprobar tanto en la Ley 10/2001, de 5 de julio, del Plan Hidrológico Nacional, modificada por la Ley 11/2005, de 22 de junio, como en el Real Decreto 903/2010, de 9 de julio, el ámbito local apenas tiene relevancia. Las referencias a las corporaciones municipales se realizan de forma genérica, sin un desarrollo competencial claro, lo que contrasta con su papel esencial en la ejecución práctica de medidas de prevención y en la atención inmediata a la población en caso de emergencia.

Sin entrar en más detalle, cabe destacar que lo que ocurre en el ámbito local para riesgos como inundaciones [339] es que muchos municipios españoles tienden a incorporar un simple "mapa de inundación" del término municipal, confundiéndolo con un verdadero mapa de riesgo. Del mismo modo, se aprecia la ausencia de cartografía específica en relación con otros peligros, como los incendios forestales o la sismicidad.

Sin ningún género de duda se expresa SÁNCHEZ Y CHÁVEZ[340] al hablar de la responsabilidad de los daños derivados de una inundación: siempre antrópica. Siendo para AYALA un sofisma que atenta tanto contra la seguridad, como la vida de las personas, señalar que el peligro de inundación cuando se materializa es algo imprevisible.

"Desde que se instaló el telégrafo, hace unos 150 años, que permitió dar aviso aguas abajo del paso de la avenida, el problema de las inundaciones en España

---

337 Con demasiada frecuencia, los Planes Generales de Ordenación Urbana recogen los mapas de riesgo de inundación de ámbito autonómico y nacional. Como señala Pérez-Morales, A. (2009) et al., (2009), citado por Olcina et al (2018) "se trataba de una magnífica oportunidad desperdiciada por los legisladores municipales, los cuales, haciendo uso de sus títulos competenciales en ordenación territorial, podrían haber ejercido una valiosa labor por integrar esa política con el medio ambiente de sus términos".

338 López Ortiz, I., & Melgarejo, J. (Año). Riesgo de inundación en España: análisis y soluciones para la generación de territorios resilientes. En Olcina, J. (Ed.), Ordenación del Territorio para la Gestión del Riesgo de Inundaciones: Propuestas (p. 506). Editorial X., https://orcid.org/00000002-4846-8126

339 Olcina, J.et al. (2018). Evaluación de los riesgos naturales en las políticas de ordenación urbana de los municipios...Cuadernos Geográficos 57(3), 173

340 Sánchez González, D., & Chávez, R. (2016). Personas mayores con discapacidad afectadas por inundaciones en la ciudad de Monterrey, México: Análisis de su entorno físico-social. Cuadernos Geográficos, 55(2), 85-106, recuperado a partir de https://bit.ly/3MqLjVC

en cuanto a su dimensión catastrófica humana, no es un problema de los grandes ríos sino de los pequeños ríos, de las ramblas, de los torrentes y de los arroyos".[341]

Contamos pues con un andamiaje normativo suficiente para impulsar políticas de prevención que nos conduzcan a una mejora sensible en cuanto a garantizar la seguridad y la vida de los seres humanos.

En el campo de protección civil, la normativa esencial sobre inundaciones viene contemplada en el Real Decreto 524/2023, de 20 de junio, por el que se aprueba la Norma Básica de Protección Civil; la Resolución de 31 de enero de 1995, de la Secretaría de Estado de Interior, por la que se dispone la publicación del Acuerdo del Consejo de Ministros por el que se aprueba la Directriz Básica de Planificación de Protección Civil ante el Riesgo de Inundaciones[342]; en la Resolución de 2 de agosto de 2011, de la Subsecretaría, por la que se publica el Acuerdo del Consejo de Ministros de 29 de julio de 2011, por el que se aprueba el Plan Estatal de Protección Civil ante el riesgo de inundaciones[343], así como por los planes homologados por las respectivas Comunidades Autónomas[344] y las Entidades Locales.

En las Directrices Internacionales sobre Planificación Urbana y Territorial[345], elaboradas por ONU-Hábitat, encontramos instrumentos para la elaboración de políticas urbanas que permitan una planificación acorde a un desarrollo urbano sostenible y que reduzca el riesgo de desastre.

---

341 Ayala, F. J. (2002). El sofisma de la imprevisibilidad de las inundaciones y la responsabilidad social de los expertos: un análisis del caso español y sus alternativas. Boletín de la Asociación de Geógrafos Españoles, (33), 81. https://binged.it/43nUA6L

342 Resolución de 31 de enero de 1995, de la Secretaría de Estado de interior, por la que se dispone la publicación del Acuerdo del Consejo de Ministros por el que se aprueba la Directriz Básica de Planificación de Protección Civil ante el Riesgo de Inundaciones. https://www.boe.es/buscar/doc.php?id=BOE-A-1995-3865

343 https://bit.ly/41m1Iic

344 Comunidad Autónoma de Andalucía (https://bit.ly/3zNznWz), Comunidad Autónoma de Aragón (https://bit.ly/3zUXGS8), Principado de Asturias (https://bit.ly/3nUNOVS), Comunitat Autónoma de las Illes Balears (https://bit.ly/40XEsqV), Gobierno de Cantabria (https://bit.ly/43pLFll), Comunidad Autónoma de Castilla-La Mancha (https://bit.ly/3mo5vg7), Comunidad Autónoma de Castilla y León (https://bit.ly/40fyd0R), Comunitat de Catalunya (https://bit.ly/3ZYu7dk), Comunitat Valenciana (https://bit.ly/43iWaqJ), Comunidad Autónoma de Extremadura (https://bit.ly/43pPwyP), Comunidad Autónoma de Galicia (https://bit.ly/3GwEo9y), Comunidad Foral de Navarra (https://bit.ly/41jqXln), Comunidad Autónoma del País Vasco (https://bit.ly/3KOaJeC), Región de Murcia (https://bit.ly/415e4eX).

345 ONU-Habitat (2015). Directrices Internacionales sobre Planificación Urbana y Territorial. https://bit.ly/3nrb0LJ

No podemos dejar de mencionar también por su importancia la Resolución aprobada por la Asamblea General de Naciones Unidas el 23 de diciembre de 2016, la A/RES/71/256: "Nueva Agenda Urbana"[346].

En la misma se expresa un capítulo por título: "Desarrollo urbano resiliente y ambientalmente sostenible". En el mismo se asumen una serie de compromisos muy importantes, que van desde la facilitación de la ordenación sostenible de los recursos naturales en las ciudades y los asentamientos urbanos y adoptar un enfoque inteligente que aproveche las nuevas oportunidades derivadas del mundo digital. Hay 16 puntos de compromisos, todos muy importantes, que conviene tener muy presentes, especialmente para la tarea que el legislador lleva a cabo en esta materia.[347]

---

346 Naciones Unidas. (2016). Resolución aprobada por la Asamblea General el 23 de diciembre de 2016 [sin remisión previa a una Comisión Principal (A/71/L.23)] 71/256. Nueva Agenda Urbana. https://bit.ly/3AThLJb

347 Citamos entre los 16 puntos tres de ellos por su interés:
"65. Nos comprometemos a facilitar la ordenación sostenible de los recursos naturales en las ciudades y los asentamientos humanos de una forma que proteja y mejore los ecosistemas urbanos y los servicios ambientales, reduzca las emisiones de gases de efecto invernadero y la contaminación del aire y promueva la reducción y la gestión del riesgo de desastres, mediante el apoyo a la preparación de estrategias de reducción del riesgo de desastres y evaluaciones periódicas de los riesgos de desastres ocasionados por peligros naturales y antropogénicos, por ejemplo con categorías para los niveles de riesgo, al tiempo que se fomenta el desarrollo económico sostenible y se protege a todas las personas, su bienestar y su calidad de vida mediante infraestructuras, servicios básicos y planificaciones urbanas y territoriales racionales desde el punto de vista ambiental."
"77. Nos comprometemos a fortalecer la resiliencia de las ciudades y los asentamientos humanos, en particular mediante una planificación espacial y un desarrollo de infraestructuras de calidad, mediante la adopción y aplicación de políticas y planes integrados en los que se tengan en cuenta la edad y el género y enfoques basados en los ecosistemas, en consonancia con el Marco de Sendái para la Reducción del Riesgo de Desastres 2015-2030 y mediante la incorporación de una perspectiva holística y fundamentada en datos en la gestión y la reducción del riesgo de desastres a todos los niveles para reducir la vulnerabilidad y el riesgo, especialmente en las zonas propensas a los riesgos de los asentamientos formales e informales, incluidos los barrios marginales, y para permitir que las familias, las comunidades, las instituciones y los servicios se preparen para las repercusiones de los peligros, reaccionen a ellas, se adapten y se recuperen con rapidez, incluidos los peligros de crisis súbitas y los derivados de las tensiones latentes. Promoveremos el desarrollo de infraestructuras resilientes y eficientes en el uso de los recursos y reduciremos los riesgos y los efectos de los desastres, entre otras cosas mediante la rehabilitación y la mejora de los barrios marginales y los asentamientos informales. Promoveremos también, en coordinación

3.2.- Incendios Forestales

España tiene una tradición histórica en la pugna contra los incendios forestales que se remonta a normas del siglo XIX, como fueron el Real Decreto de 22 de diciembre de 1833 de las Ordenanzas Generales de Montes[348], el Real Decreto de 19 de enero de 1847[349], la Ordenanza de los Bosques Reales de 1848[350], etc., normas configuradoras de lo que podríamos definir como una auténtica Ordenación de Montes[351].

---

con las autoridades locales y los interesados, medidas para el fortalecimiento y la adaptación de todas las viviendas de riesgo, en particular en los barrios marginales y los asentamientos informales, a fin de hacerlas resilientes a los desastres."

"80. Nos comprometemos a apoyar el proceso de planificación de la adaptación a medio y largo plazo, así como las evaluaciones de la vulnerabilidad de las ciudades frente al clima y sus repercusiones, a fin de fundamentar planes de adaptación, políticas, programas y actividades dirigidos a promover la resiliencia de los habitantes de las ciudades, en particular mediante la adaptación basada en los ecosistemas."

348 Art. 149:
"Se prohíbe llevar o encender fuego, así dentro del monte como en el espacio alrededor hasta doscientas varas de sus lindes; so pena de una multa desde sesenta a trescientos reales de vellón con resarcimiento de daños y perjuicios si resultase incendio, y sin perjuicio de las penas de incendiario público si se probase delito".
Art. 150:
"Los que teniendo algún uso o aprovechamiento en monte no acudiesen, siendo avisados, á ayudar á apagar el incendio, serán castigados con la privación por un año á lo menos, y cinco á lo mas, de los usos ó aprovechamientos que en el monte tuvieren". https://bit.ly/3Mx2fty

349 Este Real Decreto de 1847, que aprobó el Reglamento orgánico para el buen gobierno y aprovechamiento de los bosques reales, fue muy importante. Su redacción se debe a Agustín Pascual González, quien fuera ingeniero de montes de la Real casa. Esta norma, sería la punta de lanza de las normas que con posterioridad se promulgarían, con ideas sobre mejora y conservación de los montes públicos como bien señala Pérez-Soba, I. (2016). Título del artículo. Revista de Administración Pública, volumen(número), páginas. ISSN-L: 0034-7639 págs. 93-152, https://bit.ly/3Ut7NqV.

350 Desarrolló el Real Decreto de 19 de enero de 1847

351 García López, J. M. (1995). Breve repertorio histórico de los orígenes de la ordenación de montes en España (1852-1899). *Cuadernos de la S.E.CF.*, número 1, pp. 139-148. En este trabajo, el autor señala las disposiciones reglamentarias que destacan en la Ordenación de Montes: "Memorias de Reconocimiento de Montes (1852), las primeras Instrucciones para la Ordenación Provisional de los Montes Públicos (1857), el primer mandato de realización de un modelo de ordenación científica para el monte «Dehesa de la Garganta» de Segovia (1859), las primeras Instrucciones para la Ordenación Definitiva de los Montes Públicos (1865), la primera autorización para formar un Proyecto de Ordenación de Montes por iniciativa particular en Cazorla

No podemos dejar de mencionar la importancia que tuvo Agustín Pascual González, quien creó en 1846-1848 la Escuela Especial de Ingenieros de Montes, base para que en 1854 se constituyera el Cuerpo de Ingenieros de Montes. Formación y asociación de profesionales que han nutrido de especialistas a nuestro país desde la segunda mitad del siglo XIX.

En los Episodios Nacionales de Benito Pérez Galdós tenemos una reseña al respecto:

"Este año se creará una nueva [carrera] de gran porvenir, que llaman ingenieros de montes, y ello tiene por objeto estudiar y dirigir la replantación del arbolado, para que llueva más y no tengamos tanta sequía. Nuestro hijo será de los primeros que entren en esa brillante carrera, para lo cual le pondremos en una escuela donde nos lo preparen en toda la Matemática y toda la Botánica que sea menester [...] En España tenemos pocos árboles, y el Gobierno que nos plante algunos miles de millones será un Gobierno sensato y entendido [...] (Episodio "Bodas Reales". 1900).

Para profundizar en la Historia del Cuerpo de Ingenieros de Montes, con un repaso por el Cuerpo en los siglos XIX, XX e inicios del XXI, y una vasta información del ámbito de la gestión forestal, se puede consultar la obra de GARCÍA-ÁLVAREZ[352].

Sin duda se hace necesaria la mención a los Ingenieros de Montes españoles, por cuanto su aportación en materia de técnicas contra incendios forestales ha sido una constante. Antaño, vivíamos en una España netamente rural, donde los habitantes usaban el fuego como herramienta habitual, preocupándose únicamente cuando afectaba a las masas arbóreas. No eran pocas las controversias que se solventaban con el fuego, como sucedía cuando se necesitaban tierras para roturar.

Las repoblaciones que se habían impulsado en España en la década de los años 40 y 50, serían foco de las llamas en demasiadas ocasiones. Ello motivó la creación del Servicio Especial de Defensa de los Montes contra los Incendios

---

(1873), la primera autorización para formar un Proyecto de Ordenación por iniciativa municipal en el Valle de Arán (1877), la aprobación del primer Proyecto de Ordenación de Monte Público en "El Quintanar" de Ávila (1882), y la creación de la Directiva e Inspectora de las Ordenaciones de los Montes Públicos y sus Instrucciones de Ordenación, primeras de verdadera aplicación en España (1890). Únicamente se incluyen las disposiciones de autorización y aprobación de los primeros Proyectos de Ordenación, habiéndose omitido los sucesivos." https://bit.ly/3mrJCN5

352 García-Álvarez, A. (2010). *Historia del Cuerpo de Ingenieros de Montes (1853-2010).* Colegio Oficial y Asociación de Ingenieros de Montes. https://bit.ly/3mm2DAx

en 1955, a través de la Orden de 20 de septiembre[353], con competencias para disponer de medidas preventivas para evitar el riesgo de incendio, estudio y materialización de procedimientos específicos para la lucha contra los incendios, así como capacidad de proponer medidas de seguridad. Además, se llevaría a cabo una estadística de los incendios producidos en los montes. En 1957 se aprueba la segunda Ley de Montes[354], con un Capítulo III dedicado a los incendios forestales, y a algo también novedoso, el "seguro forestal".

Entrada la segunda mitad del siglo XX, se aprueba la Ley 81/1968, de 5 de diciembre, sobre Incendios Forestales[355]. En su art. 1.1 define su objeto con precisión:

"La prevención y extinción de los incendios forestales, la protección de los bienes y personas en ellos implicados y la sanción de las infracciones que se cometan contra sus disposiciones"

Recoge en su Capítulo Primero un abanico de medidas de carácter preventivo, en su Capítulo II señala las "zonas de peligro", y aborda no sólo la extinción de los incendios, sino también la reconstrucción, así como la creación del "Fondo de Compensación de Incendios Forestales", además de un catálogo de infracciones y sanciones. Una magnífica Ley, que constaba de treinta y cuatro artículos, amén de cuatro disposiciones finales, una derogatoria y cuatro disposiciones transitorias.

Siguen a la Ley 81/1968, la Ley 43/2003[356] de Montes, así como las respectivas regulaciones normativas de las Comunidades Autónomas. Con posterioridad, se promulga la Ley 21/2015[357], de 20 de julio, por la que se modifica la Ley 43/2003[358], de 21 de noviembre, de Montes.

---

353 Orden de 20 de septiembre de 1955 por la que se da cumplimiento al Decreto-ley de 1 de julio de 1955 sobre reorganización de la Dirección General de Agricultura. (1955, 24 de septiembre). *Boletín Oficial del Estado.*

354 Boletín Oficial del Estado. (1957, 10 de junio). Ley de 8 de junio de 1957 sobre nueva Ley de Montes. Número 151. https://bit.ly/3Mxq8kI

355 https://bit.ly/3MGT4qm

356 La Ley 43/2003, de 21 de noviembre, de Montes, modificada por las leyes 10/2006, de 28 de abril, 25/2009, de 22 de diciembre, y especialmente por la ley 21/2015, de 20 de julio, tiene carácter básico y sustituye a la anterior ley de 8 de junio de 1957 de montes para adaptarse a la nueva organización territorial del Estado.

357 Ley 21/2015, de 20 de julio, por la que se modifica la Ley 43/2003, de 21 de noviembre, de Montes. BOE núm. 175, de 21 de julio de 2015. https://bit.ly/3KNtZZM

358 Se puede encontrar esto en el Boletín Oficial del Estado. (2022). Código Forestal 3: Incendios Forestales (Edición actualizada a 21 de septiembre de 2022). https://bit.ly/3UtQ5n2

La norma del 2003 antes indicada establecía como instrumento de planificación a largo plazo de la política forestal española el Plan Forestal Español (PFE)[359], como elemento de desarrollo de la Estrategia Forestal Española (EFE), y revisable cada diez años. La primera EFE se aprobó en la conferencia sectorial de Medio Ambiente de 17 de marzo de 1999, y se erige como un marco general estratégico de la política forestal en nuestro país con el horizonte puesto en el 2050.

El Plan Forestal Español 2022-2032 señala entre sus objetivos generales:

"Reforzar el papel protector de los bosques y otras tierras forestales en el ciclo del agua para la conservación y recuperación de tierras degradadas y suelos, así como su preparación ante los riesgos derivados de incendios forestales, plagas y enfermedades."

Entre las medidas para hacer frente a los incendios o catástrofes naturales, la suscripción de seguros por parte de las explotaciones forestales[360].

Hemos analizado estrategias y normativas orientadas a una buena gestión de la biodiversidad y nuestras masas forestales, que se complementan con otras tantas normativas enfocadas más específicamente, y con mayor detalle al aspecto relacionado con los incendios forestales.

La Conferencia Sectorial de Medio Ambiente, en julio de 2022 aprobó las Orientaciones Estratégicas para la Gestión de Incendios Forestales en España[361]. Son unas Orientaciones, junto con los instrumentos previstos en la Ley 17/2015, de 9 de julio, del Sistema Nacional de Protección Civil, resultan relevantes la Norma Básica de Protección Civil (RD 524/2023, de 20 de junio, en estos momentos en proceso de revisión); el Real Decreto-Ley 11/2005, de 22 de julio, por el que se aprueban medidas urgentes en materia de incendios forestales[362]; el Real Decreto 893/2013, de 15 de noviembre, por el que se aprueba la Directriz básica de planificación de protección civil de

359 El primer Plan Forestal Español, que comprende el período 2002-2032, se aprueba a través del Acuerdo de Ministros de 5 de julio de 2002. A este le sucede el Plan Forestal Español aprobado por el Consejo de Ministros el 20 de diciembre del 2022, el Plan Forestal Español 2022-2032. https://bit.ly/3mpqrn6

360 En el marco del Plan Anual de Seguros Agrarios.

361 Gobierno de España, Ministerio para la Transición Ecológica y el Reto Demográfico. (2002). Orientaciones Estratégicas para la Gestión de Incendios Forestales en España, aprobadas por la Conferencia Sectorial de Medio Ambiente el 28 de julio de 2022. https://bit.ly/3KToYis

362 Gobierno de España. (2005). Real Decreto-ley 11/2005, de 22 de julio, por el que se aprueban medidas urgentes en materia de incendios forestales. Boletín Oficial del Estado, núm. 175, 23 de julio de 2005. https://bit.ly/43pBm0H

emergencia por incendios forestales (derogado desde 11 de julio de 2023); el Real Decreto 750/2014[363], de 5 de septiembre, por el que se regulan las actividades aéreas de lucha contra incendios y búsqueda y salvamento y se establecen los requisitos en materia de aeronavegabilidad y licencias para otras actividades aeronáuticas; la Resolución de 31 de octubre de 2014, de la Subsecretaría, por la que se publica el Acuerdo del Consejo de Ministros de 24 de octubre de 2014, por el que se aprueba el Plan Estatal de Protección Civil para Emergencias por Incendios Forestales[364]; la Ley Orgánica 1/2015, de 30 de marzo[365], por la que se modifica la Ley Orgánica 10/1995, de 23 de noviembre, del Código Penal, con modificaciones relativas a las penas impuestas por incendios forestales en relación a los agravantes, en casos especialmente lesivos para el medio ambiente o generadores de un peligro elevado[366]; el Real Decreto 1070/2015[367], de 27 de noviembre, por el que se aprueban las normas técnicas de seguridad operacional de aeródromos de uso restringido y se modifican el Real Decreto 1189/2011, de 19 de agosto, por el que se regula el procedimiento de emisión de los informes previos al planeamiento de infraestructuras aeronáuticas, establecimiento, modificación

---

363 Real Decreto 750/2014: Gobierno de España. (2014). Real Decreto 750/2014, de 5 de septiembre, por el que se regulan las actividades aéreas de lucha contra incendios y búsqueda y salvamento y se establecen los requisitos en materia de aeronavegabilidad y licencias para otras actividades aeronáuticas. Boletín Oficial del Estado, núm. 227, 18 de septiembre de 2014. https://bit.ly/3mBhvee

364 Resolución de 31 de octubre de 2014: Gobierno de España. (2014). Resolución de 31 de octubre de 2014, de la Subsecretaría, por la que se publica el Acuerdo del Consejo de Ministros de 24 de octubre de 2014, por el que se aprueba el Plan Estatal de Protección Civil para Emergencias por Incendios Forestales. Boletín Oficial del Estado, núm. 270, 7 de noviembre de 2014. https://bit.ly/3KRz0R2

365 Ley Orgánica 1/2015: Gobierno de España. (2015). Ley Orgánica 1/2015, de 30 de marzo, por la que se modifica la Ley Orgánica 10/1995, de 23 de noviembre, del Código Penal. Boletín Oficial del Estado, núm. 77, 31 de marzo de 2015. https://bit.ly/3zTImFr

366 La reforma del Código Penal de 2015 endurece las penas para los causantes de un incendio. De los delitos de incendio, vienen recogidos en el Capítulo II, de los incendios, arts. 351-358bis.

367 Gobierno de España. (2015). Real Decreto 1070/2015, de 27 de noviembre, por el que se aprueban las normas técnicas de seguridad operacional de aeródromos de uso restringido y se modifican el Real Decreto 1189/2011, de 19 de agosto, por el que se regula el procedimiento de emisión de los informes previos al planeamiento de infraestructuras aeronáuticas, establecimiento, modificación y apertura al tráfico de aeródromos autonómicos, y la Orden de 24 de abril de 1986, por la que se regula el vuelo en ultraligero. Boletín Oficial del Estado, núm. 285, 28 de noviembre de 2015. https://bit.ly/43w04N8

y apertura al tráfico de aeródromos autonómicos, y la Orden de 24 de abril de 1986, por la que se regula el vuelo en ultraligero; la Orden PJC/1430/2024, de 16 de diciembre, por la que se publica la Estrategia Nacional de Protección Civil, aprobada por el Consejo de Seguridad Nacional, así como los planes aprobados por las respectivas Comunidades Autónomas[368].

En 2009, a consecuencia de los incendios forestales que afectaron a varias Comunidades Autónomas, y afectaron a más de 76.000 hectáreas, se aprobó la Ley 3/2010[369], de 10 de marzo para dar respuesta a las demandas a causa de los bienes afectados. Las medidas también abarcaban las fuertes tormentas acaecidas en el mes de septiembre en distintas partes de España.

El marco normativo español viene inspirado por un contexto internacional forestal, impulsado por Naciones Unidas a través de su Conferencia sobre el Medio Ambiente y el Desarrollo (CNUMAD) de 1992, y de los diversos foros que en materia de bosques han concluido en la necesidad de impulsar "Programas Forestales Nacionales".

La resolución del Consejo Económico y Social de las Naciones Unidas (ECOSOC) 2000/35[370], de 18 de octubre de 2000, estableció un acuerdo internacional sobre los bosques, basado en la Declaración de Río sobre el Medio Ambiente y el Desarrollo[371], la Declaración de Principios para un Consenso Mundial sobre la Gestión de los Recursos Hídricos (no es jurídicamente vinculante), la Conservación y Desarrollo Sostenible de todos los Tipos de Bosques (Principios forestales)[372], Capítulo 11 de la Agenda 21[373], y los resultados del proceso del Grupo Intergubernamental sobre los Bosques/Foro Intergubernamental sobre los Bosques.

---

368 Citamos por ser esta la última aprobada la Ley 8/2023, de 10 de marzo, por la que se modifica la Ley 3/2008, de 12 de junio, de Montes y Gestión Forestal Sostenible de Castilla-La Mancha. https://bit.ly/3GCQaiE

369 Gobierno de España. (2010). Ley 3/2010, de 10 de marzo, por la que se aprueban medidas urgentes para paliar los daños producidos por los incendios forestales y otras catástrofes naturales ocurridos en varias Comunidades Autónomas. Boletín Oficial del Estado, núm. 61, 11 de marzo de 2010. https://bit.ly/3Uv4bok

370 https://bit.ly/3zVPBwx

371 United Nations. (1992). Report of the United Nations Conference on Environment and Development, Rio de Janeiro, 3-14 June 1992 (United Nations publication, Sales No. E.93.I.8 and corrigenda), Vol. I: Resolutions adopted by the Conference, Resolution I, Annex I.

372 Íbidem, annex III.

373 Íbidem, annex II.

La Resolución de ECOSOC 2006/49[374], de 28 de julio de 2006, y la resolución 10/2 del Foro de las Naciones Unidas sobre los Bosques, de 19 de abril de 2013, dispuso en su art. 32 que en 2015 se evaluaría la eficacia de tal acuerdo sobre los bosques, incluidos su alcance y su proceso inicial.

La Comisión Europea, realizó una Comunicación al Parlamento Europeo, al Consejo, al Comité Económico y Social y al Comité de las Regiones por título: "Nuestro seguro de vida, nuestro capital natural: estrategia de la UE sobre biodiversidad hasta 2020"[375]. En relación a los montes se instaba a la aplicación en 2020 de Planes de Gestión Forestal o instrumentos análogos, para impulsar una Gestión Forestal Sostenible[376] en las zonas de monte de titularidad pública o en explotaciones forestales con una determinada superficie a definir por los Estados miembros o regiones, que habrán de comunicarlo en los Planes de Desarrollo Rural.

La Resolución de ECOSOC 2015/33[377], adoptada el 22 de julio de 2015, impulsó un Acuerdo internacional sobre los bosques [378] después de 2015, decidiendo promover un plan estratégico conciso para el período 2017-2030, "que sirva de marco estratégico para mejorar la coherencia de la labor del acuerdo internacional sobre los bosques y sus componentes y para orientar y centrar dicha labor".

---

374 United Nations Economic and Social Council. (2006). Resolution 2006/49: Outcome of the sixth session of the United Nations Forum on Forests. bit.ly/43m7lin

375 European Commission. (2011). Communication from the Commission to the European Parliament, the Council, the Economic and Social Committee and the Committee of the Regions: Our life insurance, our natural capital: an EU biodiversity strategy to 2020. Brussels, 3.5.11, COM(2011) 244 final. https://bit.ly/3Kl7MAM

376 European Commission. (2006). Commission staff working document–Annex to the Communication from the Commission to the Council and the European Parliament on an EU Forest Action Plan {COM(2006) 302 final} /* SEC/2006/0748 */. https://bit.ly/3KrNju4

377 ECOSOC Resolution 2015/33, Resolution adopted by the Economic and Social Council on 22 July 2015. International arrangement on forests beyond 2015

378 Economic and Social Council. (2015). Resolution adopted by the Economic and Social Council on 22 July 2015 [on the recommendation of the United Nations Forum on Forests (E/2015/42 and Corr.1)] 2015/33. International arrangement on forests beyond 2015. 5 October 2015. https://bit.ly/3KsP0rg

La Resolución 2020/14 del ECOSOC [379], nos indica la necesidad de establecer unos Objetivos Forestales Mundiales, así como sus metas. Otros hitos de alcance para el período 2023-2024 incluyen[380]:

- Decenio de Acción de las Naciones Unidas; pretende lograr los Objetivos de Desarrollo Sostenible para 2030.
- Decenio de las Naciones Unidas para la Restauración de los Ecosistemas 2021-2030.
- Vigésimo sexto período de sesiones del Comité Forestal de la FAO, octubre de 2022.
- Temas del Día Internacional de los Bosques 2023 y 2024. "Bosques y salud"[381] (2023).
- Vigésimo séptimo y vigésimo octavo de la Conferencia de las Partes (COP27 y COP28) de la CMNUCC, incluidos el balance mundial del Acuerdo de París en 2023.
- Decimoquinta sesión de la Conferencia de las Partes (COP15) del CBD incluida la adopción del marco mundial para la biodiversidad.
- La decimoctava reunión del Foro se celebró del 8 al 12 de mayo del 2023.

Importante instrumento lo conforma el Plan Estratégico de las Naciones Unidas para los Bosques 2017-2030[382]. Este plan constituye el marco global de referencia para la gestión sostenible de todos los tipos de bosques, en coherencia con la Agenda 2030 y los Objetivos de Desarrollo Sostenible. Adoptado por la Resolución E/RES/2017/4 del ECOSOC, define seis Objetivos Forestales Globales que abarcan desde la reducción de la pérdida de cubierta forestal hasta el fortalecimiento de la gobernanza, la financiación y la restauración de ecosistemas degradados. Su implementación se articula a través de los ciclos de trabajo del Foro de las Naciones Unidas sobre los Bosques (UNFF) y de los informes nacionales presentados por los Estados.

---

379 Economic and Social Council. (2020). Resolution 2020/14 adopted by the Economic and Social Council on 17 July 2020. https://bit.ly/423N1Be

380 United Nations. (2022). Thematic priorities for eighteenth and nineteenth sessions of the United Nations Forum on Forests. Recuperado de bit.ly/42pj3rj

381 United Nations. (Year). International Day of Forests, March 21. https://www.un.org/es/observances/forests-and-trees-day

382 United Nations, Department of Economic and Social Affairs. (2021). The Global Forest Goals Report 2021. https://bit.ly/43majTZ

Las revisiones más recientes, en particular en el marco del UNFF20 (mayo de 2025), ponen de relieve avances parciales pero también serias limitaciones para el cumplimiento de las metas fijadas. Entre los principales desafíos destacan la insuficiencia de recursos financieros, las debilidades institucionales y técnicas de muchos Estados y las dificultades para integrar de manera efectiva las políticas forestales con los compromisos internacionales en materia de cambio climático y biodiversidad. Todo ello evidencia que, aunque el Plan Estratégico ha logrado consolidar un lenguaje y unos objetivos comunes, la materialización plena de sus metas a 2030 continúa siendo incierta. No olvidemos que los bosques tienen una función ambiental destacada como señala SARASÍBAR[383]. La Organización de las Naciones Unidas para la Alimentación y la Agricultura (FAO) editó un documento de trabajo forestal de gran interés para comprender en profundidad el impacto de los bosques en la salud y el bienestar de los seres humanos.[384]

En España, en 2021 tuvo lugar un Programa de Intercambio de Expertos enmarcado en el Programa Nacional de Preparación en Incendios Forestales. El primer encuentro se celebró en Extremadura, y llevó por título "Organización de la Emergencia en Grandes Incendios Forestales" [385]. La participación de representantes de las Comunidades Autónomas de Galicia, Principado de Asturias, Cantabria, País Vasco, Aragón, Cataluña, Castilla y León, Navarra, Murcia, Castilla-La Mancha, Madrid, Extremadura, Islas Baleares, Andalucía, Comunitat Valenciana, Unidad Militar de Emergencias, 43 Grupo del Ejército del Aire y MITECO subrayó la importancia del Programa. Es importante destacar que, entre las conclusiones que los expertos proponían, al igual que el Mecanismo Europeo de Protección Civil (UCPM) dispone del Emergency Response Coordination Centre (ERCC), era necesario contar en España a nivel estatal con una figura similar, es decir, un centro que gestione las solicitudes y ofrecimientos de ayuda en caso de requerimiento por parte de una Comunidad Autónoma. Esa función en la actualidad la ejerce el Centro Nacional de Seguimiento y Coordinación de Emergencias (CENEM) de la Dirección

---

383 Sarasíbar Iriarte, M. (2007). *El Derecho Forestal ante el cambio climático: las funciones ambientales de los bosques.* Pamplona: Aranzadi. 301 págs. Disponible en VLEX.

384 FAO. (2021). Los bosques para la salud y el bienestar de los seres humanos–Fortalecimiento del nexo entre los bosques, la salud y la nutrición (Documento de trabajo forestal N.º 18). Roma. https://bit.ly/42mnGC9

385 Gobierno de España, Junta de Extremadura. (2021). Primer intercambio de expertos en Organización de la Emergencia en Grandes Incendios Forestales. Informe Final. https://bit.ly/3nYepRT

General de Protección Civil y Emergencias, del Ministerio del Interior. Dicho centro es un centro de referencia, acreditado por AENOR.

El Sistema Europeo de Información sobre Incendios Forestales (EFFIS) es un sistema creado por la Comisión Europea, en colaboración con las autoridades en materia de incendios forestales de los distintos Estados de la Unión Europea, con el objetivo de apoyar a los servicios responsables de la protección de los bosques en su lucha contra los incendios en sus territorios[386], así como en países vecinos. Se reúne con periodicidad dos veces al año, coincidiendo con los períodos correspondientes a antes y después de la temporada principal de incendios, es decir, primavera y otoño. Este sistema europeo, creado en 1998, cuenta con un Grupo de Expertos (EGFF)[387] y representa a más de 43 países de la Unión Europea (y vecinos orientales y meridionales)[388], y depende de la Secretaría General de la Comisión Europea[389]. Analiza las tendencias en materia de incendios forestales, así como su evolución, al objeto de poder proveer de respuestas adecuadas.

El Grupo de Expertos celebró su 50ª Reunión en abril de 2025 en Varsovia, si bien no han publicado las actas de la misma. La 49ª reunión del EGFF, celebrada en diciembre de 2024 bajo la coordinación de la Comisión Europea (DG ENV y JRC), reunió a representantes de Estados miembros de la UE, países europeos y mediterráneos, así como observadores de Oriente Medio y el Norte de África. El encuentro permitió constatar una notable diversidad

386 A modo de información, se puede a través de este enlace acceder al visualizador de "situación actual" que proporciona información en tiempo casi real. Podemos verificar con imágenes satelitales los incendios acaecidos en el último día, en los últimos siete días, o en los últimos treinta, así como los producidos en la temporada. Son muchos los parámetros verificables, de indudable apoyo en la gestión de la información. https://bit.ly/3KxsnSl

387 Ayudan además al desarrollo del Sistema Europeo de Información sobre Incendios Forestales (EFFIS), redactan informes anuales para la Comisión, facilitan información sobre buenas prácticas de prevención en materia de incendios forestales, así como difunden las lecciones aprendidas en el ciclo del fuego.

388 Austria, Bélgica, Bulgaria, Croacia, Chipre, República Checa, Estonia, Finlandia, Francia, Alemania, Grecia, Hungría, Irlanda, Italia, Letonia, Lituania, Luxemburgo, Polonia, Portugal, Rumania, Eslovaquia, Eslovenia, España, Suecia y Países Bajos), 13 países no pertenecientes a la Unión Europea (Albania, Bosnia & Herzegovina, República de Macedonia del Norte, Georgia, Kosovo, Montenegro, Noruega, Serbia, Suiza, Turquía, Ucrania y Reino Unido), y 5 países de Medio Oriente y el norte de África, MENA (Argelia, Israel, Líbano, Marruecos y Túnez). Rusia está temporalmente excluida.

389 European Commission Directorate-General Environment. (2022, November 24). Expert Group on Forest Fires (EGFF), 24 November 2022. https://bit.ly/3GE5w6u

de situaciones nacionales durante 2024: mientras que países como España, Francia, Noruega, Irlanda o Suiza registraron temporadas tranquilas gracias a condiciones meteorológicas húmedas, otros como Grecia, Turquía, Italia, Croacia o Ucrania sufrieron episodios críticos, vinculados en gran medida a sequías, olas de calor y, en el caso ucraniano y libanés, a la guerra. Destacaron las experiencias de prevención, como los programas de quemas prescritas en España y Portugal o la implantación de centros de operaciones y vigilancia en Croacia, junto con innovaciones tecnológicas como las plataformas de predicción de incendios en Suiza o los sistemas de modelización en Turquía.

En el plano institucional, se abordaron avances en políticas comunitarias y de cooperación internacional. La Comisión informó sobre el desarrollo de la futura Ley de Monitorización Forestal, que otorgará reconocimiento jurídico al sistema europeo EFFIS, así como de iniciativas conjuntas con América Latina (AMAZONIA+). La FAO presentó el Global Fire Management Hub como nodo mundial para compartir buenas prácticas de gestión integrada del fuego. El Banco Mundial alertó de la falta de datos claros sobre la inversión en gestión de incendios y recomendó pasar de un enfoque reactivo a uno sistémico, integrando prevención, preparación y recuperación. Finalmente, se subrayó la necesidad de mejorar la armonización de metodologías, la financiación estable y la participación de expertos independientes. El balance general de 2024 fue de una temporada media en Europa (unas 400.000 ha quemadas), aunque marcada por episodios graves en el Mediterráneo y el peso desproporcionado de los incendios en Ucrania. La estadística de incendios forestales (que se nutre de los datos aportados por las CC.AA. con los datos de sus respectivos territorios), con expresión de más de 150 campos de datos, se consolida tras la aportación de los Partes de Incendio Forestal (formulario normalizado por el Comité de lucha contra incendios) en la Estadística General de Incendios Forestales (EFIF). Comienza la datación en 1968, y los últimos datos accesibles a través del Portal Web del Ministerio para la Transición Ecológica y el Reto Demográfico abarcan el período 2006-2015[390].

Es importante destacar el Informe del Tribunal de Cuentas Europeo donde analiza la financiación de la UE destinada a prevenir y mitigar los incendios forestales, constatando un creciente uso de estos fondos para acciones preventivas, aunque con deficiencias en la planificación, selección y seguimiento de los proyectos. Entre 2014 y 2020, unos 1.000 millones de euros se destinaron

---

390 Ministerio de Agricultura, Pesca y Alimentación. (2019). Decenio 2006-2015. Los Incendios Forestales en España [2006-2015 Decade. Forest Fires in Spain]. Madrid. https://bit.ly/3MDyibw

a proyectos en Grecia, España, Polonia y Portugal, con importes similares previstos para 2021-2027, más 1.500 millones adicionales del Mecanismo de Recuperación y Resiliencia (MRR). Si bien se observa coherencia general entre fondos, la Comisión carece de una visión completa del gasto total y no siempre se garantiza la sostenibilidad a largo plazo, especialmente en medidas que requieren mantenimiento periódico como cortafuegos o desbroces.

El estudio detecta que en varios casos la financiación del MRR se asignó apresuradamente, sin consulta suficiente ni prioridades claras, y que la selección de proyectos se basó a veces en evaluaciones de riesgo obsoletas o en criterios de cobertura geográfica, lo que redujo la eficacia potencial de las inversiones. También se señala la baja respuesta a convocatorias de restauración y la priorización de áreas Natura 2000 como criterio de selección. Aunque se financian proyectos de investigación y demostración, muchos no se han ampliado ni replicado pese a resultados positivos. Además, la falta de indicadores de resultados y el uso limitado de datos del Sistema Europeo de Información sobre Incendios Forestales (EFFIS) dificultan la evaluación real del impacto de las actuaciones.

Las recomendaciones incluyen promover buenas prácticas en la selección de proyectos (uso de mapas de riesgo actualizados, evaluación de sostenibilidad, criterios basados en riesgo), evaluar resultados combinando datos del EFFIS con información nacional, y difundir proyectos eficaces para su replicación. Se insta a mejorar la coherencia entre marcos de seguimiento y a garantizar financiación para el mantenimiento a largo plazo de las acciones preventivas, evitando que su impacto se limite a unos pocos años tras la inversión inicial de la UE[391].

En el verano de 2025, la magnitud y extensión de los incendios forestales motivaron una doble respuesta del Estado. Por un lado, mediante la declaración de zonas gravemente afectadas por emergencias de protección civil —figura prevista en los artículos 23 y siguientes de la Ley 17/2015, de 9 de julio, del Sistema Nacional de Protección Civil— se habilitó el acceso a un conjunto de medidas extraordinarias: indemnizaciones por daños personales y materiales, subvenciones para la reparación de infraestructuras públicas, ayudas a empresas y explotaciones agrarias, así como beneficios fiscales y laborales. Este instrumento, de naturaleza esencialmente reparadora, constituye la vía jurídica para dar cobertura inmediata a los damnificados y materializa el deber estatal de asistencia frente a emergencias de gran alcance.

---

391 Nota: Tribunal de Cuentas Europeo. (2025). Informe especial 16/2025: Financiación de la UE para luchar contra los incendios forestales. https://acortar.link/aCmCey.

De forma complementaria, el Gobierno aprobó el Real Decreto 716/2025, de 26 de agosto, que desarrolla el artículo 48 de la Ley 43/2003, de 21 de noviembre, de Montes, en la redacción dada por el Real Decreto-ley 15/2022. Esta disposición establece las directrices y criterios comunes de los planes anuales de prevención, vigilancia y extinción de incendios forestales, obligando a las comunidades autónomas a articular sus propios instrumentos de planificación bajo un marco común. El decreto refuerza el carácter preventivo y continuado de la política contra incendios, configurando los planes anuales como instrumentos de ordenación preferente para el conjunto de las políticas territoriales. De este modo, la respuesta estatal no se limita a la reacción ex post mediante ayudas, sino que se proyecta en la consolidación de un marco normativo homogéneo que, en ejercicio de la competencia básica reconocida al Estado en el artículo 149.1.23.ª de la Constitución, impone obligaciones de planificación anticipatoria a todas las administraciones competentes.

El verano de 2025 ha marcado pues un hito trágico en la historia reciente de la gestión forestal y de la protección civil en España. La magnitud y virulencia de los incendios —agravadas por una combinación de olas de calor extremo, sequía prolongada y colapso hidrológico— han puesto de manifiesto las limitaciones del modelo de respuesta reactiva y la urgencia de transitar hacia un enfoque sistémico de resiliencia climática.

Los responsables de la Unidad Militar de Emergencias (UME) y del Ministerio para la Transición Ecológica y el Reto Demográfico (MITECO) han subrayado que "solo el clima permite el control" cuando las condiciones meteorológicas extremas hacen ineficaz cualquier despliegue terrestre o aéreo. Esta constatación, más allá de lo operativo, revela una crisis estructural de gobernanza del riesgo: el Estado contemporáneo, diseñado para gestionar amenazas previsibles, se enfrenta a catástrofes climáticas de naturaleza expansiva que desbordan su capacidad técnica, normativa y competencial.

La comunidad científica, representada por investigadoras como Cristina Santín Núñez (CSIC–Universidad de Oviedo), advierte que los incendios de gran tamaño generan nubes pirocumulonimbus capaces de alterar el clima local y retroalimentar el propio fuego, configurando los llamados "incendios de sexta generación". Estos eventos —anomalías climáticas autoalimentadas que transforman el fuego en un fenómeno atmosférico autónomo— diluyen la frontera entre catástrofe natural y antrópica, cuestionando las categorías tradicionales del Derecho ambiental y de protección civil[392].

---

392 Santín Núñez, C., & Doerr, S. H. (2023). *Extreme wildfires in a warming climate: Causes, feedbacks and management challenges. Philosophical Transactions of the Royal Society B:*

Desde la perspectiva jurídica, los megaincendios de 2025 reclaman una revisión del concepto legal de "emergencia de protección civil", extendiéndolo explícitamente al riesgo climático extremo como categoría permanente del Sistema Nacional. La respuesta administrativa debe trascender la mera extinción e integrarse en la planificación territorial, energética y de biodiversidad, con el objetivo de preservar la continuidad de los servicios ecosistémicos y garantizar la seguridad de las poblaciones expuestas. En consecuencia, el artículo 3 de la Ley 17/2015, del Sistema Nacional de Protección Civil, y el Plan Nacional de Reducción del riesgo de Desastres "Horizonte 2035" (aprobado en el Consejo Nacional de Protección Civil el 24 de octubre de 2022 y tratado en el Consejo de Ministros el 31 de octubre del mismo año), deberían incorporar expresamente el riesgo climático como amenaza estructural y no como contingencia estacional.

En definitiva, los incendios de 2025 no constituyen únicamente una catástrofe ecológica, sino un síntoma jurídico y político de la obsolescencia del modelo de prevención. La Administración no puede ya limitarse a esperar que "el clima permita el control"; debe asumir la resiliencia climática como una política pública obligatoria, dotada de recursos, competencias y mecanismos de coordinación interterritorial acordes con la nueva realidad térmica, ecológica y social del país. Solo un Estado anticipativo y adaptativo, capaz de integrar la ciencia del riesgo en su diseño institucional, podrá responder con legitimidad y eficacia a esta nueva era de incendios sistémicos[393].

3.2.1.- Incendios forestales y la España vaciada

"Nos hemos marchado del medio rural y lo hemos dejado solo". Así se pronunciaba el anterior Director General de Protección Civil y Emergencias del Ministerio del Interior, Leonardo Marcos, en una entrevista para un diario nacional[394]. Observando en las últimas décadas cómo se ha desplazado la población de los entornos rurales a los urbanos en España, convendremos que esa "marcha" ha traído consecuencias.

Biological Sciences, 378(1884), 20220059. https://doi.org/10.1098/rstb.2022.0059

393 Unidad Militar de Emergencias (UME). (2025). *Memoria anual de intervenciones 2025*. Ministerio de Defensa. https://www.defensa.gob.es/ume

394 Diario El País. (2023, April 4). Título del artículo [El director de Protección Civil y Emergencias: "Cuando el bosque deja de ser un recurso puede convertirse en un gigantesco combustible"]. El País, p. 19.

"El proceso de urbanización, o el abandono del medio rural impactan directamente en la relación con las masas forestales, con el medio natural. Cuando el bosque deja de ser un recurso puede convertirse en una acumulación gigantesca de combustible. Cuando el bosque está integrado en el ciclo económico, cuando es fuente de riqueza, medio de vida, es más fácil gestionarlo de forma segura y sostenible"[395].

Las áreas rurales abarcan alrededor del 84% de la superficie de España, mientras que tan solo viven en ellas poco más de 7,5 millones de habitantes, es decir, el 15´9% de la población del país[396]. La densidad media de las personas empadronadas en municipios rurales[397] es de 17,8 habitantes/km2.

Tabla

Tipo de municipio	Población personas	nº mun.	Superficie km^2	Densidad hab/km^2
5.000 a 30.000	3.068.158	319	74.255	41,3
< 5.000	4.470.771	6.352	349.965	12,8
Total Rural	7.538.929	6.671	424.220	17,8
Municipios Urbanos	39.911.866	1.460	80.525	495,6
TOTAL España	47.450.795	8.131	504.745	94,0

A lo anterior, hay que sumar el empeoramiento de las condiciones meteorológicas a causa del cambio climático, y el estado del deterioro de la salud de algunas masas arbóreas (debido a la acción de patógenos y plagas, favorecido por las sequías). El IPCC afirma que las posibilidades de reducir el riesgo de incendios disminuyen con el aumento de las temperaturas, de ahí que la ecuación más prevención y control no ofrezca una correlación proporcional al esfuerzo como hubiera sido antaño sin este escenario climático.

395 Íbidem.

396 Ministerio de Agricultura, Pesca y Alimentación. (2021, October). Demografía de la población rural en 2020 [Demographics of the rural population in 2020]. Agrinfo, (31). https://bit.ly/3mqGIrX

397 Ilustre Colegio Oficial de Ingenieros Técnicos Forestales y Graduados en Ingeniería Forestal y del Medio Rural. (2024). Plagas y enfermedades de las masas forestales españolas. https://bit.ly/3Aq46sN

MOREIRA[398] estudió el impacto en la Europa mediterránea como puede verse en la siguiente tabla, que describe los factores de cambio del paisaje en las áreas del Mediterráneo europeo y sus implicaciones en el riesgo de incendio[399]:

Conductores de cambio del paisaje	**Patrones del paisaje**	**Riesgo de incendio**
Disminución de las actividades agrícolas	Bosques ↑ Matorrales ↑ Áreas agrícolas	↑
Disminución de las actividades pastoriles	Bosques ↑ Matorrales ↑ Prados y pastizales ↓	↑
Envejecimiento y declive de la población/emigración	Bosques ↑ Matorrales ↑ Áreas agrícolas	↑
Aforestación/reforestación	Bosques ↑	↑
Disminución de la explotación de madera y recursos leñosos	Bosques ↑ Matorrales ↑	↑
Incremento de desarrollos urbanos, turísticos e industriales	Bosques ↓ Matorrales ↓ Áreas urbanizadas ↑	↓↑
Incremento de las actividades agrícolas	Bosques ↓ Matorrales ↓ Áreas agrícolas	↓
Incremento de las actividades pastoriles	Bosques ↓ Matorrales ↓ Prados y pastizales ↑	↓↑
Incremento de la población/inmigración	Bosques ↓ Matorrales ↓ Áreas agrícolas Áreas urbanizadas ↑	↓↑

398 Moreira, C., Arianoutsou, M., Corona, P., De las Heras, J., DeLuca, T. H., Evaristo, J., ... & Xanthopoulos, G. (2011). Landscape-wildfire interactions in southern Europe: Implications for landscape management. Journal of Environmental Management, 92(10).

399 Las flechas indican la dirección del cambio en cada categoría: ↑ incremento, ↓ disminución.

La elevada cifra de hectáreas quemadas en agosto de 2025 nos debe llevar a la reflexión de que este problema pueda ir en aumento[400]. El análisis de la serie histórica muestra que la superficie afectada por incendios forestales en España mantuvo una tendencia ascendente hasta mediados de la década de 1980, alcanzando su pico máximo en 1985 con 484.475 hectáreas, cifra comparable a los registros de 1978, 1989 y 1994, cuando también se superaron las 400.000 hectáreas. A partir de ese punto, se observa un descenso progresivo, con un mínimo histórico en 2014, año en el que la superficie quemada no llegó a 50.000 hectáreas. Este avance se explica, en gran medida, por la consolidación y optimización de los dispositivos autonómicos de extinción, fruto del proceso de transferencia competencial desde la Administración General del Estado, y por la madurez de las políticas preventivas desarrolladas en el marco de la cooperación interadministrativa.

No obstante, la serie 2006–2025 revela una reversión drástica de esta tendencia: el país ha experimentado un incremento exponencial tanto en la superficie quemada como en la intensidad media de los episodios, alcanzando en 2025 la cifra de 348.238 hectáreas arrasadas, la mayor de las tres últimas décadas y equivalente a la superficie de la isla de Mallorca. Este salto cuantitativo no constituye un fenómeno aislado, sino el resultado acumulativo de un modelo territorial estructuralmente vulnerable, caracterizado por abandono rural, acumulación de biomasa combustible, déficit hídrico y aumento sostenido de las temperaturas extremas.

El análisis cartográfico confirma una polarización geográfica del riesgo: los incendios más destructivos se concentran en el noroeste peninsular (León, Lugo y Asturias) y el suroeste (Cáceres, Salamanca y Badajoz), territorios donde confluyen masas forestales continuas, despoblación y carencia de infraestructuras preventivas adecuadas. En agosto de 2025, más de 60 municipios fueron afectados simultáneamente entre los días 17 y 18, evidenciando una falta de coordinación interterritorial que limitó la eficacia del Sistema Nacional de Protección Civil y de los dispositivos autonómicos.

En el contexto europeo, la magnitud de las pérdidas coloca a España entre los tres Estados miembros con mayor superficie media anual quemada, junto con Portugal y Grecia, lo que refuerza la necesidad de aplicar los Objetivos Europeos de Resiliencia ante Catástrofes (Recomendación UE 2023/C 56/01) y los instrumentos del Mecanismo de Protección Civil de la Unión (rescEU). La integración de los datos satelitales del programa Copernicus en la planificación

---

[400] Diario El País. (2023, April 20). El abril más seco en 60 años: 125 días sin llover en zonas de España.

autonómica y estatal se erige, por tanto, en una obligación técnica y jurídica, al permitir vincular la ciencia del clima con la acción administrativa preventiva[401].

Desde una perspectiva doctrinal, el actual "mapa de la devastación" trasciende su valor descriptivo o periodístico para convertirse en una evidencia empírica de la insuficiencia del modelo vigente de gobernanza del riesgo. La evolución estadística demuestra que la catástrofe ya no es un evento excepcional, sino un proceso estructural y recurrente, que exige la formulación de un Derecho Administrativo de la resiliencia basado en la planificación multiescalar, la coordinación competencial y la responsabilidad pública por omisión de medidas preventivas. En este sentido, el riesgo climático extremo debe ser tratado como una función permanente del Estado y de las comunidades autónomas, no como una contingencia estacional sujeta a disponibilidad presupuestaria[402].

Hay consenso en que debemos actuar, y hay un consenso en que esa carga de combustible que ocupa las zonas rurales ha de ser convenientemente gestionada, porque, además, es una fuente de recursos económicos. Esto lo saben muy bien nuestros alcaldes y alcaldesas, que sufren "en primera línea cuando se quema el término municipal", en palabras del Prof. RIVERO[403]. Se trata pues de lo que se conoce como "gestión del combustible", que se define como la gestión de incendios y combustibles desde una óptica holística, en donde se realiza una gestión integrada del territorio, y en la que se tienen en cuenta los regímenes y efectos de los incendios, los valores en riesgo y las múltiples actividades de uso de los recursos. Otro de sus objetivos es la gestión del combustible para lograr una reducción declarada del riesgo de incendios forestales u otras metas a alcanzar. Hay quienes se oponen enérgicamente pues consideran que se produce una interferencia en la dinámica natural de los bosques, aunque, son una minoría. Parece aconsejable reducir la biomasa combustible del bosque como tarea prioritaria, permitiendo aclareos y reduciendo la competencia hídrica que mantienen las plantas. También, mediante el pastoreo. El pastoreo desde tiempo ancestral ha sido una ayuda para crear

---

401 European Forest Fire Information System (EFFIS). (2025). *Forest fires in Europe, Middle East and North Africa 2025: Annual Report.* Publications Office of the European Union. https://effis.jrc.ec.europa.eu

402 European Environment Agency (EEA). (2024). *Economic losses from weather- and climate-related extremes in Europe — Indicator assessment (updated 2024).* Publications Office of the European Union. https://www.eea.europa.eu/ims/economic-losses-from-weather-and

403 Rivero Ortega, R. (2023). Derecho al medio ambiente, cambio climático y prevención de incendios: El papel de los gobiernos locales. *Revista Aranzadi de Derecho Ambiental,* (Pg. 2), 21-40. ISSN: 1695-2588.

una discontinuidad de la vegetación. El trabajo de ovejas, vacas y caballos en las rutas de la trashumancia, sirvió de esta forma a reducir la carga de combustible, frenando y bloqueando la dinámica natural de las llamas. Y por qué no decirlo, el papel de los cazadores, grandes conocedores del monte, piezas clave en muchas ocasiones para la detección de los incendios. Todo lo que sea "vitalizar el mundo rural", con la presencia humana, puede aumentar el riesgo de incendios. Y riesgo es, no olvidemos, la "sobreabundancia regulatoria" de la que habla el Prof. RIVERO:[404] "Cuando hay un incendio, todo se quema, menos el papel de las normas: arden los árboles, los animales, las propiedades."

El modelo de gestión forestal francés, de carácter sostenible y multifuncional, pivota sobre el necesario equilibrio entre las funciones sociales, las ecológicas y las productivas. Un pivotar que puede verse comprometido por dos tendencias antagónicas: la meramente económica, y la exclusivamente de carácter medioambiental. La polarización -aquí también se da- no es buena compañera de viaje en esta compleja tarea.

La polarización se observa en cuanto al número de denuncias. A mayor sensibilidad ambiental mayor número de denuncias, lo que ha conllevado a un mayor número de acciones de control.

Para ESPINOSA PRIETO[405] hay que reducir la severidad del fuego mediante una quema planificada, con el mínimo impacto negativo posible. Es una posición muy distinta a la doctrina de países como Estados Unidos, Canadá y Australia, que apuestan por la "cultura del fuego libre", o de "libre evolución" (en inglés, *enclosure*), algo que podría entenderse dado los amplios espacios naturales deshabitados.

En cambio, la doctrina francesa se caracteriza por una apuesta intensa de lucha contra los incendios en su etapa inicial, con una coordinación operativa reforzada, y la utilización de medios humanos y materiales de alta calidad. Detección temprana y respuesta rápida es la base de lo que denominan "estrategia de ataque rápido a los incendios incipientes". Esta doctrina ha sido complementada en los últimos años con un fortalecimiento de la prevención. En 2023 -por

---

404 Rivero Ortega, R. (2023). Derecho al medio ambiente, cambio climático y prevención de incendios: El papel de los gobiernos locales. Revista Aranzadi de Derecho Ambiental, (56), 21-40. ISSN: 1695-2588.

405 Espinosa Prieto, J. (2021). Prescribed burning to reduce fire severity effects on pine forests in the Iberian System / La quema prescrita para reducir la severidad del fuego: efectos en pinares del Sistema Ibérico [Prescribed burning to reduce fire severity: effects on pine forests in the Iberian System, Universidad de Valladolid]. https://bit.ly/3zZBM05

primera vez- el Gobierno francés lanzó una campaña[406] para dar a conocer las obligaciones legales de los propietarios respecto de la limpieza de maleza en zonas de riesgo forestal. Este tipo de actuaciones, se viene ejecutando en nuestro país con mayor antelación que en el país vecino, merced al impulso y colaboración de Comunidades Autónomas y Ayuntamientos. La necesidad de actuar en esta materia de incendios forestales viene derivada, entre otras, tanto de la Ley 17/2015, de 9 de julio, del Sistema Nacional de Protección Civil; la Ley 43/2003, de 21 de noviembre, de Montes, modificada por la Ley 21/2015, de 20 de julio; el Real Decreto 524/2023, de 20 de junio, por el que se aprueba la norma básica de protección civil; el Real Decreto 893/2013, de 15 de noviembre, por el que se aprueba la directriz básica de planificación de protección civil de emergencia por incendios forestales; así como de los respectivos Planes de Emergencia de ámbito de Comunidad Autónoma, los Planes Especiales de Incendios Forestales del mismo ámbito,[407] así como diversos Reglamentos de la Unión Europea[408].

---

406 Ministère de la Transition Écologique et de la Cohésion des Territoires, Ministère de la Transition Énergétique, Gouvernement France. (2024). Feux de forêt et de végétation: ayons les bons réflexes. https://www.ecologie.gouv.fr/feux-foret-et-vegetation

407 A título de ejemplo, mencionamos el PLADIGA 2022 (Plan de Prevención y Defensa contra los Incendios Forestales en Galicia), https://bit.ly/3LrJtTs. La Xunta de Galicia actuó tras enviar en 2021 más de 37.000 propietarios de terrenos para que fuesen desbrozados y eliminada la maleza cuando estaban en 50 metros próximos a viviendas (lo que se conoce como franja secundaria) en aquellos casos en que no fue atendida la prescripción. La actuación derivó en multa y liquidación del importe de los trabajos realizados.

408 Parlamento Europeo y Consejo de la Unión Europea. (2013). Reglamento (UE) núm. 1303/2013, de 17 de diciembre de 2013, por el que se establecen disposiciones comunes relativas a varios fondos europeos y se deroga el Reglamento (CE) núm. 1083/2006 del Consejo. Modificado por los Reglamentos 2015/1839, 2016/2135, 2017/825, 2017/1199, 2017/2305, 2018/1046, 2018/1719, 2019/711, 2020/460, 2020/558, 2020/1041, 2020/1542 y 2020/2221.
Parlamento Europeo y Consejo de la Unión Europea. (2013). Reglamento (UE) núm. 1305/2013, de 17 de diciembre de 2013, relativo a la ayuda al desarrollo rural a través del Fondo Europeo Agrícola de Desarrollo Rural (Feader) y por el que se deroga el Reglamento (CE) núm. 1698/2005 del Consejo. Modificado por los Reglamentos 1310/2013, 994/2014, 1378/2014, 2015/791, 2016/142, 2017/825, 2017/2393, 2018/162, 2019/71, 2019/288, 2020/872, 2020/2220, 2021/399 y 2021/1017.
Parlamento Europeo y Consejo de la Unión Europea. (2013). Reglamento (UE) núm. 1306/2013, de 17 de diciembre de 2013, sobre el financiamiento, gestión y seguimiento de la Política Agrícola Común, por el que se derogan los Reglamentos (CE) núm. 352/78, núm. 165/94, núm. 2799/98, núm. 814/2000, núm. 1290/2005 y núm. 485/2008 del Consejo. Modificado por los Reglamentos 1310/2013, 2016/791, 2017/2393, 2020/127 y 2020/2220.

Los incendios han ganado terrenos en su evolución, se han aproximado hacia nuestros espacios de vida. Así, las viviendas fruto de la expansión urbana (por un deseo de vivir cerca de la naturaleza, o por disponer de un suelo más asequible) son un riesgo adicional. Como son un riesgo adicional lo que se conoce como "hábitats ligeros" (edificaciones desmontables: yurta etc.), "residencias móviles de ocio" (caravanas, casas portátiles), o "hábitats en altura" ("casas en árboles"). El fuego avanza hasta zonas periurbanas, donde se encuentran las edificaciones anteriores, de ahí la importancia de la limpieza y desbroce de pastos y matorrales.

Es muy importante conocer el Índice Meteorológico de Riesgo de Incendios proporcionado por la AEMET[409] bajo el título de "mapas previstos de riesgo de incendio". Dicho índice está basado en el Forest Fire Weather Index (FWI), que establece una estimación del riesgo de incendio forestal basado en las estimaciones del servicio meteorológico de Francia y el de Canadá. Tales servicios conjugan por un lado el estado de la superficie vegetal, y de otro las condiciones meteorológicas. Ofrece un modelo predictivo[410] que

---

Comisión de la Unión Europea. (2014, 11 de marzo). Reglamento delegado (UE) núm. 807/2014 de la Comisión, que completa el Reglamento (UE) núm. 1305/2013 del Parlamento Europeo y del Consejo, relativo a la ayuda al desarrollo rural a través del Fondo Europeo Agrícola de Desarrollo Rural (Feader), e introduce disposiciones transitorias. Modificado por los Reglamentos 2015/1367 y 2019/94. Comisión de la Unión Europea. (2014, 17 de julio). Reglamento de ejecución (UE) núm. 808/2014 de la Comisión, por el que se establecen disposiciones de aplicación del Reglamento (UE) núm. 1305/2013 del Parlamento Europeo y del Consejo, relativa a la ayuda al desarrollo rural a través del Fondo Europeo Agrícola de Desarrollo Rural (Feader). Comisión de la Unión Europea. (2014, 17 de julio). Reglamento de ejecución (UE) núm. 809/2014 de la Comisión, por el que se establecen disposiciones de aplicación del Reglamento (UE) núm. 1306/2013 del Parlamento Europeo y del Consejo en lo que se refiere al sistema integrado de gestión y control, a las medidas de desarrollo rural y a la condicionalidad. Modificado por los Reglamentos 2015/2333, 2016/1394, 2017/1172, 2017/1242, 2018/709, 2018/746, 2019/936, 2019/1804, 2020/1009 y 2021/540.

Parlamento Europeo y Consejo de la Unión Europea. (2020). Reglamento (UE) 2020/2220 del Parlamento Europeo y del Consejo de 23 de diciembre de 2020 por el que se establecen determinadas disposiciones transitorias para la ayuda del Fondo Europeo Agrícola de Desarrollo Rural (Feader) y del Fondo Europeo Agrícola de Garantía (Feaga) en los años 2021 y 2022, y por el que se modifican los Reglamentos (UE) núm. 1305/2013, (UE) núm. 1306/2013 y (UE) núm. 1307/2013 en lo que respecta a sus recursos y a su aplicación en los años 2021 y 2022 y el Reglamento (UE) núm. 1308/2013 en lo que respecta a los recursos y la distribución de dicha ayuda en los años 2021 y 2022.

409 https://www.aemet.es/es/eltiempo/prediccion/incendios

410 Para ampliar la información se puede ver en AEMET el apartado: "Interpretación: incendios". https://bit.ly/41WfjNo

clasifica el riesgo en bajo, moderado, alto, muy alto y extremo. Sin duda, toda inversión en este sistema nos facilitará mucho las respuestas de prevención y operacionales, así como la modelización de futuros escenarios.

A través del proyecto Life Resilient Forests Project[411], de la Unión Europea, se pretende obtener elementos que contribuyan a la formulación de políticas hacia la sostenibilidad de los bosques tras el intercambio de distintas experiencias en el área mediterránea. Es claro que no todo es reacción al fuego.

Las soluciones no son fáciles, pues el cambio climático afecta[412]. Más inversión presupuestaria, más incentivos para que las personas permanezcan en los entornos rurales o al menos dispongan de unos niveles que garanticen su estado del bienestar, bosques más resilientes, mejoras en los procedimientos de coordinación y gestión de los incendios, la tecnología, la colaboración público-privada, son medidas que sin duda contribuirían a hacer frente a este reto.

La Oficina de las Naciones Unidas para la Reducción del Riesgo de Desastres (UNDRR), con motivo del Día Mundial de la Prevención de Incendios Forestales (18 de agosto de 2025), advirtió que los incendios que asolan España constituyen "más que una crisis estacional": representan una nueva normalidad climática, resultado de olas de calor más frecuentes, sequías prolongadas, vientos intensos y una vegetación progresivamente más seca. La magnitud del fenómeno —con 344.417 hectáreas calcinadas en 224 incendios, según datos del Sistema Europeo de Información sobre Incendios Forestales (EFFIS)— sitúa al país ante un escenario de riesgo permanente, que exige revisar el marco normativo y operativo del Sistema Nacional de Protección Civil.

En su comunicado, la UNDRR planteó cinco ejes estratégicos de prevención, todos ellos con trascendencia jurídica y administrativa directa:

1 Gestión forestal preventiva, basada en la reducción del material combustible, el pastoreo controlado y la creación de cortafuegos naturales concebidos como barreras de mitigación ecológica, integradas en la ordenación territorial y forestal.

---

411 LIFE RESILIENT FORESTS. (s.f.). Coupling water fire and climate resilience with biomass production from forestry to adapt watersheds to climate change: Layman's Report. Partners: IIAMA–Instituto de Ingeniería del Agua y Medio Ambiente, Universitat Politècnica de València, Associação para o Desenvolvimento da Aerodinâmica Industrial, European Biomass Industry Association, Forschungszentrum Jülich, Ayuntamiento de Serra. https://bit.ly/3V8pLQ0

412 Rivero Ortega, R. (2023). Derecho al medio ambiente, cambio climático y prevención de incendios: El papel de los gobiernos locales. *Revista Aranzadi de Derecho Ambiental*, (56), 21-40. ISSN: 1695-2588.

2 Urbanismo resiliente, que impone la planificación del crecimiento urbano en función del riesgo, la limitación de edificaciones en zonas de interfaz urbano-forestal y el uso de materiales constructivos resistentes al fuego, de conformidad con los principios de prevención recogidos en la normativa urbanística y de seguridad pública.

3 Sistemas de alerta temprana multiescalares, orientados a interconectar redes locales con pronósticos regionales y a aprovechar el potencial de los datos satelitales —como el sistema sueco VIIRS, capaz de detectar focos en menos de quince minutos—, en coordinación con los servicios meteorológicos nacionales y el programa Copernicus de la Unión Europea.

4 Conciencia y educación comunitaria, que introduce el deber de información y formación ciudadana como elemento esencial del principio de autoprotección previsto en la Ley 17/2015, de 9 de julio, del Sistema Nacional de Protección Civil, fomentando la corresponsabilidad social frente al riesgo.

5 Resiliencia inclusiva y planificación multirriesgo, que prioriza la protección de grupos vulnerables —personas mayores, con discapacidad o en situación de pobreza energética— y reconoce la interdependencia entre incendios, desertificación e inundaciones posteriores, consolidando una visión integral del riesgo climático.

La Universidad de Huelva lidera dos proyectos de alcance internacional cuyo objetivo es mejorar la respuesta frente a los incendios forestales. El FIREPOCTEP[413], en colaboración con la vecina Portugal, busca fortalecer la cooperación transfronteriza, y algo muy importante, la mejora de los recursos para generar empleo en los entornos rurales. Esta Universidad es la coordinadora del Centro Ibérico para la Investigación y la Lucha Contra Incendios (CLIFO)[414]; entre los objetivos del centro está la creación de empleo en espacios rurales, mediante una economía ligada al paisaje.

413 Alaejos, J. (Director). (s.f.). LIFE RESILIENT FORESTS: Coupling water fire and climate resilience with biomass production from forestry to adapt watersheds to climate change: Layman's Report [Proyecto cofinanciado por el Fondo Europeo de Desarrollo Regional (FEDER), en el marco del Programa Interreg V A España – Portugal (POCTEP) 2014-2020]. Financiado por la Universidad de Huelva. https://firepoctep.eu/

414 Proyecto financiado en un 75% por el Programa de Cooperación Transfronteriza Interreg VA España – Portugal – POCTEP (2014-2020). Está dirigido por Alaejos, J. https://cilifo.eu/

La Comisión Europea no es ajena a esta oportunidad para crear empleo. Así, en la Nueva Estrategia Forestal para 2030[415], se recoge en los documentos previos a su aprobación esta realidad. Por ejemplo, mediante la plantación de árboles y toda su cadena de cultivo (plantas, viveros, etc). Así, en 2011 las industrias forestales contaban con más de 2 millones de empleos en la Unión Europea, con un volumen de negocio superior a los 300.000 millones de euros.[416] Es por ello que se impulsa desde la Comisión a través de esta Estrategia todo un elenco de medidas que impulsen la economía en las zonas. Entre ellas, destacamos:

- Promoción de la bioeconomía forestal sostenible en productos madereros de larga vida.
- Garantizar el uso sostenible de los recursos madereros destinados a bioenergía.
- Promoción de la bioeconomía basada en los bosques no madereros, con inclusión del ecoturismo.
- Desarrollo de habilidades y empoderamiento de las personas para una bioeconomía sostenible sustentada en los bosques.
- Protección de los últimos bosques primarios y longevos que quedan en la Unión Europea.
- Garantizar la restauración forestal, y reforzar la gestión forestal sostenible para la adaptación al cambio climático y la resiliencia forestal.
- Reforestación y forestación de bosques biodiversos, incluso mediante la plantación de 3.000 millones de árboles adicionales hasta el 2030[417].
- Ofrecer incentivos financieros a los propietarios y gestores forestales para mejorar tanto la cantidad como la calidad de los bosques de la UE.

Es evidente que la empleabilidad en las zonas rurales es un claro antídoto frente al riesgo de despoblación. Así, los municipios rurales con altas tasas de desempleo pueden frenar la tendencia migratoria, y, además, invertir la curva si se aplican principios de sostenibilidad. Entendemos que estamos ante una de las claves y el legislador tiene todo un vasto camino donde desplegar sus dotes normativas, en algo que se está demandando. Es lo que

---

415 European Parliament. (2021). New EU forest strategy for 2030. https://bit.ly/3KSiIaq

416 https://bit.ly/43wsA18

417 Este es un compromiso derivado del Pacto Verde Europeo. Un tercio de las inversiones de 1,8 billones de euros del Plan de Recuperación NextGenerationEU y el presupuesto de siete años de la UE irán destinados al Pacto Verde Europeo.

en las "Orientaciones estratégicas para la gestión de incendios forestales en España"[418], aprobadas por la Conferencia Sectorial de Medio Ambiente, el 28 de julio de 2022, se denomina "principio de sostenibilidad del territorio". Dicho principio se define en estas orientaciones como:

"Los montes presentan un valor económico, ambiental y estratégico fundamental para la sociedad en general, y para la población rural en particular. La gestión planificada de los incendios es imprescindible para garantizar la conservación del territorio, proteger la biodiversidad, potenciar los servicios ecosistémicos de los espacios naturales y preservar la calidad del paisaje, así como contribuir a objetivos ambiciosos de bioeconomía y desarrollo rural en el marco de las estrategias nacionales e internacionales."

Entre otras medidas para potenciar una gestión forestal sostenible, está el apoyo decidido a la agricultura tradicional, ganadería extensiva y selvicultura, teniendo las Comunidades Autónomas capacidad normativa para impulsar medidas en este ámbito. También, con medidas que impulsen la competitividad y rentabilidad de las explotaciones forestales, a través de incentivos a estos sectores. Como prevé las orientaciones antes indicadas, se apuesta por reforzar o apoyar la corresponsabilidad de los propietarios particulares en la gestión forestal de los montes.

En definitiva, la gestión forestal necesita de una planificación previa (una planificación del siglo XXI, inteligente), así como de un impulso decidido desde el ámbito de las distintas administraciones públicas implicadas. Solo así podemos frenar los efectos del cambio climático sobre nuestros montes y bosques, sin olvidar el papel importante de los gobiernos locales. Así lo expresa el Prof. RIVERO al señalar que a pesar del papel crucial de estos en la gestión de los incendios y la protección del medio ambiente, la normativa estatal a menudo omite otorgarle competencias, recursos y los medios precisos para que puedan desempeñar su papel. Hay pues una desconexión entre la legislación de medio ambiente y la normativa jurídica sobre incendios, que se manifiesta en un exceso de carga regulatoria, y que dispone a la administración local en una clara desventaja para hacer frente a estos desafíos[419]. Con acierto propone una nueva cultura administrativa de la prevención, centrada en la dotación de recursos,

---

418 Ministerio para la Transición Ecológica y el Reto Demográfico. (2022). Orientaciones estratégicas para la gestión de incendios forestales en España. Aprobadas por la Conferencia Sectorial de Medio Ambiente el 28 de julio de 2022. Madrid. https://bit.ly/3H9kcuy

419 Rivero Ortega, R. (2023). Derecho al medio ambiente, cambio climático y prevención de incendios: El papel de los gobiernos locales. *Revista Aranzadi de Derecho Ambiental*, (56), 21-40. ISSN: 1695-2588.

implementación de medidas de vigilancia y participación de los entes locales en la gestión del territorio, al tiempo que se hace precisa una revisión de la normativa europea, nacional y autonómica para que lo anterior pueda garantizarse.

Ya en 1998, BIANCO[420] -antiguo ministro francés- describió muy bien en un informe una hoja de ruta general válida también para nuestro país. Tenía encomendado dicho informe por encargo de JOSPIN -Primer Ministro- que le emplazó a que trazara unas orientaciones para un proyecto de ley tendente a modernizar el recurso forestal y los bosques:

"El bosque representa una enorme oportunidad para Francia. Una oportunidad para la variedad y belleza de nuestros paisajes, para la preservación de entornos y especies. Es una reserva de naturaleza donde todos, atrapados en el torbellino del mundo, pueden redescubrir el sentido de la verdadera riqueza.

A condición de que haya un esfuerzo colectivo de imaginación, organización y eficacia, es también una oportunidad en la lucha contra el desempleo. Hay pocos sectores en los que la eficacia de un franco invertido sea tan grande. En la producción, las industrias de la madera, el turismo verde y la protección del medio ambiente se pueden crear 100.000 empleos en pocos años.

Al mismo tiempo, la gestión sostenible de los bosques es un gran reto ecológico para el futuro. Afirmo que es posible conciliar economía y ecología, siempre que se haga respetando tanto los equilibrios biológicos como la realidad económica. La gestión sostenible requiere la simplificación de las normas de protección. Sobre todo, requiere la participación negociada de todos. La restricción es a veces necesaria. Pero es el contrato lo que revela una sociedad democrática.

Vivimos en una época dominada, según la bella fórmula de Edgard PISANI, por la presión del corto plazo. Estemos atentos también al largo plazo silencioso. Se necesitan unos 120 años para hacer un haya y 160 años para hacer un roble. Pero bastan unos minutos para destruirlos."

3.2.2.- Prevención de incendios e infraestructura verde

En 2009, el Consejo Europeo incorporó la "infraestructura verde" en su Libro Blanco de la Comisión sobre Adaptación al Cambio Climático[421],

---

420 Bianco, J. L. (1998, 25 de agosto). Rapport de M. Jean-Louis Bianco. La foret: une chance pour la France. https://bit.ly/3L2WjX0

421 Naciones Unidas. (2016). Resolución aprobada por la Asamblea General el 23 de diciembre de 2016 [sin remisión previa a una Comisión Principal (A/71/L.23)] 71/256. Nueva Agenda Urbana. https://bit.ly/3Gwbwyn

como un elemento que nace de un cambio de paradigma sobre el modelo de crecimiento hasta entonces desarrollado. Para la Comisión Europea, la infraestructura verde es "una red estratégicamente planificada de zonas naturales y seminaturales de alta calidad con otros elementos medioambientales, diseñada y gestionada para proporcionar un amplio abanico de servicios ecosistémicos y proteger la biodiversidad tanto de los asentamientos rurales como urbanos"[422]. Entre sus muchas funcionalidades, encontramos absorber el exceso de escorrentía, lo cual redunda en garantizar la seguridad frente a desbordamientos. Sus beneficios son muchos, pues van desde el ocio, a la depuración del agua, o gestión del riesgo de catástrofes.

En 2011, la Comisión Europea impulsó una Estrategia de la Unión Europea sobre la biodiversidad hasta 2020[423], donde reconoció la potencialidad a explorar de la infraestructura verde, apostando por los planes de gestión forestal de los Estados, a fin de prevenir los incendios o posibles plagas, además de los espacios silvestres, mejorando así la resiliencia del monte a los incendios. Y muy importante: adquiere el compromiso de redactar una Estrategia de Infraestructura Verde.

Se trata de una estrategia presentada por la Comisión Europea el 6 de mayo de 2013[424], y que se va abriendo paso en los nuevos desarrollos de la ordenación territorial en nuestro país, máxime teniendo en cuenta que esta tiene un amplio respaldo financiero en los Fondos de Cohesión, en el Fondo Europeo de Desarrollo Regional, la Política Agraria Comunitaria, el Horizonte 2020, Fondos Next Generation[425], etc.

El propio Banco Mundial señala que: "Integrar la naturaleza en los principales sistemas de infraestructuras puede producir servicios de menor

---

422 European Commission. (2013). Building a Green Infrastructure for Europe. https://bit.ly/3UvRB8w

423 Comisión Europea. (2011). Comunicación de la Comisión al Parlamento Europeo, al Consejo, al Comité Económico y Social Europeo y al Comité de las Regiones: Estrategia de la UE sobre la biodiversidad hasta 2020: nuestro seguro de vida y capital natural. Bruselas. https://bit.ly/3MsQ3dd

424 European Commission. (s.f.). Green infrastructure. https://bit.ly/3ZWHOt1

425 En el caso de España se han producido convocatorias para el fomento de actividades que contribuyan a la renaturalización urbana y fluvial, así como para la mitigación de los riesgos de inundación, incrementando la infraestructura verde y la conectividad de los espacios verdes y azules. Dicha convocatoria ha corrido a cargo del Ministerio para la Transición Ecológica y el Reto Demográfico – Fundación Biodiversidad, por importe de 58 millones de euros. https://bit.ly/43iWmWT

coste y más resistentes",[426] lo cual contribuye a la reducción del riesgo de catástrofes y la resiliencia frente al cambio climático".

Cuando hablamos de infraestructura verde, debemos precisar que estamos ante una infraestructura de tipología multiescalar, y además transversal, pues su campo de actuación hace que esté bajo el paraguas de distintas administraciones públicas. Hablamos por tanto de escala regional, y también, como no, de escala local, sin olvidar que podría darse el caso de cooperación de más de una comunidad autónoma, estando en una escala suprarregional, e incluso internacional, en el caso de la confluencia de intereses en proyectos llevados a cabo por dos zonas de países limítrofes.

Sin duda, la normativa y casuística aplicable es muy amplia, y podemos citar, entre otras: Red Natura 2000[427], Espacios Naturales Protegidos[428], Zonas Forestales[429], Bienes de Interés Cultural[430], Espacios de Interés Paisajístico[431], Aguas Marinas Protegidas[432], entre otros.

---

426 Browder, G., Ozment, S., Rehberger, I., Gartner, T., & Lange, G. M. (s.f.). Integrating green and gray: Creating Next Generation Infrastructure. World Bank Group and World Resources Institute. http://hdl.handle.net/10986/31430

427 Consejo de la Unión Europea. (1992). Directiva 92/43/CEE del Consejo, de 21 de mayo de 1992, relativa a la conservación de los hábitats naturales y de la fauna y flora silvestres. https://bit.ly/2CkMEaW

428 Jefatura del Estado. (2007). Ley 42/2007, de 13 de diciembre, del Patrimonio Natural y de la Biodiversidad. BOE núm. 299, de 14 de diciembre de 2007. Referencia: BOE-A-2007-21490. https://bit.ly/43fhOw1

429 El artículo 30 la Ley 43/2003, de 21 de noviembre, de Montes modificada mediante la Ley 10/2006, de 28 de abril, y la Ley 21/2015, de 20 de julio, establece la Estrategia Forestal Española (EFE) como documento de referencia para establecer la política forestal española y al Plan Forestal Español (PFE) como el instrumento de planificación a largo plazo de la política forestal española, que desarrolla la EFE. La primera EFE fue aprobada en la Conferencia Sectorial de Medio Ambiente de 17 de marzo de 1999, dando lugar al PFE 2002-2032, aprobado por el Consejo de Ministros el 5 de julio de 2002. Citado en Plan Forestal Español, 2022-2032, Aprobado en Consejo de Ministros de 20 de diciembre de 2022. https://bit.ly/3UqOAGr

430 Jefatura del Estado. (1985). Ley 16/1985, de 25 de junio, del Patrimonio Histórico Español. BOE núm. 155, de 29 de junio de 1985. Referencia: BOE-A-1985-12534. https://bit.ly/3Mt8Nth

431 Council of Europe. (sin año). European Landscape Convention (ETS No. 176). https://bit.ly/3UnIEhc

432 Ley 41/2010, de 29 de diciembre, de protección del medio marino. (2010). Boletín Oficial del Estado, núm. 317, de 30 de diciembre de 2010. https://bit.ly/3UEoNLb

Por citar algún ejemplo de desarrollos normativos de ámbito autonómico en esta materia, podemos citar el Plan de Acción Territorial de Infraestructura Verde del Litoral de la Comunitat Valenciana[433], basado en el Decreto Legislativo 1/2021[434], de 18 de junio del Consell, de aprobación del texto refundido de la Ley de ordenación del territorio, urbanismo y paisaje de la Comunitat Valenciana. Entre los objetivos del citado Plan está el de "definir y ordenar la infraestructura verde supramunicipal del litoral, protegiendo sus valores ambientales, territoriales, paisajísticos, culturales, educativos y de protección frente a riesgos naturales o inducidos. El Plan de Acción Territorial de Infraestructura Verde del Litoral de la Comunitat Valenciana (PATIVEL) suscitó una intensa polémica desde su aprobación. En 2021, el Tribunal Superior de Justicia de la Comunitat Valenciana declaró su nulidad al apreciar carencias en la memoria económica, en la evaluación ambiental y en los informes de impacto exigidos por la normativa. Posteriormente, la Generalitat recurrió al Tribunal Supremo, que matizó algunos de estos argumentos y validó parte de su contenido. Más allá del recorrido judicial, el caso del PATIVEL pone de relieve las tensiones entre la preservación del litoral y los intereses urbanísticos, así como la importancia de que este tipo de instrumentos dispongan de una fundamentación técnica y jurídica suficiente para garantizar su viabilidad y seguridad jurídica. En la Ley 3/2025, del 22 de mayo, aparece explícitamente una disposición adicional que ordena la adaptación del PATIVEL al nuevo marco que impone la Ley de Costas valenciana.

La Estrategia Verde española está impulsada por la Orden PCM/735/2021[435] y tiene su origen en la Estrategia de la Unión Europea sobre Diversidad hasta 2020, aprobada en 2011, así como en la Ley 33/2015[436],

---

433 Generalitat Valenciana. (2018). PAT Infraestructura Verda del Litoral de la Comunitat Valenciana, Memoria Informativa 2018. https://bit.ly/3mewjQ8

434 Consell de la Generalitat Valenciana. (2021). Decreto Legislativo 1/2021, de 18 de junio, del Consell, por el que se aprueba el texto refundido de la Ley de ordenación del territorio, urbanismo y paisaje. «DOGV» núm. 9129, de 16 de julio de 2021. Referencia: DOGV-r-2021-90283. https://bit.ly/3KNQVYU

435 Ministerio de la Presidencia, Relaciones con las Cortes y Memoria Democrática. (2021). Orden PCM/735/2021, de 9 de julio, por la que se aprueba la Estrategia Nacional de Infraestructura Verde y de la Conectividad y Restauración Ecológicas. BOE núm. 166, 13 de Julio de 2021. https://bit.ly/3UwzgrN

436 Jefatura del Estado. (2015). Ley 33/2015, de 21 de septiembre, por la que se modifica la Ley 42/2007, de 13 de diciembre, del Patrimonio Natural y de la Biodiversidad. Artículo 15.1. BOE núm. 228, de 22 de septiembre de 2015:
«Para garantizar la conectividad ecológica y la restauración del territorio español, el Ministerio [para la Transición Ecológica y el Reto Demográfico], con la colaboración

de 21 de septiembre. Entre los objetivos de esta Estrategia Verde española se encuentran: “la capacidad de adaptación de las sociedades frente al cambio climático y los riesgos que conlleva”, y en sus líneas de actuación contempla: “contribuir a la reducción de los riesgos naturales derivados de los efectos del cambio climático mediante la conservación y restauración de los elementos vinculados a la Infraestructura Verde del territorio y por medio de la aplicación de soluciones basadas en la naturaleza.”

A pesar del esfuerzo normativo antes citado, la campaña de incendios forestales de 2025 ha desbordado con creces las previsiones estadísticas vigentes en primavera. El avance informativo del Ministerio para la Transición Ecológica y el Reto Demográfico (MITECO), con datos remitidos por las comunidades autónomas hasta el 17 de agosto de 2025, registraba 5.673 siniestros (3.939 conatos de menos de una hectárea y 1.734 incendios que superaron dicha superficie). La superficie afectada ascendía a 91.579 hectáreas, de las que 18.727 correspondían a superficie arbolada, 43.700 a matorral y monte bajo y 29.152 a pastizales; además, se contabilizaban 55 grandes incendios (más de 500 ha)[437]

El propio informe advertía, sin embargo, que esta cifra no incorporaba los grandes fuegos iniciados en Galicia y Castilla y León a partir del 7 de agosto, cuya estimación mediante el sistema europeo EFFIS elevaba el total a 295.579 hectáreas[438]. Con estos registros, 2025 supera ampliamente el máximo de 306.555 hectáreas alcanzado en 2022 y se perfila como el año más devastador desde 1994. El Ministerio para la Transición Ecológica estima en 393.278,99

---

de las comunidades autónomas a través de la Comisión Estatal para el Patrimonio Natural y la Biodiversidad, y de otros ministerios implicados, elaborará, en un plazo máximo de tres años a contar desde la entrada en vigor de la presente ley, una Estrategia estatal de infraestructura verde y de la conectividad y restauración ecológicas, que incorporará una cartografía adecuada que permita visualizar gráficamente la misma. Esta estrategia, previo informe del Consejo Estatal para el Patrimonio Natural y la Biodiversidad, y de la Conferencia Sectorial de Medio Ambiente, será aprobada mediante orden conjunta, a propuesta de los ministerios que hubieran participado en su elaboración y publicada en el Boletín Oficial del Estado» https://bit.ly/40YPJHB

437 Ministerio para la Transición Ecológica y el Reto Demográfico (MITECO). (2025). Avance informativo de incendios forestales. Datos acumulados del 1 de enero al 17 de agosto de 2025. Subdirección General de Política Forestal y Lucha contra la Desertificación. https://www.miteco.gob.es/es/biodiversidad/temas/incendios-forestales/estadisticas-avances.html

438 European Commission, Joint Research Centre. (2025). European Forest Fire Information System (EFFIS): Wildfires in Europe, August 2025. Copernicus Emergency Management Service. https://effis.jrc.ec.europa.eu

las hectáreas afectadas por los incendios en todo el año 2025 hasta el día 24 de agosto, la mayor parte en dicho mes, si bien no son cifras definitivas.

La virulencia de esta campaña se explica por una primavera excepcionalmente húmeda, que generó abundante biomasa, y por una ola de calor que mantuvo temperaturas próximas a 45 °C durante dieciséis jornadas consecutivas. Los incendios más graves se concentraron en el noroeste peninsular: en Ourense, el fuego de Larouco arrasó más de 45.000 hectáreas, constituyéndose en el mayor incendio de la historia de Galicia; otros focos en Chandrexa de Queixa, A Mezquita y Oímbra superaron las 10.000 hectáreas cada uno. En Castilla y León, el incendio de Uña de Quintana (Zamora) destruyó cerca de 40.000 hectáreas, mientras que los fuegos de Gestoso y Llamas de Cabrera (León) rebasaron las 45.000. También destacaron los siniestros de Jarilla (Extremadura) y Paüls (Tarragona). El Centro de Coordinación de la Información Nacional cifraba a mediados de agosto en siete los fallecidos y en una treintena los heridos, entre ellos agricultores y miembros de los servicios de extinción; otras fuentes reducían la cifra a cuatro víctimas y contabilizaban más de 5.300 evacuados, reflejo de un balance aún provisional. La Fiscalía y la Guardia Civil investigaban la posible intencionalidad: el Ministerio del Interior informó de 23 detenciones por presuntos delitos de incendio y de 89 personas investigadas.

La respuesta institucional fue igualmente extraordinaria. Además de la importante asignación de recursos de las Comunidades Autónomas y Corporaciones Locales desde los primeros momentos, así como del Estado (cuerpos como por ejemplo la Guardia Civil) a mediados de agosto el Gobierno movilizó 500 efectivos adicionales de la Unidad Militar de Emergencias (UME), elevando a 1.900 el personal desplegado; pocos días después, el Ministerio de Defensa confirmó la participación de 3.400 militares y 50 aeronaves de las Fuerzas Armadas en las tareas de extinción. A través del Mecanismo Europeo de Protección Civil se incorporaron medios aéreos internacionales: aviones anfibios de Francia e Italia, helicópteros de Países Bajos, Eslovaquia y la República Checa, así como brigadas y vehículos de Alemania, Finlandia y Chequia. La Unión Europea, por su parte, movilizó satélites de observación y expertos del Centro de Coordinación de Respuesta a Emergencias para apoyar la planificación estratégica. En conjunto, estas cifras y actuaciones, unidas al elevado número de activaciones de los planes autonómicos de protección civil, confirman que el verano de 2025 marca una inflexión en la lucha contra los incendios forestales en España y reabre el debate sobre la adaptación climática, la gestión del territorio y la necesaria coordinación a todos los niveles.

Las jornadas *"Grandes incendios forestales: buscando respuestas"*, celebradas en Plasencia los días 14 y 15 de octubre de 2025, constituyeron un punto de inflexión en la reflexión nacional sobre la gestión del fuego. Organizadas por la Fundación Centro de Estudios Presidente Rodríguez Ibarra, con la participación del presidente González, expertos científicos y responsables operativos, abordaron el creciente impacto de los incendios de sexta generación que, pese al refuerzo de medios, arrasan cada año más superficie y se vuelven inextinguibles. Se destacó la urgencia de pasar de una cultura de la extinción a una cultura de la prevención, basada en la gestión del paisaje, la reducción de cargas de combustible y la adaptación del territorio a las nuevas realidades climáticas.

Estas jornadas, de carácter estratégico para las políticas públicas en materia de protección civil y ordenación territorial, pusieron de relieve que los incendios forestales no son ya un fenómeno estacional, sino estructural. Las conclusiones apuntaron a la necesidad de integrar ciencia, comunicación y gobernanza en un modelo permanente de gestión del riesgo, que considere los bosques como infraestructura esencial para la resiliencia climática y la cohesión rural. Su enfoque multidisciplinar y su alcance nacional las convierten en una referencia para repensar el Sistema Nacional de Protección Civil desde la anticipación y la corresponsabilidad.

3.3.- Desastres vinculados al cambio climático

Día a día, como si de un ritual se tratara, en algún lugar del planeta, las consecuencias de una catástrofe natural llaman a la puerta. La información sobre el incidente se propaga de manera instantánea gracias al respaldo de las tecnologías de la información y la comunicación, proporcionando detalles de manera precisa y minuciosa.

No hay tertulia que se precie que no incluya algún comentario sobre lo que ha cambiado el clima, confundiendo en ocasiones lo que es la variabilidad del clima con el cambio climático[439].

---

[439] En el concepto de "variabilidad climática" se incluyen diferentes conceptos. Normalmente ésta se refiere a las medias a largo plazo de las variables relacionadas con el clima (como son el caso de las precipitaciones, en un período prolongado de tiempo). Es decir, la variabilidad climática puede describir cómo una estación climática está por debajo o por encima de la media climática normal en cuanto a temperatura, o régimen de nevadas. También se refiere a patrones plurianuales más largos que no se ajustan a la media, es decir, patrones a gran escala, como sería El Niño/La Niña, que

Durante los últimos 2,6 millones de años, aproximadamente de los 4.500 millones de años con que cuenta la Tierra, nuestro planeta alternó períodos extensos de enfriamiento (glaciares) y cortos espacios temporales de calentamiento (interglaciares), en los que el clima se mostraba más templado en períodos que abarcaban los 10.000 a 30.000 años. En estos últimos 12.000 años, la Tierra se ha mantenido en un período interglaciar, con un clima de carácter estable y templado, que facilitó el desarrollo de nuestra especie como civilización. Esa estabilidad sirvió para que los seres humanos nos extendiéramos por el planeta, nos adaptáramos a la climatología del momento, y naciera una economía moderna. Pero todo esto parece estar cambiando de manera brusca, pues la temperatura media combinada de la superficie terrestre y del mar se ha incrementado en 1,1 +/-0,05 grados Celsius desde 1880, y en la actualidad a un ritmo de unos 0,2 grados Celsius por década, perdiéndose hielo marino en el Ártico a un ritmo de 3.000 kilómetros cúbicos por década. Este ritmo es superior al experimentado en los últimos 65 millones de años de registros paleoclimáticos, y tal vez de los últimos 250 millones de años[440].

El McKinsey Global Institute elaboró un gráfico donde se expresa la anomalía de la temperatura media mundial con respecto a la media de 1880-2020. La anomalía se refiere a la diferencia entre la temperatura media de la Tierra en un año específico (o una media móvil de varios años) y un valor de referencia, que en este caso es la media de temperatura en el período citado. En el gráfico, hay una línea negra que representa observaciones anuales de la anomalía de la temperatura, mostrando fluctuaciones año a año. La línea roja es una tendencia suavizada que muestra la tendencia a largo plazo de estas anomalías de temperatura, eliminando las variaciones de corto plazo y destacando la tendencia de calentamiento a lo largo del tiempo.

---

comprende períodos cálidos y fríos (normalmente estas fases se extienden de 9 a 12 meses, y se desarrollan cada dos o siete años) en el Océano Pacífico y la atmósfera. Cuando nos referimos al "cambio climático", nos referimos a períodos más largos que los anteriores. Nos referimos a que las estadísticas del clima varían durante varias décadas. Hablamos de varias décadas de mediciones constantes. El "calentamiento global" sería una carta de presentación del cambio climático, con ese aumento sostenido de la temperatura media global sobre la superficie de la Tierra (también puede medirse a determinadas altitudes de la atmósfera).
Fuente: Congressional Research Service. (2021, May 11). Weather and Climate Change: What's the Difference?. https://bit.ly/41Tq02V

[440] Diffenbaugh, N. S., & Field, B. (2013). Changes in ecologically critical terrestrial climate conditions. Science, 341(6145). Burgess, S. D., Bowring, S., & Shen, S. (2014). High-precision timeline for Earth's most severe extinction. Proceedings of the National Academy of Sciences, 111(9).

La tendencia suavizada muestra claramente un aumento en la anomalía de temperatura a lo largo del tiempo, lo que indica un calentamiento global. Hacia el final del gráfico, cerca de 2020, la tendencia suavizada muestra que la Tierra se ha calentado aproximadamente 1,1 grados Celsius desde finales del siglo XIX. Esto es significativo ya que se asocia con los impactos del cambio climático provocado por el aumento de gases de efecto invernadero en la atmósfera.[441].

Otras fuentes señalan que entre el 98 % y el 100 % del calentamiento global que es registrado desde 1850 se atribuye al aumento de las concentraciones de gases de efecto invernadero en la atmósfera, siendo alrededor del 75% directamente atribuible al dióxido de carbono (CO2). El porcentaje que resulta restante es resultado de gases de efecto invernadero de corta duración, como el metano y el carbón negro, cuya contribución al incremento de la temperatura del planeta depende de la tasa de emisiones y no de las cantidades acumuladas en la atmósfera.[442] La inercia térmica de los océanos no ayudará a paliar el problema en los años venideros, al contrario, y la propia dinámica terrestre en referencia a su dinámica térmica, aún alcanzando emisiones netas cero[443], puede seguir su curso inercial de calentamiento[444].

---

441 McKinsey Global Institute. (Year). Climate risk and response: Physical hazards and socioeconomic impacts. https://mck.co/3F2AfZh

442 HAUSTEIN, Karsten et al., "A real-time Global Warming Index", Nature Scientific Reports, 13 de noviembre de 2017; MILLAR, Richard J. y FRIEDLINGSTEIN, Pierre, "The utility of el registro histórico para evaluar la respuesta climática transitoria a las emisiones acumulativas", Philosophical Transactions of la Royal Society, mayo de 2018, volumen 376, número 2119.

443 "Las emisiones netas cero se refieren a un estado en el que la adición total de los gases de efecto invernadero proyectados a la atmósfera, sobre una base anual, son nulas, ya sea porque todas las actividades emisoras han cesado, porque todas las tecnologías emisoras han sido sustituidas por tecnologías de cero emisiones, o porque las emisiones restantes se han equilibrado con una cantidad igual de emisiones negativas (por ejemplo, eliminación de los gases de efecto invernadero emitidos a la atmósfera). Para obtener una visión general de la cantidad de calentamiento bloqueado (llamado Compromiso de Emisiones Cero, o ZEC), la mecánica de la estabilización del clima, las emisiones netas cero y los presupuestos de carbono," véase, H. Damon et al., "Focus on cumulative emissions, global carbon budgets, and the implications for climate mitigation targets," Environmental Research Letters, January 2018, Volume 13, Number 1. MATTHEWS, H. Damon and Ken Caldeira, "Stabilizing climate requires near zero emissions," Geophysical Research Letters, February 2008, Volume 35, Issue 3; Myles R. Allen et al., "Warming caused by cumulative carbon emissions towards the trillionth tonne," Nature, April 2009, Volume 458, Issue 7242.

444 Matthews, H. Damon et al. (2018). Focus on cumulative emissions, global carbon budgets, and the implications for climate mitigation targets. Environmental Re-

Los modelos de predicción climáticos, merced al incremento de los gases de efecto invernadero, nos proporcionan un horizonte futuro de aumento de riesgos derivados del calentamiento, afectando a su frecuencia, gravedad e intensidad. Se refieren a los incendios forestales, plagas y enfermedades biológicas, incremento de la gravedad de los fenómenos ciclónicos, inundaciones con mayor frecuencia y gravedad (debido a factores como incremento del nivel del mar o derretimiento de la nieve o áreas glaciales).

Los modelos prevén un aumento del área afectada en superficie y tiempo por las sequías, especialmente en nuestro entorno Mediterráneo en 2050, así como en otras áreas geográficas como sur de África, América Central y del Sur. También, olas de calor extremo, sujetas a la evolución de la contaminación del aire y el uso de los aerosoles atmosféricos. En relación con el suministro medio anual de agua superficial se prevé que disminuya en algunas áreas del Mediterráneo, más del 70% en el entorno del 2050, contribuyendo a una competencia por este recurso, e impactando en la economía de la zona.

De lo anterior, podemos deducir que el cambio climático tendrá incidencia en zonas geográficas, sectores de actividad y ámbitos de mercado. Podríamos indicar algunos como son en nuestro caso la construcción, la agricultura, pesca, turismo, industria manufacturera, o sector inmobiliario, entre otros. Sin duda en el área Mediterránea es clara la correlación de afectación a un sector clásico como es el turismo[445], y ello debido principalmente al aumento de la exposición al riesgo, más que a los efectos directamente emanados del cambio climático. Hay expertos que han expresado el hecho de que el turismo experimente un corrimiento a zonas del norte de Europa y reduzca su vigor en el sur, y que se incremente el número de días considerados incómodos a causa del calor en muchas playas del Mediterráneo.

---

search Letters, 13(1).

445 En 2019, el turismo ya aportaba al PIB español tres veces más que el sector automoción. En concreto, el PIB del sector turismo (directo e indirecto) se cifraba en 190.090 millones EUR, frente a los 59.459 millones EUR de la Automoción. Al cierre de 2018 España registró 82,8 millones de turistas. En porcentaje, el Turismo supuso en 2020 del 15% del PIB, según informe elaborado por American Express y el lobby World Travel & Tourism Council (WTTC), compuesto por las grandes empresas mundiales ligadas al turismo (Expedia, Accor, Airbnb, Thomas Cook o Trip Advisor, entre otras). Según el portal Statista, la aportación total del turismo al PIB en España en 2019 fue de 154,74 mil millones EUR, en 2020 de 52,54 mil millones EUR y en 2021 de 88,5 mil millones EUR (representa el 7,4% del PIB Nacional). El año 2022 ha continuado con la senda de recuperación, previendo Exceltur (asociación formada por 35 de las más relevantes empresas del sector turístico) que el PIB turístico no recupere sus niveles prepandémicos hasta el segundo semestre de 2023.

El volumen de agua en las cuencas del norte de África, Grecia y España podría reducirse en más de un 15% en 2050, mientras que las de Alemania y Países Bajos podrían incrementarse entre un 1 y un 5%. Esa reducción en nuestro país tendría un alto impacto también en las producciones agrarias, como por ejemplo, las producciones agrarias de vid y tomate.[446]

El incremento de las temperaturas también tendrá incidencia en la productividad laboral, especialmente en las actividades al aire libre (en la zona Mediterránea, y en sectores como la construcción, conocemos de la adaptación de horarios para evitar las franjas horarias de temperaturas más adversas en verano, lo que se conoce como "jornada intensiva"[447]).

Para FORZIERI[448], hay unos "puntos críticos de desastres naturales" que evolucionarán gracias a las consecuencias de los efectos procedentes del cambio climático. Se refiere a las regiones ubicadas al sur de Europa, y entre ellas norte de Italia, sur de Francia y países bálticos a lo largo del río Danubio, está el sur de la península ibérica. En estas zonas, habrá un "aumento progresivo y fuerte de los riesgos climáticos globales" según el autor.

FORZIERI anticipa que fenómenos que antaño se producían cada cien años, acortarán su frecuencia a los 30. Así es en el caso de las inundaciones fluviales en el norte de Italia o el sur de Francia. Lo mismo prevé para las olas de calor, sequías e incendios forestales, que se verán incrementados diez veces para el mismo período. El sur de Europa se verá especialmente

---

446 Esto es especialmente importante, pues España estaba reforzando en los últimos años su posición como la "huerta de Europa", siendo el tomate la "hortaliza reina" con una producción de 4,74 millones de toneladas en el año 2020. La producción total de hortalizas fue de 16,39 millones de toneladas. En 2021 España contaba con casi un millón de hectáreas de viñedo (aproximadamente el 13% del total mundial). El impacto del incremento de temperaturas sobre la uva puede afectar a los parámetros de calidad hasta ahora conocidos. Conocemos la variación de las horas de cosechas, produciéndose antes, reduciendo la luz solar sobre las uvas.

447 La regulación de la jornada intensiva viene expresada en los convenios colectivos, contratos de trabajo o normas internas de las empresas. En el caso que nos ocupa, nos referimos a la jornada intensiva "de verano", con una duración que variará en función de cada convenio: del 1 de junio al 30 de septiembre, del 15 de junio al 15 de septiembre, y centrado en los meses de julio y agosto normalmente. Es también frecuente que en horario de verano se reduzcan las horas, si bien el cómputo anual de horas efectivas trabajadas debe ser de 8 horas diarias.

448 Forzieri, G., Bianchi, A., Marín Herrera, M. A., Batista e Silva, F., Feven, L., & Lavalle, C. (2015). Resilience of large investments and critical infrastructures in Europe to climate change. Luxembourg: Publications Office, European Commission, Joint Research Centre and Institute for the Protection and the Security of the Citizen.

afectado. Los riesgos futuros, en cambio se concentran en el norte de Europa como los Países Bajos, las Islas Británicas o la costa del Mar del Norte, con lo que ello conlleva para nuestro desarrollo[449].

Las infraestructuras habrán de adaptarse al nuevo escenario. Y al hablar de infraestructuras nos referimos a ámbitos como la energía, el agua, el transporte y las telecomunicaciones, entre otros. Cada tipología de infraestructura tiene unas vulnerabilidades específicas a causa del cambio climático. Calor extremo, por ejemplo, somete a una alta demanda a los sistemas de producción de energía con riesgo de sobrecarga. Pero no sólo a los sistemas de producción energética, también a los servicios de salud pública. Los activos de infraestructuras tienen vulnerabilidades específicas como puede verse a continuación. Por último, este autor destaca la deficiencia existente en el análisis de efectos secundarios de los riesgos tras interactuar entre ellos, debido a lo que señala como "falta de métrica". Cabe esperar que ese tema se resuelva con las capacidades que está desarrollando la inteligencia artificial y el incremento de la potencia de análisis de los ordenadores, un mundo que arrojará muchas más soluciones cuando la computación cuántica comience a andar.

El cambio climático también puede contribuir a destruir nuestro capital natural, incluyendo glaciares, ecosistemas oceánicos y bosques. El impacto es importante: derretimiento de los glaciares, calentamiento y acidificación de los océanos, y alteración de los bosques. Al ser sistemas interconectados, su protección y adaptación requiere estrategias complejas y evaluables a largo plazo. Un ejemplo es la gestión integral del ciclo del agua, con estrategias de almacenamiento, uso, transporte y sistemas de riego mejorados. Todo este ámbito está dando lugar a una amplia producción normativa para dar respuesta a estos retos, aunque no sin polémicas, como lo demuestra la falta de acuerdo con relación a los trasvases de cuencas excedentarias a cuencas demandantes.

En el Plan Nacional de Adaptación al Cambio Climático 2021-2030, se aborda la problemática del agua y los recursos hídricos[450] y contiene una línea de acción para hacer frente a los riesgos por inundaciones. Dicho riesgo se aborda a través de un instrumento en nuestro país: los Planes de

---

449 En estas regiones se observa una alta concentración demográfica, y su importancia es fundamental para la dinámica económica europea.

450 Ministerio para la Transición Ecológica y el Reto Demográfico (MITECO). (2021). Plan Nacional de Adaptación al Cambio Climático, 2021-2030 (N.º de ISBN: 978-84-18508-32-5, págs. 57, 103-113).

Gestión del Riesgo de Inundaciones (PGRI), que deben coordinarse con los planes hidrológicos de cuenca (PHC)[451].

La Comisión Europea comunicó al Parlamento Europeo, al Consejo, al Comité Económico y Social Europeo, así como al Comité de las Regiones, entre otras consideraciones que la inacción no es una alternativa. Además de que el coste de la inacción es muy superior a encarar el problema, advertía de las consecuencias de mirar hacia otro lado, dado que las consecuencias podrían ser "terribles"[452]. Así, señala entre otras, que las próximas generaciones tendrán que soportar tormentas, incendios, sequías e inundaciones que se sucederán con mayor frecuencia e intensidad, sin contar los conflictos que podrían derivarse de tales situaciones. Continúa la Comisión la senda establecida en el Pacto Verde Europeo[453], como eje de una profunda transformación de las políticas que se venían promoviendo en la UE, y reconoce la necesidad de hacer un uso coherente de los instrumentos de regulación y normalización, así como las reformas nacionales. El objetivo del Pacto Verde no es otro que proteger, mantener y mejorar nuestros activos naturales, así como "proteger la salud y el bienestar de los ciudadanos frente a los riesgos y efectos medioambientales"[454]. Los ecosistemas[455] ayudan a paliar los efectos de las catástrofes, de ahí la necesidad de preservarlos. Y los sistemas financieros deben ser examinados, al objeto de verificar "cómo puede contribuir nuestro sistema financiero a aumentar la resiliencia frente a los riesgos climáticos y medioambientales, en particular en lo que se refiere a los riesgos físicos y los daños provocados por catástrofes naturales"[456]. Para lograr los objetivos programados, la UE debe mejorar su capacidad de predicción y gestión [457] de las catástrofes medioambientales, con especial atención a las regiones ultrape-

---

451 Los organismos responsables en España son: Organismos de cuenca, CCAA en planes de cuencas intracomunitarias, DG Agua (MITERD), OECC, DG Costa y Mar (MITERD), AEMET, DGPCE (MIR), CCAA y EELL.

452 Comisión Europea. (2021, 14 de julio). Comunicación de la Comisión al Parlamento Europeo, al Consejo, al Comité Económico y Social Europeo y al Comité de las Regiones. "Objetivo 55": Cumplimiento del objetivo climático de la UE para 2030 en el camino hacia la neutralidad climática (COM (2021) 550 final, pp. 1).

453 Comisión Europea. (2019, 11 de diciembre). Comunicación de la Comisión al Parlamento Europeo, al Consejo, al Comité Económico y Social Europeo y al Comité de las Regiones. "El Pacto Verde Europeo" (COM (2021) 640 final, pp. 4-5).

454 Ibidem pp. 2

455 Ibidem pp. 15

456 Ibidem pp. 20

457 Ibídem pp. 22

riféricas, dada su vulnerabilidad. Es por ello que se especifica claramente[458] que la Comisión y los Estados miembros deberán garantizar la aplicación y el cumplimiento efectivo de las políticas y la legislación, e incluso que la Comisión se reserva la posibilidad de revisar el Reglamento Aarhus[459] para que aquellos ciudadanos u ONG que tengan dudas de que se esté actuando conforme a derecho en materia de medio ambiente, tengan a su disposición los mecanismos de recurso administrativo y judicial al nivel de la UE.

El Grupo Intergubernamental de Expertos sobre el Cambio Climático de la Organización de Naciones Unidas (IPCC), formuló el pasado 9 de agosto de 2021 un comunicado de prensa[460] en el que alertaba sobre el panorama inmediato, de no adoptarse medidas para frenar las variaciones en el clima de la Tierra.

No somos ajenos a estos cambios[461]; se prevé que un aumento del calentamiento global en 1,5°C traerá consigo un incremento de las olas de calor, alargamiento de las estaciones cálidas y reducción de las frías; mientras que, si el incremento es de 2°C, el calor extremo afectará sustancialmente a la agricultura y la salud.

Pero como bien indica el IPCC, esto no tiene únicamente incidencia en un incremento de la temperatura, sino que va más allá. Afecta al ciclo hidrológico, a los patrones de precipitación, al nivel del mar, al deshielo, al calentamiento y acidificación de los océanos, al calor en las ciudades, y a inundaciones derivadas de precipitaciones intensas, así como a un incremento del nivel del mar en ciudades costeras. Esta información, que la tenemos a mano en una visión interactiva que nos proporciona el Grupo de Trabajo I del IPCC[462], debería al menos llevarnos a una reflexión profunda, dado que "el aumento de la temperatura amenazará nuestra existencia sobre el

---

458 Ibídem pp. 27

459 Diario Oficial de la Unión Europea. (2006, 6 de septiembre). Reglamento (CE) No 1367/2006 del Parlamento Europeo y del Consejo de 6 de septiembre de 2006, relativo a la aplicación, a las instituciones y a los organismos comunitarios, de las disposiciones del Convenio de Aarhus sobre el acceso a la información, la participación del público en la toma de decisiones y el acceso a la justicia en materia de medio ambiente.

460 Grupo Intergubernamental de Expertos sobre el Cambio Climático de la ONU. (2021). *El cambio climático es generalizado, rápido y se está intensificando.* https://www.ipcc.ch/site/assets/uploads/2021/08/IPCC_WGI-AR6-Press-Release-Final_es.pdf

461 Naciones Unidas. (24 de septiembre de 2021). Desafíos Globales, Cambio Climático. https://www.un.org/es/global-issues/climate-change

462 IPCC Working Group I (WGI). (24 de septiembre de 2021). IPCC WGI Interactive Atlas. https://interactive-atlas.ipcc.ch/

planeta".[463] Una existencia que se verá golpeada en un abanico de derechos humanos de los que ahora gozamos: "derecho a la vida, el derecho a una alimentación adecuada, el derecho al disfrute del más alto nivel posible de salud física y mental, el derecho a una vivienda adecuada, el derecho a la libre determinación, el derecho al agua potable y al saneamiento, el derecho al trabajo y el derecho al desarrollo".[464] Sobre este aspecto importante de preservación de los derechos humanos, hay un consenso que crece día a día.[465] Más aún, como ha señalado Mary Robinson, el cambio climático podría llegar a ser "la mayor amenaza a los derechos humanos en el siglo XXI".[466]

El Informe de Síntesis del Sexto Informe de Evaluación (AR6) del IPCC ofrece una visión global del estado actual del cambio climático, sus impactos y riesgos, así como de las respuestas de mitigación y adaptación. Reconoce la interdependencia entre clima, ecosistemas, biodiversidad y sociedades humanas, subrayando el vínculo entre acción climática, salud de los ecosistemas, bienestar y desarrollo sostenible. Además, resalta la importancia de incorporar diversos saberes y actores en la gobernanza climática, formulando sus hallazgos mediante un lenguaje calibrado y niveles de confianza que dotan de rigor científico y utilidad política a sus recomendaciones.

Fruto del Pacto Verde, y del Informe Especial de 2018 del Grupo Intergubernamental de Expertos sobre el Cambio Climático (IPCC) y para dar respuesta a los retos del clima y el medio ambiente, es por lo que se aprobó la primera "Ley Europea del Clima" [467]. Se trata de frenar los crecientes riesgos[468] para la salud que tienen relación con el clima; comprendiendo las olas de calor, los incendios de nuestros bosques y las inundaciones. Se incorpora al texto del

---

463 Lee, H. (2019, 2 de diciembre). Sesión Inaugural de la Conferencia de la ONU sobre el Cambio Climático, COP25 [Discurso]. Madrid.

464 Asamblea General de Naciones Unidas. (12 de julio de 2019). Resolución aprobada por el Consejo de Derechos Humanos: Los derechos humanos y el cambio climático. https://undocs.org/es/A/HRC/RES/41/21

465 Burger, M., & Wentz, J. (2015). Climate Change and Human Rights. En M. Faure (Ed.), Elgar Encyclopedia of Environmental Law (pp. 198-205).

466 Robinson, M. (2014). Social and Legal Aspects of Climate Change. Journal of Human Rights and Environment, 5, 15.

467 Diario Oficial de la Unión Europea. (2021, 30 de junio). Reglamento (UE) 2021/1119 del Parlamento Europeo y del Consejo de 30 de junio de 2021 por el que se establece el marco para lograr la neutralidad climática y se modifican los Reglamentos (CE) no 401/2009 y (UE) 2018/1999 ("Legislación europea sobre el clima").

468 Si bien en el Pacto Verde se hablaba de catástrofes, en este Reglamento no se mencionan los términos desastres/catástrofes. Se refieren únicamente a riesgos.

Reglamento, la "aparición y propagación de enfermedades infecciosas", de la que hasta entonces se había ocupado la normativa europea con poca frecuencia, pero que a causa del COVID cobra presencia y actualidad. En definitiva, el objetivo es proteger a las personas y al planeta, con una reducción gradual irreversible, y autorreconociendo el liderazgo mundial, también con su ejemplo se busca elevar la ambición mundial en la materia. En esta norma sobre el Clima, no se menciona en ningún caso la palabra desastre/catástrofe, de modo directo, aunque sí de modo indirecto: "fortalecer la resiliencia y reducir la vulnerabilidad al cambio climático"[469], ya que una vulnerabilidad no corregida puede permitir que una situación de riesgo se convierta en catástrofe, y menciona entre otras el calor extremo, las inundaciones, las sequías, la falta de agua, incremento del nivel de mares y océanos, incendios forestales, vendavales etc. A más tardar en 2050, será necesario alcanzar la neutralidad climática.

Hasta el 30 de septiembre de 2023, y posteriormente cada cinco años, la Comisión evaluará las medidas o propuestas legislativas impulsadas por los Estados tendentes a alcanzar la neutralidad climática fijada, cuyos resultado hará públicos, pudiendo realizar recomendaciones.[470] Y ello porque los Estados tienen obligaciones que cumplir y medidas que implementar[471], porque los impactos del cambio climático pueden evitarse, o al menos reducirse, por ejemplo, evitando el desarrollo de edificaciones en llanuras de inundación o zonas costeras que pueden verse afectadas por el aumento del nivel del mar, o con la puesta en marcha de sistemas de alerta temprana que disminuyan la vulnerabilidad a las poblaciones frente a fenómenos meteorológicos extremos[472]. Y ello puede impulsarlo el Estado de manera autónoma o en cooperación con otros Estados, teniendo presente que la adaptación, por sí sola, no podrá neutralizar por completo los efectos del cambio climático. De ahí la necesidad de que adaptación y mitigación actúen de forma complementaria, como estrategias inseparables orientadas a un mismo fin[473], cuyos resultados sólo podrán alcanzarse plenamente a largo plazo.

---

469 «Legislación europea sobre el clima». Ibidem, apdo. 32 y art. 7 del Acuerdo de París.

470 «Legislación europea sobre el clima». Ibidem, arts. 6 y 7.

471 Ver H.R. Council Res. 41/21, para. 2, UN Doc. A/HRC/RES/41/2 (July 23, 2019); CESCR, Statement on Climate Change, supra note 12, para. 7; Boyle, Climate Change, the Paris Agreement and Human Rights, supra note

472 Ver generalmente Field, et al., supra note 37, at 85–92

473 Field et al., supra nota 37, en la página 62. Ottmar Edenhofer, et al., Resumen Técnico, en Cambio Climático 2014: Mitigación del Cambio Climático: Contribución del Grupo de Trabajo III al Quinto Informe de Evaluación del Panel Intergubernamental sobre el Cambio Climático, en la página 33, 50 (editado por Ottmar Edenhofer, et al., 2014).

El impacto del cambio climático tendrá, según algunos estudios científicos, un alto impacto en la zona del Mediterráneo.

En un informe elaborado por McKinsey Global Institute en enero de 2020, se explican detalladamente los efectos directos del cambio climático en algunos supuestos.[474] En dicho informe se representaban dichos efectos y cómo pueden manifestarse de modo no lineal al cruzar determinados umbrales, lo que se conoce como "puntos de inflexión" o "umbrales críticos". Así, si analizamos el impacto del calor en el trabajo al aire libre, observamos que a medida que la temperatura del bulbo húmedo (una medida que combina temperatura y humedad) aumenta, la capacidad de trabajo disminuye de un modo no lineal. Hay un umbral crítico que se produce alrededor de los 35°C, donde la capacidad de trabajo cae de modo muy importante hasta volverse peligrosa y potencialmente letal para las personas sanas si no se descansa a la sombra. El impacto de las inundaciones en una estación de tren del Reino Unido ilustra a modo de ejemplo la afectación en los activos de una estación de tren que aumenta ligeramente con la profundidad de la inundación hasta que alcanza un punto crítico, tras el cual el impacto económico se dispara de manera exponencial. En el caso del efecto de la sobrecarga de la línea en una red eléctrica, se indica que la probabilidad de fallo de la misma se mantiene baja con el aumento de la carga hasta que alcanza un punto en el que, al superar un cierto porcentaje de su capacidad nominal, la probabilidad de disparo o fallo de la línea se incrementa de modo importante. Y por último, el impacto de la temperatura en el rendimiento de los cultivos de maíz: la tasa de crecimiento reproductivo del maíz mejora con el aumento de la temperatura del aire hasta alcanzar los 20°C, sin embargo, al superar dicho umbral fisiológico, el rendimiento cae progresivamente de modo drástico, lo que nos hace concluir que el maíz tiene una tolerancia óptima de temperatura y cualquier incremento por debajo o por encima de este rango puede ser perjudicial para su evolución y rendimiento. En conclusión, los efectos del cambio climático muestran una respuesta inicial gradual a los cambios ambientales, a los que suceden dramáticos cambios una vez que se cruzan determinados umbrales críticos. La no adaptación a estos umbrales tiene efectos severos, de ahí que sea importante identificar y entender estos umbrales para mejorar la planificación de la adaptación al cambio climático.

Establecida la interrelación existente entre el cambio climático y los fenómenos extremos, cuyo impacto es cada vez más intenso, persistente y

---

474 McKinsey Global Institute. (2020, enero). Climate risk and response: Physical hazards and socioeconomic impacts https://mck.co/3W6mhgf.

agravante del riesgo para la vida humana y los daños materiales, es imperativo concluir que la protección civil ha de ser un agente activo en esta tarea colectiva de combatir el cambio climático. No debemos olvidar que, dadas las características de la cuenca mediterránea y las proyecciones de riesgo futuro, nuestro rol debe adquirir inevitablemente un papel protagonista.

Por tanto, en línea con las Conclusiones del Consejo[475] sobre las acciones de protección civil frente al cambio climático, se sugiere promover los siguientes objetivos mediante el Consejo y la Comisión, invitando a los Estados a cooperar con la Comisión:

- Promover el principio de solidaridad dentro y fuera de las fronteras de la Unión Europea.
- Proteger a los ciudadanos, el medio ambiente y los bienes, incluyendo el patrimonio cultural.
- Involucrar a los ciudadanos y voluntarios, para fomentar una ciudadanía activa, fortaleciendo así la democracia y la cohesión social.
- Preparar a los Estados y a las Instituciones para responder eficazmente ante grandes catástrofes que sean multisectoriales y transfronterizas, con efectos en cascada y con potencial de afectación severa a la vida humana, las actividades humanas y la biodiversidad.
- Adoptar un enfoque sistémico y proactivo que abarque todas las fases de la gestión de las catástrofes.
- Compartir conocimientos técnicos y operativos, así como fomentar la innovación a nivel de los Estados miembros de la Unión y la Comisión.
- Asegurar que la lucha contra el cambio climático por parte de Instituciones y Estados de la Unión complemente los esfuerzos en el ámbito de la gestión de catástrofes.
- Asegurar capacidades adecuadas para intervenciones a nivel internacional, y especialmente cuando la situación sobrepasa la capacidad de respuesta de cualquier Estado miembro de la Unión.
- Fomentar una cultura europea de protección civil, utilizando el Mecanismo Europeo de Protección Civil como principal punto de encuentro y colaboración.

---

475 Conclusiones del Consejo sobre las acciones de protección civil frente al cambio climático (2022/C 322/02). Diario Oficial de la Unión Europea, de 26 de agosto de 2022. https://bit.ly/3ZEIJzn

- Promover acciones preventivas y de preparación ante riesgos frecuentes como inundaciones e incendios forestales, los cuales están incrementando su presencia en nuestro entorno.
- Desarrollar las capacidades de la Reserva Europea de Protección Civil y de rescEU, particularmente para afrontar riesgos identificados y emergentes[476], así como las deficiencias observadas, principalmente en el campo de los incendios forestales a través de medios aéreos, los incidentes de tipo químico, biológico, radiológico y nucleares[477]. Dar respuesta también en estos casos a las demandas de respuesta médica, así como la logística, el transporte y los refugios.
- Garantizar que las operaciones de protección civil sean sostenibles y respetuosas con el medio ambiente en todas sus fases.
- Potenciar la resiliencia de las poblaciones ante riesgos mediante la divulgación de información, formación y ejercicios específicos, así como fomentando el voluntariado.
- Integrar las respuestas espontáneas en las operaciones de emergencia, siempre que sea posible, a través de la coordinación efectiva con las autoridades locales.
- Facilitar la participación voluntaria de los ciudadanos en las operaciones de respuesta a catástrofes, estableciendo, de ser necesario, un marco jurídico adecuado.
- Incentivar la participación ciudadana para que los individuos se conviertan en agentes activos de su seguridad y resiliencia.
- Definir claramente los sistemas de alerta y las responsabilidades institucionales, aprovechando las tecnologías de la información y comunicación más avanzadas.
- Informar y concienciar a toda la población sobre los riesgos existentes, enfocándose particularmente en aquellas áreas más vulnerables

---

476 European Parliament and of the Council. (2013). Decision No 1313/2013/EU of 17 December 2013 on a Union Civil Protection Mechanism. *Official Journal of the European Union*, 20 December 2013. https://bit.ly/3WgfxM7

477 Comisión Europea. (2021). Decisión de Ejecución (UE) 2021/88 de 26 de enero de 2021 por la que se modifica la Decisión de Ejecución (UE) 2019/570 en lo que respecta a las capacidades de rescEU en el ámbito de los incidentes químicos, biológicos, radiológicos y nucleares [notificada con el número C(2021) 313]. *Diario Oficial de la Unión Europea*, 28 de enero de 2021.https://bit.ly/3knDfZR

al cambio climático. Esto incluye llevar a cabo acciones de formación y divulgación pública específicas para estas áreas.

Sin duda, estas acciones no deben descansar únicamente en el impulso del Consejo, la Comisión y los Estados. Las Comunidades Autónomas y las Entidades Locales, esenciales en nuestro Sistema de Protección Civil, también pueden contribuir significativamente a alcanzar estos objetivos. Además, dada su cercanía a los ciudadanos, su participación adquiere un mayor protagonismo y eficacia, especialmente cuando las iniciativas son promovidas por las administraciones públicas más cercanas a la población.

4.- PERSPECTIVAS FUTURAS SOBRE EL RIESGO DE DESASTRES

Frente a este panorama de creciente incertidumbre, y evitando la simplificación —tan frecuente como errónea— de atribuir toda catástrofe al cambio climático, diversas voces autorizadas abogan por situar la tecnología en el centro de la respuesta. Autores como Rockström[478] (2015), Smil[479] (2022) o Mann[480] (2021) sostienen que la innovación científica y tecnológica constituye una herramienta indispensable para anticipar, mitigar y adaptarse a los nuevos riesgos, siempre que se acompañe de políticas sostenibles y cooperación internacional (Sachs[481], 2020; Schellnhuber[482], 2019; Gates[483], 2021). En este sentido, la tecnología no sustituye a la acción climática, sino que la potencia y la orienta hacia una transición ecológica más eficiente y justa (Raworth[484], 2017).

Y ello derivado del hecho cierto de un agotamiento de los combustibles fósiles, que hay que lógicamente sustituir, a un ritmo conveniente y si es

---

478 Rockström, J., et al. (2015). *Planetary Boundaries: Guiding Human Development on a Changing Planet. Science,* 347(6223).

479 Smil, V. (2022). *How the World Really Works: The Science Behind How We Got Here and Where We're Going.* Viking.

480 Mann, M. E. (2021). *The New Climate War: The Fight to Take Back Our Planet.* PublicAffairs.

481 Sachs, J. D. (2020). *The Ages of Globalization: Geography, Technology, and Institutions.* Columbia University Press.

482 Schellnhuber, H. J. (2019). *Self-Inflicted Apocalypse? The Human Impact on Earth System Stability. Ambio,* 48(1), 1–11.

483 Gates, B. (2021). *How to Avoid a Climate Disaster: The Solutions We Have and the Breakthroughs We Need.* Alfred A. Knopf.

484 Raworth, K. (2017). *Doughnut Economics: Seven Ways to Think Like a 21st-Century Economist.* Chelsea Green Publishing.

por energías limpias[485], mejor. Si la tecnología se demuestra como aliado para prevenir las catástrofes, como así es indubitadamente, el derecho administrativo debe incorporar esto adecuadamente en su corpus normativo.

Bjorn Stevens[486], director del Instituto Max Planck de Meteorología, califica de "especulación" la idea de que el cambio climático sea un proceso irreversible, y su afirmación deriva de su convencimiento de que los científicos no saben lo que puede pasar en el futuro.[487] No obstante, desde su incredulidad en la capacidad de los gobernantes para adoptar medidas que den respuesta al problema, afirma que negarlo es despreciar la verdad[488], y propone cuatro acciones principales para abordar el reto: reducir las emisiones de CO2, apostar por energías alternativas, adoptar un nuevo modelo de movilidad y promover una organización de la sociedad que no perjudique a los más débiles. Señaló, y ello es importante en el campo que nos ocupa: "mantener la ciencia básica que nos permita la agilidad necesaria para lidiar con situaciones inesperadas que podrían ocurrir en el futuro".

No anda falto de razón Stevens, pues los factores que determinan las emisiones de CO2 hay que disminuirlos. Y llegados a este punto debemos conocer la expresión matemática del economista de la energía japonés, Yoichi Kaya[489], que formula lo que se ha venido a denominar la "identidad de Kaya"[490].

En virtud de esta fórmula[491] (CO2 = (CO2/E) x (E/GDP) x (GDP/P) x P), el CO2 emitido depende básicamente del producto de cuatro vectores

---

485 Emanuel, K. (2021, 13 de octubre). "Cuando ocurre una catástrofe es fácil echarle la culpa al cambio climático". ABC, p. 43.

486 Stevens, B. es una de las mayores voces autorizadas en el mundo en materia de nubes, y dirige el Instituto Max Planck de Meteorología. Participó en la Cumbre del Clima de Madrid.

487 Stevens, B. (2019, 3 de diciembre). "No es cierto que estemos en un punto de no retorno respecto al cambio climático". El Mundo. https://acortar.link/4UF1au

488 Stevens, B. (2019, 23 de septiembre). "Negar el cambio climático es despreciar la verdad". EL Cultural. https://www.elespanol.com/el-cultural/ciencia/20190923/bjorn-stevens-negar-cambio-climatico-despreciar-verdad/431458007_0.html

489 Yoichi Kaya, Director General del Research Institute of Innovative Technology for the Earth (RITE) y Profesor Emérito de la Universidad de Tokyo. Ha sido Profesor de Ingeniería de la Universidad de Tokyo hasta 1995, y de la Universidad de Keio desde 1995 al 2000. Fue miembro del Club de Roma desde 1974 hasta 1992.

490 Kaya, Y., & Yokobori, K. (1997). Environment, energy, and economy: Strategies for sustainability. The United Nations University Press.

491 Donde E representa la energía consumida, GDP el producto interior bruto o valor agregado, y P la población.

considerados a nivel global: el crecimiento de la población, el Producto Interior Bruto (PIB) per cápita, Intensidad energética (o energía utilizada por unidad de PIB), y por último, la intensidad de carbono del mix energético (o lo que es lo mismo, emisiones de CO2 emitidas por unidad de energía consumida). Pero aún disponiendo de cuatro resortes para reducir las emisiones, las dos primeras se antojan difíciles en extremo.

La población mundial crece, y seguirá creciendo: en 1950 era de 2.600 millones de personas, en 1970 de 5.000 millones, en 1999 de 6.000 millones, en la actualidad hay 7.700 millones y se espera que en 2050 sea de 9.700 millones, pudiendo llegar a un pico de cerca de 11.000 millones para 2100.

Ajustar a la baja el PIB per cápita tampoco se acompaña con la tendencia global. En 1960 el PIB en el mundo era de 1,3 billones de dólares; en 1980 de 11,2 billones; en el 2000 de 33,5 billones; en 2015 de 75 billones; en 2018 de 85 billones, y la curva sigue ascendente en los próximos años. Una curva que tiene este comportamiento en todos y cada uno de los continentes, siendo más pronunciada en Asia Oriental y Pacífico, Europa y Norteamérica, y más aplanada, pero también creciente en América Latina y Caribe, Oriente Medio y África del Norte, Asia del Sur y África subsahariana[492]. Es obvio que frenar el desarrollo no es una opción para reducir emisiones de CO2.

Así que en el cuadro de mandos quedan los dos últimos factores de la fórmula de Kaya, que se centran en reducir la intensidad energética (producir con menor consumo) y la de carbono (descarbonizar el mix energético). Los ordenamientos jurídicos de los sistemas democráticos solo pueden intervenir efectivamente en esta parte de la ecuación, ya que intentar reducir los nacimientos y limitar voluntariamente el crecimiento económico entraría en conflicto directo con los derechos fundamentales de cualquier ser humano.

Según estimaciones de la consultora McKinsey, las emisiones globales de carbono alcanzarían su punto máximo en 2024, para luego disminuir progresivamente hasta situarse en torno al 20 % del nivel actual en 2050. Esta reducción se atribuye principalmente al descenso de la demanda de carbón —en torno al 40 % para mediados de siglo—, impulsado por la progresiva transición energética de China y la sustitución de este combustible por fuentes más limpias.[493] Mientras el consumo de electricidad se duplicará hasta 2050, se prevé que las energías renovables compensen más del 50 % de la generación para 2035. Según

[492] Banco Mundial. (2000, 8 de abril).

[493] Energy Insights by McKinsey. (2019, enero). Global Energy Perspective 2019: Reference Case. https://mck.co/3jLUxws

las proyecciones más recientes de McKinsey, la idea de que las emisiones globales de carbono alcanzarían su punto máximo en 2024 y descenderían en torno a un 20 % para 2050 han resultado ser excesivamente optimistas. Los escenarios actuales sitúan el "peak" de emisiones entre 2025 y 2035, condicionado por el grado de despliegue de tecnologías limpias y la ambición de las políticas climáticas. Asimismo, la magnitud de la reducción hacia mediados de siglo es incierta: en los escenarios más exigentes podría superar ese 20 %, pero en contextos menos ambiciosos el descenso sería insuficiente para cumplir con la trayectoria compatible con el Acuerdo de París. Todo ello subraya que la evolución de las emisiones dependerá de decisiones políticas inmediatas, inversiones masivas en descarbonización y la capacidad de transformar sectores de difícil abatimiento como la industria pesada, el transporte marítimo y la aviación.

En el estudio de McKinsey -recordemos que fue elaborado en 2019- se preveía un aumento del uso del gas en su participación en el total de la demanda de energía hasta 2035, aunque con un crecimiento decreciente en sus tasas, así como la aparición de estancamientos.[494] Este pronóstico reflejaba bien la visión previa a la crisis energética de 2022, cuando el gas natural aún se concebía como combustible de transición en el proceso de descarbonización. Sin embargo, la invasión de Ucrania y la consiguiente volatilidad en los mercados energéticos han acelerado tanto la búsqueda de alternativas renovables como la diversificación de proveedores, cuestionando la solidez de aquellas proyecciones. De este modo, la expectativa de un crecimiento sostenido del gas hasta 2035 ha quedado matizada por la evidencia de que factores geopolíticos, regulatorios y tecnológicos pueden alterar con rapidez las trayectorias previstas en los escenarios energéticos globales.

Para la copresidenta del último informe del Grupo I del principal panel de expertos sobre cambio climático, el IPCC, Valérie Masson-Delmotte[495]: "la escala y velocidad de los cambios actuales suponen una ruptura con respecto a las variaciones climáticas naturales de los últimos milenios. El calentamiento del último siglo es inédito en más de 2.000 años"[496]. Es por ello que concluye que habrá eventos más intensos y frecuentes, ya que "corremos detrás del clima". Y hace una invitación a actuar, pues nuestras infraestructuras o nuestras

---

494 Hemos comprobado las turbulencias económicas derivadas del uso del gas y la dependencia de nuestro país de terceros países con la que terminamos 2021, acrecentadas por la rivalidad de Argelia y Marruecos.

495 Paleoclimatóloga francesa. Es directora de investigación en la Comisión de Energía Atómica y Energías Alternativas y copresidenta del primer grupo del Grupo Intergubernamental de Expertos sobre el Cambio Climático (GIEC) desde 2015

496 Masson-Delmotte, V. (2021, 31 de octubre). Corremos tras el clima. Nuestra agricultura y las infraestructuras no están adaptadas. El País, p. 26.

prácticas agrarias actuales no están adaptadas al nuevo escenario climático. Propone como ejemplo las edificaciones, aún diseñadas con estándares climáticos de hace un siglo, lo que equivale a no mirar hacia adelante, sino a avanzar guiándose únicamente por el espejo retrovisor.

Un grupo de científicos[497] propuso un grupo de límites del sistema terrestre (ESB), seguros y justos para el clima, la biosfera, el agua dulce, los nutrientes y también la contaminación del aire del planeta a distintas escalas.

La conclusión es que solo uno de los ocho Escenarios de Balance Energético (Energy Supply Balance) es seguro, lo que resulta en una transgresión más acentuada en unas zonas del planeta que otras, aunque afectando al 86% de la población mundial. Las principales transgresiones se experimentan en las regiones de mayor densidad de población. Esto indica que los umbrales ambientales establecidos por este grupo han sido superados[498].

La Unión Europea viene tomando nota de estudios como el mencionado anteriormente, razón por la cual en el Plan de Recuperación de la UE (NextGenerationUE), se destinará un 37% de los recursos asignados a la transición verde. El Plan de Objetivo Climático para 2030[499] muestra que estamos ante una oportunidad para el crecimiento económico, ya que, a pesar de haber reducido las emisiones un 24% desde 1990, la economía europea ha crecido más del 62%, lo que acredita que la reducción de emisiones no frena el crecimiento económico ni la competitividad. La Comisión Europea ha constatado que, aunque el Pacto Verde avanza de forma significativa —con más de la mitad de sus objetivos en marcha y alrededor de un tercio en vías de alcanzarse—, el ritmo actual no garantiza aún el cumplimiento de las metas fijadas para 2030, en especial la reducción del 55 % de emisiones respecto a 1990. Persisten carencias en sectores clave como las infraestructuras energéticas, el consumo de recursos y la descarbonización industrial, lo que ha llevado al Ejecutivo comunitario a reclamar un esfuerzo adicional de los Estados miembros y a impulsar medidas de apoyo como el Plan Industrial del Pacto Verde. Todo ello refleja una brecha entre ambición y ejecución

---

497 Rockström, J., Gupta, J., Qin, D., et al. (2023, 31 de mayo). Safe and just Earth system boundaries. Nature. https://doi.org/10.1038/s41586-023-06083-8

498 Earth Commission, Global Commons Alliance. (Fecha no especificada). Grupo internacional en el que participan destacados científicos y que cuenta con cinco grupos de trabajo, entre ellos, la Comisión de la Tierra, coordinada por el profesor Rockström. https://earthcommission.org/

499 COM (2020) 562 final.

que, de no corregirse, podría comprometer tanto los objetivos intermedios como la credibilidad de la senda hacia la neutralidad climática en 2050.

Desde una perspectiva puramente utilitarista, los costes de la acción de mitigación se justifican por sus beneficios: la humanidad estará mejor invirtiendo en medidas para reducir las emisiones de GEI que soportar unos impactos en materia de clima cada vez más severos.[500] Pero el resultado de las políticas legislativas de un Estado, circunscritas a un territorio, no pueden por sí solas tener el resultado deseado, ya que el cambio climático tiene un alcance global.[501] Existe el riesgo de poner en marcha marcos normativos que ofrezcan resultados tangibles para la población (formación de seguridad, sistemas de alerta, etc.), abrazando una visión antropocéntrica e individualista,[502] y por lo tanto, alejarse de una "obligación colectiva".[503]

En general, el derecho internacional de los derechos humanos promueve el estímulo de que cada estado proteja los derechos de las personas dentro de su territorio, en lugar de cooperar sobre el bien común global. Esta fricción entre intereses nacionales y cooperación internacional no se

---

500 Burke, M., Hsiang, S., & Miguel, E. (2015). Global Non-linear Effect of Temperature on Economic Production. Nature, 527, 235. [La sugerencia es que la inacción climática costaría a la humanidad alrededor del 23% del ingreso global para el año 2100]. Nordhaus, W. D. (2013). The Climate Casino: Risk, Uncertainty and Economics for a Warming World (pp. 205–219).

501 ICCPR (Pacto Internacional de Derechos Civiles y Políticos), supra nota 33, Artículo 2(1). ECHR (Convenio Europeo de Derechos Humanos), supra nota 58, Artículo 1. Milanović, M. (2011). Extraterritorial Application of Human Rights Treaties, p. 263. Consultar en general la III.B.1 infra. Este problema se aplica a fortiori en relación con los derechos constitucionales, que los estados no suelen tratar de aplicar a los no nacionales fuera de su territorio. Ver, e.g., Agency for International Development v. Alliance for Open Society International Inc., 140 S. Ct. 2082, 2086 (2020). Ver también Natur og Ungdom, supra note 17, para. 149 (señalando que el derecho constitucional a un medio ambiente sano "generalmente no protege contra actos y efectos fuera del Reino de Noruega").

502 Benoit, M. (2021). *Climate change mitigation as an obligation under human rights treaties? American Journal of International Law, 115*(3), 409–451. https://doi.org/10.1017/ajil.2021.22

503 Huggins, A. (2018). The Evolution of Differential Treatment in International Climate Law: Innovation, Experimentation, and "Hot" Law. Climate Law, 8, 195-204. Peel, J. (2017). Climate Change. En A. Nollkaemper & I. Plakokefalos (Eds.), The Practice of Shared Responsibility in International Law (pp. 1009-1024). Bodansky, D. (2016). The Legal Character of the Paris Agreement. Review of European, Comparative & International Environmental Law, 25, 142-145. Rajamani. (Fuente no especificada). Página 503. Voigt, C. (2016). The Paris Agreement: What Is the Standard of Conduct for Parties? Questions of International Law, 26, 17.

resolverá mediante el reconocimiento de nuevos derechos (por ejemplo, a un medio ambiente saludable o un clima sostenible)[504], la identificación de titulares de derechos ficticios (por ejemplo, "generaciones futuras" o "Madre Tierra")[505], ni extendiendo la aplicación extraterritorial de derechos humanos utilizándolos como un caballo de Troya al servicio de objetivos ajenos. La única vía de éxito es la cooperación.[506]

Esta amenaza se expresa en el Informe Anual de Indicadores de Amenazas que elabora la Oficina del Director de Inteligencia Nacional de Estados Unidos[507]: "también es probable que los crecientes efectos físicos del cambio climático intensifiquen o provoquen focos geopolíticos internos y transfronterizos... Las catástrofes relacionadas con el clima en los países de renta baja agravarán los problemas económicos, aumentarán el riesgo de conflictos intercomunitarios por los escasos recursos e incrementarán la necesidad de ayuda humanitaria y financiera." Este informe en el apartado de Cambio Climático señala también que: "Las sequías de 2022 redujeron la capacidad de transporte marítimo y la generación de energía en China, Europa y Estados Unidos, y las pérdidas aseguradas por catástrofes han aumentado un 250% en los últimos 30 años". Para la Oficina del Director de Inteligencia, las consecuencias del incremento de las temperaturas agravarán los riesgos para el ser humano, sin distinción de renta.

4.1. Innovación tecnológica

El verano de 2025 —con más de 411.000 hectáreas calcinadas, diez veces más que el año anterior— ha impulsado una aceleración tecnológica sin precedentes en la gestión del riesgo forestal. España se ha convertido en referente europeo en la integración de inteligencia artificial, sensorización ambiental y

---

504 Boyd, D. R. Catalyst for Change: Evaluating Forty Years of Experience in Implementing the Right to a Healthy Environment. En [nombre del libro o publicación donde se encuentra la fuente], 17, p. 41.

505 UNFCCC (Convención Marco de las Naciones Unidas sobre el Cambio Climático), supra nota 1, preámbulo, párrafo 24.

506 Mayer, B. (s/f). Climate Change Mitigation as an Obligation Under Human Rights Treaties? Publicado por Cambridge University Press en nombre de The American Society of International Law. doi:10.1017/ajil.2021.9

507 Office of the Director of National Intelligence. Annual Threat Assessment of the U.S. Intelligence Community (Informe de Evaluación Anual de Amenazas de la Comunidad de Inteligencia de los Estados Unidos). https://www.intelligence.gov/annual-threat-assessment

comunicaciones satelitales para la detección temprana de incendios, situando la tecnología al servicio de la prevención administrativa y de la resiliencia climática.

El proyecto Bseed WATCH, desarrollado por Hispasat en colaboración con Pyro Fire Extinction, constituye un modelo pionero de infraestructura pública de observación preventiva. A través de una red de sensores que recopilan datos en tiempo real —temperatura, humedad, concentración de CO_2, dirección y velocidad del viento, y presión atmosférica—, combinados con imágenes satelitales y cámaras térmicas, el sistema genera mapas dinámicos de riesgo con una proyección predictiva de diez días. La información, transmitida mediante enlaces satelitales seguros, permite emitir alertas automáticas y georreferenciadas a los servicios de emergencia y autoridades competentes, mejorando sustancialmente los tiempos de respuesta.

El componente de inteligencia artificial posibilita una detección inmediata y contextual, capaz de reconocer la vegetación, las condiciones meteorológicas y los patrones térmicos del terreno, anticipando focos antes de que el fuego sea visible. En julio de 2025, el sistema detectó de forma temprana un incendio en Caminomorisco (Cáceres), emitiendo alertas precisas sobre la hora, coordenadas y previsión meteorológica a 72 horas. Este precedente demostró la viabilidad operativa de un modelo predictivo descentralizado, plenamente integrado en la red de protección civil mediante interoperabilidad satelital[508].

De forma paralela, el grupo Indra/Minsait[509] desarrolla soluciones de integración digital avanzada orientadas a la predicción y respuesta rápida coordinada, basadas en analítica de datos, modelos de simulación y automatización de procesos de emergencia. Estas iniciativas convergen en un nuevo enfoque de "resiliencia inteligente", en el que la anticipación tecnológica se configura como función pública esencial, y la detección temprana se incorpora al deber jurídico de prevención establecido en el artículo 3 de la Ley 17/2015, del Sistema Nacional de Protección Civil[510].

En definitiva, la experiencia española de 2025 demuestra que la resiliencia climática no depende exclusivamente de la capacidad de extinción o de la restauración postincendio, sino de la existencia de infraestructuras tecnológicas

---

508 Hispasat & Pyro Fire Extinction. (2025). *Bseed WATCH: Sistema integrado de detección temprana de incendios forestales mediante sensorización e inteligencia artificial.* Madrid: Hispasat.

509 Indra/Minsait. (2025). *Soluciones de resiliencia inteligente y predicción avanzada para la gestión de emergencias.* Madrid: Indra Sistemas S.A.

510 Ministerio para la Transición Ecológica y el Reto Demográfico (MITECO). (2025). *Informe sobre la campaña de incendios forestales 2025.* Gobierno de España.

públicas y privadas interconectadas, que garanticen la anticipación como obligación jurídica, y no como mera posibilidad técnica. Este modelo, en el que la tecnología se convierte en instrumento normativo de prevención, sienta las bases de una administración proactiva frente al riesgo climático en el siglo XXI[511].

Por tanto, las catástrofes climáticas en los países de renta baja agravarán las tensiones sociales, los conflictos por los recursos y la demanda de ayuda humanitaria, mientras las sequías y fenómenos extremos ya están afectando al transporte, la energía y los sistemas de producción global. En apenas tres décadas, las pérdidas aseguradas por catástrofes naturales se han incrementado en un 250 % como señalamos, reflejando una tendencia estructural que trasciende fronteras, ideologías y niveles de renta.

Frente a este escenario, el Derecho internacional se encuentra ante una encrucijada: o se repliega en el marco clásico de la soberanía, o se transforma en un instrumento de gobernanza cooperativa capaz de integrar la acción climática, la seguridad y la dignidad humana. De esa elección dependerá que la protección de los derechos humanos deje de ser un principio declamado para convertirse en una práctica global efectiva frente a la amenaza más transversal de nuestro tiempo: la crisis climática.

---

511 Íbidem: "Es probable que la intensificación de los efectos del cambio climático agrave los riesgos para la salud humana, sobre todo, aunque no exclusivamente, en los países de renta baja y media. El aumento de las temperaturas, los cambios en los regímenes de precipitaciones y el aumento de las temperaturas, los cambios en los patrones de precipitaciones y la mayor frecuencia y gravedad de los fenómenos meteorológicos se combinen con la degradación medioambiental, la contaminación y la mala gestión del agua para exacerbar la inseguridad alimentaria e hídrica, la malnutrición y la carga global de morbilidad.
El calor extremo, las presiones demográficas y los cambios en las precipitaciones debidos al cambio climático están afectando negativamente a la producción agrícola y alimentaria en muchas zonas del mundo."

Capítulo 2.
Marco jurídico nacional e internacional

1.- LEGISLACIÓN ESPAÑOLA APLICADA A CATÁSTROFES

1.1.- Ley 17/2015 del Sistema Nacional de Protección Civil

La Ley del Sistema Nacional de Protección Civil[512] vigente (Ley 17/2015, de 9 de julio), sucede a la Ley 2/1985[513], de 21 de enero, de Protección Civil. Las numerosas disposiciones reglamentarias posteriores a esta última, como la Norma Básica de Protección Civil[514] y la Norma Básica de Autoprotección[515], además de las Directrices Básicas de planificación y planes de emergencia sobre riesgos específicos, justificaban el cambio realizado.

Resulta especialmente relevante que la Ley de 1985 incorporara ya una visión innovadora al ajustarse al modelo del Estado de las Autonomías, estableciendo mecanismos de coordinación entre las distintas administraciones públicas para la gestión de emergencias en el ámbito de la protección civil. Esta ley contribuyó significativamente a la orientación y organización de los esfuerzos en el ámbito de la protección civil, marcando un precedente para la adaptación legislativa a un contexto de paz, alejándose de las antiguas prácticas centradas en la defensa pasiva ante riesgos bélicos, tema abordado en los antecedentes históricos de la tesis doctoral, base de esta publicación.

Esta transición legislativa refleja una evolución natural del Derecho Administrativo hacia un enfoque más integrador y adaptativo, que considera

---

512 Ley 17/2015, de 9 de julio, del Sistema Nacional de Protección Civil. https://www.boe.es/buscar/act.php?id=BOE-A-2015-7730

513 Ley 2/1985, de 21 de enero, sobre protección civil. https://www.boe.es/buscar/doc.php?id=BOE-A-1985-1696

514 RD 524/2023, de 20 de junio, por el que se aprueba la Norma Básica de Protección Civil. https://www.boe.es/buscar/act.php?id=BOE-A-2023-14679

515 Real Decreto 393/2007, de 23 de marzo, por el que se aprueba la Norma Básica de Autoprotección de los centros, establecimientos y dependencias dedicados a actividades que puedan dar origen a situaciones de emergencia. https://www.boe.es/buscar/act.php?id=BOE-A-2007-6237

tanto la diversidad territorial como la especificidad de las situaciones de emergencia contemporáneas. Además la ley actual fortalece la base legal para una cooperación más efectiva entre los diferentes niveles de gobierno en España, consolidando un marco más robusto para la protección civil en el marco de un sistema democrático y descentralizado.

Tras treinta años pues, con riesgos en evolución, avances tecnológicos y nuevos enfoques tanto organizativos como en la gestión de los servicios de protección civil se recomendaba reforzar el marco jurídico. Los pilares fundamentales en este esfuerzo de fortalecimiento fueron la prevención, la integración, la coordinación y la eficiencia en las actuaciones de las distintas administraciones públicas dentro de sus competencias, bajo el amparo de un verdadero sistema: el Sistema Nacional de Protección Civil. Aunque era posible optar por una normativa que expandiera o modificara lo establecido en la Ley 2/1985, se prefirió elaborar una nueva norma que reemplazara a la anterior, considerando nuevos factores:

a) El contexto de la protección civil ha experimentado una evolución desde 1985. Existe un mayor entendimiento de los riesgos y un estudio más profundo de las catástrofes. Hay una preocupación primordial por los afectados y por el desarrollo de los países (según el Banco Mundial, el impacto de las catástrofes naturales en un año puede representar hasta el 0,6% del PIB global, alcanzando hasta un 5% en eventos específicos como el tsunami de 2011 en Japón). Se anticipa una tendencia ascendente debido a lo que se denomina "potenciadores de riesgo[516]" o "factores subyacentes[517]". Es relevante destacar que, gracias a la mejora en la gestión de riesgo y emergencias, se ha logrado reducir significativamente[518] el número de víctimas mortales en los países desarrollados[519].

---

516 Instituto Español de Estudios Estratégicos. (Febrero de 2013). Los potenciadores de riesgos. Cuadernos de Estrategia, (159). ISBN: 978-84-9781-787-5. Entre los potenciadores que aborda la obra, se encuentran: los desequilibrios demográficos, la pobreza y la desigualdad, el cambio climático, etc.

517 Naciones Unidas. (2011). Informe de Evaluación global sobre la reducción del riesgo de desastres 2011. ISBN 978-92-1-332020-4: "Los factores subyacentes del riesgo como la pobreza, el desarrollo urbano y regional mal planificado y gestionado y la degradación de los ecosistemas, siguen aumentando el riesgo." Pág. 18

518 Dimitrova, M. (2024). Classifying disaster risk reduction strategies. Progress in Disaster Science, 22, 100324. https://link.springer.com/content/pdf/10.1186/s12992-023-01006-8.pdf

519 El Atlas de la Organización Mundial de Meteorología sobre mortalidad y pérdidas económicas debidas a fenómenos meteorológicos, climáticos e hidrológicos extre-

La percepción social del riesgo ha experimentado una transformación sustancial, de modo que soluciones que en el pasado se reputaban adecuadas resultan hoy insuficientes o incluso generadoras de nuevos problemas. Así ocurre con la tecnología, tradicionalmente concebida como herramienta esencial de protección, pero que en la actualidad se identifica también como fuente de riesgos emergentes. Este cambio doctrinal de calado ha desplazado el eje interpretativo desde un enfoque predominantemente tecnocrático, característico del siglo pasado, hacia una concepción más integral en la que se subraya la dimensión sociológica del riesgo y su incidencia en la formulación y ejecución de las políticas públicas de protección civil. Así, se abre paso al término de resiliencia social, considerando a los ciudadanos mayores de edad, y al Estado se le reconoce la imposibilidad de dar todas las respuestas a todos los retos en materia de desastres, por lo que requiere de una correcta canalización de la contribución participativa de la sociedad civil[520].

Los ciudadanos son como indica el Profesor NEVADO-BATALLA el fundamento de la democracia y la dirección política en ningún caso les debe tener miedo, de ahí la conveniencia de fomentar su participación y espíritu crítico, y no su trato como si de un "ciudadano niño" se tratara[521].

Ello deriva en una mejora renovada de las políticas públicas para hacer frente a las situaciones de emergencias, donde la calidad, la eficiencia y la cooperación sean pilares esenciales.

Podríamos reseñar el Marco de Acción de Hyogo 2005-2015 en el espacio de la resiliencia de las Naciones y las sociedades ante los desastres, o la incorporación de la protección civil al Tratado de Lisboa en el año 2009. Ambos, se abordan en otro apartado de la Tesis. Pero conviene destacar el caso de

---

mos (19702019), en el planeta se contabilizaron más de 11 000 desastres atribuidos a dichos fenómenos, que ocasionaron algo más de 2 millones de víctimas mortales y pérdidas por valor de 3,64 billones de dólares.

520 Evaluación Global sobre la Reducción del Riesgo de Desastres. Secretario General de Naciones Unidas, 2013, Ban Ki-moon: "Las pérdidas económicas que ocasionan los desastres están fuera de control y sólo pueden reducirse en alianza con el sector privado, incluidos los bancos de inversión y las empresas aseguradoras. El sector privado realiza del 70 al 85 por ciento de todas las inversiones mundiales en nuevos edificios, diversas industrias y pequeñas y medianas empresas. Los mercados han asignado más valor a la rentabilidad a corto plazo que a la sostenibilidad y la resiliencia. La reducción del grado de exposición de su inversión frente al riesgo de desastres no es un costo, sino más bien una oportunidad para lograr que esa inversión sea más atractiva a largo plazo".

521 Nevado-Batalla, P. T. (2022). Política vs. Gestión Pública: la tentación del abuso. Colex.

Alemania, que cuenta con una gestión descentralizada de las emergencias en los Territorios Federados o *Länder*, sin apenas intervención del Gobierno Federal o *Bundesregierung*. Las graves inundaciones acaecidas en Alemania en agosto del año 2002, con el desbordamiento de los ríos Danubio, Elba, Mulde, etc. pusieron de relieve la necesidad de una mayor implicación del Gobierno Federal, creando en 2004 la Oficina Federal de protección civil y asistencia en casos de desastres (Bundesamt für Bevölkerungsschutz und Katastrophenhilfe)[522]. Ésta es también la evolución experimentada por la Administración Federal de Estados Unidos. Con el Presidente Carter, se conformó un sistema innovador en 1979, de carácter federal: la Agencia Federal de Gestión de Emergencias (Federal Emergency Management Agency, FEMA). Una ley de 1988, la conocida como Ley Robert T. Stafford de Ayuda de Emergencia y Socorro en Casos de Desastres (Stafford Act, versión modificada de la Ley de Ayuda en Casos de Desastre de 1974[523]), fue aprobada por el Congreso de Estados Unidos, para proporcionar un medio ordenado y continuo de asistencia por parte del Gobierno Federal tanto a los gobiernos estatales, como a los de ámbito local en el desempeño de sus responsabilidades para "aliviar el sufrimiento y los daños que resultan de tales desastres".[524]Tras el

---

522 Ley sobre el establecimiento de la Oficina Federal de Protección Civil y Asistencia en Casos de Desastre (BBKG). Tareas: (1) La Oficina Federal desempeñará las tareas de la Federación en los campos de protección civil y asistencia en casos de desastre que le sean asignadas por la Ley de Protección Civil y Asistencia en Casos de Desastre u otras leyes federales o sobre la base de estas leyes o para cuya aplicación sea comisionada por el Ministerio Federal del Interior, Construcción y Comunidad o, con su consentimiento, por otras autoridades federales supremas competentes. a menos que se establezca otra jurisdicción por o de conformidad con una ley. (2) La Oficina Federal apoyará al Ministerio Federal del Interior, Construcción y Comunidad en las áreas mencionadas en la (1) y, con su consentimiento, a las autoridades federales supremas técnicamente competentes. (3) En la medida en que la Oficina Federal realice tareas desde un área comercial distinta de la del Ministerio Federal del Interior, Construcción y Comunidad, estará sujeta a la supervisión técnica de la autoridad federal suprema competente. https://bit.ly/3Wsib2u

523 PUBLIC LAW 93-288. (1974, May 22). Disaster Relief Act: Amendments of 1974.

524 Federal Emergency Management Agency. (2021). Stafford Act, as Amended FEMA P-592 vol. 1.: Esta norma otorga al Presidente plenos poderes en materia de catástrofes. Se autoriza al Presidente a establecer un programa de preparación para desastres que utilice los servicios de todas las agencias apropiadas e incluye:

(1) preparación de planes de preparación ante desastres para mitigación, alerta, operaciones de emergencia, rehabilitación y recuperación operaciones de emergencia, rehabilitación y recuperación;

(2) formación y ejercicios;

(3) críticas y evaluaciones posteriores a la catástrofe;

huracán Katrina, se potencia la estructura federal y se dicta la *National Response Framework (NRF)*, una directriz general que coordina los esfuerzos y recursos estatales y locales, públicos y privados, a través de protocolos de actuación. A través del National Incident Management System (NIMS), desde el año 2004 y revisado por la FEMA, se proporcionan directrices a las entidades públicas y privadas, para que trabajando juntos y coordinados, se pueda prevenir, proteger, responder, recuperarse y mitigar los efectos de las emergencias con independencia de su origen, tamaño, ubicación o complejidad.

En términos jurídicos, resulta imprescindible, llegados a este punto, aludir tanto a la jurisprudencia constitucional como al impulso de una política propia en el seno de la Unión Europea y de Naciones Unidas. La ley de Protección Civil del 85 precisó un amplio desarrollo reglamentario, en el que se concretaron aspectos esenciales de la protección civil. Así, la definición de los supuestos de interés nacional en materia de emergencias se estableció mediante norma reglamentaria, del mismo modo que la configuración y puesta en funcionamiento de la Unidad Militar de Emergencias, lo que pone de relieve la relevancia del desarrollo normativo secundario en este ámbito.

Todo lo anterior condujo a la elaboración de una nueva norma. Tanto fue así que incluso algunos partidos políticos lo llevaban en sus respectivos programas electorales. En abril de 2012 el Grupo Parlamentario del Partido Popular registró una proposición no de ley "instando al Gobierno a elaborar una nueva Ley de Protección Civil.... que dé respuesta a las necesidades de la población actual". El Grupo Parlamentario del Partido Socialista hizo lo mismo en agosto de ese año. El texto definitivo fue prácticamente consensuado[525] por todas las formaciones políticas con representación en el Congreso, instando

---

(4) revisión anual de los programas
(5) coordinación de programas de preparación federales, estatales y locales;
(6) aplicación de la ciencia y la tecnología
(7) investigación
Esta ley fue aplicada en diciembre de 2022 en Estados Unidos por el Presidente Biden, con motivo de la tormenta invernal que afectó a gran parte del país, ocasionando más de 50 fallecidos. Recientemente, y con motivo de la COVID-19, el Presidente Trump activó las capacidades que le confiere dicha norma también.

525 La Proposición no de Ley sobre elaboración de una nueva Ley de Protección Civil presentada por el grupo parlamentario popular y acordada con el grupo parlamentario socialista, y el grupo parlamentario catalán (CiU), contó en el Pleno del Congreso, celebrado el 11 de septiembre de 2012, con 292 votos a favor, 6 en contra y 12 abstenciones. Diario de Sesiones del Congreso de los Diputados, Pleno y Diputación Permanente. Año 2012, X Legislatura, núm.
55, sesión plenaria núm. 51. https://bit.ly/3hU78A0

al Ejecutivo a impulsar una nueva ley de protección civil. El 31 de mayo de 2013, el Consejo de Ministros aprobó la Estrategia de Seguridad Nacional, que reemplazó a la del 2011. En dicha Estrategia se preveía la pertinencia de actualizar y mejorar el marco jurídico hasta ahora en vigor en materia de protección civil (de protección ante emergencias y catástrofes ahora). Se proponía reformar paulatinamente el Sistema de Seguridad Nacional, adaptando toda la normativa aplicable por medio de una Ley Orgánica de Seguridad Nacional. Dicha Ley Orgánica tendría un impacto capital sobre la Ley del Sistema Nacional de Protección Civil, debiendo ser coherente con aquella por razones de jerarquía, constituyéndose el sistema de protección civil de nuestro país, como un subsistema perteneciente al sistema de seguridad nacional.

En su Anteproyecto de Ley, la nueva norma de Protección Civil, a los efectos del art. 22.3 de la Ley de Gobierno fue presentada en Consejo de Ministros del 29 de agosto de 2014 junto a los informes de la Comisión Nacional de Administración Local y de la Comisión Nacional de Protección Civil, introduciendo numerosas propuestas. El Proyecto de Ley contó con los siguientes informes:

- Presidencia del Gobierno. Departamento de Seguridad Nacional.
- Ministerio de la Presidencia, comprendiendo las observaciones enviadas por las Delegaciones del Gobierno de las Comunidades Autónomas de Aragón, Canarias, Cataluña, Galicia, Madrid, Navarra, País Vasco y Valencia.
- Ministerio de Economía y Competitividad.
- Ministerio de Fomento.
- Ministerio de Hacienda y Administraciones Públicas.
- Ministerio de Defensa.
- Ministerio de Sanidad, Servicios Sociales e Inmigración.
- Ministerio de Empleo y Seguridad Social.
- Ministerio de Asuntos Exteriores y Cooperación. AECID.
- Ministerio de Educación, Cultura y Deporte.

Después de la reunión con las Comunidades Autónomas, llevada a cabo en la Dirección General de Protección Civil y Emergencias, se enviaron propuestas escritas con antelación, las cuales fueron posteriormente presentadas a la Comisión Nacional de Protección Civil en la sesión del 20 de octubre de 2014:

- Comunidad Autónoma de Andalucía.
- Comunidad Autónoma de Cantabria.

- Comunidad Autónoma de Cataluña.
- Comunidad Autónoma de Castilla-La Mancha.
- Comunidad Autónoma de Castilla y Léon.
- Comunidad Autónoma de Extremadura.
- Comunidad Autónoma de Islas Baleares.
- Comunidad Autónoma de País Vasco.
- Comunidad Autónoma Valenciana.
- Comunidad Autónoma de Madrid.
- Comunidad Autónoma de Canarias.
- Comunidad Autónoma de Aragón.
- Comunidad Autónoma de La Rioja.
- Comunidad Autónoma del Principado de Asturias.
- Se recibió también informe de la Federación Española de Municipios y Provincias.

Se recibieron informes después del procedimiento de audiencia pública de:

- Comité Español de Representantes de Personas con Discapacidad (CERMI).
- Consorcio de Compensación de Seguros.
- Cruz Roja Española.
- Ilustre Colegio Oficial de Geólogos de España.

El volumen de informes recabados y propuestas recibidas demuestra el notable interés por la materia.

Se buscaba configurar un sistema capaz de atender tanto emergencias como catástrofes, con capacidad para responder adecuadamente a nuestras obligaciones ante la Unión Europea y en el ámbito internacional. Además, se pretendía actualizar y ordenar el marco jurídico, que en ocasiones resulta disperso. Si el objetivo del derecho administrativo es conformarse como un conjunto normativo que responda eficazmente al bienestar social, esta normativa avanzaba decididamente en esa dirección.

El propósito principal de esta norma era "establecer el Sistema Nacional de Protección Civil con la finalidad de asegurar la coordinación, la cohesión y la eficacia de las políticas públicas de protección civil, y regular las competencias propias de la Administración General del Estado en la materia."

La protección civil se asienta en el clásico concepto de seguridad pública y se ha asimilado a "respuesta ante emergencias extraordinarias", para diferenciarla de los servicios de coordinación de emergencias ordinarias o urgencias, nacidos en la década de los años 90 cuando se puso en funcionamiento el número telefónico europeo de emergencias 112.

Se configura un Sistema en el sentido del artículo 149.1.29 [526] de la Constitución Española, por ende, con los límites competenciales definidos en la Carta Magna. Por tanto, el paso de la Ley 2/1985 a la actual, no es una ruptura, es un paso evolutivo que demuestra un alto grado de madurez, que es pertinente en una materia tan importante como la que nos ocupa. Se produce además como sistema coordinado, no unitario, y sin dar cabida a la autosuficiencia de ninguna de las Administraciones implicadas.

Atendiendo a su contenido, la ley se divide en seis títulos: Título I, que contiene disposiciones generales; Título II, dedicado a las actuaciones del sistema, que incluyen diferentes fases: anticipación, prevención, planificación, respuesta inmediata, recuperación, evaluación e inspección; Título III, que recoge lo relativo a los recursos humanos del Sistema Nacional; Título IV, que define las competencias de los órganos de la Administración General del Estado; Título V, dedicado a la cooperación y coordinación; y Título VI, que contiene el régimen sancionador.

En atención a la normativa internacional, a tenor de lo expresado en la Convención Internacional sobre los Derechos de las Personas con Discapacidad de Naciones Unidas de 2006[527], esta Ley introduce un precepto "transversal", por el que todas sus disposiciones y las que derivan de su desarrollo posterior se adecuarán a los acuerdos internacionales y a la citada Convención.

Se amplía el marco de actuación y competencias del Consejo Nacional de Protección Civil[528] y se reconoce un avance importante del municipalismo, y es que por ley las Entidades Locales son miembros de pleno derecho de este Órgano, ya que hasta ahora asistían a sus reuniones, en un papel secundario que se resume en la expresión: con voz pero sin voto. El Consejo Nacional es un órgano netamente de cooperación que cumple su función entre los órganos de

---

526 Gobierno de España. (1978). Constitución Española. https://www.boe.es/buscar/act.php?id=BOE-A-1978-31229

527 Naciones Unidas. (2006). Convención sobre los Derechos de las Personas con Discapacidad y Protocolo Facultativo. Aprobado el 13 de diciembre de 2006. https://bit.ly/3qj350o

528 Ley 17/2015, de 9 de julio, del Sistema Nacional de Protección Civil. (2015). Artículo 39. https://www.boe.es/buscar/act.php?id=BOE-A-2015-7730

la Administración General del Estado y también de las Administraciones de las Comunidades Autónomas y Entidades Locales (lo hace a través de la Federación Española de Municipios y Provincias), a fin de garantizar una eficaz, coherente y coordinada actuación de los poderes públicos en el ámbito de la protección civil.

Se contempla la viabilidad de establecer una colaboración entre la Escuela Nacional de Protección Civil y las escuelas autonómicas en esta materia, y se desarrolla la participación y formación del voluntariado. Hay que destacar que en España hay más de 25.000 voluntarios y 2.000 agrupaciones y asociaciones dedicadas a la Protección Civil.

Entrando en el contenido material de la Ley, el título I define la protección civil de conformidad al criterio jurisprudencial del Tribunal Constitucional, muy necesario dado que no existe en la Constitución Española una referencia expresa a la protección civil, lo que ha originado algunas colisiones interpretativas que veremos más adelante con algunas Comunidades Autónomas. Tan sólo el artículo 30.4 de la Carta Magna expresa que a través de una ley se podrá regular los deberes de los ciudadanos en casos de grave riesgo, catástrofe o calamidad pública. El papel del Tribunal Constitucional ha ido perfilando hasta nuestros días el concepto y reparto competencial.

Según la jurisprudencia constitucional, se define la Protección Civil como "instrumento de la política de seguridad pública, es el servicio público que protege a las personas y bienes garantizando una respuesta adecuada ante los distintos tipos de emergencias y catástrofes originadas por causas naturales o derivadas de la acción humana, sea ésta accidental o intencionada"[529].

En la Ley 17/2015 se establecen los principios por los que se rige el sistema nacional de protección civil: colaboración, cooperación, coordinación, solidaridad interterritorial, subsidiariedad, eficiencia y participación[530]. Asimismo, señala las prioridades de actuación de los poderes públicos en la protección de los ciudadanos, canalizando su participación bien directamente, bien a través de organizaciones, posibilitando que estén informados sobre los riesgos que les puedan afectar, la manera de prevenirlos y el modo de autoprotegerse, sin dejar caer en el olvido que, una vez producida la emergencia, han de ser atendidos y auxiliados.

---

529 Ley 17/2015, de 9 de julio, del Sistema Nacional de Protección Civil. (2015). Artículo 1.1. https://www.boe.es/buscar/act.php?id=BOE-A-2015-7730

530 Fernando Pablo, M. (2016). Ley 17/2015, de 9 de julio, del Sistema Nacional de Protección Civil [BOE n.º 164, de 10-VII-2015]. *AIS: Ars Iuris Salmanticensis*, *4*(1), 193–194. Recuperado a partir de https://revistas.usal.es/cuatro/index.php/ais/article/view/14110

Se ahorma pues un Sistema Nacional de Protección Civil cuyos centros de alcance se basan en la anticipación, la prevención de los riesgos, la planificación, la respuesta inmediata a las emergencias que se presenten, la recuperación, la evaluación e inspección del sistema, regulando también las emergencias de interés nacional. Estamos pues ante una auténtica Estrategia. Y todo Sistema, la define en su propósito de "analizar prospectivamente los riesgos" y "las capacidades de respuesta necesarias", para así formular "líneas estratégicas de acción".

La constitución de un Fondo de prevención de emergencias, administrado por el Ministerio del Interior, y financiado con cargo a créditos que año a año se explicitan en la Ley de Presupuestos Generales del Estado, se erige como recurso para impulsar actividades en el ámbito de prevención[531]: mapas de riesgo, sensibilización e información preventiva a la población, educación en centros educativos, etc.

En esta ley también se normaliza la Red de Alerta Nacional de información sobre Protección Civil, capital como sistema de avisos a las autoridades de los servicios que forman parte del sistema, así como a los ciudadanos, que tienen derecho a la información.

En el ámbito de la fase de recuperación, se agilizan los instrumentos normativos existentes, previendo que el Consejo de Ministros, a través de propuesta conjunta de los ministros de Hacienda y Administraciones Públicas e Interior, y solicitado, en todo caso, por las administraciones públicas interesadas, pueda acordar declarar una zona afectada gravemente por una emergencia de protección civil, todo ello sin perjuicio de las que exijan expresamente reserva de ley, como sería el caso de las bonificaciones y exenciones tanto en el orden fiscal como en el orden de Seguridad Social. Se recupera pues el procedimiento de declaración de zona afectada gravemente por una emergencia de protección civil que viene a sustituir a los R.D. Ley de medidas extraordinarias.

En cuanto a las emergencias de interés nacional, se refiere a las que indica el Tribunal Constitucional, es decir:

a) Las que precisan para la protección de las personas y bienes la aplicación de la Ley 4/1981[532].

---

531 Este fondo es distinto al Fondo de Contingencia, destinado a dar respuesta en la fase de recuperación tras, por ejemplo, una emergencia o catástrofe. "Necesidades inaplazables, de carácter no discrecional para las que no se hiciera en todo o en parte, la adecuada dotación de crédito", art. 50 de la Ley 47/2003, de 26 de noviembre, General Presupuestaria.

532 Ley Orgánica 4/1981, de 1 de junio, de los estados de alarma, excepción y sitio. https://www.boe.es/buscar/act.php?id=BOE-A-1981-12774

b) Situaciones en las que resulte obligatorio anticipar la coordinación entre diversas administraciones públicas, abarcando varias Comunidades Autónomas, y que requieran la contribución de recursos a nivel supra autonómico.

c) Aquellas cuyo alcance efectivo o previsible en evolución precisen de una dirección de carácter nacional.

Las emergencias de interés nacional serán declaradas por el Ministro del Interior, quien asumirá su dirección, abarcando la ordenación y coordinación de las acciones y la gestión de todos los recursos estatales, autonómicos y locales del ámbito territorial afectado.

En cuanto a los recursos humanos, los poderes públicos habrán de impulsar la formación y el desarrollo de la competencia técnica del personal en esta área. Hay que destacar el papel a este propósito de la Escuela Nacional de Protección Civil[533], que forma y entrena a personal de la esfera de la Administración en sus distintos ámbitos, y también al personal de otras instituciones públicas y privadas, bajo el principio de cooperación y colaboración, desarrollando trabajos de I+D+i en materia de formación de protección civil[534].

Hay instrumentos que serán requeridos por el titular del Ministerio del Interior y ordenado por el titular del Ministerio de Defensa, como puede ser el caso de la Unidad Militar de Emergencias. Las Fuerzas y Cuerpos de Seguridad[535] también forman parte del Sistema Nacional de Protección Civil, que participarán en las acciones de protección civil de conformidad a la Ley Orgánica 2/1986, de Fuerzas y Cuerpos de Seguridad, con esta Ley su normativa de desarrollo.

Señala la norma la regulación del Mecanismo de Protección Civil para la Unión Europea, tanto para aportar los medios de los que disponga el Estado

---

533 ESCUELA NACIONAL DE PROTECCIÓN CIVIL (ENPC). Dirección General de Protección Civil. Ministerio del Interior del Gobierno de España. https://www.proteccioncivil.es/formacion/enpc

534 El Plan de Formación de la Escuela Nacional de Protección Civil clasifica sus actividades en módulos y submódulos de conocimiento, que comprenden: formación general, fundamentos generales, análisis y prevención de riesgos, la planificación de emergencias e intervención operativa, y la rehabilitación. Comprende también un módulo denominado internacional, donde se encuadran las actividades en colaboración con otros países. Está dotada de un sistema informático de gestión de la actividad formativa de la Escuela (SAFE), que es la plataforma de gestión desde donde personas o entidades interesadas pueden registrarse, solicitar cursos y acceder a su expediente personal. Profesores, coordinadores y gestores disponen en la misma de su espacio.

535 Ley Orgánica 2/1986, de 13 de marzo, de Fuerzas y Cuerpos de Seguridad. (1986). Artículo 2. https://www.boe.es/buscar/pdf/1986/BOE-A-1986-6859-consolidado.pdf

español como para demandar aquellos que sean precisos de otros países. Estamos ante una extensión de nuestra capacidad, de carácter internacional, cuyo punto de contacto único es el Ministerio del Interior.

Sigue las recomendaciones de la Comisión para la Reforma de las Administraciones Públicas (CORA)[536], incorporando medidas específicas de evaluación e inspección del Sistema Nacional de Protección Civil, de colaboración interadministrativa en el seno de la Red de Alerta Nacional de Protección Civil y finalmente, de integración de datos de la Red Nacional de Información sobre Protección Civil. Cabe pues destacar la importancia de esta norma en sus principales caracteres:

a) Configuración de un auténtico Sistema Nacional de Protección Civil.

b) Nos encontramos con una Estrategia del Sistema, que es aprobada por el Consejo de Seguridad Nacional, a propuesta del ministro del Interior.

c) Define la Protección Civil de la mano del Tribunal Constitucional y su jurisprudencia.

d) Regulación de una estrategia del Sistema.

e) Reguladora de sistemas como la Red nacional de información y la Red de alerta nacional.

f) Constitución de un Fondo de prevención de riesgos.

g) Se regulan las emergencias de interés nacional, estableciéndose con precisión las competencias de la Administración General del Estado.

h) Participación y formación del voluntariado[537].

---

536 La Comisión para la Reforma de las Administraciones Públicas (CORA) se creó por Acuerdo de Consejo de Ministros de 26 de octubre de 2012. Sus objetivos generales fueron: a) duplicidades administrativas: con el objeto de identificar y eliminar duplicidades y reforzar los mecanismos de cooperación entre Administraciones. b) Simplificación administrativa, dirigida a la eliminación de trabas burocráticas y la simplificación de procedimientos en beneficio de los ciudadanos. c) Gestión de servicios y medios comunes, con la finalidad de identificar las actividades de gestión que, por ser similares, pudieran desempeñarse de forma centralizada o coordinada, optimizando los recursos públicos. d) Administración institucional, focalizada en el análisis de la tipología de los entes que componen las Administraciones Públicas, y con el propósito de abordar modificaciones generales y actuaciones singulares sobre entidades concretas. Visitado https://bit.ly/3J4gq5j

537 Al aprobarse esta Ley había en España alrededor de 25.000 voluntarios de Protección Civil, integrados en unas 2.000 agrupaciones y asociaciones creadas a tal fin. Voluntarios de la red radio de emergencia, REMER, alrededor de 4.000, sin

1.1.1.- Interés público afectado

El ser humano necesita de seguridad frente a las amenazas del entorno. Sin vida, sin integridad física, sin libertad, el ser humano no puede desplegar sus legítimas aspiraciones. El servicio público que presta protección civil tiende a garantizar esa libertad, bien desde la previsión de infraestructuras esenciales, bien desde la reacción oportuna. Esta ley articula pues el papel de los poderes públicos en cooperación con los agentes privados al objeto de asegurar la seguridad de las personas, así como sus bienes ante el riesgo de desastre. Y dado que el sistema de protección civil se encuentra subsumido en el sistema de seguridad nacional, contribuye de este modo a la protección del propio Estado.

La protección civil "constituye un elemento intangible de la infraestructura para un país"[538]. Según los datos de la Agencia de Turismo de Japón, tras el tsunami y posterior desastre nuclear padecido en marzo de 2011, se registró un descenso brusco del número de turistas, debido al temor a la radiación, la caída de la seguridad y la confianza en los servicios públicos del país. No hay que abundar en muchos datos para colegir que dada la importancia en el PIB del sector turístico para España, una buena norma en el ámbito de las emergencias coadyuva a proyectar una imagen de solvencia sociopolítica y económica de país.

1.1.2.- Impacto económico y presupuestario

Cuando se abordó la confección de esta norma, se analizaron los efectos que podría tener sobre la economía en general. Los mismos fueron:

- Contribución a la reducción de costes tanto de naturaleza pública como privada relacionados con las catástrofes y grandes emergencias.
- Impulso de nuevas oportunidades para el desarrollo que tendría un claro valor añadido para la riqueza del país, dado que se promueve la inversión de capital inversor en entornos por un lado seguros, y de otro, resilientes.
- Estimulación de la innovación, lo cual conlleva efectos positivos para la economía al generar competitividad, y contribuye a generar un flujo de retorno positivo, entre otros ámbitos, en el empleo.

---

mencionar, no menos importante, el voluntariado integrado en ONG, donde la más numerosa era y es Cruz Roja Española.

538 Ministerio de la Presidencia. (2014, 12 de diciembre). Memoria del Análisis de Impacto Normativo del Proyecto de Ley del Sistema Nacional de Protección Civil (p. 64).

Desde los ámbitos de la competencia se concluyó que no tendría efectos significativos sobre ella, así como no generaba una afectación a las cargas administrativas, y se estimaba nulo el impacto de género.

También se analizó la repercusión que tendría para la imagen exterior de España, la imagen de las personas que conforman el Sistema Nacional de Protección Civil, así como el tratamiento hacia los colectivos más vulnerables de nuestra sociedad.

1.1.3.- Estructura y contenido

El Anteproyecto de Ley se configuró en una norma con seis Títulos, 50 artículos, nueve disposiciones adicionales, una disposición transitoria, una disposición derogatoria y cuatro disposiciones finales.

El artículo 1, además de contener la definición de protección civil, concreta el objeto de la ley, es decir, la creación y regulación del Sistema Nacional de Protección Civil como instrumento para conseguir el objeto perseguido por esta, además de regular las competencias que tiene la Administración General del Estado en este campo.

Es curioso hacer constar que la ley anterior se refería a la protección civil en su Exposición de Motivos, aunque en ningún momento determinaba en qué consistía. Por ello, se demandaba conformar un auténtico sistema, precisando sus actuaciones y principios orientadores (art. 3 y todo el título II), así como determinar los servicios públicos y recursos humanos que componen dicho sistema (Título III).

El anteproyecto incide en el concepto sistémico, destacándolo en la propia denominación de esta ley: "Ley del Sistema Nacional de Protección Civil", asegurando un funcionamiento armónico de la misma en el artículo 4 mediante la Estrategia del Sistema Nacional de Protección Civil, y de modo transversal con todas las administraciones públicas involucradas, donde las líneas básicas y directrices respecto de su implantación, así como seguimiento y evaluación se concertarán en el seno de la Comisión Nacional de Protección Civil.

No excluye, ni tampoco regula, qué papel ha de desempeñar el Sistema Nacional de Protección Civil en los casos de guerra, estado de alarma, excepción y sitio, pues ello se determina en las leyes orgánicas de Defensa

Nacional[539], y de alarma, excepción y sitio[540], así como los tratados internacionales suscritos por nuestro país[541].

El artículo 1 define los términos más importantes empleados en la norma con fines claramente interpretativos y explicativos. Así, utiliza el término emergencia como fase en el ámbito de la protección civil previo a la catástrofe.

El artículo 5 traza las líneas de actuación prioritarias de los poderes públicos en el campo de la protección civil, subrayando el papel del ciudadano como eje sustancial de su actividad, no excluyente claro está del Estado, que está más implicado con la seguridad nacional.

La información en el campo de la protección civil es esencial. Si con la norma anterior el ciudadano era un mero portador de la misma, que debía ponerla en manos del Estado para que este pudiera llevar a cabo su estrategia preventiva y de respuesta, ahora, su papel se amplía al poder exigir de los poderes públicos ser informado de los riesgos que pueden afectarle y qué medidas de autoprotección y prevención se adoptan. Ello se asegura obligando a los titulares de centros, establecimientos y dependencias en que se realicen actividades que puedan originar situaciones de catástrofe a informar a los ciudadanos que potencialmente pudieran verse afectados tanto de los riesgos como de las medidas preventivas adoptadas, y a que se adopten los recursos que sean precisos para avisar de la inminencia del peligro y a los medios de comunicación a colaborar mediante la difusión de informaciones cuyo contenido sea de índole preventiva y operativa.

En los artículos 6 y 7 se establecen los deberes de colaboración y también de cautela, así como de autoprotección previstos en el texto legislativo anterior. En el actual observamos algunas innovaciones, como es el deber de colaboración especial de desempleados y jóvenes en situación de prestación social sustitutoria (ahora inexistente). En la ley precedente se normativizaba un deber de colaboración especial a los servicios de vigilancia, protección y lucha contra incendios y a la Cruz Roja, así como otras entidades de naturaleza pública con fines conexos con protección civil, que con la norma actual

---

539 Ley Orgánica 5/2005, de 17 de noviembre, de la Defensa Nacional. «BOE» núm. 276, de 18 de noviembre de 2005. https://www.boe.es/buscar/act.php?id=BOE-A-2005-18933

540 Ley Orgánica 4/1981, de 1 de junio, de los estados de alarma, excepción y sitio. «BOE» núm. 134, de 5 de junio de 1981. https://www.boe.es/buscar/act.php?id=BOE-A-1981-12774

541 Protocol Additional to the Geneva Conventions of 12 August 1949, and relating to the Protection of Victims of International Armed Conflicts (Protocol I), 8 June 1977. https://bit.ly/3Gh4wVd

se extiende a todas las empresas (de naturaleza pública o privada), a fin de hacer frente a los riesgos derivados de una catástrofe, siendo susceptibles de ser incorporadas a los respectivos planes de emergencia de protección civil.

Se regula la entrada en el domicilio para evacuar a personas en peligro que no quieren o no pueden hacerlo. La posible colisión entre los derechos a ser protegidos por el Estado y el de la inviolabilidad del domicilio particular[542] se resuelve aplicando lo dispuesto en la Ley Orgánica 4/2015, de 30 de marzo, sobre protección de la seguridad ciudadana[543]. La vigencia de las medidas restrictivas de derechos personales y materiales se limita al tiempo estrictamente necesario para dar respuesta a aquellas situaciones de emergencias o catástrofes, con el principio de proporcionalidad en su aplicación como exigencia.

Aquellos titulares de centros, establecimientos y dependencias cuyas actividades generen riesgos de catástrofes, tienen el deber de informar a los ciudadanos que pudieran verse afectados por tales riesgos, y también de las medidas de prevención adoptadas, dando cuenta de todo ello a la Administración competente. También han de instalar y mantener a su cargo sistemas de aviso a la población comprendida en el área de posible afectación por la catástrofe.

---

542 La Constitución Española consagra en su art. 18 la inviolabilidad del domicilio, interpretado por el Alto Tribunal como "espacio apto para desarrollar la vida privada" o "reducto último de la intimidad personal y familiar". El Tribunal Supremo lo expresa señalando que "es el lugar cerrado, legítimamente ocupado, en el que transcurre la vida privada, individual o familiar, aunque la ocupación sea temporal o accidental". La jurisprudencia del Tribunal Supremo excluye garaje y trasteros no unidos a la vivienda. La entrada en domicilio sin consentimiento está permitida cuando así lo determine un juez o tribunal, o en aquellos casos en los que fijen las leyes, al que habría que añadirse, para el caso de las Fuerzas y Cuerpos de Seguridad del Estado, en caso de flagrante delito. Si no se cumple ninguno de los requisitos anteriores estaríamos ante un delito de allanamiento de morada, previsto y penado en el art. 202 del Código Penal. Señala el art. 545 LECrim: "nadie podrá entrar en el domicilio de un español o extranjero residente en España sin su consentimiento, excepto en la forma expresamente previstos en las leyes". La Ley Orgánica 4/2015, de 30 de marzo, sobre Protección de la Seguridad Ciudadana, en su artículo 15.2 dice así: "2. Será causa legítima suficiente para la entrada en domicilio la necesidad de evitar daños inminentes y graves a las personas y a las cosas, en supuestos de catástrofe, calamidad, ruina inminente u otros semejantes de extrema y urgente necesidad. " La declaración del estado de alarma no altera lo antes indicado, si bien la ley reguladora de esta, la Ley Orgánica 4/1981, reguladora de los estados de alarma, excepción y sitio, prevé la posibilidad de limitar ciertos derechos fundamentales como el de circulación, si bien no incluye la inviolabilidad del domicilio.

543 Ley Orgánica 4/2015, de 30 de marzo, sobre Protección de la Seguridad Ciudadana. «BOE» núm. 77, de 31 de marzo de 2015.

Tales deberes se derivan de los principios de equidad y del principio de quien contamina paga, así como la posición proactiva tendente a evitarlos.

Se implantan por primera vez los deberes tanto de cautela como de autoprotección con carácter general. El primero cobra su relevancia ante actividades de resultados no previsibles, obligando a quienes las realizan a ser prudentes. El deber del ciudadano de evitar la exposición a los riesgos es signo inequívoco de madurez cívica, que exige como requisitos previos contar con la información sobre tales riesgos y también acerca de las conductas a seguir para su evitación o minimización.

Otra innovación de la presente ley respecto de la anterior, es la regulación completa y secuencialmente ordenada de las cinco actuaciones de los poderes públicos en el ámbito de la protección civil (anticipación, prevención, planificación, respuesta, recuperación), de conformidad con el ciclo clásico de las fases de la gestión en las emergencias y catástrofes. En la anterior, tan sólo se regularon dos: la planificación y la prevención. Además de las cinco actuaciones a impulsar por los poderes públicos que hemos mencionado, la ley incorpora la evaluación e inspección del sistema.

El Sistema de Protección Civil se orienta a la prevención, yendo más allá de lo hasta ahora previsto normativamente. De ahí que la fase de anticipación se erija en un escalón independiente y previo a la prevención, cuyo fin es prever los riesgos en un territorio concreto por medio de su conocimiento histórico o actual. Abordar la prevención exige compilar los conocimientos sobre los riesgos de los que se disponga y ponerlos al servicio de una estrategia adecuada y lo más fiel posible a los escenarios que se pretende abordar.

La información ha de tratarse con una vocación colaborativa, no privativa, incluso más allá de nuestras fronteras. Compartir los datos con todos los integrantes del Sistema de Protección Civil le hace ganar eficacia, pero esto es algo que no se hace de manera descoordinada; al contrario, se hará siguiendo los criterios establecidos por la Comisión Nacional de Protección Civil. Estamos, pues, ante el objetivo de racionalizar y estructurar la información, de ahí que se establezca el objetivo de realizar un plan nacional de interconexión de datos gestionado por el Ministerio del Interior, como se establece en su art. 18.

Reducir la concurrencia de eventos catastróficos es el objetivo de la política pública de seguridad, teniendo en cuenta las capacidades que nos pueda aportar la tecnología, el comportamiento colectivo o cualquier otra industria producida por el hombre de modo directo o indirecto. Teniendo presente, especialmente en las catástrofes naturales, que podemos encontrarnos con períodos de retorno en su manifestación, es lógico deducir que el esfuerzo se ha de centrar en minimizar las vulnerabilidades para reducir el impacto cuando se produzca la catástrofe.

La frecuencia de los sucesos catastróficos está aumentando exponencialmente desde los años 70 del siglo pasado[544]. Si bien, hemos de manifestar que se ha reducido persistentemente su mortalidad y morbilidad, debido esencialmente a las políticas públicas de prevención que empezaron a impulsarse en las últimas décadas del pasado siglo, y al efecto que provocaron las mismas en actuaciones tanto públicas y privadas, como las señaladas en el art. 14[545] de la Ley 2/1985, de 21 de enero.

Resultante de todo lo anterior es estar dotados de unos responsables y actuantes en las emergencias altamente cualificados, una población informada de qué hacer y cómo actuar, unas administraciones públicas y grandes

---

544 Según el Atlas de la Organización Mundial Meteorológica sobre mortalidad y pérdidas económicas debidas a fenómenos meteorológicos, climáticos e hidrológicos extremos (1970-2019), en el planeta se registraron más de 11.000 desastres atribuidos a esos peligros, que produjeron algo más de 2 millones de víctimas mortales y 3,64 billones de dólares en pérdidas. En ese período de 50 años, el número de desastres se ha quintuplicado, impulsado por el cambio climático, el aumento de los fenómenos meteorológicos extremos y la mejora en los mecanismos de suministro de información. Ahora bien, gracias al perfeccionamiento de los sistemas de alerta temprana y a la mejora de las prácticas de gestión de desastres, el número de muertes es casi tres veces menor. Fuente: Organización Meteorológica Mundial, https://www.uncclearn.org/wp-content/uploads/library/1267_Atlas_of_Mortality_es.pdf

545 Ley 2/1985, de 21 de enero, sobre protección civil, «BOE» núm. 22, de 25 de enero de 1985:
Artículo catorce. Sin perjuicio de las funciones y competencias que en materia de prevención de riesgos específicos otorgan las leyes a las diferentes Administraciones públicas, corresponderán también a éstas las siguientes actuaciones preventivas en materia de protección civil:
a) La realización de pruebas o simulacros de prevención de riesgos y calamidades públicas.
b) La promoción y control de la autoprotección corporativa y ciudadana.
c) Asegurar la instalación, organización y mantenimiento de servicios de prevención y extinción de incendios y salvamento.
d) Promover, organizar y mantener la formación del personal de los servicios relacionados con la protección civil y, en especial, de mandos y componentes de los servicios de prevención y de extinción de incendios y salvamento.
e) La promoción y apoyo de la vinculación voluntaria y desinteresada de los ciudadanos a la protección civil, a través de organizaciones que se orientarán, principalmente, a la prevención de situaciones de emergencia que puedan afectarlos en el hogar familiar, edificios para uso residencial y privado manzanas, barrios y distritos urbanos, así como el control de dichas situaciones, con carácter previo a la actuación de los servicios de protección civil o en colaboración con los mismos.
Asegurar el cumplimiento de la normativa vigente en materia de prevención de riesgos, mediante el ejercicio de las correspondientes facultades de inspección y sanción, en el ámbito de sus competencias.

centros productivos en diversos ámbitos dotados de servicios de prevención y extinción de incendios, una red de voluntarios de protección civil, en definitiva, de una cultura preventiva.

Actuar sobre la reducción de la vulnerabilidad impele a los responsables de actividades clasificadas por esta ley como de riesgos para las emergencias y catástrofes para que efectúen una valoración técnica del impacto de su actividad acerca de los riesgos especificados en los respectivos mapas de riesgos o planes territoriales correspondientes a la zona o emplazamiento en donde se prevean llevar a cabo. Esto permitirá posibilitar estas actividades con la seguridad en el entorno, y conllevan un ahorro importante pues es menor el impacto en la cuenta resultado de estas actividades que las derivadas de los efectos de la materialización de un riesgo con efectos catastróficos.

También se encomienda a las Administraciones Públicas la tarea de la sensibilización y educación ciudadana a través de programas de prevención de la población escolar. Los diferentes planes de protección civil deberán atender la comunicación y la información preventiva, así como la alerta, de modo racional y previsible, debiendo colaborar los agentes de la comunicación en su difusión, con especial énfasis en las personas más vulnerables. Todo ello se enfoca a lograr ciudadanos y comunidades más resilientes a las catástrofes, con capacidad para su evitación, la autoprotección y la recuperación para alcanzar su retorno a la normalidad, y todo ello contando con la posibilidad de ayuda externa (actuación complementaria) o ante la no llegada de la misma (actuación de suplantación).

Para que todo ello no se enmarque en un contexto puramente teórico, la ley crea el Fondo de Prevención de Emergencias, que se incluirá en los presupuestos del Ministerio del Interior (a fin de dotar de recursos financieros las actividades preventivas[546]), así como se fomentan las alianzas interdepartamentales (con otras entidades públicas o privadas)[547].

---

546 Entre las actividades preventivas se encuentran:
a) Análisis de peligrosidad, vulnerabilidad y riesgos.
b) Mapas de riesgos de protección civil.
c) Programas de sensibilización e información preventiva a los ciudadanos.
d) Programas de educación para la prevención en centros escolares.
e) Otras actividades de análogo carácter que se determinen.

547 Analizando los Presupuestos Generales del Estado 2023, concretamente dentro del Ministerio del Interior, el Programa 134M correspondiente a Protección Civil, observamos que la cifra es muy escasa, pues el conjunto de las distintas partidas presupuestarias tiene un montante global de 15,4 millones de euros (incluye la partida de gastos de personal, gastos corrientes en bienes y servicios, transferen-

Novedoso es también el encargo que se hace a las administraciones públicas a fin de estimular la transferencia del riesgo de catástrofes al sistema asegurador, que tiene acreditada experiencia a través del Consorcio de Compensación de Seguros, así como del sector privado asegurador. La tecnología lleva tiempo siendo herramienta del sector a fin de conformar modelos de previsión y prevención en materia de riesgos, que bien pueden servir de inspiración a la esfera de la protección civil.

Lo que en la Ley 2/1985, de 21 de enero se contemplaba como encargo al Gobierno para crear una red de alarma nacional, en la presente norma se erige en la Red de Alerta Nacional de Protección Civil, que gestiona el Ministerio del Interior a través del Centro Nacional de Seguimiento y Coordinación de Emergencias de Protección Civil. Dicha red, a diferencia de la anterior (conformada para tiempos de guerra y paz, y gestionada por órganos civiles en coordinación con los militares), se configura para atender emergencias civiles (en caso de guerra se atendrá a lo señalado en las disposiciones de la defensa nacional), y a ella han de volcar la información (en situaciones de emergencia que les afecten) todos los organismos o empresas que gestionen actividades de riesgo a través de los centros responsables de la coordinación de las emergencias en las Comunidades Autónomas.

De reactiva y voluntarista, la planificación ha pasado en los tiempos actuales a ser preventiva y racional. Sobre la Norma Básica de Protección Civil, pivota un entramado de planes adaptados a los diferentes tipos de riesgos y espacios, que han de seguir para su confección las directrices básicas que establece esta Norma, previo informe del Consejo Nacional de Protección Civil.[548].

En este apartado de la planificación, la ley prevé un modelo de estructura descentralizado en el que todas las administraciones públicas han de planificar sus recursos en función de los riesgos que prevean en sus respectivos ámbitos territoriales y competenciales. Al referirnos a las Entidades Locales de menor población, pueden ejercer esta competencia bien por sí mismas, bien mediante la fórmula de la intermunicipalidad que recoge tanto la normativa básica del Estado como la normativa de carácter autonómico que le sea de aplicación.

---

cias corrientes, inversiones reales y transferencias de capital). La partida de mayor cuantía para el equipamiento e infraestructuras derivadas de la aplicación de los Planes de Emergencia Nuclear, y destino a las Corporaciones Locales tiene un importe de 1,4 millones de euros. No encontramos entre las partidas ninguna que específicamente se denomine "Fondo de Prevención de Emergencias".

548 Real Decreto 524/2023, de 20 de junio, por el que se aprueba la Norma Básica de Protección Civil. «BOE» núm. 147, de 21 de junio de 2023.

Las Comunidades Autónomas, además de los planes territoriales, han de aprobar planes especiales para poder encarar los riesgos que determine la Norma Básica (inundaciones, sismos, etc.) que suelen tener una realidad más geolocalizada. Se han incluido nuevos riesgos que deberán ser objeto de planificación: accidentes de aviación y fenómenos meteorológicos adversos. Aquellos cuya naturaleza y consecuencias son más complejas y generalizadas (riesgos nucleares y bélicos) deberán ser planificados y gestionados exclusivamente por el Estado. La Administración General del Estado, tendrá que elaborar un Plan Estatal General[549] que prevea su intervención cuando estemos ante una emergencia de interés general y las fórmulas de integración de sus recursos para optimizar tanto el apoyo como la asistencia al resto de administraciones públicas en el caso del resto de emergencias de protección civil.

En esta Ley, los planes de autoprotección se añaden como un deber de todos los responsables de centros, establecimientos, instalaciones o dependencias que soporten riesgo de sufrir una catástrofe. Se une pues a los planes de prevención de riesgos laborales tendentes a proteger a las personas que tienen su trabajo en estos centros, de los peligros de su actividad laboral. Los planes de autoprotección habrán de integrarse en la Red Nacional de información sobre protección civil prevista en el art. 9, a los efectos de poder articular de modo rápido y eficaz una respuesta en las situaciones de emergencias previstas por parte de los servicios públicos.

La aprobación de los diferentes planes, a diferencia de la Ley 2/1985 que señalaba la necesidad de una homologación posterior, es realizada por cada órgano correspondiente y deben cumplir escrupulosamente con los procedimientos establecidos en el ordenamiento jurídico español (se suprime por tanto el requisito de la homologación). Se pretende adecuar todos los planes a la normativa que le es de aplicación dentro del sistema de protección civil, mejorando en el proceso de planificación de la protección civil la calidad técnica, propiciando que los planes sean redactados por personal acreditado para dichos trabajos de redacción con la correspondiente titulación oficial reconocida por el sistema educativo, cuya concreción se determinará reglamentariamente.

En las emergencias y catástrofes "la hora de la verdad" es sin duda el momento de la respuesta inmediata, por cuanto se testa el sistema de pro-

---

549 Se da cumplimiento a través de la Resolución de 16 de diciembre de 2020, de la Subsecretaría, por la que se publica el Acuerdo del Consejo de Ministros de 15 de diciembre de 2020, por el que se aprueba el Plan Estatal General de Emergencias de Protección Civil, «BOE» núm. 328, de 17 de diciembre de 2020, conocido como Plan General de Emergencias del Estado (PLEGEM).

tección civil, verificando si funciona adecuadamente o no. Es de una gran complejidad pues implica una multiplicidad de servicios tanto públicos como privados, que han de confluir con su actuación en unos momentos y en un espacio donde se concentran tantas emociones como observación mediática. Para racionalizar la respuesta, además de la preparación derivada de los planes de protección civil, la ley concreta qué actividades deben desarrollarse en este proceso (art. 16), y los servicios de intervención y asistencia actuantes (art. 17). Se busca una intervención estructurada, sobre la base de protocolos, que logren rapidez y orden. Estas bases de coordinación de las actuaciones deberán ser reguladas en la Norma Básica de Protección Civil.

En cuanto a la participación de los servicios públicos de naturaleza estatal en emergencias de protección civil, como son las Fuerzas Armadas (con especial mención a la Unidad Militar de Emergencias, UME), y las Fuerzas y Cuerpos de Seguridad del Estado, se regulan en los arts. 37 y 38 del Título IV, y tendrán carácter subsidiario y proporcional. La Unidad Militar de Emergencias solo intervendrá si así lo determina el ministro del Interior, previa valoración de las consecuencias, una vez que lo ordene el Ministerio de Defensa. La intervención de las Fuerzas y Cuerpos de Seguridad del Estado podrá ser prevista en los diferentes planes de protección civil, pero sin concretar las funciones. El Delegado del Gobierno sería el encargado de asignar la fuerza que podría intervenir, una vez activado el plan. En cualquier caso, debe hacerse constar que actúan encuadradas y a las órdenes de sus mandos naturales, si bien la dirección corresponde a la autoridad prevista en los distintos planes de protección civil. Cuando se declare una emergencia de interés nacional, la persona titular del Ministerio del Interior ejercerá la dirección de la emergencia y la Unidad Militar de Emergencias asumirá la dirección operativa de la misma, actuando bajo dicha autoridad. Con ello se preserva la unidad de mando, esencial en estructuras jerarquizadas.

Los voluntarios de protección civil se encuadran en el subsistema de respuesta inmediata, si bien no se especifican las actuaciones que deben de desarrollar (a diferencia de la ley anterior), aunque tampoco las excluye. Lo único que señala es que su movilización y actuaciones en cualquier proceso deben estar subordinadas a las de los servicios públicos. Por tanto, como participantes que son del sistema de protección civil, se deben diseñar planes de formación para este colectivo, para que sus actuaciones sean más útiles, como contempla la disposición adicional primera (sus actuaciones se regirán por los principios y régimen jurídico previsto en la normativa sobre voluntariado).

El art. 18 contempla las funciones ampliadas del centro de coordinación de la Dirección General de Protección Civil y Emergencias del Ministerio del Interior, como órgano de carácter fijo que pasa a denominarse Centro Nacional de Seguimiento y Coordinación de Emergencias de Protección Civil. Este Centro, de ámbito nacional como su nombre indica, y permanente de coordinación, además de gestionar las redes nacionales de información y de alerta, actuará como centro de seguimiento de todas las emergencias de protección civil que se produzcan en nuestro país, en apoyo de las Administraciones encargadas de su gestión, con sus propios medios o con los que se puedan demandar del Mecanismo Comunitario de Protección Civil, siendo su punto de contacto. Cuando las emergencias sean declaradas de interés nacional (las más graves y complejas), asumirá la coordinación operativa, integrándose en este Centro Nacional los Centros Territoriales de Coordinación de Emergencias. Dichos Centros Territoriales, nacieron al amparo de una Decisión 91/936/CEE del Consejo sobre el número único europeo para racionalizar la multiplicación de números telefónicos de emergencia, cuya gestión se descentralizó en las Comunidades Autónomas por un Real Decreto del año 1997[550]. La Ley del Sistema Nacional de Protección Civil los reconoce explícitamente como servicios públicos de intervención y asistencia en emergencias de protección civil, en funciones de coordinación operativa, y gestores de las emergencias de menor gravedad, las ordinarias, que no tienen afectación colectiva en principio pero que su atención exige la implicación de diversos servicios de carácter operativo.

Cuando la intervención de respuesta llega a su fin, comienza la fase de recuperación. Dicha fase comprende básicamente las ayudas económicas directas por los daños materiales en vivienda y enseres e infraestructuras de primera necesidad a particulares, empresas y entidades locales, beneficios fiscales y moratorias en las cotizaciones a la Seguridad Social, y medidas laborales para compensar el impacto negativo del desastre sobre el empleo, que se establecen todas en el artículo 24. También podrán ser concedidas ayudas de carácter económico por fallecimiento o incapacidad como consecuencia directa de la catástrofe, y por gastos generados por la intervención en estas situaciones a personas físicas o jurídicas. En cualquiera de los casos, no podrán tener carácter de indemnización.

En este Capítulo V también se regula el procedimiento para el otorgamiento de las ayudas, que comienza con la declaración por parte del Consejo de Ministros de zona afectada gravemente por una emergencia de protección civil, y la forma de financiación que adoptarán las ayudas. Se prevén los supuestos genéricos en

---

550 Real Decreto 903/1997, de 16 de junio, por el que se regula el acceso, mediante redes de telecomunicaciones, al servicio de atención de llamadas de urgencia a través del número telefónico 112. «BOE» núm. 153, de 27 de junio de 1997.

los que se puede producir dicha declaración, lo que pone coto a la discrecionalidad. En la disposición adicional cuarta se establece que pueden también concederse ayudas para determinadas situaciones de desastre, aunque no hayan sido declaradas formalmente catastróficas, en los términos que determina el Real Decreto 307/2005[551]. Cuando concurren varias Administraciones, sus acciones han de converger mediante el instrumento de la Comisión de Coordinación.

Antes nos referimos a una fase más, novedosa respecto a la normativa anterior: evaluación e inspección del Sistema Nacional de Protección Civil. Recogida en el Capítulo VI, complementa lo dispuesto en el art. 4 sobre la Estrategia del Sistema Nacional de Protección Civil. Esta evaluación se concreta en una memoria anual que realiza el Consejo Nacional de Protección Civil, que deberá elevar el Ministro del Interior al Senado[552].

Con relación a los recursos humanos con los que cuenta el Sistema Nacional de Protección Civil, la exposición de motivos es clarificadora en cuanto a disponer de unos recursos humanos capacitados, motivados y formados. El Título III al completo se dedica a la formación, junto a la disposición adicional primera en donde se encomienda a los poderes públicos que la promuevan entre los voluntarios de protección civil (como integrantes del Sistema, como ya señalamos), y que son reconocidos por su alta motivación.

---

551 Real Decreto 307/2005, de 18 de marzo, por el que se regulan las subvenciones en atención a determinadas necesidades derivadas de situaciones de emergencia o de naturaleza catastrófica, y se establece el procedimiento para su concesión. «BOE» núm. 67, de 19 de marzo de 2005.

552 Comprobado en las Bases de Datos del Senado, no consta que se haya presentado en la presente legislatura dicha Memoria (información a 12 de mayo de 2024). Tan solo tenemos constancia de la sesión de Pleno del Consejo Nacional de Protección Civil que se reunió en el Senado el 25 de abril de 2022, tras la Conferencia de Presidentes de La Palma (celebrada en Los Llanos de Aridane, La Palma, el 25 de febrero). Entre las iniciativas que se abordaron en dicha sesión, destacar el impulso a la Elaboración del Plan Nacional de Reducción del Riesgo de Desastres Horizonte 2035 (tiene por objetivo reforzar la capacidad operativa directiva, de planificación y coordinación de los órganos centrales del Sistema Nacional de Protección Civil, y aumentar la coordinación de todos los operadores que intervienen en el Sistema), la declaración del 2022 como Año de la Autoprotección (se trata de aprovechar las potencialidades que ofrece la población española para mejorar su protección frente a las catástrofes, abordándose tanto la protección personal, como la familiar, comunitaria y la de centros, instalaciones y actividades susceptibles de provocar riesgos en los que haya de intervenir la protección civil), toma de conocimiento de la campaña Municipio Seguro (iniciativa conjunta del Ministerio del Interior con la Federación Española de Municipios y Provincias, cuyo objetivo es fomentar la cultura de la prevención y la autoprotección en el ámbito de los municipios de nuestro país).

Se establece por primera vez que la formación deberá tener reconocimiento oficial del sistema educativo, con el objetivo a medio plazo de impulsar una profesión con capacidad de integración laboral. Este objetivo formativo ha de venir de la mano de titulaciones oficiales de los Ministerios de Educación, Formación Profesional y Deportes; y de Trabajo y Economía Social.

Un instrumento clave para el propósito anterior debe ser la Escuela Nacional de Protección Civil[553], que debe vertebrar la formación que requiere mayor especialización y la de mandos de mayor responsabilidad orgánica. Se trata de aunar eficiencia y coordinación como principios, con el fomento de

---

553 La Escuela Nacional de Protección Civil (ENPC) fue creada en virtud del RD 901/1990, de 13 de julio (https://www.boe.es/buscar/doc.php?id=BOE-A-1990-16844). Su plan de formación abarca las áreas de: análisis y prevención de riesgos, planificación, intervención operativa y rehabilitación en catástrofes, así como las áreas de formación general e internacional. Asume dicho Centro un compromiso con la calidad, tal y como expresa en la Carta de Servicios (https://acortar.link/pMFr0m) de la Dirección general de Protección Civil y Emergencias. La ENPC, previa autorización de los Ministerios de Educación, Cultura y Deporte, y de Empleo y Seguridad Social, respectivamente, podrá impartir las acciones conducentes a la obtención de los títulos oficiales de formación profesional y certificados de profesionalidad relacionados con la protección civil. Con una superficie aproximada de 200.000 metros cuadrados, la ENPC está ubicada en el término municipal de Rivas-Vaciamadrid, donde desde 1997 presta sus servicios. Cuenta con amplio equipamiento, que engloba campos de prácticas para distintas tipologías de riesgos e incidentes.
Anualmente se publica la oferta formativa de la ENPC. En el año 2022 se programaron 175 actuaciones formativas, 25 de las cuales fueron online o semipresenciales, ofertando 5.000 plazas a las que pudieron acceder los integrantes del Sistema Nacional de Protección Civil de las distintas Administraciones Públicas, así como el voluntariado de protección civil. Se reservaron en torno a 1.100 plazas para el personal de la Administración General del Estado, principalmente miembros de las Fuerzas y Cuerpos de Seguridad del Estado y de la Unidad Militar de Emergencias. Entre las novedades, destacar el ciclo de conferencias dedicado al Sistema Nacional de Protección Civil y la gestión del riesgo de desastres en el ámbito nacional e internacional; los cursos sobre la gestión del riesgo y emergencias en protección civil para profesionales de los medios de comunicación; el relativo al análisis, prevención y mitigación de riesgos derivados de movimientos del terreno; el de intervención inmediata del trabajador social de emergencias y catástrofes; y, la capacitación de voluntarios de protección civil en incendios forestales. A lo largo del 2022 se celebraron más de 12 jornadas técnicas con participación de especialistas nacionales e internacionales en materia de incendios forestales, la evolución del volcán de La Palma, utilización de drones en emergencias, difusión de convocatorias de proyectos financiados por la Unión Europea o las posibilidades que brinda el sistema Copernicus en la gestión de emergencias, entre otros. (https://bit.ly/3ImOw6J)

una cultura corporativa entre los integrantes del Sistema, sin perjuicio del importante papel que deben desempeñar otros centros formativos (como es el caso de los existentes en las diferentes Comunidades Autónomas) y en colaboración con redes existentes en otros países.

El Título IV atribuye las competencias en materia de protección civil a los distintos órganos que configuran el Estado. Por un lado, al Gobierno se le atribuye la determinación de la política de protección civil, así como su superior coordinación. A tal fin, regulará los principales instrumentos con los que cuenta para la gestión de los procesos de la protección civil, reservándose las Redes Nacionales de Información y de Alerta, la Norma Básica, el Plan Estatal General, los Planes Especiales de ámbito estatal, así como el Protocolo de Intervención de la UME, además de cualquier otro medio que el Estado pueda utilizar en las emergencias. El Gobierno declarará una zona afectada gravemente por una emergencia de protección civil cuando proceda, en los términos y alcance establecidos en esta ley, así como podrá adoptar los acuerdos de cooperación internacional que se demanden.

Las competencias del Ministro del Interior son impulsar, coordinar y desarrollar la política de protección civil marcada por el Gobierno a través de las competencias atribuidas por el art. 34: elabora y propone al Gobierno para su aprobación todos los Planes de competencia estatal, y la declaración de zona afectada gravemente por una emergencia de protección civil, esta última junto al Ministerio de Hacienda y Administraciones Públicas y, en su caso, de los titulares de los demás ministerios afectados. Está encargado de declarar, dirigir y coordinar las emergencias de interés nacional y aquellas que se prevén en los planes cuya competencia es del Estado. Movilizar y coordinar los medios para cooperar en catástrofes en otros países está bajo la competencia del Ministerio de Asuntos Exteriores, Unión Europea y Cooperación. Tiene la responsabilidad de disponer en cualquier caso la participación de las Fuerzas y Cuerpos de Seguridad del Estado y, previo conocimiento del Ministerio correspondiente, de otros medios del Estado, incluidas las Fuerzas Armadas[554], para lo que deberá solicitar su colaboración a través del Ministro de Defensa. Presidirá los órganos de coordinación interadministrativa que establece la Ley, y dará instrucciones a los delegados del Gobierno para coordinar las actuaciones de los medios del Estado en sus respectivos ámbitos territoriales, así como cooperará, a su vez, con otros medios de carácter autonómico o de carácter local.

---

554 Su participación se prevé en la Ley Orgánica 5/2005, de 17 de noviembre, de la Defensa Nacional, concretamente en su art. 16.e): "en los supuestos de grave riesgo, catástrofe u otras necesidades públicas, conforme a lo establecido en la legislación vigente".

A diferencia de la Ley 2/1985, no se prevé ninguna delegación de las competencias del Gobierno.

El Título V aborda la cooperación y la coordinación. Es un Título enteramente nuevo respecto a la anterior Ley de 1985, que no ponía en valor la cooperación interadministrativa ni tampoco la de carácter internacional. Regula el Consejo Nacional de Protección Civil, con inclusión de la participación de la Federación Española de Municipios y Provincias, y la participación que determine y señale en el Reglamento[555]del propio Consejo Nacional.

Las Comunidades Autónomas podrán crear, a su vez, órganos de participación y coordinación en los que podrán participar representantes de la Administración General del Estado. Se entiende que sea más ajustado este planteamiento que la que se hacía en la norma anterior, que señalaba la constitución de Comisiones de Coordinación de Protección Civil por las Comunidades Autónomas.

Dado que tras la promulgación de la Ley 2/1985 se han creado órganos especializados en el seno de la Unión Europea, es por lo que se atribuye en la presente norma al Ministerio del Interior la función de punto de contacto

---

555 El Reglamento Interno de Organización y Funcionamiento del Consejo Nacional de Protección Civil fue aprobado por el Pleno del Consejo en su sesión de 29 de marzo de 2017. Su finalidad es la de "contribuir a una actuación eficaz, coherente y coordinada de las Administraciones competentes frente a las emergencias de protección civil", como señala en su art. 1.2.
Se compone de un Pleno, así como de una Comisión Permanente. El Pleno lo conforman "el ministro del Interior, los representantes de otros departamentos ministeriales designados por el Gobierno, los miembros de los Consejos de Gobierno de las Comunidades Autónomas y de Ciudades con Estatuto de Autonomía, competentes en materia de protección civil, el Presidente de la Federación Española de Municipios y Provincias y el Subsecretario del Interior." (art. 5.1). La Comisión Permanente está integrada por "el Subsecretario del Interior que la preside; por los representantes que designen los ministros miembros del Pleno, con rango administrativo mínimo de Director General; por los titulares de los órganos directivos competentes en materia de Protección Civil de las Comunidades Autónomas y Ciudades con Estatuto de Autonomía, y por un representante de la Federación Española de Municipios y Provincias, designado por su Presidente." (art. 7.1.)
El Pleno del Consejo podrá acordar que se constituyan Comisiónes Técnicas como órganos de estudio y propuesta, a fin de coadyuvar a las labores preparatorias de aquellas decisiones que tanto Pleno como Comisión Permanente han de adoptar. En la norma anterior, la Ley 2/85 de Protección Civil no existía un Consejo Nacional, sino una Comisión Nacional de Protección Civil, regulada por el Real Decreto 967/2002, de 20 de septiembre, por el que se regula la composición y régimen de funcionamiento de la Comisión Nacional de Protección Civil, «BOE» núm. 236, de 2 de octubre de 2002.

del Estado español con el Mecanismo de Protección Civil de la Unión[556], así como la coordinación de todas las actuaciones internacionales que afecten a las diferentes Administraciones Públicas. Cuando se precise responder a acuerdos o convenios internacionales o cooperar con otras naciones en virtud de acuerdos puntuales del Gobierno de España, fuera de los marcos antes señalados, el Ministerio del Interior es el encargado de recabar y activar los recursos que sean necesarios del Sistema de Protección Civil con la coordinación del Ministerio de Asuntos Exteriores y Cooperación.

1.1.4.- Régimen sancionador

Viene recogido en la Ley en su Título VI, del Régimen Sancionador, artículos 43 a 49, como resultado del principio de legalidad. Se lleva a efecto el ejercicio de la potestad sancionadora con el establecimiento de unos niveles que se basan en la gravedad de la infracción cometida, con el objeto de prevenir la discrecionalidad.

La Administración General del Estado es quien ejerce la potestad sancionadora en los casos en los que las conductas que sean objeto de infracción se efectúen con ocasión de emergencias de interés nacional o en los casos de ejecución de planes de protección civil cuya dirección y gestión corra a cargo de dicha administración.

Si hablamos de bienes tan importantes como el derecho a la vida o la salud de las personas, es obvio que cualquier conducta que las ponga en cuestión tenga una respuesta desde las administraciones con competencias en materia de protección civil (reserva de ley formal), sin menoscabo de la respuesta que pudiera obtenerse mediante la aplicación de las leyes penales (se requiere reserva de ley orgánica).

La multa es la sanción administrativa por excelencia[557], y la gradación que prescribe esta Ley avanza hasta los 600.000 euros en su máxima expresión.

Como señala la Sala III del TS, de 7 de junio de 2018, rec. 681/2018[558]:

---

556 Parlamento Europeo y Consejo de la Unión Europea. (2021). Reglamento del Parlamento Europeo y del Consejo por el que se modifica la Decisión n.º 1313/2013/UE relativa a un Mecanismo de Protección Civil de la Unión. PE.CONS 6/21. https://www.boe.es/buscar/doc.php?id=DOUE-L-2021-80663

557 García de Enterría, E. (1976). El problema jurídico de las sanciones administrativas. Revista Española de Derecho Administrativo (REDA), 10, 399-420..

558 Chaves, J. R. (2020). Derecho Administrativo Mínimo (p. 642). Editorial Amarante.

"... La fijación de un umbral máximo y uno mínimo de la sanción correspondiente en atención a la gravedad de la infracción es una garantía para el administrado pues reduce el margen de discrecionalidad en materia de derecho administrativo sancionador y además el establecimiento de este tipo de límites implica que la respuesta sancionadora ha sido previamente determinada e individualizada la pena conforme al principio de taxatividad existente en el derecho punitivo".

La Ley 17/2015, del Sistema Nacional de Protección Civil, constituye una ley formal en la que el legislador expresa de manera inequívoca su voluntad de habilitar a la Administración para ejercer potestad sancionadora. En ella se cumplen los requisitos exigidos por el principio de legalidad sancionadora: la previsión en una norma con rango de ley —en este caso estatal—, la atribución de la competencia a los órganos administrativos correspondientes y la tipificación de las conductas infractoras junto con la determinación explícita, clara y delimitada de sus consecuencias jurídicas[559].

En el marco de la citada Ley, la competencia sancionadora se distribuye de forma graduada en función de la gravedad de la infracción. Así, corresponde al titular de la Delegación del Gobierno la imposición de sanciones por infracciones leves; al titular de la Dirección General de Protección Civil y Emergencias la resolución de las infracciones graves; y, en el caso de las infracciones muy graves, la potestad sancionadora recae en el titular del Ministerio del Interior.

La acotación para la regulación de las conductas infractoras y sus consecuencias aparecen claramente en el artículo 45, de las Infracciones, así como en el artículo 46, de las Sanciones. Se favorece la previsibilidad de la sanción, acotando el margen de maniobra de la Administración, de conformidad con la citada STS de 7 de junio de 2018, rec. 681/2018).

Con el artículo 45, de las Infracciones, se cumple el principio de tipicidad, que es que el hecho o la conducta infractora esté descrito en norma legal con claridad y precisión[560]. La Ley 17/2015 del Sistema Nacional de Protección Civil es una Ley precisa, que cuenta con cincuenta artículos y diez Disposiciones adicionales, así también una Disposición transitoria y cuatro Disposiciones finales. En su afán clarificador, incluye un artículo destinado a definiciones a los efectos de esta ley, con objeto de evitar la interpretación subjetiva que pudiera desvirtuar sus fines. En todo Sistema, las partes son elementos esenciales para alcanzar los fines previstos, y en un Sistema de protección civil, las partes son

---

559 Íbidem.

560 Íbidem pág. 645

piezas de un engranaje que ha de responder con precisión. Hablamos de partes para referirnos a obligaciones impuestas, órdenes o prescripciones, deberes de colaboración, etc. De ello da buena cuenta el art. 45, con 5 apartados, en los que se establece que en materia de protección civil son infracciones administrativas, "las acciones y omisiones tipificadas en esta ley", graduándolas (muy graves, graves y leves) y definiendo cada una de ellas.[561]

---

[561] Art. 45 de la Ley 17/2015, de 9 de julio, del Sistema Nacional de Protección Civil. Infracciones.
1. Son infracciones administrativas en materia de protección civil las acciones y omisiones tipificadas en esta ley.
2. Las infracciones se clasifican en muy graves, graves y leves.
3. Constituyen infracciones muy graves:
a) El incumplimiento de las obligaciones derivadas de los planes de protección civil, cuando suponga una especial peligrosidad o trascendencia para la seguridad de las personas o los bienes.
En las emergencias declaradas, el incumplimiento de las órdenes, prohibiciones, instrucciones o requerimientos efectuados por los titulares de los órganos competentes o los miembros de los servicios de intervención y asistencia, así como de los deberes de colaboración a los servicios de vigilancia y protección de las empresas públicas o privadas, cuando suponga una especial peligrosidad o trascendencia para la seguridad de las personas o los bienes:
a) El incumplimiento de los deberes previstos en el artículo 7 bis.7 de esta Ley, cuando suponga una especial peligrosidad o trascendencia para la seguridad de las personas o los bienes.
b) La comisión de una segunda infracción grave en el plazo de un año.
4. Constituyen infracciones graves:
a) El incumplimiento de las obligaciones derivadas de los planes de protección civil, cuando no suponga una especial peligrosidad o trascendencia para la seguridad de las personas o los bienes.
b) En las emergencias declaradas, el incumplimiento de las órdenes, prohibiciones, instrucciones o requerimientos efectuados por los titulares de los órganos competentes o los miembros de los servicios de intervención y asistencia, así como de los deberes de colaboración a los servicios de vigilancia y protección de las empresas públicas o privadas, cuando no suponga una especial peligrosidad o trascendencia para la seguridad de las personas o los bienes.
c) El incumplimiento de las obligaciones previstas en el artículo 7 bis.7, cuando no suponga una especial peligrosidad o trascendencia para la seguridad de las personas o los bienes.
d) El incumplimiento de las obligaciones previstas en el artículo 7 bis. 8, cuando suponga una especial trascendencia para la seguridad de las personas o los bienes.
e) La comisión de una tercera infracción leve en el plazo de un año.
5. Constituyen infracciones leves:
a) El incumplimiento de las obligaciones previstas en el artículo 7 bis.8, cuando no suponga una especial trascendencia para la seguridad de las personas o los bienes.

No cabe duda de que nos encontramos ante una concreción exigida por el principio de tipicidad, ya que, de lo contrario, se incurriría en una indeterminación normativa que podría derivar en inconstitucionalidad por vulneración del principio de seguridad jurídica.

A la vista de estos planteamientos generales, resulta oportuno detenerse en algunos aspectos concretos. A saber:

1.1.4.1.- Responsables

La pregunta es evidente: ¿quiénes serán los responsables en caso de infracción? La respuesta tiene su sede en el art. 28 LRJSP[562], que señala que serán las personas físicas y jurídicas:

"Artículo 28. Responsabilidad.

1. Sólo podrán ser sancionadas por hechos constitutivos de infracción administrativa las personas físicas y jurídicas, así como, cuando una Ley les reconozca capacidad de obrar, los grupos de afectados, las uniones y entidades sin personalidad jurídica y los patrimonios independientes o autónomos, que resulten responsables de los mismos a título de dolo o culpa.

2. Las responsabilidades administrativas que se deriven de la comisión de una infracción serán compatibles con la exigencia al infractor de la reposición de la situación alterada por el mismo a su estado originario, así como con la indemnización por los daños y perjuicios causados, que será determinada y exigida por el órgano al que corresponda el ejercicio de la potestad sancionadora. De no satisfacerse la indemnización en el plazo que al efecto se determine en función de su cuantía, se procederá en la forma prevista en el artículo 101 de la Ley del Procedimiento Administrativo Común de las Administraciones Públicas.

3. Cuando el cumplimiento de una obligación establecida por una norma con rango de Ley corresponda a varias personas conjuntamente, responderán de forma solidaria de las infracciones que, en su caso, se cometan y de las sanciones que se impongan. No obstante, cuando la sanción sea pecuniaria y sea posible se individualizará en la resolución en función del grado de participación de cada responsable.

4. Las leyes reguladoras de los distintos regímenes sancionadores podrán tipificar como infracción el incumplimiento de la obligación de prevenir la comisión de infracciones ad-

---

b) Cualquier otro incumplimiento a esta ley que no constituya infracción grave o muy grave.

562 Ley 40/2015, de 1 de octubre, de Régimen Jurídico del Sector Público. BOE núm. 236, de 2 de octubre de 2015. https://www.boe.es/buscar/act.php?id=BOE-A-2015-10566

ministrativas por quienes se hallen sujetos a una relación de dependencia o vinculación. Asimismo, podrán prever los supuestos en que determinadas personas responderán del pago de las sanciones pecuniarias impuestas a quienes de ellas dependan o estén vinculadas."

Conviene delimitar qué persona física podrá ser sancionada, pues persona física es un niño de escasa edad. Nos adentramos pues en el ámbito de la capacidad. Y como señala el Profesor CHAVES, "ha de estarse al principio de congruencia"[563], entendida esta como la capacidad para ver y entender normas, en ámbitos sectoriales o relacionales de sujeción siempre que se exceda de catorce años. Por debajo de tal edad, se reputa al menor sin madurez suficiente para soportar la responsabilidad del poder punitivo del Estado[564], sin perjuicio de la responsabilidad civil que pudiera recaer en sus tutores o progenitores.

Acertadamente es introducido el dolo o culpa -no la inobservancia de la norma- a efectos de sanción ante una infracción administrativa. El dolo o culpa conlleva la actuación en conciencia y con voluntariedad, si bien determinadas conductas podrán ser sancionables por la mera negligencia o imprudencia[565]. Es lógico que esto sea así, pues no solo el Derecho, sino la vida en comunidad exige que seamos ciudadanos diligentes y que empleemos nuestros cinco sentidos para no afectar negativamente a los demás con nuestra conducta. No habrá intencionalidad como en el dolo, pero una actuación negligente o imprudente puede provocar situaciones muy comprometidas para la vida de los seres humanos y sus pertenencias. En cualquier caso, el dolo o la culpa siempre ha de ser probada por la Administración, sobre quien recae la carga probatoria. Será esta quien demuestre la ausencia de diligencia, acreditará las pruebas para sostenerla, y el presunto infractor podrá probar la existencia de una causa que le excluya de la responsabilidad.

Se pueden dar supuestos problemáticos, tal es el caso de la concurrencia de "fuerza mayor", algo no descartable en el ámbito de la Protección civil. En esencia, esta fuerza mayor que nos ocupa consiste en que "nadie debe responder de

---

563 Chaves, J. R. (2020). Derecho Administrativo Mínimo (p. 646). Editorial Amarante.

564 Chaves, J. R., señala a nivel referencial que es a partir de los 14 años cuando el legislador autoriza la recepción de notificaciones administrativas (art. 42.2. LPAC), la edad que habilita el Código Civil para poder optar por la vecindad civil (art. 14.2 CC) o la nacionalidad (art. 20.2 b CC), o para hacer testamento (art. 663 CC), indicando además que en materia de infracciones de seguridad ciudadana se exime de responsabilidad a los menores de 14 años, en consonancia con la legislación sobre responsabilidad penal del menor (art. 30.2 Ley Orgánica 4/2015, de 30 de marzo, de protección de seguridad ciudadana). Íbidem.

565 Tribunal Supremo. (2018, 7 de junio). Sentencia recurso número 681/2016. En Chaves, J. R., Derecho Administrativo Mínimo (p. 648). Editorial Amarante.

aquellos sucesos que no hubieran podido preverse, o que previstos, fueran inevitables, es decir, el caso fortuito o la fuerza mayor"[566]. Por ejemplo, el avión que cae a consecuencia de los fuertes vientos que origina un grave incendio forestal.

La jurisprudencia[567] define la fuerza mayor como aquel "acontecimiento extraordinario que las partes no han podido prever o que, previsto, no han podido evitar", de tal forma que para apreciar lisa y llanamente la concurrencia de fuerza mayor se precisa que se trate de un hecho que no se pudiera prever o que, si hubiese sido previsto, este fuera inevitable. En el fondo, los sucesos calificativos de fuerza mayor convienen a un concepto teóricamente amplísimo y de límites imprecisos que hay que entenderlo[568], en su aplicación legal y práctica, como "excluyente de aquellos hechos totalmente insólitos y extraordinarios que, aunque no imposibles físicamente y por tanto previsibles, en teoría no son de los que pueda calcular una conducta prudente que atente a las eventualidades que el recurso de la vida permite esperar"[569]. La fuerza mayor sería la "existencia de un suceso imprevisible o que, previsto sea inevitable, insuperable o irresistible", que escape a la voluntad del ciudadano, habiendo entre el evento y el resultado "un nexo o relación de causalidad eficiente"[570]. Así, podemos ceñir la fuerza mayor a la concurrencia de circunstancias "extraordinarias, anormales y ajenas a aquel que la invoca, cuyas consecuencias o bien son imposibles de prever o, previstas, son imposibles de evitar, en uno y otro caso no obstante el uso de la debida diligencia"[571].

Esta norma en la disposición adicional novena, establece que la competencia municipal (alcaldía) para resolver los expedientes sancionadores está condicionada a la legislación sectorial aplicable y al reparto competencial.

Se tipifican las cuatro medidas provisionales que pueden adoptar las autoridades competentes en materia de protección civil en supuestos de amenaza inminente para personas o bienes. Podrán adoptarlas con carácter extraordinario ante la iniciación del procedimiento sancionador, pudiendo ser ratificadas, modificadas o revocadas en el acuerdo de incoación, en un plazo de quince días.

---

[566] Chaves, J. R. (2020). Derecho Administrativo Mínimo (p. 649). Editorial Amarante.

[567] Tribunal Supremo. STS de 22 de diciembre de 1986

[568] Poquet Catalá, R. (2015). [Título del artículo, si está disponible]. USLabor, 2, 3.

[569] Tribunal Supremo. STS de 18 de noviembre de 1980.

[570] Tribunal Supremo. STS de 17 de mayo de 1983

[571] Tribunal Superior de Justicia de Madrid. (2016, 26 de abril). Sentencia recurso número 587/2014. En Chaves, J. R., Derecho Administrativo Mínimo (p. 649). Editorial Amarante.

Para conocer en profundidad las claves de la responsabilidad personal de las autoridades, y también de los empleados públicos, se recomienda la obra del Prof. Rivero.[572]

1.1.4.2.- Garantías constitucionales del procedimiento sancionador

La doctrina del Tribunal Constitucional ha declarado la aplicación de las garantías constitucionales recogidas en el art. 24.2 de la Carta Magna. Y en su línea argumental se apoya tanto en el Alto Tribunal como en el Tribunal Europeo de Derechos Humanos, encontrando un claro ejemplo a continuación:

"Es cierto que constituye una doctrina reiterada de este Tribunal y del Tribunal Europeo de Derechos Humanos (así, por ejemplo, Sentencias del T.E.D.H. de 8 de junio de 1976 -asunto Engel y otros-, de 21 de febrero de 1984 -asunto Iztürk-, de 28 de junio de 1984 -asunto Campbell y Fell-, de 22 de mayo de 1990 -asunto Weber-, de 27 de agosto de 1991 -asunto Demicoli-, de 24 de febrero de 1994 asunto Bendenoun-), la de que los principales principios y garantías constitucionales del orden penal y del proceso penal han de observarse, con ciertos matices, en el procedimiento administrativo sancionador y, así, entre aquellas garantías procesales hemos declarado aplicables el derecho de defensa (STC 4/1982) y sus derechos instrumentales a ser informado de la acusación (SSTC 31/1986, 190/1987, 29/1989) y a utilizar los medios de prueba pertinentes para la defensa (SSTC 2/1987, 190/1987 y 212/1990), así como el derecho a la presunción de inocencia (SSTC 13/1982, 36 y 37/1985, 42/1989, 76/1990, 138/1990), derechos fundamentales todos ellos que han sido incorporados por el legislador a la normativa reguladora del procedimiento administrativo común (Título IX de la Ley 30/1992, de 26 de noviembre); e incluso garantías que la Constitución no impone en la esfera de la punición administrativa -tales como, por ejemplo, la del derecho al «Juez imparcial» (STC 22/1990 y 76/1990) o la del derecho a un proceso sin dilaciones indebidas (STC 26/1994)-, también han sido adoptadas en alguna medida por la legislación ordinaria, aproximando al máximo posible el procedimiento administrativo sancionador al proceso penal."

La Ley 30/1992, ya derogada, contemplaba derechos fundamentales que asume la Ley 39/2015, de 1 de octubre, del Procedimiento Administrativo Común de las Administraciones Públicas, y que plasma en sus artículos 53 y ss.

---

572 Rivero Ortega, R. (2021). Claves de la responsabilidad personal de autoridades y empleados públicos. En M. Olmedo Cardenete, M. Á. Núñez Paz, N. Sanz Mulas, & M. Polaino-Orts (Dirs.), *Ciencia penal y generosidad: de lo mexicano a lo universal. Libro homenaje a Carlos Juan Manuel Daza Gómez, in memoriam* (pp. 575-590). J.M. Bosch. ISBN: 978-84124357-8-8.

La Ley 17/2015 del Sistema Nacional de Protección Civil, en su art. 49 hace referencia al procedimiento sancionador, derivando el ejercicio de la potestad sancionadora en materia de protección civil al Título IX de la antigua Ley 30/1992, hoy plasmado en el Título IV de la Ley 39/2015.

1.1.4.3.- Culpabilidad de las personas jurídicas

El art. 45 de la Ley 17/2015 expresa que constituye una infracción muy grave cuando con motivo de las emergencias declaradas, nos encontramos ante "el incumplimiento de las órdenes, prohibiciones, instrucciones o requerimientos efectuados por los titulares de los órganos competentes o los miembros de los servicios de intervención y asistencia, así como de los deberes de colaboración a los servicios de vigilancia y protección de las empresas públicas o privadas, cuando suponga una especial peligrosidad o trascendencia para la seguridad de las personas o los bienes."

Que la infracción la realice una persona jurídica no es vía de escape para la correspondiente sanción por infracción, pues las personas jurídicas tienen capacidad infractora, si bien el elemento subjetivo de la culpa se conjuga de manera diferenciada a cómo opera con relación a las personas físicas.

Pongamos el ejemplo de una empresa de vigilancia que, ante un aviso de fenómeno meteorológico adverso, desatiende sus importantes cometidos en cuanto al control de acceso a determinados servicios determinantes para dar respuesta a una emergencia declarada. Esta empresa (persona jurídica) contraviene una responsabilidad, que afecta a bienes jurídicos protegidos por la norma que se infringe, provocando un riesgo o efectos adversos, debiendo responder por ello, pues está sujeta al cumplimiento de dicha norma.

1.1.4.4.- Las medidas provisionales

Están plasmadas en el art. 50 de la Ley 17/2015. En los casos de amenaza inminente para personas o bienes (clausura de establecimientos, suspensión de actividades, etc.), se pueden adoptar medidas provisionales antes de iniciar el procedimiento sancionador.

Podrán adoptar estas medidas las "autoridades competentes en materia de protección civil". Si para la imposición de sanciones está precisado quiénes tienen dicha facultad, y como hemos comprobado son personas vinculadas por su responsabilidad a la Administración General del Estado (delegados del Gobierno, Director General de Protección Civil y el Ministro del Interior), las medidas provisionales pueden ser adoptadas además de por los anteriores por autoridades del ámbito de la Comunidad Autónoma y de los Entes Locales una vez iniciado el procedimiento sancionador. Estamos pues ante un apoderamiento en toda regla de estas últimas administraciones, y todo ello en aras a dar respuesta eficaz a las demandas del ciudadano, que no admiten demoras, pues de producirse, tendrían consecuencias muy negativas. Ello es coherente, pues hemos hablado en reiteradas ocasiones de la voluntad de implementar un auténtico Sistema de Protección Civil, con participación multinivel de las administraciones públicas.

Las medidas provisionales, por su trascendencia, se expresan a continuación[573]:

a) El depósito en lugar seguro de los instrumentos o efectos utilizados para la comisión de las infracciones y, en particular, de objetos o materias peligrosas.

b) La adopción de medidas de seguridad de las personas, bienes, establecimientos o instalaciones que se encuentren amenazados, a cargo de sus titulares.

c) La suspensión o clausura preventiva de fábricas, locales o establecimientos.

d) La suspensión parcial o total de las actividades en los establecimientos que sean notoriamente vulnerables y no tengan en funcionamiento los Planes de Autoprotección o las medidas de seguridad necesarias.

Hay que hacer constar que esta Ley del Sistema Nacional de Protección Civil, es por pocos meses anterior a la Ley 39/2015, de 1 de octubre, del Procedimiento Administrativo Común de las Administraciones Públicas [574] (escasos tres meses, contando el mes de agosto). De ahí que lo prescrito en la Ley del Sistema Nacional de Protección Civil, venga contemplado en materia de medidas provisionales en la Ley 39/2015, o tenga cabida en su art. 56.3 i): "Aquellas otras medidas que, para la protección de los derechos de los interesados, prevean expresamente las leyes, o que se estimen necesarias para asegurar la efectividad de la resolución." Esta disposición refuerza la protección jurídica y administrativa en situaciones de emergencia, alineándose con los principios de respuesta rápida y protección efectiva discutidos en la doctrina especializada en derecho administrativo.

---

573 Ley 17/2015, de 9 de julio, del Sistema Nacional de Protección Civil, art. 50.2. https://www.boe.es/buscar/act.php?id=BOE-A-2015-7730

574 Ley 39/2015, de 1 de octubre, del Procedimiento Administrativo Común de las Administraciones Públicas, art. 56. "BOE" núm. 236, de 02 de octubre de 2015. https://www.boe.es/buscar/pdf/2015/BOE-A-2015-10565-consolidado.pdf

1.1.5.- Ciudadanos "mayores de edad"

La Ley parte de una concepción del ciudadano como "mayor de edad" en el plano cívico y jurídico. Frente a una cultura social en la que a menudo se privilegia un catálogo de derechos desligado de obligaciones, el texto normativo reconoce a la persona como sujeto responsable, dotado de capacidades y deberes. En este marco, los ciudadanos han de ser informados de los riesgos de su entorno, así como de las medidas de autoprotección y prevención disponibles; y, además, se les reconoce la posibilidad de participar, ya sea de forma directa o a través de organizaciones de voluntariado y asociaciones representativas, en la elaboración de los planes de protección civil.

Pero esa "mayoría de edad" implica también deberes correlativos. Destacan, en particular, el deber de colaboración —personal y material— en caso de requerimiento por parte de la autoridad competente, y el deber de cautela y autoprotección, que obliga a los ciudadanos a adoptar las medidas necesarias para no generar riesgos y a evitar conductas que los expongan innecesariamente. Se configura así un equilibrio entre derechos y obligaciones que afianza la corresponsabilidad social en materia de protección civil.

1.1.6.- Prestación de servicio a través de entidad de derecho privado

Se observa una tendencia creciente de la Administración pública a articular la prestación de determinados servicios a través de entidades de derecho privado, especialmente en ámbitos donde los avances tecnológicos exigen una capacidad de adaptación inmediata. En el campo de la protección civil, caracterizado por la constante innovación científica y técnica, esta tendencia responde al riesgo de que la respuesta pública se vea lastrada por las rigideces propias del modelo administrativo tradicional. Cuando el Derecho administrativo no ofrece soluciones suficientemente ágiles para superar estos hándicaps, se intensifica la deriva hacia fórmulas organizativas de naturaleza privada, en busca de mayor flexibilidad y eficacia operativa.

Sea como fuere, la búsqueda de la respuesta desde lo público no ha de establecerse como una quimera. Entregar la respuesta a organizaciones y entidades de derecho privado, supone en cierta medida una renuncia a la soberanía de la propia respuesta, cuando hablamos de bienes tan importantes como la vida de las personas. En un mundo tan interconectado, la vanguardia también ha de estar en la administración y en sus servicios públicos, y así podremos decir que el derecho administrativo no es una realidad que huye, sino que está ahí para prestar su función ahora y en el futuro: "el derecho administrativo ha vuelto para quedarse"[575].

En el caso de que sea preciso exigir responsabilidad[576] a estas entidades de derecho privado, habrá de estar a lo preceptuado en el art. 35 de la LRJSP[577]:

«Cuando las Administraciones Públicas actúen, directamente o a través de una entidad de derecho privado, en relaciones de esa naturaleza, su responsabilidad se exigirá de conformidad con lo previsto en los arts. 32 y siguientes, incluso cuando concurra con sujetos de derecho privado o la responsabilidad se exija directamente a la entidad de derecho privado a través de la cual actúe la Administración o a la entidad que cubra su responsabilidad».

El régimen pues de responsabilidad patrimonial aplicable a estas entidades de derecho privado, será el del derecho administrativo, lo que sin duda es una garantía mayor para el ciudadano: el paraguas del derecho público provee mayor cobertura y es más garantista que el privado.

1.2.- Proyección de la Ley del Sistema Nacional de Protección Civil en el resto del ordenamiento jurídico.

1.2.1.- La Ley Orgánica 4/1981, de los estados de alarma, excepción y sitio.

El art. 116 en nuestra Carta Magna prevé el estado de alarma, que en la Ley Orgánica 4/1981, de 1 de junio, de los estados de alarma, excepción y sitio contempla su regulación[578]. Halla su relación con la protección civil en el art. 4 a), cuando señala que el Gobierno puede declarar el estado de alarma, en una parte o todo el territorio del estado español, para hacer

---

575 Sánchez Morón, M. (2018). El retorno del derecho administrativo. Revista de Administración Pública, 206, 37-66. doi: https://doi.org/10.18042/cepc/rap.206.02

576 Ley 40/2015, de 1 de octubre, de Régimen Jurídico del Sector Público. (2015). BOE núm. 236, de 02 de octubre de 2015. https://www.boe.es/buscar/act.php?id=BOE-A-2015-10566 Artículo 32. Principios de la responsabilidad. 1. Los particulares tendrán derecho a ser indemnizados por las Administraciones Públicas correspondientes, de toda lesión que sufran en cualquiera de sus bienes y derechos, siempre que la lesión sea consecuencia del funcionamiento normal o anormal de los servicios públicos salvo en los casos de fuerza mayor o de daños que el particular tenga el deber jurídico de soportar de acuerdo con la Ley.

577 Íbidem

578 Ley Orgánica 4/1981, de 1 de junio, de los estados de alarma, excepción y sitio. «BOE» núm. 134, de 05 de junio de 1981, https://www.boe.es/buscar/act.php?id=BOE-A-1981-12774.

frente a las situaciones expresadas en citado artículo[579]. Los sucesos que se señalan en este apartado a), pertenecen a la esfera de actuación también de la protección civil, en correlación con lo preceptuado en el art. 30.4 de la Carta Magna, que señala los deberes de colaboración a los ciudadanos en estos casos. Puede conducir a confusión los presupuestos de hecho del estado de alarma y la actuación en el caso de emergencias de interés nacional de la protección civil (el art. 28 se dicta en correspondencia con lo señalado en

---

579 "cuando se produzca alguna de las siguientes alteraciones graves de la normalidad: a) Catástrofes, calamidades o desgracias públicas, tales como terremotos, inundaciones, incendios urbanos y forestales o accidentes de gran magnitud. b) Crisis sanitarias, tales como epidemias y situaciones de contaminación graves. c) Paralización de servicios públicos esenciales para la comunidad, cuando no se garantice lo dispuesto en los artículos 28.2 y 37.2 de la Constitución y concurra alguna de las demás circunstancias o situaciones contenidas en este artículo. d) Situaciones de desabastecimiento de productos de primera necesidad."
Las crisis sanitarias que se señalan en el apartado b) antes mencionado, vienen recogidas también en las líneas de acción estratégicas del Sistema Nacional de Protección ante Emergencias y Catástrofes que la Estrategia de Seguridad Nacional, aprobada por el Consejo de Ministros el 31 de mayo de 2013, establece como uno de los objetivos del Sistema Nacional de Seguridad Nacional: "adopción de planes de preparación y respuesta ante pandemias bajo el principio de coordinación entre la Administración General del Estado y las Comunidades Autónomas y con organismos internacionales como la Organización Mundial de la Salud o el Centro Europeo para la Prevención y el Control de las Enfermedades de la UE", y la "adopción de protocolos de gestión y comunicaciones de situaciones de crisis alimentarias en coordinación con la Unión Europea y otros organismos internacionales de referencia".
En la Estrategia de Seguridad Nacional del año 2021 expresa entre los riesgos y amenazas a la Seguridad nacional, las "epidemias y pandemias": "La crisis desencadenada por la COVID-19, además de cobrarse la vida de millones de personas en el mundo, ha tenido importantes consecuencias sociales y económicas, con un impacto desigual que ha agudizado las brechas existentes entre países, sociedades y ciudadanos. Las dificultades experimentadas por los organismos internacionales para la toma de decisiones y las tensiones surgidas en relación con la producción y distribución de material sanitario, fármacos o vacunas dirigidos a combatir la enfermedad han contribuido a intensificar fricciones geopolíticas existentes y, en determinados casos, a dificultar la cooperación internacional. Un aspecto crucial que se ha puesto de manifiesto es la fragilidad de las cadenas de suministro global de determinados recursos estratégicos y la necesidad de disminuir el grado de dependencia del exterior de recursos esenciales para garantizar su accesibilidad en todo momento."
Se indica en dicha Estrategia que hay que "modernizar el sistema de vigilancia de Salud Pública a través de la renovación de las tecnologías sanitarias y los sistemas de información. La Estrategia Digital del Servicio Nacional de Salud incluirá medidas para mejorar la prevención, el diagnóstico, la vigilancia y la gestión de la salud en un marco de cogobernanza con las Comunidades Autónomas."

las STC ya indicadas). Pero hemos de hacer constar que el estado de alarma pertenece al ámbito del orden público o la seguridad del Estado. Es un estado de urgencia administrativa en contraposición a los estados de la urgencia de naturaleza política que son los estados de excepción y sitio, como así los describe la doctrina. El estado de alarma es un instrumento al alcance del Estado para hacer frente a situaciones de conflictividad social[580]. Pensamos que el estado de alarma es un régimen cuyo carácter es excepcional y que tiene como objetivo conseguir eficazmente el mantenimiento o la vuelta a la normalidad de los poderes en una sociedad democrática, para lo cual el Gobierno está habilitado para adoptar medidas que no requieran suspensión de los derechos constitucionales[581], aunque para su ejecución se establezcan ciertos límites a estos[582]. Tales medidas se adoptan únicamente mediante Decreto del Gobierno en el que se ha de declarar dicho estado de alarma en un territorio, la autoridad a la que se confiere determinadas facultades de carácter excepcional (art. 11), así como su extensión temporal, nunca superior a quince días, con posibilidad de prórroga. De dicho decreto, así como de los que pudieran dictarse durante el estado de alarma, se habrá de dar cuenta al Congreso de los Diputados.

---

580 Cruz Villalón. (1981). La Ley Orgánica 4/1981, de 6 de junio. *Revista de Derecho Constitucional, 1*(2), 96.

581 Muñoz Gómez, Á. El control de constitucionalidad del estado de alarma. Comentario a la STC 148/2021, de 14 de julio. Revista de la Facultad de Derecho de ICADE: "El 14 de julio de 2021 el Tribunal Constitucional declaró inconstitucionales algunas de las disposiciones establecidas en el Real Decreto 463/2020, de 14 de marzo, por el que se declara el estado de alarma para la gestión de la situación de crisis sanitaria ocasionada por la COVID-19. La sentencia basa su argumentación en que dichas restricciones constituían una suspensión de la libertad de circulación y no una mera limitación. Esto las hacía incompatibles con el art. 55 CE que establece que la suspensión de determinados derechos solo puede darse bajo los estados de excepción y sitio. La resolución ha suscitado un debate doctrinal que incide sobre la interpretación del derecho de excepción y el papel de las instituciones. " https://bit.ly/3Cko7mc

582 Fernández-Fontecha Torres, M. El Estado de Alarma: algunas cuestiones fundamentales. *El derecho.com.* Visto el 4 de abril de 2024, de "Los estados excepcionales son los medios de intervención de los derechos fundamentales. Hay una reserva de declaración de limitación o suspensión general de derecho fundamental, que se admite solamente sobre la base del artículo 116 de la Constitución. Es una reserva de regulación que aunque no se ejercite por medio de una ley, los estados de alarma se han declarado por Reales Decretos y el artículo 116.3 también se refiere al decreto para el estado de excepción, aunque previa autorización del Congreso- tiene la misma naturaleza que la reserva de ley orgánica o de ley ordinaria, lo que incluso ha sido admitido a efectos del control de constitucionalidad y de la exclusión de la jurisdicción ordinaria contencioso-administrativo." https://bit.ly/3VQhT45

La protección civil es competente para actuar en los mismos presupuestos de hecho que se dan en la declaración del estado de alarma, pero cuando no tienen la entidad que se exige para este. El sistema de protección civil operará en los supuestos de riesgos graves, catástrofes o calamidades públicas, de los que será previsible racionalmente mantener o restablecer la normalidad a través de los poderes de carácter ordinario de las autoridades con competencias en responder en virtud de lo señalado en los respectivos planes. Dicho planteamiento alcanza incluso en situaciones de máxima gravedad, declarándose el interés nacional por el ministro del Interior. Cuando la gravedad es extrema, con emergencias para las que se declare el interés general, hay un desplazamiento competencial, pasando a ser declaradas, dirigidas y coordinadas por el ministro del Interior, como se prevé en el Plan Estatal General (PLEGEM)[583].

El Sistema Nacional de Protección Civil no gestionará una catástrofe cuando se desborden sus capacidades, para lo cual habría de declararse el estado de alarma o cuando paralelamente a la situación de catástrofe, se produjera o pudiera producir alguna de las situaciones contempladas en los apartados c) o d) del art. 4 de la Ley Orgánica 4/1981, es decir, la paralización de los servicios esenciales para la comunidad o la falta de suministros o desabastecimiento de productos que son de primera necesidad.

Durante la pandemia de la COVID-19, se suscitó una amplia controversia a propósito de si se podría actuar limitando ciertos derechos de los ciudadanos sin activar el estado de alarma, usando a tal fin legislación del ámbito sanitario, algo fuera de un correcto encaje jurídico en nuestro ordenamiento, y que nos lleva a concluir que no hay pues una opción alternativa. Únicamente bajo el paraguas de la Ley 4/1981 pueden adoptarse medidas como las que fueron adoptadas. No tiene encaje que una ley orgánica u ordinaria pueda regular lo que se reserva para estados excepcionales. Es una cuestión de reserva absoluta, en cuanto afecta a los derechos fundamentales y libertades públicas y se extiende a los Acuerdos de declaración y sus modificaciones[584].

Por ello que las normas de sanidad de carácter general no pueden ser el instrumento para la legitimación de medidas a las que se refiere la Ley

---

583 Gobierno de España, Ministerio del Interior. (2021). Plan Estatal General de Emergencias de Protección Civil (PLEGEM). Depósito Legal, M-734-2021. Art. 1.4. La persona titular del Ministerio del Interior ejerce la Dirección del PLEGEM en todas sus fases, y especialmente en las emergencias de interés nacional.

584 Fernández-Fontecha Torres, M. El Estado de Alarma: algunas cuestiones fundamentales. *El derecho.com.*, visto el 4 de abril de 2024. https://elderecho.com/el-estado-de-alarma-algunas-cuestiones-fundamentales

4/1981. Las normas de sanidad no pueden regular estados excepcionales (ni de forma directa ni indirecta), pues como hemos indicado, estos estados están sometidos a reserva. Solamente pueden ser acordados en virtud de los artículos 55 y 116 de la Carta Magna. Decretar un confinamiento (con independencia de su ámbito: un domicilio, un barrio, una ciudad, etc.), como los conocidos como cierres perimetrales, son actuaciones que no son amparadas por la Constitución sin la declaración de uno de los estados excepcionales[585]

La Ley del Sistema Nacional ofrece dos facultades extraordinarias para las autoridades responsables de protección civil: la requisa temporal de bienes y la intervención u ocupación transitoria de aquellos que sean necesarios, algo previsto en la norma legal anterior. En el estado de alarma estas facultades extraordinarias[586] se extienden a otras actuaciones reguladas en el art. 11, de la Ley Orgánica 4/1981.

---

585 Fernández-Fontecha Torres, M. El Estado de Alarma: algunas cuestiones fundamentales. El derecho.com., visto el 4 de abril de 2024. https://elderecho.com/el-estado-de-alarma-algunas-cuestiones-fundamentales
"Una ley general sanitaria, estatal o autonómica, se aplica conforme a un principio elemental derivado del esquema norma-acto, que tiene cuenta si se da el presupuesto de la norma, mientras que las restricciones de los estados excepcionales no tienen en cuenta el supuesto concreto de intervención según esas leyes, por llamarlo de alguna forma, sino (i) la evolución y perspectiva de un riesgo de salud extraordinario; (ii) la indeterminación personal del alcance de la intervención que implica por su naturaleza y (iii) la afectación a derechos fundamentales, por lo que las medidas saltan de nivel respecto de los supuestos previstos en una cláusula general de tutela de la salud pública. Esta es una diferencia esencial entre las medidas de los estados excepcionales y las medidas de las leyes sanitarias, como la Ley 14/1986, de 25 de abril, General de Sanidad, la Ley Orgánica 3/1986, de 14 de abril, de Medidas Especiales en Materia de Salud Pública y la Ley 33/2011, de 4 de octubre, General de Salud Pública, y las leyes autonómicas.
Por tanto, si se trata de utilizar la norma general sanitaria o cualquier otro tipo de ley, para tratar de encajar un confinamiento o medidas equivalentes en defecto de estado excepcional se vulnera la reserva de regulación de los artículos 55 y 116, y, a la vez, se excede lo admisible en una ley, orgánica u ordinaria. De otro modo, la legislación de sanidad, o la que se elija, se convertiría en un simple vehículo de atribución competencial de intervención a los Poderes Públicos, incluso habilitando normas de desarrollo, en los derechos de personas referidas genéricamente, es decir, no se referiría a su propia aplicación mediante el procedimiento debido en forma singularizada, una diferencia radical. Los principios constitucionales sobre el ámbito de la ley no pueden ser eliminados mediante la pura voluntad del legislador."

586 Además de las requisas temporales de todo tipo de bienes e imponer prestaciones personales obligatorias e intervenir y ocupar transitoriamente industrias, fábricas, talleres, explotaciones o locales de cualquier naturaleza, con excepción de domicilios privados, como las autoridades competentes de protección civil, la competente

1.2.2.- Ley Orgánica 5/2005, de la Defensa Nacional

En la Ley Orgánica 5/2005, de la Defensa Nacional[587], se indican las relaciones que operarán entre el Sistema Nacional de Protección Civil y el de Defensa, en caso de guerra y también en tiempos de paz. El art. 28 indica que en tiempo de conflicto bélico y durante el estado de sitio el sistema de protección civil será coordinado por el Consejo de Defensa Nacional; y en los arts. 15 y 16 reconoce que las Fuerzas Armadas tendrán como una de sus misiones principales participar en la seguridad y bienestar de los ciudadanos en los supuestos de grave riesgo, catástrofe o calamidad pública, así como otras necesidades públicas, colaborando con las Administraciones Públicas de acuerdo con la legislación vigente.

Las Fuerzas Armadas de nuestro país han intervenido siempre en situaciones de calamidad, con el empleo de distintas unidades y un personal no caracterizado precisamente por su especialización. Sus actuaciones, con carácter general, han recibido una alta valoración por parte de la ciudadanía. La Ley Orgánica 5/2005 de la Defensa Nacional ofrece en este contexto un nuevo plano de visión, adaptado al entorno en el que vivimos y a las amenazas exteriores. Es una apuesta por un modelo de cooperación con las autoridades civiles en la atención en situaciones de catástrofes y calamidades públicas, de un modo profesionalizado, altamente especializado, al amparar la constitución y puesta en funcionamiento de una Unidad Militar de Emergencias, con capacidad de desplegarse ordenadamente sobre el terreno, concentrando medios operativos en poco tiempo, y con personal muy cualificado con una formación que les permite su inmediato despliegue. También, permite potenciar la participación de otras capacidades adicionales con las que cuenta nuestras Fuerzas Armadas, a las que canalizará en el caso de ser demandadas.

En el ámbito de protección civil, las actuaciones de medios y recursos militares y en misiones de ayuda humanitaria tienen su referencia en las Directrices de las Naciones Unidas para estos casos, conocidas como Directrices de Oslo[588].

---

en el estado de alarma podrá limitar la circulación o permanencia de personas o vehículos en horas y lugares determinados, o condicionarlas al cumplimiento de ciertos requisitos; limitar o racionar el uso de servicios o el consumo de artículos de primera necesidad; e impartir las órdenes necesarias para asegurar el abastecimiento de los mercados y el funcionamiento de los servicios y de los centros de producción afectados por el desabastecimiento.

587 Ley Orgánica 5/2005, de 17 de noviembre, de la Defensa Nacional. Jefatura del Estado «BOE» núm. 276, de 18 de noviembre de 2005.

588 Aprobadas en la Conferencia Internacional celebrada en Oslo (Noruega), en enero de 1994 y revisadas en 2007. Son Directrices para la utilización de los recursos militares

En estas Directrices se recoge el principio de subsidiariedad, que también se recoge en el articulado de la Ley 17/2015, de 9 de julio, del Sistema Nacional de Protección Civil (art. 3.2) y el de responsabilidad de los medios del Estado por los daños y perjuicios derivados de sus intervenciones, que se atribuyen en todo caso a la Administración Pública que se encargue de la dirección de la emergencia, y el de autonomía en el encuadramiento y mando directo tanto de las Fuerzas Armadas y Cuerpos de Seguridad del Estado.

Regula en su art. 37 la participación de la Unidad Militar de Emergencias en el Sistema Nacional de Protección Civil, en concordancia con lo establecido en los arts. 15 y 16 de la Ley Orgánica 5/2005, de la Defensa Nacional.

En caso de conflicto bélico, las actuaciones del Sistema Nacional de Protección Civil se determinan en el marco de lo señalado en los Convenios Internacionales en la materia suscritos por nuestro país, concretamente el Protocolo[589], de 1977, adicional a los Convenios de Ginebra de 1949[590], relativo a la protección de las víctimas de los conflictos armados internacionales, art. 61.

---

y de la defensa civil extranjeros en operaciones de socorro en casos de desastre. El objetivo de estas Directrices es "establecer un marco básico para formalizar y aumentar la eficacia y eficiencia de la utilización de recursos militares y de la defensa civiles extranjeros en las operaciones internacionales de socorro en casos de desastre." Directrices de Oslo, Directrices para la utilización de los recursos militares y de la defensa civil extranjeros en operaciones de socorro en casos de desastres. Naciones Unidas. Revisión 1.1., noviembre de 2007. https://goo.su/nuUVLy

589 Protocolo I adicional a los Convenios de Ginebra de 1949 relativo a la protección de las víctimas de los conflictos armados internacionales. (1977). Art. 61 a): se entiende por «protección civil» el cumplimiento de algunas o de todas las tareas humanitarias que se mencionan a continuación, destinadas a proteger a la población civil contra los peligros de las hostilidades y de las catástrofes y a ayudarla a recuperarse de sus efectos inmediatos, así como a facilitar las condiciones necesarias para su supervivencia: servicio de alarma, evacuación, habilitación y organización de refugios, aplicación de medidas de oscurecimiento, salvamento; servicios sanitarios, incluidos los de primeros auxilios, y asistencia religiosa; lucha contra incendios; detección y señalamiento de zonas peligrosas; descontaminación y medidas similares de protección; provisión de alojamiento y abastecimiento de urgencia; ayuda en caso de urgencia para el restablecimiento y mantenimiento del orden en las zonas damnificadas; medidas de urgencia para el restablecimiento de los servicios públicos indispensables; servicios funerarios de urgencia; asistencia para la preservación de los bienes esenciales para la supervivencia; etc.

590 Convenio de Ginebra relativo a la protección debida a las personas civiles en tiempo de guerra. (1949). Aprobado el 12 de agosto de 1949 por la Conferencia Diplomática para Elaborar Convenios Internacionales destinados a proteger a las

1.2.3.- Ley Orgánica 2/1986, de Fuerzas y Cuerpos de Seguridad

En la presente Ley se incluye como servicio de intervención y asistencia en las emergencias de protección a las Fuerzas y Cuerpos de Seguridad (art. 19.2). La Ley Orgánica 2/1986, de 13 de marzo, de Fuerzas y Cuerpos de Seguridad[591], estipula que sus miembros tienen la obligación de colaborar con los servicios de protección civil en los casos de grave riesgo, catástrofe o calamidad pública, como así se indica en sus arts. 11.1 (Fuerzas y Cuerpos de Seguridad del Estado), 38.3 b) (Policías de las Comunidades Autónomas) y 53 f) (Policías Locales). Esta obligación de cooperación busca optimizar los recursos disponibles y garantizar una adecuada respuesta; aspectos fundamentales en la gestión de las emergencias.

Podrá preverse la participación de las fuerzas policiales del Estado en los planes de protección civil asignándoles funciones específicas del ámbito de la seguridad, sin que se puedan asignar atribuciones a unidades específicas, pues esto será desarrollado por los Delegados del Gobierno atendiendo a las características de la intervención requerida (art. 38.2 de la Ley del Sistema Nacional de Protección Civil). En referencia a los cuerpos policiales autonómicos o de ámbito local, podrá estarse (si así se regula) por las disposiciones reguladoras de Comunidades Autónomas en materia de protección civil.

Señalamos que las Fuerzas Armadas quedaban exentas de responsabilidad en su participación en misiones de protección civil, en la medida que dicha responsabilidad recae en la administración que asuma la dirección. En el caso de las Fuerzas y Cuerpos de Seguridad del Estado, es exactamente el mismo el tratamiento de la responsabilidad.

En el ámbito de la seguridad privada, la Ley 5/2014, de 4 de abril, de Seguridad Privada[592], señala en su art. 35.1e) que los jefes de seguridad tendrán asignados las funciones de coordinación de los distintos servicios de seguridad que de ellos dependan en actuaciones propias de protección civil en situaciones de emergencia, catástrofe o calamidades públicas.

---

víctimas de la guerra, celebrada en Ginebra del 12 de abril al 12 de agosto de 1949. Entrada en vigor: 21 de octubre de 1950.https://bit.ly/2ODVWo2

591 Ley Orgánica 2/1986, de 13 de marzo, de Fuerzas y Cuerpos de Seguridad. «BOE» núm. 63, de 14 de marzo de 1986. https://bit.ly/3jTDlYW

592 Ley 5/2014, de 4 de abril, de Seguridad Privada. «BOE» núm. 83, de 05 de abril de 2014. https://www.boe.es/buscar/act.php?id=BOE-A-2014-3649

1.2.4.- Ley Orgánica 4/2015, de 30 de marzo, de protección de la seguridad ciudadana

Cuando es precisa la entrada en un domicilio, así como la evacuación de personas en situación de peligro, por las circunstancias concretas de la naturaleza de la emergencia, estaremos a lo dispuesto en el art. 15, apartado 2, de la Ley Orgánica 4/2015 de 30 de marzo, de protección ciudadana[593], como señala el art. 7 bis 4 de la Ley del Sistema Nacional de Protección Civil. Lo anterior es plenamente coherente con lo que preceptúa el art. 15.2 de la Ley Orgánica 4/2015:

Será causa legítima suficiente para la entrada en domicilio la necesidad de evitar daños inminentes y graves a las personas y a las cosas, en supuestos de catástrofe, calamidad, ruina inminente u otros semejantes de extrema y urgente necesidad.

También mantiene la congruencia con la jurisprudencia constitucional en la materia, como se refleja en las STC 94/1999 de 31 de mayo[594], STC 189/2004 de 2 de noviembre[595]:

"... *el acto administrativo que precisa una ejecución que sólo puede llevarse a cabo ingresando en un domicilio privado... implica que cuando éste es negado por el titular debe obtenerse una resolución judicial que autorice la entrada y las actividades que una vez dentro del domicilio pueden ser realizadas. (Sin el control judicial), el acto es ilícito y constituye una violación del derecho, salvo el caso de flagrante delito y salvo naturalmente hipótesis excepcionales, como puede ocurrir con el estado de necesidad*".

A mayor abundamiento, y poniendo el acento en razones de urgencia, conviene conocer la STC 239/2006, de 17 de julio de 2006[596].

---

593 Ley Orgánica 4/2015, de 30 de marzo, de protección de la seguridad ciudadana. «BOE» núm. 77, de 31 de marzo de 2015. https://bit.ly/3CBnIfg

594 Tribunal Constitucional de España. (1999). Sentencia del Tribunal Constitucional 94/1999, de 31 de mayo. BOE núm. 154, de 29 de junio de 1999. https://bit.ly/3imAA1T

595 Tribunal Constitucional de España. (2004). Sentencia del Tribunal Constitucional 189/2004, de 2 de diciembre. BOE núm. 290, de 2 de noviembre de 2004. https://www.boe.es/diario_boe/txt.php?id=BOE-T-2004-20432

596 Tribunal Constitucional de España. (2006). Sentencia del Tribunal Constitucional 239/2006, de 17 de julio. Fundamento Jurídico 6:
"Reiteradamente hemos afirmado que "la entrada en el domicilio sin el permiso de quien lo ocupa, ni estado de necesidad, sólo puede hacerse si lo autoriza o manda el Juez competente y en tal autorización descansa, a su vez, el registro domiciliario, según refleja el grupo de normas pertinentes (arts. 18.2 CE, 87.2 LOPJ y 546 LECrim). Este es el único requisito, necesario y suficiente por sí mismo, para dotar de legitimidad constitucional a la invasión del hogar" (SSTC 133/1995, de 25 de septiembre, FJ 4; 94/1999, de 31 de mayo, FJ 3; 171/1999, de 27 de septiembre, FJ 11). Y en el presente caso, el Auto de 15 de octubre de 1998 fue dictado por el

1.2.5.- Ley 7/1985, Reguladora de las Bases de Régimen Local

Mientras que tanto el Estado como las Comunidades Autónomas disponen de un listado competencial propio expresamente recogido en la Constitución, no ocurre lo mismo con las Entidades Locales. Para una parte relevante de la doctrina constitucional, las entidades locales poseen una sustantividad constitucional de similar relevancia a la de las Comunidades Autónomas; sin embargo, se diferencian de estas en que su autonomía no emana directamente de la Constitución, sino que se configura y desarrolla a partir de prescripciones legales.

El régimen jurídico de las Administraciones Públicas tiene sus bases fijadas en el art. 149.1.18 de la Constitución Española, y desde la STC 32/1981 de 28 de julio, se reserva al Estado su fijación[597].

Juzgado de Instrucción núm. 3 de Las Palmas de Gran Canaria, Juzgado que -como destacan los órganos judiciales, fundamento jurídico quinto de la Sentencia de instancia, al que se remite sustancialmente el Tribunal Supremo en el fundamento jurídico noveno de la Sentencia de casación- tiene la misma competencia objetiva, funcional y territorial que el núm. 7 de la misma localidad y que se encontraba en funciones de guardia en el momento en que se dictó el Auto autorizando los registros, estableciéndose en las normas de reparto que todas las diligencias urgentes que se hayan de practicar entre las 15 horas del día y las 8 horas del día siguiente se realizarán por el Juzgado que se encuentre en funciones de guardia, siendo de añadir que resultaba patente la existencia de razones de urgencia a la vista del oficio policial en el que se solicitaba la autorización (en el que se comunica el hallazgo de más de 1.000 kilos de hachís en una embarcación sobre las 20:00 horas del día 14) y de las razones expuestas en el propio Auto (que ordena practicar el registro en la madrugada del día 15, "al existir un riesgo objetivo y fundado de que puedan desaparecer los objetos, instrumentos o sustancias relacionadas con el delito contra la salud pública que se puedan encontrar en los domicilios"). En definitiva, la entrada y registro en el domicilio del ahora demandante de amparo fue debidamente autorizada por Juez competente para ello, por lo que tampoco cabe considerar vulnerado el derecho a la inviolabilidad del domicilio por esta causa."

597 Tribunal Constitucional de España. (1981). Sentencia del Tribunal Constitucional 32/1981, de 28 de julio. Fundamento Jurídico 5, párrafo 6:
"La garantía constitucional es de carácter general y configuradora de un modelo de Estado, y ello conduce, como consecuencia obligada, a entender que corresponde al mismo la fijación de principios o criterios básicos en materia de organización y competencia de general aplicación en todo el Estado. La fijación de estas condiciones básicas no puede implicar en ningún caso el establecimiento de un régimen uniforme para todas las entidades locales de todo el Estado, sino que debe permitir opciones diversas, ya que la potestad normativa de las Comunidades Autónomas no es en estos supuestos de carácter reglamentario. En el respeto de esas condiciones básicas, por tanto, las Comunidades Autónomas podrán legislar libremente. Esta es la interpretación que debe darse al art. 149.1.18.ª de la Constitución y el art. 9.8, del

Conforme a la referida Sentencia del Alto Tribunal, y lo expresado en el Capítulo III, art. 25 de la Ley 7/1985, de 2 de abril[598], Reguladora de las Bases del Régimen Local se establecen de qué competencias disponen los municipios. El modelo competencial de las Entidades Locales se caracteriza por su indeterminación, ya que no existe un catálogo cerrado de competencias en la Constitución, sino que estas quedan supeditadas a lo que disponga el legislador estatal o autonómico. A ello se suma un mandato de prestación de servicios mínimos obligatorios, que entronca con la tradición del Estatuto Municipal de 1924, conocido como Estatuto de Calvo Sotelo, en el que ya se establecía un núcleo de funciones locales necesarias para garantizar la vida municipal[599].

La Ley de Bases indica en su art. 25.f) que "el Municipio ejercerá, en todo caso, competencias en los términos de la legislación del Estado y de las Comunidades Autónomas en las siguientes materias: Policía local, protección civil, prevención y extinción de incendios"[600].

En el siguiente artículo, el art. 26 señala que los Municipios de más de 20.000 habitantes, además, deberán prestar servicio de protección civil (ligeramente superior a 400 de un total de 8.132 en 2025).

Tras la aprobación de los Estatutos de Autonomía de segunda generación, casos del de Cataluña o Andalucía, se considera como competencia exclusiva de sus respectivas Comunidades Autónomas la protección civil, con respeto

---

Estatuto de Autonomía de Cataluña, que a él se remite; interpretación que, por lo demás, es la única compatible con el tenor literal de tales preceptos y la que, desde otra perspectiva, permite armonizar los principios de unidad y autonomía que la Constitución consagra (arts. 2 y 137). Ciertamente no será siempre fácil la determinación de qué es lo que haya de entenderse por regulación de las condiciones básicas o establecimiento de las bases del régimen jurídico, y parece imposible la definición precisa y apriorística de ese concepto. Las Cortes deberán establecer qué es lo que haya de entenderse por básico, y en caso necesario será este Tribunal el competente para decirlo, en su calidad de intérprete supremo de la Constitución (art. 1 de la LOTC)."

598 Ley 7/1985, de 2 de abril, Reguladora de las Bases del Régimen Local. *BOE* núm. 80, de 3 de abril de 1985. https://bit.ly/3k0zLMy

599 Estatuto Municipal. Gaceta de Madrid, núm. 69, páginas 1223 y siguientes, 9 de marzo de 1924. https://bit.ly/2PtJPdx
La competencia de protección civil ya estaba encomendada a los ayuntamientos mediante RD de 23 de Julio de 1835, para el arreglo provisional de los Ayuntamientos del Reino, y en su art. 36 se atribuía a los alcaldes y corregidores: "tomar precauciones y facilitar auxilios contra los incendios, las epidemias y las calamidades".

600 Sin duda una ordenación poco rigurosa, por cuanto entremezcla en el mismo apartado policía local y protección civil, siendo más coherente haber incluido la policía local en el siguiente apartado, y continuando con las competencias que reseña: tráfico, etc.

a las competencias que son del Estado en la materia de seguridad pública, atribuyendo a sus municipios como competencia propia -no como mandato de servicios- la protección civil y la prevención de incendios. Así se recoge en el art. 84 f) la Ley Orgánica 6/2006, de 19 de julio, de reforma del Estatuto de Cataluña[601], y el art. 92 de la Ley Orgánica 2/2007, de 19 de marzo de reforma del Estatuto de Autonomía para Andalucía.[602]

A la luz de la STC 31/2010 nos encontramos pues con una triple concurrencia de Administraciones Públicas desde la óptica competencial, donde el Estado puede establecer competencias a las entidades locales, dotando así de contenido el principio de autonomía local, y disponiendo sobre ellas normas de carácter básico, así como el ámbito autonómico podría impulsar competencias de desarrollo o ejecución, con disposiciones para atribuir facultades a los gobiernos municipales.

En la Ley del Sistema Nacional de Protección Civil, observamos en el Preámbulo el reconocimiento al papel que las Entidades Locales han desempeñado en el desarrollo y configuración de sus propios servicios de protección civil, reconociendo su eficacia:

"las Comunidades Autónomas y las Entidades Locales han desplegado sus competencias propias en la materia, regulando su actuación, configurando sus propios

---

601 Ley Orgánica 6/2006, de 19 de julio, de reforma del Estatuto de Cataluña, Competencias Locales, Artículo 84.f). "La protección civil y la prevención de incendios". https://www.boe.es/buscar/act.php?id=BOE-A-2006-13087

La STC 31/2010 sobre el Estatuto de Cataluña, de 28 de junio de 2010, al abordar el artículo 84 y su constitucionalidad, indica en su FJ 37: "En otras palabras, el elenco competencial que el precepto estatutario dispone que tiene que corresponder a los gobiernos locales en modo alguno sustituye ni desplaza, sino que, en su caso, se superpone, a los principios o bases que dicte el Estado sobre las competencias locales en el ejercicio de la competencia constitucionalmente reservada por el art. 149.1.18 CE. La falta de una expresa mención en el precepto estatutario a la competencia estatal *ex* art. 149.1.18 CE ni vicia a dicho precepto de inconstitucionalidad, ni puede impedir de ninguna manera el ejercicio de esa competencia estatal (fundamentos jurídicos 59 y 64)."

602 Ley Orgánica 2/2007, de 19 de marzo, de reforma del Estatuto de Autonomía para Andalucía. Competencias propias de los municipios. Art. 92.2.d): "Ordenación y prestación de los siguientes servicios básicos: abastecimiento de agua y tratamiento de aguas residuales; alumbrado público; recogida y tratamiento de residuos; limpieza viaria; prevención y extinción de incendios y transporte público de viajeros." Sin duda, un totum revolutum en dicho epígrafe, donde se mezcla el abastecimiento de agua, con el alumbrado y la prevención de incendios, entre otros, sin haber encontrado acomodo, lamentablemente la protección civil, a pesar de todo lo legislado dentro y fuera de nuestras fronteras en dicha fecha.

servicios de protección civil, desarrollando unos órganos competentes de coordinación de emergencias que han supuesto un avance sustantivo en la gestión de todo tipo de emergencias y eficaces servicios municipales de protección civil."

También se indica en el citado Preámbulo la obligación que recae en el Estado (con un criterio de reciprocidad) de situar a disposición: "de las Comunidades Autónomas y Entidades Locales los recursos humanos y materiales de que disponga para la protección civil, en la forma que acuerde el Consejo Nacional de Protección Civil".

Encontramos en el articulado de la Ley múltiples especificaciones del papel de los municipios en el Sistema. Se señala en su art. 1.2., la necesidad de configurar un sistema que logre los fines pretendidos, alcanzando la eficacia de sus resultados, y para ello:

"El objeto de esta ley es establecer el Sistema Nacional de Protección Civil como instrumento esencial para asegurar la coordinación, la cohesión y la eficacia de las políticas públicas de protección civil,..."

Reconoce a las Entidades Locales como integrante del Sistema Nacional de Protección Civil, como se señala en su art. 3.1.:

"El Sistema Nacional de Protección Civil integra la actividad de protección civil de todas las Administraciones Públicas, en el ámbito de sus competencias, con el fin de garantizar una respuesta coordinada y eficiente mediante las siguientes actuaciones... (que guardan relación con la prevención, planificación, respuesta operativa, medidas de recuperación y labores de coordinación)".

También, recoge su contribución a la atención de las líneas de actuación prioritarias y a la exigencia de los deberes a los ciudadanos (arts. 5 a 7); aportación de datos de su competencia y mantenimiento de la Red Nacional de Información sobre Protección Civil (art. 9); participación en la política de prevención de protección civil (art. 10); la participación de las Entidades Locales en la planificación a través de la Norma Básica de Protección Civil, donde se reserva su papel en los Planes de Protección Civil de su territorio, así como los planes de autoprotección en sus centros, establecimientos, instalaciones o dependencias (arts. 14 y 15); la colaboración del Estado con las Comunidades Autónomas y con las Entidades Locales respecto de sus recursos humanos y materiales (art. 19.1); la cooperación de los Delegados del Gobierno con los órganos competentes de protección civil de las Entidades Locales (art. 36); la participación de éstas en el Consejo Nacional de Protección Civil a través de la Federación Española de Municipios y Provincias (art. 39.1); tienen potestad sancionadora en virtud de la disposición adicional novena o la normativa sectorial pertinente; o la formación de los integrantes de agrupaciones de voluntarios de protección civil (disposición adicional primera). Hasta 37 menciones se señalan en el texto normativo de las "Administraciones públicas", lo que subraya el objetivo del legislador de constituir auténticamente la Protección Civil como un Sistema, donde la complementariedad se abra paso frente a la tradicional verticalidad de antaño, frente a la preponderancia a modo jerárquico de las distintas Administraciones existentes.

En el Sistema de Protección de Infraestructuras Críticas, se incluye como agentes del sistema "las Corporaciones locales, a través de la asociación de Entidades Locales de mayor implantación a nivel nacional". (art. 5 apartado f de la Ley 8/2011, que se analiza a continuación).

1.2.6.- Ley 8/2011, de 28 de abril, por la que se establecen medidas para la protección de las infraestructuras críticas

La Ley 8/2011, de 28 de abril[603], por la que se establecen medidas para la protección de las infraestructuras críticas, nace como respuesta a la demanda de regulación de los desempeños de las Administraciones Públicas para optimizar la seguridad de los sistemas de infraestructuras, así como dar soporte y garantizar el normal desarrollo de sectores productivos, de la tan necesaria gestión y en general de la vida de los ciudadanos en sus quehaceres habituales. Las actuaciones, que corresponden principalmente al Estado[604], tienen su marco referencial en la protección contra agresiones deliberadas, tanto de carácter físico como de carácter cibernético, y muy especialmente, ataques terroristas.

---

603 Ley 8/2011, de 28 de abril, por la que se establecen medidas para la protección de las infraestructuras críticas. «BOE» núm. 102, de 29 de abril de 2011. https://bit.ly/3ZyCPzY

604 La Directiva 2008/114, del Consejo de 8 de diciembre, sobre la identificación y designación de Infraestructuras Críticas Europeas y la evaluación de la necesidad de mejorar su protección (Directiva 2008/114/CE), establece que "la responsabilidad principal y última de proteger las infraestructuras críticas europeas corresponde a los Estados miembros y a los operadores u operadores de las mismas". Esta Directiva fue derogada con efectos de 18 de octubre de 2024 por la Directiva (UE) 2022/2557. https://www.boe.es/buscar/doc.php?id=DOUE-L-2008-82589
Un año antes, el 7 de mayo de 2007 se aprobó el Plan Nacional de Protección de Infraestructuras Críticas (PNPIC), y la elaboración del primer Catálogo Nacional de Infraestructuras Críticas; y el 2 de noviembre del mismo año, el Consejo de Ministros aprobó un Acuerdo sobre Protección de Infraestructuras Críticas.
El Plan Nacional de Protección de Infraestructuras Críticas vigente (PNPIC), actualización del anterior del 2007, fue aprobado mediante instrucción núm. 1/2016 de la Secretaría de Estado de Seguridad.

Se hace necesario el correcto y normal funcionamiento de las infraestructuras críticas, por cuanto desarrollan funciones esenciales que cualquier Estado ha de llevar a cabo[605], para garantizar derechos fundamentales y esenciales para el normal desenvolvimiento de la sociedad.

Muchas de estas infraestructuras son instalaciones donde tanto el Sistema Nacional de Protección Civil así como el de Protección de Infraestructuras Críticas actúan, por medio de sus respectivos subsistemas de planificación, con un objetivo común: hacerlas más seguras y reducir su vulnerabilidad. Difieren en un vector, la previsión de los agentes agresores, que en el caso de las catalogadas como críticas serán agentes agresores deliberados, y en el caso de las emergencias de protección civil serán agentes agresores involuntarios, con unas consecuencias que llevan aparejadas una forma de respuesta diferente en cada caso.

La Protección de Infraestructuras Críticas frente a eventuales amenazas que puedan ponerlas en situación de riesgo requiere de una serie de Planes de Actuación, contemplados en el art. 14 de la Ley 8/2011, siéndoles de aplicación asimismo la obligatoriedad de implantar sus respectivos planes de autoprotección de protección civil, y ante determinados riesgos (químico o nuclear) los planes de emergencia exterior.

En España, el Centro Nacional de Protección de Infraestructuras y Ciberseguridad (CNPIC), es el Órgano encargado del Ministerio del Interior para el impulso, coordinación y supervisión de todas las actividades que tiene encomendadas la Secretaría de Estado de Seguridad en relación con la Protección de Infraestructuras Críticas en todo el territorio nacional. El Catálogo Nacional de Infraestructuras Críticas[606] es un registro de carácter administrativo que contiene información completa, actualizada y contrastada de todas las infraestructuras críticas ubicadas en territorio nacional, teniendo el carácter de SECRETO, conferida por Acuerdo de Consejo de Ministros de 2 de noviembre de 2007 (contiene más de 3.500 infraestructuras e instalaciones sensibles de áreas como la energía, la industria nuclear, transportes, suministros de agua, etc.).

---

605 La Directiva 2008/114, del Consejo de 8 de diciembre, sobre la identificación y designación de infraestructuras Críticas Europeas y la evaluación de la necesidad de mejorar su protección (Directiva 2008/114/CEE) define las infraestructuras críticas como: "El elemento, sistema o parte de este situado en los Estados miembros que es esencial para el mantenimiento de funciones sociales vitales, la salud, la integridad física, la seguridad, y el bienestar social y económico de la población, cuya perturbación o destrucción afectaría gravemente a un Estado miembro al no poder mantener esas funciones ".

606 Regulado por Real Decreto 704/2011, de 20 de mayo, por el que se aprueba el Reglamento de protección de las infraestructuras críticas, de 21 de mayo de 2011. https://bit.ly/3ZCaIjt

En la Comisión Nacional para la Protección de las Infraestructuras Críticas (en adelante CNPIC), estará presidida por el Secretario de Estado de Seguridad, y sus miembros serán en representación del Ministerio del Interior, entre otros, el Director General de Protección Civil y Emergencias[607].

En el Grupo de Trabajo recogido en el Reglamento de Protección de Infraestructuras Críticas, estará presidido por el director del CNPIC, habiendo un representante de la Dirección General de Protección Civil y Emergencias del Ministerio del Interior, designado por el titular de ésta[608]. Este esquema organizativo pone de relieve la interdependencia entre protección civil y seguridad nacional, especialmente en un contexto en el que las amenazas híbridas —como los ciberataques sobre infraestructuras críticas— pueden desencadenar emergencias de gran impacto social. De ahí que la integración de Protección Civil en la estructura del CNPIC y en la Comisión Nacional se configure como un mecanismo esencial para garantizar la coherencia entre la prevención, la reacción operativa y la resiliencia de los servicios esenciales.

1.3.- Responsabilidades y competencias en el modelo de descentralización territorial

Cuando se tramitó la Ley del Sistema Nacional de Protección Civil, en las Cortes Generales, se anticipó una pugna a propósito de lo que se entendía como una "invasión de competencias" por parte del Estado frente a las Comunidades Autónomas. En la retórica de los legisladores, y a modo crítico, se sucedían vocablos como "visión centralista", "excesos competenciales", "imposición de un marco homogéneo a una realidad autonómica que es heterogénea" o "plan para desguazar el sistema autonómico". Esta crítica está de modo recurrente en cualquier debate parlamentario que se produce en las Cortes Generales, a propósito del Sistema Nacional de Protección Civil, antes (nos referimos a la Ley 2/1985), y también ahora.

Pero la tesis que nos ocupa quiere explicar lo que a este respecto ha dicho el Tribunal Constitucional cuando de arrojar luz se ha tratado, y cuando se le ha preguntado en los distintos recursos planteados sobre una invasión de competencias por parte del Estado a lo que algunas Comunidades Autónomas han entendido como competencias propias, dado que así venían recogidas en

---

607 Art. 11.2a) del Real Decreto 704/2011, de 20 de mayo

608 Art. 12.2d) del Real Decreto 704/2011, de 20 de mayo.

sus Estatutos de Autonomía. Así ocurre con Cataluña, cuyo art. 132 del Estatuto de Autonomía[609], se atribuye en exclusiva la competencia de protección civil.

"Artículo 132. Emergencias y protección civil.

1. Corresponde a la Generalitat la competencia exclusiva en materia de protección civil, que incluye, en todo caso, la regulación, la planificación y ejecución de medidas relativas a las emergencias y la seguridad civil, así como la dirección y coordinación de los servicios de protección civil, que incluyen los servicios de prevención y extinción de incendios, sin perjuicio de las facultades en esta materia de los gobiernos locales, respetando lo establecido por el Estado en el ejercicio de sus competencias en materia de seguridad pública."

Como quiera que el artículo 149 de la Constitución indica competencias que califica de "exclusivas", se produce una onda repetitiva del término en estatutos de autonomía de primera o de segunda generación, lo cual produce equívocos, pues la exclusividad no es un simple adjetivo, sino que puede avanzar cuando no lo impida la propia Constitución, aunque sea un término que jurídicamente no podremos calificar como muy ortodoxo. Así, si la Constitución señala que el Estado tiene competencias exclusivas en materia de protección civil, no cabe que sea así para una Comunidad Autónoma, como tampoco podría ser establecida en un reglamento por una Corporación Local para un municipio. El problema está en las fronteras, en los límites, en lo interpretable, y cuando se habla de exclusividad, en un campo como este, se abona el campo del equívoco. En todo caso, hablar de la técnica de la exclusividad (como atribución a una única instancia, bien estatal o de ámbito autonómico, de todas las funciones públicas de una materia concreta) debería ser excepcional en nuestro sistema general de distribución competencial.

El reparto de competencias es, indudablemente, la cuestión más compleja de cuantas ha tenido que solventar nuestro constituyente en relación con el modelo del Estado autonómico. Como bien señalara Fernández Segado[610] a propósito de este tema:

Si a la propia complejidad del sistema se añaden los mutuos recelos existentes entre los órganos centrales y los autonómicos, se comprende perfectamente la constante apela-

---

609 Ley Orgánica 6/2006, de 19 de julio, de reforma del Estatuto de Autonomía de Cataluña. (2006). Artículo 132.1. https://www.boe.es/buscar/act.php?id=BOE-A-2006-13087

610 Fernández Segado, F. (1993, 23 de junio). El reparto de competencias entre el Estado y las Comunidades: su problemática general. Ponencia presentada en el curso "Xornadas de estudio sobre a rexión como expacio político e administrativo", Escola Galega de Administración Pública.

ción al arbitraje del Tribunal Constitucional por parte de unos y de otros, circunstancia que se ha traducido en una copiosísima jurisprudencia difícilmente sistematizable.

La exclusividad ya la hemos resuelto, a propósito de la ya expresada STC 123/1984 que vimos en el capítulo de los antecedentes históricos de la protección civil en España. Observamos que "en la materia específica de la protección civil se producen competencias concurrentes cuya distribución es necesario diseñar (FJ 4.º)".

El nudo gordiano está en el "interés". El Tribunal Constitucional lo ha ido perfilando a lo largo del tiempo con términos como: general, propio, respectivo, supracomunitario o predominante. La utilización del término interés por la Constitución Española (arts. 137, 150.3 y 155.1) parece guiarnos al *"interés general" de la nación española. Parece y así se razona en la STC 4/1981*[611]*, de 2 de febrero, donde el Alto Tribunal hace notar que la Constitución "contempla la necesidad –como una consecuencia del principio de unidad y de la supremacía del interés de la Nación de que el Estado quede colocado en una posición de superioridad (...) tanto en relación con las Comunidades Autónomas (...) como a los entes locales".*

A pesar de una profusa utilización en nuestro ordenamiento jurídico del término "interés general", y su utilización hasta en doce[612] ocasiones en la Constitución Española de 1978, y una en plural[613] de modo muy relevante, la Carta Magna no lo define.

Este criterio se mantuvo en la STC 25/1981[614], de 14 de julio, si bien cuatro magistrados formalizaron su discrepancia con un Voto particular en el que indicaban

---

611 Tribunal Constitucional. (1981, 2 de febrero). Sentencia número 4/1981. "BOE" núm. 47, de 24 de febrero de 1981. Recurso de inconstitucionalidad promovido contra diversos preceptos del Texto Articulado y Refundido de las Leyes de Bases de Régimen Local de 17 de julio de 1945 y 3 de diciembre de 1953, aprobado por Decreto de 24 de junio de 1955; de la Ley de Bases de Sanidad Nacional de 25 de noviembre de 1944; de la Ley de Montes de 8 de junio de 1957; del Texto Articulado parcial, aprobado por Real Decreto 3046/1977, de 6 de octubre de 1977, de la Ley 41/75 de Bases del Estatuto de Régimen Local; y contra la Base 33, párrafo segundo, de la misma, recurso en el que ha comparecido el Gobierno representado por el Abogado del Estado.

612 Constitución Española. (1978). Artículos 30.3, 34.1, 44.2, 47, 128.1, 128.2, 149.1.20ª, 149.1.24ª, 150.3, 155.1.

613 "Art. 103.1. La Administración Pública sirve con objetividad los intereses generales y actúa de acuerdo con los principios de eficacia, jerarquía, descentralización, desconcentración y coordinación, con sometimiento pleno a la ley y al Derecho." Constitución Española.

614 Tribunal Constitucional. (1981, 14 de julio). Sentencia número 25/1981. "BOE" núm. 193, de 13 de agosto de 1981. Recurso de inconstitucionalidad promovido por

que en ciertos casos las Comunidades Autónomas actuaban en colaboración con otros órganos constitucionales del Estado, promoviendo los "intereses generales".

El recurso de inconstitucionalidad que promovió el Gobierno Vasco, devino en la Sentencia 133/1990, de 19 de julio, de vital importancia en el tema que nos ocupa. A juicio del demandante, el recurso tiene su punto de partida en la STC 123/1984[615], de 18 de diciembre, en la que se reconoce la competencia vasca sobre protección civil al resolver un conflicto de competencias suscitado por un Decreto del Gobierno Vasco, en el que se crearon unos llamados Centros de Coordinación Operativa. Si la aprobada Ley 2/1985 de Protección Civil "parte de la premisa de que las Comunidades Autónomas carecen de competencia sobre la protección civil mientras que la Sentencia indicada reconocía expresamente la competencia de la Comunidad Autónoma del País Vasco. Por consiguiente, la Ley incurre en una clara invasión de competencias"[616]. Unas competencias que reconoce la STC 123/1984 como concurrentes en el FJ 4º[617], de ahí que entienda la recurrente que cuando no concurran las exigencias de interés nacional, "la extensión de la competencia

---

el Parlamento Vasco, contra la Ley Orgánica 11/1980, de 1 de diciembre, «Sobre los supuestos previstos en el art. 55.2 de la Constitución», en el que ha comparecido el Abogado del Estado en representación del Gobierno.

615 Tribunal Constitucional. (1984, 18 de diciembre). Sentencia número 123/1984. "BOE" núm. 10, de 11 de enero de 1985. En el conflicto positivo de competencia núm. 568/1983, promovido por el Gobierno de la Nación, representado por el Abogado del Estado, frente al Gobierno vasco, en relación al Decreto 34/1983, de 8 de marzo, de creación de los Centros de Coordinación Operativa.

616 Tribunal Constitucional. (1990, 19 de julio). Sentencia número 133/1990. "BOE" núm. 181, de 30 de julio de 1990. Antecedentes, 1.3.b.

617 Tribunal Constitucional. (1984, 18 de diciembre). Sentencia número 123/1984. "BOE" núm. 10, de 11 de enero de 1985. *FJ*4º: El reconocimiento que en los apartados anteriores se ha hecho de la competencia de la Comunidad Autónoma del País Vasco en materia de protección Civil queda subordinada a las superiores exigencias del **interés nacional** en los casos en que éste pueda estar en juego. En realidad, la Comunidad Autónoma del País Vasco no discute esta subordinación, que se producirá, en primer lugar, siempre que entre en juego la Ley 4/1981, de 1 de junio, y los estados de alarma, de excepción y de sitio por ella previstos, pero que deberá producirse igualmente en aquellos casos, en que, sin darse lugar a la declaración del estado de alarma, la calamidad o la catástrofe sean de carácter supraterritorial y exijan por consiguiente la coordinación de elementos distintos de los que dispone la Comunidad Autónoma o en que sea de tal envergadura que requiera una dirección de carácter nacional. A este tipo de limitación debe someterse de manera muy especial el art. 8 del Decreto que prevé sin distinción alguna la coordinación de todas las fuerzas actuantes bajo la dirección del consejero del Interior o de la persona en quien éste delegue.

autonómica debe comprender todas las potestades y acciones que integran la protección civil, de acuerdo con esta separación competencial por parcelas."

En definitiva, la controversia se ciñe, a juicio de la recurrente a las potestades que le otorga la Constitución y el Estatuto sobre protección civil, reconociendo la necesidad de una integración de competencias cuando no se esté en presencia de aquellos supuestos que requieran las superiores exigencias del interés nacional, y que, en ausencia de estos, no ha de haber una duplicidad de actuaciones y servicios, y en aras de la eficacia, será una competencia del Gobierno Vasco.

El recurrente trae también a colación el Real Decreto 2903/1980, de 22 de diciembre de 1980, relativo al restablecimiento y regulación de los Cuerpos de Miñones y Miqueletes, que en su art. 4.6 les otorga funciones participativas en la ejecución de los planes de protección civil y de cooperación y prestación de auxilio en caso de calamidades públicas, así como también el acuerdo firmado entre el Gobierno central y el Gobierno vasco en torno a la Central Nuclear de Lemóniz que dio lugar al Decreto del Gobierno Vasco 134/1982, de 19 de abril, sobre Organización de Protección Civil en materia de energía nuclear y radioactiva (acuerdo que nunca fue impugnado).

Como podemos apreciar, el camino que recorre el Tribunal Constitucional no es rectilíneo, sino que avanza, se desarrolla, matiza sucesivamente. Así, el "interés general" no es atributo exclusivo del Estado, pues también las Comunidades Autónomas participan de la búsqueda del "interés general", coadyuvan al mismo. Ese caminar, su caminar, es el propio del "intérprete supremo de la Constitución"[618] que lo realiza acomodándose a la realidad de la vida, pues de lo contrario, sería letra muerta.

El interés general constituye un concepto abstracto y formal que expresa "el fin institucional mismo de la Administración, del conjunto de Administraciones públicas, en cuanto poder público".[619]

El interés general no es la suma aritmética de los intereses particulares de los ciudadanos, tampoco, el interés de la mayoría, ni implica necesariamente una utilidad material. Si sabemos qué no es, y no definimos qué es, podríamos

---

618 Así se establece en el artículo 1 de su Ley Orgánica 2/1979, de 3 de octubre.

619 Parejo Alfonso, L. (1998). Capítulo X: El interés general o público. Las potestades generales o formales para su realización. En Parejo Alfonso, L., Jiménez-Blanco, A., & Ortega Álvarez, L.
(Eds.), Manual de Derecho Administrativo (Vol. I, 5ª ed., p. 605). Ariel Derecho.

pensar que estamos ante un concepto jurídico indeterminado[620]. Y a esta teoría se suman muchos autores, que consideran el concepto jurídico indeterminado, pero que como bien explica el Profesor GARCÍA DE ENTERRÍA[621], el concepto jurídico indeterminado, precisado en el momento de la aplicación, conduce a una única solución válida, no cabiendo, pues una discrecionalidad administrativa que declare que la Administración posea un haz de alternativas todas ellas válidas.

La jurisprudencia constitucional es clara, a la luz de la STC 133/1990. La Protección Civil se inserta prioritariamente en el título competencial de "Seguridad Pública" (art. 149.1.29), y esta la Constitución la atribuye en exclusiva al Estado, de ahí que no puede una Comunidad Autónoma impedir la presencia de "unas facultades superiores de coordinación e inspección a cargo del Estado cuando está en juego el interés nacional".

El Tribunal Constitucional expresa que si bien ya señaló en STC 104/1989 que "la competencia exclusiva del Estado en materia de seguridad pública no admite más excepción que la que derive de la creación de las policías autónomas", reconoce que en la materia específica de protección civil "se producen competencias concurrentes, aunque en todo caso, las competencias autonómicas se subordinan a las superiores exigencias del interés general".[622]

Los ciudadanos tienen derecho a unas garantías de seguridad, en todo el territorio nacional, y estas no pueden verse mermadas por una indefinición competencial. Es por ello que el legislador establece una delimitación competencial al tiempo que admite elementos de coordinación. Los límites, en todo caso, pretenden que la prestación requerida sea satisfactoria, a lo que no puede oponerse una potestad de autoorganización.

"Además, las garantías de seguridad y las prestaciones que puedan exigirse a los ciudadanos en caso de catástrofe o calamidad pública, deben ser uniformes en todo

---

620 López Calera, N. (2010). El interés público: entre la ideología y el Derecho. Anales de la Cátedra Francisco Suárez, 44, 133.

621 García de Enterría, E. (1962). La lucha contra las inmunidades de poder en el Derecho Administrativo. Revista de Administración Pública (RAP), 38, 171.

622 Tribunal Constitucional. (1990, 19 de julio). Sentencia número 133/1990. "BOE" núm. 181, de 30 de julio de 1990. Antecedentes, núm. 23. de inconstitucionalidad, núm. 355/85, promovido por el Gobierno Vasco, contra la Ley 2/1985, de 21 de enero, sobre Protección Civil, y el conflicto positivo de competencia, acumulado al recurso anterior, núm. 1694/89, también promovido por el Gobierno Vasco, frente a determinados anexos de la Orden de 29 de marzo de 1989, por la que se dispone la publicación del Acuerdo del Consejo de Ministros de 3 de marzo de 1989, que aprueba el Plan Básico de Emergencia Nuclear. (BOE núm. 181, de 30 de Julio de 1990)

el territorio nacional, lo que unido a la necesidad de coordinar los diversos planes en un mecanismo que asegure su cohesión y evite disfunciones, justifica la legitimidad constitucional de la competencia estatal ejercida por el Gobierno al aprobar el plan.'[623]

El Tribunal Constitucional, en su STC 133/1990, falló estimar parcialmente el recurso de inconstitucionalidad interpuesto por el Gobierno de la Comunidad Autónoma del País Vasco frente a la Ley 2/1985, de 21 de enero, de Protección Civil, y, en su virtud, declarar que el inciso «deberán ser aprobados por el Consejo de Gobierno de la misma» del art. 10.1, párrafo tercero, sólo será aplicable supletoriamente en la Comunidad Autónoma del País Vasco, en defecto de norma autonómica, en los términos del fundamento jurídico 10, desestimando el recurso en todo lo demás, y desestimando en su totalidad el conflicto de competencias 1694/89, frente a la Orden de 29 de marzo de 1989, declarando que pertenece al Estado la competencia controvertida.

Con motivo de la aprobación de la Ley 17/2015, de 9 de julio, del Sistema Nacional de Protección Civil, el Gobierno de la Generalitat de Cataluña, planteó recurso de inconstitucionalidad[624] contra determinados artículos.

La Generalitat en su argumentación aspiraba a que las facultades de coordinación del Estado en la materia que nos ocupa, la protección civil, fueran desplegadas con ocasión de emergencias de carácter supraautonómico, y sólo en ese caso, pues de lo contrario, se vulneraría el régimen competencial. También invocó en el recurso de inconstitucionalidad núm. 1880-2016 contra los artículos 3; 4; 14.3; 17.1, 2 y 4; 23.1, último párrafo; 26.2 y 3 y 29 de la Ley 17/2015, de 9 de julio, del sistema nacional de protección civil, así como el quebranto de competencias exclusivas en materia de protección civil, así como de autoorganización (art. 150 del Estatuto de Autonomía de Cataluña[625]). Alegaron que un objeto es la coordinación Estado-CCAA y otro bien distinto una regulación completa de la protección civil por parte del Estado, incluso en las emergencias de ámbito autonómico.

Los preceptos recurridos por la Generalitat se dividieron en dos grupos:

Primero: arts. 3; 4; 14.3; 17.1, 2, 4, 26.2 y 3 de la Ley 17/2015. La lesión competencial trae consecuencia de la regulación a las emergencias autonómicas.

---

623 609 Ibid.

624 Recurso de inconstitucionalidad núm. 1880-2016 promovido por el Gobierno de la Generalidad de Cataluña contra los arts. 3; 4; 14.3; 17.1, .2, y .4; 23.1, último párrafo; 26.2 y .3 y 29 de la Ley 17/2015, de 9 de julio, del Sistema Nacional de Protección Civil.

625 Ley Orgánica 6/2006, de 19 de julio, de reforma del Estatuto de Autonomía de Cataluña. "BOE" núm. 172, de 20 de julio de 2006.

Segundo: art. 23.1, último párrafo y 29 de la Ley 17/2015. Los considera inconstitucionales por cuanto en emergencias de gran dimensión o interés general (de competencia estatal), no se contemplaba convenientemente la participación de las Comunidades Autónomas afectadas, que debería ser obligado pues se está ante competencias concurrentes.

En el suplico de la demanda, se solicitó la declaración de inconstitucionalidad y nulidad de los artículos. 3; 4; 14.3; 17.1, 2 y 4; 23.1, último párrafo; 26.2 y 3 y 29 de la Ley 17/2015.

El Pleno del Tribunal Constitucional señaló acorde con la doctrina constitucional que la competencia estatal tiene su razón de ser en "la concurrencia de un interés nacional"; éste a su vez, viene determinado, por un lado, "por el alcance y dimensión de la emergencia o por la necesidad de establecer un modelo nacional mínimo" y, del otro, "por las concretas acciones que deban realizarse"[626].

Esta competencia del Estado opera en los ámbitos de la prevención y en la respuesta ante situaciones de catástrofe, donde seguridad pública y protección civil se encuentran en el camino. No es tan nítido el encuentro cuando abordamos la recuperación, es decir, la vuelta a la normalidad. Hablamos por ejemplo de restablecer el suministro de agua potable, o el alumbrado en determinadas zonas, o las telecomunicaciones.

El Pleno del Tribunal Constitucional, por unanimidad, se pronunció sobre el recurso de inconstitucionalidad interpuesto por el Consejo de Gobierno de la Generalitat de Cataluña, avalando constitucionalmente el art. 29 de la Ley 17/2015 en su fallo y desestimando el recurso en todo lo demás.

Conforme a la doctrina constitucional, el Estado ejerce una facultad de coordinación cuando esté en juego el interés nacional, y ello porque hay que fijar: *"unas directrices comunes de protección civil que hagan posible, en su caso, una coordinación y actuación conjunta de los diversos servicios y Administraciones implicadas y que provean un diseño o modelo nacional mínimo". "Al amparo de su competencia exclusiva en materia de seguridad pública (…), el Estado puede asumir una función de coordinación general de los distintos servicios y recursos públicos" que las administraciones (municipales, provinciales, insulares, autonómicas…) destinen a prevenir o a dar contestación con su actuación a las emergencias propias de protección civil. Y ello "con independencia del ámbito territorial concreto que dichas emergencias (…) puedan abarcar".*[627]

626 Tribunal Constitucional. (2017). Nota Informativa N.º 34/2017. Visto el 10.04.2024 en https://www.tribunalconstitucional.es/NotasDePrensaDocumentos/NP_2017_034/NOTA%20INFORMATIVA%20N%C2%BA%2034-2017.pdf

627 Íbidem.

"La necesidad de la referida coordinación –explica la sentencia- *es incuestionable en un ámbito, como la protección civil, en el que la concurrencia competencial se proyecta sobre actuaciones directamente relacionadas con la seguridad de personas y bienes"... "no supone que el Estado invada las competencias autonómicas o municipales, que incluyen la respuesta a las emergencias ordinarias dentro del ámbito de la Comunidad Autónoma y la dirección de los propios servicios". "Antes bien –añade el Tribunal- es perfectamente compatible con el respeto a dichas competencias, puesto que únicamente conlleva la intervención estatal para la fijación de directrices y el establecimiento de mecanismos de colaboración a fin de asegurar el eficaz funcionamiento de todos los recursos mencionados".*[628]

Recuerda este Tribunal lo ya expresado a propósito de la STC 133/1990[629], FJ8:

«la concurrencia de un interés supracomunitario justificará la previsión de unas potestades estatales en un marco legislativo común: sin que ello excluya, claro está, la participación de las Administraciones Autonómicas que sean competentes, incluso en tales situaciones, pero en el marco de la normativa estatal».

Consciente de ello, lo recoge así la Ley 17/2015, pero como antes señalábamos, el problema está en los límites, o lo que es lo mismo, determinar la implicación del ámbito autonómico, encontrando la solución en el Tribunal Constitucional, concretamente en STC 31/2010, FJ 111 in fine: el límite le corresponde solamente decidir al Estado: "solamente al propio Estado corresponde decidir, en cuanto al concreto alcance y específico modo de articulación de esa participación."[630]

A continuación analizamos quién es la autoridad competente para declarar el interés nacional.

El artículo 29 de la Ley 17/2015, también está precisado por el propio Tribunal Constitucional, pues los términos de este, a juicio de la Abogacía del Estado no estaban del todo claros.

Artículo 29. Declaración.

---

628 Tribunal Constitucional. (2017, 11 de mayo). Sentencia 58/2017. Recurso de inconstitucionalidad 1880-2016. Interpuesto por el Consejo de Gobierno de la Generalitat de Cataluña en relación con diversos preceptos de la Ley 17/2015, de 9 de julio, del sistema nacional de protección civil. Competencias sobre seguridad pública y protección civil: interpretación conforme del precepto legal que regula la declaración de emergencias de interés nacional. BOE, núm 142, 15 de junio de 2017.

629 Tribunal Constitucional. (1990, 19 de julio). Sentencia 133/1990.

630 Tribunal Constitucional. (2017, 11 de mayo). Pleno. Sentencia 58/2017.

En los supuestos previstos en el artículo anterior (se refiere a emergencias de interés nacional), corresponderá la declaración de interés nacional al titular del Ministerio del Interior, bien por propia iniciativa o a instancia de las Comunidades Autónomas o de los delegados del Gobierno en las mismas. Cuando la declaración de emergencia de interés nacional se realice a iniciativa del Ministerio del Interior, se precisará, en todo caso, previa comunicación con la Comunidad Autónoma o Comunidades Autónomas afectadas, por medios que no perjudiquen la rapidez de la declaración y la eficacia de la respuesta pública.

Además, es importante destacar que la declaración de emergencia de interés nacional, según se regula en la Ley 17/2015, debe seguir principios de necesidad y proporcionalidad, asegurando que las medidas tomadas no exceden lo estrictamente necesario para abordar la emergencia. Este principio busca equilibrar la respuesta eficaz con el respeto a los derechos fundamentales y la autonomía de los territorios.

La doctrina del Tribunal Constitucional ha recalcado la relevancia del principio de cooperación interterritorial en este contexto, especialmente en situaciones donde se requiera una acción coordinada entre diversas administraciones públicas. Esto es esencial para entender no sólo la mecánica de la declaración sino también sus implicaciones prácticas y constitucionales.

¿Y qué ocurre si la iniciativa parte del delegado del Gobierno? Pues también se precisará previa comunicación con la Comunidad Autónoma o Comunidades Autónomas que pudieran estar afectadas. [631]

Como habrá podido apreciar el lector, hemos hablado de "interés general" e "interés nacional". Aunque el interés general y el interés nacional comparten una dimensión orientada al bien común, su alcance y naturaleza difieren: el primero fundamenta la acción ordinaria de todas las administraciones públicas, mientras que el segundo se vincula a la defensa de la soberanía, la unidad y la seguridad del Estado en un sentido estratégico. En el ámbito de la protección civil, ambos intereses pueden confluir, especialmente en situaciones que amenacen la integridad funcional del país.

---

[631] Íbidem.

2.- MARCO NORMATIVO INTERNACIONAL Y EUROPEO

2.1.- El mecanismo europeo de protección civil

2.1.1.- Antecedentes y papel de la UE en materia de protección civil y gestión del riesgo

El Tratado de Funcionamiento de la Unión Europea[632] expresa claramente el deber de actuar de sus Estados miembros en lo que denomina "espíritu de solidaridad", en el caso de que un Estado miembro lo requiera tras una situación de catástrofe de origen humano o de origen natural.

En octubre de 2001, la Comisión Europea estableció el Mecanismo de Protección Civil de la Unión Europea[633]. Su objetivo era fortalecer la cooperación entre los países de la Unión y los seis estados participantes en materia de protección civil (Islandia, Noruega, Serbia, Macedonia del Norte, Montenegro y Turquía), a fin de avanzar en el área de prevención, preparación y respuesta ante las catástrofes.

El 27 de septiembre de 2011, se aprobó una Resolución[634] en el Parlamento Europeo relativa a "Una mejor reacción europea en caso de catástrofe: el papel de la protección civil y de la ayuda humanitaria". Muchos de estos riesgos, de origen natural, humano o tecnológico se describían como terremotos y tsunamis, incendios y fuegos forestales, inundaciones y corrimientos de tierra, accidentes industriales y nucleares, atentados terroristas, catástrofes naturales y grandes pandemias. Y se definía un futuro de agravamiento de los mismos, merced al cambio climático y a la degradación del medio natural.

El Parlamento Europeo, consciente de los riesgos y de las experiencias en los que la Unión Europea ha participado con más o menos implicación (terremoto de Haití, inundaciones de Pakistán, tsunami de 26 de diciembre de 2004, y recientemente en los incendios forestales de nuestro país, en agosto de 2025) venía pidiendo a la Comisión propuestas legislativas que alumbraran una Fuerza de Protección Civil de la Unión Europea. Era una

---

632 Diario Oficial de la Unión Europea. (2010, 30 de marzo). Versiones consolidadas del Tratado de la Unión Europea y del Tratado de Funcionamiento de la Unión Europea. https://bit.ly/3zz3EYJ

633 Decisión n.º 1313/2013/UE del 17 de diciembre de 2013. https://www.boe.es/buscar/doc.php?id=DOUE-L-2013-82908

634 Parlamento Europeo. (2011, 27 de septiembre). Resolución sobre "Una mejor reacción europea en caso de catástrofe: el papel de la protección civil y de la ayuda humanitaria" (2011/2023(INI)). Diario Oficial de la Unión Europea, OJ C, C/56, p. 31. CELEX.: https://eurlex.europa.eu/legal-content/EN/TXT/?uri=CELEX:52011IP0404)

capacidad de responder rápida, con medios definidos en materia de protección civil y puestos a disposición voluntariamente en caso de catástrofe, tanto dentro como fuera de las fronteras geográficas de la Unión. Se trata, pues, de configurar una capacidad reforzada para evitar víctimas, ayudarlas cuando sea preciso y de la manera más eficaz y rápida posible.

Una capacidad que escapa a las posibilidades de los Estados por sí solos, y también a su derecho interno. Estamos ante intereses de alcance, como dar respuesta a retos globales en ámbitos como la seguridad colectiva, entre otros. Y ahí es donde el "derecho transnacional"[635], "gobernanza global" o "derecho global" se abre paso cada vez con más profusión, donde un "derecho administrativo transnacional" adquiere plena utilidad y vigencia, caminando hacia una aplicación transfronteriza[636].

Nos encontramos con normas de Derecho administrativo europeo como parte del Derecho de la Unión, abierto a los Derechos nacionales, con los que queda integrado[637].

El Mecanismo de Protección Civil de la Unión (conocido como "Mecanismo de la Unión") está regulado por la Decisión n.° 1313/2013/UE del Parlamento Europeo y del Consejo[638]. Las modalidades en la aplicación se sustentan en la Decisión del Consejo de 24 de junio de 2014, relativa a las modalidades de aplicación por la Unión de la cláusula de solidaridad[639].

---

635 P. Jessup (1956), Transnational Law, New Haven: Yale University Press (pág. 2): "el derecho transnacional comprendería las normas que regulan actos o eventos que trascienden las fronteras nacionales, incluyendo no solo el derecho internacional público y privado, sino también otras normas y prácticas que no se dejan encerrar en esas dos categorías"

636 Arroyo Jiménez, L. (2022). Las caras del derecho administrativo transnacional. Revista de Administración Pública, 218, 101-122. doi: https://doi.org/10.18042/cepc/rap.218.03

637 Arroyo Jiménez, L. (2020) *Revista de Derecho Público: Teoría y Método* Marcial Pons Ediciones Jurídicas y Sociales Vol. 1 | 2020 pp. 175-206 Madrid, 2020 DOI: 10.37417/RPD/vol_1_2020_28

638 Parlamento Europeo y Consejo de la Unión Europea. (2013, 17 de diciembre). Decisión No 1313/2013/UE relativa a un Mecanismo de Protección Civil de la Unión. Diario Oficial de la Unión Europea. https://www.boe.es/buscar/doc.php?id=DOUE-L-2013-82908

639 Consejo de la Unión Europea. (2014, 24 de junio). Decisión relativa a las modalidades de aplicación por la Unión de la cláusula de solidaridad. Diario Oficial de la Unión Europea. https://www.boe.es/buscar/doc.php?id=DOUE-L-2014-81509 Diario Oficial de la Unión Europea. (2010, 30 de marzo). Versiones consolidadas del Tratado de la Unión Europea y del Tratado de Funcionamiento de la Unión Europea. https://bit.ly/40ZnoRh

Dicha decisión se refiere a la aplicación del art. 222 del Tratado de Funcionamiento de la Unión Europea (TFUE).

TÍTULO VII CLÁUSULA DE SOLIDARIDAD

Artículo 222 1. La Unión y sus Estados miembros actuarán conjuntamente con espíritu de solidaridad si un Estado miembro es objeto de un ataque terrorista o víctima de una catástrofe natural o de origen humano. La Unión movilizará todos los instrumentos de que disponga, incluidos los medios militares puestos a su disposición por los Estados miembros, para:

a) (...)

b) prestar asistencia a un Estado miembro en el territorio de éste, a petición de sus autoridades políticas, en caso de catástrofe natural o de origen humano.

Como señala ARRESE[640], "la invocación a la cláusula de solidaridad se condiciona a que los medios e instrumentos existentes tanto a escala estatal como de la Unión sean insuficientes de cara a hacer frente a la crisis planteada".

Como nos apunta la autora, hay una previsión del TFUE sobre la protección civil en su artículo 196, donde se habla de cooperación para la prevención entre estados ante catástrofes naturales o de origen humano.

TÍTULO XXIII

PROTECCIÓN CIVIL

Artículo 196

1.La Unión fomentará la cooperación entre los Estados miembros con el fin de mejorar la eficacia de los sistemas de prevención de las catástrofes naturales o de origen humano y de protección frente a ellas. La acción de la Unión tendrá por objetivo:

a) apoyar y complementar la acción de los Estados miembros a escala nacional, regional y local por lo que respecta a la prevención de riesgos, la preparación de las personas encargadas de la protección civil en los Estados miembros y la intervención en caso de catástrofes naturales o de origen humano dentro de la Unión;

b) fomentar una cooperación operativa rápida y eficaz dentro de la Unión entre los servicios de protección civil nacionales; c) favorecer la coherencia de las acciones emprendidas a escala internacional en materia de protección civil.

---

640 García, A., & Bolaño, M. C. (2018). Nuevas perspectivas del derecho ambiental en el siglo XXI. En N. Arrese (Ed.), La respuesta del derecho a las catástrofes naturales (pp. 101-126). Marcial Pons.

2. El Parlamento Europeo y el Consejo, con arreglo al procedimiento legislativo ordinario, establecerán las medidas necesarias para contribuir a la consecución de los objetivos contemplados en el apartado 1, con exclusión de toda armonización de las disposiciones legales y reglamentarias de los Estados miembros.

La Decisión número 1313/2013/UE fue modificada por el Reglamento (UE) 2021/836 del Parlamento Europeo y del Consejo de 20 de mayo de 2021. Es una respuesta a esa demanda de creación de una Fuerza de Protección Civil en el seno de la Unión. Por otra parte, es expresión del artículo 222 del TFUE, que establece la obligación de que los Estados miembros, ante catástrofes naturales y/o humanas, cooperen y se socorran. Prevé, pues, una cooperación administrativa transnacional.

Surge de la necesidad de dar respuesta al incremento sostenido, en los últimos años, tanto en la frecuencia como en la gravedad de las catástrofes, sean de origen natural o antrópico. Esta tendencia apunta hacia un escenario futuro más extremo y prolongado en el tiempo, motivado fundamentalmente por los efectos del cambio climático y su impacto directo sobre los riesgos —naturales, tecnológicos o híbridos—, así como sobre las crecientes interacciones entre ellos. Es ese carácter "poliédrico" de las emergencias la que exige, de modo distinto a como se había conocido hasta entonces, evolucionar desde una coordinación entre las distintas Administraciones públicas de un país a una coordinación de todos los Estados miembros de la Unión.

Es también una expresión clara de solidaridad europea, donde cobran especial relevancia las autoridades regionales y locales en su participación activa. Es tomar en consideración la realidad en la que vivimos, no en la que viviremos, que también. Entre los años 1980 a 2020, los riesgos naturales han afectado a alrededor de 50 millones de personas y han supuesto un coste económico a los Estados de la Unión Europea de una media de 12.000 millones de euros al año.

Es, como no, una acción coordinada para luchar contra la COVID-19 y sus consecuencias, y aprendiendo de ella, encarar nuevos escenarios en este orden (de ahí que promueva por ejemplo, medidas de almacenamiento y suministros de material sanitario, así como la adquisición de los mismos).

La prevención es un elemento esencial para lo que es preciso una mayor inversión. Y se hace necesario que la misma se haga de la mano de la comunidad científica, agentes económicos, autoridades regionales y locales, así como las organizaciones no gubernamentales. Una prevención que tendrá en la evaluación periódica de riesgos específicos zonales y en el análisis de hipótesis de evolución un instrumento preciso para prevenir, preparar y reforzar la resiliencia. Y hay que subrayar que en el caso del análisis de hipótesis de evolución, debe estar muy presente el impacto de las catástrofes sobre los colectivos más vulnerables.

Conviene traer a colación la Decisión de Ejecución de la Comisión, de 16 de octubre de 2014[641], por la que se establecen las normas de desarrollo de la Decisión n°1313/2013/UE del Parlamento Europeo y del Consejo, relativa a un Mecanismo de Protección Civil de la Unión, y por la que se derogan las Decisiones 2004/277/CE, Euratom y 2007/606/CE, Euratom, y que tienen por objeto concretar con más detalle elementos esenciales del Mecanismo[642]. Los detalles se definen en la Decisión de Ejecución 2014/762/UE[643] (Capítulo

---

641 Comisión Europea. (2014, 16 de octubre). Decisión de ejecución por la que se establecen las normas de desarrollo de la Decisión no 1313/2013/UE del Parlamento Europeo y del Consejo, relativa a un Mecanismo de Protección Civil de la Unión, y por la que se derogan las Decisiones 2004/277/CE, Euratom y 2007/606/CE, Euratom. Diario Oficial de la Unión Europea., https://bit.ly/432nKrZ

642 Íbidem, en su art. 1, reseña:
a) la relación del Centro de Coordinación de la Respuesta a Emergencias («Centro de Coordinación») con los puntos de contacto de los Estados miembros;
b) los componentes del Sistema Común de Comunicación e Información de Emergencia («Sistema de Comunicación e Información»), así como la organización del intercambio de información a través de dicho Sistema;
c) la identificación de los módulos, otras capacidades de respuesta y los expertos, así como los requisitos operativos para el funcionamiento e interoperabilidad de los módulos, incluidos sus tareas, capacidades, componentes principales, autosuficiencia y despliegue;
d) los objetivos de capacidad, los requisitos de calidad e interoperabilidad y el procedimiento de certificación y registro necesario para el funcionamiento de la Capacidad Europea de Respuesta a
Emergencias, así como las disposiciones financieras;
e) la determinación y solución de las carencias de la Capacidad Europea de Respuesta a Emergencias;
f) la organización del programa de formación, del marco de ejercicios y del programa sobre lecciones extraídas de la experiencia; los procedimientos operativos de respuesta ante las catástrofes tanto dentro como fuera de la Unión, incluida la identificación de las organizaciones internacionales pertinentes; h) el proceso de despliegue de los equipos de expertos; i) la organización del apoyo al transporte de la ayuda.

643 Comisión Europea. (2014). Decisión de ejecución (UE) 2014/762/UE de la Comisión, de 16 de octubre de 2014, por la que se establecen las normas de desarrollo de la Decisión nº 1313/2013/UE del Parlamento Europeo y del Consejo, relativa a un Mecanismo de Protección Civil de la Unión, y por la que se derogan las Decisiones 2004/277/CE, Euratom y 2007/606/CE, Euratom. Diario Oficial de la Unión Europea, L 320, 6 de noviembre de 2014, p. 1.

5), modificada por la Decisión de Ejecución 2018/142[644] y la Decisión de Ejecución 2019/570[645]— para adaptar sus disposiciones a la evolución del sistema europeo de respuesta ante catástrofes. Asimismo, la Decisión (UE) 2019/420 y el Reglamento (UE) 2021/836 reforzaron el Mecanismo de Protección Civil de la Unión (UCPM) ampliando sus capacidades operativas, creando la *reserva rescEU* y consolidando la financiación europea en materia de prevención, preparación y respuesta ante emergencias de gran escala. Con ello, la Unión Europea ha dado un paso decisivo hacia un modelo integrado de protección civil basado en la solidaridad, la anticipación y la cooperación transfronteriza.

El Mecanismo ha de apoyarse en una serie de infraestructuras espaciales con las que cuenta la Unión Europea:

- Programa Europeo de Observación de la Tierra (Copernicus).[646]

---

644 Comisión Europea. (2018, 15 de enero). Decisión de ejecución (UE) 2018/142 de la Comisión de 15 de enero de 2018 por la que se modifica la Decisión de Ejecución 2014/762/UE, por la que se establecen las normas de desarrollo de la Decisión n.o 1313/2013/UE del Parlamento Europeo y del Consejo, relativa a un Mecanismo de Protección Civil de la Unión.
Diario Oficial de la Unión Europea. https://bit.ly/3U7wvwI

645 Comisión Europea. (2019, 8 de abril). Decisión de ejecución (UE) 2019/570 de la Comisión de 8 de abril de 2019 por la que se establecen las normas de ejecución de la Decisión n.o 1313/2013/UE del Parlamento Europeo y del Consejo en lo que respecta a las capacidades de rescEU y se modifica la Decisión de Ejecución 2014/762/UE de la Comisión. Diario Oficial de la Unión Europea. https://eur-lex.europa.eu/legal-content/ES/ALL/?uri=CELEX:32019D0570

646 Copernicus es el Programa de la Unión Europea para la observación y la monitorización de la Tierra, obteniendo datos de alto valor como son los datos geoespaciales. Su función es analizar el Planeta Tierra y su medio ambiente. Viene establecido en el Reglamento UE número 377/2014 del Parlamento Europeo y del Consejo de 3 de abril de 2014. Este programa está liderado por la Comisión Europea, en colaboración con los Estados de la Unión y diversas agencias y organizaciones como son la Agencia Espacial Europea (ESA) y la Agencia Europea de Medio Ambiente (EEA). Su lema es "La mirada de Europa sobre la Tierra para el beneficio de los ciudadanos europeos". Los datos son obtenidos mediante la utilización de satélite o constelaciones de satélites Sentinel, así como de terceros. También merced a sistemas de sensores en tierra, aéreos o marítimos. Copernicus es el mayor proveedor de datos geoespaciales a nivel mundial, con una producción estimada de en torno a doce terabytes al día.

- Conocimiento del Medio Espacial[647] y Govsatcom[648].
- Galileo[649].

Las anteriores son herramientas de indudable utilidad para hacer frente a emergencias internas y también externas.

La compleja actuación en situaciones de catástrofe, debido al volumen de recursos y organizaciones implicadas, así como la implicación de Estados con un desarrollo administrativo propio, hace imprescindible racionalizar los procesos, a fin de garantizar el éxito y la prontitud en la respuesta[650].

---

647 El Conocimiento del Medio Espacial, en inglés Space Situational Awareness (SSA), tiene su foco de actuación en el conocimiento del medio espacial, con especial acento en la ubicación y seguimiento de los objetos espaciales, así como fenómenos meteorológicos espaciales. Sus objetivos son: vigilancia espacial y seguimiento (SST) de objetos tecnológicos, monitoreo y pronóstico del clima espacial (SWE), y monitoreo de objetos cercanos a la Tierra (NEO), es decir, objetos espaciales de origen natural. Visto el 22/08/22 European Union Satellite Centre, https://www.satcen.europa.eu/page/ssa

648 GOVSATCOM es el Programa de Comunicaciones Gubernamentales por Satélite de la Unión Europea, y su objetivo es facilitar capacidades de comunicaciones seguras y rentables para misiones y operaciones críticas de seguridad gestionadas por la Unión Europea y sus Estados miembros, incluidos los agentes de seguridad nacional y las agencias e instituciones de la arquitectura de la Unión.
Uno de sus usos preferenciales tiene su enfoque en la gestión de crisis provocadas por desastres naturales y provocadas a causa del hombre, entre otras. Visto el 22/08/22 en EUSPA, European Union Agency for the Space Programme, https://www.euspa.europa.eu/eu-space-programme/secure-satcom/govsatcom.

649 Galileo es el Sistema Global de Navegación por Satélite Europeo, cuya propiedad es la Comisión Europea. Es una constelación de satélites que ofrece algunos servicios en modo abierto, y otros, configurados como servicio público regulado (servicio robusto y cifrado para servicios gubernamentales como los de Protección Civil). Comenzó su andadura en el seno de la Unión Europea hace más de veinte años. Es un programa de cobertura en todo el Planeta, que ofrece los servicios de posicionamiento y sincronización a los ciudadanos. Ofrece una mayor precisión que el GPS de Estados Unidos. Galileo es un sistema civil, y aunque bastante desconocido, forma parte diaria de nuestras vidas, pues lo utilizan muchos de los dispositivos de comunicaciones móviles con los que contamos en nuestra vida cotidiana.

650 Parlamento Europeo y Consejo de la Unión Europea. (2021). Reglamento (UE) 2021/836 del Parlamento Europeo y del Consejo, por el que se modifica la Decisión No 1313/2013/UE del Parlamento Europeo y del Consejo de 17 de diciembre de 2013 relativa a un Mecanismo de Protección Civil de la Unión. https://www.boe.es/doue/2021/185/L00001-00022.pdf

Así por ejemplo, los distintos Estados que componen la Unión Europea, al asumir la Presidencia del Consejo[651], establecen una agenda que define las prioridades políticas generales, buscando encontrar soluciones a los desafíos presentes y futuros a nivel de la Unión Europea.

Obviamente, dentro de los asuntos de interés, la Presidencia trabaja en el ámbito de la seguridad de la Unión Europea, incluida la protección civil. Esto implica colaborar en el desarrollo de políticas y medidas destinadas a garantizar la seguridad y la protección de los ciudadanos europeos en situaciones de emergencia y catástrofes. Buen ejemplo de ellos son los esfuerzos y propuestas realizados en las distintas Presidencias:

2.1.1.1.- Informe de la Presidencia croata

La Presidencia Croata[652] presentó el 18 de junio de 2020 un informe sobre los logros alcanzados por la Unión Europea en materia de Protección Civil. Si bien los objetivos son ambiciosos, como hemos podido deducir del Mecanismo de Protección Civil de la Unión, la respuesta a la pandemia ha supuesto una prueba de indudable valor para seguir mejorando, dado que las activaciones del mismo han alcanzado una cifra nunca antes conocida.

Durante esta Presidencia, se solicitó de los Estados miembros de la Unión que completaran un cuestionario de consulta sobre cuestiones relacionadas con la protección civil. Entre las conclusiones extraídas, se destacan las siguientes:

- Existen diferentes visiones con relación a la Gestión del Riesgo en las Catástrofes (en adelante GRC).
- Algunos Estados carecen de un Documento Estratégico para la GRC.
- En algunos Estados, hay falta de fondos para la GRC.
- Se observa una ausencia de mecanismos de coordinación para la GRC en general.
- En general, se percibe un cambio positivo hacia la necesidad de una adecuada GRC.

---

651 Consejo Europeo. (2024). La Presidencia del Consejo de la UE. https://www.consilium.europa.eu/es/council-eu/presidency-council-eu/

652 Consejo de la Unión Europea, Secretaría General del Consejo, Comité de Representantes Permanentes. (2020, 18 de junio). Informe de la Presidencia croata sobre los principales logros de la UE en el ámbito de protección civil. https://www.consilium.europa.eu/es/policies/civil-protection/timeline-eu-civil-protection-mechanism/

Más de 70 países integrantes de la Unión participaron en un taller del cual se extrajeron varias conclusiones. Entre ellas, se propuso invertir en políticas y normativas, con un énfasis especial en la inversión en la reducción de riesgos, debido a su rentabilidad económica y social.

2.1.1.2.- Informe de la Presidencia alemana

Bajo la Presidencia alemana[653] se llevaron a cabo dos encuestas con los siguientes objetivos:

- Identificar y priorizar las infraestructuras críticas afectadas por la COVID-19.
- Analizar la función y demandas de las autoridades de protección civil en apoyo a las anteriores infraestructuras críticas.
- Incrementar el conocimiento colaborativo para mejorar la respuesta del Mecanismo de la Unión.

Los expertos llegaron a varias conclusiones y propuestas que servirían como referencia para la Red de Conocimiento. Entre otros objetivos, se destacó la necesidad de que esta red sea fácilmente accesible e intuitiva. Estas medidas fueron respaldadas por los Directores Generales de Protección Civil el 24 de noviembre.

2.1.1.3.- Informe de la Presidencia portuguesa

Durante los días 13 y 14 de abril de 2021, la Presidencia portuguesa organizó un taller virtual de expertos titulado: "Protección Civil en la era de la COVID-19: continuidad de la actividad económica, adaptación y desarrollo de capacidades". Este evento contó con la participación de 110 expertos provenientes de 29 Estados de la Unión Europea. El objetivo del taller era profundizar en experiencias y buenas prácticas que, teniendo en cuenta la gravedad de la pandemia, contribuyeran a no interrumpir la actividad económica en los negocios.

Como principal conclusión del taller, se destacó el papel crucial de la protección civil, resaltando que:

- Se ha fortalecido durante la pandemia.

---

653 Council of the European Union, Presidency Permanent Representatives Committee. (2020, 11 de diciembre). Report from the German Presidency on the main achievements at EU level in the field of civil protection. Brussels. https://bit.ly/3AnWVRC

- Las Autoridades de Protección Civil han demostrado adaptabilidad, resiliencia y capacidad de respuesta.

El 26 de enero de 2021, la Comisión adoptó la Decisión 2021/88[654] sobre capacidades rescEu en el ámbito de los incidentes químicos, biológicos, radiológicos y nucleares.

2.1.1.4.- Informe de la Presidencia eslovena

Se planteó como objetivo principal construir una Unión Europea más resiliente. Para ello, se promovieron once encuentros de los responsables nacionales de protección civil, así como de expertos, con el fin de continuar las negociaciones para alcanzar un acuerdo de Directiva sobre la Resiliencia de Infraestructuras Críticas. La Presidencia eslovena se avanzó en el objetivo y se consolidó el impulso dado por el Reglamento 2021/836 [655], que modifica la Decisión del Mecanismo de Protección Civil de la Unión (UCPM), el 20 de mayo de 2021. Este reglamento introduce los Objetivos de Resiliencia ante Desastres de la Unión en el ámbito de la protección civil.

Los días 7 y 8 de julio de 2021, se llevó a cabo un taller virtual de expertos titulado: "Hacia Objetivos de Resiliencia ante Desastres: establecer el escenario, permitir el debate y diseñar un enfoque común para el desarrollo de los objetivos de resiliencia ante catástrofes en la Unión en el ámbito de protección civil"[656]. Este evento reunió a 116 expertos de alto nivel procedentes de 27 Estados miembros.

Las metas de resiliencia ante desastres se definen como objetivos no vinculantes del ámbito de la protección civil, con el propósito de impulsar acciones en materia de prevención y preparación. Estas acciones buscan

---

654 Comisión Europea. (2021, 26 de enero). Decisión de Ejecución (UE) 2021/88 de la Comisión de 26 de enero de 2021 por la que se modifica la Decisión de Ejecución (UE) 2019/570 en lo que respecta a las capacidades de rescEU en el ámbito de los incidentes químicos, biológicos, radiológicos y nucleares. Diario Oficial de la Unión Europea, OJ L 30.

655 Diario Oficial de la Unión Europea. (2021, 26 de mayo). Reglamento (UE) 2021/836 del Parlamento Europeo y del Consejo de 20 de mayo de 2021 por el que se modifica la Decisión n.o 1313/2013/UE relativa a un Mecanismo de Protección Civil de la Unión.

656 Presidencia de Eslovenia del Consejo de la Unión Europea. (2021, 7-8 de julio). Towards Disaster Resilience Goals: Setting the scene, enabling discussion, and designing a common approach to the development of the Union disaster resilience goals in the area of civil protection [Informe del taller]. https://goo.su/Zaa0EjU

mejorar la capacidad operativa y de respuesta de la Unión Europea y sus Estados miembros para resistir los efectos de un desastre, cuyo alcance cause o pueda causar impactos más allá de las fronteras de un país.

El 10 de noviembre de 2021, la Comisión adoptó la Decisión de Ejecución 2021/1956 [657] relativa al establecimiento y organización de la Red de Conocimiento.

2.1.1.5.- Informe de la Presidencia francesa

Consideró prioritario abordar el impacto del cambio climático y los nuevos riesgos a los que se enfrenta tanto la Unión Europea como la protección civil europea.

Se celebró un taller virtual los días 1 y 2 de febrero de 2022, seguido de una reunión informal de ministros de Interior el 3 de febrero. Durante esta reunión, se reconoció la importancia de poner a disposición de la Unión todos los recursos necesarios para hacer frente a los nuevos riesgos, así como fomentar un compromiso cívico.

El 3 y 4 de febrero, en Lille, los ministros de Justicia e Interior intercambiaron opiniones sobre el futuro de la protección civil europea, dadas las repercusiones del cambio climático y los nuevos riesgos a los que debemos enfrentarnos. El 24 de febrero, la Presidencia del Consejo elaboró un documento [658] titulado: "Proyecto de Conclusiones del Consejo sobre los trabajos de protección civil con vistas al cambio climático." Quiero destacar un aspecto que no se ha impulsado suficientemente en nuestro país, donde los servicios públicos deben responder exclusivamente a las demandas de la sociedad. Nos referimos a promover la participación activa del ciudadano como "actor de su propia seguridad" o como miembro de estructuras de diversos ámbitos territoriales para cooperar en áreas como la alerta, el suministro de información y la movilización, a través de redes ciudadanas, asociaciones y voluntarios, así como la capacitación en primeros auxilios.

---

657 Diario Oficial de la Unión Europea. (2021). Decisión de ejecución (UE) 2021/1956 de la Comisión de 10 de noviembre de 2021 relativa a la creación y organización de la Red de Conocimientos sobre Protección Civil de la Unión. Bruselas, 11 de noviembre de 2021.

658 Council of the European Union. (2022). Presidency Council, Draft Council conclusions on civil protection work in view of climate change. Brussels. https://www.consilium.europa.eu/media/54659/st06528-en22.pdf

Tras once reuniones de trabajo de los responsables de protección civil de los estados y equipos de expertos, la Comisión adoptó una serie de actos de ejecución para proponer el desarrollo de la reserva de capacidad rescEU.

Durante la presidencia francesa, el Mecanismo de respuesta se activó 58 veces, incluida la derivada de la erupción del volcán de La Palma en España.

Se aprobó la Decisión de Ejecución 2022/288[659] de la Comisión relativa a capacidades de equipos médicos de emergencia de tipo 3 (atención hospitalaria derivada). Se trata de una nueva capacidad de respuesta rescEU, centrada en los refugios temporales que se despliegan durante una operación de respuesta en el marco del Mecanismo de la Unión, como en el caso de un terremoto que requiera proporcionar refugio temporal a las poblaciones, dotando de espacio para vivienda, higiene y saneamiento.

También se aprobó la Decisión de Ejecución 2022/461[660] para incluir capacidades de transporte y logística en la reserva rescEU, y la Decisión de Ejecución 2022/465 [661] para suplir las lagunas detectadas en materia de desastres de naturaleza nuclear, radiológica, biológica o química (NRBQ). Para ello, se facilita el desarrollo de laboratorios móviles rescEU y capacidades de detección, muestreo, identificación y supervisión NRBQ.

Por último, la Decisión de Ejecución 2022/706[662] establece que las medallas de protección civil europea otorgadas en reconocimiento a contribuciones

659 Diario Oficial de la Unión Europea. (2022). Decisión de ejecución (UE) 2022/288 de la Comisión de 22 de febrero de 2022 por la que se modifica la Decisión de Ejecución (UE) 2019/570 en lo que respecta a las capacidades de alojamiento de rescEU y a la modificación de los requisitos de calidad de las capacidades de los equipos médicos de emergencia de tipo 3. Bruselas.

660 Diario Oficial de la Unión Europea. (2022). Decisión. Decisión de ejecución (UE) 2022/461 de la Comisión de 15 de marzo de 2022 por la que se modifica la Decisión de Ejecución (UE) 2019/570 en lo que respecta a las capacidades de transporte y logística de rescEU. Bruselas.

661 Diario Oficial de la Unión Europea. (2022). Decisión de ejecución (UE) 2022/465 de la Comisión de 21 de marzo de 2022 por la que se modifica la Decisión de Ejecución (UE) 2019/570 en lo que respecta a las capacidades de rescEU en materia de laboratorios móviles y en materia de detección, muestreo, identificación y control QBRN. Bruselas.

662 Journal Officiel de l'Union Européenne. (2022). Décision d'exécution (UE) 2022/706 de la Commission du 5 mai 2022 fixant les modalités d'application de la décision no 1313/2013/UE du Parlement européen et du Conseil en ce qui concerne les critères et procédures de reconnaissance des engagements de longue date qui ont été pris et des contributions exceptionnelles effectuées en faveur du mécanisme de protection civile de l'Union [notifiée sous le numéro C(2022) 2884]. Bruxelles.

excepcionales en favor del Mecanismo de protección civil, se entregarán en una ceremonia oficial, como el Foro Europeo de Protección Civil. Este reconocimiento, se otorga ya sea por un dilatado compromiso o por un servicio extraordinario que no lleva aparejado ningún beneficio económico.

2.1.1.6.- Informe de la Presidencia española

Durante el semestre de la presidencia de turno de la Unión Europea por parte del Gobierno de España, los planes del Ministerio del Interior se centraron en el fortalecimiento del Mecanismo Europeo de Protección Civil y en la mejora de su capacidad para responder a emergencias y catástrofes. Se realizaron modificaciones en dicho mecanismo con el objetivo de agilizar la respuesta ante situaciones que afecten a más de un Estado miembro, ya sean de origen natural o humano.

Inicialmente, se establecieron una serie de objetivos para el semestre, destacando la búsqueda de una Europa más resiliente, la exploración de nuevas fuentes de financiación, la promoción de la prevención desde una perspectiva multirriesgo y la facilitación del diálogo entre todas las partes implicadas.[663]

Los riesgos actuales y los emergentes, tanto a medio como a largo plazo, requieren una planificación mejorada. Este proceso es fundamental pero complejo. La toma de decisiones pública para hacer frente a los riesgos necesita una planificación previa que involucre un proceso participativo intenso y multidimensional, alejado de la improvisación y el personalismo.

Según el profesor Nevado-Batalla [664] los ítems para un proceso de planificación: determinar el objetivo de la acción que hace que actúe la administración, recabar información y datos, decidir con prospectiva las soluciones óptimas a los fines previstos, encuadrarla jurídicamente, disponer de los medios y recursos demandados, valorar la percepción y reacción social, por último, llevar a término.

Según el profesor los elementos clave para un proceso de planificación incluyen:

- Determinar el objetivo de la acción administrativa.
- Recopilar información y datos relevantes.
- Decidir las soluciones óptimas a través de un enfoque prospectivo.

---

663 Dirección General de Protección Civil. Presidencia Española UE. Mecanismo Europeo de Protección Civil. https://acortar.link/2qXKkB

664 Nevado-Batalla, P.T. (2022). Política vs. Gestión Pública: la tentación del abuso. Ed. Colex. Pg. 86

- Encuadrar jurídicamente las soluciones propuestas.
- Disponer de los medios y recursos necesarios.
- Evaluar la percepción y reacción social ante las medidas propuestas.
- Llevar a cabo la implementación de las medidas planificadas.

Este enfoque integral y estructurado es esencial para garantizar una respuesta efectiva y sostenible a los riesgos y emergencias.

El Ministro del Interior entregó al comisario europeo Lenarčič un ejemplar del I Plan Nacional de Reducción del Riesgo de Desastres "Horizonte 2035", en el que se establece la creación de un Comité Nacional de Prospectiva. Este comité será un órgano consultivo especializado en el análisis de los riesgos emergentes, y proporcionará orientación para la prevención y la acción ante estos riesgos.

2.1.1.7.- Informe de la Presidencia belga

Ostentó la presidencia del Consejo de la Unión Europea en el primer semestre del año 2024, abarcando pues desde el 1 de enero al 30 de junio. Su lema fue: "Proteger, Fortalecer y Preparar".

Puso el acento en la crisis migratoria[665], proponiendo impulsar una respuesta rápida y conjunta ante este tipo de crisis, mejorando las vías legales en el marco europeo, con especial acento en la colaboración con los países de África. También, centró sus esfuerzos en la lucha contra la delincuencia de carácter organizado, el terrorismo y el extremismo violento, y ahondando en la necesidad de impulsar un debate sobre el futuro de la seguridad y defensas europeas, con el objeto de robustecer la base innovadora e industrial de la defensa, poniendo las bases para una estrategia europea que más tarde fue aprobada.

2.1.1.8.- Informe de la Presidencia húngara

El programa[666] de prioridades de la Presidencia de Hungría para 2024 (1 de julio al 31 de diciembre de 2024) en el ámbito de la protección civil subraya varios puntos esenciales ante los retos que tenemos por delante en nuestro

---

665 Ministerio de Trabajo y Economía Social. (13 de junio de 2024). Presidencia belga de la Unión Europea. Recuperado de https://n9.cl/jqics

666 Gobierno de Hungría. (2024). Programme of the Hungarian Presidency of the Council of the European Union in the second half of 2024. Recuperado de https://acortar.link/t155pJ

marco europeo. De un lado, mejorar las infraestructuras de gestión de crisis de la Unión Europea, con especial atención a la protección de las infraestructuras críticas frente a las amenazas tanto naturales como de origen humano. Este vector trata de reforzar la resiliencia europea frente a las emergencias, con un marco integral que permita una respuesta más rápida, eficaz y coordinada.

También subraya la presidencia húngara la importancia de la coordinación y cooperación transfronteriza, tanto intra UE como terceros países. Se busca establecer alianzas estratégicas para mejorar la respuesta ante emergencias y catástrofes, al tiempo que se asegure que conjuntamente trabajen los Estados miembros para hacer frente a las crisis, y mejorar los mecanismos de respuesta rápida.

Otro aspecto a subrayar es la conexión entre protección civil y los esfuerzos para mitigar los efectos derivados del cambio climático. Así, se decide impulsar una batería de medidas para enfrentar las catástrofes naturales integrando la acción climática en el seno de los planes de protección civil (destaca la necesidad de mejorar las capacidades a nivel local y nacional en la gestión de riesgos).

Finalmente, la presidencia de Hungría se ha comprometido a estrechar los lazos de cooperación con organismos internacionales.

2.1.1.9.- Informe de la Presidencia polaca

Durante la presidencia polaca del Consejo de la UE (enero-junio de 2025), el leitmotiv fue "Seguridad, Europa". Este enfoque planteó la seguridad no solo como una cuestión militar, sino como un concepto integral que abarca aspectos exteriores e interiores, incluyendo ciberseguridad, resiliencia frente a desinformación, y protección sanitaria y alimentaria. En este marco, la protección civil se concibe como un componente transversal capaz de reforzar la cohesión y capacidad de respuesta de la Unión ante crisis tanto convencionales como híbridas.

Uno de los pilares fundamentales de esta presidencia fue impulsar la preparación defensiva mediante el aumento del gasto militar, el fortalecimiento de la industria de defensa europea y la reducción de brechas tecnológicas.

Polonia también puso el acento en la protección de personas y fronteras, así como en la resiliencia ante interferencias externas y la desinformación. La creación de entornos institucionales robustos, como un posible Consejo Europeo de Resiliencia contra la Desinformación, busca fortalecer las capacidades de adaptación y respuesta ante amenazas no convencionales. Además, la preocupación por la migración irregular y la defensa del espacio europeo refuerzan la dimensión civil de la protección, pues proyectan la seguridad más allá del ámbito militar.

2.1.2.- Compromisos en la lucha contra el cambio climático y la biodiversidad.

El objetivo está trazado claramente en la Decisión 1313/2013/UE tras el Acuerdo de París y los Objetivos de Desarrollo Sostenible de las Naciones Unidas:

- Destinar al menos un 30% del importe total del gasto del presupuesto de la Unión y del Instrumento de Recuperación de la Unión Europea a la lucha contra el cambio climático.
- Para el año 2024, un 7,5% del presupuesto de la Unión refleje gastos en el ámbito de la biodiversidad.
- En el año 2026, pasar del 7,5% antes mencionado al 10%.

2.1.3.- Creación de capacidades RescUE

El artículo 12 de la Decisión sobre el Mecanismo de Protección Civil de la Unión Europea prevé la posibilidad de crear capacidades rescEU, es decir, capacidades a nivel europeo en el área de la Protección Civil. Se configura al modo de un reforzamiento al Mecanismo de Protección Civil de la Unión Europea, confiriéndole un mayor nivel, como diría el Comisario de Ayuda Humanitaria y Gestión de Crisis, Christos Stylianides[667]. Entre estas capacidades, podemos mencionar aviones de lucha contra los incendios forestales, equipos de búsqueda y rescate, hospitales de campaña, equipos médicos de emergencia, equipos de respuesta ante accidentes químicos, radiológicos, nucleares, entre otros. Es, en palabras de Jean-Claude Juncker [668], lo que demandan los ciudadanos: "los ciudadanos quieren acción, no palabras"[669].

La reserva es voluntaria y se puede constituir en uno o más Estados de la Unión, siendo el país de alojamiento responsable de la adquisición de los medios y equipos que constituyan la capacidad rescEU concreta.

---

667 European Commission. (2018, 12 de julio). Press release: rescEU: Commission welcomes provisional agreement to strengthen EU civil protection [Comunicado de prensa]. Brussels, 12/12/2018. https://reliefweb.int/report/world/resceu-commission-welcomes-provisional-agreement-strengthen-eu-civil-protection

668 Jean-Claude Juncker, fue presidente de la Comisión Europea desde el 1 de noviembre de 2014 hasta el 30 de noviembre de 2019.

669 European Commission. (2018, 12 de julio). rescEU: Commission welcomes provisional agreement to strengthen EU civil protection [Comunicado de prensa]. Brussels. https://goo.su/yqbVg

La Comisión financiará el 90% de los costes de la reserva, y el Centro de Coordinación de la Respuesta a Emergencias será el encargado de la logística de distribución.

Con motivo de la pandemia, se creó la primera reserva estratégica de rescEU consistente en equipos médicos, respiradores, máscaras de protección, vacunas y elementos de laboratorio para ayudar a los países de la Unión en esta emergencia.

El mecanismo rescEU forma parte del Mecanismo de Protección Civil de la Unión y está alimentado por el European Civil Protection Pool (ECCP, Reserva Europea de Protección Civil). En octubre de 2022 ese fondo sumaba 118 capacidades certificadas de 25 Estados. La Comisión Europea informa que, en enero de 2025, los Estados miembros y los países participantes habían ofrecido 148 capacidades de respuesta al ECPP, de las cuales 101 estaban certificadas y listas para su despliegue[670]. En la práctica ello supone un incremento notable de recursos disponibles y de calidad, aunque las capacidades certificadas son algo menos que en 2022 porque muchas se hallan en proceso de recertificación. La financiación comunitaria cubre el transporte y los costes operativos de estos módulos, de modo que los Estados que aportan capacidades –entre ellos Alemania, Francia y España– no soportan solos el coste del despliegue.

Las capacidades registradas abarcan diversos tipos de módulos: aviones y helicópteros para extinción de incendios, equipos de extinción terrestre (incluidos camiones de bomberos y brigadas forestales), equipos médicos de emergencia (EMT), laboratorios móviles, equipos de detección y descontaminación química, biológica, radiológica y nuclear (NRBQ), módulos de rescate en inundaciones mediante embarcaciones o bombas de gran capacidad, unidades de purificación de agua, transporte y apoyo logístico y módulos de refugio de emergencia. En 2025 se desarrollan nuevas capacidades dentro de rescEU: una flota permanente de medios aéreos contra incendios, equipos logísticos polivalentes, unidades médicas especializadas y equipos de detección y descontaminación CBRN. España sigue estando entre los principales contribuyentes y aporta, entre otras, brigadas de extinción forestal terrestre, equipos de valoración y asesoramiento sobre incendios forestales (FAST), módulos de abastecimiento de agua y personal especializado, lo que la sitúa junto a Alemania y Francia como uno de los mayores proveedores de capacidades del mecanismo.

---

670 Se puede observar el mapa con más resolución en el siguiente enlace de la fuente original, https://bit.ly/3MdcTFD

La Comisión resalta que estas 148 capacidades pueden ser preposicionadas antes de la temporada de incendios o de otras catástrofes, y que el apoyo de rescEU se activa cuando las capacidades nacionales y del ECPP resultan insuficientes. Para 2025 el objetivo de la Estrategia de la Unión para la Preparación es reforzar aún más esta reserva, asegurando que la mayoría de los módulos cumplan los estándares de certificación y que haya suficientes equipos para responder a varias emergencias simultáneas. Ello obedece a la experiencia acumulada tras las inundaciones de 2023 y los incendios producidos fuera del ámbito europeo, en los que España y otros Estados del sur de la Unión participaron mediante el despliegue de sus módulos de intervención. En este marco, el Gobierno de España activó por primera vez el Mecanismo de Protección Civil de la Unión Europea para la lucha contra incendios forestales el 13 de agosto de 2025, reforzando así la cooperación operativa y la solidaridad entre Estados miembros prevista en el marco jurídico comunitario. La Comisión Europea movilizó el rescEU enviando dos aviones anfibios franceses y dos italianos, además de dos helicópteros (uno eslovaco y otro checo). A esto se sumaron, a través del mecanismo, bomberos y medios de Alemania, Eslovaquia, Finlandia, Francia, Italia, Países Bajos y la República Checa, así como dos helicópteros neerlandeses y equipos de bomberos de Alemania, Francia y Finlandia. Además, un experto del Centro de Coordinación de Respuesta a Emergencias de la UE se desplazó a España para apoyar la coordinación con las autoridades y se activó el servicio de imágenes de emergencia Copernicus para cartografiar los incendios

2.1.4.- Objetivo general, objeto y objetivos específicos

El objetivo general es aumentar la cooperación entre la Unión Europea y sus Estados miembros, facilitar la coordinación en el campo de la protección civil para lograr la mejora de la eficacia en el ámbito preventivo, así como en la preparación y respuesta ante catástrofes de origen natural o humano.

La prioridad son, en primer lugar, las personas, las personas, así como también el entorno natural y los bienes (incluido el patrimonio cultural), cuando se vean afectados por catástrofes naturales o humanas. Si la catástrofe es resultado de una acción terrorista o de accidentes cuyo origen sea nuclear o radiológico, el Mecanismo de la Unión ofrecerá su respuesta en los ámbitos de la preparación y respuestas en el campo de la protección civil.

Objetivos específicos son incrementar el nivel de protección frente a las catástrofes utilizando como instrumentos la prevención, fomentando una auténtica cultura de la misma, y mejorando la cooperación entre los servicios de protección civil así como otros entes que colaboran con ella. La preparación para una rápida reacción y la sensibilización social frente a las catástrofes.

2.1.5.- Competencias delegadas de ejecución a la Comisión

Para una correcta puesta en marcha de la Decisión número 1313/2013/UE del Parlamento Europeo, la Comisión ha de tener conferidas unas competencias de ejecución para que esta pueda definir tanto los recursos logísticos como de transporte y capacidades de rescEU, al tiempo que le permitan cubrir las demandas[671] que no puedan satisfacer con recursos propios mediante el:

- Alquiler
- Arrendamiento financiero
- Contrato

Cuando nos encontremos ante una catástrofe de gran envergadura (con afectación o que pueda afectar con alcance transeuropeo, o en el caso de baja probabilidad pero alto impacto), y a fin de no restar operatividad a la respuesta, la Comisión, en casos debidamente justificados, y previa consulta a los Estados miembros, podrá, por el procedimiento de urgencia, adoptar actos de ejecución consistentes en:

- Adquirir.
- Alquilar.
- Arrendar financieramente.
- Contratar.

Son actos de ejecución con el objeto de obtener los medios materiales y servicios precisos para atender los hechos antes referenciados, definidos como capacidades de rescEU, a consecuencia de la imposibilidad de ser puestos a disposición por los Estados de la Unión.

El objeto es poder responder sin dilación a emergencias que puedan impactar gravemente en la vida de las personas, su salud, el medio natural, la propiedad y el patrimonio cultural, y que afecten simultáneamente a varios Estados de la Unión.

---

671 Ello se hará de conformidad con el Reglamento (UE) número 182/2011 del Parlamento Europeo y del Consejo, de 16 de febrero de 2011, por el que se establecen las normas y los principios generales relativos a las modalidades de control por parte de los Estados miembros del ejercicio de las competencias de ejecución por la Comisión (DO L 55 de 28.2.2011, p.13). https://www.boe.es/doue/2011/055/L00013-00020.pdf

2.1.6.- El Centro de coordinación de la respuesta a emergencias (ERCC).

Se puede decir que el Centro de Coordinación de la Respuesta a Emergencias, en inglés Emergency Response Coordination Centre (ERCC) es el corazón del Mecanismo de Protección Civil de la Unión Europea. Es el encargado de entregar a los Estados afectados por una catástrofe el material de socorro, así como equipos y servicios especializados. Actúa como centro de coordinación de los Estados miembros y los Estados participantes adicionales afectados, así como los servicios de protección civil y los expertos humanitarios.

Es un centro que opera las 24 horas del día, los 7 días de la semana (24/7), y está preparado para proporcionar ayuda tanto dentro como fuera de la Unión Europea cuando lo solicita un Estado miembro o un organismo de la ONU.

El ERCC desempeña un papel crucial al facilitar la colaboración entre los sectores de protección civil y ayuda humanitaria. Actúa como un punto central que mantiene conectadas a las autoridades responsables en estos ámbitos, lo que posibilita un intercambio fluido de información en tiempo real. Además, en caso de ser necesario, el centro asegura el despliegue de equipos conjuntos de expertos en estas áreas.

En 2021, se llevó a cabo una inversión significativa para mejorar las capacidades del ERCC, centrándose especialmente en las áreas operativas, de análisis y seguimiento, gestión de la información y comunicaciones. Desde su establecimiento, el centro ha coordinado la asistencia en más de 600 ocasiones en respuesta a la activación del Mecanismo Europeo de Protección Civil. En la actualidad, y a través de su red, el ERCC realiza un importante seguimiento en tiempo real de las diversas emergencias activas en todo el mundo[672].

2.1.7.- La resiliencia en la UE como objetivo

En 2017, la Comisión Europea hizo pública una Comunicación Conjunta dirigida al Parlamento Europeo y al Consejo sobre un "enfoque estratégico para la resiliencia en la acción exterior de la Unión Europea".

672 European Commission. (s.f.). European Civil Protection and Humanitarian Aid Operations. ERCC–Emergency Response Coordination Centre. https://erccportal.jrc.ec.europa.eu/

Para LINKOV, RENN et al., la resiliencia "se refiere a las características particulares de un sistema que permitirán absorber los efectos adversos y recuperarse rápidamente".[673]

Conscientes las autoridades de la Unión de que estamos en un contexto conectado, con tensiones y altamente complejo, se establece el objetivo de robustecer la resiliencia estatal y social como respuesta. Conseguir los objetivos de la Unión pasan por "identificar cómo un enfoque estratégico de la resiliencia puede aumentar el impacto de la acción exterior de la UE y sostener el progreso hacia los objetivos de la política exterior, humanitaria, de desarrollo y de seguridad".[674]

El Mecanismo Europeo de Protección Civil señala también el objetivo de mejorar la resiliencia[675] y la planificación en materia de prevención, preparación y respuesta ante catástrofes. Destaca la necesidad de aumentar la inversión en prevención de catástrofes en todos los ámbitos, incluyendo la dimensión transfronteriza, como ya hemos señalado.

Para ello, la Comisión en colaboración con los Estados de la Unión debe definir y desarrollar los objetivos de resiliencia de la Unión ante las catástrofes que puedan producirse en el ámbito de la protección civil y cuyas consecuencias humanitarias puedan impactar sobre las vidas humanas o su integridad física.

Para lograrlo, es necesario emprender varias acciones:

- Análisis de riesgos (naturales o de otra índole).
- Información sobre las consecuencias de cada riesgo (determinar las acciones en función de la vulnerabilidad que puede acarrear).

---

673 Linkov, I., Bridges, T., Creutzig, F., Decker, J., Fox-Lent, C., Kröger, W., Lambert, J. H., Levermann, A., Montreuil, B., Nathwani, J., Nyer, R., Renn, O., Scharte, B., Scheffler, A., Schreurs,
M., & Thiel-Clemen, T. (2014). Changing the resilience paradigm. Nature Climate Change, 4, 407-409.

674 European Commission. (2017, 7 de junio). Joint communication to the European Parliament and the Council: A Strategic Approach to Resilience in the EU's external action. Brussels. https://eur-lex.europa.eu/legal-content/ES/ALL/?uri=CELEX:52017JC0021

675 Diario Oficial de la Unión Europea. (2021, 26 de mayo). Reglamento (UE) 2021/836 del Parlamento Europeo y del Consejo de 20 de mayo de 2021 por el que se modifica la Decisión n. °1313/2013/UE relativa a un Mecanismo de Protección Civil de la Unión. L 185/3.https://eurlex.europa.eu/legal-content/ES/TXT/PDF/?uri=CELEX:32021R0836&from=ES

- Capacitación local para proporcionar herramientas de respuesta a los más vulnerables.
- Inclusión de una estrategia para prever futuras necesidades humanitarias.

El Marcador de Resiliencia (Resilience Marker) es una herramienta para evaluar qué acciones humanitarias financiadas por la DG ECHO (Dirección General de Protección Civil y Operaciones de Ayuda Humanitaria Europeas) integran adecuadamente la resiliencia. A tal efecto, la Comisión Europea ha elaborado una Guía[676].

En el ámbito europeo, la resiliencia se ha consolidado ya como un eje transversal de las políticas públicas, especialmente tras la crisis sanitaria global y el agravamiento de los riesgos sistémicos. En julio de 2025, la Comisión Europea presentó la "European Preparedness Union Strategy", una Comunicación Conjunta dirigida al Parlamento Europeo y al Consejo, en la que se articula un ambicioso plan de acción orientado a reforzar la preparación colectiva de la Unión frente a emergencias de carácter complejo, prolongado o transfronterizo. Esta estrategia propone más de treinta medidas específicas centradas en la protección de funciones sociales esenciales, la mejora de las capacidades de anticipación y respuesta, la cooperación civil-militar y la implicación del sector privado en la gestión integral de crisis. Asimismo, plantea la necesidad de establecer un enfoque preventivo común, basado en el principio de autonomía estratégica y en una cultura compartida de seguridad y autoprotección.

La Recomendación (UE) 2023/C 56/01 de la Comisión Europea, de 8 de febrero de 2023, sobre los objetivos de resiliencia de la Unión ante catástrofes, constituye el primer instrumento de *soft law* que establece una base de referencia común no vinculante para orientar las políticas nacionales de prevención, preparación y respuesta frente a desastres naturales o de origen humano con efectos transfronterizos. Derivada del artículo 6.5 de la Decisión 1313/2013/UE del Parlamento Europeo y del Consejo, relativa al Mecanismo de Protección Civil de la Unión (UCPM), la Recomendación persigue reforzar la capacidad colectiva de la Unión y de los Estados miembros para anticipar, resistir y recuperarse de las catástrofes presentes y futuras.

El texto define cinco grandes objetivos estratégicos de actuación:

---

676 Comisión Europea, Dirección General de Protección Civil y Operaciones de Ayuda Humanitaria Europeas (ECHO). (2022). Resilience marker: general guidelines. Luxemburgo: Oficina de Publicaciones de la Unión Europea. https://data.europa.eu/doi/10.2795/683161

1 Anticipación, orientada a mejorar la evaluación de riesgos y la planificación multirriesgo, con especial atención al cambio climático y a la protección de los colectivos vulnerables.

2 Preparación, centrada en fortalecer la concienciación social y la cultura de autoprotección, con el objetivo de que en 2030 al menos el 90 % de la población europea conozca los riesgos que afectan a su región.

3 Alerta temprana, mediante el refuerzo de la interoperabilidad y eficacia de los sistemas nacionales y europeos de aviso rápido, bajo la coordinación del Centro de Coordinación de la Respuesta a Emergencias (ERCC).

4 Respuesta, dirigida a ampliar las capacidades operativas del Mecanismo UCPM y de la red rescEU, especialmente en incendios forestales, inundaciones, riesgos NRBQ y emergencias sanitarias.

5 Seguridad y continuidad operativa, destinada a garantizar la resiliencia institucional de los centros de operaciones nacionales y europeos incluso ante catástrofes prolongadas o en cascada.

Desde la perspectiva del Derecho Administrativo europeo, esta Recomendación introduce una concepción ampliada del principio de solidaridad del artículo 222 del Tratado de Funcionamiento de la Unión Europea (TFUE), transformándolo en un principio operativo de gobernanza multinivel que articula la cooperación entre la Comisión Europea, los Estados miembros, las autoridades subnacionales y los actores privados y científicos. Asimismo, consagra la cooperación civil-militar, la interoperabilidad tecnológica y la participación de la sociedad civil como ejes estructurales del sistema europeo de protección civil. En consecuencia, la Recomendación refuerza la dimensión europea del Sistema Nacional de Protección Civil, configurando la resiliencia ante catástrofes como un bien jurídico común de la Unión y como un mandato político de actuación anticipada frente a los riesgos globales.

Esta línea de acción se ha visto reforzada con el Informe COM(2025) 561 final, de 29 de septiembre de 2025, mediante el cual la Comisión Europea presenta la primera evaluación integral sobre la aplicación de los objetivos de resiliencia de la Unión. Dirigido al Parlamento Europeo y al Consejo, este informe constituye el primer ejercicio de seguimiento previsto en el artículo 34.2 de la Decisión 1313/2013/UE, marcando un hito en la consolidación de la resiliencia como función pública europea de carácter transversal.

El informe identifica cuatro ejes de acción prioritarios —anticipación, preparación de la población, alerta temprana y resiliencia institucional— e insiste en el desarrollo de datos de alta calidad, escenarios prospectivos y capacidades analíticas que sustenten la toma de decisiones basada en la evidencia. Destacan las simulaciones del Centro Común de Investigación (JRC), que integran diez escenarios de catástrofes y dieciséis riesgos naturales y antropogénicos, concebidos como referencia para la planificación multirriesgo europea.

En materia de preparación social, la iniciativa "preparEU" impulsa la educación ciudadana en riesgos y la formación en autoprotección, apoyándose en los resultados del Eurobarómetro Especial 541 y en la creación de manuales y programas escolares. En el ámbito de la alerta temprana, el informe destaca los avances del Servicio de Gestión de Emergencias de Copernicus, la plataforma del Sistema de Situación Mundial y el próximo Servicio de Alerta de Emergencia por Satélite Galileo (2026), que permitirá ampliar la cobertura incluso en zonas sin conectividad terrestre. Estas herramientas, alineadas con la iniciativa de Naciones Unidas *Early Warnings for All,* configuran una red europea integrada de alerta multirriesgo.

Por su parte, el eje de resiliencia institucional aborda la continuidad operativa de los centros de emergencia, la cooperación civil-militar y la financiación flexible de las respuestas. La Comisión ha iniciado pruebas de resistencia (stress tests) en los centros nacionales de operaciones y en el ERCC, además de ejercicios paneuropeos de simulación (EU Integrated Resolve 2024) para evaluar la coordinación intersectorial y transfronteriza. Todo ello se integra en la Estrategia de Preparación de la Unión 2025, que promueve una gobernanza inclusiva y una colaboración estrecha con la sociedad civil.

Complementariamente, en septiembre de 2025, la Comisión publicó la Comunicación COM(2025) 484, titulada *The EU's future policy space to enhance its resilience,* en la que se identifican los principales megadesafíos que pondrán a prueba la capacidad de resistencia de la Unión hasta 2040. Entre ellos destacan el cambio climático extremo, la fragmentación geopolítica, los ciberataques de alta intensidad, la inestabilidad en las cadenas de suministro y la erosión del orden internacional basado en normas. Esta visión estratégica refuerza la noción de resiliencia no solo como capacidad de recuperación, sino como atributo estructural, que permite a la Unión anticipar, absorber, adaptarse y transformarse frente a amenazas híbridas o sistémicas.

En conjunto, la Recomendación (UE) 2023/C 56/01, el Informe COM(2025) 561 final y la Comunicación COM(2025) 484 conforman un nuevo marco doctrinal y político para la resiliencia europea, que consolida la transición desde un modelo reactivo hacia una administración pública adaptativa y preventiva, basada en la gestión proactiva del riesgo, la interoperabilidad de los sistemas nacionales y la responsabilidad compartida entre los niveles de gobierno. Este marco representa, además, la consolidación de un principio de resiliencia cooperativa, en virtud del cual la anticipación, la comunicación y la respuesta ante riesgos se integran como competencias compartidas y coordinadas dentro del Derecho de la Unión Europea, reforzando el papel de la Unión como garante de la seguridad humana, climática y territorial en el siglo XXI.

2.1.8.- Ciencia al servicio de la respuesta

Una función importante del Centro de Coordinación de la Respuesta a Emergencias es traducir la información que emana de la ciencia en información de alcance operativo[677]. Por ello, el ERCC tiene entre sus importantes cometidos el crear, mantener y desarrollar asociaciones científicas europeas dedicadas al estudio de los riesgos naturales y/o tecnológicos y que, cuando sea preciso, vincular todo ese caudal de conocimiento entre los sistemas de alerta que dispongan los Estados, el Centro de Coordinación y el Sistema de Comunicación e Información.

2.1.9.- Red de Conocimientos al servicio de la formación

Una propuesta del Mecanismo Europeo de Protección Civil es establecer una Red de Conocimientos de Protección Civil de la Unión Europea. En esta red, universidades, personal investigador, expertos, voluntarios y otros profesionales del ámbito de la emergencia compartirían información para potenciar la eficiencia y eficacia de la labor formativa. Esta iniciativa no busca crear una estructura ex novo, sino de optimizar los recursos existentes. Además, estas entidades deberán cooperar con organizaciones internacionales y países vecinos.

2.1.10.- Sistema Común de Comunicaciones e Información de Emergencia (CECIS)

El Sistema Común de Comunicaciones e Información de Emergencia (CECIS, por sus siglas en inglés) constituye la plataforma digital centralizada para el intercambio de información operativa en el marco del Mecanismo de Protección Civil de la Unión. En él se integran, a título informativo, las capacidades, módulos y recursos disponibles por parte de los Estados miembros, con el fin

---

677 Cuando se prescinde de la ciencia, hay un alto riesgo de caer en la ocurrencia. Así ocurrió con el volcán de La Palma, y aquel responsable político que propuso "bombardear" la lava desde aviones militares para modificar el trayecto de las coladas. En todas las ocasiones que se ha utilizado esta técnica, bien con aviación, bien con artillería o explosivos en tierra, y han sido varias, siempre el resultado ha sido un fracaso (volcán Mauna Loa, Hawái en 1880 y 1935; volcán Tavurvur, Papúa Nueva Guinea en 1941; volcán Vesubio, Italia, 1944).

de facilitar la coordinación y la respuesta rápida ante emergencias. Además, se recomienda a los Estados que incluyan en este sistema no solo las capacidades puestas a disposición de la Reserva Europea de Protección Civil (rescEU), sino también aquellas que, aun no estando formalmente ofrecidas, puedan resultar relevantes para la planificación y cooperación en situaciones de crisis.

2.1.11.- Mecanismo de respuesta política integrada a la crisis en la UE

El mecanismo de respuesta política integrada a las crisis en el seno de la Unión Europea (IPCR)[678] fortalece la capacidad de la Unión para adoptar con prontitud decisiones ante situaciones importantes de crisis que demanden una respuesta al más alto nivel político de la UE. Fue aprobado el 25 de junio de 2013 por el Consejo de la Unión Europea.

Se establece como un mecanismo flexible de apoyo a la Presidencia del Consejo de la Unión Europea ante:

- Grandes catástrofes intersectoriales de origen natural o humano.
- Actos de naturaleza terrorista.

El mecanismo proporciona una serie de herramientas a la Presidencia. Entre estos instrumentos se incluyen:

- Una mesa redonda informal que permite congregar en torno a ella a la Comisión Europea, el Servicio Europeo de Acción Exterior (SEAE), las agencias implicadas, el Gabinete del presidente del Consejo y expertos de los Estados miembros más afectados, así como de organizaciones internacionales.
- El Informe Integrado de Conocimiento y Análisis de Situación (ISAA). Se trata de un informe analítico elaborado por la Comisión y el SEAE, en función de la naturaleza y las características de la crisis.
- La Plataforma web IPCR. Instrumento en línea de intercambio de información que incluye el informe ISAA, mapas de situación y las contribuciones de las partes interesadas. Asimismo, la plataforma incluye cuestionarios.
- El punto de contacto central IPCR 24/7, que está establecido en el

---

678 Consejo de la Unión Europea, Secretaría General. (2016). *The EU Integrated Political Crisis Response (IPCR) arrangements – In brief.* Oficina de Publicaciones de la Unión Europea. https://data.europa.eu/doi/10.2860/412159

Centro de Coordinación de la Respuesta de Emergencia (ERCC) de la Comisión. Su función es garantizar el enlace de los principales agentes, así como la supervisión y alerta de IPCR. Además, apoya la producción y transmisión del informe ISAA.

La facultad de activación del IPCR cuando nos encontramos con una grave crisis que provoque la necesidad de coordinación política entre los Estados miembros de la UE corresponde a la Presidencia.

Los niveles de activación son:

- Modo supervisión (que no es lo mismo que activación del IPCR).
- Dos niveles de activación: intercambio de información [679] y la activación completa.

En el modo de intercambio de información, tanto la Comisión como el SEAE (EEAS) están obligados a elaborar informes ISAA. Se crea una página de crisis (GSC) en la plataforma web de IPCR por parte de la Secretaría General del Consejo.

La activación completa, solicitada por la Presidencia o por los miembros, contribuye a facilitar la gestión de la crisis a nivel comunitario mediante reuniones de carácter extraordinario del Consejo o del Consejo Europeo. Esta fase implica la redacción de propuestas de actuación.

Debemos destacar la "cláusula de solidaridad" (art. 222 del TFUE), que establece que la UE y los Estados miembros deben actuar conjuntamente con espíritu solidario si un Estado miembro sufre una catástrofe natural o provocada por el hombre, o un atentado terrorista. La invocación de esta cláusula por un Estado miembro trae como consecuencia automática la activación del IPCR. En este contexto, es importante considerar que nos referimos a situaciones en las que las capacidades de respuesta del Estado miembro afectado se ven desbordadas o se requiere una respuesta multisectorial que involucre a diversos agentes.

La aplicación de la cláusula de solidaridad[680] debe formar parte de un sistema integral de respuesta, gestión y coordinación de crisis, apoyado en instrumentos y capacidades existentes para garantizar una movilización coordinada y una respuesta multisectorial efectiva.

---

679 El modo de intercambio de información puede ser activado por la Presidencia o por la SGC, la Comisión y el SEAE (EEAS) de acuerdo con la Presidencia

680 Parlamento Europeo. (2012). Informe–A7-0356/2012. Informe sobre las cláusulas de defensa mutua y de solidaridad de la UE: dimensiones política y operativa. https://www.europarl.europa.eu/doceo/document/A-7-2012-0356_ES.html

Hemos hablado de riesgos que han de llevar una constante evaluación, amén de las amenazas y vulnerabilidades existentes. Por ello, esta cláusula exige una evaluación permanente por parte del Consejo, que deberá coordinarse con los socios de la OTAN[681].

Un ejemplo destacado de la aplicación de esta cláusula fue su activación en respuesta a los atentados terroristas de Madrid en marzo de 2004. En los últimos años, el IPCR ha sido activado de forma reiterada en respuesta a crisis como la agresión militar rusa contra Ucrania, la pandemia de COVID-19, los flujos migratorios irregulares, la presión híbrida en fronteras exteriores y las crecientes amenazas de interferencia extranjera. En 2024 y 2025, el Consejo de la UE mantuvo el IPCR en modo de plena activación para varios frentes simultáneos, entre ellos la guerra en Ucrania, la inestabilidad en Oriente Medio y la gestión de crisis energéticas. Asimismo, se ha reforzado el soporte técnico del mecanismo mediante plataformas digitales seguras para el intercambio operativo de información entre los Estados miembros, informes analíticos de apoyo a la toma de decisiones estratégicas y puntos de contacto permanentes a escala interinstitucional. Estas mejoras consolidan al IPCR como un elemento clave de la gobernanza de crisis europea y un complemento estratégico al Mecanismo de Protección Civil de la Unión, especialmente en contextos de amenazas híbridas o sistémicas que exigen coherencia política y operativa.

2.2.- Marco de Sendai para la reducción del riesgo de desastres

El Marco de Acción de Hyogo en 2005, a la luz de los informes nacionales y regionales, representó un progreso significativo en la reducción del riesgo de desastres en todos los niveles territoriales, lo que resultó en una reducción de la mortalidad para ciertas amenazas[682]. Por tanto, nos encontramos ante una inversión eficaz, aunque durante el período 2005-2015 los desastres se cobraron 700.000 vidas, 1,4 millones resultaron heridas y alrededor de 23

---

681 Íbidem: hay una opinión minoritaria expresada, en nombre del Grupo GUE/NGL, por Sabine Lösing y Willy Meyer, que aboga por una UE civil, y una resolución de conflictos donde no haya la obligación de asistencia militar tanto dentro como fuera de la UE.

682 El Marco de Acción de Hyogo define "amenaza/peligro" como "evento físico potencialmente perjudicial, fenómeno o actividad humana que puede causar pérdida de vidas o lesiones, daños materiales, grave perturbación de la vida social y económica o degradación ambiental. Las amenazas/peligros incluyen condiciones latentes que pueden materializarse en el futuro. Pueden tener diferentes orígenes: natural (geológico, hidrometeorológico y biológico) o antrópico (degradación ambiental y amenazas tecnológicas)".

millones perdieron sus hogares. Por esta razón, lejos de relajar nuestros esfuerzos, es crucial establecer nuevos objetivos y perfeccionar los ya existentes.

La Representante Especial del Secretario General de las Naciones Unidas para la Reducción del Riesgo de Desastres, Margareta Wahlström, destacó en el Prefacio del Marco de Sendai para la Reducción del Riesgo de Desastres 2015-2030, los nuevos desafíos identificados tras la experiencia del Marco de Hyogo. Estos cambios comienzan por una transición desde el concepto de "gestión del riesgo de desastres" en lugar de simplemente "gestión de desastres". Este Marco, el de Sendai, se establece para prevenir nuevos riesgos, reducir los existentes y reforzar la resiliencia. Define la responsabilidad estatal en las acciones de prevención y reducción del riesgo de desastres, así como la participación multisectorial, ya introducida en el Marco anterior. Se propone una ampliación del marco de la reducción del riesgo de desastres, que incluye tanto las amenazas tradicionales de origen natural y humano, como también los riesgos ambientales, tecnológicos y biológicos relacionados, fomentado así la resiliencia en el ámbito de la salud.[683]

En el Marco de Sendai, se establecen como objetivos a perseguir[684]:

"prevenir la aparición de nuevos riesgos de desastres y reducir los existentes implementando medidas integradas e inclusivas de índole económica, estructural, jurídica, social, sanitaria... política e institucional que prevengan y reduzcan el grado de exposición a las amenazas y la vulnerabilidad a los desastres, aumenten la preparación para la respuesta y la recuperación y refuercen de ese modo la resiliencia."

El resultado de estos objetivos está orientado a: *"la protección de las personas y sus bienes, salud, medios de vida y bienes de producción, así como los activos culturales y ambientales, al tiempo que se respetan todos los derechos humanos, incluido el derecho al desarrollo, y se promueve su aplicación"*[685].

Destaca entre sus principios rectores la participación de las instituciones legislativas del Estado en diversos niveles, con una precisa articulación de las responsabilidades de los intervinientes públicos y privados, invitando a tal efecto a la implicación y colaboración de toda la sociedad, con unas prioridades de acción claramente definidas.

---

683 Naciones Unidas. (2015). Marco de Sendai para la Reducción del Riesgo de Desastres 2015-2030 (1ª ed.). UNISDR/GE/2015–ICLUX ES. P. 5.

684 Ibídem p. 12

685 Ibídem p. 13

¿Qué pide Naciones Unidas a través del Marco de Sendai a la gobernanza de los riesgos de desastres? En primer lugar, pide coherencia normativa a todos los niveles. Esta coherencia es fundamental para logra alcanzar el fortalecimiento de la gobernanza en la gestión de riesgo de desastres, tal como se especifica en su Prioridad 2. La falta de coherencia normativa dificulta establecer de manera clara los objetivos, planes, responsabilidades, directrices y la coordinación entre sectores, así como la integración efectiva de todos los actores relevantes. También es crucial el establecimiento de asignaciones presupuestarias adecuadas[686].

El concepto introducido en su Prioridad 4[687], al referirse a "reconstruir mejor", es innovador. Este enfoque sugiere que, al preparar de manera adecuada las fases de recuperación, rehabilitación y reconstrucción antes de que ocurra un desastre, se puede obtener un mejor resultado tras el evento.

El Marco de Sendai profundiza en el papel crucial de la sociedad civil y el voluntariado, con una necesaria cooperación con las instituciones públicas, pues de esa cooperación se pueden aportar conocimientos esenciales para la elaboración y aplicación de marcos de ordenación normativa, estándares, códigos y planes en sus distintos ámbitos territoriales. Es esta simbiosis la que facilita el desarrollo de comunidades resilientes, promoviendo una gestión del riesgo de desastres que incluya a mujeres, personas con discapacidad, niños y jóvenes, personas mayores, migrantes, y otros grupos. También se resalta la contribución vital del sector académico, redes científicas, empresas, asociaciones profesionales y medios de comunicación en este proceso.[688]

Este Marco no ignora la importancia de la cooperación internacional y las alianzas globales, reconociéndolas como esenciales para superar las disparidades económicas y brechas en el acceso a la innovación tecnológica entre distintos territorios. Este objetivo se logra mediante la cooperación entre Estados y el firme apoyo a las organizaciones internacionales[689].

---

686 Ibídem p. 18

687 Ibídem p. 21

688 Ibídem pp. 23-224

689 El Marco de Sendai hace referencia expresa a la Oficina de las Naciones Unidas para la Reducción del Riesgo de Desastres, el Banco Mundial, la Conferencia de las Partes en la Convención Marco de las Naciones Unidas sobre el Cambio Climático, instituciones financieras internacionales a nivel mundial y regional, el Movimiento Internacional de la Cruz Roja y de la Media Luna Roja, el Pacto Mundial de las Naciones Unidas, la Unión Interparlamentaria y otros órganos y mecanismos regionales pertinentes para parlamentarios, la organización de Ciudades y Gobiernos Locales Unidos y otros órganos pertinentes de los gobiernos locales.

El Marco de Sendai destaca la necesidad de revisar y evaluar los objetivos programados, un proceso que fue detalladamente descrito en el informe elaborado por Jean Wesley Cazeau,[690] titulado: "Examen de la integración de la reducción del riesgo de desastres en la labor del sistema de la Naciones Unidas en el contexto de la Agenda 2030 para el Desarrollo Sostenible".[691]

Se subraya como áreas para la mejora "la calidad y la cantidad de los datos estadísticos que tienen en cuenta el riesgo, desglosados por sexo, edad y discapacidad, así como por ubicación geográfica."[692] Asimismo, se prioriza la necesidad de mejorar la coordinación entre las organizaciones, incluyendo su colaboración interinstitucional.

En su Anexo III, se expresan específicamente las estrategias, planes, directrices y el documento donde estos se recogen, así como las entidades responsables y el estado de su cumplimiento, destacando los progresos realizados durante el período evaluado.

2.3.- Implicaciones del Marco Financiero Plurianual 2028-2034 para la gobernanza multinivel de la protección civil europea.

Según el análisis de Judith Arnal (2025)[693] sobre la propuesta de Marco Financiero Plurianual 2028-2034, la configuración presupuestaria de la Unión Europea plantea implicaciones relevantes para el ámbito de la protección civil, tanto por la naturaleza de las partidas financieras como por los cambios en la gobernanza de los fondos europeos. Aunque el documento examina el conjunto del nuevo marco presupuestario, su lectura desde la perspectiva del derecho administrativo de emergencias permite identificar una serie de elementos de interés para la construcción de un sistema europeo de protección civil verdaderamente integrado.

La principal novedad de la propuesta radica en la incorporación explícita del Mecanismo de Protección Civil de la Unión Europea dentro de la rúbrica

---

690 Inspector de Naciones Unidas, nombrado el 19 de enero de 2017 con mandato por tres años. https://www.unjiu.org/sites/www.unjiu.org/files/cv_cazeau_eng.pdf

691 Naciones Unidas & Cazeau, J. W. (2019). Examen de la integración de la reducción del riesgo de desastres en la labor del sistema de la Naciones Unidas en el contexto de la Agenda 2030 para el Desarrollo Sostenible. JIU/REP/2019/3.

692 Ibídem p. 53

693 Arnal, J. (2025). *El MFP 2028-2034: una propuesta que augura duros enfrentamientos políticos que no conducirán a resolver los problemas de la UE* (Apuntes 2025/31). Fundación de Estudios de Economía Aplicada (FEDEA). https://fedea.net

dedicada a la competitividad, la prosperidad y la seguridad. Esta partida, dotada con 9.500 millones de euros —equivalente al 0,5 % del total del MFP—, constituye un incremento respecto al marco anterior, pero sigue siendo una cifra modesta en relación con las cuantías destinadas a defensa o a competitividad industrial. Su ubicación dentro del bloque de seguridad y resiliencia supone, sin embargo, un reconocimiento político relevante: la protección civil pasa a concebirse como parte de la arquitectura de seguridad de la Unión y como componente de su autonomía estratégica. Deja de ser una política meramente solidaria para integrarse en el sistema europeo de gestión de riesgos y crisis, junto con la defensa, la ciberseguridad y la transición climática.

El aumento nominal del presupuesto europeo, en torno al 40 %, es menos significativo cuando se mide en términos relativos sobre la renta nacional bruta de la Unión, pues apenas representa 0,02 puntos porcentuales adicionales. Esta limitación estructural condiciona la capacidad de la Unión para financiar bienes públicos europeos, entre ellos la protección civil, y explica la orientación de la Comisión hacia mecanismos que actúen como catalizadores de inversión privada en lugar de sustitutos del gasto nacional. Desde esta lógica, la protección civil europea tenderá a apoyarse cada vez más en instrumentos de cooperación público-privada, destinados a infraestructuras críticas, sistemas tecnológicos de alerta o capacidades logísticas, lo que requerirá adaptar su marco jurídico a esta dimensión mixta.

El nuevo diseño del MFP simplifica la estructura de gasto mediante la reducción de rúbricas y la creación de los denominados Planes de Asociación Nacionales y Regionales. Estos planes agrupan las políticas de cohesión, agricultura, migración y empleo bajo una lógica de inversiones y reformas orientadas a resultados, aplicando el principio de condicionalidad por desempeño. Este enfoque, inspirado en la experiencia de los Planes de Recuperación, plantea dificultades evidentes en ámbitos como la protección civil, donde los resultados son difícilmente mensurables mediante indicadores de producto o impacto. La eficacia de las políticas de prevención, preparación y respuesta ante emergencias no puede evaluarse con los mismos criterios que la ejecución de infraestructuras o programas de inversión productiva. Existe el riesgo de que la lógica "performance-based" acabe penalizando las actuaciones preventivas, menos visibles en el corto plazo, pero decisivas para la resiliencia del sistema.

La recentralización implícita en los nuevos planes nacionales constituye otro elemento de preocupación. La concentración de la programación y gestión de fondos en los Estados miembros puede debilitar la gobernanza multinivel que ha caracterizado históricamente a la protección civil europea. La reducción del papel de las autoridades locales y regionales contrasta con el principio de subsidiariedad que rige la gestión de emergencias y que resulta esencial para garantizar la eficacia y legitimidad del sistema. En el contexto español, donde la estructura competencial distribuye la responsabilidad de protección civil entre los distintos niveles de la Administración, una aplicación excesivamente centralizada del nuevo marco podría generar fricciones y pérdida de capacidad operativa.

La integración del Mecanismo de Protección Civil en la rúbrica de seguridad y competitividad ofrece, pese a todo, una oportunidad para fortalecer su dimensión tecnológica y estratégica. La proximidad presupuestaria con el Fondo Europeo de Competitividad y con Horizon Europe puede favorecer la financiación de proyectos de innovación vinculados a la gestión de emergencias: inteligencia artificial para la predicción de riesgos, sensores y gemelos digitales del territorio, sistemas de observación satelital o plataformas interoperables de comunicación entre servicios de emergencia. Estas sinergias permitirían consolidar un modelo europeo de protección civil que combine la respuesta operativa con la capacidad tecnológica, coherente con los objetivos de la transición digital y ecológica.

La propuesta incluye además un nuevo Mecanismo Extraordinario de Crisis, destinado a ofrecer préstamos en caso de emergencias graves, con una lógica similar a la del instrumento SURE aplicado durante la pandemia. Este mecanismo puede actuar como complemento financiero al actual sistema rescEU, dotando a la Unión de una herramienta de respuesta más rápida ante catástrofes transfronterizas. No obstante, su eficacia dependerá de la articulación jurídica con los instrumentos existentes y de la claridad en los criterios de activación y de condicionalidad, para evitar solapamientos o bloqueos administrativos.

El éxito del nuevo marco dependerá también de la capacidad administrativa de los Estados miembros y de la calidad de los sistemas de evaluación. La Comisión Europea ha reconocido deficiencias notables en la ejecución de los Planes de Recuperación, derivadas de la falta de recursos humanos cualificados, la complejidad de los procedimientos y la escasa participación de autoridades locales. En el ámbito de la protección civil, ello exige reforzar las capacidades institucionales y técnicas en todos los niveles territoriales, desarrollar indicadores de resiliencia comparables entre Estados y establecer mecanismos de evaluación continua que permitan medir el impacto de las políticas en términos de reducción del riesgo y de tiempo de respuesta.

Desde la perspectiva española, la negociación del MFP 2028-2034 obligará a integrar la protección civil como prioridad transversal dentro de los Planes de Asociación Nacionales y Regionales. Resulta esencial evitar que quede subsumida bajo la política de cohesión o de desarrollo rural, lo que diluiría su visibilidad y su capacidad de financiación. La planificación nacional deberá incorporar la protección civil, como eje de la seguridad humana y de la resiliencia territorial, garantizando la coherencia con la Ley 17/2015, el Plan Estatal General de Emergencias (PLEGEM) y los planes autonómicos. Igualmente, será necesario reforzar la cooperación interadministrativa, la interoperabilidad técnica y la transparencia en la gestión de fondos, de modo que la participación de las comunidades autónomas y entidades locales quede protegida dentro del esquema de gobernanza europeo.

En síntesis, el Marco Financiero Plurianual 2028-2034 consolida la inclusión de la protección civil en el ámbito de la seguridad europea, pero no garantiza todavía los medios financieros ni la estructura de gobernanza necesarios para que se configure como un auténtico bien público europeo. Su éxito dependerá de que se preserve la lógica de cooperación multinivel y se fortalezcan las capacidades administrativas y se desarrollen indicadores adecuados que reflejen el verdadero impacto de las políticas de prevención y respuesta. Solo bajo esas condiciones la protección civil podrá desempeñar plenamente su función como instrumento de cohesión, seguridad y resiliencia en la Unión Europea.

Capítulo 3.
La respuesta ante el desastre en España

1.- EVOLUCIÓN DEL SISTEMA DE PROTECCIÓN CIVIL

1.1.- Antecedentes y desarrollo de un sistema global de protección civil

A punto de finalizar la Segunda Guerra Mundial en 1945, las naciones querían transitar desde un escenario de ruina a un clima de paz. Representantes de 50 países se congregaron en San Francisco, en la Conferencia de las Naciones Unidas sobre Organización Internacional del 25 de abril al 26 de junio de 1945[694], y durante los siguientes dos meses redactaron y firmaron la Carta de la ONU, que creó una nueva organización internacional, las Naciones Unidas, como freno a un nuevo escenario caracterizado por el elemento bélico. Este hito, junto a otros procesos contemporáneos, supuso una ruptura radical con la etapa comprendida entre 1870 y 1913, un periodo de crecimiento global que, sin embargo, no logró una distribución equitativa de la riqueza y en el que los Estados adoptaron dinámicas esencialmente autárquicas, rehusando avanzar en la cooperación internacional. Aquella falta de articulación colectiva contribuyó, en última instancia, a la acumulación de tensiones que desembocaron en la tragedia de la Segunda Guerra Mundial.

La era de posguerra constituyó un nuevo modo de caminar, que no fue fácil, pero que era totalmente necesario. La Declaración del Palacio de St. James, firmada en Londres el 12 de junio de 1941, expresaba que "la única base cierta de una paz duradera radica en la cooperación voluntaria de todos los pueblos libres que, en un mundo sin la amenaza de la agresión, puedan disfrutar de seguridad económica y social", estableciendo como objetivo "... trabajar, junto y con los demás pueblos libres, en la guerra y en la paz, para lograr este fin".[695]

---

694 Naciones Unidas. (5 de octubre de 2021). Historia de las Naciones Unidas. https://www.un.org/es/about-us/history-of-the-un

695 Naciones Unidas. (12 de junio de 1941). Resolución Acuerdo de St. James Declaración de los Aliados.

La Carta del Atlántico[696], fechada el 14 de agosto del mismo año, y firmada por Franklin D. Roosevelt (presidente de los Estados Unidos de América) y Winston Churchill (Primer Ministro del Reino Unido de Gran Bretaña e Irlanda del Norte), mientras navegaban en el buque británico HMS "Prince of Wales" en las proximidades de Terranova, buscaba "establecer un sistema de seguridad general, amplio y permanente", para "un futuro mejor para el mundo". Declaración que contenía ocho puntos para protegerse frente a la Alemania nazi.

Al inicio de 1942, el día de Año Nuevo, se firma la Declaración de las Naciones Unidas[697] en Washington, recogiendo tanto los propósitos como los principios consagrados en la Carta del Atlántico, con la firma inicial de 26 Estados y la adhesión posterior de otros 21. Por primera vez se utiliza el término oficial de "Naciones Unidas", término acuñado por Franklin D. Roosevelt. La Declaración, que constaba de dos puntos únicamente, nace con el foco puesto en tejer una alianza sólida frente al Pacto Tripartito o Pacto del Eje[698], conformado por la Alemania nazi, Japón e Italia:

"1. Que cada Gobierno se compromete a utilizar todos sus recursos, tanto militares como económicos contra aquellos miembros del «Pacto Tripartito» y sus adherentes con quienes se halle en guerra

2. Que cada Gobierno se compromete a prestar su colaboración a los demás signatarios de la presente y a no firmar por separado con el enemigo ni amnistía ni condiciones de paz; podrán adherirse a esta Declaración otras naciones que estén prestando o lleguen a prestar ayuda material, y que contribuyan a la lucha por derrotar el hitlerismo. "

Los intentos por perfeccionar una organización internacional continuaron en la senda final de 1943 con la Declaración de Moscú[699] (Estados Unidos, Reino Unido, la URSS y China), y la Declaración de Teherán[700] o Declaración de las Tres Potencias (Estados Unidos, Reino Unido y la URSS), a fin de lograr "el

---

696 North Atlantic Treaty Organization. (14 de agosto de 1941). The Atlantic Charter: Declaration of Principles issued by President of the United States and the Prime Minister of the United Kingdom. https://www.nato.int/cps/en/natohq/official_texts_16912.htm

697 United Nations. (1947). The Declaration by United Nations. En Yearbook of the United Nations 1946-1947 (pp. 1-2). Lake Success, NY: Naciones Unidas.

698 Yale Law School. (s.f.). Three-Power Pact Between Germany, Italy, and Japan, Signed at Berlin, September 27, 1940. https://avalon.law.yale.edu/wwii/triparti.asp

699 Yale Law School. (s.f.). The Moscow Conference; October 1943. https://avalon.law.yale.edu/wwii/moscow.asp

700 Yale Law School. (s.f.). The Tehran Conference, November 28-December 1, 1943. https://avalon.law.yale.edu/wwii/tehran.asp

mantenimiento de la paz y la seguridad internacionales" y "poner fin al flagelo y terror de la guerra". La rubricaron los mandatarios Roosevelt, Churchill y Stalin.

La Conferencia de Dumbarton Oaks[701] o "Conversaciones de Washington sobre una organización internacional a fin de conseguir el mantenimiento de la paz y la seguridad", estuvo protagonizada de un lado por representantes de Estados Unidos y Reino Unido, que mantuvieron encuentros por separado con representantes de la URSS y de China. Sentaron las bases de la Conferencia de San Francisco de 1945, con el documento "Propuestas para el establecimiento de una organización internacional general", elaborado por un comité directivo. Las negociaciones para esa organización internacional se prolongaron hasta la Conferencia de Yalta[702], donde se adoptó el 25 de abril de 1945 la decisión de convocar en los Estados Unidos una "Conferencia de las Naciones Unidas sobre la organización mundial propuesta". Con el paso del tiempo, se ahondaría en la división de Europa, nacería lo que se conoce como "el telón de acero" y se iniciaría la Guerra Fría[703], de ahí que se hablara de fracaso de esta Conferencia, y exceso de confianza hacia quien no creía en un nuevo orden basado en valores democráticos, en referencia a Stalin, uno de los protagonistas de la Conferencia. No obstante, se asentaron los cimientos de las Naciones Unidas. En la Conferencia de Repúblicas Americanas se apoyaron las propuestas de Dumbarton Oaks, celebradas del 2 de febrero al 8 de marzo de 1945 en el Distrito Federal de México.

En la Carta de las Naciones Unidas, la inquietud por los efectos de las catástrofes naturales no subyace, ya que el término "catástrofe", en su concepción primigenia, se refería exclusivamente a los estragos ocasionados por la guerra. Sin embargo, durante el primer período de sesiones de la Asamblea General (en adelante AG) en 1946, nacieron instrumentos concretos que comenzaron a abordar estas cuestiones. Un ejemplo notable es la creación del Fondo de las Naciones Unidas para la Infancia (UNICEF), inicialmente conocido como Fondo Internacional de Socorro a la Infancia. Este fondo fue establecido con el propósito de brindar apoyo a los niños afectados en

---

701 The United Nations. (1945). Dumbarton Oaks Proposals for a General International Organization. Washington, DC: U.S. Government Printing Office.

702 Conferencia de Yalta. (1945, 4/11 de febrero). Acuerdos de la Conferencia de Yalta https://www.dipublico.org/3692/acuerdos-de-la-conferencia-de-yalta-411-de-febrero-de1945/

703 Aunque parecía que se había superado la guerra fría, el pasado 25 de abril de 2023, en reunión del Consejo de Seguridad de Naciones Unidas, presidida por Rusia, el ministro de exteriores de aquel país, Sergei Lavrov, señaló: "Como fue el caso durante la Guerra Fría, hemos llegado a un umbral peligroso, quizás incluso más peligroso".

los países vencedores de la Segunda Guerra Mundial, marcando así un hito en la expansión de la agenda humanitaria de las Naciones Unidas.

A día de hoy, UNICEF cuenta con un elenco ampliado de objetivos, entre ellos, la protección y asistencia a la infancia en situaciones derivadas de catástrofes naturales. En los primeros pasos de la AG, en 1950, estableció el Alto Comisionado de las Naciones Unidas para los Refugiados, que reemplazó a la Organización Internacional de Refugiados (OIR). También se creó ACNUR, con un mandato que, aún programado como temporal, sigue vivo a día de hoy, prestando apoyo y ayuda a millones de refugiados y desplazados internos, tomando virtualidad en estos momentos pues es fundamental en la gestión de los desplazados ambientales.

En 1961 se crea un órgano esencial para abordar una problemática acuciante: el hambre. A tal fin se impulsa el Programa Mundial de Alimentos (PMA)[704], como creación de la ONU y la Organización para la Agricultura y Alimentación (FAO).

En la década de 1960 se intensificaron los procesos de descolonización, dando lugar a la aparición de nuevos Estados con graves carencias en materia de industrialización y desarrollo, muchos de ellos situados en regiones particularmente expuestas a catástrofes naturales. Ante esta realidad, el Secretario General de las Naciones Unidas comenzó a recibir un número creciente de solicitudes de asistencia, lo que llevó a la Asamblea General a tomar plena conciencia de la magnitud y trascendencia del problema que representaban los desastres naturales en el ámbito internacional.

No podemos pasar por alto que en 1919 se estableció en París la Federación de Sociedades Nacionales de la Cruz Roja y de la Media Luna Roja, aunque en sus inicios se conocían como la Liga de Sociedades de la Cruz Roja. La concepción de esta idea se atribuye a Henry Davison, quien ocupaba el cargo de presidente del Comité de Guerra de la Cruz Roja estadounidense.[705]

---

704 Su puesta de largo fue con motivo del terremoto sucedido en septiembre de 1962 en el norte de Irán. Murieron más de 12.000 personas, hubo desolación generalizada de los hogares de la zona, y se repartieron merced a este programa más de 1500 toneladas de trigo, 270 de azúcar y 27 de té.

705 El objetivo principal era mejorar la salud de la población de los países que con mayor intensidad habían padecido durante la guerra, así como mejorar y extender las Sociedades de la Cruz Roja por el mundo. A los pocos meses de comenzar a caminar, la Liga desarrolló una campaña para contrarrestar una epidemia masiva de tifus en Europa del Este. Poco tiempo después, hizo llamamientos tras la hambruna rusa de 1921 y el terremoto de Kanto, en Japón, en 1923. Visto en https://bit.ly/3nrhAln.

En 1927 con el apoyo de la Sociedad de Naciones existía la Unión Internacional de Socorro (UIS) que funcionó hasta 1968, y que tenía por objeto la investigación, el estudio de la prevención y preparación ante las catástrofes naturales. Si bien, no había un ente con capacidad de influir entre el conjunto de los Estados, y con capacidad de inspirar normativamente.

Fue a finales de la década de los sesenta del siglo XX cuando la Organización de las Naciones Unidas (ONU) mostró un interés real en que los Estados trabajaran conjuntamente frente a las catástrofes naturales. Desde entonces, esa competencia se ha ido ampliando y perfeccionando mediante fórmulas de cooperación internacional, especialmente en lo que se refiere a la ayuda humanitaria.

Por ello, los Estados atribuyeron a la Secretaría General de Naciones Unidas funciones y poderes en este ámbito, creando un Coordinador de alto nivel que sería responsable de la dirección de la Oficina del Coordinador de Naciones Unidas para el Socorro en casos de catástrofes, la UNDRO, mediante Resolución 2816 (XXVI) de la Asamblea General el 14 de diciembre de 1971[706]. Un Coordinador que promovería el estudio, la prevención, el control y la predicción de los desastres naturales, así como labores de asesoramiento a los gobiernos en esta materia.

Conforme a las características de una determinada catástrofe, la UNDRO puede enviar especialistas para organizar la ayuda y para evaluar los daños. Opera, en esencia, como un "monitor" y un "organizador" de la situación, con el objetivo de coordinar los recursos necesarios.[707] Este rol es significativo, dado que produce tensión entre las competencias delegadas y la soberanía de los estados. Los ecos de conflictos pasados aún se perciben, y la Asamblea General debe realizar esfuerzos explícitos por subrayar los principios de respeto a la soberanía. Este compromiso se ha mantenido a lo largo del tiempo, como se evidencia en, por ejemplo, la LXXVIII sesión plenaria de 19 de diciembre de 1991, que trató el "Fortalecimiento de la coordinación de la asistencia humanitaria de emergencia del sistema de Naciones Unidas".[708] En su Anexo, los principios rectores, especificados en los apartados 3 y 4, exponen:

Deberán respetarse plenamente la soberanía, la integridad territorial y la unidad nacional de los Estados, de conformidad con la Carta de las Naciones Unidas. En

---

706 https://bit.ly/3L8uOLr

707 Figueroa, U. (1991). Organismos Internacionales (p. 251). Editorial Jurídica de Chile.

708 Naciones Unidas. (1991). Resoluciones Aprobadas (p. 55). https://www.refworld.org/cgibin/texis/vtx/rwmain/opendocpdf.pdf?reldoc=y&docid=4a8e66fb2

este contexto, la asistencia humanitaria deberá proporcionarse con el consentimiento del país afectado y, en principio, sobre la base de una petición del país afectado.

Cada Estado tiene la responsabilidad primordial y principal de ocuparse de las víctimas de desastres naturales y otras emergencias que se produzcan en su territorio. Por lo tanto, corresponde al Estado afectado el papel principal en la iniciación, organización, coordinación y prestación de asistencia humanitaria dentro de su territorio.

Cuando la capacidad de respuesta del Estado resulta desbordada, se alcanza el momento en que la cooperación internacional adquiere un papel decisivo, articulándose tanto a través del Derecho internacional como de los ordenamientos jurídicos nacionales. Conviene recordar, no obstante, que la UNDRO no interviene en situaciones de conflicto armado, limitando su mandato —según lo ya señalado— a la gestión de catástrofes de origen natural o tecnológico.

Es por ello por lo que algunos reclaman un *deber de injerencia.* Si se necesita ayuda, pero el Estado no la solicita, cabe la injerencia. Es lo que algunos han denominado el derecho de los Estados a abrir los ojos, más aún del deber de hacerlo. En un mundo globalizado, los Estados podríamos señalar que no gozan del "derecho a la indiferencia".[709]

No es pues, un concepto abstracto[710], aunque haya quienes así lo estimen, y nada fácil de aplicar.

Es innegable, evidentemente, que ciertas decisiones son difíciles de tomar, pues hay que ponderar, considerando el interés de las víctimas, la ventaja de las denuncias no solo en función de los riesgos a corto plazo, sino también de una influencia a más largo plazo sobre la acción en sí y, finalmente, de la coherencia global del enfoque en relación con otras violaciones.[711]

En 1988, gracias a la iniciativa de Francia ante la Asamblea General en su tercer período de sesiones, se promovió la Resolución 43/131 sobre la "Asistencia Humanitaria a las víctimas de desastres naturales y situaciones

---

709 Comité Internacional de la Cruz Roja. (2021, 23 de octubre). Derecho o deber de injerencia, derecho de asistencia: ¿de qué hablamos? https://www.icrc.org/es/doc/resources/documents/misc/5tdlg7.htm

710 Uno de los defensores y precursores del concepto de derecho de injerencia es el profesor Mario Bettati, destaca que 'la injerencia no es un concepto jurídico determinado", en: Bettati, M. (1991). Un droit d'ingérence. Revue Générale de Droit International Public, 1991(3), 639-670.

711 Sandoz, Y. (1996). Derecho o deber de injerencia. Derecho de asistencia: ¿de qué hablamos? En Instituto Interamericano de Derechos Humanos (Ed.), Serie Estudios Básicos de Derechos Humanos, Tomo VI (p. 336).

de emergencia similares". [712] La Resolución extiende una invitación a todos los Estados necesitados de este tipo de ayuda para que faciliten la labor de las organizaciones intergubernamentales y no gubernamentales de asistencia humanitaria. Este apoyo permite a dichas organizaciones cumplir con su misión de proveer alimentos, medicamentos y atención médica, siendo "indispensable el acceso a las víctimas."[713] La Resolución define en qué casos requiere dicha cooperación para los entes antes señalados: "en sus actividades de asistencia humanitaria a las víctimas de desastres naturales y situaciones de emergencias similares". [714] La Resolución 45/100 [715] también centrada en la "asistencia humanitaria a las víctimas de desastres naturales y situaciones de emergencia similares" aprobada por la AG, representa un avance respecto a lo establecido en la Resolución 43/131. Ambas, si bien tenían carácter de recomendación, han tenido consecuencias jurídicas, pues inspiraron a los Estados para realizar cambios normativos relevantes.

En 1989, la Asamblea General de las Naciones Unidas hizo un llamamiento para establecer el Día Internacional para la Reducción del Riesgo de Desastres, celebración que tuvo inicio ese mismo año.

La AG quería promover a nivel mundial una concienciación sobre los riesgos y la reducción de los desastres, y sin duda, la celebración de un Día constituía un elemento que por su proyección sería deseable. Este día es el 13 de octubre, y conmemora cómo las personas y las comunidades de todo el planeta reducen su exposición a los desastres y toman conciencia sobre la importancia que tiene controlar los riesgos a los que pueden estar expuestos.

En 2015, durante el transcurso de la Tercera Conferencia Mundial de las Naciones Unidas sobre la Reducción del Riesgo de Desastres, celebrada en Sendai (Japón), se recordó a la comunidad internacional que las catástrofes golpean con más fuerza a nivel local y pueden originar pérdidas de vidas humanas y grandes trastornos sociales y económicos. Los desastres repentinos desplazan a millones de personas cada año. Los desastres, muchos de los cuales se ven agravados por el cambio climático, generan un impacto adverso en las inversiones destinadas al desarrollo sostenible y en los resul-

---

[712] United Nations. (Year). Resolutions adopted on the reports of the Third Committee: Humanitarian assistance of victims of natural disasters and similar emergency situations. https://undocs.org/en/A/RES/43/131

[713] Apartado 4 de la Resolución 43/131 de la AG.

[714] Apartado 5 de la Resolución 43/131 de la AG.

[715] https://bit.ly/3pbOabb

tados esperados. El efecto fue el Marco de Sendai[716] para la Reducción del Riesgo de Desastre 2015-2030.

Tras todo lo anterior, podemos afirmar que a día de hoy, en el seno de la ONU, contamos con una "estrategia internacional para prevenir y afrontar las consecuencias de los desastres naturales".[717] Una labor que no ha cesado[718] y que se extiende hasta nuestros días.

En 1991, la AG aprueba la Resolución 46/182, *Fortalecimiento de la coordinación de la Asistencia humanitaria de emergencia de las Naciones Unidas*, como resultado del consenso de los Estados. Y unos Principios Rectores que serán de capital importancia pues, desde el respeto pleno a la soberanía, subrayan la importancia de la asistencia humanitaria en los desastres naturales[719]:

1. La asistencia humanitaria reviste importancia fundamental para las víctimas de desastres naturales y otras emergencias.
2. La asistencia humanitaria deberá proporcionarse de conformidad con los principios de humanidad, neutralidad e imparcialidad.

Sin olvidar que insta a los Estados que se encuentran en las proximidades de zonas de emergencia, a que adopten "medidas de prevención y preparación en relación a los desastres". Esta Resolución es especialmente importante, ya que detalla aspectos relacionados con la prevención, la preparación, socorro, rehabilitación, mecanismos de coordinación e incluso el establecimiento de un fondo renovable central dependiente del Secretario General que aportase liquidez a la primera respuesta.[720]

[716] United Nations General Assembly. (2015, June 23). Resolution adopted by the General Assembly on 3 June 2015 [without reference to a Main Committee (A/69/L.67)] (Resolution No. 69/283). https://bit.ly/40BZaMb

[717] Torroja, H. (2016). Estrategia Internacional para la seguridad humana en los desastres naturales. Araucaria, Revista Iberoamericana de Filosofía, Política y Humanidades, (36), 241-263.

[718] Office for the Coordination of Humanitarian Affairs Development and Studies Branch. (2009). Compilation of United Nations Resolutions on Humanitarian Assistance: Selected resolutions of the General Assembly, Economic and Social Council and Security Council
Resolutions and Decisions. https://www.refworld.org/pdfid/4a8e5b072.pdf

[719] Resolución 46/182. *Fortalecimiento de la coordinación de la asistencia humanitaria de emergencia del sistema de las Naciones Unidas.* 78ª. Sesión Plenaria, 19 de diciembre de 1991. https://undocs.org/es/A/RES/46/182

[720] Dicho fondo se estableció en 50 millones de dólares estadounidenses, en contribuciones voluntarias.

En 2016 se aprueba la Resolución A/71/256, "nueva agenda urbana"[721]. Se establece como ideario común aprobar y poner en práctica políticas de reducción y de gestión de los riesgos de desastres, reducción de la vulnerabilidad, incremento de la resiliencia y capacidad de respuesta frente a los peligros tanto naturales como antropogénicos, promoviendo la adaptación al cambio climático y la mitigación de sus efectos derivados. Hay un capítulo importante orientado al desarrollo urbano resiliente y ambientalmente sostenible.

En 2018, la Oficina de Coordinación de Asuntos Humanitarios de Naciones Unidas trazó una Estrategia con horizonte temporal 2018-2021, tras constatar los cambios que en materia de ayuda humanitaria se estaban produciendo. En ese mismo año se publica un Manual de actuación muy interesante, cuya dirección se reseña a continuación para su consulta[722].

En 2021 se aprobó la Resolución A/76/L.23, "fortalecimiento de la coordinación de la asistencia humanitaria de emergencia de las naciones unidas"[723], instando a los Estados a que siguieran priorizando los esfuerzos encaminados a prevenir, responder, investigar actos de violencia sexual y de género en las emergencias humanitarias.

Tras todo este camino, no siempre fácil, al contrario, podemos conocer el trabajo de Naciones Unidas en aras a la reducción del riesgo de desastre. Una labor que continúa, pues las amenazas persisten. Así se desprende de su última memoria[724], la del 2022, donde se expresa la ayuda a 75 naciones que han requerido soporte técnico.

El Informe Anual de 2023 de la UNDRR subrayó que se alcanzó el punto medio de aplicación del Marco de Sendai, destacando logros como la extensión de la iniciativa "Making Cities Resilient 2030" —que ya alcanza a unos 500 millones de personas en 85 países—, el despliegue del proyecto "Early Warnings for All" en más de treinta Estados y el uso creciente del "Sendai Framework Monitor" por parte de 159 gobiernos para reportar avances en sus siete metas. Asimismo, el Plan de Acción de la ONU 2023 reflejó que cerca del 80 % de los países habían recibido apoyo para elaborar o actua-

---

721 https://bit.ly/424Jliz

722 Naciones Unidas. Oficina de Coordinación de Asuntos Humanitarios. Equipo de las Naciones Unidas para la Evaluación y Coordinación de Desastres. (2018). Manual de Campo (7ª ed.). https://www.unocha.org/attachments/556478dc-5347-3d68-abf4-33f7aabcfd37/2012290S_menu.pdf

723 https://bit.ly/3LUaizX

724 United Nations Office for Disaster Risk Reduction. (2022). Annual Report. https://bit.ly/44qSgMW

lizar estrategias nacionales de reducción del riesgo de desastres, en línea con la Declaración Política de la Asamblea General adoptada en la revisión intermedia del marco de Sendai (resolución A/RES/77/289).

El *Informe Anual de 2024 de la UNDRR* confirma los avances hacia los objetivos del Marco de Sendai, destacando el fortalecimiento de la gobernanza del riesgo y el apoyo técnico prestado a 65 países, de los cuales 46 son pequeños Estados insulares o países menos desarrollados, para mejorar sus sistemas de alerta temprana. Asimismo, 30 países recibieron asistencia directa para desarrollar o actualizar sus estrategias nacionales de reducción del riesgo de desastres, elevando a 131 el número total de Estados con planes nacionales en vigor. El *Sendai Framework Monitor* cuenta ya con la participación de 163 Estados Miembros, lo que refleja un compromiso global creciente con la gestión integral del riesgo.

La iniciativa "Early Warnings for All" se consolidó como el eje vertebrador de la cooperación internacional, con foros regionales celebrados en Europa, África, Asia-Pacífico y el Caribe, y con ejemplos de éxito como el sistema multirriesgo de Barbados o la integración de la alerta temprana en la planificación humanitaria de Somalia. En paralelo, la red "Making Cities Resilient 2030" continúa expandiéndose y consolidando la resiliencia local, con más de un centenar de ciudades activas en América Latina y nuevos marcos legales nacionales de reducción del riesgo en países como Jordania y Marruecos. Todo ello muestra que, pese a los desafíos persistentes, el esfuerzo multilateral por avanzar hacia sociedades más seguras y resilientes mantiene un ritmo sostenido y creciente.

A nivel prospectivo, hay informes globales que refuerzan la necesidad de pasar de la respuesta a la anticipación. El "GAR 2024" (Global Assessment Report on Disaster Risk Reduction) pone el acento en el aprendizaje forense de desastres pasados para extraer lecciones institucionales y reducir vulnerabilidades recurrentes, mientras que el "GAR 2025" advierte que "invertir en resiliencia genera retornos positivos", llamando a romper el círculo de catástrofes, pérdidas económicas y endeudamiento a través de financiación preventiva y sostenible. A ello se suman iniciativas emergentes como la lanzada en 2024 por la ONU y organismos asociados (ITU, UNEP, WMO), destinada a aprovechar las oportunidades de la inteligencia artificial en la predicción y mitigación de riesgos de desastres. Todo ello confirma que la labor de Naciones Unidas en este campo no solo continúa, sino que se renueva con instrumentos más sofisticados y un enfoque integral que conecta la resiliencia urbana, la adaptación climática y la innovación tecnológica.

Los avances más recientes, recogidos en el *Global Assessment Report on Disaster Risk Reduction 2025* de la UNDRR, confirman que los costes directos de los desastres naturales alcanzan ya los 202.000 millones de dólares anuales, cifra que asciende a 2,3 billones de dólares si se incluyen los daños indirectos y ecológicos. El informe, titulado *Resilience Pays: Financing and Investing for our Future,* insiste en que la inversión en resiliencia ofrece un alto retorno económico y social. Asimismo, el informe *Global Status of National Disaster Risk Reduction Strategies 2025* muestra que más de cuatro quintas partes de los Estados miembros cuentan ya con estrategias nacionales alineadas con el Marco de Sendai, y enfatiza la necesidad de trasladar dichas políticas a la escala local. Todo ello refleja que la acción de Naciones Unidas en materia de reducción del riesgo de desastre no solo continúa, sino que se consolida como uno de los pilares esenciales de la gobernanza global frente al cambio climático y las crisis humanitarias del siglo XXI.

1.2.- Desarrollo normativo del sistema de protección civil en España

La preocupación por atender a la población, con motivo de todo tipo de calamidades, es algo que ha ocupado a las sociedades desde tiempo inmemorial. El socorro a las personas entronca con el más puro instinto de supervivencia, en primera persona en primer término, y respecto a los demás, en cuanto es posible.

Una administración que, en su vocación de servicio al interés colectivo, con mayor o menor intensidad, brota en la antigua República de Roma (509 a.C.-27 a.C.) y se fortalece en el Imperio, particularmente en el Principado[725]. Comenzaban tras esta época la configuración de los servicios públicos, no faltando contratos y concesiones, y que no escaparon a la sombra de la corrupción, como fue el caso del servicio de bomberos, desarrollado en monopolio por Licinio Craso, célebre político y general romano de la última República.

Ya por aquel entonces, el emperador Augusto creó en Roma el cuerpo de vigiles[726], primera brigada estatal que tenía por función la extinción del fuego. Tenían una estructura militar, y alcanzaron los tres mil efectivos. Necesidad había, pues entre los pavorosos incendios acaecidos en Roma, alguno llegó a acabar con gran parte de los barrios, como el producido en el año 64 d.C., y que algunos atribuyeron a Nerón. El cuerpo de vigiles llegó a tener labores de seguridad e investigación, aunque también actuaba previo pago de la tasa establecida.

725 Chaves, J. R. (2020). *Derecho Administrativo Mínimo.* Ed. Amarante. Pg. 50

726 Su lema era "ubi dolor ibi vigiles", "allí donde hay dolor están los vigilantes". Esta divisa se podía leer en los cuarteles que había en la ciudad, y que estaban al mando del "praefectus vigilum".

En la Baja Edad Media, en España, se otorgan desde la carta puebla a los Fueros[727] a las villas y pueblos que encierran cartas de derechos y los alcaldes asumen el gobierno y justicia en villas y ciudades con estos instrumentos jurídicos básicos. Pero tenía vigencia el Fuero Juzgo (lex visigothorum, liber judicum o fori judicum), que significaba la facultad del monarca para crear el Derecho por medio de una ley, lo que fue considerado por los municipios como una intromisión en su autonomía local.

En este período, se producía una ampliación urbana y se complicaba el mundo administrativo por el paso de aldeas a villas. Se otorgaba un fuero (sello, mercado y privilegios) reconocedor de la independencia municipal, encontrando así asiento el derecho y las costumbres locales en él. El fin del monarca es que aumente la población, haya unas reglas de gobierno sin abusos y buscar el bienestar de los habitantes con ciertas mejoras.

Con el paso de los años, y con el asentamiento de grupos humanos producido gracias a concesiones regias o señoriales en nuevos territorios, requería para sus actividades de una regulación que las facilitase, la lex cotidiana.

Esto fue foco de no pocos conflictos, pues tropezaban normas de instituciones superiores con normas de los propios municipios. Así fue el acontecer de los siglos XIV y XV, con la preeminencia de la Corona.

A modo de ejemplo, podemos citar la Carta de Merced emitida en 1515, por la reina Juana I, eximiendo del pago de ciertos tributos (aposento y hospedaje) a treinta carpinteros musulmanes a cambio de su apoyo en la extinción de los fuegos que pudiesen acontecer en la villa de Valladolid. Este privilegio se refería a 30 carpinteros mudéjares: "los moros obligados al fuego" como se reseña en algunos documentos, y "matafuegos" más vulgarmente.

O el acuerdo relacionado con el fuego, tomado el 9 de julio de 1577, por el Consejo de la Villa de Madrid, que puede ser considerado como la creación del Servicio Contra Incendios y el 17 de julio de 1613, cuando se produce un segundo acuerdo más amplio que el anterior, especificando una serie de obligaciones y sanciones para los oficios implicados, así como la decisión de comprar ciertos materiales y unas primeras intenciones de prevención.

---

[727] El fuero se entiende como la carta expedida por los reyes, y, en su caso, por algunos señores, en virtud del privilegio dimanado de la soberanía en la que se contienen un conjunto de normas destinadas al buen gobierno de las villas y ciudades. López Villalba, J. M. (2006). Los Fueros y Ordenanzas Medievales: embrión del Gobierno de los Cabildos Coloniales Hispanoamericanos. *HID, 33*, 339-363. UNED.

Ya en 1618 se nombraron en Madrid a 24 carpinteros como "matafuegos" de la Villa, una figura que, siglos más tarde, seguiría prestando sus servicios.

Pero había un área a completar entre las normas de ámbito local y el poder de la corona, pues seguían existiendo demandas jurídicas a los problemas que iban germinando. Ese espacio vendría a ocuparlos las "ordenanzas"[728], como complemento indispensable del derecho local, como clara respuesta a la complejidad administrativa de la vida económica y social de los concejos[729]. No hay gobierno sin leyes, y por ello, los pueblos colmaron esa facultad con sus ordenanzas, que fue la sucesión al derecho local de la Edad Media.

Podríamos decir que conforman el cuerpo más abundante y destacado del derecho público en nuestro país. Son "fuentes de derecho administrativo local a modo de pequeños códigos."[730] Contienen nada más y nada menos que las normas fundamentales del ámbito y la vida locales. Se suelen ceñir a las inquietudes del momento. Y sin duda, son el instrumento que mejor expone la vida rural y urbana de la época, reflejando hasta en estampas pintorescas, sus costumbres y tradiciones. Son piezas capitales de ese puzle que es España para conocer la vida de la sociedad tradicional durante los siglos en los que comenzó a tomar impulso y madurez. Sin ellas, "nuestro conocimiento hubiera quedado incompleto"[731].

Estas ordenanzas municipales se ocuparon principalmente de un derecho que podríamos definir como administrativo, pues eran un compendio de normas sobre policía gubernativa, ferias y mercados, sanidad, orden público, etc., al margen del derecho privado, penal, procesal e incluso político. Se podrían clasificar estas normas en: Ordenanzas de buen gobierno, Ordenanzas de régimen interior y Ordenanzas de regulación económica. Las ordenanzas eran expresión de una autonomía local, dirigida, y en ocasiones, directamente dictada por el monarca.

---

728 Corral García, E. (1988). *Ordenanzas de los concejos castellanos: Formación, Contenido y Manifestaciones.* Burgos, p. 37.
Define ordenanza como: "toda norma general, cualquiera que sea su autor, cuyo ámbito territorial se circunscribe al municipio, que se dicta para él y que regula aspectos de la vida económica social, vecinal, de organización y funcionamiento del concejo, su actividad y competencia"

729 Ladero Quesada, M. A., & Galán Parra, M. I. (1982). Las ordenanzas locales en la Corona de Castilla como fuente histórica y fuente de investigación (siglos XIII-XVII). *Anales de la Universidad de Alicante,* (1982), pg. 221-243.

730 Cadiñanos Bardeci, I. (2017). Ordenanzas municipales y gremiales de España en la documentación del "Archivo Histórico Nacional. *Cuadernos de Historia del Derecho, 24,* 253-410. https://doi.org/10.5209/CUHD.56790 Pg. 262

731 Ibíd.

Estamos ante el nacimiento de un auténtico instrumento, las ordenanzas, que buscaban preservar el término donde se asentaba la población y sus recursos, a favor de los vecinos. El "bien común", o "bienestar", que es el fin mismo del derecho administrativo. En el preámbulo de algunas ordenanzas del siglo XVIII se expresaba:

"Todos los pueblos para conseguir la felicidad de que son susceptibles necesitan estatutos municipales porque las leyes generales no pueden abrazar todas las especies que son privativas de un pueblo."

Las ordenanzas regulaban múltiples parcelas de lo que por aquel entonces era la vida cotidiana, comenzando principalmente por la debida organización y competencias del concejo, así como abordando aspectos como la administración, policía, orden interno, sanidad y desarrollo económico. Y entran en pormenores como el que nos ocupa: el orden público y el auxilio mutuo en casos de incendio y otras calamidades, donde todo el vecindario tenía la obligación de ayudar a sofocarlos.

En la segunda mitad del siglo XVIII, la política ilustrada se muestra sensible por la desforestación. Es por ello que en la mayoría de las Ordenanzas se dedican varios capítulos a combatir el principal enemigo del monte y del bosque: el fuego. Encontramos capítulos destinados a prevenir el fuego, a combatirlo, y a castigar a quienes bien con dolo o por negligencia lo propagan[732]. Es decir, nos encontramos con normas que tienen una cierta sistemática frente a un riesgo, el fuego. Se abordan los frentes preventivos, operativo y la fase de recuperación, así como un sistema de sanciones. Y no solo eso: se llega a establecer los períodos de máximo peligro. Aparece frecuentemente la prohibición en las Ordenanzas, por ejemplo, de Extremadura, de hacer fuego "desde el fin de mayo hasta el día de San Miguel". La única excepción era las tierras de barbecho, al haber menor peligro de propagación, y donde se podía hacer fuego para "guisar de comer" con las debidas precauciones: "haciendo su hogaril, en que lo haga de manera que no haga perjuicio"[733]. Los responsables de provocar un fuego, no solo debían hacer frente a las penas que se establecieran, sino que debían reparar el daño.

732 Rodríguez Grajera, A. (2000). Las Ordenanzas locales como fuente para la historia ambiental durante el antiguo régimen en Extremadura. *Chronica Nova, 27,* 183.

733 Íbid.

También los vecinos tenían obligaciones, pues cuando se producía un fuego, todos estaban obligados a acudir en defensa de los bosques y montes públicos, "sin que ninguno se escuse ni pueda escusar"[734].

Comenzamos a encontrar pues en nuestro ordenamiento jurídico referencias a riesgos y respuestas ante los mismos desde la esfera generalmente local, si bien no se sustrae a ello la Corona.

La impronta de la Revolución Francesa (1789-1799) es muy importante, pues se deja atrás el Antiguo Régimen, y con ella nace el Estado de Derecho (principio de la división de poderes, de legalidad, de unos derechos humanos, de soberanía nacional[735]), y se promueve lo que sería la Declaración de los Derechos Humanos[736] del Hombre. Y también, da lugar al nacimiento del derecho administrativo, "coloso jurídico" en palabras de CHAVES, que tiene por objeto "el régimen del poder público con los límites y garantías de los ciudadanos"[737].

En el Siglo XVIII, y a la par que nace la Revolución francesa, más concretamente el 20 de noviembre de 1789, se promulga una "Instrucción sobre Incendios", aprobada por el Consejo del rey Carlos III, recopilación de órdenes anteriores que tuvo gran importancia y que se envió a las colonias de América.[738]

Aquello no debió ser suficiente para quienes tenían responsabilidades de gobierno en las Colonias, de ahí la necesidad de contar con unas nuevas Ordenanzas de Buen Gobierno, siendo el encargado de esta tarea el Sr.

---

734 Ordenanzas de Valencia de Alcántara. Op. cit. Disposiciones como esta se encuentran en la práctica totalidad de los ordenamientos locales consultados por RODRÍGUEZ GRAJERA, Alfonso.

735 Definición de Soberanía nacional: "traslación de la soberanía (en definitiva, del poder) desde el Príncipe (principio monárquico del absolutismo) a la nación, entendida como distinta de los individuos que la componen y titular de dicha soberanía (poder) de forma originaria y ejercida–en virtud de delegación- por los órganos instituidos por la propia nación." Parejo Alfonso, L. (1984). *El Concepto del Derecho Administrativo.* Caracas: Editorial Jurídica Venezolana, pg. 37.

736 Los valores que defendía esta declaración eran la libertad, la igualdad, la fraternidad, y también la propiedad.

737 Chaves, J. R. (2020). *Derecho Administrativo Mínimo.* Ed. Amarante, pg. 58

738 Historia y Museo de los Bomberos. Ayuntamiento de Madrid. Visto el 25 de diciembre de 2021 en https://goo.su/Sm9GE

Otín y Duazo[739], magistrado de la Real Audiencia. Los motivos para estas Ordenanzas se exponen en una Memoria que dice[740]:

"Ha llamado justamente la atención de V.E. el desconcierto e irregularidad con que procedían los alcaldes mayores en el gobierno de estas provincias, por falta de un estatuto uniforme y general que les sirviese de norma en el desempeño de sus obligaciones, pues el que se promulgó en 1768 (son las ordenanzas que figuran en las colecciones de García S. Edro y Autos Acordados) ha caducado enteramente por los abusos y prácticas viciosas que han introducido la codicia, el capricho o la indolencia de los subalternos encargados de su observancia, y por las reformas que el tiempo y la experiencia han hecho necesarias".

Del Sr. Otín y Duazo tan solo se conoce la Memoria, y habrá que esperar siete años después para conocer lo redactado por el Sr. Umeres, jurisconsulto, que redactaba un proyecto de nuevas ordenanzas, bajo el proyecto de Estatuto, invadiendo poderes civiles y canónicos, lo que fue objeto de reproche pues olvidaba "que la legislación administrativa es una verdadera tela de Penélope, si ha de acomodarse bien a aquellas ideas reinantes en la sociedad".[741]

Si bien regulaba en sus 252 artículos aspectos tan importantes como "de la policía de la tranquilidad pública y de la seguridad de las personas" o "de la policía de salubridad", es un trabajo que fue objeto de consulta para muchas disposiciones reglamentarias posteriores, dictadas en tiempo del General Clavería[742], sin llegar a adoptarse como Ordenanza de Buen Gobierno, lo que era su objeto.

En 1794, se crea en Madrid, de entre los carpinteros los "matafuegos", y entre los maestros de obras o arquitectos, se designan los directores técnicos.

Corría el año 1797 cuando el entonces Teniente Coronel de Artillería Don Vicente María de Maturana, pone en marcha la "Brigada de Artillería Volante" que se encuadraba en el Cuerpo de Reales Guardias de Corps. Esta Brigada tuvo una existencia efímera (tan solo permaneció activa desde 1797 hasta 1803) y el artículo XVI de su Reglamento ("Reglamento para la

---

739 OTÍN Y DUASO, Francisco. (1798-1876). Fue jurista, arqueólogo, publicista, redactor de la Gaceta de Madrid y magistrado de la Real Audiencia de Manila en Filipinas. Entre esta ciudad y Madrid transcurre principalmente su vida. Elegido académico de la Real Academia Española de Arqueología y Geografía, Francisco Otín y Duaso leyó su discurso de recepción en 1868.

740 *Revista de Filipinas*, Tomo 1, Núm. 23, 1 de junio de 1876, Manila.

741 Íbid.

742 CLAVERÍA Y ZALDÚA, Narciso (1795-1851). Conde de Manila. Fue gobernador y capitán general de las Filipinas, senador del Reino. Entre las disposiciones que promulgó, señalamos la creación de un cuerpo de seguridad pública en los territorios de ultramar.

formación, servicio y permanente conservación de la Brigada de Artillería Volante del Real Cuerpo de Guardias de Corps") rezaba:

"... será uno de los objetos principales de la Brigada emplearse en socorro de la humanidad, en qualesquiera aflicción pública, y especialmente en apagar incendios, ocupándose de los trabajos de más riesgo y confianza, para lo que acudirán vestidos a propósito, y armados de todos los útiles y herramientas de gastadores a la primera señal de fuego que ocurra en la población donde se halle y dirigirán el manejo y servicio de las bombas ydráulicas quando se pongan a su cuydado ..."

Este Reglamento de una unidad militar refleja por escrito, por vez primera, lo que ha sido de siempre una vocación permanente en los Ejércitos, una vocación de servicio, de apoyo a sus conciudadanos en momentos difíciles[743].

Estamos ante un Reglamento de naturaleza militar, dictado por un estamento militar. Por lo que nos tendremos que detener en la Constitución de 1812 para encontrar el término "riesgos colectivos", como elemento que hace nacer en la administración una voluntad de dar respuesta a los mismos.

Habrá que esperar a 1805 para conocer de la creación de una compañía de Bomberos Voluntarios como ayuda al servicio ya existente, y que no comenzó a desplegar su eficacia hasta dos décadas más tarde.

Manuel Godoy, Príncipe de la Paz[744] encargó al coronel Vicente María de Maturana tras la Guerra del Rosellón (1793-1795) la organización de un cuerpo especial, creándose en 1796 la Brigada de Artillería Volante encuadrada en el Real Cuerpo de Guardia de Corps[745], en cuyo Reglamento para la formación, servicio y permanente conservación de la Brigada de Artillería Volante[746] del Real Cuerpo de Guardias de Corps (aprobado el 20 de febrero de 1797) se expresaba en su art. XVI a modo de propósito:

---

743 Roldán Pascual, J. E. (sin fecha). Protección Civil y Fuerzas Armadas. De la Academia de las Ciencias y las Artes Militares.Visto el 31 de diciembre de 2025, en https://www.acami.es/wp-content/uploads/2022/05/Proteccion-civil-y-FAS-I.pdf

744 Ministerio de Cultura y Deporte, Gobierno de España. (s. f.). Biografía de Godoy. Recuperado de https://www.cultura.gob.es/fragatamercedes/historia/personajes/godoy-biografia.html

745 Esta Brigada tuvo una breve existencia, que abarcó desde su creación en 1796 al 1803. En 1803 fue disuelta por orden de Carlos IV.

746 Imagen: Artilleria Volante, ó acaballo de Reales Guardias de Corps. Consta esta Compañia de 54 hombres, fue creada Año, de 1797 (1797). The Vinkhuijzencollection of military uniforms. New York Public Library, Digital Collections. Public Domain

«será uno de los objetos principales de la Brigada emplearse en socorro de la Humanidad, en cualesquiera aflicción pública, y especialmente en apagar incendios, ocupándose de los trabajos de más riesgo y confianza, para lo que acudirán vestidos a propósito, y armados de todos los útiles y herramientas de gastadores a la primera señal de fuego que ocurra en la población donde se halle y se dirigirán el manejo y servicio de las bombas hidráulicas cuando se pongan a su cuidado».

Se plasmaba por escrito lo que ha sido siempre "una vocación permanente de los ejércitos; una vocación de servicio, de apoyo a sus conciudadanos en momentos difíciles"[747].

En la Constitución de 1812 se sentaron las bases de lo que fue una política a desarrollar por los ayuntamientos, en aras a la seguridad de las personas. Así, en el Título VI, del gobierno interior de las provincias y de los pueblos, Capítulo I, de los ayuntamientos, en su art. 321 se confieren a los ayuntamientos competencias como la policía de salubridad y comodidad, así como también tareas de auxilio al alcalde en todo lo concerniente a la seguridad de las personas y bienes de sus vecinos. Otorga pues rango constitucional a las capacidades, muy importantes como hemos visto, de los ayuntamientos.

El Decreto CCLXIX de 23 de junio de 1813, "Instrucción para el Gobierno Económico-Político de las Provincias", establecía las obligaciones de los ayuntamientos, enfocándose especialmente en el artículo 1 en todo lo relacionado con la policía de salubridad y comodidad, que incluía tareas como mantener la limpieza, controlar la calidad de los alimentos y eliminar las aguas estancadas e insalubres, con el fin de preservar la salud pública. En caso de enfermedad prevalente o epidémica, se requería informar al jefe político "a fin de cortar los progresos del mal, y auxiliar al pueblo con los medicamentos y demás socorros que pueda necesitar...". Además, se otorgaban poderes casi ilimitados al alcalde en caso de necesidad:

Artículo X: Las medidas generales de buen gobierno, que deban tomarse para asegurar y proteger las personas y bienes de los habitantes, serán acordadas en el ayuntamiento, y ejecutadas por el alcalde o alcaldes; pero tanto en estas providencias, como en las que los alcaldes están autorizados por las leyes a tomar por sí para conservar el orden y la tranquilidad de los pueblos, serán auxiliados por el ayuntamiento, y por cada uno de los individuos cuando para ello sean requeridos.

---

747 Roldán Pascual, J. E. (2010). De la Brigada de Artillería Volante a la Unidad Militar de Emergencias. Memorial de Artillería, 166(2).

En los casos de enfermedad contagiosa o epidémica, podrá auxiliar al jefe político de cada pueblo la junta de sanidad (dependiente de la diputación provincial) que habrá en cada capital de provincia, la cual estaba compuesta, entre otros, por el reverendo obispo o su vicario general[748]. Nos hallamos pues ante el esquema revolucionario francés, la dualidad de funciones municipales: de un lado las propias del ente local, y de otro, las delegadas o atribuidas por la Administración estatal.

Con la llegada al trono de Fernando VII, la Constitución de 1812 fue derogada mediante el Decreto de 4 de mayo de 1814[749]. Se ordenó la disolución y extinción de todos los Ayuntamientos, y se volvió a los antiguos de 1808. Además, se declararon nulos y sin efecto todos los decretos y disposiciones de las Cortes Generales que fueran contrarios a las costumbres y ordenanzas municipales que regían el 18 de marzo de 1808. Esto representó un retorno a los fundamentos del Antiguo Régimen.

El 1 de enero de 1820, el coronel Rafael del Riego y Flórez[750] proclamó en Las Cabezas de San Juan la Constitución de 1812, dando inicio al denominado Trienio Liberal, un período constitucional que se prolongó durante algo más de tres años y medio. Es importante destacar que no hubo un vacío en la normativa que regulaba a los municipios, ya que estos se regían por lo establecido en la Instrucción de 1813 (Decreto CCLXIX de 23 de junio de 1813).

En 1822, se creó la Sociedad de Seguros de Incendios, que ofrecía sus servicios y autorización para intervenir en caso de incendios. Además, en ese mismo año, el Ministerio de la Gobernación aprobó la creación de una unidad de zapadores para combatir el fuego dentro de la Milicia Nacional voluntaria en Granada.

---

748 DECRETO CCLXIX de 23 de junio de 1813, "Instrucción para el Gobierno EconómicoPolítico de las Provincias". Colección de los Decretos y Órdenes que han expedido las Cortes Generales y Extraordinarias desde 24 de febrero de 1813 hasta el 14 de septiembre del mismo año. Tomo IV, 459. Imprenta Nacional. (1813).

749 Real cédula de S.M. y señores del Consejo, por la cual se manda que se disuelvan y extingan los Ayuntamientos y Alcaldes constitucionales, que se restablezcan los Ayuntamientos, Corregimientos y Alcaldías mayores en la planta que tenían en el año de 1808, con lo demás que se expresa. Cédula fechada en Madrid, a 30 de julio de 1814. Madrid, Imprenta Real. (1814). Pp. 869-870.

750 Real Academia de la Historia. *Rafael del Riego y Flórez*. Visto el 11 de enero de 2022 en https://dbe.rah.es/biografias/4241/rafael-del-riego-y-florez

Con el Decreto de 3 de febrero de 1823[751], se dicta "Instrucción para el gobierno económico-político de las provincias". Al igual que en el Decreto CCLXIX de 23 de junio de 1813, "Instrucción para el Gobierno Económico-Político de las Provincias", sigue la policía de salubridad y comodidad siendo un ámbito de competencia de los ayuntamientos. En el caso de enfermedad reinante o epidémica, se establecía la obligatoriedad de informar al jefe político por medio de un informe que se acompañará de dictamen del facultativo, "a fin de cortar los progresos del mal y auxiliar al pueblo con los medicamentos y demás socorros que pueda necesitar". Dicho parte se repetiría, cuando menos, semanalmente. Sobre el alcalde recae la responsabilidad de tomar y ejecutar las disposiciones convenientes, entre otras cosas para "asegurar y proteger las personas y bienes de los habitantes en todo el término del pueblo respectivo"[752]. Para ello, podrá disponer de la milicia nacional local, así como de los demás vecinos y habitantes para prestar auxilio cuando así lo requiriese, "como autoridad legítimamente constituida"[753]. También señala el Decreto la figura del jefe político (Presidente de la Diputación Provincial), a cuyo cargo está la provincia según el art. 324 de la Constitución, y que entre otras competencias tiene la de cuidar de la seguridad de las personas y en todo lo concerniente al orden público[754]. En el caso de epidemia o enfermedades contagiosas, el jefe político tomará por sí, con la mayor prontitud, todas las medidas que crea convenientes "para atajar el mal y sus progresos y para procurar los oportunos auxilios"[755], informando puntualmente al gobierno. Como observamos, el alcalde está tutelado por el presidente de la Diputación Provincial, aunque sus amplias competencias lo configuran como un auténtico delegado del Gobierno en el Municipio. Volvemos a encontrar la dualidad que se establecía en los criterios de organización napoleónicos. Si bien observamos claramente la subordinación al jefe político, es innegable el avance descentralizador, que llega hasta nuestros días.

A pesar de la reacción absolutista que dio al traste por dos veces (1814 y 1823) con la labor legislativa de los hombres de Cádiz, fue tal la importancia de aquellas Cortes que sirvió de puntal de las reformas que en España hubo en el siglo XIX en el orden político-administrativo. Con la finalización

---

751 Decreto XLV de 3 de febrero de 1823, *Instrucción para el gobierno económico-político de las provincias*. Visto el 31 de diciembre de 2025, en https://goo.su/ndSfDa3

752 Decreto XLV de 3 de febrero de 1823, *Instrucción para el gobierno económico-político de las provincias*. Art. 183, pg. 203. https://goo.su/ndSfDa3

753 Ibid. Art. 195-196

754 Ibid. Art. 238.

755 Ibid. Art. 264.

del Trienio Liberal en 1823, se restauró el absolutismo fernandino, que se mantuvo vigente hasta 1833, año de la muerte de Fernando VII.

En 1833, la regente María Cristina de Borbón encargó a su secretario de Estado de Fomento, Javier de Burgos, la configuración de un Estado centralizado,[756] con una nueva división territorial, con el objeto de facilitar la acción de la administración. En 1834, la regente sanciona el Estatuto Real, con pilares importantes como son una soberanía compartida de las Cortes con el Rey y la separación de poderes (al permitir la colaboración entre los tres poderes, nace el régimen parlamentario). Este Estatuto procuró armonizar el orden y la libertad, y si bien su carácter era conciliador, no consiguió extinguir la polarización en extremos ideológicos. El Estatuto tuvo una corta vigencia, terminando su vida en poco más de dos años.

Mediante la Real Orden de 6 de julio de 1834[757], se dicta la "Instrucción de las Reglas que se han de observar para, precaver, cortar y apagar los incendios que ocurran en Madrid", reconociéndose la insuficiencia de las normativas vigentes de policía urbana, la falta en la unidad de medios y la existencia de desórdenes[758].

En el año 1835, se aprueba el Real Decreto de 23 de julio[759], para el arreglo provisional de los ayuntamientos. En el citado Real Decreto se expresa cómo se organizarán los ayuntamientos (alcalde, uno o más tenientes de alcalde, regidores, procurador del común), naturaleza de los oficios, elecciones, y se expresan las facultades y obligaciones de los alcaldes, que son nombrados por el monarca, bajo la dependencia de los gobernadores civiles, entre otras: "cuidar de la conservación de la tranquilidad pública, y proteger la seguridad individual y la propiedad", cuidar del orden en aquellos lugares donde pueda haber aglomeración de personas, evitar los efectos de los edificios que amenacen ruina, "tomar precauciones y facilitar auxilios contra los incendios, las epidemias u otras calamidades"[760]. Alcanza un total de 19 epígrafes, que van desde la policía urbanística, a la sanidad pública o la prevención de incendios.

---

756 Real Decreto publicado el martes día 3-12-1833, en el número 154 de la Gaceta de Madrid, que está signado por el titular de Fomento D. Francisco Javier de Burgos y Del Olmo.

757 GACETA DE MADRID, 141 a 143 de 8 a 10 de julio de 1834

758 Díaz Caro, Á., & De Blase Gómez, F. (2011). Sociedades de Seguros de Incendios en la Aplicación de la Normativa de Prevención de Incendios, 2ª Parte. Revista Prevención de Incendios, 50, 70.

759 Real Decreto para el arreglo provisional de los ayuntamientos de la península e islas adyacentes. (1835). Córdoba: Imprenta de Santaló, Canalejas y Compañía.

760 Real Decreto para el arreglo provisional de los ayuntamientos de la península e islas adyacentes: Título V, Artículo 36.6. (1835). Córdoba: Imprenta de Santaló, Canalejas y Compañía.

La Constitución de 1837, promulgada el 26 de junio, dedica tres artículos a las diputaciones provinciales y los ayuntamientos, de ahí la escasa importancia constitucional que se otorgaba al régimen local. La Constitución de 1845, tiene una visión marcadamente centralizadora.

El 21 de marzo de 1834 hace entrada en el Congreso de los Diputados, por el ministro de la Gobernación, un proyecto de Ley relativo a la "organización y atribuciones de los ayuntamientos", y también a la "organización y atribuciones de las Diputaciones Provinciales". El objetivo era abordar un replanteamiento de la regulación del régimen local en su conjunto, aunque descarrilara en el objetivo de las Diputaciones provinciales al retirar esta parte el ejecutivo el 8 de junio. El régimen local mantenía un evidente desorden, derivado de la legislación vigente de 3 de febrero de 1823, que otorgaba una especie de soberanía a las corporaciones locales frente a las diputaciones provinciales e independencia frente a la autoridad central. Se pretendía reconvenir a los ayuntamientos "con los sanos principios de la ciencia administrativa".[761]

El Real Decreto para el arreglo provisional de los Ayuntamientos de la Península e Islas Adyacentes[762], de 1835, recogía la obligación de los alcaldes de "cuidar de la conservación de la tranquilidad pública, y proteger la seguridad individual y la propiedad..." (art. 36.2), y "tomar precauciones y facilitar auxilios contra los incendios, las epidemias y otras calamidades" (art. 36.6).

En mayo de 1823, se configura en Barcelona una compañía de zapadores bomberos siguiendo el modelo napoleónico de París, en el que un batallón de zapadores de la *Garde Impériale* se convirtió en el moderno cuerpo militarizado de bomberos de París, que no formaría parte de la *Garde Nationale* hasta 1831[763]. Este batallón se volvió a conformar en Barcelona la década siguiente, en 1836 después del incendio de los conventos, pero, en contra de lo que se pudiera pensar, se convirtió en un referente político progresista, lo que le valió ser represaliado en 1837[764].

761 Diario de Sesiones del Congreso (DSC), 21-111-1840, Apéndice 7.° al núm. 26, págs. 601602. Proyecto de ley presentado por el Sr. Ministro de la Gobernación de la Península, autorizando al Gobierno para plantear el de organización y atribuciones de los Ayuntamientos.

762 Real Decreto para el arreglo provisional de los Ayuntamientos de la Península e Islas Adyacentes. (1835, 23 de julio). San Ildefonso, https://bit.ly/3XiN0Xe

763 Dueñas, F. (1997). La Milicia Nacional local en Barcelona durante el trienio liberal (18201823) (Vol. 1). Universidad Autónoma de Barcelona. Op. cit., p. 256.

764 Roca Vernet, J. (2000). La milicia nacional o la ciudadanía armada. El contrapoder revolucionario frente al liberalismo institucional. Bulletin d'Histoire Contemporaine de l'Espagne, 54, 13.

El Reglamento de Policía Urbana[765] de la Villa de Madrid, aprobado por el Ayuntamiento de la misma en 1841, promueve la colaboración entre este y las sociedades de seguros, motivando la implantación de herramientas de protección contra incendios al objeto de abundar en la prevención. Una de ellas sería la "bomba en los incendios"[766], de tal manera que el Ayuntamiento de Madrid editó el 15 de septiembre de 1840 un Manual para servirse de ella. Para que los ciudadanos conocieran de dicho Manual, se anunció convenientemente en la Gaceta de Madrid, el 20 de septiembre del mismo año. Así rezaba el anuncio[767]:

"Manual para servirse de la bomba en los incendios. En el día, que todos los pueblos están convencidos de la necesidad de obrar con inteligencia en los fuegos, y como lo evidencian las disposiciones del Excmo. Ayuntamiento de Madrid anunciadas en el Diario del 15 del corriente, parece muy del caso un cuaderno que da idea del uso y mecanismo de dicha máquina, y de la apreciable institución de los zapadores-bomberos, reconocidos como necesarios en todo país culto. También se describe el manejo del sable de infantería, como única arma que puede convenirles. Se vende a 4 reales en Madrid en la imprenta de Burgos, calle de Toledo, y en las librerías de Cuesta, Sánchez, Matute y Núñez."

También se regulan los toques de campana, para que los parroquianos puedan conocer de la existencia de fuego. Era lo que se conocía como "toque de fuego"[768], y buscaba que la gente acudiera al lugar prefijado para posteriormente combatir el siniestro. Con el paso del tiempo, el "toque de fuego" daría lugar a consecuencias más complejas, influyendo en la forma de organizar y mejorar la respuesta frente a este tipo de emergencias.[769]

---

765 Publicado en la imprenta de Cruz González, calle de Jardines. Madrid. 1841

766 Se refiere al instrumento que utilizaban los bomberos para bombear el agua, siendo bombas accionadas manualmente y posteriormente a vapor. La primera bomba a vapor para este fin se acordó adquirir en sesión plenaria del ayuntamiento de Madrid el 15 de diciembre de 1897, llegando a principios de 1898. La bomba contra incendios a vapor fue inventada por el ingeniero inglés George Brathwite en 1829.

767 Gaceta de Madrid. (1840, 20 de septiembre). Núm. 2159, p. 4.

768 Álvaro Muñoz, M. C., & Llop i Bayo, F. (Fecha de acceso). El toque fue grabado juntamente con una misión de la UNESCO encabezada por Xavier Bellenger para la recogida de toques tradicionales de campanas en Aragón y València, http://campaners.com/php/v0.php?numer=506

769 Se regula en el Reglamento de Policía Urbana de la M. H. Villa de Madrid, 1841. Imprenta de Cruz González, Calle de Jardines.
Por su indudable interés, por cuanto conforma un desarrollo normativo preciso para la época del sistema de avisos, y la respuesta a la emergencia, con establecimiento de tareas y responsables, se reproduce a continuación:

Como podemos comprobar, desde la Antigua Roma, el fuego fue una preocupación para los gobernantes, siendo el riesgo por excelencia, provocando como hemos comprobado una respuesta normativa de la administración. Madrid, por

---

Art. 52. El primero que advierta ó note fuego, sea ó no vecino de la que casa en que ocurra, dará aviso á la parroquia que corresponda; y el campanero tocará en la forma acostumbrada á vuelo, hasta que cese el peligro. Las demás parroquias corresponderán tocando también conforme se acostumbra, hasta que cese el fuego; y á fin de que sepa el vecindario donde es, se observarán las prevenciones siguientes.

CAMPANADAS	DISTRITOS
1..........	Guardias de Corps.
2..........	Palacio.
3..........	Universidad.
4..........	Correos.
5..........	Aduana.
6..........	Hospicio.
7..........	Villa.
8..........	Matadero.
9..........	Colegiata.
10........	Inclusa.
11........	Imprenta.
12........	Congreso.

Cuando el fuego sea en las afueras, después de las campanadas correspondientes al distrito y en muy breve intervalo, se darán dos toques de á dos campanadas cada uno ejecutados con velocidad, y marcados en su intermedio con una ligera pausa.

Art. 53. En cualquiera hora de la noche que ocurra un incendio, los serenos que se hallen de servicio anunciarán con voz fuerte é inteligible, el distrito en que ocurra.

Art. 54. Los serenos mas inmediatos al sitio en que tenga lugar el fuego harán la comunicación del nombre de la calle y número de la casa en que haya acaecido, y si fuere en las afueras, espresarán esta circunstancia; transmitiendo sucesivamente la noticia de unos en otros en todas direcciones, á fin de que todos puedan anunciarla al vecindario como lo harán pudiendo en este caso omitir la designación del distrito.

Art. 55. Cuando el sereno vea ó note incendio ú oiga tocar á fuego, avisará inmediatamente á las personas que vivan en su demarcación de las que á continuación se espresan, verificando el aviso por el orden siguiente.

1.° Al capataz de las bombas.
2.° A la parroquia, si aun no tocase.
3.° Al arquitecto y oficiales de llaves de fontanería, é individuos de las compañías de bomberos de la Milicia Nacional.
4.° Al señor Alcalde Constitucional.
5.° A los Cuerpos de guardia.
6.° Al señor Regidor del distrito.
7.° Al Alcalde de barrio.
8.° Al Gefe de la ronda municipal.
9.° A los Celadores de Policía Urbana.

su importancia, así como Barcelona, sirvieron de punta de lanza para una producción normativa que fue ampliándose a lo largo del territorio nacional, en el ámbito local. A ello contribuyeron las mutuas de seguros, en una asociación con la administración local claramente beneficiosa, pues establecía unas directrices en el control de los edificios y en los medios de defensa contra los incendios. Aún hoy perduran algunos carteles en fachadas de casas y edificios que indicaban que un inmueble estaba asegurado, bajo la leyenda: "asegurada de incendios"[770]. La figura del socio asegurador y asegurado fijaba las condiciones que debían tener los inmuebles para garantizar una menor siniestralidad y por lo tanto su aseguramiento[771]. Se exige que la propiedad cumpla con lo preceptuado por las ordenanzas municipales, así como que tenga licencia municipal.

En 1909, se publicará el libro técnico: "La Prevención contra el incendio"[772], un auténtico referente para la época.

Expresa en su introducción:

En lucha constante el hombre con ciertas fuerzas de la naturaleza, que constituyen eficaces aliadas cuando las ha dominado, pero que son al mismo tiempo enemigos peligrosos cuando resulta impotente ante las mismas, ha procurado evitar este peligro cuando es posible; pues para defenderse contra los terremotos, la importancia es evidente, no sucediendo lo mismo respecto del aire, del agua y del fuego.

---

770 Su origen data del siglo XIX, y es consecuencia del gran incendio que se produjo en Londres en 1666, y que hizo que buena parte de la ciudad sucumbiera pasto de las llamas. Hasta 13.000 inmuebles se calcula que terminaron calcinados, en un incendio originado en una panadería y que se prolongó durante tres días completos. Nada pudieron hacer el servicio de bomberos, que por aquel entonces no tenía el carácter de profesional. Ello hizo que un economista y constructor, Nicholas Barbon, tuviera la idea de crear una oficina especializada en seguro de incendios de inmuebles: The Fire Office. The Fire Office contaba con un grupo de profesionales en la extinción de incendios que actuaba en aquellos inmuebles asegurados identificados con una placa (de plomo o cerámica), en este caso, un ave fénix.
En España, la primera aseguradora nace en 1822, la Sociedad de Seguros Mutuos de Incendios de Casas de Madrid, que en vez de un ave fénix, utilizaría el texto: asegurada de incendios. En el capítulo 5º del Reglamento de esta Sociedad, en su artículo 41, dice: "Que se cuidará de que se coloquen en las casas aseguradas en paraje visible una tarjeta o azulejo que diga "Asegurada de Incendios".

771 Díaz Caro, Á., & De Blase Gómez, F. (2011). Sociedades de Seguros de Incendios en la Aplicación de la Normativa de Prevención de Incendios, 2ª Parte. Revista Prevención de Incendios, 50, 71.

772 Delgado y Vargas, I. (1909). La prevención contra el incendio (Primer arquitecto nombrado arquitecto jefe del Cuerpo de Bomberos de Madrid). Madrid: Imprenta de Eduardo Arias.

El texto se divide en cuatro bloques: conocimiento de las causas de incendio, medidas preventivas, los primeros socorros, y procedimientos de ataque.

La teoría del poder aéreo nació antes de la Primera Guerra Mundial, su primer gran escenario de ensayo. Entre los teóricos más conocidos, conviene citar a Giulio Douhet[773], Billy Mitchell y Hugh Trenchard. Todos ellos anticiparon la aplicación de la nueva máquina de guerra que había surgido: el avión.

Como ha señalado RUIZ NÚÑEZ[774]: Douhet y Trenchard abogaron por el uso de los bombarderos como armas capaces de decidir la guerra aérea, en la visión de Douhet[775] el "dominio del aire" y en la de Trenchard la "superioridad aérea"[776].

En la Primera Guerra Mundial, la aviación demostró sus capacidades para la guerra. El miedo que llegaba desde el aire preocupaba y mucho en Europa, especialmente en la sociedad británica ante una posible ofensiva alemana sobre sus ciudades, que provocara destrucción y un gran número de víctimas[777]. Se hablaba de una teoría del golpe de gracia, que se fue abriendo paso a lo largo de la década de 1920, y se consolidó en la de 1930. La teoría de Giulio Douhet (1869-1930), apostaba por la utilización masiva de bombarderos contra ciudades y pueblos del adversario para desmoralizar su población, debilitar la resistencia y originar una sublevación que condujese a la rendición ante el enemigo. Bombardear, pues, para ganar.[778]

Alfredo Kindelán, por los años 20, conferenciaba[779] como buen aviador sobre las capacidades del bombardeo desde el aire, y ponía en marcha la

---

773 Douhet, G. (1988). O Domínio do Ar (El dominio del aire). (Escuela de Capacitación de Oficiales de Aeronáutica, Trad.). Belo Horizonte: Editora Italiana; Rio de Janeiro: Instituto Histórico de Aeronáutica.

774 Ruiz Núñez, J. B. (2018). Los no combatientes y las reacciones ante los bombardeos aéreos republicanos. Investigaciones Históricas, 38, 403-428.

775 Douhet, G. (1942/1983). The Command of the Air. (D. Ferrari, Ed. y Trad.). Washington, DC: Office of Air Force History.

776 Hadmann Jasper, F. N. (2020). La influencia de los arquitectos del poder aéreo en la estructuración de las fuerzas aéreas. Revista Fuerza Aérea-EAU, ed. 2020, 1.

777 Hollman, B. (2009). The Next War in the Air: Civilian Fears of Strategic Bombardment in Britain 1908-1941 (Tesis doctoral, University of Melbourne).

778 Pape, R. A. (1996). Bombing to Win: Air Power and Coercion in War. Ithaca, NY: Cornell University Press.

779 Kindelán, A. (192?). Doctrina de la guerra aérea, características y modo de empleo. En A. Kindelán, Conferencias Teóricas: Primer curso para Jefes de unidades tácticas aéreas. Madrid: Talleres Tipográficas Stampa.

Escuela de Combate y Bombardeo en Los Alcázares (Murcia). A propósito de la aeronáutica, esto es lo que escribía de ella como arma política:

> La aeronáutica tiene otra cualidad derivada de su universalidad y de su rapidez de acción, que es su empleo como arma política (...) una aviación bien dotada de elementos técnicos y animada de gran espíritu ofensivo, puede ejercer acción a una distancia bien grande en el corazón mismo de los países enemigos, debilitar la retaguardia, atacar las capitales, los centros industriales. Ya se ha visto en esta guerra, como en alguna otra, que es más fácil hacer flaquear los elementos que no se baten que quebrantar el frente militar de la guerra.[780]

Lo que se podría considerar su doctrina de empleo está plasmado en un manual que elaboró para el Primer Curso[781] para jefes de unidades tácticas aéreas:

> "El éxito de los mejores, de los esforzados. Un espíritu implacablemente ofensivo debe presidir cada combate, el objetivo de la lucha es la supremacía en el aire (...) debiendo emplear sin desmayo una política ofensiva inexorable y continua contra la flota aérea enemiga, en el aire como en tierra, de noche como de día".

Al inicio de la Guerra Civil Española, ninguno de los bandos en liza poseía aviones con capacidad para infringir ataques masivos desde el aire, algo que pronto cambió, con la ayuda de potencias extranjeras. Se incrementaba pues el radio de acción y la capacidad de transporte de explosivos: ecuación que garantizaba el poder de destrucción.

Por Decreto del Ministerio de la Guerra de 10 de agosto de 1935, se creó un Comité Nacional de Defensa Pasiva[782], más otros provinciales y locales que habrían de ocuparse de todo lo relativo a la defensa pasiva[783] de las poblaciones, contra los ataques aéreos, extendiendo sus funciones a la pro-

---

780 Kindelán, A. (1924). Doctrina de la guerra aérea, características y modo de empleo. En A. Kindelán, Conferencias Teóricas: Primer curso para Jefes de unidades tácticas aéreas (p. 34). Madrid: Talleres Tipográficas Stampa.

781 Escuela Superior de Guerra de Colombia. Departamento de Fuerza Aérea Colombiana. (2016). Pensadores, pioneros y precursores del poder aéreo (p. 94).

782 Tiene su origen en un Decreto firmado por Alcalá Zamora en 1935, posteriormente modificado por Manuel Azaña en 1937.

783 "La "defensa pasiva" tenía por objeto anular o aminorar los daños que por efecto de los bombardeos aéreos, pudieran sufrir las personas, edificios y obras en poblaciones o lugares aislados: refugios antiaéreos, dispersión del personal, oscurecimiento, bomberos y alarma, entre otras medidas." Definición de ARNEDO LÁZARO, José Vicente. "!Todos a los Refugios! Refugios antiaéreos, bombardeos y defensa pasiva: Villena 1935-1939". Ed. Fundación Municipal "José María Soler" (Villena). 2010, pg. 41.

tección contra los agresivos químicos. Tal Decreto establecía una jerarquía, donde el Ministerio de la Guerra impulsaba la enseñanza y la dirección[784].

---

784 Gaceta de Madrid.–Núm. 222, 10 Agosto 1935. MINISTERIO DE LA GUERRA. Decretos No bastando los sentimientos pacifistas de una nación para evitarle los peligros de la agresión aérea y con objeto de asegurar a las poblaciones civiles una protección, como así mismo el de organizar y disciplinar desde tiempo de paz la preparación de la defensa, que procure localizar y disminuir sus efectos; inquietud sentida por las distintas naciones, que con toda actividad preparan sus defensas y de la que empieza a participar el pueblo español, impresionado, sin duda, por los estragos que la guerra química produce, parece llegado el momento de sentar los jalones de una organización que procure en corto plazo dictar las normas a que se sujeten las entidades oficiales y particulares y ejercitar una propaganda que asocie a todos los ciudadanos en las medidas a tomar. Por ello, como primer paso en asunto de interés tan capital, a propuesta del Ministro de la Guerra, y de acuerdo con el Consejo de Ministros, Vengo a decretar lo siguiente:
Artículo 1°. Se constituye un Comité nacional para la defensa pasiva de la población civil contra los peligros de los ataques aéreos, integrado por los señores Ministros de Gobernación, Instrucción Pública, Guerra, Marina y Obras Públicas.
Artículo 2°. Este Comité tendrá por misión el desarrollo y fomento [...] de las medidas de todo orden que requiera la defensa pasiva de las poblaciones, la coordinación de los trabajos llevados a cabo por cada Ministerio y el estudio de los medios más eficaces para desarrollar una activa propaganda que permita, en poco tiempo, llevar al ánimo a los españoles la necesidad de la urgencia de estas medidas y que facilite la acción de las Autoridades encargadas de la preparación de la defensa.
Artículo 3°. Perteneciendo al Ministerio de la Guerra los Centros de estudio e investigación existentes sobre la guerra química, a éste corresponderá [...] el estudio y confección de los planes y propuestas que han de ser sometidos al juicio y aprobación del Comité Nacional.
Artículo 4°. Se organizan en todas las provincias Comités provinciales y locales con dicho fin; los primeros, con carácter director y coordinador, y los segundos, encargados de la dirección local y ejecución de las medidas. Aquellos estarán compuestos por el Gobernador Civil como Presidente, un Delegado de la autoridad Militar especializado en la materia, Presidente de la Cruz Roja, un médico Militar o civil también especializado, un Arquitecto o Ingeniero municipal, un Químico o Farmacéutico, un representante de la sociedad o sociedades particulares de defensa antigás que existieran y un Vocal Secretario, elegido entre los que más se hayan destacado en estudios de esta naturaleza. Los Comités locales se establecerán en núcleos de población superiores a ocho mil habitantes, y estarán compuestos por el Alcalde Presidente; un Delegado de la Autoridad Militar, que puede ser de la Guardia Civil, Carabineros o militar retirado especializado en los problemas de la materia; un Médico con igual particularidad; un Delegado de la Cruz Roja; un técnico municipal; un farmacéutico o especializado en la rama química; un representante de las Sociedades Particulares de defensa antigás U.] y un Vocal Secretario

Este Decreto del Ministerio de la Guerra supuso un punto de inflexión dando paso al primer plan de defensa civil en España. Un Comité Nacional presidido por el presidente del Consejo de Ministros lideraría la actuación de una red de Comités provinciales y locales que habrían de constituirse en todas las poblaciones con más de ocho mil habitantes. La presidencia de los mismos recaería en los Gobernadores Civiles y los alcaldes, a los que se sumarían toda clase de especialistas entre los que se hallaban delegados militares, personal sanitario y expertos en material químico[785]. Pero ello no bastó para tratar de modo integral una defensa del país contra el enemigo aéreo. Había dispersión de responsabilidades entre Ministerios, sin coordinación, y una buena estrategia de financiación. Y es lo que conduce a la necesidad de ampliar el citado Decreto en lo relativo a las medidas de defensa activa, encargándose al Ministerio de la Guerra, a fin de dictar medidas encaminadas a la protección de la población[786].

Artículo 5°. El Ministerio de la Guerra, previa la aprobación del Comité Nacional, dictará las instrucciones a que han se sujetar la actuación los Comités en preferencia, cooperando, por su parte, de manera eficaz al mejor éxito de la gestión, organizando cursillos de divulgación y de preparación de especialistas y nombrando, de acuerdo con el Comité Nacional, un Delegado, General del Ejército en activo o reserva, que encauce y dirija los trabajos y actividades de los organismos oficiales y particulares relacionados con la defensa a que este Decreto se refiere.
Dado en La Granja a ocho de agosto de mil novecientos treinta y cinco.
NICETO ALCALA - ZAMORA Y TORRES
El Ministro de la Guerra.
JOSÉ MARÍA GIL ROBLES".
Meses después se nombró al general de brigada encargado del servicio: "Gaceta de Madrid.
Núm. 28 28 enero 1936
A propuesta del Ministerio de la Guerra, Vengo en nombrar Delegado del Ministerio de la Guerra en el Comité nacional para la defensa pasiva de la población civil contra los peligros de los ataques aéreos, creado por Decreto de 8 de Agosto último, al General de brigada D. Rafael López Gómez.
Dado en Madrid a veinticinco de enero de mil novecientos treinta y seis.
NICETO ALCALA - ZAMORA Y TORRES El Ministro de la Guerra. NICOLÁS MOLERO LOBO"

785 Martínez López, D. (2019). Disparando contra el cielo: La construcción del sistema de defensa antiaéreo republicano durante la Guerra Civil (1936-1938). Revista Universitaria de Historia Militar, 8(17), 203-228.
17 (2019), pp. 203-228.

786 Gaceta de Madrid. (1936, 27 de septiembre).

El Ejército Republicano seguía perfeccionando el sistema de defensa antiaérea, pues era un punto débil para defender a la población y el territorio convenientemente. El 14 de marzo de 1937[787] se dicta decreto donde la DECA (Defensa Especial Contra Aeronaves), pasaba a depender de la Subsecretaría de Aviación. Posteriormente, el 3 de marzo de 1937[788] se dicta otro Decreto de perfeccionamiento del sistema, que seguía teniendo un carácter netamente militar. El director de la DECA tenía que nombrar en cada municipio un jefe local que tendría a su cargo el mando y dirección de todos los elementos activos y pasivos que constituían la defensa local. La DECA tenía una Sección, DECA Pasivas, que se impulsó definitivamente en todo el territorio republicano por Decreto de 28 de junio de 1937, y siendo encargada de desempeñar la labor directora para asegurar la protección civil contra los ataques aéreos.

En 1938, la experiencia enseñó que había que modificar lo dispuesto sobre Defensa Pasiva contra los ataques aéreos, constatándose la necesidad de establecer un método y unificar esfuerzos, creando una doctrina, y dar respuesta a la necesidad de "la protección colectiva e individual contra la agresión por arma explosiva, química, termoquímica (incendiaria) y bacteriológica".[789]

La DECA, como organismo de la República que organizaba y dirigía la defensa antiaérea nacional, se mantuvo operativa hasta 1939, si bien adoleció de deficiencias fundamentales[790]:

a) Inexistencia de un diseño global y homogéneo que diese una forma coherente a la defensa civil del territorio.

b) Faltaba concretar cómo se materializaba todo lo legislado.

El Decreto de 23 de enero de 1941[791] definía la Defensa Pasiva y creaba la Jefatura Nacional de Defensa Pasiva y del Territorio:

Artículo primero.–La Defensa Pasiva constituye un conjunto nacional disciplinado y organizado de la retaguardia y, por consiguiente, que afecta a toda la población, la que prestará su concurso voluntariamente y, en caso preciso, será requerida para ello con carácter obligatorio.

---

787 Gaceta de la República, 73, 14 de marzo de 1937.

788 Gaceta de la República, 123, 3 de mayo de 1937.

789 Gaceta de la República, 10 de diciembre de 1938.

790 Martínez López, D. (2019). Disparando contra el cielo: La construcción del sistema de defensa antiaéreo republicano durante la Guerra Civil (1936-1938). Revista Universitaria de Historia Militar, 8(17), 220.

791 Boletín Oficial del Estado, 36, 5 de febrero de 1941.

Artículo segundo.–Se crea la Jefatura Nacional de Defensa Pasiva y del Territorio, para dirigir y reglamentar la protección de la población y de los recursos y riquezas de todo orden contra las posibles agresiones aéreas.

Hasta no hace mucho, en algunos documentos este Decreto era considerado el primer antecedente histórico de la Protección Civil en España.[792] La contienda civil proyectó sus efectos más allá del período de su desarrollo, con estructuras que tenían aún un acento militar, muy distinto a lo que ocurría desde hacía décadas en otras naciones de nuestro entorno en cuanto a la protección civil[793], y su jerarquía.

Artículo tercero.–Al frente de dicha Jefatura figurará un General del Ejército y dependerá de la Presidencia del Consejo de Ministros.[794]

Pero, si había transcurrido la Guerra Civil, ¿qué sentido tiene este Decreto para protegerse de las posibles agresiones aéreas en 1941? Cabe recordar que la Segunda Guerra Mundial se extendió desde 1939 a 1945. La razón no es otra que el miedo a un ataque aliado, de ahí que los refugios que se

---

792 Dirección General de Protección Civil, Escuela Nacional de Protección Civil. (Fecha de acceso). Sistema Español de Protección Civil (p. 7). http://www.interior.gob.es/documents/642317/1202620/Introduccion_al_Sistema_espanol_de_proteccion_civil_12613101X.pdf/4bd26d63-b7f1-4f44-b5b4-abdd68a8e70e

793 Por ejemplo, la primera ley de salvamento en Italia se promueve mediante un RD 1915, de 2 de septiembre de 1919, para ofrecer un marco normativo inicial a los servicios de primeros auxilios en caso de catástrofes naturales, aunque limitado a los terremotos. *Art. 1 Se autoriza el gasto de tres millones de liras, que se destinarán en un capítulo específico de la parte extraordinaria del presupuesto del Ministerio de Fomento, por Decreto del Ministerio de Hacienda, para ocuparse de la organización de los servicios y la implementación de medidas para ayudar a las poblaciones de las zonas afectadas por los terremotos. Los fondos para los gastos a realizar por otras Administraciones del Estado, que deban contribuir a las medidas antes mencionadas, serán anticipados por el Ministerio de Fomento.* Establecía que la autoridad era el Ministerio de Obras Públicas, como máximo responsable de la dirección y coordinación de los esfuerzos de socorro, de las que dependería todas las autoridades, bien fueran civiles, militares o de ámbito local. Gazzetta Ufficiale n. 255 del 27 ottobre 1919.
Art. 6 La autoridad militar, de acuerdo con las órdenes que le dé el Ministro o Subsecretario de Estado de Obras Públicas, proveerá carpas para la inmediata recuperación de sobrevivientes, mantas, vestimentas que tenga en sus almacenes, y estará a disposición de oficiales y personal militar para operaciones de rescate y para el servicio de seguridad pública. La misma autoridad también, de la manera más adecuada, dispondrá el pan y el abastecimiento de los heridos, sujeto al reembolso de los gastos por parte del Ministerio de Fomento. Finalmente, deberá poner a disposición del Ministro o Subsecretario de Estado de Obras Públicas todos aquellos materiales, medios de trabajo y vehículos de motor, a su disposición y que le sean solicitados.

794 Boletín Oficial del Estado, 36, 863. Decreto del 23 de enero de 1941 por el que se crea la Jefatura Nacional de Defensa Pasiva y del Territorio.

construyeron por la República de 1936 a 1939, se complementaron tras la Guerra Civil con la construcción de otros muchos. Así se desprende del minucioso estudio realizado por el Servei dArquelogia de Barcelona por RAMOS RUÍZ, Jordi y MIRÓ ALAIX, Carme[795].

El Decreto de 20 de julio de 1943 insiste en asegurar la protección de la población civil frente a los bombardeos aéreos, reglamentando la construcción de refugios en los edificios de nueva planta, así como en aquellos en los que se tuvieran que acometer importantes reformas[796]:

"En todas las poblaciones del territorio nacional de más de 20.000 almas y en todas aquellas otras de menor población en que por su importancia estratégica se presuma puedan ser objeto preferente de agresiones aéreas, será de obligación inexcusable ejecutar las obras necesarias para proteger a los habitantes de los inmuebles disponiendo de los 'locales refugio' necesarios".

Este Decreto disponía de unas "Normas para la construcción de los refugios privados de protección del personal en las edificaciones particulares contra los ataques realizados por aeronaves", auténtico desarrollo de carácter reglamentario. En las citadas Normas se detallaba minuciosamente la situación de los refugios, su forma, distribución, protección, techos, paredes y pies derechos, cimentaciones y soleras, precauciones generales de la construcción, dimensiones, antecámara, accesos, puertas, ventilación natural, ventilación artificial, retretes, iluminación, abastecimiento de agua, locales accesorios, disposición interior, protección contra incendios, señalización, utilización para otros fines, ventilación y repaso después del uso, atenuaciones y excepciones de las normas.

Es, de la lectura del capítulo "atenuaciones de las normas" donde podemos inferir lo que ya habíamos expresado anteriormente, en relación al miedo a un ataque a nuestro país. Así, señala este capítulo[797]:

"Aunque en la guerra actual europea (segunda guerra mundial) no se ha hecho empleo de los ataques por medio de gases nocivos, es preciso que los refugios estén acondicionados en forma que puedan ser protegidos sus ocupantes contra los ataques de esta naturaleza, que en posteriores luchas pudieran producirse…".

---

795 Ramos Ruiz, J., & Miró Alaix, C. (2017). Los refugios antiaéreos durante la época franquista en la ciudad de Barcelona. Servei d' Arqueologia de Barcelona.

796 Boletín Oficial del Ministerio del Aire. (1943, 27 de julio). Número 89. Decreto de 20 de julio de 1943 sobre construcción de refugios antiaéreos en poblaciones de más de 20.000 habitantes (pp. 581-586).

797 Ibid. Pg. 585

Adentrándonos en la década de los sesenta, por Decreto 827/1960, de 4 de mayo, se crea la Dirección General de Protección Civil[798]. Aparece pues por primera vez el término Protección civil. Superada una primera fase de desarrollo de la Defensa Pasiva frente a los ataques aéreos, se toma conciencia de la necesidad de dar respuesta a aquellos retos que a causa de la guerra o calamidad pública, podrían producirse.

Por Decreto 828/1960, de 4 de mayo, se cesa al titular en el cargo de Jefe Nacional de Defensa Pasiva, y por Decreto 829/1960, también de 4 de mayo, al mismo, a la misma persona, se le nombra Director General de Protección Civil.[799]

La Dirección General de Protección Civil pasó a depender de la Presidencia del Gobierno, y al frente estaría un Oficial General del Ejército de Tierra, teniendo por misión: "organizar, reglamentar y coordinar, con carácter nacional, la protección a la población y los recursos y riquezas de todo orden en los casos de guerra o calamidad pública, con el fin de evitar los riesgos de las personas y de los bienes".[800]

Habrá que esperar a 1968 para encontrar una definición más precisa de lo que se entiende por protección civil. Así, encontramos en el artículo 1 del Decreto 398/1968[801], dictado al objeto de establecer la estructura y competencia de la Subdirección General de Protección Civil, la siguiente definición:

"conjunto de acciones encaminadas a evitar, reducir o corregir los daños causados a personas y bienes por ataques realizados con toda clase de medios de agresión en la guerra y también, por los elementos naturales o extraordinarios en la paz, cuando la amplitud y gravedad de sus efectos les hacen alcanzar el carácter de calamidad pública".

Tras el fallecimiento de Franco, la protección civil se va despojando de su carácter militar, dependiendo ahora esta función de la Dirección General de Política Interior en 1976. Ello se establece en el RD 2614/1976[802], de 30 de octubre, por el cual se introducen modificaciones en la estructura orgánica del Ministerio de la Gobernación. La protección civil adquiere rango de Subdirección General, y tiene por función:

---

798 Boletín Oficial del Ministerio del Aire, 56, 10 de mayo de 1960.

799 Boletín Oficial del Estado, 111, 9 de mayo de 1960.

800 Decreto 827/1960, de 4 de mayo, Artículo 1.

801 Decreto 398/1968, de 29 de febrero, sobre estructura y competencia de la Subdirección General de Protección Civil. Boletín Oficial del Estado, 59, 8 de marzo de 1968.

802 Boletín Oficial del Estado. (1976, 30 de octubre). RD 2614/1976, por el que se introducen modificaciones en la estructura orgánica de la Gobernación. Núm. 277.

"... el enlace con los Servicios y Entidades relacionados con la protección civil y la coordinación de las actividades de los mismos; la redacción de los planes generales de actuaciones en materia de protección civil de las personas y los bienes, y la coordinación operativa del desarrollo de los planes que hubieran sido aprobados en materia de su competencia".

El organigrama dependiente de la Subdirección General de Protección Civil incluye: Secretaría general, formación, coordinación operativa y movilización.

En 1980, a través del RD 1547/1980[803], de 24 de julio, se reestructura nuevamente la Protección Civil en España, volviendo a adquirir rango de Dirección General, dada la necesidad de ampliar el desarrollo de las funciones que "corresponden a los poderes públicos en la defensa y protección civil", creándose la Comisión Nacional de Protección Civil como órgano colegiado "que coordine e impulse las actuaciones de otros Departamentos, Organismos Autónomos, Entidades Públicas y Asociaciones privadas que ejercen actividades de previsión, asistencia y colaboración" en este ámbito. La Comisión se erige como órgano coordinador, consultivo y deliberativo, funcionando en Pleno (bajo la presidencia del ministro del Interior) y en Comisión Permanente.

Por RD 2000/1984[804], de 17 de octubre, se afina y mejora la estructura de la Dirección General de Protección Civil creándose las siguientes unidades orgánicas: Subdirección General de Planificación y Operaciones, Subdirección General de Prevención y Estudios y Subdirección General de Recursos y Gestión.

La Ley 2/1985, de 21 de enero, supuso un avance muy importante, cuyos efectos positivos son base sólida de una parte importante del desarrollo normativo actual. Así, y en su Exposición de Motivos, apostaba por la necesidad de la ordenación, planificación, coordinación y dirección de lo existente, abandonando la fórmula de creación de nuevos servicios: "sería equivocado que la organización de la protección civil pretendiese crear ex novo unos servicios específicos". Estamos ante una idea de buen gobierno, de buena administración, que se advierte como hemos señalado en el frontispicio de la norma, y que busca impregnar toda la evolución posterior de la protección civil. Es capital esta advertencia, pues las Administraciones públicas tienen tendencia expansiva, que luego chocan con las dificultades presupuestarias, de ahí que sabiamente se advirtiera que es mejor optimizar lo existente que aventurarse por nuevos horizontes.

---

803 Boletín Oficial del Estado. (1980, 24 de julio). RD 1547/1980, sobre reestructuración de la Protección Civil. Núm. 180.

804 Boletín Oficial del Estado. (1984, 17 de octubre). RD 2000/1984, sobre modificación de la estructura orgánica de la Dirección General de Protección Civil. Núm. 271.

Conviene destacar que en los primeros Estatutos de Autonomía no se mencionaba expresamente la protección civil; sin embargo, la doctrina del Tribunal Constitucional[805] señaló, apenas dos semanas después de aprobarse la Ley de Protección Civil, un reconocimiento del papel a desempeñar por las Comunidades Autónomas, con competencias concurrentes que sería necesario diseñar, y que por su interés se reproduce a continuación:

Debe reconocerse a las comunidades autónomas competencia en materia de protección civil, especialmente para la elaboración de los correspondientes planes de prevención de riesgos y calamidades y para la dirección de sus propios servicios en el caso de que las situaciones catastróficas o de emergencia se produzcan. Y si puede considerarse que los llamados «centros de cooperación operativa» en el Decreto 34/1983 se insertan en la órbita de la protección civil, entendida como acción dirigida a la prevención de riesgos y catástrofes y a la aminoración de sus consecuencias, y, así entendidos, la norma que los instituye es constitucionalmente legítima y no viola el sistema de distribución de competencias establecido por la Constitución y por los estatutos (FJ 3.º).

Aunque es cierto que al enumerar las materias que sirven como criterios de delimitación de competencias entre el Estado y las comunidades autónomas, la Constitución y el Estatuto de Autonomía del País Vasco no utilizan de manera especial la expresión «protección civil», ni de manera directa la idea, no puede extraerse de ello la conclusión de que tal materia no se encuentre incluida en el sistema competencial como tal materia, ni que haya que acudir a la cláusula del art. 149.3 CE, de acuerdo con la cual corresponden al Estado las materias no asumidas por los estatutos de autonomía. Es claro que las competencias de las comunidades autónomas están definidas por sus estatutos de autonomía, pero es cierto, asimismo, que el juego de la cláusula residual o supletoria del art. 149.3 CE supone que, con independencia de los rótulos o denominaciones, no ha sido incluida en el correspondiente estatuto de autonomía una materia, entendida como conjunto de actividades, funciones e institutos jurídicos relativos a un sector de la vida social (FJ 3.º).

La materia objeto de discusión en este conflicto ha de englobarse con carácter prioritario en el concepto de seguridad pública del art. 149.1.29.ª CE, sin entrar en estos momentos a dilucidar de manera más detallada cómo debe entenderse tal concepto en su sentido material y considerándolo grosso modo como el conjunto de actividades dirigidas a la protección de las personas y de los bienes y a la preservación y el mantenimiento de la tranquilidad y del

---

[805] Tribunal Constitucional. (1984). Sentencia número 123/1984.

orden ciudadano. Al mismo tiempo, en este asunto hay que tener en cuenta el art. 148.1.22 CE, que faculta a las comunidades autónomas para asumir competencias en materia de vigilancia y protección de sus edificios e instalaciones y para que asuman la coordinación y demás facultades relacionadas con las policías locales «en los términos que establezca una ley orgánica (FJ 4.°)».

Resulta así que, sin mengua de las competencias inalienables, y en este sentido exclusivas, del Estado, en la materia específica de la protección civil se producen competencias concurrentes cuya distribución es necesario diseñar (FJ 4.°).

El reconocimiento que en los apartados anteriores se ha hecho de la competencia de la Comunidad Autónoma del País Vasco en materia de protección civil queda subordinado a las superiores exigencias del interés nacional en los casos en que éste pueda estar en juego (FJ 5.°).

El desarrollo del Estado autonómico, sus Estatutos, y los gobiernos autonómicos han dado buena cuenta de su capacidad de autoorganización, y de esa necesidad de diseñar las competencias concurrentes a las que aludía el Tribunal Constitucional.

Es en 1985, cuando se aprueba el RD 1378/1985, de 1 de agosto, sobre medidas provisionales de actuación en situaciones de emergencia, como puente entre la aprobación de la Ley 2/1985 y la aprobación y homologación de los planes a los que se refería en su artículo 8 de esta Ley, es decir, los Planes Territoriales (de Comunidad Autónoma, Provinciales, Supramunicipales, Insulares y Municipales), así como los Planes Especiales (por sectores de actividad, tipos de emergencia o actividades concretas), y cuyas directrices esenciales para su elaboración fueron recogidas en la Norma Básica de Protección Civil [806], aprobada en el año 1992, y que ha sido derogada por el Real Decreto 524/2023, de 20 de junio, por el que se aprueba la nueva Norma Básica de Protección Civil.

Podemos determinar cuatro hitos esenciales del Sistema Nacional de Protección Civil de España en su devenir histórico, para el impulso:

1. En la década que abarca desde el año 1986 al 1996: primera ley y puesta en funcionamiento de las primeras Directrices Básicas (inundaciones, riesgo sísmico o riesgo volcánico).
2. Período que abarca de los años 2004 a 2011: modernización de las directrices y elaboración de los Planes Básicos (p.ej.: emergencia nuclear, autoprotección de emergencias exteriores).

---

806 Boletín Oficial del Estado. (1992, 24 de abril). RD 407/1992 -derogado-, por el que se aprueba la Norma Básica de Protección Civil. Núm. 105.

3. Desde 2015 hasta 2019: Ley de Protección Civil, Estrategia Nacional de Protección Civil (2019), el cuerpo normativo creado y PLEGEM.
4. Desde 2019 a la nueva Norma Básica, el sistema AML (Advanced Mobile Location), ES-Alert, el Plan Horizonte 2035, y la aprobación de la nueva Estrategia Nacional de Protección Civil aprobada el 16 de diciembre de 2024.

2.- LA GUARDIA CIVIL EN LA PROTECCIÓN CIVIL DE ESPAÑA

2.1 Introducción histórica:

La Guardia Civil se creó por Real Decreto de 28 de marzo de 1844 con la misión de «proteger eficazmente las personas y las propiedades» en el ámbito rural.[807] Aunque su objetivo principal era el orden público, desde sus inicios intervino también en catástrofes y emergencias. De hecho, la propia Institución define estas labores de auxilio y socorro en situaciones de grave riesgo o catástrofe como uno de sus "servicios peculiares", dedicando a ellas un número muy significativo de efectivos —en torno a 46.000 agentes, aproximadamente el 62 % de su plantilla operativa—. [808]. A lo largo del siglo XX y hasta la actualidad, la Guardia Civil ha intervenido de forma continuada en grandes emergencias y desastres naturales —inundaciones, incendios forestales, nevadas, erupciones volcánicas o accidentes de gran magnitud—, asumiendo funciones de auxilio a la población, protección de infraestructuras críticas y restablecimiento de las comunicaciones.

Esta vocación histórica de servicio en emergencias constituye un rasgo definitorio de su identidad institucional, reconocida tanto en su normativa fundacional como en la Ley Orgánica 2/1986. La experiencia acumulada durante décadas en operaciones de rescate terrestre, marítimo y de montaña ha consolidado a la Guardia Civil como uno de los pilares esenciales del sistema español de respuesta ante catástrofes, símbolo de presencia, proximidad y disciplina en la asistencia a la ciudadanía.

---

807 Guardia Civil. (s. f.). *26 de enero de 1844. Organización de una Policía de protección y la seguridad pública: el origen de la Guardia Civil* [Página web]. https://web.guardiacivil.es/eu/destacados/efemerides/26-de-enero-de-1844.-Organizacion-de-una-Policia-de-proteccion-y-la-seguridad-publica-el-origen-de-la-Guardia-Civil/

808 Guardia Civil. (s. f.). *Misiones de la Guardia Civil* [Página web]. Recuperado de https://web.guardiacivil.es/es/institucional/conocenos/misiones/

2.2 Marco jurídico

El encuadramiento jurídico de la Guardia Civil en el ámbito de la protección civil encuentra su fundamento principal en la Ley Orgánica 2/1986, de 13 de marzo, de Fuerzas y Cuerpos de Seguridad. Dicha norma atribuye al conjunto de las Fuerzas y Cuerpos de Seguridad del Estado una serie de misiones generales de carácter permanente, entre las que se incluyen —artículo 11.1.b)— la de *"auxiliar y proteger a las personas y asegurar la conservación y custodia de los bienes que se encuentren en situación de peligro por cualquier causa"*, así como la de *"mantener y restablecer, en su caso, el orden y la seguridad ciudadana"* (artículo 11.1.c).

De forma expresa, el artículo 12.1.d) dispone que la Guardia Civil *"colaborará con los servicios de protección civil en los casos de grave riesgo, catástrofe o calamidad pública"*, lo que consolida su participación en las tareas de auxilio, seguridad y control en situaciones de emergencia. El ámbito territorial de actuación de la Guardia Civil se extiende a todo el territorio nacional, con carácter preferente en el medio rural, vías interurbanas y mar territorial, quedando reservadas a la Policía Nacional las capitales de provincia y grandes núcleos urbanos (artículo 12.2).

En consecuencia, la Ley Orgánica 2/1986 integra plenamente a la Guardia Civil en el sistema de seguridad pública del Estado, otorgándole competencias operativas específicas en escenarios de emergencia, en coordinación con los servicios civiles competentes.

Por su parte, la Ley 17/2015, de 9 de julio, del Sistema Nacional de Protección Civil, refuerza esta colaboración y consolida el papel institucional de la Guardia Civil dentro del sistema. Su artículo 38 establece que *"las Fuerzas y Cuerpos de Seguridad del Estado colaborarán en las acciones de protección civil de conformidad con lo dispuesto en la Ley Orgánica 2/1986"*.

Asimismo, el artículo 17.1 de la misma norma reconoce expresamente a las Fuerzas y Cuerpos de Seguridad del Estado, junto con las Fuerzas Armadas —en particular la Unidad Militar de Emergencias—, como servicios públicos de intervención y asistencia en emergencias de protección civil, integrados en el conjunto de medios y recursos del Sistema Nacional.

De este modo, la legislación vigente incardina a la Guardia Civil en los planes y protocolos estatales, autonómicos y locales de protección civil, permitiendo que los planes territoriales o especiales asignen funciones concretas a las Fuerzas y Cuerpos de Seguridad, sin necesidad de referirse a unidades específicas.

Finalmente, el artículo 19.2 de la Ley 17/2015 precisa que, en emergencias no declaradas de interés nacional, los miembros de las Fuerzas y Cuerpos de Seguridad del Estado actuarán encuadrados y bajo las órdenes de sus mandos naturales, pero dirigidos por la autoridad competente designada en el correspondiente plan de protección civil.

En conjunto, este marco jurídico configura a la Guardia Civil como un instrumento esencial, aunque subsidiario, del Sistema Nacional de Protección Civil, cuya actuación se desarrolla bajo dirección civil y en estrecha cooperación con los demás servicios públicos de emergencia. Su papel se enmarca, por tanto, en un modelo de seguridad integral que combina las funciones policiales preventivas y de orden público con las tareas de auxilio y protección a la población en situaciones de catástrofe o calamidad pública.

2.3 Funciones operativas en el Sistema Nacional de Protección Civil

En las fases de preemergencia y emergencia, la Guardia Civil interviene mediante el despliegue de sus patrullas y unidades especializadas, con el objetivo de complementar y reforzar la respuesta institucional bajo la dirección de la autoridad civil competente. Sus principales funciones operativas, de conformidad con la normativa de protección civil y seguridad pública, comprenden:

• Vigilancia y control de perímetros:

La Guardia Civil establece perímetros de seguridad en torno a la zona afectada, efectúa el cierre y control de vías de comunicación y gestiona desvíos de tráfico con el fin de aislar el área de desastre, conforme a las zonas de exclusión decretadas por la autoridad civil (terrestres, aéreas o marítimas). Esta labor incluye la preservación y protección de infraestructuras críticas, en cumplimiento de los protocolos de seguridad definidos en los planes de emergencia y las instrucciones de la autoridad competente.

• Auxilio y evacuación de personas:

Participa activamente en la evacuación preventiva de la población ante situaciones de riesgo inminente, tales como incendios, inundaciones u otras catástrofes. Los agentes de la Guardia Civil realizan rescates de personas aisladas en domicilios, vehículos o zonas rurales, empleando para ello unidades especializadas como el Grupo Especial de Actividades Subacuáticas (GEAS) para intervenciones en medios acuáticos, el Servicio Aéreo (helicópteros) y el Servicio Cinológico (perros de búsqueda) para la localización de personas en escenarios de difícil acceso. Además, prestan auxilio a personas especialmente vulnerables (menores, personas mayores o con discapacidad) involucradas en los desastres.

• Apoyo logístico a otros servicios:

La Guardia Civil colabora de forma coordinada con bomberos, servicios sanitarios y equipos de protección civil en las labores de extinción, atención y evacuación. Dispone de equipos y medios materiales como vehículos todoterreno, embarcaciones, generadores y equipos de comunicación, imprescindibles para la logística de la emergencia. Asimismo, participa en el traslado de heridos leves a centros sanitarios, conforme a las indicaciones del dispositivo general de emergencias.

• Seguridad ciudadana y mantenimiento del orden público:

Realiza patrullas para mantener la seguridad de bienes y personas, previniendo el pillaje y la comisión de delitos que puedan aprovechar el estado de caos propio de una emergencia. Finalizada la fase aguda del desastre, intensifica la vigilancia para facilitar el restablecimiento de la normalidad social y jurídica en la zona afectada. Toda su actuación se enmarca en la estricta subordinación a las órdenes de la autoridad civil designada (delegados del Gobierno, responsables del centro de coordinación operativa o similares), integrándose plenamente dentro de la estructura prevista en los planes de protección civil aprobados.

En síntesis, la Guardia Civil ejerce funciones complementarias respecto a los servicios técnicos de emergencia, orientadas prioritariamente a la protección de personas y bienes. Su intervención refleja y actualiza ese "servicio peculiar" referido al inicio de este apartado, consolidando su papel distintivo en el marco del sistema nacional de protección civil mediante actuaciones coordinadas y ajustadas a las exigencias legales y operativas propias de cada emergencia.

Su labor, muchas veces callada, no se compadece con las estadísticas de servicio, que ponen de relieve su destacada labor.[809]

---

809 **Ministerio del Interior.** (2024). *Anuario estadístico del Ministerio del Interior 2023.* Gobierno de España. https://www.interior.gob.es/opencms/es/archivos-y-documentacion/documentacion-y-publicaciones/anuarios-y-estadisticas/anuarios-estadisticos-anteriores/anuario-estadistico-de-2023/

3.- CREACIÓN DE LA UNIDAD MILITAR DE EMERGENCIAS (UME)

3.1.- Justificación de la creación de la UME

Si algo podemos destacar de la Unidad Militar de Emergencias -refrendado por un amplio consenso en la actualidad, no así en su origen- es que estamos ante un caso de éxito. La ciudadanía tiene una alta valoración de esta Unidad, heredera del espíritu de la Brigada de Artillería Volante[810], es un servicio público indispensable para la vida de los españoles, y objeto de admiración más allá de nuestras fronteras por méritos propios.

El Teniente General, Luis Manuel Martínez Meijide (GEJUME)[811], la describió como una de las herramientas de acción del Estado, con "un inequívoco espíritu de complementar los servicios de emergencia de otras Administraciones".

Ya desde la Ley 2/1985, de 21 de enero[812], sobre Protección Civil, en su artículo 2 se observaba la colaboración de las Fuerzas Armadas.

El inicio del milenio se vio influido por graves acontecimientos que nos llevaban a la reflexión si la respuesta del Estado a los mismos era la adecuada. Esos acontecimientos, sin duda, marcaron un antes y un después en la gestión de las

---

810 Se mantiene pues ese espíritu que impregnó en 1796 la Brigada de Artillería Volante del Real Cuerpo de Corps, en cuyo reglamento (aprobado el 20 de febrero de 1797) se expresaba que:
«será uno de los objetos principales de la Brigada emplearse en socorro de la Humanidad, en cualesquiera aflicción pública, y especialmente en apagar incendios, ocupándose de los trabajos de más riesgo y confianza, para lo que acudirán vestidos a propósito, y armados de todos los útiles y herramientas de gastadores a la primera señal de fuego que ocurra en la población donde se halle y se dirigirán el manejo y servicio de las bombas hidráulicas cuando se pongan a su cuidado».

811 Real Decreto 1097/2011, de 22 de julio, por el que se aprueba el Protocolo de Intervención de la Unidad Militar de Emergencias. BOE, fecha de publicación. Apartado Primero.

812 Ley 2/1985, de 21 de enero, sobre protección civil. Boletín Oficial del Estado (BOE), número 22, de 25 de enero de 1985.
Artículo 2:
1. La competencia en materia de protección civil corresponde a la Administración civil del Estado y, en los términos establecidos en esta Ley, a las restantes Administraciones públicas. Las Fuerzas y Cuerpos de Seguridad, siempre que las circunstancias lo hicieren necesario, participarán en las acciones de protección civil.
2. Asimismo, en tiempo de paz, cuando la gravedad de la situación de emergencia lo exija, las Fuerzas Armadas, a solicitud de las autoridades competentes, colaborarán en la protección civil, dando cumplimiento a las misiones que se les asignen.
La colaboración de las Fuerzas Armadas, que actuarán, en todo caso, encuadradas y dirigidas por sus mandos naturales, deberá solicitarse de la autoridad militar que corresponda.

emergencias. Recordemos el hundimiento del barco Prestige frente a las costas gallegas en 2002, las nevadas en Burgos en 2004, el grave incendio en la provincia de Guadalajara de 2005, entre otros. Normativa teníamos, ahí estaba desde 1985 la Ley de Protección Civil, pero se hacía necesario algo más que un marco normativo, pues se adolecía de un "órgano de emergencias robusto, ágil y de suficiente entidad capaz de ofrecer la fiabilidad y la disponibilidad necesaria para el apoyo preciso a las Comunidades Autónomas, cuando éstas se vieran superadas, o cuando estuviera presente el interés nacional"[813]. La Directiva de Defensa Nacional de 1/2004, de 30 de diciembre 4[814], señalaba que las Fuerzas Armadas debían: "colaborar en el Sistema de Protección Civil y, junto con otras instituciones del Estado contribuir a preservar la seguridad y bienestar de los ciudadanos." Estamos pues ante el pedestal sobre el que erigir una nueva misión de las Fuerzas Armadas, que tomó cuerpo unos meses más tarde con la creación de la Unidad Militar de Emergencias.

La Unidad Militar de Emergencias (UME), se creó por acuerdo del Consejo de Ministros, de 7 de octubre de 2005 (lo que la convierte en una de las unidades de más reciente creación de nuestras FF.AA.)[815], con la misión de intervenir a lo largo del territorio nacional cuando lo resuelva el presidente del Gobierno, o el ministro en quien aquel delegue, para contribuir a la seguridad y bienestar de los ciudadanos en los supuestos de grave riesgo, catástrofe, calamidad u otras necesidades públicas. La nota de prensa[816] emitida por el Consejo de Ministros fijó su objetivo: *"dará una respuesta rápida y eficaz*

---

813 Roldán Pascual, J. E. (2010). De la Brigada de Artillería Volante a la Unidad Militar de Emergencias. Memorial de Artillería, 166(2), diciembre.

814 Directiva de Defensa Nacional de 1/2004, de 30 de diciembre de 2004, https://www.defensa.gob.es/Galerias/defensadocs/directiva-defensa-nacional-2004.pdf

815 Dado que su aprobación se formula en octubre de 2005, es decir, en la recta final del ejercicio presupuestario, nace sin presupuesto, de ahí la necesidad de aprobar su financiación mediante la Resolución 400/38004/2006, de 19 de enero, de la Subsecretaría del Ministerio de Defensa, por la que se dispuso la publicación del Acuerdo de Consejo de Ministros de 13 de enero de 2006 a fin de poder implantarla, aplazando a un programa de adquisiciones y aeronaves de aviones y helicópteros para el período 2006-2016. Mediante esta Resolución también se autorizaba al Ministerio de Defensa para la adquisición de 19 helicópteros de transporte medio y 9 aviones de lucha contra incendios (el presupuesto máximo para estas adquisiciones se cifraba en 903 millones de euros). https://bit.ly/3UWlg9p

816 Nota de Prensa del Consejo de Ministros de 7 de octubre de 2005: CREADA LA UNIDAD MILITAR DE EMERGENCIAS: "Dará una respuesta rápida y eficaz a los ciudadanos ante situaciones de emergencia que pongan en peligro su seguridad y bienestar.
El Consejo de Ministros ha aprobado un Acuerdo por el que se crea la Unidad Militar de Emergencias, cuyo objetivo es dar una respuesta rápida y eficaz a los ciudadanos ante situaciones de emergencia que pongan en peligro su seguridad y bienestar.

a los ciudadanos ante situaciones de emergencia que pongan en peligro su seguridad y bienestar". Se trataba de corregir la precariedad o escasez de medios de la administración para atender "situaciones excepcionalmente adversas como grandes incendios, inundaciones, nevadas, terremotos y riesgos biológicos, químicos o radiológicos".

Dicha Unidad[817], tiene naturaleza y estructura militar (encuadrada orgánicamente en el Ministerio de Defensa), al mando de un oficial general y dispondrá

Se trata de una iniciativa que pretende corregir la precariedad o la escasez de medios de la Administración para atender situaciones excepcionalmente adversas como grandes incendios, inundaciones, nevadas, terremotos y riesgos biológicos, químicos o radiológicos. Las Fuerzas Armadas tienen especial capacidad de reacción, concentración de medios, transporte masivo y permanencia sobre el terreno por tiempo indefinido, afrontando situaciones de riesgo. Asimismo, tienen el valor añadido de infundir confianza en la población civil.
Dependiente del Ministerio de Defensa, la Unidad Militar de Emergencia es una unidad militar de alta cualificación y disponibilidad. Estará compuesta por 4.310 efectivos al mando de un Oficial General. Su implantación total se estima para finales del año 2008, si bien en la primera fase, antes de finales de 2006, se contará con el 25 por 100 del total de la Unidad. En la segunda fase, antes de finales de 2007, la Unidad se ampliará hasta el 75 por 100. Con disponibilidad permanente durante todos los días del año, la Unidad Militar de Emergencia tiene como misión la intervención rápida y autónoma en cualquier lugar del territorio nacional, cuando lo decida el presidente del Gobierno para atender a los ciudadanos en caso de incendios forestales, grandes nevadas, inundaciones, terremotos, rescate y evacuación, y detección y descontaminación en caso de riesgos químicos y biológicos, entre otros.
La Unidad Militar de Emergencia estará desplegada en seis zonas de actuación dentro del Territorio Nacional:
Base Aérea de Torrejón
Base Aérea de Morón (Sevilla)
Base de Bétera (Valencia)
Base Aérea de Zaragoza
San Andrés de Rabanedo (León)
Base Aérea de Gando (Las Palmas)
Dispondrá de medios materiales propios; por ejemplo, hidroaviones apagafuegos, helicópteros, autobombas todo-terreno, ambulancias, vehículos ligeros, camiones, máquinas de movimiento de tierras, equipos quitanieves, embarcaciones y plantas de descontaminación. Además de sus medios materiales y humanos, la Unidad Militar de Emergencia tendrá capacidad para utilizar otros medios en caso de emergencia tanto de las propias Fuerzas Armadas, como de la Guardia Civil (Servicio de Montaña y Servicio Cinológico)." https://www.lamoncloa.gob.es/consejodeministros/referencias/paginas/2005/RCM_051007.aspx

817 Resolución de 19 de enero de 2006, de la Subsecretaría, por la que se da publicidad al Acuerdo de Consejo de Ministros por el que se crea la Unidad Militar de Emergencias (UME). Boletín Oficial del Estado núm. 17. https://bit.ly/3Hni9Eh

de los medios materiales para llevar a efecto sus misiones. Desde su creación ha intervenido en más de 780 misiones, siendo la de mayor envergadura sin duda la reciente DANA producida en el Levante español en 2024. En los inicios, la UME programó su despliegue en los siguientes acuartelamientos: Base Aérea de Torrejón (Madrid), Base Aérea de Morón (Sevilla), Acuartelamiento Jaime I de Bétera (Valencia), Base Aérea de Zaragoza, Acuartelamiento Conde de Gazola (León) y Base Aérea de Gando (Las Palmas de Gran Canaria).

La Ley Orgánica 5/2005, de 17 de noviembre, de la Defensa Nacional[818], establece aquellos supuestos y misiones de las Fuerzas Armadas, y entre ellas, en su art. 15.3.:

"Las Fuerzas Armadas, junto con las Instituciones del Estado y las Administraciones públicas, deben preservar la seguridad y bienestar de los ciudadanos en los supuestos de grave riesgo, catástrofe, calamidad u otras necesidades públicas, conforme a lo establecido en la legislación vigente."

Desde la entrada en vigor de la Norma Básica de Protección Civil (Real Decreto 524/2023, de 20 de junio) y la plena operatividad del Plan Estatal General de Emergencias de Protección Civil (PLEGEM), la UME ha consolidado su posición como entidad de referencia en las emergencias de interés nacional, integrada formalmente en el Sistema Nacional de Protección Civil. Su marco de actuación no se limita a las fronteras nacionales: mediante el Mecanismo de Protección Civil de la Unión Europea, la UME puede desplegarse también en operaciones internacionales, aportando capacidades especializadas en entornos complejos.

Entre los tipos de operaciones en los que opera la UME se encuentra, art. 16.3.e): "La colaboración con las diferentes Administraciones públicas en los supuestos de grave riesgo, catástrofe, calamidad u otras necesidades públicas, conforme a lo establecido en la legislación vigente." En el caso de operaciones realizadas fuera de nuestras fronteras, no relacionadas claramente con la defensa de España o del interés nacional (caso de cooperación en emergencias que tiene un fin humanitario), el Gobierno efectuará una consulta de carácter previo y recabará la autorización del Congreso de los Diputados, mediante un procedimiento que podrá ser de urgencia, y en todo caso, si la necesidad de respuesta impidiera estos procedimientos, se someterá por el Gobierno al Congreso de los Diputados, lo antes posible. En tiempo de conflicto bélico y durante la vigencia del estado de sitio (art. 28), el Consejo de Defensa Nacional (art. 8) coordinará las actuaciones del sistema de cooperación en el ámbito de la Protección Civil.

---

818 Ley Orgánica 5/2005, de 17 de noviembre, de la Defensa Nacional. Boletín Oficial del Estado, número 276. https://bit.ly/2VyhpBq

El Real Decreto 416/2006, de 11 de abril[819], por el que se establece la organización y el despliegue de la Fuerza del Ejército de Tierra, de la Armada y del Ejército del Aire, así como de la Unidad Militar de Emergencias, indicó que la Unidad Militar de Emergencias, además del cometido orgánico de preparación de la fuerza[820], realizaría las medidas operativas que le encomendara el presidente del Gobierno. Entre sus características estaba su intervención rápida en cualquier emplazamiento del territorio nacional, una concentración de todos sus medios aéreos bajo un mando único y la capacidad de absorción y empleo de todos los recursos tanto humanos como materiales de los que dispongan en las Fuerzas Armadas que en su caso, así se determine. El Real Decreto 787/2007[821], de 15 de junio, por el que se regula la estructura operativa de las Fuerzas Armadas, no menciona expresamente en su articulado la Unidad Militar de Emergencias.

El Anexo IV del Real Decreto 416/2006 expresa el "despliegue" de esta Unidad[822], si bien dicho Real Decreto, al igual que el Real Decreto 787/2007,

---

819 Real Decreto 416/2006, de 11 de abril, por el que se establece la organización y el despliegue de la Fuerza del Ejército de Tierra, de la Armada y del Ejército del Aire, así como de la Unidad Militar de Emergencias. Boletín Oficial del Estado, número 96, de 22 de abril de 2006 https://www.boe.es/buscar/act.php?id=BOE-A-2006-7168

820 Se entiende por Fuerza, al conjunto de medios humanos y materiales agrupados y organizados con el cometido principal de prepararse para la realización de operaciones militares. La UME es una fuerza conjunta cuya misión es la "intervención en cualquier lugar del territorio nacional, para contribuir a la seguridad y bienestar de los ciudadanos en los supuestos de grave riesgo, catástrofe, calamidad u otras necesidades públicas", como señala el art. 2.5. del Real Decreto 416/2006, de 11 de abril.

821 Real Decreto 787/2007, de 15 de junio, por el que se regula la estructura operativa de las Fuerzas Armadas. Boletín Oficial del Estado, número 144. https://www.boe.es/buscar/doc.php?id=BOE-A-2007-11858

822 Anexo IV: Despliegue de la Unidad Militar de Emergencias expresado en el Real Decreto 416/2006, de 11 de abril:
Cuartel General, en Torrejón de Ardoz (Madrid).
Unidad de Cuartel General, en Torrejón de Ardoz (Madrid):
Mando y Plana Mayor.
Compañía de Plana Mayor y Servicios.
Batallón de Transmisiones, en Torrejón de Ardoz (Madrid):
Mando y Plana Mayor.
Compañía de Plana Mayor y Servicios.
Compañía de Transmisiones de Puesto de Mando Fijo.
Compañía de Transmisiones de Puestos de Mando Desplegables.
I Batallón de Intervención en Emergencias, en Torrejón de Ardoz (Madrid):
Mando y Plana Mayor.
Compañía de Plana Mayor y Servicios.

de 15 de junio, fueron derogados por la disposición derogatoria única del Real Decreto 872/2014, de 10 de octubre[823], por el que se establece la organización básica de las Fuerzas Armadas.

El 23 de marzo de 2007, el Consejo de Ministros aprobó el protocolo de intervención de la Unidad Militar de Emergencias (Real Decreto 399/2007, de 23 de

11 Compañía de Intervención en Emergencias Naturales.
12 Compañía de Intervención en Emergencias Naturales.
13 Compañía de Ingenieros.
II Batallón de Intervención en Emergencias, en Morón (Sevilla):
Mando y Plana Mayor.
Compañía de Plana Mayor y Servicios.
21 Compañía de Intervención en Emergencias Naturales.
22 Compañía de Intervención en Emergencias Naturales.
23 Compañía de Ingenieros.
Unidad de Intervención en Emergencias Naturales de Canarias:
Destacamento en Gando-Telde (Las Palmas).
Destacamento en Los Rodeos-San Cristóbal de La Laguna (Santa Cruz de Tenerife).
III Batallón de Intervención en Emergencias, en Bétera (Valencia):
Mando y Plana Mayor.
Compañía de Plana Mayor y Servicios.
31 Compañía de Intervención en Emergencias Naturales.
32 Compañía de Intervención en Emergencias Naturales.
33 Compañía de Ingenieros.
IV Batallón de Intervención en Emergencias, en Zaragoza:
Mando y Plana Mayor.
Compañía de Plana Mayor y Servicios.
41 Compañía de Intervención en Emergencias Naturales.
42 Compañía de Intervención en Emergencias Naturales.
43 Compañía de Ingenieros.
V Batallón de Intervención en Emergencias, en San Andrés de Rabanedo (León):
Mando y Plana Mayor.
Compañía de Plana Mayor y Servicios.
51 Compañía de Intervención en Emergencias Naturales.
52 Compañía de Intervención en Emergencias Naturales.
53 Compañía de Ingenieros.
Regimiento de Apoyo e Intervención en Emergencias, en Torrejón de Ardoz (Madrid):
Mando y Plana Mayor.
Compañía de Plana Mayor y Servicios.
Grupo de Apoyo a Emergencias.
Grupo de Intervención en Emergencias Tecnológicas y Medioambientales.

823 España. (2014). Real Decreto 872/2014, de 10 de octubre, por el que se establece la organización básica de las Fuerzas Armadas. Boletín Oficial del Estado, número 252. https://bit.ly/3VLMSiA

marzo[824]). Dicho protocolo fue recurrido por el Gobierno autónomo vasco[825], y el Tribunal Supremo anuló su aprobación[826] (por haberse omitido los informes de la Comisión Nacional de Protección Civil y del Consejo de Estado[827]), estando

---

824 Real Decreto 399/2007, de 23 de marzo, por el que se aprueba el protocolo de intervención de la Unidad Militar de Emergencias (UME). Boletín Oficial del Estado, número 131, páginas 23896-23898. https://bit.ly/3uRglvG

825 El Gobierno vasco basó su pretensión, entre otros argumentos:
1) Invasión de competencias autonómicas en materia de Protección Civil y Seguridad Jurídica. Que se subdivide en los siguientes apartados:
1°) Distribución competencial en protección civil conforme a la jurisprudencia constitucional.
2.°) Síntesis del sistema de protección civil desarrollado en aplicación de la antedicha jurisprudencia.
3.°) Análisis del Real Decreto 399/2007 a la luz de lo expuesto.
También se solicitaba examen de legalidad del Real Decreto 399/2007 sobre la base de:
1°) Carácter de reglamento ejecutivo o jurídico y no meramente organizativo o interno.
2°) Infracción del procedimiento de elaboración de las disposiciones generales.
3°) Extralimitación "ultra vires" del Real Decreto 399/2007 al definir las atribuciones de la UME.
4°) Otras cuestiones relativas a la ilegalidad de apartados concretos del Protocolo aprobado por el Real Decreto 399/2007. Que se subdivide en los siguientes apartados:
a) Respecto al apartado segundo. Párrafo 1°.
b) Respecto la apartado segundo Párrafo 1° letra d.
c) Respecto al apartado Tercero Párrafo 4°.
d) Respecto al apartado Cuarto Párrafo 1°.
e) Respecto al apartado Quinto.
f) Respecto al apartado Sexto.
g) Respecto al aparto Sexto Párrafo 2°. h) Respecto al apartado octavo.
El Tribunal Supremo anuló el Real Decreto 399/2007, de 23 de marzo, no por existir invasión de competencias autonómicas, sino por sustancias defectos de forma en su tramitación: el informe previo de la Comisión Nacional de Protección Civil y del Consejo de Estado, así como no haber requerido audiencia a las Comunidades autónomas. La Ley 2/1985, de 21 de enero, sobre protección civil, señala en su artículo 17.2.a) que la Comisión Nacional de Protección Civil, entre sus funciones se encuentra "informar las normas técnicas que se dicten en el ámbito nacional en materia de protección civil", no habiendo informado el Real Decreto mencionado. STS 5863/2008, de 4 de noviembre de 2008.

826 Tribunal Supremo. (2008, 4 de noviembre). Sentencia 5863/2008 (Sala 3.°, 4.ª).

827 "Al haberse omitido el informe del Consejo de Estado que resulta preceptivo conforme a lo previsto en el artículo 22 de la Ley Orgánica del Consejo de Estado Ley 3/1980 de 22 de abril, y en el artículo 24 de la Ley 50/97 de 27 de noviembre del Gobierno, se genera la nulidad de pleno derecho de la norma impugnada a virtud de lo dispuesto en el artículo 62 de la Ley 30/1992 de 26 de noviembre." STS 5863/2008, de 4 de noviembre de 2008.

pues vigente hasta el 4 de noviembre de 2008. Este Protocolo contenía un Anexo muy importante, en el que se explicitaba en qué situaciones con carácter grave actuaría la Unidad Militar de Emergencias, así como una vez producida, y ordenada su intervención, las actuaciones operativas que llevaría a efecto.

Así, la UME actuará en las emergencias que tienen una vertiente de carácter grave:

- Las que tengan su génesis en riesgos naturales, como es el caso de las inundaciones, avenidas, terremotos, deslizamientos de terreno, grandes nevadas y otros fenómenos meteorológicos adversos de gran entidad.
- Incendios forestales.
- Las derivadas de riesgos tecnológicos, entre ellos el riesgo químico, el nuclear, el radiológico y el biológico.
- Las que sean consecuencia de atentados terroristas o actos ilícitos y violentos, incluyendo aquellos contra infraestructuras críticas, instalaciones peligrosas o con agentes nucleares, biológicos, radiológicos o químicos.
- La contaminación del medio ambiente.
- Cualquier otra que decida el presidente del Gobierno.

Su actuación operativa según el Protocolo consistirá en:

- Planificación.
- Adiestramiento.
- Intervención.

Se excluían de su ámbito de actuación las emergencias en el mar, sin perjuicio de circunstancias de carácter excepcional que acordase dicha actuación.

El Protocolo establecía además la posibilidad de utilización de medios públicos o privados por parte de la UME para el cumplimiento de las actuaciones ordenadas (Real Decreto 1378/1985, de 1 de agosto, artículo 6)[828], así como la responsabilidad por los daños y perjuicios que pudiera ocasionar en sus misiones.

---

[828] Real Decreto 1378/1985, de 1 de agosto, sobre medidas provisionales para la actuación en situaciones de emergencia en los casos de grave riesgo, catástrofe o calamidad pública. Boletín Oficial del Estado, número 191, de 10 de agosto de 1985. Artículo 6: 1. Para la prevención y el control de las situaciones de emergencia que se produzcan, se utilizarán los medios públicos y, en su caso, privados, que las circunstancias requieran en cada caso, según las previsiones establecidas en los planes que sean de

En 2011 se aprobó un nuevo Protocolo de Intervención de la Unidad Militar de Emergencias [829]. En él se establece que esta Unidad "se encuadra orgánicamente en el Ministerio de Defensa, dependiendo directamente del ministro de Defensa", a quien le corresponde "dictar las normas que regulen el encuadramiento, la organización y funcionamiento de la UME en el ámbito de su Departamento". Si la UME precisara efectivos y medios de otras unidades pertenecientes a las Fuerzas Armadas, se solicitarán al Jefe del Estado Mayor de la Defensa.[830]

El Real Decreto 96/2009, de 6 de febrero[831], por el que se aprueban las Reales Ordenanzas de las Fuerzas Armadas, expresan en su artículo 98: «El militar pondrá todo su empeño en preservar la seguridad y bienestar de los ciudadanos durante la actuación de las Fuerzas Armadas en supuestos de grave riesgo, catástrofe, calamidad u otras necesidades públicas».

El Real Decreto 1097/2011, de 22 de julio[832], por el que se aprueba el Protocolo de Intervención de la Unidad Militar de Emergencias, en su disposición

---

aplicación y, en su defecto, exclusivamente los que se determinen por el órgano o la autoridad competente. La requisa temporal de todo tipo de bienes, así como la intervención y ocupación transitoria de los que sean necesarios, se llevará a cabo de conformidad con lo dispuesto en la legislación vigente en la materia.
2. La determinación de los recursos movilizables en emergencias comprenderá la prestación personal, los medios materiales y las asistencias técnicas que se precisen, dependientes de las administraciones públicas o de las Entidades privadas, así como de los particulares. Para el empleo de bienes privados se tendrá en cuenta, en todo caso, no solo lo dispuesto en el apartado 3 de este artículo sino también el principio de proporcionalidad entre la necesidad que se pretende atender y el medio que se considere adecuado para ello.
El empleo de los recursos aludidos se hará escalonadamente, otorgándose prioridad a los disponibles en el ámbito territorial afectado. Asimismo, se otorgará prioridad a los recursos públicos respecto de los privados. 4. Quienes, como consecuencia de estas actuaciones, sufran perjuicios en sus bienes tendrán derecho a ser indemnizados de acuerdo con lo dispuesto en las leyes.

829 España. (2011). Real Decreto 1097/2011, de 22 de julio, por el que se aprueba el Protocolo de Intervención de la Unidad Militar de Emergencias. Boletín Oficial del Estado, número 178, de 26 de julio de 2011 https://bit.ly/3YlsGpB

830 Es el caso de los efectos derivados de la DANA acaecida en 2024 en el Levante español, que hizo requerir el despliegue de más de 8.000 efectivos militares.

831 España. (2009). Real Decreto 96/2009, de 6 de febrero, por el que se aprueban las Reales Ordenanzas para las Fuerzas Armadas. https://www.boe.es/buscar/act.php?id=BOE-A-2009-2074

832 España. (2011). Real Decreto 1097/2011, de 22 de julio, por el que se aprueba el Protocolo de Intervención de la Unidad Militar de Emergencias. Boletín Oficial

adicional segunda adscribe los medios aéreos de lucha contra incendios que opera el 43° Grupo de Fuerzas Aéreas, al Ministerio de Defensa y funcionalmente al Ministerio de Medio Ambiente, Medio Rural y Marino, que decidirá sobre su uso, así como establecerá las líneas de colaboración entre ambos ministerios vía convenio, y particularidades en el ámbito presupuestario. Para un mejor funcionamiento de la UME, en su disposición adicional tercera se faculta al Ministerio de Defensa para la firma de conciertos, convenios de colaboración, acuerdos técnicos o encomiendas de gestión, que "coadyuven al mejor y más eficaz funcionamiento de la UME", entre otros, con los distintos órganos de las Administraciones Públicas. Este Real Decreto contiene esencialmente el mismo contenido que disponía el derogado por Sentencia del Tribunal Supremo.

El Real Decreto 454/2012, de 5 de marzo[833], por el que se desarrolla la estructura básica del Ministerio de Defensa, establece que la Unidad Militar de Emergencias, que depende orgánicamente del Ministro de Defensa, operativamente, está bajo el mando del Jefe de Estado Mayor de la Defensa y funcionalmente de los órganos superiores y directivos que su normativa específica determina, señalando que es una fuerza conjunta que tiene como misión según el art. 2.10: "la intervención en cualquier lugar del territorio nacional y en operaciones en el exterior, para contribuir a la seguridad y bienestar de los ciudadanos en los supuestos de grave riesgo, catástrofe, calamidad u otras necesidades públicas". Dicho Real Decreto fue modificado por el Real Decreto 524/2014 de 20 de junio[834], por el que se desarrolla la estructura orgánica básica del Ministerio de Defensa, derivado dicho cambio de la revisión integral de la Administración Pública realizada por la Comisión para la Reforma de las Administraciones Públicas (CORA), creada mediante Acuerdo de Consejo de Ministros de 26 de octubre de 2012.

El presidente del Gobierno, en julio de 2012 dictó la Directiva de Defensa Nacional, bajo el título: "Por una Defensa necesaria, por una Defensa responsable"[835]. En dicha Directiva se reconoce un nuevo marco estratégico

---

del Estado, número 178. , https://bit.ly/3uDFaLK

833 Real Decreto 454/2012, de 5 de marzo, por el que se desarrolla la estructura orgánica básica del Ministerio de Defensa. Boletín Oficial del Estado, número 56. https://www.boe.es/buscar/doc.php?id=BOE-A-2012-3162

834 Real Decreto 524/2014, de 20 de junio, que modifica el Real Decreto 454/2012, de 5 de marzo, por el que se desarrolla la estructura orgánica básica del Ministerio de Defensa. Boletín Oficial del Estado, número 151. https://www.boe.es/buscar/doc.php?id=BOE-A-2014-6523

835 Directiva de Defensa Nacional 2012: "Por una Defensa necesaria, por una Defensa responsable" https://www.lamoncloa.gob.es/documents/direc-

derivado de las amenazas que denomina "amenazas no compartidas", en referencia a un abanico de riesgo y amenazas que desbordan la noción tradicional de defensa. Así se determina que hay que priorizar la disponibilidad de las capacidades de las Fuerzas Armadas en orden a, entre otros objetivos:

"apoyar a las autoridades civiles en caso de emergencia".

En la Orden DEF/896/2013, de 16 de mayo[836], por la que se modifica la estructura orgánica y el despliegue de la Unidad Militar de Emergencias, que

---

tivadedefensanacional2012.pdf

836 Orden DEF/896/2013, de 16 de mayo, por la que se modifica la estructura orgánica y el despliegue de la Unidad Militar de Emergencias, que figura en el Real Decreto 416/2006, de 11 de abril, por el que se establece la organización y el despliegue de la Fuerza del Ejército de Tierra, de la Armada y del Ejército del Aire, así como de la Unidad Militar de Emergencias, y se modifica la Orden DEF/1766/2007, de 13 de junio, por la que se desarrolla el encuadramiento, organización y funcionamiento de la Unidad Militar de Emergencias, BOE núm. 124 de 24 de mayo de 2013. https://bit.ly/3BA896W
«ANEXO IV
Despliegue de la Unidad Militar de Emergencias
Cuartel General, en Torrejón de Ardoz (Madrid)
Unidad de Cuartel General, en Torrejón de Ardoz (Madrid):
Mando y Plana Mayor.
Compañía de Plana Mayor y Servicios.
Batallón de Transmisiones, en Torrejón de Ardoz (Madrid) Mando y Plana Mayor.
Compañía de Plana Mayor y Servicios.
Compañía de Transmisiones de Puesto de Mando Fijo.
Compañía de Transmisiones de Puestos de Mando Desplegables. I Batallón de Intervención en Emergencias, en Torrejón de Ardoz (Madrid) Mando y Plana Mayor.
Compañía de Plana Mayor y Servicios.
11 Compañía de Intervención en Emergencias Naturales.
12 Compañía de Intervención en Emergencias Naturales.
13 Compañía de Ingenieros.
II Batallón de Intervención en Emergencias, en Morón (Sevilla) Mando y Plana Mayor.
Compañía de Plana Mayor y Servicios.
Compañía de Intervención en Emergencias Naturales.
21 Compañía de Intervención en Emergencias Naturales.
22 Compañía de Ingenieros.
Unidad de Intervención en Emergencias Naturales, en Gando-Telde (Las Palmas).
Unidad de Intervención en Emergencias Naturales, en los Rodeos-San Cristóbal de La Laguna (Santa Cruz de Tenerife).
III Batallón de Intervención en Emergencias, en Bétera (Valencia) Mando y Plana Mayor.
Compañía de Plana Mayor y Servicios.
31 Compañía de Intervención en Emergencias Naturales.
32 Compañía de Intervención en Emergencias Naturales. 33 Compañía de Ingenieros.

figura en el Real Decreto 416/2006, de 11 de abril, por el que se establece la organización y el despliegue de la Fuerza del Ejército de Tierra, de la Armada y del Ejército del Aire, así como de la Unidad Militar de Emergencias, y se modifica la Orden DEF/1766/2007, de 13 de junio, por la que se desarrolla el encuadramiento, organización y funcionamiento de la Unidad Militar de Emergencias, en su Anexo IV, por título "despliegue de la Unidad Militar de Emergencias", explicita las unidades de que se compone (norma derogada).

El Real Decreto 872/2014, de 10 de octubre[837], por el que se establece la organización básica de las Fuerzas Armadas, reorganiza la estructura del Estado Mayor de la Defensa, dentro de la cual pasa a depender orgánicamente del Jefe del Estado Mayor de la Defensa la Unidad Militar de Emergencias[838]. Este Real Decreto derogó los Reales Decretos que hacen referencia a la UME, es decir, el Real Decreto 787/2007.

IV Batallón de Intervención en Emergencias, en Zaragoza Mando y Plana Mayor.
Compañía de Plana Mayor y Servicios.
41 Compañía de Intervención en Emergencias Naturales.
42 Compañía de Intervención en Emergencias Naturales.
43 Compañía de Ingenieros
V Batallón de Intervención en Emergencias, en San Andrés de Rabanedo (León) Mando y Plana Mayor.
Compañía de Plana Mayor y Servicios.
51 Compañía de Intervención en Emergencias Naturales.
52 Compañía de Intervención en Emergencias Naturales.
53 Compañía de Ingenieros.
Regimiento de Apoyo e Intervención en Emergencias, en Torrejón de Ardoz (Madrid) Mando y Plana Mayor.
Compañía de Plana Mayor y Servicios.
Grupo de Apoyo a Emergencias.
Grupo de Intervención en Emergencias Tecnológicas y Medioambientales.»

837 Real Decreto 872/2014, de 10 de octubre, por el que se establece la organización básica de las Fuerzas Armadas. Boletín Oficial del Estado, número 252, https://bit.ly/3hcObrX

838 Real Decreto 872/2014, de 10 de octubre, artículo 19, La Unidad Militar de Emergencias: "La Unidad Militar de Emergencias es una fuerza conjunta que se constituye de forma permanente como un mando conjunto de la estructura operativa de las FAS y que tiene como misión la intervención en cualquier lugar del territorio nacional y en operaciones en el exterior, para contribuir a la seguridad y bienestar de los ciudadanos en los supuestos de grave riesgo, catástrofe, calamidad u otras necesidades públicas, con arreglo a lo dispuesto en el Real Decreto 1097/2011, de 22 de julio, por el que se aprueba el protocolo de Intervención de la Unidad Militar de Emergencias, y lo dispuesto en la doctrina militar correspondiente. El Ministro de Defensa dictará las normas que regulen la organización y el funcionamiento de esta unidad en el ámbito del Departamento".

Mediante la Orden DEF/1863/2016, de 29 de noviembre[839], se crean los ficheros de datos de carácter personal de la Unidad Militar de Emergencias.

3.2.- Análisis de eficacia en situaciones de crisis

La Orden DEF/160/2019, de 21 de febrero[840], por la que se regula la organización y funcionamiento de la Unidad Militar de Emergencias, des-

---

839 Orden DEF/1863/2016. (29 de noviembre de 2016). Por la que se crean ficheros de datos de carácter personal de la Unidad Militar de Emergencias. BOE núm. 299, de 12 de diciembre de 2016. https://bit.ly/3YyMQN4
En su Anexo I describe la relación de ficheros con datos de carácter personal de diversos órganos de la UME (ficheros del Batallón de Transmisiones, de los Batallones de Intervención de Emergencias, del Cuartel General, del Estado Mayor, del Regimiento de Apoyo en Intervenciones en Emergencias, de la Unidad Cuartel General). En dichos ficheros constan desde Registro de Documentación, a expedientes personales, formación, etc.).
Quisiera destacar la existencia de un Fichero de Grabación de Conversaciones Telefónicas en los distintos batallones, así como en la Unidad Cuartel General, y cuya finalidad es "garantizar el ejercicio de los derechos y libertades constitucionales y la seguridad ciudadana".

840 Orden DEF/160/2019. (21 de febrero de 2019). Por la que se regula la organización y funcionamiento de la Unidad Militar de Emergencias. BOE núm. 46. https://bit.ly/3BpWFTr El Cuartel General de la UME, CGUME (art. 8) está constituido por:
Estado Mayor.
Departamento de Relaciones y Evaluación Consejería Técnica
de Asuntos Económicos. e) Asesoría Jurídica El despliegue de la UME es el siguiente (art.14):
Base Aérea de Torrejón de Ardoz (Madrid):
Cuartel General.
Unidad de Cuartel General.
Batallón de Transmisiones.
Batallón I de Intervención en Emergencias.
Regimiento de Apoyo e Intervención en Emergencias.
Escuela Militar de Emergencias.
Base Aérea de Morón (Sevilla):
Batallón II de Intervención en Emergencias.
Bétera (Valencia):
Batallón III de Intervención en Emergencias.
Base Aérea de Zaragoza (Zaragoza):
Batallón IV de Intervención en Emergencias.
León (León):
Batallón V de Intervención en Emergencias.
Base Aérea de Gando (Gran Canaria) y Los Rodeos (Tenerife)

taca dos hitos: el otorgamiento a la UME en virtud de la Ley 17/2015, de 9 de julio[841], del Sistema Nacional de Protección Civil, de servicio público de intervención y asistencia en emergencias, y de otro, el reconocimiento de la UME como principal estructura de colaboración de las Fuerzas Armadas con otras administraciones públicas en materia de protección civil. Se destaca también el papel de la UME en el Sistema Nacional de Protección Civil tras la aprobación de la Estrategia de Seguridad Nacional en 2017. Y en tercer lugar, con la entrada en vigor del Real Decreto 1399/2018, de 23 de noviembre, por el que se desarrolla la estructura básica del Ministerio de Defensa, se establece la dependencia directa de la UME del titular del Ministerio de Defensa, agilizando el procedimiento de activación de esta unidad, de la que se demanda disponibilidad permanente e inmediata intervención cuando sea requerida.

En la actualidad, la UME cuenta con una organización de inteligencia que está encuadrada en el Cuartel General, 2ª de Estado Mayor (2ª SEM), a la que se le denomina de Inteligencia y Seguridad (J.2)[842]. Según el Te-

---

841 Ley 17/2017, de 9 de julio. Sistema Nacional de Protección Civil. Artículo 37. Las Fuerzas Armadas. La Unidad Militar de Emergencias.
1. La colaboración de las Fuerzas Armadas en materia de protección civil se efectuará principalmente mediante la Unidad Militar de Emergencias, sin perjuicio de la colaboración de otras unidades que se precisen, de conformidad con lo establecido en su legislación específica, en esta ley y en la normativa de desarrollo.
2. La Unidad Militar de Emergencias tiene como misión intervenir en cualquier lugar del territorio nacional para contribuir a la seguridad y bienestar de los ciudadanos, con la finalidad de cumplir los objetivos propios de la Protección Civil en los supuestos que por su gravedad se estime necesario, junto con las instituciones del Estado y las Administraciones Públicas, conforme a lo establecido en la Ley Orgánica 5/2005, de, 17 de noviembre, de la Defensa Nacional, en esta ley y en el resto de la normativa aplicable.
3. La intervención de la Unidad Militar de Emergencias, valoradas las circunstancias, se solicitará por el ministro del Interior y será ordenada por el titular del Ministerio de Defensa. Reglamentariamente se establecerá el régimen de sus intervenciones.
4. La Unidad Militar de Emergencias, en caso de emergencia de interés nacional, asumirá la dirección operativa de la misma, actuando bajo la dirección del ministro del Interior.

842 Salvago González, B. (2018). La Función de inteligencia y la gestión de emergencias y catástrofes (Documento de Trabajo No. 02/2018). Instituto Español de Estudios Estratégicos. Centro Superior de Estudios de la Defensa Nacional (CESEDEN), p. 82.

niente Coronel, Jefe de la de Inteligencia y Seguridad del Estado Mayor[843] de la Unidad Militar de Emergencias: "se está trabajando para crear una estructura capaz de aplicar el ciclo de inteligencia en operaciones de apoyo a autoridades militares/civiles, gestionando una información específica referida a las emergencias, con el objeto de elaborar una inteligencia también específica que permita la toma de decisiones adecuadas a las necesidades presentadas, con el mínimo riesgo para la unidad desplegada."

Al frente de la UME se sitúa El General Jefe de la UME, (GEJUME), a las órdenes del titular del Departamento, que ejerce el mando de la Unidad, y le corresponde, bajo la dirección del ministro del Interior, la Dirección Operativa de las Emergencias calificadas de interés nacional, y cualquier cometido requerido por el presidente del Gobierno o quien ostente la responsabilidad del Ministerio de Defensa.

El Real Decreto 372/2020, de 18 de febrero, por el que se desarrolla la estructura básica del Ministerio de Defensa, se refiere a la UME en el artículo[844] que hace referencia a las Fuerzas Armadas.

Real Decreto 521/2020, de 19 de mayo[845], por el que se establece la organización básica de las Fuerzas Armadas, se adecúa a las amenazas y desafíos a los que han de hacer frente las Fuerzas Armadas, que además del espacio terrestre tradicional, se ubican en otros ámbitos como el ciberespacio, el espacio marítimo, el espacio aéreo y el ultraterrestre. La Unidad Militar de

---

843 Ibidem. Pg. 96.

844 Real Decreto 372/2020, de 18 de febrero, art. 6: "6. La Unidad Militar de Emergencias (UME), que depende orgánicamente de la persona titular del Ministerio de Defensa, está constituida de forma permanente y tiene como misión la intervención en cualquier lugar del territorio nacional y en el exterior, para contribuir a la seguridad y bienestar de los ciudadanos en los supuestos de grave riesgo, catástrofe, calamidad u otras necesidades públicas, con arreglo a lo dispuesto en el Real Decreto 1097/2011, de 22 de julio, por el que se aprueba el Protocolo de Intervención de la Unidad Militar de Emergencias. La persona titular del Departamento dictará las normas que regulen la organización y el funcionamiento de esta unidad en el ámbito del Departamento. Sin perjuicio de lo anterior, como parte integrante de las Fuerzas Armadas, el Jefe del Estado Mayor de la Defensa ejercerá sobre la UME las competencias que, con arreglo a lo establecido en los artículos 12.3.b) y 15.2 de la Ley Orgánica 5/2005, de 17 de noviembre, le atribuye en los supuestos de conducción de operaciones militares que contribuyan a la seguridad y defensa de España y de sus aliados."

845 Real Decreto 521/2020, de 19 de mayo, por el que se establece la organización básica de las Fuerzas Armadas, BOE núm. 143, https://bit.ly/3VXOh5G

Emergencias se regula en su artículo 21[846], aludiendo a la aprobación del Protocolo de Intervención de la UME.

El Real Decreto 829/2023, de 20 de noviembre, reestructura los departamentos ministeriales con el propósito de impulsar los objetivos estratégicos de España, ejecutar el programa político del Gobierno y optimizar la eficacia y eficiencia de la Administración General del Estado. En particular, atribuye al Ministerio de Defensa la responsabilidad de desarrollar y ejecutar las directrices gubernamentales sobre política de defensa.

Posteriormente, el Real Decreto 1009/2023, de 5 de diciembre, establece la nueva organización interna de los ministerios, confirmando la estructura del Ministerio de Defensa prevista en el Real Decreto 372/2020, de 18 de febrero. Este marco mantiene la adscripción del Centro Nacional de Inteligencia al Ministerio de Defensa y ratifica la dependencia directa de la Unidad Militar de Emergencias del titular del Ministerio, asegurando continuidad en la gestión y alineación con los objetivos estratégicos.

El Real Decreto 205/2024, de 27 de febrero (deroga expresamente el RD 372/2020), desarrolla la estructura orgánica básica del Ministerio de Defensa, asignando responsabilidades a los órganos superiores y directivos del Departamento y definiendo sus dependencias orgánicas. Además, organiza sucintamente las Fuerzas Armadas, que se rigen por la Ley Orgánica 5/2005, de 17 de noviembre, de la Defensa Nacional. Entre sus disposiciones, la Dirección de Comunicación Institucional de la Defensa pasa a denominarse Oficina de Comunicación Institucional y Prensa, bajo dependencia directa del titular del Ministerio.

---

[846] Real Decreto 521/2020, de 19 de mayo, Artículo 21.
La Unidad Militar de Emergencias.
1. La Unidad Militar de Emergencias (UME), que depende orgánicamente de la persona titular del Ministerio de Defensa, está constituida de forma permanente y tiene como misión la intervención en cualquier lugar del territorio nacional y en el exterior, para contribuir a la seguridad y bienestar de los ciudadanos en los supuestos de grave riesgo, catástrofe, calamidad u otras necesidades públicas, con arreglo a lo dispuesto en el Real Decreto 1097/2011, de 22 de julio, por el que se aprueba el Protocolo de Intervención de la Unidad Militar de Emergencias. La persona titular del Departamento dictará las normas que regulen la organización y el funcionamiento de esta unidad en el ámbito del Departamento.
Sin perjuicio de lo anterior, como parte integrante de las Fuerzas Armadas, el Jefe de Estado Mayor de la Defensa ejercerá sobre la UME las competencias que, con arreglo a lo establecido en los artículos 12.3.b) y 15.2 de la Ley Orgánica 5/2005, de 17 de noviembre, le atribuye en los supuestos de conducción de operaciones militares que contribuyan a la seguridad y defensa de España y de sus aliados.

En este Real Decreto, la Unidad Militar de Emergencias (UME), bajo dependencia directa del titular del Ministerio de Defensa, está conformada de forma permanente con la misión de intervenir tanto en el territorio nacional como en el exterior, siendo su objetivo principal el contribuir a la seguridad y bienestar de los ciudadanos ante situaciones de grave riesgo, catástrofe, calamidad u otras necesidades públicas, conforme al Protocolo de Intervención establecido en el Real Decreto 1097/2011, de 22 de julio. La organización y funcionamiento de la UME se regulan mediante normas dictadas por el titular del Ministerio de Defensa, garantizando su capacidad operativa y alineación con los objetivos estratégicos del Departamento. Art. 2:

"Sin perjuicio de lo anterior, como parte integrante de las Fuerzas Armadas, el Jefe del Estado Mayor de la Defensa ejercerá sobre la UME las competencias que, con arreglo a lo establecido en los artículos 12.3.b) y 15.2 de la Ley Orgánica 5/2005, de 17 de noviembre, le atribuye en los supuestos de conducción de operaciones militares que contribuyan a la seguridad y defensa de España y de sus aliados."

La UME, es mencionada de forma constante en los sucesivos Reales Decretos como una unidad bajo la dependencia directa de la persona que ostenta la titularidad del Ministerio de Defensa. La principal novedad en el Real Decreto 205/2024 es la especificación más detallada de sus funciones y su relación con el titular del Ministerio, quien regula directamente su organización. No se identifican cambios significativos en las funciones de la UME a lo largo de los distintos decretos, más allá de ajustes estructurales en el marco general del Ministerio.

La Ley 17/2015, de 9 de julio, del Sistema Nacional de Protección Civil, dispone que las Fuerzas Armadas, y en particular la Unidad Militar de Emergencias (UME), constituyen un servicio público esencial que interviene y presta asistencia en situaciones de emergencia, en coherencia con lo establecido en la Ley Orgánica 5/2005, de 17 de noviembre, de la Defensa Nacional. La UME se configura así como la principal estructura de colaboración de las Fuerzas Armadas con las distintas Administraciones en el ámbito de la protección civil. En los supuestos de emergencia de interés nacional, su actuación se desarrolla bajo la dirección del Ministerio del Interior, correspondiendo a este la conducción operativa de las actuaciones de protección civil, mientras que la UME aporta los medios y capacidades militares especializados.

La Directiva Defensa Nacional 2020[847], que firmó el 11 de junio del mismo año el presidente del Gobierno, establece entre los escenarios estratégicos a

---

847 Directiva de Defensa Nacional 2020, https://bit.ly/3Pg86CR

abordar, los retos que suponen situaciones no derivadas de actos hostiles o deliberados, como son los derivados del cambio climático (con su impacto directo en forma de desastres naturales) o incluso las pandemias. Como acertadamente expresa "ya no existen problemas exclusivos de la Defensa, pero la Defensa forma parte de la solución a cualquier problema de Seguridad." No es de extrañar, pues, que, en sus Directrices de Actuación, apartado 4, reseñe la máxima expresión que alcanza la cooperación de las Fuerzas Armadas con las autoridades civiles para afrontar la gestión de las situaciones de crisis y emergencias, para lo que se impulsará la formación del personal de las Fuerzas Armadas y la obtención de aptitudes y capacidades que permitan dicha colaboración en situaciones de crisis y/o emergencias.

La Unidad Militar de Emergencias se activa ordenada por el titular de Defensa (competencia delegada del presidente del Gobierno[848]) a petición del Ministro del Interior (que es quien tiene las competencias en materia de protección civil) dado lo dispuesto en la Ley Orgánica 5/2005, de 17 de noviembre, de la Defensa Nacional.

Ante situaciones graves que no alcancen la declaración de emergencia de interés nacional, la intervención de la Unidad Militar de Emergencias (UME) puede ser solicitada al Ministerio del Interior por las siguientes autoridades:

- Las autoridades en el ámbito autonómico con competencia en materia de protección civil, mediante el delegado del Gobierno y de la Dirección General de Protección Civil y Emergencias.
- A través de los ministros titulares de las distintas carteras ministeriales, o los presidentes o directores de las instituciones que conforman el sector público.

El Ministro del Interior pondera la entidad de la emergencia y recursos a disposición, solicitando, llegado el caso, al Ministerio de Defensa la intervención de la Unidad Militar de Emergencias. Su finalización es determinada por el titular de Defensa, a propuesta del ministro del Interior, y oídas aquellas autoridades [849]que interesaron su intervención.

---

848 Ley Orgánica 5/2005, de 17 de noviembre, de la Defensa Nacional. Boletín Oficial del Estado, núm. 276, de 18 de noviembre de 2005. Art. 6.2. "El Presidente del Gobierno ejerce su autoridad para ordenar, coordinar y dirigir la actuación de las Fuerzas Armadas así como disponer su empleo.". Art. 6.3.d) "Ordenar las misiones de las Fuerzas Armadas".

849 Ministerio de Defensa. (2014). España ante las emergencias y catástrofes (Cuadernos de Estrategia No. 165) (p. 153). Instituto Español de Estudios Estratégicos.

Cuando interviene la UME, uno de sus mandos se integra en el Centro de Coordinación Operativa.

Para los escenarios en los que esté presente el interés nacional, al Jefe de la UME se le atribuye la dirección y coordinación operativa de las emergencias bajo la dependencia del Ministerio del Interior, "sin perjuicio de las competencias de las Fuerzas y Cuerpos de Seguridad del Estado en materia de seguridad pública"

Para las situaciones de conflicto bélico y en tanto se dé la situación de estado de sitio, el sistema de cooperación en el ámbito de protección civil será coordinado por el Consejo de Defensa Nacional[850].

La UME es pues una aportación de alto valor para el Sistema Nacional de Protección Civil del que forma parte, que cuenta con características y procedimientos militares, con certificación para operar fuera de nuestras fronteras, y que puede canalizar capacidades adicionales de los ejércitos y de la armada, contando con una virtud resolutiva en sus intervenciones. Es pues una unidad ágil, versátil y flexible, operativa y logísticamente autosuficiente, y que como integrante de la administración pública, de gran valor para los ciudadanos. Prueba de esa vocación de servicio permanente y a la vanguardia, fue la presentación de la Unidad de Drones[851] de la Unidad Militar de Emergencias, UDRUME, con una vocación de convertirse en centro de referencia en este tipo de aeronaves destinados a las emergencias, y cuya plena operatividad está prevista para 2025. Esa nueva capacidad[852], operará, además del tradicional medio aéreo, también en los medios terrestre y acuático, y su base operativa está localizada en la Base Militar del Ejército de Tierra "Conde de Gazola", en San Andrés del Rabanedo (León). Para el coronel ANEIROS, Jefe del Estado Mayor de la UME: "Obtendremos más información real de lo que está pasando y podremos intervenir de forma más eficiente. Con esta unidad y estos medios que pretendemos que tenga, vamos a estar en la vanguardia de todo lo relacionado con lo biológico y lo químico".

---

850 Ley Orgánica 5/2005, de 17 de noviembre, de la Defensa Nacional, «BOE» núm. 276, de 18 de noviembre de 2005, Art. 28

851 Aeronaves (en inglés, Unmanned Aerial Systems, UAS) y otros dispositivos pilotados a distancia.

852 Mando y Control, Inteligencia, Intervención, NRBQ (Nuclear, Radiológica, Bacteriológica y Química) y Logística. Además, contarán con capacidades tecnológicas especiales como el mapeo 3D, la toma de muestras NRBQ o la toma de imágenes hiperespectrales, que permiten captar detalles invisibles al ojo humano. https://bit.ly/3JIEltV

Ante situaciones graves que no alcancen la declaración de emergencia de interés nacional, la intervención de la Unidad Militar de Emergencias (UME) puede ser solicitada al Ministerio del Interior por las siguientes autoridades:

En el mes de octubre de 2025 se dio a conocer el proyecto "Atlantis", el cual constituye una iniciativa estratégica destinada a situar a la Unidad Militar de Emergencias (UME) a la vanguardia tecnológica en materia de gestión de emergencias y protección civil. Este programa integra el uso de supercomputación, inteligencia artificial y gemelos digitales para mejorar la capacidad de previsión, respuesta y formación operativa de sus efectivos. A través de entornos de simulación hiperrealistas, permitirá adiestrar al personal en escenarios de alta complejidad, como accidentes nucleares, conducción de vehículos en condiciones extremas o coordinación de operaciones conjuntas, incorporando además sistemas avanzados de análisis de datos que faciliten la toma de decisiones en tiempo real. Con ello, la UME se consolida como una fuerza de intervención no solo de carácter operativo, sino también científico-tecnológico, alineada con las nuevas directrices europeas sobre resiliencia y digitalización de la gestión de crisis.

El proyecto, impulsado por el Ministerio de Defensa, responde a la visión de modernización y mejora de capacidades técnicas de las Fuerzas Armadas.

Este proceso de modernización se enmarca en un esfuerzo más amplio del Gobierno de España por reforzar las capacidades materiales y logísticas de la UME. Estas inversiones, junto con el desarrollo del proyecto "Atlantis", reflejan la voluntad de consolidar a la UME como un modelo europeo de intervención integral, en el que convergen tecnología, sostenibilidad, formación avanzada y compromiso humanitario al servicio de la protección de la población.

Durante el año 2025, la Unidad Militar de Emergencias (UME) realizó más de 70 operaciones en territorio nacional y en misiones internacionales, consolidándose como el pilar central del Sistema Nacional de Protección Civil en intervenciones de gran complejidad.

Las actuaciones se distribuyeron principalmente en tres ámbitos:

- Incendios forestales (LCIF): constituyeron más del 60 % de las intervenciones, con especial incidencia durante los meses de julio y agosto. Destacaron los operativos en Galicia, Castilla y León y Extremadura, con incendios de alta intensidad en provincias como Ourense, León, Zamora, Cáceres y Ávila, que movilizaron cientos de efectivos, medios aéreos y más de un centenar de autobombas.
- Inundaciones y rescates: se registraron episodios graves en Valencia, Zaragoza, Toledo, Belchite, Ibiza y Murcia, donde la UME desplegó sus capacidades de rescate acuático, desescombro y asistencia a po-

blación aislada. En total, participaron más de 3.000 efectivos y más de 150 vehículos de intervención en estos escenarios.

- Emergencias no convencionales: incluyeron el apoyo durante el apagón eléctrico nacional de abril, misiones internacionales en Líbano (Operación Galatea) y ejercicios conjuntos de coordinación civil-militar en Chinchilla y San Gregorio.

En conjunto, las intervenciones de la UME en 2025 reflejan una intensificación sin precedentes de la actividad operativa motivada por fenómenos climáticos extremos, con un incremento del 30 % respecto a 2024. Este balance evidencia la necesidad de fortalecer las capacidades logísticas, tecnológicas y humanas de la unidad, así como de integrar la resiliencia climática y energética en la planificación de emergencias nacionales.

Capítulo 4.
Sistemas de prevención y alerta temprana

1.- APLICACIÓN DE LA IA EN ESCENARIOS DE DESASTRE

1.1.- Consideraciones generales sobre IA

En la actualidad asistimos a la irrupción de una tecnología verdaderamente revolucionaria, llamada a transformar los procesos de comunicación tal y como los habíamos entendido hasta ahora. Nos referimos a las herramientas de generación de contenidos basadas en inteligencia artificial, especialmente aquellas sustentadas en modelos lingüísticos avanzados, capaces de producir textos, imágenes o decisiones con un grado de autonomía y verosimilitud sin precedentes. Su impacto es transversal: afecta a la forma en que se comunican las instituciones, se gestionan las crisis y se articulan las respuestas ante fenómenos como las catástrofes naturales.

La comunicación mediada por sistemas de inteligencia artificial plantea, sin embargo, nuevos desafíos éticos y operativos, particularmente en el ámbito de las operaciones de influencia y la desinformación. Los modelos generativos pueden amplificar narrativas falsas, erosionar la confianza institucional y dificultar la verificación de fuentes, lo que incrementa la vulnerabilidad social en contextos de emergencia. De ahí la necesidad de una coordinación efectiva entre las administraciones públicas, los proveedores tecnológicos y las plataformas digitales, orientada a prevenir, detectar y mitigar estas amenazas antes de que comprometan la seguridad informativa[853].

La proliferación de modelos lingüísticos —tanto de acceso libre como comercial— complica aún más el control del uso malicioso de la inteligencia artificial. Por ello, resulta esencial promover una investigación interdisciplinar sostenida, combinando enfoques tecnológicos, jurídicos y comunicativos,

---

853 Goldstein, J. A., Sastry, G., Mussers, M., DiResta, R., Gentzel, M., & Sedova, K. (enero de 2023). Generative Language Models and Automated Influence Operations: Emerging Threats and Potential Mitigations. Georgetown's Center for Security and Emerging Technology, OpenAI, Stanford Internet Observatory. Página 63. https://arxiv.org/pdf/2301.04246.pdf

que permita garantizar la transparencia algorítmica, la trazabilidad de los contenidos y la rendición de cuentas de sus desarrolladores. Solo desde esta perspectiva podrá aprovecharse el potencial de la inteligencia artificial como herramienta al servicio de la gestión del riesgo y de la resiliencia social, sin convertirla en un nuevo vector de vulnerabilidad.

Hace tiempo que trabajamos con estos modelos. Recordemos cómo Gmail Smart Compose sugiere palabras mientras las escribes en el ordenador, o los populares Alexa o Siri, que responden a tus preguntas, o Google Translate, que nos ayuda a traducir textos. Hay otros que tal vez no sean tan comúnmente conocidos, como Turing NLG, que fue presentado a inicios de 2020 por Microsoft, y que tiene una capacidad de procesamiento de 17.000 millones de parámetros (contamos con 85 millones de neuronas -equivalente a parámetros, por ponerlo en relación). Otro modelo es MT5, nacido en 2021 como modelo multilingüe (más de 100 idiomas) y creado en código abierto por Google, si bien Google está redoblando la apuesta, con un código abierto de un billón de parámetros.

Hay modelos como el de Hensoldt Analytics que se basa en IA para resumir información y contenidos. Similar es el anuncio que hizo Facebook en 2022 con su proyecto "TLDR" (too long, didn´t read: demasiado largo, no lo leí), que resume artículos en forma de viñetas.

En febrero de 2021, se lanzó un proyecto "leegle.me"[854], basado en IA para detectar el lavado de cerebro tanto en habla como en textos escritos. En los últimos años se han consolidado nuevos modelos de lenguaje que amplían las capacidades de procesamiento y razonamiento de la inteligencia artificial. Destacan GPT-4.1 de OpenAI (abril de 2025, al que en pocos meses siguió la versión 5.0), con mejoras en el manejo de contextos extensos y en la codificación, y Llama 4 de Meta, con versiones como Scout y Maverick, que incorporan arquitecturas mixture-of-experts para optimizar recursos y mejorar la eficiencia en tareas complejas. A su vez, Claude 4 de Anthropic (mayo de 2025) se orienta al cumplimiento de instrucciones avanzadas y al uso de herramientas externas, mientras que Gemini 2.5 Pro de Google DeepMind refuerza el liderazgo de la compañía en capacidades de razonamiento y gestión de grandes volúmenes de información.

Otros ejemplos relevantes son Grok 3 de xAI, que potencia el acceso en tiempo real y las capacidades de análisis contextual.

---

854 https://www.nimdzi.com/ai-language-models/

Todos estos modelos lingüísticos se basan en las redes neuronales, entrenándose con textos, cada vez más amplios, incrementando el vocabulario y las combinaciones.

Es por ello que todas las partes implicadas, tanto el Estado (como regulador que no ha de abstenerse en esta materia de actuar), como los medios de comunicación y redes sociales, deben cooperar a tal fin. La solución, una vez más, está en el derecho, y el derecho administrativo no puede permanecer ausente.

Son muchas las interrogantes a despejar: ¿deben los desarrolladores liberar o restringir sus modelos?, ¿deben los investigadores de internet publicar las tácticas observadas por los propagandistas o mantenerlas en secreto?[855] Estas y otras muchas cuestiones han de ser reflexivamente respondidas, y llegado el caso, legisladas,[856] como en estos momentos hace la Unión Europea. España debe desarrollar un marco de amenazas de inteligencia artificial, donde se prevean formas de ataque y respuesta a los mismos, y dada la punta de innovación que ello requiere, como en otros ámbitos, se requerirá la colaboración público-privada[857].

Según Microsoft, se ha observado un aumento destacado de ataques a los sistemas comerciales de aprendizaje automático, algo que corrobora una encuesta que realizó dicha compañía tecnológica. Esta encuesta arrojó datos preocupantes, pues en una encuesta realizada a 28 empresas profesionales del sector, 25 de ellas sostienen que no tienen las herramientas precisas para proteger convenientemente sus sistemas[858].

Como bien expresa el Prof. RIVERO, hemos de tener presente siempre una ética en el uso y empleo de estos sistemas.[859]

---

855 Ibidem, pg. 66.

856 Véase las recomendaciones de la Comisión de Seguridad Nacional sobre Inteligencia Artificial de Estados Unidos, el Instituto Aspen y otros organismos. https://www.nscai.gov/

857 Siva Kumar, R. S., & Johnson, A. (octubre de 2022). Cyberattacks against machine learning systems are more common than you think. https://bit.ly/3IZhwRG

858 "Hablamos de compañías Fortune 500, gobiernos, organizaciones sin ánimo de lucro y organizaciones pequeñas y medianas". https://bit.ly/3Iz7y8h

859 Rivero Ortega, R. (2024). Homo ex machina. Ética de la inteligencia artificial y Derecho digital ante el horizonte de la singularidad tecnológica. Revista de Administración Pública (224), 437-439.

1.2.- Uso de BIG DATA e IA en la prevención de desastres

Las tecnologías digitales están presentes en nuestras vidas, transformándolas. No hay sector de actividad que no sienta su presencia. En el centro de toda esta actividad están los datos. La innovación en la gestión de los datos, así como su manejo, traerán oportunidades, pero también entrañarán riesgos. La informática en su conjunto (software y hardware), los algoritmos y el aprendizaje automático, evolucionan por capilaridad entre todos los sectores y disciplinas de investigación, sugiriendo que tal vez estemos a punto de redefinir[860] la realidad, tal y como hasta ahora la habíamos experimentado.

Las personas (entre otros) y nuestras actividades son generadoras de datos. Ahí están los sensores haciendo su trabajo, y los circuitos cerrados de televisión, y las transacciones financieras, y la actividad en Internet. Cada vez más y más datos. Y los datos son elementos personales que deben ser protegidos. Cualquiera puede recopilarlos a menos que adoptemos protecciones y exista un marco jurídico que nos dote de derechos al respecto. Los datos son un bien muy preciado, de muy alto valor. En la medida en que exista un balance armónico entre los derechos de los ciudadanos, y la posibilidad de utilizar datos (públicos o privados) no personales, abiertos[861], para mejorar la sociedad mediante la innovación, podremos decir que en la Europa digital que habitamos, contribuimos a hacer que sea un espacio más abierto, justo, diverso y democrático. Una buena gestión de los datos nos hará más competitivos en un entorno global, y nos ayudará a gestionar mejor nuestro medio ambiente, nuestra gobernanza o nuestros servicios públicos. Podemos hacer una economía de los datos en Europa, pensando en los ciudadanos, y no pensando estrictamente en los intereses mercantiles. Para ello se hace imprescindible poder acceder a los datos, especialmente esa ingente cantidad de datos de los que dispone el sector público de los Estados de la Unión, recursos de alto valor para la sociedad. Para ello se aprobó la Directiva 2019/1024[862] relativa a los datos abiertos y la reutilización de la información del sector público:

"La información del sector público representa una fuente extraordinaria de datos que pueden contribuir a mejorar el mercado único y al desarrollo de nuevas aplicacio-

---

860 De Wolf, D. (2022, noviembre). Ushering in a new era of computing. MIT Industrial Liaison Program. https://bit.ly/3P6CS0M

861 Por datos abiertos en general entendemos aquellos datos en formatos abiertos que puede utilizar, reutilizar y compartir libremente cualquier persona con cualquier fin.

862 Directiva (UE) 2019/1024 del Parlamento Europeo y del Consejo. (2019, 20 de junio). Relativa a los datos abiertos y la reutilización de la información del sector público. Diario Oficial de la Unión Europea, L 172/56.https://bit.ly/3BbXv66

nes para los consumidores y las personas jurídicas. El empleo inteligente de los datos, incluido su tratamiento a través de aplicaciones de inteligencia artificial, puede tener un efecto transformador en todos los sectores de la economía."

Por gestión de riesgos entendemos una actividad que lleva aparejado hoy en día el manejo de una, cada vez más, ingente cantidad de datos. Es más, ya hay autores que señalan que el procesamiento de grandes conjuntos de datos, así como la capacidad de respuesta a las catástrofes están en estos momentos en un punto de inflexión[863]. Utilizamos sistemas que nos proveen terceros, a veces prolijos en datos, y que exigen una labor interpretativa, con frecuencia compleja. Los datos sobre clima, economía, biodiversidad, demografía son accesibles en diversas fuentes públicas y privadas. Pero el hacer modelos predictivos, por ejemplo, de los datos extraídos por drones[864] sensorizados, no está al alcance del público en general. Por eso expertos como MORALES et al.[865] concluyen tras analizar cómo se comunicaban las personas a través de la telefonía móvil en las inundaciones acaecidas en 2009 en el estado de Tabasco en México, que los datos proporcionados son muy útiles en relación al comportamiento humano y su mejora en la respuesta tanto de la emergencia como de la gestión de la respuesta humanitaria.

---

[863] Qadir, J., Ali, A., ur Rasool, R., Zwitter, A., Sathiaseelan, A., & Crowcroft, J. (2016). Crisis Analytics: Big Data-Driven Crisis Response. Journal of International Humanitarian Action, 1(1), 12. Available from https://doi.org/10.1186/s41018-016-0013-9 (acceso 18 de abril de 2024).

[864] La primera vez que se establece un corredor aéreo para drones con fines humanitarios en África fue tras una colaboración del Gobierno de Malawi y UNICEF en julio de 2017. Ubicado en el centro de Malawi, en Kasungu, tiene un radio de 40 km, y está al servicio del sector privado, la comunidad universitaria y otros posibles socios para que puedan analizar a través de los UAV como prestar servicios y ayuda a la comunidad. Gracias a estos, el Gobierno de Malawi pudo obtener imágenes de las inundaciones y evaluar las necesidades de la población unos meses antes, de ahí el impulso del corredor aéreo. Vídeo en https://bit.ly/3U4FDSY.
En diciembre de 2019 UNICEF a través de su Fondo para la Innovación incorporó los proyectos de seis empresas de drones radicadas en países donde opera la ONG para analizar el uso de esta tecnología en apoyo de la gestión humanitaria. Los lugares de experimentación fueron los que se citan a continuación: Bioverse Labs (Brasil), Cloudline Africa (Sudáfrica), Dronfies Labs (Uruguay), Prokura Innovations (Nepal), qAira (Perú), y Rentadrone (Chile).

[865] Morales, A. J., Pastor-Escuredo, D., Torres, Y., Frías-Martínez, V., Frías-Martínez, E., Oliver, N., Rutherford, A., Logar, T., Clausen-Nielsen, R., Backer, O. D., & Luengo-Oroz, M. A. (2015). Studying human behavior through the lens of mobile phones during floods. [Net Mob 2015]. https://bit.ly/42Ze5Cx

Para impulsar modelos que nos anticipen la evolución desfavorable de un riesgo, se hace necesario contar con expertos en el big data, la inteligencia artificial y el cloud computing. Ellos nos proporcionarán una guía, si bien la toma de decisiones seguirá pivotando sin duda en los responsables o gestores de la emergencia, que deben saber (al menos a día de hoy), que los algoritmos tienen perspectivas, prioridades y prejuicios de las personas que los han desarrollado[866], en consecuencia, no son neutrales.

Sin datos, encarar los riesgos en el siglo XXI es circular sin luz por la carretera de la gestión, para ello, el papel de los expertos es esencial, en este mundo donde los efectos derivados en forma de catástrofes a consecuencias del cambio climático se acentúan, y donde el riesgo sistémico es una realidad de presente. Si de por sí es difícil en países desarrollados, en países todavía no suficientemente desarrollados nos lleva a la necesidad de la cooperación en esta materia con los mismos, a tal efecto, las fuentes de datos de código abierto son muy recomendables.

Solo en el año 2018, se estima que se han producido 33 zettabytes[867] de datos y se calcula que se alcanzarán los 175 zettabytes en 2025. De hecho, proyecciones recientes de IDC (International Data Group, 2023) señalan que el volumen total de datos creados y replicados podría superar los 200 zettabytes en 2026, lo que refleja un incremento exponencial que multiplica por seis la producción registrada en apenas una década. En la actualidad, aproximadamente el 80 % de estos datos se procesan y analizan en centros de alta especialización, que emplean potentes infraestructuras de supercomputación (HPC) y un amplio conjunto de Tecnologías Habilitadoras Digitales (THD) para gestionar grandes volúmenes de información y extraer conocimiento en tiempo real. El resto, el 20%, en objetos inteligentes conectados, como coches, electrodomésticos, robots e instalaciones de "edge computing" [868]. En los próximos años se prevé que estas proporciones se inviertan, si bien ello estará condicionado a la capacidad que tengamos de invertir en tecnologías e infraestructuras de nueva

---

866 Rovatsos, M., Mittelstadt, B., & Koene, A. (2019). Landscape Summary: Bias in Algorithmic Decision Making: What is Bias in Algorithmic Decision-Making, How Can We Identify It, And How Can We Mitigate It? Edinburgh: UK Government.

867 Zettabyte es una unidad de almacenamiento de información, con el símbolo ZB y equivalente a 10 elevado a 21 bytes. 1 Zettabyte (ZB) = 1000 Exabytes = 1 millón de petabytes = 1000 millones de terabytes.

868 El *edge computing* consiste en "acercar el poder de procesamiento lo más cerca posible de donde los datos están siendo generados. Es decir, consiste en acercar la nube hasta el usuario, hasta el borde mismo (*edge*, en inglés) de la red." Definición en Telefónica Tech, REBATO, C., 2022. https://bit.ly/3YLOdah

generación (que permitan el Big Data y el aprendizaje automático), así como en competencias digitales en alfabetización de datos de la ciudadanía europea. La irrupción de los centros de datos constituye uno de los fenómenos más significativos de la transformación digital global. Estas infraestructuras se han convertido en el núcleo de la economía del dato, al garantizar el almacenamiento, procesamiento y distribución segura de información en volúmenes sin precedentes. Su importancia estratégica trasciende lo tecnológico: son esenciales para el funcionamiento de los servicios en la nube, la inteligencia artificial, el comercio electrónico, las telecomunicaciones y, en general, para la continuidad de los servicios críticos de los Estados y las empresas.

Como se indica en la Estrategia Europea para los Datos[869]: "los datos reconfigurarán nuestra forma de producir, consumir y vivir". Pero todavía tenemos que resolver retos importantes, como es cubrir la demanda de cientos de miles de puestos profesionales de Big Data en la Unión Europea, o formar en el campo de las PYMES para poder aprovechar este recurso[870].

La Comisión apoya la creación de nueve espacios comunes de datos europeos, tras la experiencia con la European Open Science Cloud:

- de fabricación industrial
- del Pacto Verde
- de Movilidad
- de salud
- de finanzas
- de energía
- de agricultura
- para la administración pública de competencias

El Consejo Europeo de Protección de Datos (EDPB) es un organismo europeo independiente que tiene por objetivo contribuir a una correcta aplicación de las normas de protección de datos[871] en el seno de la Unión

---

869 Communication from the Commission to the European Parliament, the Council, the European Economic and Social Committee and the Committee of the Regions. (2020, February 19). A European strategy for data. Brussels. COM (2020) 66 final.

870 Programas como Horizonte Europa y Europa Digital, así como los Fondos Estructurales generan oportunidades para las PYMES en materia de economía de los datos.

871 Reglamento (UE) 2016/679 del Parlamento Europeo y del Consejo de 27 de abril de 2016 relativo a la protección de las personas físicas en lo que respecta al

Europea, al tiempo que promueve la cooperación entre las autoridades del ramo en dicho ámbito. Emite dictámenes, recomendaciones y buenas prácticas, asesorando a la Comisión Europea en cualquier cuestión relacionada con la adecuada protección de datos personales.

El tema no es pacífico, por cuanto las personas físicas tienen como derecho fundamental la protección de datos personales, asegurados en el art. 18.4 de la Constitución Española, y también en el artículo 12 de la Declaración Universal de los Derechos Humanos:

"Nadie será objeto de injerencias arbitrarias en su vida privada, su familia, su domicilio o su correspondencia, ni de ataques a su honra o a su reputación. Toda persona tiene derecho a la protección de la ley contra tales injerencias o ataques."

Constatamos en el artículo 16.2 del Tratado Fundacional de la Unión Europea, que se encomienda al Parlamento Europeo y al Consejo el objetivo de establecer normas relativas a la protección de los datos personales y también a la libre circulación de estos datos.

"El Reglamento General de Protección de Datos (RGPD) protege los derechos y libertades de las personas físicas, y en particular, su derecho a la protección de datos. La protección de datos no puede garantizarse sin la adhesión a los derechos y principios establecidos en el RGPD (artículos 12 a 22 y artículo 34, así como el artículo 5 en la medida en que sus disposiciones correspondan a los derechos y obligaciones previstos en los artículos 12 a 22 del RGPD). Todos estos derechos y obligaciones se erigen en el núcleo del derecho fundamental a la protección de datos y su aplicación debe ser la norma general. En particular, cualquier limitación del derecho fundamental a la protección de datos debe respetar el artículo 52 de la Carta de los Derechos Fundamentales de la Unión Europea ("la Carta")."[872]

De ello, son conscientes las grandes empresas tecnológicas, o al menos, así se manifiestan públicamente a través de sus directivos cuando tienen oportunidad[873].

---

tratamiento de datos personales y a la libre circulación de estos datos y por el que se deroga la Directiva 95/46/CE (Reglamento general de protección de datos). Diario Oficial de la Unión Europea, L 119/1. https://bit.ly/2OIlhkf

872 European Data Protection Board. (2020, December 15). Guidelines 10/2020 on restrictions under Article 23 GDPR (Version 1.0). https://bit.ly/3VXr7MH

873 Granados, A. (30 de enero de 2023). Conferencia en el Foro Nueva Economía Fórum: "Es clave que la soberanía del dato y la dignidad del dato pertenezcan a las empresas y a los gobiernos soberanos" [Conferencia]. Casino de Madrid.

En ocasiones, puede restringirse ese derecho por tiempo limitado: es el caso del estado de emergencia para salvaguardar la salud pública. Una limitación que ha de establecerse claramente en una medida legislativa, debidamente acreditada, con delimitación clara de los objetivos perseguidos, que están sujetos al interés general bien de la Unión Europea o de uno de sus Estados miembro.

Entre los motivos de las restricciones que permitan adoptar una medida legislativa de esta naturaleza y llevarla a efecto, han de cumplirse una o varias de las condiciones del artículo 23, apartado 1 del Reglamento General de Protección de Datos de la Unión Europea. Una restricción de derechos de los ciudadanos puede tener su origen en objetivos de seguridad nacional[874] o pública y/o la defensa de los Estados miembros, tal como establece en el el art. 4.2 del Tratado de la Unión Europea (TUE). Cuando nos referimos a la seguridad pública, debe entenderse que incluye la protección de la vida humana, especialmente en respuesta a catástrofes naturales o provocadas por el hombre.

Por fortuna, en nuestro país hay algunos ejemplos interesantes, y hay organismos públicos que cuentan con fuentes de datos fiables. Es el caso de la Agencia Estatal de Meteorología (en adelante AEMET[875]), que representa

---

874 La Unión Europea es sensible a las amenazas y ataques a la ciberseguridad que sufren tanto los Estados, como las empresas y los ciudadanos. Es por ello que ha adoptado un Marco de Certificación de ciberseguridad en la UE (EU Cybersecurity Certification Framework) y la Agencia Europea de Ciberseguridad (EU Agency for Cybersecurity, ENISA). Nuevas tecnologías descentralizadas como blockchain pueden contribuir a la seguridad de los flujos de datos y su uso. Un ciberespacio seguro es la base de nuestra vida digital, de la economía digital y de la soberanía de la Unión Europea, afirmó Margrethe Vestager, Vicepresidenta Ejecutiva para una Europa adaptada a la era digital en nota de prensa el 24 de noviembre de 2022. https://bit.ly/3F03coS.
La Directiva UE 2016/1148, del Parlamento Europeo y del Consejo de 6 de julio de 2016, relativa a las medidas destinadas a garantizar un elevado nivel común de seguridad de las redes y sistemas de información en la Unión. https://bit.ly/3F8Tu3L
El Reglamento (UE) 2019/881 DEL PARLAMENTO EUROPEO Y DEL CONSEJO de 17 de abril de 2019 relativo a ENISA (Agencia de la Unión Europea para la Ciberseguridad) y a la certificación de la ciberseguridad de las tecnologías de la información y la comunicación y por el que se deroga el Reglamento (UE) n.o 526/2013 («Reglamento sobre la Ciberseguridad». Diario Oficial de la Unión Europea, L 151/15. https://bit.ly/3BeOklk

875 La Agencia Estatal de Meteorología sucedió en 2008 a la entonces Dirección General del Instituto Nacional de Meteorología, con más de 150 años de historia. Actualmente está adscrita, según el artículo 4.4 del Real Decreto 864/2018, de 13 de julio, por el que se desarrolla la estructura orgánica básica del Ministerio para la Transición Ecológica, a ese departamento ministerial a través de la Secretaría de Estado de Medio Ambiente. El objeto de AEMET, según el artículo 1.3 del Real

al Gobierno de España en instancias internacionales como la Organización Meteorológica Mundial, y entre cuyas actividades encontramos la cooperación mundial para crear redes de estaciones no sólo para el ámbito meteorológico, sino también hidrológicas y geofísicas. En el ámbito europeo, la AEMET representa a España ante la Agencia Europea de Satélites Operacionales (EUMETSAT), encargada de la gestión de los satélites meteorológicos europeos.

La AEMET dispone de un Portal de Datos Abiertos, que posibilita la reutilización de la información de conformidad con la Ley 18/2015[876]. Como señala esta norma en su Preámbulo, la información que generan las Administraciones Públicas, así como los organismos englobados en el sector público, dado su alto valor, se ponen a disposición de la economía del conocimiento, pudiendo ser reutilizados tanto con fines privados como públicos, a fin de fomentar el crecimiento económico, el compromiso social y la transparencia, algo que venía recomendado (no obligado) por la Directiva 2003/98/CE[877], de 17 de noviembre de 2003, del Parlamento Europeo y del Consejo.

La Iniciativa Aporta[878] se erige como la política de datos del gobierno español, para la armonización y el aprovechamiento eficaz de sinergias entre distintos proyectos de datos. Dicha iniciativa comienza a andar en 2009 al objeto de

---

Decreto 186/2008, de 8 de febrero por el que se aprueba su Estatuto, es el desarrollo, implantación, y prestación de los servicios meteorológicos de competencia del Estado y el apoyo al ejercicio de otras políticas públicas y actividades privadas, contribuyendo a la seguridad de personas y bienes, y al bienestar y desarrollo sostenible de la sociedad española". Como Servicio Meteorológico Nacional y Autoridad Meteorológica del Estado, el objetivo básico de AEMET es contribuir a la protección de vidas y bienes a través de la adecuada predicción y vigilancia de fenómenos meteorológicos adversos y como soporte a las actividades sociales y económicas en España mediante la prestación de servicios meteorológicos de calidad. Se responsabiliza de la planificación, dirección, desarrollo y coordinación de actividades meteorológicas de cualquier naturaleza en el ámbito estatal, así como la representación de éste en organismos y ámbitos internacionales relacionados con la Meteorología. (Fuente: Aemetblog, https://bit.ly/3APwlBZ)

876 Ley 18/2015, de 9 de julio, por la que se modifica la Ley 37/2007, de 16 de noviembre, sobre reutilización de la información del sector público. https://www.boe.es/buscar/pdf/2015/BOE-A-2015-7731-consolidado.pdf

877 Directiva 2003/98/CE del Parlamento Europeo y del Consejo. (2003, 17 de noviembre). Relativa a la reutilización de la información del sector público. https://www.boe.es/doue/2003/345/L00090-00096.pdf

878 Ministerio de Asuntos Económicos y Transformación Digital. (2021). Red.es. Gobierno de España. Iniciativa Aporta: Líneas de actuación 2021-2022. https://bit.ly/3OPHXKM

impulsar la promoción de la información pública y un desarrollo de servicios avanzados vinculados al ámbito de los datos. Promovida por el Ministerio de Asuntos Económicos y Transformación Digital y la Entidad Pública Red.es. En su Plan de Acción 2021-2022, entre sus objetivos estableció el enriquecimiento del Catálogo Nacional, punto de acceso único a una cifra superior a los 41.000 conjuntos de datos que la administración pública española pone a disposición para su reutilización, y apoyo a los organismos en esta tarea. Se enmarcó dentro de una Estrategia Nacional (Ley 18/2015 sobre reutilización de la información del sector público, la Norma Técnica de Interoperabilidad de Reutilización de recursos de la información[879], con la continuación del Plan España Digital 2026[880] y la Estrategia Nacional de Inteligencia Artificial[881], IV Plan de Gobierno Abierto). Basta un repaso por el Catálogo Nacional para observar que queda mucho por andar, especialmente en la tarea de volcado de conjuntos de datos de indudable valor pero que no pueden ser explorados en dicho espacio por residir en sus respectivas dependencias generadoras. Es, pues, necesario que la demanda social para minimizar los riesgos (y especialmente los responsables, gestores y planificadores de las emergencias) haga una llamada en este sentido. No se nos oculta que ello conlleva una inversión, pero sin duda con un valor de retorno importante, cual es: las vidas humanas y su seguridad colectiva.

Las compañías aseguradoras han entendido esto, y han desarrollado herramientas de seguro paramétrico, parametrizado [882] o "financing", que basándose

---

879 Resolución de 19 de febrero de 2013, de la Secretaría de Estado de Administraciones Públicas, por la que se aprueba la Norma Técnica de Interoperabilidad de Reutilización de Recursos de la Información. Ministerio de Hacienda y Administraciones Públicas. «BOE» núm. 54, de 4 de marzo de 2013. Referencia: BOE-A-2013-2380.

880 Ministerio para la Transformación Digital y de la Función Pública, S.E. de Digitalización e Inteligencia Artificial & S.E. de Telecomunicaciones e Infraestructuras Digitales. (2022, 8 de julio). España Digital 2026. Gobierno de España. https://avance.digital.gob.es/programas-avance-digital/Paginas/Espana_Digital_2026.aspx

881 Ministerio de Asuntos Económicos y Transformación Digital. (2024). Estrategia de Inteligencia Artificial 2024. Gobierno de España. Recuperado de https://portal.mineco.gob.es/es-es/digitalizacionIA/Documents/Estrategia_IA_2024.pdf

882 Fundación MAPFRE, "Seguro paramétrico o parametrizado (parametrics or parametrized insurance): Son contratos de seguros cuyos pagos se realizan en función de la intensidad de un evento y el monto de la pérdida calculada en o por un modelo y con datos previamente previstos. Agro, clima, huracanes y terremotos, inundaciones por desbordamiento de ríos son los riesgos típicos que se pueden parametrizar. El daño causado por un huracán de fuerza 3 (parámetro), en un área específica (parámetro), en la cual están asegurados X miles de riesgos con condiciones y valores individualmente conocidos (parámetro) hubo un accidente (parámetro basado en conocimiento previo) de una manera predefinida o calculada. Mediante este pro-

en estimaciones que captan por satélite, analizan con precisión los riesgos asegurados y establecen su posible materialización. Sin duda, ello hace que el análisis de los propios riesgos del balance de las aseguradoras esté más controlado, pues se evita el desajuste entre los pagos a realizar y las necesidades propias del riesgo asegurado específico (alcanzar lo que podría denominarse un "índice correcto").

La gradación del riesgo, que va desde pequeñas pérdidas no cubiertas, al Fondo de Contingencia[883] del Gobierno de España, hasta los planes nacionales de seguros y reaseguros[884] de la mano del Consorcio de Compensación de Seguros, pueden aplicarse al objeto de poder adaptarse a las necesidades derivadas del cambio climático, y nos consta que se está haciendo.

---

cedimiento se puede evaluar con anticipación el posible impacto y, posteriormente, una previsión de indemnización muy ajustada, permitiendo a las aseguradoras y reaseguradoras realizar pagos a cuenta o establecidos (indemnización parametrizada) que permitan la pronta resolución de los daños. De lo anterior, las ventajas de estos sistemas son: ahorro de tiempo, agilidad en los pagos, eliminación de gastos de gestión y administración de siniestros." Diccionario de Seguros. https://bit.ly/3Vyxypx

883 El artículo 50 de la Ley 47/2003, de 26 de noviembre, General Presupuestaria dispone que el Fondo Contingencia de ejecución presupuestaria únicamente financiará, cuando proceda, las siguientes modificaciones de crédito: a) Las ampliaciones de crédito reguladas en el artículo 54,
b) Los créditos extraordinarios y suplementos de crédito, de conformidad con lo previsto en el artículo 55, c) Las incorporaciones de crédito, conforme al artículo 58. En el año 2021 tuvo un montante de 3.880 millones de euros, destinados a necesidades inaplazables, de carácter no discrecional para los que no se hiciera en todo o en parte, la adecuada dotación de crédito presupuestario. Para gastos derivados de desastres naturales y temporales, en 2020 se utilizaron a tal fin 160 millones de euros (p.ej.: para atender los incendios forestales de Tarragona, Lleida y Toledo, o las inundaciones de Navarra).

884 REGLAMENTO DEL SEGURO DE RIESGOS EXTRAORDINARIOS
Artículo 1. Riesgos cubiertos. 1. El Consorcio de Compensación de Seguros tiene por objeto, en relación con el seguro de riesgos extraordinarios que se regula en este reglamento, indemnizar, en la forma en él establecida, en régimen de compensación, las pérdidas derivadas de acontecimientos extraordinarios acaecidos en España y que afecten a riesgos en ella situados. A estos efectos, serán pérdidas, en los términos y con los límites que se establecen en este reglamento, los daños directos en las personas y los bienes, así como la pérdida de beneficios como consecuencia de aquéllos. Se entenderá, igualmente en los términos establecidos en este reglamento, por acontecimientos extraordinarios: a) Los siguientes fenómenos de la naturaleza: los terremotos y maremotos, las inundaciones extraordinarias, las erupciones volcánicas, la tempestad ciclónica atípica y las caídas de cuerpos siderales y aerolitos.
b) Los ocasionados violentamente como consecuencia de terrorismo, rebelión, sedición, motín y tumulto popular. c) Hechos o actuaciones de las Fuerzas Armadas o de las Fuerzas y Cuerpos de Seguridad en tiempo de paz.

En esta línea, la creación de la Oficina del Dato en la Administración General del Estado representa un paso decisivo hacia la consolidación de una gobernanza del dato coherente y estratégica en España. Este órgano, dependiente de la Secretaría de Estado de Digitalización e Inteligencia Artificial, tiene como objetivo coordinar la política nacional en materia de datos, impulsar un ecosistema de economía del dato y garantizar que el aprovechamiento de la información pública se realice bajo los más altos estándares de seguridad y respeto a los derechos fundamentales. Bajo la figura del Chief Data Officer (CDO), la Oficina se erige en garante de que los datos generados por el sector público puedan ser reutilizados tanto por las administraciones como por empresas y ciudadanos, promoviendo innovación y competitividad, pero siempre en el marco de la protección de los datos personales reconocida en la Carta de Derechos Fundamentales de la Unión Europea y en el Tratado de Funcionamiento de la Unión Europea (TFUE).

La figura del Chief Data Officer (CDO) es una buena práctica. La Directiva UE 2016/680, requiere de los Estados la designación de un delegado de protección de datos. Sus funciones vienen reguladas en el artículo 34 de la citada Directiva[885].

En el Reglamento de la Unión Europea relativo a la protección de las personas físicas en lo que respecta al tratamiento de datos personales y a la libre circulación de estos datos, se indica claramente:

"Los principios y normas relativos a la protección de las personas físicas en lo que respecta al tratamiento de sus datos de carácter personal deben, cualquiera que sea su nacionalidad o residencia, respetar sus libertades y derechos fundamentales, en particular el derecho a la protección de los datos de carácter personal. El presente Reglamento pretende contribuir a la plena realización de un espacio de libertad, seguridad y justicia y de una unión económica, al progreso económico y social, al refuerzo y la convergencia de las economías dentro del mercado interior, así como al bienestar de las personas físicas."[886]

---

885 Directiva (UE) 2016/680 del Parlamento Europeo y del Consejo. (2016, 27 de abril). Relativa a la protección de las personas físicas en lo que respecta al tratamiento de datos personales por parte de las autoridades competentes para fines de prevención, investigación, detección o enjuiciamiento de infracciones penales o de ejecución de sanciones penales, y a la libre circulación de dichos datos y por la que se deroga la Decisión Marco 2008/977/JAI del Consejo. Diario Oficial de la Unión Europea, L 119/89.https://bit.ly/3B70UTB

886 Reglamento (UE) 2016/679 del Parlamento Europeo y del Consejo. (2016, 27 de abril). Relativo a la protección de las personas físicas en lo que respecta al tratamiento de datos personales y a la libre circulación de estos datos y por el que se deroga la Directiva 95/46/CE

Importante es también el contenido de la Directiva de la Unión Europea 2016/680[887] del Parlamento Europeo y del Consejo, de 27 de abril de 2016, relativa a la protección de las personas físicas en lo que respecta al tratamiento de datos personales por parte de las autoridades competentes para fines de prevención, investigación, detección o enjuiciamiento de infracciones penales o de ejecución de sanciones penales, y a la libre circulación de dichos datos:

1. "Para la prevención, investigación y enjuiciamiento de las infracciones penales, es necesario que las autoridades competentes traten datos personales recopilados en el contexto de la prevención, la investigación, la detección o el enjuiciamiento de infracciones penales concretas más allá de ese contexto específico, con el fin de adquirir un mejor conocimiento de las actividades delictivas y establecer vínculos entre las distintas infracciones penales detectadas".

¿Qué ocurre cuando se precisan datos para trabajar al objeto de plantar cara a las amenazas de la seguridad pública? Lo resuelve la Directiva 2016/680:

"Para que sea lícito, el tratamiento de datos personales en virtud de la presente Directiva debe ser necesario para el desempeño de una función de interés público llevada a cabo por una autoridad competente en virtud del Derecho de la Unión o de un Estado miembro con fines de prevención, investigación, detección o enjuiciamiento de infracciones penales o de ejecución de sanciones penales, incluidas la protección y la prevención frente a las amenazas para la seguridad pública…".

La protección de la seguridad nacional o la seguridad pública pueden llevar aparejado la limitación al derecho de acceso a sus datos por parte del interesado.[888]

En España contamos con la Ley Orgánica 3/2018, de 5 de diciembre, de Protección de Datos Personales y garantía de los derechos digitales[889], al objeto de adaptarnos al Reglamento (UE) 2016/679 del Parlamento Europeo y el

(Reglamento general de protección de datos). Diario Oficial de la Unión Europea, L 119/1.https://bit.ly/2OIlhkf

887 Directiva (UE) 2016/680 del Parlamento Europeo y del Consejo. (2016, 27 de abril). Relativa a la protección de las personas físicas en lo que respecta al tratamiento de datos personales por parte de las autoridades competentes para fines de prevención, investigación, detección o enjuiciamiento de infracciones penales o de ejecución de sanciones penales, y a la libre circulación de dichos datos y por la que se deroga la Decisión Marco 2008/977/JAI del Consejo. Diario Oficial de la Unión Europea, L 119/89. https://bit.ly/3B70UTB

888 Íbidem, art. 15.

889 Ley Orgánica 3/2018, de 5 de diciembre, de Protección de Datos Personales y garantía de los derechos digitales. «BOE» núm. 294, de 06 de diciembre de 2018. https://bit.ly/2SO5SfN

Consejo, de 27 de abril de 2016 anteriormente enunciado. Cuando así lo determinen las autoridades sanitarias e instituciones públicas con competencias en el ámbito de vigilancia de la salud pública "se podrán llevar a cabo estudios científicos sin el consentimiento de los afectados en situaciones de excepcional relevancia y gravedad para la salud pública"[890]. No encontramos disposición similar para estudios o análisis de riesgos frente a catástrofes o desastres.

La Ley Orgánica 7/2021, de 26 de mayo, de protección de datos personales tratados para fines de prevención, detección, investigación y enjuiciamiento de infracciones penales y de ejecución de sanciones penales[891], es resultante del Reglamento (UE) 2016/679 y de la Directiva (UE) 2016/680.

El Real Decreto 389/2021, de 1 de junio, por el que se aprueba el Estatuto de la Agencia Española de Protección de Datos[892], viene a dar cumplimiento a lo preceptuado en la Ley Orgánica 5/1992, de 29 de octubre, de regulación del tratamiento automatizado de los datos de carácter personal. Dicha Ley Orgánica encomendó el cumplimiento de sus disposiciones a un ente público independiente, que es la Agencia Española de Protección de Datos, a través de autoridades con capacidad, con plena independencia (su personal no podrá aceptar ni solicitar instrucción de ninguna entidad pública o privada). Sus funciones son las recogidas en el artículo 57 y las potestades previstas en el artículo 58 del Reglamento (UE) 2016/679 del Parlamento Europeo y del Consejo, de 27 de abril de 2016, en la Ley Orgánica 3/2018, de 5 de diciembre, y en sus disposiciones de desarrollo.

Sin duda, todos los esfuerzos normativos que nazcan en el ámbito europeo, en materia de protección de los datos de las personas físicas como derecho fundamental, seguirán contribuyendo a hacer del espacio europeo un espacio democrático, de libertades y de derechos individuales. Son tantas las amenazas, crecientes, sofisticadas, innovadoras, que dar cumplimiento a este derecho no debe ser una opción para los Estados. Las grandes operadoras tecnológicas tensionan la aplicación efectiva de este derecho, pues a menudo los intereses no son de calidad democrática, sino de volumen de mercado.

---

890 Íbidem, Disposición Adicional decimoséptima, 2.b).

891 Ley Orgánica 7/2021, de 26 de mayo, de protección de datos personales tratados para fines de prevención, detección, investigación y enjuiciamiento de infracciones penales y de ejecución de sanciones penales. Boletín Oficial del Estado, 27 de mayo de 2021. https://bit.ly/3gZbkOz

892 Real Decreto 389/2021, de 1 de junio, por el que se aprueba el Estatuto de la Agencia Española de Protección de Datos. «BOE» núm. 131, de 02 de junio de 2021. https://bit.ly/3VqUuqJ

Los datos utilizados para la gestión de emergencias, catástrofes, y seguridad pública, tienen que estar bajo el paraguas del objetivo antes mencionado: la democracia y los derechos ciudadanos.

Por último, hay que señalar que en un Estudio elaborado desde la Fundación BBVA sobre la "cultura científica" en Europa, por el que se examina un amplio conjunto de variables entre los ciudadanos europeos por países (Alemania, España, Francia y Reino Unido), se desprende en relación con las expectativas sobre una lista de tecnologías que en la mayoría de los casos es positiva, salvo: la energía nuclear (desde 2012 hasta la actualidad la evolución ha mejorado) y el big data.[893]

Pero no hemos de obsesionarnos con los datos, o prever que en su correcto manejo están todas las respuestas para hacer frente a los riesgos naturales. Sin duda, los datos con los que trabaja la comunidad científica nos pueden ser de inestimable ayuda para estudiar inundaciones, corrimientos de tierras, tsunamis, volcanes, etc. Habrá riesgos naturales y de cualquier otra naturaleza a los que podamos hacer frente con los datos, pero habrá otros a los que no. Es el caso de los terremotos. Como señala JONES, que ha estado toda su vida dedicada al estudio de los desastres, desde su experiencia internacional como investigadora en sismología estadística, es más importante empoderar a la población que buscar patrones.[894] Y ello es así pues no todo es susceptible de armonizar en patrones (es el caso de los terremotos), y en demasiadas ocasiones, los datos presentan deficiencias que nos pueden llevar a errores fatales por su falta de representatividad.

Los datos, por ejemplo, de los móviles pueden ser de gran ayuda para evacuar la población en caso de inundación, o para conocer sus movimientos, pero hay que tener en cuenta que estos están en manos de operadores priva-

---

893 Estudio elaborado desde la Fundación BBVA sobre la "cultura científica" en Europa, https://bit.ly/3W29ydY

894 Jones, L. (2018). The Big Ones: How Natural Disasters Have Shaped Us (and What We Can Do About Them). Icon Books Ltd. ISBN-10: 1785784366: "Me he pasado toda mi carrera profesional estudiando desastres. Durante un largo período fui investigadora en sismología estadística, intentaba buscar patrones y prever cuándo y cómo sucederían los terremotos. Científicamente, mis colegas y yo hemos probado que los terremotos, comparados con la escala humana son aleatorios. Pero descubrimos que lo aleatorio no era una idea que convenciera al público. Por eso, al darme cuenta de que el deseo de predecir era en realidad un deseo de controlar, cambié de ámbito científico para predecir el impacto de los desastres naturales. Mi meta era empoderar a las personas para que estas tomaran mejores decisiones, para impedir que se produjeran daños".

dos, que no siempre están dispuestos a compartirlos. No es el caso de nuestro país, donde los ejemplos van en línea contraria al veto o la no cooperación.

Cuando los datos se utilizan al servicio de la sociedad, hablamos de "big data for social Good" (big data para el bien social). Es lo que hace la compañía Telefónica I+D[895], al colaborar tanto con instituciones públicas como privadas para aportar datos valiosos en la toma de decisiones durante catástrofes naturales. Para ello, se sirve de la red de telefonía móvil, que ya ha sido empleada en monitorizar los movimientos de las personas, mediante la utilización de datos agregados y anónimos de los teléfonos móviles. Así se hizo en el brote de H1N1 en 2009 en México, las inundaciones de la costa del Caribe mexicano en 2014 y durante el terremoto de Oaxaca en 2011 entre otros.

Sin duda, la combinación de big data con inteligencia artificial nos proporciona un universo de soluciones que hasta ahora desconocíamos, y en intervalos de tiempo casi instantáneos.

En los últimos años vamos conociendo nuevas generaciones que adoptan el abecedario como cabecera de presentación: la Generación X utilizaba "buscas" para estar localizados y "walkmans" para escuchar música; la Generación Y o Millennials usa Instagram bajo el grito de guerra de "solo se vive una vez"; y la Generación Z, o generación digital, que pasea sin dejar olvidado un smartphone o busca la Wi-Fi desde que tiene uso de razón, a la que se le ha sumado la utilización de la Inteligencia Artificial para tareas cotidianas.

Podemos encontrar en multitud de portales en Internet ofrecimientos para implementar la Inteligencia Artificial (IA) en empresas y organizaciones, y paulatinamente forma parte de la oferta de servicios puesta a disposición de las administraciones públicas. Bajo el reclamo de automatizar tareas rutinarias, obtener información a través del análisis de datos, y mejorar la relación con nuestros clientes y ciudadanos, la IA es una especie de bálsamo de fierabrás que sirve para casi todo. Por ello, no se quedan tampoco las empresas de formación a la zaga, y ofrecen sus servicios para habilitarnos en su conocimiento, desde el grado básico hasta el de experto, e incluso, dobles grados que la contemplan.

Nadie quiere quedarse atrás en la "migración humana a la tierra digital"[896].

En LinkedIn, el puesto de Especialista en Inteligencia Artificial ya figuraba en 2020 entre los más valorados, con una tasa de crecimiento anual especial-

---

895 Telefónica. (2021, July). How Big Mobile Data Can Help Manage Natural Disasters. https://bit.ly/3zt7Vx2.

896 Expresión utilizada por Sangkyun, K. (2022). El metaverso. Ed. Anaya.

mente significativa. Esta tendencia se ha consolidado en los años siguientes, situando a los perfiles vinculados a la IA, el análisis de datos, la ciberseguridad y el desarrollo de software entre los más demandados en 2024, de acuerdo con los informes sobre empleos emergentes y en mayor crecimiento de la propia plataforma. En las ofertas públicas de empleo, todavía es una rara avis. No hay sector que no requiera ese perfil en el ámbito empresarial. Es una ayuda, con un potencial de crecimiento cuyos límites aún están por determinar. Nos encontramos ante una tendencia, que está influyendo en la forma de hacer las cosas, y eso plantea nuevos retos para la gobernanza no sólo de las empresas, también de las administraciones públicas. Todo se digitaliza, la información vale más que nunca, y hay datos intangibles que hay que protegerlos. Datos que, procesados por Inteligencia Artificial, multiplican su valor.

El matemático inglés Alan Turing fue tal vez el primero en utilizar las máquinas inteligentes. Aquello sucedió tras la II Guerra Mundial. Turing[897] dio una conferencia[898] sobre el tema en 1947. A finales de los 50 se habían incorporado otros muchos investigadores a la tarea de comenzar a caminar en la IA basando su esfuerzo en la programación de ordenadores. Ya en 1956, McCarthy, considerado el padre de la IA, la definió[899] como "la ciencia y la ingeniería capaces de hacer máquinas inteligentes, especialmente programas informáticos inteligentes". En general, con IA nos estamos refiriendo a una simulación de la inteligencia humana en "máquinas que están programadas para pensar como los humanos, imitar la forma de actuar humana o mostrar rasgos asociados a una mente humana, como el aprendizaje y la resolución de problemas."[900]

897 El artículo de Turing, I., 1950, Computing Machinery and Intelligence consideraba las condiciones para tomar por inteligente a una máquina. Para el autor del artículo, una máquina podría ser considerada inteligente si la máquina pretendía con éxito ser humana a ojos de un observador que estuviese bien informado. El observador podría interactuar con la máquina y un humano a través de teletipo (así se pretendía que la máquina no pudiera imitar la voz ni la apariencia de la persona, y el humano intentaría persuadir al observador de que era humano y la máquina intentaría engañar al observador. Si la máquina superaba la prueba se debía tomar por inteligente. Dennett. D., (Brainchildren: Essays on Designing Minds. ISBN 9780262540902. MIT Press, 1998) considera que hay personas a las que con programas bastante tontos se les hace creer que la máquina es inteligente.

898 Turing, A. M. (1950). Mind, Volume LIX, Issue 236, October, 433–460. https://doi.org/10.1093/mind/LIX.236.433

899 McCarthy, J. https://stanford.io/2nGxXru

900 Banafa, A. (2022, 13 de octubre). Capacidades intelectuales de la inteligencia artificial. BBVA Open Mind. https://bit.ly/3UHpn99

Para la Unión Europea, la Inteligencia Artificial (IA) se refiere a sistemas que muestran un comportamiento analizando su entorno y actuando con un cierto grado de autonomía para alcanzar objetivos específicos[901].

Hay distintas clasificaciones de los tipos de IA. Una de ellas establece tres categorías: Inteligencia Artificial Estrecha o Débil (ANI), Inteligencia Artificial General o Fuerte (AGI) e Inteligencia Artificial Superior (ASI).

Inteligencia artificial estrecha o débil (ANI en inglés): ordenadores que imitan el intelecto y la conducta humana.

Inteligencia artificial general o fuerte (AGI): algoritmos estadísticos que permiten implementar la IA a través de los datos. Machine learning.

Inteligencia artificial superior (ASI): subconjunto del aprendizaje automático que mimetiza las redes neuronales. Deep learning.

Según PwC se estima en 15,7 billones de dólares la contribución potencial de la IA a la economía mundial en 2030. Para Grand View Research, en 93.500 millones de dólares se estimaba el mercado mundial de la IA en 2021, con un crecimiento previsto de casi el 40% para el año 2030.

El mercado como podemos apreciar ha visto el potencial, y cuando hay crecimiento hay una lucha desatada por gestionar los beneficios de este campo de desarrollo.

Pero nuestro interés es el interés público, y por ello enfocamos la IA en el ámbito de cómo puede contribuir a la seguridad colectiva, prevenir catástrofes, reducir sus efectos y recuperar las comunidades cuando éstas se produzcan. Hay filósofos que dicen que la idea de que máquinas no biológicas sean inteligentes es algo incoherente, algunos la tachan de imposible, para otros la idea es obscena, antihumana e inmoral. Sea como fuere, está ahí y empieza a ofrecer resultados,[902] y es portadora de grandes transformaciones.

---

901 Communication from the Commission to the European Parliament, the European Council, the Council, the European Economic and Social Committee and the Committee of the Regions. (2018, April 25). Artificial Intelligence for Europe (p. 1). Brussels. https://bit.ly/3J0za7N

902 The Guardian. (2023). Romania PM unveils AI 'adviser' to tell him what people think in real time. Agence France-Presse in Bucharest: El Gobierno de Rumanía utiliza el primer asistente gubernamental que funciona con IA. Fue presentado en sociedad por el primer ministro rumano, Nicolae Ciucă en marzo de 2023, señalando que Ion (así se llama el sistema), era el nuevo asesor honorario. Ion utiliza la inteligencia artificial para capturar de forma rápida y automática las opiniones y

Nos referimos a tecnologías que imitan o superan las capacidades humanas a la hora de realizar determinadas tareas. Hay quienes afirman que está claro que estamos ante algo "artificial", si bien lo de "inteligente" es aventurado afirmarlo con la rotundidad con que se hace. Pero lo que nadie pone en duda es que los métodos de la IA son de gran ayuda, por ejemplo, en el preprocesamiento de datos de observación, así como el posprocesamiento de los resultados de los modelos de previsión. El rendimiento tiene mucho que ver con la disponibilidad y la calidad de los datos, y la adecuada selección de una arquitectura de modelo. Gracias a la teledetección (satélites y drones), las redes instrumentales (estaciones meteorológicas, hidrometeorológicas y sísmicas) y el crowdsourcing, contamos con una base de datos sobre la Tierra que ha crecido mucho gracias a la multiplicación de los datos de observación.

Un segundo ejemplo en este campo es la prevención frente a las inundaciones que se producen de modo repentino. Su riesgo está en el escaso margen de tiempo para poder avisar a la población y poder adoptar medidas mitigantes. Con el establecimiento de una red sensorizada, que mida caudales y niveles en la cuenca, así como niveles de humedad del suelo, junto a estaciones meteorológicas, se pueden entrenar modelos para detectar inundaciones súbitas o repentinas.

Un tercer caso lo ofrece la geodesia, con el objetivo de detectar tsunamis, evitando las "barreras transfronterizas" que impiden el viaje de los datos entre administraciones de distintas áreas geográficas o países. El procesamiento de datos facilitados por el Sistema Mundial de Navegación por Satélite (GNSS)[903] para posicionar y capturar imágenes ionosféricas[904], ayuda significativamente en la alerta temprana por tsunamis.

Un cuarto caso lo brinda la creación de una interfaz que facilite la comunicación en caso de peligros y catástrofes naturales. Dicha interfaz puede

---

deseos de los rumanos, utilizando información del espacio público, principalmente de redes sociales. 2 de Marzo de 2023. https://bit.ly/3JWzT9l

903 El Sistema Mundial de Navegación por Satélite (GNSS) es una constelación de satélites que emiten señales desde el espacio y transmiten datos de posicionamiento y temporización a los receptores GNSS. Los receptores utilizan estos datos para determinar su ubicación.
Por definición, el GNSS ofrece cobertura mundial. Ejemplos de GNSS son el Galileo europeo, el Sistema de Posicionamiento Global (GPS) NAVSTAR estadounidense, el Global'naya Navigatsionnaya Sputnikovaya Sistema (GLONASS) ruso y el Sistema de Navegación por Satélite BeiDou chino. Fuente: EUSPA, European Union Agency for the Space Programme. https://bit.ly/3iGVqIR

904 Imágenes con radar para hacer estudios de la ionosfera.

facilitar a los intervinientes información que les permita evaluar la gravedad del riesgo y establecer prioridades de respuesta. Utilizando datos estructurados y no estructurados, incluidas las fuentes de alerta de riesgos, niveles de vulnerabilidad, etc., se introducen en una plataforma que procesa los datos, y empleando aprendizaje automático comunica los riesgos en tiempo real. IBM creó Operations Risk Insight (ORI), una plataforma que forma parte del programa IBM Call for Code, y que se ha empleado en los huracanes Florence y Michael en 2018. ORI se ha puesto a disposición de ONGs (Save the Children, etc.) para establecer alertas personalizadas frente a huracanes y tormentas. En los últimos años se han desarrollado plataformas de alerta temprana basadas en inteligencia artificial que integran datos estructurados y no estructurados, con el objetivo de mejorar la detección, evaluación y comunicación del riesgo en tiempo real. El Executive Action Plan 2023-2027 de la Organización Meteorológica Mundial (OMM), aprobado en el marco de la iniciativa de Naciones Unidas *Early Warnings for All (EW4All)*, constituye el primer instrumento global de acción coordinada para garantizar que toda la población mundial esté protegida por sistemas multirriesgo de alerta temprana antes de 2027. Este plan se estructura en torno a cuatro pilares fundamentales —conocimiento del riesgo, observación y predicción, comunicación y preparación para la respuesta—, complementados por un quinto eje transversal de gobernanza, financiación y evaluación. Su ejecución y seguimiento están a cargo de un Consejo de Gobierno conjunto OMM-UNDRR, que informa anualmente al Secretario General de las Naciones Unidas sobre los avances y retos en la implantación de esta arquitectura global de alerta temprana.

La iniciativa *Early Warnings for All*, impulsada conjuntamente por la Oficina de las Naciones Unidas para la Reducción del Riesgo de Desastres (UNDRR), la Unión Internacional de Telecomunicaciones (UIT) y la OMM, persigue el objetivo de lograr una cobertura universal mediante el empleo de tecnologías emergentes —*machine learning*, observación satelital, radares, sensores IoT y análisis de redes sociales— que permitan integrar datos en tiempo real para emitir alertas precisas y accesibles. En la misma línea, la plataforma DisasterAWARE ofrece un sistema multiamenaza capaz de monitorizar riesgos naturales, tecnológicos y biológicos, proporcionando alertas personalizadas tanto a organismos públicos como a comunidades locales.

El documento programático de la OMM resalta que las alertas tempranas ofrecen un retorno social de hasta diez veces la inversión realizada, y que una notificación con solo 24 horas de antelación puede reducir los daños en un 30 %. Estos datos legitiman, desde una perspectiva jurídico-económica, la consideración de los sistemas de alerta temprana como actuaciones públicas de interés general y de urgente necesidad, susceptibles de financiación prioritaria mediante los mecanismos excepcionales de gasto previstos en la Ley 38/2003, de 17 de noviembre, General de Subvenciones, y en el Real Decreto-ley 36/2020, de 30 de diciembre, por el que se aprueban medidas urgentes para la modernización de la Administración Pública y la ejecución del Plan de Recuperación, Transformación y Resiliencia.

En definitiva, el *Early Warnings for All Executive Action Plan* marca la transición de un modelo reactivo de respuesta a catástrofes hacia una administración pública anticipatoria y adaptativa, basada en la gestión proactiva del riesgo, la interoperabilidad de los sistemas nacionales y la responsabilidad compartida entre niveles de gobierno. Su recepción en el ordenamiento jurídico español —a través de la planificación de protección civil y las estrategias de acción climática— constituye un avance significativo en la cooperación administrativa internacional en materia de seguridad climática y resiliencia territorial.

Entre las soluciones más innovadoras destacan las impulsadas por el sector privado y la investigación académica. El Flood Hub de Google, disponible ya en más de 100 países, utiliza modelos predictivos basados en IA y datos hidrométricos y satelitales para anticipar inundaciones fluviales con hasta siete días de antelación, difundiendo las alertas a través de Google Maps, Search y notificaciones móviles. Asimismo, un estudio publicado en Scientific Reports en 2025 describe el desarrollo de un sistema de alerta y respuesta de emergencias basado en IoT en tiempo real, capaz de detectar y clasificar eventos críticos como incendios o fugas industriales con latencias inferiores a 450 milisegundos y tasas de detección superiores al 95 %. Estos avances confirman la consolidación de una nueva generación de interfaces de emergencia, más predictivas, personalizadas y eficientes.

Un quinto caso que podría iluminarnos es la utilidad del empleo de un algoritmo matemático capaz de diseñar un plan de abastecimiento de agua de un enclave geográfico. Esto es algo muy útil, pues tras catástrofes como los terremotos, la población puede verse afectada por la pérdida de suministro y de puntos de acceso al agua potable. Se basa en determinar los puntos óptimos donde construir puntos que nos conduzcan al agua potable, en función de las demandas de la población[905].

---

905 Laporte, G., Rancourt, M., Rodríguez-Pereira, J., & Silvestri, S. (2022). Optimizing access to drinking water in remote areas: Application to Nepal. Computers & Operations Research, 140, 105669. https://doi.org/10.1016/j.cor.2021.105669.

Un sexto ejemplo lo constituye la utilización de imágenes de satélite para automatizar la identificación de fenómenos meteorológicos adversos, como el caso de los huracanes.

El séptimo ejemplo hace referencia a un aspecto imprescindible para seguir avanzando: la necesidad de aplicar la inteligencia artificial a los procesos de normalización y estandarización. En la actualidad, esta tarea de producción de directrices avaladas internacionalmente corre a cargo de organizaciones internacionales de normalización como la Organización Internacional de Normalización (ISO), la Unión Internacional de Telecomunicaciones (UIT) o la Comisión Electrotécnica Internacional (CEI), además de otros muchos organismos internacionales que elaboran reglamentos técnicos, normas marco o prácticas recomendadas, como Naciones Unidas, la Organización Mundial Meteorológica, la Oficina de las Naciones Unidas para la Reducción del Riesgo de Desastres (UNDRR) o el Programa Mundial de Alimentos (PMA). A buen seguro la utilización de IA sirve para cubrir lagunas de normalización, así como determinar futuras áreas.

El principal interés de la inteligencia artificial en el ámbito que nos ocupa, el administrativo, es facilitar el adecuado y eficaz procedimiento para la toma de decisiones. Los algoritmos ya están presentes en el derecho público con el objetivo de incrementar la eficacia de los servicios públicos y las políticas que han de llevar a efecto las distintas administraciones públicas.

Un elemento crítico en el uso de la Inteligencia Artificial es evitar el sesgo en los datos, así como abordar las cuestiones éticas que deben impregnar desde las herramientas hasta su desarrollo y despliegue. Una vez desarrollado un modelo de IA, sus resultados deberían ser humanamente comprensibles y aceptables, es decir, ser fiables. En dicho desarrollo, es conveniente que participen las partes interesadas (gobierno, ONGs, comunidad local, etc.). La confianza en instrumentos de comunicación (totalmente transparentes) basados en la IA es el mayor reto a vencer. Para ello es necesaria una cooperación eficaz entre los expertos en catástrofes, los desarrolladores de IA, los científicos, los reguladores, las administraciones públicas, las ONG, las empresas de telecomunicaciones y otros, para satisfacer las necesidades de todas las partes interesadas, sin olvidar que cada catástrofe tiene sus propias especificidades y cada entorno geográfico sus propias vulnerabilidades.

Se está avanzando mucho en cuanto a la disposición de los datos. Agencias públicas como el Group on Earth Observations (GEO), NASA o la Agencia Espacial Europea han dictado directrices o bases de datos para facilitar la apertura de datos que ponen a disposición, y que estos puedan ser empleados correctamente.

Importante para el desarrollo de la IA en la gestión de las catástrofes sería contar con directrices de normalización de ámbito internacional. La actividad de normalización en el ámbito que nos atañe es desarrollada por organizaciones internacionales como la Organización Internacional de Normalización (ISO), la Comisión Electrotécnica Internacional (IEC) y la Unión Internacional de Telecomunicaciones. Otros organismos de las Naciones Unidas, como la Organización Mundial de la Salud, el Programa de Naciones Unidas para el Medio Ambiente (PNUMA), la Oficina de las Naciones Unidas para la Reducción del Riesgo de Desastres (UNDRR) y el Programa Mundial de Alimentos (WFP), también contribuyen a la elaboración de reglamentos técnicos, marcos, prácticas recomendadas y normas en el ámbito de las catástrofes.

Hasta ahora, Estados Unidos y Europa no han avanzado a la par en este campo de la IA. Pareciera que los intereses no fueran coincidentes, como si no hubiera confianza. Ello se deduce de marcos normativos que han caminado por sendas individuales. Hay algunas luces de esperanza de que tanto Bruselas como Washington puedan crear en el futuro un espacio común para la IA, de modo que las empresas y organizaciones no tengan que establecer normativas diferenciadas en función de los territorios. Es muy necesario. La Casa Blanca publicó una Carta de Derechos de IA[906], con principios no vinculantes, para proteger a sus ciudadanos de sistemas inseguros e ineficaces, frente a discriminación algorítmica, violaciones de privacidad y decisiones inexplicables.

La Carta se puede resumir en cinco grandes temas[907]:

1. Los usuarios deben estar "protegidos de los sistemas automatizados inseguros o ineficaces", y las herramientas deben estar expresamente "diseñadas para protegerlos proactivamente de los daños".
2. Prohibición de los usos discriminatorios de los algoritmos y otras IA, y las herramientas deben desarrollarse impulsando la equidad.
3. Las empresas deben incorporar protecciones de la privacidad en los productos para evitar "prácticas de datos abusivas" y los usuarios deben tener "capacidad de decisión" sobre el uso de sus datos.
4. Los sistemas deben ser transparentes para que los usuarios "sepan que se está utilizando un sistema automatizado" y entiendan cómo les afecta.

---

906 White House. (n.d.). Blueprint for an AI Bill of Rights: Making automated systems work for the American people. https://bit.ly/3Yd7WR1

907 The Washington Post. (2022, October 4). White House unveils 'AI bill of rights' as 'call to action' to rein in tool. By Cristiano Lima. https://wapo.st/3iDmvgc

5. Los usuarios deben poder "excluirse de los sistemas automatizados en favor de una alternativa humana, cuando sea apropiado".

La Comisión Europea se propuso establecer un marco reglamentario sobre inteligencia artificial con los siguientes objetivos específicos:

1. Garantizar que los sistemas de IA introducidos y usados en el mercado de la UE sean seguros y respeten la legislación vigente en materia de derechos fundamentales y valores de la Unión.
2. Garantizar la seguridad jurídica para facilitar la inversión e innovación en IA;
3. Mejorar la gobernanza y la aplicación efectiva de la legislación vigente en materia de derechos fundamentales y los requisitos de seguridad aplicables a los sistemas de IA.
4. Facilitar el desarrollo de un mercado único para hacer un uso legal, seguro y fiable de las aplicaciones de IA y evitar la fragmentación del mercado.

Debe ser posible alinear esta Carta con la Ley de Inteligencia Artificial de la Unión Europea[908], y con las preocupaciones propias de sistemas complejos, con cierto grado de imprevisibilidad. Si bien observamos que la Carta de la Casa Blanca es un mero conjunto de principios, y la Ley Europea es una legislación muy exhaustiva[909]. Las directrices estadounidenses del National Institute of Standards and Technology (NIST, del Departamento de Comercio de Estados Unidos) también son "bastante genéricas".

---

908 Comisión Europea. (2021, 21 de abril). Propuesta de reglamento del Parlamento Europeo y del Consejo por el que se establecen normas armonizadas en materia de inteligencia artificial (Ley de Inteligencia Artificial) y se modifican determinados actos legislativos de la Unión. Bruselas, 2021/0106 (COD). https://bit.ly/3P1KSjP.

909 En el primer borrador de Reglamento Europeo sobre Inteligencia Artificial se incluyó la prohibición de lo que se califica como usos "inaceptables" de la IA, como, por ejemplo, calificar a las personas en función de su credibilidad percibida. Plantea la restricción del uso del reconocimiento facial por parte de las agencias de aplicación de la ley en lugares públicos. Cualquier persona ha de ser notificada cuando se detecten *deepfakes* de reconocimiento biométrico o IA que puedan leer sus emociones. También es controvertido el uso de sistemas policiales predictivos, pues pueden resultar racistas o carentes de transparencia. A todo esto, como podemos colegir, se suma un coro de críticas desde Silicon Valley al entender que creará trámites burocráticos adicionales para las empresas dedicadas a la inteligencia artificial. Europa ya ha demostrado que no teme a estas grandes tecnológicas, por cuanto multó a Amazon con 746 millones de euros en 2021 por infringir el RGPD, y Google hubo de abonar una multa de más de 4.000 millones de EUR anteriormente, en 2018, por incumplir las leyes europeas antimonopolio.

En los últimos años, la OCDE, el Foro Económico Mundial, la Comisión Europea y el Parlamento Europeo han publicado informes para describir principios útiles para una adecuada gobernanza, desarrollo y uso de la IA, así como la robótica y tecnologías relacionadas, para incrementar la seguridad y la confianza de la ciudadanía.

Las Directrices éticas para una IA fiable [910] (preparadas por el Grupo Independiente de Expertos de Alto Nivel sobre IA creado por la Comisión Europea en junio de 2018) señalaban que los órganos de gestión y los consejos de administración deberían valorar y discutir sobre los sistemas de IA cuando se detecten cuestiones críticas, recomendando que[911]:

"*Las organizaciones y partes interesadas pueden adoptar estas directrices y adaptar sus cartas de responsabilidad empresarial, sus indicadores clave de rendimiento («KPI»), sus códigos de conducta o sus documentos internos de política para contribuir a los esfuerzos conducentes a la creación de una IA fiable. Desde un punto de vista más general, una organización que trabaje en un sistema de IA puede documentar sus intenciones y sustentarlas en determinados valores considerados deseables, como los derechos fundamentales, la transparencia o el principio de no causar daño*".

Cabe recordar que, aunque no se hable explícitamente de Inteligencia Artificial, pero sí de la utilización de herramientas y procesos digitales en el campo del derecho societario, la Directiva (UE) 2019/1151 del Parlamento Europeo y del Consejo[912], de 20 de junio de 2019, modificó la Directiva (UE) 2017/1132 en lo que respecta al uso de herramientas y procesos digitales en derecho de sociedades, y lo hacía para poder garantizar un entorno jurídico y administrativo que estuviera a la altura de los nuevos retos que traen aparejados la globalización y la era digital.

Las conclusiones del Consejo de la UE[913] de 21 de octubre de 2020, instaban a:

---

[910] Comisión Europea, Dirección General de Redes de Comunicación, Contenido y Tecnologías. (2019). Directrices éticas para una IA fiable. Oficina de Publicaciones. https://data.europa.eu/doi/10.2759/14078

[911] Escribano, B., & Centeno, L. (Fecha no proporcionada). Consideraciones sobre el impacto de la propuesta de normativa europea sobre IA en los órganos de gobierno. EY Building a better working world. https://go.ey.com/3VP4kSU

[912] Directive (EU) 2019/1151 of the European Parliament and of the Council. (2019, June 20). Amending Directive (EU) 2017/1132 as regards the use of digital tools and processes in company law. Official Journal of the European Union. https://bit.ly/3KtOquJ

[913] Consejo de la Unión Europea. (2020). Conclusiones de la Presidencia–La Carta de los Derechos Fundamentales en el contexto de la inteligencia artificial y el cambio digital (Documento número 11481/20). https://bit.ly/3Hbn2jN

"afrontar la opacidad, la complejidad, el sesgo, cierto grado de imprevisibilidad y un comportamiento parcialmente autónomo de ciertos sistemas de IA, para garantizar su compatibilidad con los derechos fundamentales y facilitar la aplicación de las normas jurídicas."

Como tantas veces, esa necesidad de convergencia, de optimización normativa, viene de la mano de la economía más que de la seguridad. Bienvenido sea el propósito de "allanar el camino hacia un espacio transatlántico para la IA de confianza"[914] si alcanza la seguridad frente a las catástrofes, aunque su génesis sea el comercio.

En la propuesta de regulación que hace el Parlamento Europeo al Consejo en relación con el establecimiento de normas armonizadas sobre inteligencia artificial[915], se contemplaba en el Anexo III de dicha propuesta, un catálogo exhaustivo de "sistemas de IA de alto riesgo". A título referencial se señalaba la gestión y explotación de infraestructuras críticas (Sistemas de IA destinados a ser utilizados como componentes de seguridad en la gestión y funcionamiento del tráfico por carretera y el suministro de agua, gas, calefacción y electricidad), entre otras. En el Anexo IV se establecían los requerimientos de documentación técnica que se exigen a las empresas que generen sistemas de IA de alto riesgo antes de su puesta en servicio con la exigencia de la actualización permanente. La documentación habrá de detallar el sistema de gestión de riesgo.

La Conferencia General de la Organización de las Naciones Unidas para la Educación, la Ciencia y la Cultura (UNESCO), reunida en París del 9 al 24 de noviembre de 2021, adoptó en su 41ª reunión la Recomendación[916] sobre la Ética de la Inteligencia Artificial el siguiente considerando:

---

914 La expresión «allanar el camino hacia un espacio transatlántico para la IA de confianza» fue pronunciada en Bruselas el 21 de noviembre de 2022 por Margrethe Vestager, vicepresidenta de la Comisión, antes de la tercera reunión del Consejo de Comercio y Tecnología (TTC) entre la UE y EE.UU., a celebrar el 5 de diciembre.

915 European Commission. (2021). ANNEXES to the Proposal for a Regulation of the European Parliament and of the Council laying down harmonised rules on artificial intelligence (Artificial Intelligene Act) and amending certain Union Legislative Acts. LEGISLATIVE ACTS {SEC (2021) 167 final}–{SWD(2021) 84 final}–{SWD(2021) 85 final}. Brussels, 21.4.2021 COM (2021) 206 final. https://ec.europa.eu/newsroom/dae/redirection/document/75788.
https://ec.europa.eu/newsroom/dae/redirection/document/75789

916 UNESCO. (noviembre de 2022). Recomendación sobre la ética de la inteligencia artificial. https://bit.ly/3HvPHQu

"Las tecnologías de la IA pueden ser de gran utilidad para la humanidad y que todos los países puedan beneficiarse de ellas, pero que también suscitan preocupaciones éticas fundamentales, por ejemplo, en relación con los sesgos que pueden incorporar y exacerbar, lo que puede llegar a provocar discriminación, desigualdad, brechas digitales, y exclusión y suponer una amenaza para la diversidad cultural, social y biológica, así como generar divisiones sociales o económicas; la necesidad de transparencia e inteligibilidad del funcionamiento de los algoritmos y los datos con los que han sido entrenados; y su posible impacto en, entre otros, la dignidad humana, los derechos humanos y las libertades fundamentales, la igualdad de género, la democracia, los procesos sociales, económicos, políticos y culturales, las prácticas científicas y de ingeniería, el bienestar animal y el medio ambiente y los ecosistemas".

En la OCDE, 36 países miembros, junto con Argentina, Brasil, Colombia, Costa Rica, Perú y Rumanía suscribieron en París los "Principios de la OCDE sobre la Inteligencia Artificial". Sus postulados se resumen en cinco principios que la propia OCDE expresa resumidamente:

1. La IA debe estar al servicio de las personas y del planeta, impulsando su crecimiento inclusivo, el desarrollo sostenible y el bienestar;
2. Los sistemas de IA deben diseñarse de manera que respeten el Estado de derecho, los derechos humanos, los valores democráticos, así como la diversidad, e incorporar salvaguardas adecuadas –por ejemplo, permitiendo la intervención humana cuando sea necesario- con miras a garantizar una sociedad justa y equitativa;
3. Los sistemas de IA deben estar presididos por la transparencia y una divulgación responsable a fin de garantizar que las personas sepan cuándo están interactuando con ellos y puedan oponerse a los resultados de esa interacción;
4. Los sistemas de IA han de funcionar con robustez, de manera fiable y segura durante toda su vida útil, y los potenciales riesgos deberán evaluarse y gestionarse en todo momento;
5. Las organizaciones y las personas que desarrollen, desplieguen o gestionen sistemas de IA deberán responder de su correcto funcionamiento en consonancia con los principios precedentes.[917]

---

917 Organisation for Economic Cooperation and Development, OECD Legal Instruments. Recommendation of the Council on Artificial Intelligence, https://bit.ly/2VMUCRW

España cuenta con una Estrategia Nacional de Inteligencia Artificial (ENIA)[918], que se erige como uno de los ejes de la Agenda España Digital 2026[919], siendo uno de los elementos esenciales del Plan de Recuperación, Transformación y Resiliencia para la economía española[920]. Dicha Estrategia Nacional está alineada con los propósitos de la Unión Europea plasmados en la Agenda Digital para Europa[921], la Estrategia "IA para Europa"[922] -y que fue adoptada en el año 2018-, el Plan Coordinado de la IA[923], "cómo medir la transformación digital de la OCDE" [924], el Libro Blanco sobre Inteligencia Artificial[925] y la política europea "Artificial Intelligence"[926].

El Gobierno de España constituyó el 20 de julio de 2020 el Consejo Asesor de Inteligencia Artificial[927], configurándolo como órgano consultivo de análisis, asesoramiento y apoyo al Gobierno en el campo de la Inteligencia Artificial, estando adscrito al Ministerio de Asuntos Económicos y Transformación Digital. Dicho Consejo lo componen expertos españoles especialistas en este campo, como órgano colegiado dotado de plena autonomía funcional,

---

918 Ministerio de Asuntos Económicos y Transformación Digital. (2024). Estrategia de Inteligencia Artificial 2024. Gobierno de España. Recuperado de https://portal.mineco.gob.es/es-es/digitalizacionIA/Documents/Estrategia_IA_2024.pdf

919 https://bit.ly/3EJECJC

920 https://planderecuperacion.gob.es/ Presentado el 7 de octubre de 2020.

921 http://www.europarl.europa.eu/factsheets/es/sheet/64/una-agenda-digital-para-europa

922 https://eur-lex.europa.eu/legal-content/ES/TXT/HTML/?uri=CELEX:52018DC0795

923 European Commission. (2021, April 21). Communication from the Commission to the European Parliament, the European Council, the Council, the European Economic and Social Committee and the Committee of the Regions Fostering a European approach to Artificial Intelligence. Brussels. COM (2021) 205 final. https://bit.ly/3m62a4N La última revisión del Plan fue publicada en 2021, planteándose como siguiente paso que la UE se erija como un líder mundial de IA fiable.

924 https://doi.org/10.1787/af309cb9-es

925 Gobierno de España, Vicepresidencia Tercera del Gobierno. (2020, 19 de febrero). LIBRO BLANCO sobre la inteligencia artificial–un enfoque europeo orientado a la excelencia y la confianza. Comisión Europea, Bruselas. https://bit.ly/3EKDu8C

926 European Commission. (2018, April 25). Communication from the Commission to the European Parliament, the European Council, the Council, the European Economic and Social Committee and the Committee of the Regions. Artificial Intelligence for Europe. Brussels. https://bit.ly/3J0za7N

927 Boletín Oficial del Estado. (2020, 22 de julio). Orden ETD/670/2020, de 8 de julio, por la que se crea y regula el Consejo Asesor de Inteligencia Artificial. Número 199. https://bit.ly/3Zp9I0Y

y por tanto, independencia[928]. En este mismo año, en septiembre, se crea y regula el Consejo Consultivo para la Transformación Digital[929], que pretende el impulso en administraciones públicas y empresas de una economía del dato, así como la inteligencia artificial y la garantía de los derechos digitales de los ciudadanos. En noviembre del 2020 se publica la Estrategia Nacional de Inteligencia Artificial (ENIA)[930], al objeto de vertebrar la acción del conjunto de las administraciones públicas y establecer un marco referencial tanto a los sectores privados como al público. Dicha Estrategia fue revisada y actualizada con la Estrategia Nacional de Inteligencia Artificial 2024.

El Gobierno de España publicó en julio de 2021 la Carta de Derechos Digitales[931] que, aunque carece de rango normativo, es un claro marco referencial para garantizar los derechos de la ciudadanía en la era digital, donde lo virtual/digital y lo real (como hasta ahora lo conocíamos) confluyen. Son principios y derechos para servir de guía a futuros proyectos normativos, pretendiendo alcanzar una transformación que tenga carácter humanista, donde se garanticen en estos nuevos espacios que se abren los derechos a la libertad, la igualdad, protección de los menores, participación, etc.

En diciembre de 2022, se estableció que la sede de la futura Agencia Española de Supervisión de Inteligencia Artificial[932], fuese la ciudad de A Coruña.

De otra parte, y con cargo a fondos europeos, y enmarcado en la planificación del Plan de Recuperación, Transformación y Resiliencia el II Informe de Situación[933] elaborado en abril de 2022, en la denominada Palanca VI,

---

928 DIARIO EL PAÍS, "Expertos en IA rompen con el Gobierno por discrepancias éticas". Precisamente esa independencia fue puesta de largo por un grupo de expertos que manifestaron su oposición a que el Gobierno de España y un instituto de investigación de Emiratos Árabes Unidos (ADIA Lab) firmaran un convenio de colaboración (https://bit.ly/3KmpJjO), al entender estos que dicho acuerdo contradice los principios de ética y seguridad con los que el gobierno de España "se omprometió a desarrollar nuevas tecnologías". 29 de Marzo de 2023.

929 Boletín Oficial del Estado, (2020, 1 de octubre). Orden ETD/920/2020, de 28 de septiembre, por la que se crea y regula el Consejo Consultivo para la Transformación Digital. Número 260. https://bit.ly/3kuNwUy

930 Estrategia Nacional de Inteligencia Artificial (ENIA), https://bit.ly/3JUses2

931 Gobierno de España. (2021). Carta de Derechos Digitales. https://bit.ly/3ZpS10W

932 Boletín Oficial del Estado. (2022, 6 de diciembre). Orden PCM/1203/2022, de 5 de diciembre, por la que se publica el Acuerdo del Consejo de Ministros de 5 de diciembre de 2022, por el que se determina la sede física de la futura Agencia Española de Supervisión de Inteligencia Artificial. Número 292. https://bit.ly/3xYZQPO

933 https://bit.ly/3Y7jjcT

“pacto por la ciencia y la innovación. Refuerzo a las capacidades del Sistema Nacional de Salud”, se dota esta línea inversora con 5.025 millones EUR. Entre las reformas se da cuenta de los avances en materia del impulso de la Estrategia Nacional de Inteligencia Artificial, con expresión de las publicaciones de convocatorias efectuadas y convenios firmados hasta el momento.

El Real Decreto 729/2023, de 22 de agosto, del Estatuto de la Agencia Española de Supervisión de Inteligencia Artificial (AESIA), responde a los compromisos establecidos en la normativa europea y nacional en materia de inteligencia artificial y transformación digital. Prevista inicialmente en la Ley 22/2021, de Presupuestos Generales del Estado, y reforzada en la Ley 28/2022 de fomento del ecosistema de empresas emergentes, la AESIA se constituye como una Agencia Estatal dotada de personalidad jurídica pública, autonomía de gestión y potestad administrativa. Su finalidad principal es supervisar el cumplimiento de las normativas europeas en inteligencia artificial, incluida la Ley europea de inteligencia artificial (que comenzará a aplicarse en 2026), actuar como autoridad nacional de supervisión, y liderar el ecosistema español mediante iniciativas como sellos de calidad, pruebas reguladas y la generación de guías operacionales[934].

El Real Decreto 817/2023, de 8 de noviembre, establece un entorno controlado de pruebas para el desarrollo y experimentación de sistemas de inteligencia artificial en España, anticipándose a las exigencias del futuro marco europeo. Este “sandbox regulatorio” permite a empresas, centros de investigación y administraciones públicas ensayar en condiciones seguras el cumplimiento de los requisitos previstos en el Reglamento de Inteligencia Artificial de la Unión Europea, especialmente en lo relativo a los sistemas de alto riesgo. Su finalidad es doble: por un lado, garantizar la protección de los derechos fundamentales y la seguridad de los ciudadanos en el uso de estas tecnologías, y, por otro, favorecer la innovación y la competitividad del ecosistema digital español, proporcionando un marco jurídico claro y supervisado por la Agencia Española de Supervisión de la Inteligencia Artificial (AESIA).

Como una acción estratégica de futuro con gran potencial, resulta relevante destacar los trabajos en curso desarrollados por los centros que conforman la Red Española de Supercomputación. Estas iniciativas, orientadas a impulsar capacidades tecnológicas de vanguardia, podrían desempeñar un papel crucial en la transformación digital y en la resolución de problemas complejos

---

934 https://www.lamoncloa.gob.es/serviciosdeprensa/notasprensa/transformacion-digital-y-funcion-publica/Documents/2024/190624-Presentaci%C3%B3n-AESIA-Coru%C3%B1a.pdf

en ámbitos clave como la IA, el análisis de grandes volúmenes de datos y la sostenibilidad. Esta Red ha recibido por parte de la Secretaría de Estado de Digitalización e Inteligencia Artificial[935] una subvención directa para la consecución del proyecto Quantum Spain que consiste en poner a disposición de los investigadores, empresas y administraciones públicas un computador cuántico de altas prestaciones, capaz de desarrollar librerías de algoritmos cuánticos útiles para responder a problemas reales. La unión formada entre la startup de computación cuántica Qilimanjaro Quantum Tech (startup española, una de las cinco únicas a nivel mundial en este sector) y GMV (grupo tecnológico español) instalará el primer ordenador cuántico de la Red antes reseñada, y lo hará en Barcelona, concretamente en el Barcelona Supercomputing Center[936], con fondos europeos del Plan de Recuperación.

Conviene señalar el proyecto de agenda "España Digital 2026"[937], con el que el Gobierno de España actualiza la estrategia trazada en julio de 2020 en el ámbito de la transformación digital del país. En dicha agenda, se abordan capítulos que hacen referencia a la conectividad digital, la tecnología 5G, la ciberseguridad, la economía del dato e Inteligencia Artificial, además de la transformación del sector público, los derechos digitales, entre otros.

El ritmo de desarrollo de la inteligencia artificial continúa siendo vertiginoso. A finales de 2022, un artículo publicado en Science destacaba el impacto de AlphaCode, sistema desarrollado por DeepMind capaz de superar a programadores humanos en aproximadamente la mitad de las competiciones de código, anticipando la irrupción de modelos especializados de alto rendimiento. De forma paralela, ChatGPT puso de manifiesto las posibilidades de los grandes modelos lingüísticos (LLM), basados en redes neuronales de enorme escala capaces de aprender tareas complejas mediante la gestión de volúmenes masivos de texto generado por humanos.[938].

Desde entonces, nuevas generaciones como GPT-5, Claude 4 o Gemini 2.5 Pro han confirmado que estas arquitecturas no solo mantienen un crecimiento

---

935 Boletín Oficial del Estado, (2020, 27 de febrero). Real Decreto 403/2020, de 25 de febrero, por el que se desarrolla la estructura orgánica básica del Ministerio de Asuntos Económicos y Transformación Digital. Número 50. https://bit.ly/3kwv0Lr

936 Noticia informada por el Ministerio de Asuntos Económicos y Transformación Digital, el 27 de febrero de 2023. https://bit.ly/3IAC4P2

937 Gobierno de España. (sin fecha). Agenda "España Digital 2026". Proyecto financiado por la Unión Europea, Next Generation EU. https://bit.ly/431CszE. El alcance presupuestario global previsto se puede conocer a través del Proyecto RETECH IA, en: https://bit.ly/42P7QkE

938 Li, Y., et al. (2022). Science, 378(6582), 1092–1097.

exponencial en su capacidad de razonamiento y contextualización, sino que además amplían su ámbito de aplicación a la programación, la investigación científica, la producción cultural y la toma de decisiones estratégicas.

Dotar de visión a nuestro hardware ha permitido múltiples avances en coches autoconducidos, detección de objetos, vigilancia de producciones agrícolas, aunque aún los sistemas visuales dinámicos (capaces de navegar tanto por tierra como por agua) no se han implementado en nuestras máquinas. Investigadores del Laboratorio de Ciencias de la Computación e Inteligencia Artificial (CSAIL) del MIT, el Instituto de Ciencia y Tecnología de Gwangju (GIST) y la Universidad Nacional de Seúl (Corea), han desarrollado un sistema novedoso[939] que reproduce fielmente un sistema de visión artificial que permite desenvolverse en ambos campos, como lo haría, por cierto (en él se basa), el cangrejo violinista. Este avance permitiría desarrollar aplicaciones no convencionales, como la detección de movimiento panorámico y la evitación de obstáculos en entornos de cambio constante, así como la realidad aumentada[940] y virtual. Para Rogers[941], sus usos podrían ir desde la vigilancia de la población hasta el control medioambiental.

Es muy importante para la mejora en la gestión de las catástrofes, que los expertos que desarrollen algoritmos basados en IA cooperen con quienes habrán de utilizarlos. En ocasiones, se desarrollan proyectos que se comparten en conferencias científicas, en comités especializados, y rara vez con usuarios finales[942].

El uso de aplicaciones de IA en materia de protección civil ha de incentivarse desde las administraciones públicas en nuestro país, no debe haber dudas. Un desarrollo que debe respetar derechos fundamentales, y que opere de manera

---

939 Gordon, R. (2024, April 18). Researchers create the first artificial vision system for both land and water. MIT CSAIL. The paper was recently published in Nature Electronics. MIT professor Durand, F. wrote the paper alongside 15 coauthors. https://bit.ly/3iJ9stD

940 El concepto de "realidad aumentada" data de finales de los 90, y consiste en la técnica de proyectar objetos virtuales sobre el mundo real. La misma se adapta a la realidad de la capacidad del cerebro humano, teniendo en cuenta que este recibe alrededor de 10 millones de bits por segundo de información a través de los cinco sentidos, y desecha la mayor parte pues solo puede llegar a procesar poco más de 50 bits por segundo (solo usamos el 0,005% de la información disponible).

941 Rogers, J.A., catedrático Louis Simpson y Kimberly Querrey de Ciencia e Ingeniería de Materiales, Ingeniería Biomédica y Cirugía Neurológica de la Universidad Northwestern.

942 Kuglitsch, M. M., Pelivan, I., Ceola, S., et al. (2022). Facilitating adoption of AI in natural disaster management through collaboration. Nature Communications, 13, 1579. https://doi.org/10.1038/s41467-022-29285-6

fiable (legal, ética y robusta) como ya se ha advertido. Ha de generar confianza, y debe servir para impulsar la industria española en la materia, desde la innovación. La Ley de fomento del ecosistema de las empresas emergentes[943] (más conocida como Ley Startups) ha de servir y contribuir a este propósito. Se han abierto campos de innovación en la genómica, procesamiento de imágenes y vídeo, materiales, procesamiento del lenguaje natural, robótica, control del espectro inalámbrico, computación cuántica, entre otros. Estas tecnologías, convenientemente desarrolladas, contribuirán a hacer de nuestro país un país más seguro, y contribuir a que lo sea el resto del mundo. Y a generar empleo, para lo cual habrá que hacer un esfuerzo para que haya un amplio catálogo formativo que dé respuesta a las demandas del mercado[944].

Esos son los objetivos de la primera ley autonómica de Inteligencia Artificial[945], y que fue aprobada en Extremadura mediante la fórmula del Decreto Ley el pasado 8 de marzo de 2023, que, en particular, pone el foco en la región como un lugar "adecuado para la inversión empresarial en el sector de la inteligencia artificial", un sector que configura la IA desde una óptica de ética, confiabilidad y respeto con los derechos humanos.[946]

---

943 Ley 28/2022, de 21 de diciembre, de fomento del ecosistema de las empresas emergentes. (2022, 22 de diciembre). Boletín Oficial del Estado, número 306.

944 Se reseña a título de ejemplo el Curso de Especialización en IA y Big Data de Formación Profesional aprobado en 2021. Real Decreto 279/2021, de 20 de abril, por el que se establece el Curso de especialización en Inteligencia Artificial y Big Data y se fijan los aspectos básicos del currículo. BOE núm. 111, de 10 de mayo de 2021. https://bit.ly/3SCOjz3

945 Decreto-Ley 2/2023, de 8 de marzo, de medidas urgentes de impulso a la inteligencia artificial en Extremadura.

946 La última conferencia internacional organizada es la número 19, y por su interés, se reseñan los títulos de las comunicaciones presentadas a esta edición:
Aplicaciones de IA para la detección de fenómenos de ciencias de la Tierra
IA aplicada a conjuntos de datos de observación de la Tierra aerotransportados o espaciales
IA y clima: impacto y oportunidades
IA para el apoyo a la toma de decisiones
AI for Earth: Creación de una plataforma de canalización de API extensible y distribuida para la inteligencia artificial
IA para la ciencia ambiental
IA en observaciones de radar
Avances en el uso de técnicas de inteligencia artificial en apoyo de la aviación, el alcance y la meteorología aeroespacial
Aplicaciones del aprendizaje automático en el modelado del sistema terrestre
Aplicaciones de inteligencia artificial en el medio costero

Queda aún pendiente de impulsar el Observatorio sobre el Impacto Social de los Algoritmos (OBISAL), cuya creación estaba prevista en la Estrategia Nacional de Inteligencia Artificial (ENIA), y que tendrá por misión principal auditar los algoritmos empleados tanto en el sector público como en el privado, con el objetivo de identificar y corregir posibles sesgos discriminatorios. Este organismo será esencial para garantizar la justicia, la transparencia y la equidad en el uso de la inteligencia artificial, promoviendo un entorno donde las tecnologías avanzadas se desarrollen y utilicen de manera responsable, respetando los derechos fundamentales y contribuyendo a una sociedad más inclusiva.

1.2.1.- ChatGPT, ChatGPT Plus, ChatGPT-4o y ChatGPT-5.2

Como señalaban en sus inicios en su página web, se trata de un modelo "que interactúa de forma conversacional. El formato de diálogo hace posible

---

Big Data, Big Computing, ciencia más grande: Inteligencia artificial habilitada para computación de alto rendimiento
Aplicaciones de aprendizaje profundo para ciencias ambientales
Medio Ambiente
Predicción meteorológica de alto impacto con IA
Historia de las mujeres en la estadística y la IA
Historia del Comité de IA de AMS
Historia de las mujeres en Prob/Stat y AI
Cómo la inteligencia artificial a escala vinculará los datos meteorológicos y climáticos con la sociedad
Enfoques híbridos de aprendizaje profundo/estadísticos
Incorporación de la ciencia de datos y el aprendizaje automático en la educación en ciencias atmosféricas
Aprendizaje automático interpretable
Aplicaciones de aprendizaje automático en el sector energético; Aprendizaje automático para la parametrización de subredes en modelos meteorológicos y climáticos
Aprendizaje automático para la predicción subestacional a estacional
Interpretabilidad física en el aprendizaje automático
¡¡Auge de las máquinas!! Aprendizaje automático e inteligencia artificial para el clima espacial;
Impactos sociales y económicos de la IA
El futuro de la IA en la ciencia ambiental
Análisis y predicción de ciclones tropicales con aprendizaje automático
Cuantificación de la incertidumbre con aprendizaje automático
Pronóstico del tiempo basado en la combinación de aprendizaje automático y modelos numéricos
Transición de los sistemas de predicción de inteligencia artificial (IA) a las operaciones

que ChatGPT[947] responda a preguntas de seguimiento, admita sus errores, cuestione premisas incorrectas y rechace peticiones inapropiadas."

La empresa que lo impulsa es OpenAI, y puso en marcha, desde San Francisco, ChatGPT en noviembre de 2022, basándose en la inteligencia artificial. Según la Universidad de Stanford, GPT-3 tenía 175.000 millones de parámetros (su antecesor, GPT-2 tenía 1.500 millones)[948]. ChatGPT-5.2, es ampliamente superior.

Nos vamos a centrar en el impacto de ChatGPT, que está adquiriendo gran popularidad, existiendo en este momento en el mercado cursos avanzados para su aplicación en distintos sectores de actividad como es el campo de la empresa o el marketing. Tal es la popularidad que en la Universidad de Stanford,[949] la comunidad de profesores está preocupada porque los alumnos en sus exámenes finales están usando esta aplicación, algo compartido en nuestras aulas también. No obstante, los investigadores de la Universidad de Stanford han desarrollado DetectGPT, una herramienta que ayuda a identificar los textos generados por ChatGPT, así como otros modelos lingüísticos. La herramienta se basa en comprobar la probabilidad logarítmica que posee un texto, con una probabilidad de acierto del 95%. En writer.com[950], podemos gratuitamente hacer pruebas de texto hasta con 1.500 caracteres, y verificar si son creados por un ser humano (expresado en porcentaje). La propia aplicación ChatGPT está implementando sistemas de seguridad, si bien los alumnos, en esto, también innovan.

Pero más allá de la controversia antes descrita, un modelo lingüístico como ChatGPT podría ayudar en las catástrofes. Hemos descrito en esta Tesis la importancia de formar a las personas ante las catástrofes, pues no siempre los servicios pueden ayudar en la forma y el tiempo que se requieren. Ser agentes activos y formados, no siempre es posible. Uno puede estar sensibilizado respecto de los riesgos de su entorno, pero no de los riesgos no habituales, o de los riesgos que puede padecer fuera de su área de residencia.

---

947 "Introducing ChatGPT." OpenAI, 30 Nov. 2022, https://openai.com/blog/chatgpt. 932 OpenAI. (2022, 30 de noviembre). Introducing ChatGPT. https://openai.com/blog/chatgpt 933 Tiene como partner e inversor, con un billón de dólares a Microsoft.

948 OpenAI. (2019, 5 de noviembre). GPT-2: 1.5B Release. https://openai.com/research/gpt-21-5b-release.

949 Allen Cu, M., & Hochman, S. (2023, 22 de enero). Scores of Stanford students used ChatGPT on final exams, survey suggests. The Stanford Daily. https://bit.ly/3Z9TFEu

950 https://writer.com/ai-content-detector/

Si uno vive en zona sísmica tendrá seguramente formación acerca del riesgo, y si es en zona volcánica, o si vive en llanuras de inundación o en zonas próximas a una central nuclear. Pero cuando uno se desplaza, no dispone de esa formación, precisa para la casuística local.

Sin duda hay un elemento que está con nosotros habitualmente, me refiero al teléfono móvil. En el año 2021 se vendieron en el mundo 1.433,86 millones de smartphones[951] (en 2011 eran 472 millones). Concretamente España es el país con más teléfonos móviles por habitante, un 96%, cifra superior a países como Francia, Estados Unidos o China. Sorprende conocer que en España hay, a día de hoy, más líneas de telefonía móvil que habitantes (en torno ya a los 60 millones).

En 2024, el 96,8 % de los hogares españoles disponían de acceso a Internet mediante conexión de banda ancha fija o móvil, consolidando una penetración prácticamente universal. El uso en los últimos tres meses alcanzaba al 95,8 % de la población de 16 a 74 años, con cifras cercanas a la universalidad en el grupo de 16 a 24 años (más del 99 %). Entre los 55 y los 64 años la proporción se situaba en torno al 90 %, mientras que en el tramo de 65 a 74 años ascendía al 82-83 %, lo que supone un avance notable respecto a años anteriores. La brecha digital persiste, sin embargo, en los mayores de 74 años, entre los cuales apenas un 42 % había utilizado Internet en el período de referencia, reflejando la necesidad de políticas específicas de inclusión digital para este colectivo. Hay que hacer constar que no se observan en este estudio del INE desigualdades por sexo.

Pero una cosa es disponer de un teléfono móvil, otra disponer de internet en el hogar y otra disponer de un smartphone, es decir un teléfono inteligente con conexión a internet. En España[952], casi el 100 % de sus habitantes tiene un smartphone, un tercio un ordenador y algo más de la mitad una tablet.

Por tanto, vamos caminando hacia un mundo que no se puede concebir sin la utilización de dispositivos móviles. Cada día en nuestro país, según el citado Informe, la mayoría de los españoles navegan por internet utilizando sus smartphones, familiarizándose con los asistentes virtuales y el uso de la voz para agilizar las tareas diarias.

---

951 Statista. (s.f.). Número de smartphones vendidos al usuario final a nivel mundial de 2011 a 2021. https://bit.ly/3EMefTs

952 Resumen y conclusiones del Informe Mobile 2022 España y el Mundo. https://bit.ly/3J0nhyB

Y es ahí donde radica la utilidad de sistemas como ChatGPT o similares que algún día pudieran aparecer en la Unión Europea.

Sin embargo, la evolución de este sistema de IA ha sido tan vertiginosa que algunos expertos y prescriptores en este campo alertan de posibles amenazas.

Para Latorre[953], que es una especialista en la materia al definir la "singularidad" nos lo explica del siguiente modo:

"La premonición de la `singularidad´ es sencilla de enunciar: una inteligencia artificial (IA) suficientemente avanzada podrá mejorarse a sí misma, en un bucle infinito que dará lugar a una explosión exponencial de su poder intelectual. En ese momento, los humanos quedarán rezagados y pasarán a ser irrelevantes en el devenir de la solución. Ese será el instante de la `singularidad´".

Hablan de una "carrera sin control"[954], y lo hacen más de mil firmantes de una carta abierta[955] entre los que se encuentran empresarios, intelectuales

---

953 Latorre, J. I. (26 de diciembre de 2022). EL MUNDO, suplemento sobre inteligencia artificial. Página 8. Latorre es Catedrático de Física Teórica en la Universitat de Barcelona, Director del Centre for Quantum Technologies, en Singapur, y Chief Researcher del Technology Innovation Institute, en Abu Dhabi.

954 Diario El País. (30 de marzo de 2023). La carrera sin control de los ChatGPT.

955 Future of Life Institute. (sin fecha). Pause Giant Experiments: An Open Letter. Por su interés se reproduce traducida:
Los sistemas de IA con una inteligencia competitiva con la humana pueden plantear profundos riesgos para la sociedad y la humanidad, como demuestran numerosas investigaciones y reconocen los principales laboratorios de IA. Como se afirma en los Principios de IA de Asilomar, ampliamente respaldados, la IA avanzada podría representar un cambio profundo en la historia de la vida en la Tierra, y debería planificarse y gestionarse con el cuidado y los recursos adecuados. Por desgracia, este nivel de planificación y gestión no se está produciendo, a pesar de que en los últimos meses los laboratorios de IA se han visto inmersos en una carrera fuera de control para desarrollar y desplegar mentes digitales cada vez más poderosas que nadie -ni siquiera sus creadores- puede entender, predecir o controlar de forma fiable.
Los sistemas contemporáneos de IA están llegando a competir con los humanos en tareas generales, y debemos preguntarnos: ¿Debemos dejar que las máquinas inunden nuestros canales de información con propaganda y falsedades? ¿Debemos automatizar todos los trabajos, incluidos los satisfactorios? ¿Debemos desarrollar mentes no humanas que con el tiempo nos superen en número, inteligencia, obsolescencia y reemplazo? ¿Debemos arriesgarnos a perder el control de nuestra civilización? Estas decisiones no deben delegarse en líderes tecnológicos no elegidos. Los sistemas de IA potentes sólo deben desarrollarse cuando estemos seguros de que sus efectos serán positivos y sus riesgos controlables. Esta confianza debe estar bien justificada y aumentar con la magnitud de los efectos potenciales de un

e investigadores. Es por ello que piden poner en modo pausa durante al menos seis meses sistemas más avanzados que el anunciado GPT-4[956] por los

---

sistema. La reciente declaración de OpenAI en relación con la inteligencia artificial general, afirma que "En algún momento, puede ser importante obtener una revisión independiente antes de empezar a entrenar futuros sistemas, y que los esfuerzos más avanzados acuerden limitar la tasa de crecimiento de la computación utilizada para crear nuevos modelos." Estamos de acuerdo. Ese punto es ahora.
Por lo tanto, pedimos a todos los laboratorios de IA que pausen inmediatamente durante al menos 6 meses el entrenamiento de sistemas de IA más potentes que el GPT-4. Esta pausa debería ser pública y verificable. Esta pausa debe ser pública y verificable, e incluir a todos los actores clave. Si esta pausa no puede realizarse rápidamente, los gobiernos deberían intervenir e instituir una moratoria.
Los laboratorios de IA y los expertos independientes deberían aprovechar esta pausa para desarrollar y aplicar conjuntamente un conjunto de protocolos de seguridad compartidos para el diseño y desarrollo de IA avanzada que sean rigurosamente auditados y supervisados por expertos externos independientes. Estos protocolos deberían garantizar que los sistemas que se adhieran a ellos sean seguros más allá de toda duda razonable. Esto no significa una pausa en el desarrollo de la IA en general, sino simplemente un paso atrás en la peligrosa carrera hacia modelos de caja negra impredecibles y cada vez más grandes con capacidades emergentes.
La investigación y el desarrollo de la IA deben volver a centrarse en conseguir que los potentes sistemas de vanguardia actuales sean más precisos, seguros, interpretables, transparentes, robustos, alineados, fiables y leales.
Paralelamente, los desarrolladores de IA deben trabajar con los responsables políticos para acelerar drásticamente el desarrollo de sistemas sólidos de gobernanza de la IA. Estos deberían incluir, como mínimo: autoridades reguladoras nuevas y capaces dedicadas a la IA; supervisión y seguimiento de sistemas de IA altamente capaces y grandes reservas de capacidad computacional; sistemas de procedencia y marca de agua para ayudar a distinguir lo real de lo sintético y rastrear las fugas de modelos; un ecosistema sólido de auditoría y certificación; responsabilidad por los daños causados por la IA; financiación pública sólida para la investigación técnica de seguridad de la IA; e instituciones bien dotadas de recursos para hacer frente a las drásticas perturbaciones económicas y políticas (especialmente para la democracia) que causará la IA.
La humanidad puede disfrutar de un futuro próspero con la IA. Tras haber logrado crear potentes sistemas de IA, ahora podemos disfrutar de un "verano de la IA" en el que cosechemos los frutos, diseñemos estos sistemas para el claro beneficio de todos y demos a la sociedad la oportunidad de adaptarse. La sociedad ha puesto en pausa otras tecnologías con efectos potencialmente catastróficos para la sociedad. Podemos hacerlo aquí. Disfrutemos de un largo verano de la IA, no nos precipitemos sin estar preparados a un otoño. Visto 18 de abril de 2024 en, https://bit.ly/3G4KI86

956 Para más información sobre ChatGPT-4 puede consultarse el documento elaborado por la compañía Open AI en marzo de 2023: GPT-4 System Card Open AI. https://cdn.openai.com/papers/gpt-4-system-card.pdf

profundos riesgos que pueden llevar aparejados para la sociedad y para el conjunto de la humanidad. Al irrumpir la siguiente versión, no hubo carta.

En China también se ha impulsado el desarrollo de sistemas similares a ChatGPT, aunque no existen evidencias concluyentes de que hayan alcanzado el mismo nivel de sofisticación que los modelos occidentales, al menos por el momento. Destaca el caso de DeepSeek, de código abierto, que ha despertado interés por su eficiencia en costes y sus capacidades de razonamiento, así como el despliegue por parte de Baidu de su chatbot Ernie Bot, con versiones recientes como ERNIE 4.5 y el modelo de razonamiento ERNIE X1, que han conseguido atraer a centenares de millones de usuarios. Estos avances forman parte de una estrategia nacional más amplia por situar a China en la vanguardia de la inteligencia artificial generativa, combinando inversión tecnológica con difusión masiva en sus principales plataformas digitales.

Sin embargo, el uso de estas aplicaciones se encuentra condicionado por un marco normativo y de control político más restrictivo, lo que limita la libertad de expresión y el alcance de los resultados frente a modelos como los desarrollados en Estados Unidos o Europa. Pese a ello, el interés social es evidente: muchos usuarios han accedido a estos sistemas mediante fórmulas de pago o a través de vías alternativas, compartiendo capturas de pantalla y vídeos cortos que se han vuelto virales en redes sociales chinas. No obstante, todavía no se ha constatado de forma clara que alguna de estas propuestas haya alcanzado una robustez, escalabilidad y aceptación internacional equiparable a la lograda por ChatGPT. Una de las causas de la viralidad[957] ha sido la capacidad de trabajar ChatGPT en chino, que incluso se atreve a imitar el estilo de Hu Xijin, ex redactor jefe del principal órgano al servicio de la propaganda china, el Global Times. Aunque, tal vez no tardaremos en ver ChatGPT chino[958].

Lo que queda claro es que hay un deseo de responder a muchas interrogantes, y se quiere hacer poniendo el acento en la regulación de este siste-

---

957 Yang, Z. (febrero de 2023). Inside the ChatGPT race in China. MIT Technology Review. https://bit.ly/3GikZsW

958 Terminamos la frase en interrogación pues un ChatGPT altamente desarrollado no tiene precisamente adherencia con regímenes cuyos márgenes de libertad están excesivamente controlados en cualquier campo de actividad. El Gobierno de China ejerce un claro control sobre el lenguaje, y eso cercena la capacidad de los algoritmos por un exceso en los sesgos y límites introducidos en su programación.

ma, algo bastante improbable. O se permite, o se prohíbe[959], pero regular sistemas con estos niveles de capacidad será difícil de poder llevar a efecto.

El que se considera padrino de la IA, Hinton[960], nos alerta con contundencia de los peligros, y de que pueda causar graves daños. Por eso apela a la responsabilidad de los gobiernos para garantizar una IA que se desarrolle "pensando mucho en cómo evitar que se convierta en algo peligroso".

China ha avanzado en el desarrollo de un marco regulatorio específico para la inteligencia artificial generativa, que entró en vigor en agosto de 2023 bajo la denominación de "Medidas Provisionales para la Gestión de Servicios de IA Generativa". Esta normativa establece, entre otros aspectos, que los proveedores y desarrolladores son responsables de los contenidos generados por sus sistemas y de los posibles fallos asociados a su uso. Asimismo, impone obligaciones en materia de seguridad, transparencia y control de datos, exige pruebas previas de seguridad antes de lanzar nuevos modelos al mercado y limita la difusión de resultados que contravengan la legislación china o los valores socialistas. Con ello, el Gobierno de Pekín busca simultáneamente fomentar la innovación en IA y mantener un control estricto sobre sus aplicaciones, especialmente en el ámbito de la información y la comunicación pública. En la Unión Europea, el debate sobre la regulación de la inteligencia artificial ha dado un paso decisivo con la aprobación definitiva en mayo de 2024 del Reglamento de Inteligencia Artificial (AI Act), la primera norma integral del mundo en esta materia. Este marco jurídico introduce obligaciones específicas para los sistemas de IA generativa, como ChatGPT, que deberán cumplir requisitos de transparencia, trazabilidad de datos, etiquetado de contenidos y mecanismos para evitar la generación de resultados ilícitos o sesgados. Además, se ha previsto la creación de una Oficina Europea de Inteligencia Artificial, encargada de coordinar la supervisión a nivel comunitario, velar por la aplicación uniforme del Reglamento y apoyar a los Estados miembros en la adaptación de sus marcos nacionales[961].

---

959 Cortés, U. Catedrático de Inteligencia Artificial de la Universidad Politécnica de Cataluña: "Espero que haya una prohibición muy pronto y que se explique bien a la población cuales son los peligros aquí. Que no son solo la privacidad, estamos hablando de muchos puestos de trabajo e incluso de la democracia". Diario ABC, Pg. 40, 15 de Abril de 2023.

960 Hinton, G. (1 de mayo de 2023). The Godfather of A.I.' Leaves Google and Warns of Danger Ahead. New York Times. https://binged.it/3M1jVgt.

961 Unión Europea. (2024). Reglamento (UE) 2024/1689 del Parlamento Europeo y del Consejo, de 13 de junio de 2024, por el que se establecen normas armonizadas en materia de inteligencia artificial y se modifican determinados actos legislativos de la

En España, la Agencia Española de Protección de Datos (AEPD) abrió en 2023 actuaciones de investigación sobre ChatGPT, en el marco de sus competencias en materia de protección de datos personales y como parte de la cooperación europea en el seno del Comité Europeo de Protección de Datos. Este tipo de avances tecnológicos ha generado un debate regulatorio acelerado a nivel internacional, dado que irrumpieron con tal rapidez que sorprendieron incluso a las propias instituciones. De hecho, Italia fue el primer país europeo en suspender temporalmente el uso de ChatGPT en marzo de 2023, hasta verificar si el tratamiento de datos personales realizado por el sistema cumplía con el Reglamento General de Protección de Datos (RGPD), lo que evidenció la necesidad de adaptar los marcos regulatorios existentes a las particularidades de la inteligencia artificial generativa.

Tal vez, encontremos las respuestas correctas, no solo en el ámbito de la regulación, sino mediante la asunción de un sistema de valores culturales y éticos reforzados que guíen todo lo que está por venir en estos avances y otros que sin duda conoceremos en breve.

1.2.2.- Un derecho: el acceso a la información en catástrofes y el uso de ChatGPT

Hasta ahora, vemos como muchos de los ejemplos descritos proceden de Estados Unidos. Sería deseable que hubiera plataformas europeas líderes y que esas plataformas pudieran prestar un servicio especializado para escenarios de riesgos específicos en la Unión Europea.

Preguntado ChatGPT 4 para que nos ilustre de algunas aplicaciones de la IA en la respuesta y gestión de las catástrofes naturales, nos señala[962] que es útil para:

1. Detección temprana: IA puede analizar datos sísmicos, meteorológicos y de sensores para predecir y alertar sobre terremotos, inundaciones, huracanes y otros desastres naturales.
2. Análisis de imágenes: Drones y satélites equipados con IA pueden evaluar daños, identificar áreas afectadas y optimizar rutas de rescate

---

Unión (Reglamento de Inteligencia Artificial). Diario Oficial de la Unión Europea, L, 2024/1689. Recuperado de https://eur-lex.europa.eu/eli/reg/2024/1689/oj

962 Prueba realizada el 30 de marzo de 2023.

3. Coordinación de ayuda: IA puede gestionar y optimizar la distribución de recursos y personal de emergencia, reduciendo el tiempo de respuesta y mejorando la eficiencia.
4. Comunicación en tiempo real: IA puede monitorear redes sociales y otras fuentes de información para identificar áreas críticas, necesidades y patrones emergentes, permitiendo una respuesta más rápida y precisa.
5. Simulaciones y entrenamiento: IA puede generar simulaciones realistas de desastres naturales para capacitar a los equipos de rescate y planificadores de emergencia en la toma de decisiones y la evaluación de estrategias de respuesta.
6. Análisis de riesgos y planificación: IA puede modelar y predecir posibles impactos de desastres naturales en infraestructuras y comunidades, ayudando en la planificación de medidas preventivas y de mitigación.
7. Recuperación y reconstrucción: IA puede evaluar y priorizar áreas de reconstrucción, optimizando la asignación de recursos y esfuerzos para restaurar infraestructuras y servicios esenciales.
8. Monitoreo de la salud pública: IA puede analizar datos médicos y ambientales para identificar brotes de enfermedades o problemas de salud relacionados con desastres naturales, permitiendo una respuesta sanitaria más efectiva.

Es seguro que las empresas harán propuestas comerciales basadas en la implementación de soluciones basadas en IA para distintos ámbitos productivos como son la construcción, la obra pública, infraestructuras, etc. Aquí se trata de universalizar conocimientos básicos de prevención, mitigación y respuesta para los ciudadanos. Los conocimientos en esta materia han de ser universalmente compartidos, y de modo gratuito, estando pues hablando de un derecho. Un derecho para reducir la mortalidad ante los desastres, para reducir las personas afectadas, y para contribuir a reducir los daños a los bienes e infraestructuras. Un derecho para contribuir a lograr los objetivos del Marco de Sendai y los Objetivos de Desarrollo Sostenible.

Como quiera que no tenemos sistemas europeos, nos basamos en esta propuesta en el sistema norteamericano, ChatGPT.

Pero lo que proponemos en este libro es modernizar los procesos de toma de decisiones ante riesgos que pueden derivar en catástrofes, con el apoyo de la Inteligencia Artificial, pues sólo con ella se pueden resolver escenarios complejos con escaso margen de tiempo. Ir un paso más, en definitiva, enseñar a la IA en actuaciones que tendrán un plus de utilidad respecto a la potencialidad actual.

Si bien buena parte de los desastres naturales son impredecibles, desde terremotos hasta fuertes vientos, a estas alturas sabemos que el cambio climático contribuye a incrementar su severidad. ¿Qué puede hacer por nosotros un sistema como ChatGPT?

Puede proporcionar ayuda en forma de información, y la información es clave para la toma de decisiones. Como quiera que ChatGPT se nutre de distintas fuentes de datos, como son los pronósticos meteorológicos o sistemas de alerta, podemos concluir que como fuente informativa es un canal altamente valioso, además de que opera 24/7, y es fácilmente accesible, pudiendo operar mediante voz.

Se ha realizado la prueba empírica de preguntar a ChatGPT acerca de lo anterior. Al preguntar al sistema: "búscame fuentes fiables de información sobre consejos ante catástrofes en España", el sistema ha respondido[963]:

> "Por supuesto, aquí hay algunas fuentes fiables de información sobre consejos ante catástrofes en España:
>
> 1 Protección Civil y Emergencias: el sitio web del Ministerio del Interior de España ofrece información sobre cómo prepararse para desastres y emergencias. Proporciona información sobre planes de emergencia, consejos para la prevención de riesgos, así como recomendaciones específicas para diferentes tipos de desastres, como incendios forestales, inundaciones o terremotos.
>
> 2 Cruz Roja Española: la Cruz Roja ofrece información y consejos prácticos sobre cómo prepararse para desastres y emergencias en su sitio web. También proporciona información sobre cómo responder en caso de emergencia, cómo ayudar a los demás y cómo cuidar de la salud emocional después de un desastre.
>
> 3 Centro Nacional de Prevención de Desastres (CENAPRED): el CENAPRED es un organismo dependiente del Ministerio del Interior de España que se encarga de la prevención y gestión de desastres. Ofrece información sobre diferentes tipos de riesgos para diferentes tipos de desastres, así como recomendaciones específicas para la prevención de riesgos.
>
> 4 Agencia Estatal de Meteorología (AEMET): la AEMET proporciona información actualizada sobre las condiciones meteorológicas y avisos de fenómenos meteorológicos adversos en España. Es una fuente importante de información para estar preparados ante fenómenos como tormentas, ciclones, inundaciones y otros eventos meteorológicos extremos.
>
> Es importante recordar que los consejos y recursos pueden variar según el tipo de desastre o emergencia en cuestión y la región de España en la que se en-

---

963 Prueba realizada el 1 de marzo de 2023. Al final de las cuatro opciones respondidas hay un último párrafo que señala: "Es importante recordar que los consejos y recursos pueden variar según el tipo de desastre o emergencia en cuestión y la región de España en la que se encuentre. Siempre es una buena idea consultar fuentes oficiales y confiables antes de tomar medidas para prepararse o responder a una emergencia".

> cuentren. Siempre es buena idea consultar fuentes oficiales y confiables antes de tomar medidas para prepararse o responder a una emergencia."

A pesar de que la tercera fuente es incorrecta, en relación con la dependencia orgánica indicada[964], ciertamente es más rápida la orientación que proporciona ChatGPT en esta materia que si formuláramos dicha pregunta al buscador de Google. Preguntado al buscador de Google[965], éste arroja las siguientes respuestas:

1. Guía de Emergencias para catástrofes naturales del Ministerio de Asuntos Exteriores del Gobierno de España.
2. Protección Ante Emergencias y Catástrofes de la Dirección de Seguridad Nacional.
3. Marco Eficaz de Gestión del Riesgo de Catástrofes en España del MITECO.
4. España ante las emergencias y catástrofes. Instituto Español de Estudios Estratégicos.
5. Sistema Nacional de Protección Civil, Dirección General de Protección Civil y Emergencias, Ministerio del Interior del Gobierno de España.
6. Cómo preparar a su familia para un desastre natural, Healthychildren.org, de la American Academy of Pediatrics.

La primera de las referencias se refiere a una Guía de Emergencia para Catástrofes Naturales recomendada por el Ministerio de Asuntos Exteriores, Unión Europea y Cooperación, específicamente si se visita Nueva Zelanda. La segunda está centrada en la Seguridad Nacional. La tercera hace referencia a la gestión del riesgo de catástrofes promoviendo la adaptación al cambio climático, la prevención de riesgos y la resiliencia frente a las catástrofes. La cuarta, es un amplio estudio donde se pone esencialmente en valor el papel de las Fuerzas Armadas. La quinta, nos habla del Sistema Nacional de Protección Civil, bajo el apartado de Coordinación, donde también se engloba el Centro Nacional de Seguimiento y Coordinación de Emergencias (CENEM), Redes, etc. La sexta es una guía de actuación elaborada por pediatras norteamericanos, en consonancia con los trabajos que hace la Federal Emergency Management Agency de Estados Unidos.

---

[964] El CENAPRED pertenece al Gobierno de México.

[965] Buscado en https://bit.ly/3SG8Y5i, el 1 de marzo de 2023.

Observamos que ChatGPT nos acerca más certeramente al objeto de la consulta, que seguiremos desarrollando a continuación. Y si realizamos la pregunta a la nueva versión de ChatGPT-4o, observamos que los errores anteriores ya son corregidos, y se incorporan las páginas web de cada una de las fuentes.

1. Protección Civil de España–http://www.proteccioncivil.es/
2. Dirección General de Protección Civil y Emergencias - http://www.proteccioncivil.gob.es/
3. Cruz Roja Española–https://www.cruzroja.es/
4. Centro de Coordinación de Emergencias (112)–https://www.112.es/
5. Agencia Estatal de Meteorología (AEMET)–http://www.aemet.es/
6. Instituto Geográfico Nacional (IGN)–http://www.ign.es/

(Estas organizaciones ofrecen información actualizada y consejos para enfrentarse a diferentes tipos de catástrofes, como inundaciones, terremotos, incendios forestales, entre otros.).[966] El apoyo emocional es también una utilidad. No encontraremos fácilmente apoyo emocional teniendo que localizar mediante un buscador una página que nos ofrezca ayuda. Propongamos retos, tal vez exagerados, para ver qué nos ofrece la IA de este sistema. Imaginemos que nos encontramos tras un terremoto en una oquedad derivada del derrumbe del edificio en el que nos encontrábamos residiendo. Le preguntamos a ChatGPT qué hacer tras el hundimiento de un edificio en un terremoto, y quedar atrapado[967].

> "Lo siento mucho por lo que estás pasando. Si estás atrapado en un edificio que se ha derrumbado debido a un terremoto, aquí te dejo algunos pasos a seguir:
>
> 1 Mantén la calma: Trata de mantener la calma y no entres en pánico. Mantén la respiración lenta y profunda para no consumir mucho oxígeno.
>
> 2 Busca un espacio seguro: Busca un lugar seguro en el que puedas protegerte de los escombros que puedan caer. Busca una mesa, escritorio o algún objeto resistente para protegerte de la caída de escombros.
>
> 3 Haz ruido: Trata de hacer ruido golpeando paredes o superficies para alertar a los equipos de rescate que están buscando sobrevivientes. También puedes gritar pidiendo ayuda.

966 Consulta realizada el 30 de marzo de 2023 en ChatGPT 4. Si incluyese el teléfono e incluso la opción de marcación por voz de cada uno de ellos (casos en los que no puede moverse o realizar dicha acción), se podría dar un salto de calidad en la utilidad del sistema.

967 Consulta realizada el 1 de marzo de 2023.

4 Conserva la energía: Si no estás herido, trata de no moverte mucho para evitar gastar energía innecesariamente. Si tienes un teléfono móvil, úsalo con moderación para preservar la batería.

5 Si hay alguien contigo, comprueba su estado de salud y mantén el contacto: Si hay alguien más contigo, asegúrate de que estén bien y manténganse cerca. E intenta llamar la atención de los equipos de rescate para que puedan ayudarles.

6 Mantén la esperanza: Es importante mantener la esperanza y la fe en que serás rescatado. Los equipos de rescate están haciendo todo lo posible para encontrarte y salvarte.

Recuerda que la situación puede ser estresante, pero es importante mantener la calma y seguir estos pasos para aumentar tus posibilidades de ser rescatado."

La mayor parte de las medidas propuestas son de una gran utilidad en dicha situación. Alguna, no nos deja impasibles, pues proponer buscar un espacio seguro para que no te caigan los escombros cuando se ha hundido el edificio y tú con él, no parece del todo atinado, salvo que tengas la fortuna de encontrarte con espacios voluminosos sin colapsar. Pero con independencia de estas limitaciones, hay que convenir que es muy útil lo propuesto, pues no todas las personas tienen a su alcance conocimientos de supervivencia en estos contextos. Además de útiles, advertimos su carácter compasivo (el chatbot reconoce situaciones de angustia[968]).

Si además de la pregunta anterior, incorporamos una variable más, como es señalar que tienes sed en esa situación en la que te encuentras, el sistema responde con medidas muy similares a las anteriores y ofrece algunas recomendaciones sobre cómo manejar esa demanda de agua que formulas[969].

"Lo siento mucho por la situación en la que te encuentras. Aquí hay algunos pasos que puedes seguir en esta situación:

1 Trata de mantener la calma y conserva tu energía: Es importante que intentes mantener la calma para no gastar tu energía innecesariamente. Trata de respirar profundamente y lentamente para mantener la calma y enfocarte en tu situación actual.

2 Busca una fuente de agua: Si tienes sed, busca una fuente de agua cerca de ti. Si estás atrapado en un edificio hundido, puede ser difícil encontrar agua potable. Sin embargo, si tienes una botella de agua contigo, bebe agua con moderación para mantener tu hidratación.

3 Haz ruido para llamar la atención: Si estás en un área donde es posible que alguien te escuche, haz ruido para llamar la atención de los equipos de rescate. Golpea en paredes o suelo, usa un silbato o grita para hacer ruido y hacerte notar.

---

968 Limpanont, T. (febrero de 2023). ChatGPT and natural disasters: can chatbots help us cope. https://n9.cl/xz3ct

969 Consulta realizada el 2 de marzo de 2023.

4 Utiliza tu teléfono móvil: Si tienes tu teléfono móvil contigo, trata de llamar a los servicios de emergencia. Si no tienes señal de teléfono, intenta enviar un mensaje de texto a tus contactos de emergencia y a las autoridades locales para alertarlos de tu situación.

5 Busca un lugar seguro: Si estás atrapado en un edificio, trata de buscar un lugar seguro en el que puedas esperar hasta que llegue el rescate. Busca un lugar que esté protegido de la lluvia y los escombros. Mantente alejado de ventanas rotas y objetos pesados que puedan caer sobre ti.

Recuerda que es importante que intentes mantenerte con vida hasta que llegue la ayuda. Trata de no gastar tu energía innecesariamente y busca una fuente adecuada para tu hidratación. Además, intenta comunicarte con los servicios de emergencia y busca un lugar seguro para esperar a los equipos de rescate."

Ya hemos expresado en esta tesis la necesidad de conocer los riesgos de nuestro entorno, y las dificultades de que ese conocimiento se tenga cuando uno cambia de ubicación geográfica. Este sistema es también de gran ayuda.

Imaginemos que viajamos a Adra[970], y queremos conocer los riesgos de desastres naturales que podría haber y que desconocemos por venir de otro lugar.

"Adra es un municipio ubicado en la costa de la provincia de Almería, en Andalucía, España. A continuación, te presento algunos de los riesgos de desastres naturales que podrías enfrentar durante tus vacaciones en verano en Adra:

1 Altas temperaturas: En verano, Adra puede experimentar altas temperaturas, lo que puede provocar insolación, golpe de calor y deshidratación. Es importante que te mantengas hidratado y protegido del sol, y evites actividades al aire libre en las horas más calurosas del día.

2 Sequía: En los últimos años, Adra y otras partes de Andalucía han experimentado sequías prolongadas debido a la falta de lluvia. Esto puede causar escasez de agua y restricciones en su uso, así como aumentar el riesgo de incendios forestales.

3 Tormentas y lluvias intensas: Aunque es menos común en verano, Adra puede experimentar tormentas eléctricas y lluvias intensas, lo que puede provocar inundaciones repentinas y deslizamientos de tierra. Es importante estar atento a las alertas de las autoridades y seguir las recomendaciones de las autoridades locales.

4 Incendios forestales: Las altas temperaturas y la sequía aumentan el riesgo de incendios forestales en Adra. Si planeas realizar actividades al aire libre, asegúrate de hacerlo en áreas designadas y de seguir las precauciones de seguridad en caso de incendios forestales.

---

970 Hemos elegido este municipio de Almería pues tiene riesgo sísmico y cuenta con un Plan Local de Riesgo Sísmico y cuatro acelerómetros sísmicos ubicados en El Refugio, el Pago del Lugar y Protección Civil, que recogen los movimientos del terreno que se producen en la zona.
ChatGPT lo identifica en el apartado 5 de la información que ofrece.

5 Terremotos: Adra se encuentra en una zona sísmica, lo que significa que es posible que experimente terremotos. Es importante conocer los procedimientos de seguridad en caso de terremoto y estar atento a las alertas de las autoridades sísmicas.

Recuerda siempre estar atento a las recomendaciones de las autoridades locales y seguir las precauciones de seguridad en caso de cualquier tipo de desastre natural durante tus vacaciones en Adra."

Dado que la consulta se realiza desde un dispositivo móvil, la geolocalización podría sugerir automáticamente el teléfono o los números de emergencia correspondientes. Incluso, sería posible habilitar un acceso inmediato mediante un solo toque, funcionando como un enlace directo y rápido en caso de urgencia.

Vemos, pues, que es una herramienta que puede ser muy efectiva ante un desastre natural. Es un elemento que tiene una gran potencialidad formativa, y también ofrece soluciones en la situación de materialización del desastre.

Nos puede ayudar a realizar un Plan de Emergencia en el Hogar[971] frente a desastres naturales.

"¡Claro! A continuación te presento un plan de emergencia en el hogar frente a desastres naturales:

1 Conoce las amenazas naturales en tu área: Investiga cuáles son los riesgos más comunes en tu zona y cómo se manifiestan. Puedes encontrar esta información en las autoridades locales de protección civil o en línea.

2 Crea un plan de evacuación: Planifica una ruta de evacuación para tu hogar y asegúrate de que todos los miembros de la familia la conozcan. Practica este plan de manera regular para que todos estén preparados en caso de una emergencia.

3 Prepara un kit de emergencia: Prepara un kit con suministros esenciales, como agua potable, alimentos no perecederos, linternas, pilas, botiquín de primeros auxilios y ropa de abrigo. Coloca el kit en un lugar accesible y asegúrate de que todos en tu hogar sepan dónde está.

4 Protege tu hogar: Asegúrate de que tu hogar esté protegido ante posibles desastres naturales. Si vives en una zona propensa a terremotos, asegura los muebles pesados y las estanterías. Si vives en una zona propensa a inundaciones, asegúrate de que los desagües estén limpios y que no haya obstrucciones.

5 Mantén una comunicación constante: Mantén un radio o televisor encendido para recibir alertas y actualizaciones sobre la situación en tu zona. Asegúrate de tener un cargador portátil para tus dispositivos móviles.

6 Ten un plan de reunificación: Establece un lugar de reunión seguro para tu familia en caso de que se separen durante una emergencia. Asegúrate de que todos los miembros de la familia sepan dónde está el lugar de reunión.

---

971 Consulta realizada el 2 de marzo de 2023.

7 Ayuda a los demás: En caso de una emergencia, ayuda a tus vecinos y a los demás que lo necesiten. Si eres capaz de hacerlo, ofrece agua, alimentos y refugio. Si no puedes hacerlo, llama a las autoridades locales para que brinden ayuda.

Recuerda que la mejor manera de protegerse ante una emergencia es estar preparado y tomar medidas preventivas. "Los organismos europeos de Protección Civil serían pioneros si iniciaran una conversación con las compañías que ofrecen sistemas de IA tipo ChatGPT, al objeto de universalizar conocimientos básicos de prevención, mitigación y respuesta para los ciudadanos como hemos indicado. El objeto de los organismos europeos sería que las compañías perfeccionaran con su ayuda y colaboración el propio sistema en este ámbito[972]. Incluso mejoras, como es el enlace al número de teléfono más pertinente en función de la ubicación geográfica. Si como dice el artículo 3 de la Declaración Universal de los Derechos Humanos[973], "todo individuo tiene derecho a la vida, a la libertad y a la seguridad de su persona", el perfeccionamiento de este sistema que los avances tecnológicos ponen a nuestra disposición, sin duda, redundará en una gran obra, cual es salvar vidas, garantizar la libertad y la seguridad como dice la mencionada Declaración. Con la aparición de ChatGPT 5, se mejora notablemente la comprensión contextual ampliada, el razonamiento jurídico especializado y su integración de carácter multimodal, lo que permite procesar texto, imágenes, mapas y otros formatos de modo simultáneo. Esto le confiere un carácter estratégico para la planificación y respuesta ante las emergencias, pues nos puede aportar análisis normativos, recomendaciones de cómo actuar y contextualizar la información disponible en tiempo real. A pesar de la notable mejoría respecto de versiones anteriores, la supervisión humana ha de estar presente para garantizar la fiabilidad de la información y su adecuación a los principios de legalidad, transparencia y proporcionalidad.

1.2.2. Simulación avanzada y gemelos digitales

En 2024, la Comisión Europea dio un paso decisivo en la innovación aplicada a la gestión de riesgos con el lanzamiento de Destination Earth (DestinE), un ambicioso programa destinado a crear gemelos digitales del planeta con una resolución y capacidad de simulación sin precedentes. Entre sus primeros desarrollos figura el Gemelo Digital de Fenómenos Meteorológicos Extremos, operativo desde junio de ese año, concebido para generar simulaciones numéricas de alta precisión con varios días de antelación. El proyecto, coordinado

---

972 Este tipo de sistemas se desarrollan sobre la técnica de Reinforcement Learning from Human Feedback, es decir, es un modelo de aprendizaje que aprende de la retroalimentación humana en lugar de acciones y experiencias. Necesita pues un entrenamiento que podría ser acelerado por organismos públicos mediante la experiencia de técnicos y profesionales vinculados a los mismos.

973 Asamblea General de las Naciones Unidas. (1948). Declaración Universal de Derechos Humanos. Adoptada y proclamada por la Asamblea General en su resolución 217 A (III), de 10 de diciembre de 1948. https://bit.ly/3J6GWNe

por el Centro Europeo de Predicción Meteorológica a Medio Plazo (ECMWF) junto a otros socios, combina modelos climáticos avanzados, supercomputación a exaescala e inteligencia artificial, y se integra en las políticas de protección civil y adaptación al cambio climático de la Unión Europea.

Esta herramienta incorpora una capacidad singular de proyección regional, capaz de ofrecer información detallada y localizada sobre la probable evolución de tormentas severas, inundaciones repentinas o episodios críticos de contaminación atmosférica. Su valor añadido radica en la posibilidad de planificar con antelación medidas preventivas ajustadas a cada territorio, como el despliegue anticipado de medios de intervención, la activación escalonada de planes de emergencia o la emisión de avisos específicos dirigidos a la población más vulnerable. No se trata únicamente de mejorar la predicción, sino de reforzar la capacidad operativa de las autoridades, optimizando la respuesta de acuerdo con los principios de prevención, proporcionalidad y eficacia que guían la actuación administrativa.

Desde el punto de vista jurídico, el uso de gemelos digitales como *DestinE* aporta una base técnica sólida para la adopción de decisiones que pueden implicar limitaciones de derechos o movilización extraordinaria de recursos. Disponer de pronósticos basados en décadas de observación satelital y terrestre, integrados con algoritmos de inteligencia artificial, permite a las autoridades cumplir con el deber de motivación reforzada exigido por la jurisprudencia para actuaciones de especial impacto, como las órdenes de evacuación, la suspensión temporal de actividades o la declaración de situaciones de emergencia. Además, facilita la cooperación internacional en el marco del Mecanismo Europeo de Protección Civil, al compartir un lenguaje técnico y datos verificables en tiempo real.

Lejos de sustituir a los sistemas meteorológicos y de protección civil ya existentes, esta plataforma los complementa con un grado de interactividad sin precedentes. Los gestores autorizados pueden explorar distintos escenarios, estimar impactos sectoriales —en energía, transporte, agricultura o salud pública— y comparar alternativas de actuación antes de que el fenómeno ocurra. De este modo, DestinE se perfila como un instrumento de apoyo a la toma de decisiones estratégicas, plenamente alineado con la normativa europea sobre resiliencia climática y gestión integrada de catástrofes, y un ejemplo de cómo la tecnología puede reforzar la seguridad y la eficacia en la respuesta ante emergencias.[974]

---

974 Parlamento Europeo y Consejo de la Unión Europea. (2021, 28 de abril). Reglamento (UE) 2021/695 del Parlamento Europeo y del Consejo por el que se establece el Programa Marco de Investigación e Innovación Horizonte Europa (2021 2027).

1.2.3. Anticipación administrativa y el "horizon scanning"

El informe *Horizon Scanning — Tips and Tricks. A Practical Guide* de la Agencia Europea de Medio Ambiente (European Environment Agency, EEA), publicado en 2023, constituye una referencia metodológica esencial para la integración del pensamiento prospectivo en la acción administrativa y la planificación pública. Elaborado en el marco de la red Eionet Foresight, este documento define el *horizon scanning* como un proceso sistemático de detección temprana de señales débiles (*weak signals*) susceptibles de evolucionar hacia tendencias emergentes o cuestiones con impacto significativo en las políticas públicas. Su propósito no es predecir el futuro, sino mapear escenarios alternativos y anticipar riesgos, proporcionando una base empírica para la resiliencia institucional y la mejora de la capacidad de respuesta de los poderes públicos.

El modelo metodológico propuesto por la EEA[975] se estructura en cuatro fases sucesivas:

1 Detección de señales (*signal spotting*), centrada en identificar indicios incipientes de cambio o disrupción.

2 Análisis de contexto y tendencias (*signal scanning*), orientado a evaluar su posible evolución e interrelaciones.

Diario Oficial de la Unión Europea, L 170, 1 68. https://eur-lex.europa.eu/legal-content/ES/TXT/?uri=CELEX%3A32021R0695

Parlamento Europeo y Consejo de la Unión Europea. (2021, 7 de julio). Reglamento (UE) 2021/1173 del Parlamento Europeo y del Consejo por el que se establece el Programa Europa Digital (2021-2027). Diario Oficial de la Unión Europea, L 256, 1-46. https://eur-lex.europa.eu/legal-content/ES/TXT/?uri=CELEX%3A32021R1173

Parlamento Europeo y Consejo de la Unión Europea. (2021, 28 de abril). Reglamento (UE) 2021/696 del Parlamento Europeo y del Consejo por el que se establece el Programa Espacial de la Unión Europea y la Agencia de la Unión Europea para el Programa Espacial (EUSPA). Diario Oficial de la Unión Europea, L 170, 69 148. https://eur-lex.europa.eu/legal-content/ES/TXT/?uri=CELEX%3A32021R0696

Comisión Europea. (2022, 30 de junio). Comunicación de la Comisión COM (2022) 304 final: Digitalización para mejorar la predicción climática: Destination Earth y más allá. https://eur-lex.europa.eu/legal-content/ES/TXT/?uri=CELEX%3A52022DC0304

Comisión Europea. (2021, 24 de febrero). Comunicación de la Comisión COM(2021) 82 final: Estrategia de la UE de adaptación al cambio climático. https://eur-lex.europa.eu/legal-content/ES/TXT/?uri=CELEX%3A52021DC0082

975 European Environment Agency. (2023). *Horizon scanning — Tips and tricks. A practical guide.* Publications Office of the European Union. https://www.eea.europa.eu/publications/horizon-scanning-tips-and-tricks

3 Construcción de sentido y patrones de cambio (*sense-making*), que transforma los datos dispersos en conocimiento útil para la acción.

4 Comunicación de resultados, mediante la difusión de conclusiones y escenarios a los responsables de la toma de decisiones.

Este enfoque refuerza la capacidad institucional de anticipación, permitiendo la transición de una gestión reactiva del riesgo a una gobernanza preventiva, donde la anticipación, la adaptación y el aprendizaje continuo se consolidan como obligaciones funcionales del poder público. En este marco, la incorporación de herramientas de *horizon scanning* por los órganos de Protección Civil y Seguridad Nacional —especialmente dentro del Centro Nacional de Seguimiento y Coordinación de Emergencias (CENEM) y del Consejo de Seguridad Nacional— podría institucionalizar una cultura administrativa de anticipación estratégica, favoreciendo la detección temprana de amenazas emergentes, la reducción de la incertidumbre y la formulación de políticas públicas resilientes. En definitiva, el modelo propuesto por la EEA traslada al ámbito jurídico-administrativo la exigencia de una capacidad cognitiva institucional, orientada a detectar, comprender y actuar antes de que los riesgos se materialicen.

2.- SISTEMAS PREDICTIVOS DE SIMULACIÓN

Tomar decisiones sobre la base de "algoritmos predictivos" será cada vez más común en la administración pública en España. Ya lo hacen, unas más que otras, destacando la Agencia Tributaria. Pero tras esta vertiginosa corriente, nos encontramos ante nuevos riesgos como ya hemos visto. La primacía de la inteligencia artificial (basada en lo hasta ahora conocido), no puede sustituir la innovación, la investigación, la experimentación. Si ello fuera así, podríamos "cristalizar" la gestión. Y tampoco debemos adorar a la inteligencia artificial como una inteligencia superior, que se comporta a modo de caja negra[976], sin el principio de transparencia. Ya lo dijo Rabelais hace más de cinco siglos: "la ciencia sin conciencia es la ruina del alma". El factor humano seguirá siendo, por el momento, un elemento esencial, capital

[976] Innerarity, D., escribió un artículo en La Vanguardia, el 9 de mayo de 2020 por título: "Una sociedad de cajas negras". Expresaba el concepto del siguiente modo: "Vivimos en una sociedad que está llena de cajas negras para nosotros, mecanismos, sistemas, algoritmos, robots, códigos, automatismos y dispositivos que usamos o nos afectan, pero cuyo funcionamiento nos es desconocido. La nuestra sería una black box society (Pasquale). "Se refiere a la obra de PASQUALE, F.: "The Black Box Society", Harvard University Press, 2015.

e insustituible, pues corresponde a las personas interpretar los resultados de los sistemas predictivos y actuar en consecuencia.

De ahí la importancia de evitar que la inteligencia artificial se convierta en un "salvaje oeste", en el que aplicaciones de este tipo adopten decisiones cruciales para la vida de las personas con escasa o nula supervisión y rendición de cuentas. No son pocas las dudas que plantea una Administración que actúa automatizada, con programación de las decisiones por parte de determinados actores, conforme a no se sabe muy bien qué criterios algorítmicos, lo que nos puede llevar a un "riesgo de deshumanización"[977], que nos puede hacer pagar el peaje de la renuncia de las libertades.

Algún administrativista como Boix [978], señala que "los algoritmos son reglamentos", y lo expresa por la necesidad de que tengan la protección de la que gozan las normas reglamentarias. Aunque no sabemos muy bien cómo alcanza esa condición a productos que están por su propia dinámica en constante evolución, o a productos de terceros que se ponen a disposición de la administración con un know-how privado.

El peaje que el filósofo alemán Jonas[979] pronosticó el siglo pasado cuando escribía sobre el impulso desenfrenado de algunas capacidades del hombre: "El Prometeo desatado de una vez por todas, al que la ciencia confiere poderes inéditos y la economía su impulso desenfrenado, exige una ética que, mediante grilletes libremente consentidos, impida que el poder del hombre sea una maldición para él".

Para la Oficina del Director de Inteligencia Nacional de Estados Unidos, en su informe anual, indica que la velocidad con la que se está desarrollando la IA, va por delante de la capacidad de los gobiernos para dictar normas

977 Rivero Ortega, R. (2023). Derecho Administrativo (2.ª ed.). Editorial Tirant lo Blanch. Página 44.

978 Boix, A. (2020). Los algoritmos son reglamentos: la necesidad de extender las garantías propias de las normas reglamentarias a los programas empleados por la administración para la adopción de decisiones. Revista de Derecho Público: Teoría y Método, 1, 223-270. Publicado por Marcial Pons Ediciones Jurídicas y Sociales. https://bit.ly/3K9nZsH

979 Sauvé, J. M. (2012, 29 de junio). Intervention de Jean-Marc Sauvé lors de la Conférence nationale des présidents de la juridiction administrative: Le juge administratif face au défi de l'efficacité. Conseil d'État, France. Citado por Boix, A. (2020). Los algoritmos son reglamentos: la necesidad de extender las garantías propias de las normas reglamentarias a los programas empleados por la administración para la adopción de decisiones. Revista de Derecho Público: Teoría y Método, 1, 223-270. Publicado por Marcial Pons Ediciones Jurídicas y Sociales. https://bit.ly/40BypIy

que protejan nuestra privacidad, y prevengan resultados nocivos[980]. Y ello como resultado de la combinación de una alta capacidad de cálculo de los computadores[981], la utilización de macrodatos y el aprendizaje automático.

Como dice Marchena[982], "una máquina, en fin, puede tener sensores, pero sólo el ser humano puede ser sensible".

La implementación de AAA (actuación administrativa automatizada) y el uso de las herramientas de IA, pueden llevar tanto a mejoras significativas en la eficiencia administrativa como a desafíos importantes, incluyendo la introducción de sesgos discriminatorios y la complicación del acceso y control por parte de los interesados debido a la brecha digital. El legislador ha de generar confianza, como señala la Comisión Europea[983]: "La confianza es un requisito previo para garantizar un enfoque de la IA centrado en el ser humano: la IA no es un fin en sí mismo, sino una herramienta que tiene que servir a las personas con el objetivo final de aumentar el bienestar humano. Para lograrlo, se debe garantizar la confiabilidad de la IA".

Aunque no del todo bien expresado, en esa línea intentó avanzar el art. 23 de la Ley 15/2022, de 12 de julio, Integral para la Igualdad de Trato y la No Discriminación:

> «las Administraciones públicas favorecerán la puesta en marcha de mecanismos para que los algoritmos involucrados en la toma de decisiones que se utilicen en las Administraciones públicas tengan en cuenta criterios de minimización de sesgos, transparencia y rendición de cuentas, siempre que sea factible técnicamente»

Decíamos que intentó avanzar porque del tenor se deduce que si no es "factible técnicamente", no se favorecerán la minimización de sesgos, la

---

980 Office of the Director of National Intelligence. (6 de febrero de 2023). Annual Threat Assessment of the U.S. Intelligence Community (Informe de Evaluación Anual de Amenazas de la Comunidad de Inteligencia de los EE. UU.). Página 26.

981 Íbidem, pg. 27: En junio de 2022, China contaba con 173 de los superordenadores más potentes del mundo, frente a los 128 con los que contaba Estados Unidos. La siguiente generación de ordenadores, "exascale computer" alcanzan capacidades imposibles para la generación anterior. Se cree que China puede contar con dos de estos sistemas.

982 Marchena Gómez, M. (2022). Inteligencia artificial y Jurisdicción Penal. Discurso leído en el acto de su recepción como Académico de número de la Real Academia de Doctores de España. ISBN: 978840944902-6.

983 Comisión Europea. (2019). Construyendo confianza en la inteligencia artificial centrada en el ser humano (COM(2019) 168 final).

transparencia y la rendición de cuentas, y eso es algo que no se puede aceptar. No puede la factibilidad técnica condicionar el principio de legalidad.

En definitiva, la IA puede amenazar y potenciar los valores de nuestras sociedades democráticas, y observamos cómo la digitalización y la aplicación de la IA están reconfigurando los principios democráticos, influyendo en aspectos que abarcan desde la participación ciudadana hasta la transparencia gubernamental.

La IA puede ser pues una herramienta de doble uso: por un lado, incrementa la eficiencia en la administración pública y mejora los mecanismos de participación democrática a través de plataformas digitales facilitadoras del diálogo e interacción entre los ciudadanos y el gobierno; y de otra, plantea riesgos significativos como la erosión de la privacidad, el aumento del control y la vigilancia, y la posibilidad de manipulación electoral.

Los marcos legales actuales, en plena evolución, deben regular adecuadamente el uso de la IA, y para ello, cobra especial relevancia incorporar los derechos humanos dentro de estos marcos para garantizar que los sistemas de IA operen bajo principios éticos y democráticos. Las regulaciones deben ser proactivas en lugar de reactivas como son en la actualidad, anticipando los desarrollos futuros de la IA para evitar consecuencias indeseadas en la sociedad y la gobernanza democrática. Aunque algunos añoren un futuro orwelliano al estilo de “1984”, no es esa la aspiración de los que nos consideramos demócratas convencidos.

Como señala Djefall[984], la IA al ser integrada en los sistemas de gobernanza, requiere un “rebalance democrático”. Esto significa ajustar los enfoques y estructuras existentes para asegurar que la IA no solo sirva a intereses económicos o de eficiencia, sino que también promueva valores democráticos esenciales como la igualdad, la justicia y la inclusión.

Llegados a este punto, conviene recordar lo que establecía la Constitución de Bremen de 1947, que en su artículo 12, 1 decía: *“El ser humano tiene prioridad sobre las máquinas y la tecnología”.*

---

984 Djeffal, C. (2024). AI, democracy and the law. En *The democratization of artificial intelligence: Net politics in the era of learning algorithms* (p. 255). Transcript.

3.- EL GRUPO TEMÁTICO UIT-T DE INTELIGENCIA ARTIFICIAL PARA LA GESTIÓN DE CATÁSTROFES NATURALES

Este Grupo Temático tiene por denominación FG-AI4NDM (Focus Group on AI for Natural Disaster Management). Conscientes del impacto que las catástrofes naturales tienen sobre la vida y los daños a la propiedad (incluido el patrimonio cultural) y las infraestructuras, y del papel que puede desempeñar la Inteligencia Artificial, y desde un punto de partida en el que se necesitan sentar unas bases para sustentar sobre ellas las mejores prácticas en su uso (recopilación y manejo de los datos, mejora en la modelización y la comunicación, etc.), es por lo que se desarrolla este Grupo Temático. En el Grupo Temático [985] liderado por la Unión Internacional de las Telecomunicaciones (UIT) [986] colaboran en primera línea la Organización Meteorológica Mundial y las Naciones Unidas para el Medio Ambiente.

Dicho Grupo, que comenzó a andar en diciembre de 2020, es muy consciente del papel destacado que tienen las catástrofes -como ya hemos podido analizar- en el Marco de Hyogo[987] y en el Marco de Sendai[988], así como las actividades que asumen muchas instituciones al respecto, como son la Oficina de Naciones Unidas para la Reducción del Riesgo de Desastres (UNDRR); la Organización Meteorológica Mundial o la Organización de las Naciones Unidas para la Educación, la Ciencia y la Cultura, entre otras.

Tuvo su primera reunión el FG-AI4NDM del 15 al 17 de marzo de 2021, al objeto de definir la estructura de trabajo, la lista preliminar de objetivos, los métodos de trabajo y los planes para futuras reuniones. A esta primera reunión se han sucedido casi una decena de reuniones hasta la actualidad, siendo la última del 13 al 16 de febrero de 2023.

Los objetivos del grupo temático son:

---

985 Los Grupos Temáticos se rigen por la Recomendación UIT-T A.7. https://bit.ly/3U3QH2C

986 La Unión Internacional de Telecomunicaciones (UIT), es el organismo especializado de Naciones Unidas para las tecnologías de la información y de la comunicación. La componen 193 miembros, así como un amplio número de empresas tecnológicas. Como expresan en sus cometidos: "Asignamos espectro radioeléctrico mundial y órbitas satelitales, desarrollamos los estándares técnicos que garantizan que las redes y las tecnologías se interconecten sin problemas y nos esforzamos por mejorar el acceso a las TIC para las comunidades desatendidas de todo el mundo". https://www.itu.int/en/about/Pages/overview.aspx

987 https://www.unisdr.org/files/1037_hyogoframeworkforactionenglish.pdf

988 https://www.undrr.org/publication/sendai-framework-disaster-risk-reduction-2015-2030

1. Crear una comunidad que involucre tanto a expertos como a las partes interesadas de todo el mundo para analizar las posibilidades de la Inteligencia Artificial en las catástrofes naturales.
2. Sumar sinergias potenciándolas, con el objetivo de hacer un futuro mejor y más sostenible[989].
3. Identificar proyectos de Inteligencia Artificial relacionados con el tema que nos ocupa.
4. Identificar buenas prácticas actuales en el uso de la Inteligencia Artificial.
5. Apoyar los esfuerzos que se vienen desarrollando respecto de los repositorios de datos globales y en donde se integran los datos de catástrofes naturales.
6. Establecer enlaces y colaboraciones con otras Comisiones de Estudio de la UIT, que complementen el trabajo.

El Grupo Temático desarrolla su desempeño a través de grupos específicos de trabajo:

- Datos para la IA (GT-Datos).
- IA para la modelización (GT-Modelización).
- IA para las comunicaciones (GT-Comunicaciones).
- Cartografía de actividades de IA en la gestión de catástrofes naturales (GT-Hoja de ruta).
- Materiales didácticos (GT-Materiales Educativos).

En estos momentos, el FG-AI4NDM agrupa a diez grupos monográficos de Inteligencia Artificial:

- IA para el seguimiento y detección de inundaciones.
- IA para la mejora geodésica del seguimiento y detección de maremotos.
- IA para el seguimiento y detección de plagas de insectos.
- IA para el seguimiento y detección de corrimientos de tierra.
- IA para el seguimiento y detección de avalanchas de nieve.
- IA para el seguimiento y detección de incendios forestales.
- IA para la predicción de enfermedades transmitidas por vectores.

---

989 https://sdgs.un.org/goals

- IA para la previsión de erupciones volcánicas.
- IA para la elaboración de mapas de riesgo de granizo y tormentas de viento.
- IA para tecnologías de comunicaciones multirriesgo.

Entre los logros más recientes del Focus Group on AI for Natural Disaster Management (FG-AI4NDM) destaca la presentación, en marzo de 2023, de varios entregables técnicos al Study Group 2 de la UIT, lo que permitió prorrogar su mandato hasta marzo de 2024. Ese mismo año, el grupo celebró su última reunión bajo el título Resilience to Natural Hazards through AI Solutions, en la que participaron más de 230 asistentes en modalidad híbrida, incluyendo representantes de organismos internacionales, universidades y agencias espaciales como la NASA.

El FG-AI4NDM se ha comprometido además a evolucionar hacia una iniciativa global que dé continuidad a sus resultados, con el objetivo de integrarlos en el proyecto Early Warnings for All (EW4All), garantizando que los estándares, herramientas y prácticas desarrollados puedan aplicarse tanto a nivel nacional como local. Entre sus aportaciones más relevantes figura el informe sobre buenas prácticas para la modelización con IA en gestión de desastres, que analiza todas las fases del ciclo de vida de un modelo —preparación de datos, entrenamiento, validación y despliegue— y que subraya que no existe un modelo universal válido para cualquier contexto, siendo necesario adaptar las soluciones a la naturaleza de los datos disponibles y a los riesgos específicos de cada escenario.

Este tipo de grupos se replica en otras organizaciones de ámbito internacional, como es el caso de la Organización Meteorológica Mundial, lógicamente interesada en profundizar en el conocimiento de la inteligencia artificial para la mitigación de los desastres naturales. A tal efecto, hay comités, conferencias e informes que pueden ser de gran ayuda. Es el caso del American Meteorological Society's Committee on Artificial Intelligence for Environmental Science and Climate Change, impulsado por la Sociedad Meteorológica Americana. La misma lleva ya varios años organizando Conferencias Internacionales sobre Inteligencia Artificial para las Ciencias Ambientales.

4.- COMPUTACIÓN CUÁNTICA APLICADA A LAS CATÁSTROFES NATURALES, Y QUÁNTUM AI

La computación cuántica, fundamentada en los principios de la mecánica cuántica, emerge como una tecnología de carácter disruptivo con el potencial de transformar de manera radical y como nunca antes se había conocido numerosos ámbitos, entre ellos, la gestión y prevención de catástrofes naturales. A diferencia de los sistemas clásicos de computación (principios fundamentales de la computación tradicional, desarrollados a partir de la arquitectura de Von Neumann y otros enfoques modernos), la computación cuántica se caracteriza por su capacidad para procesar grandes volúmenes de información y resolver problemas de alta complejidad de una forma exponencialmente más rápida y eficiente. Esto tiene implicaciones significativas en la capacidad de los Estados y sus administraciones públicas para anticipar, mitigar y gestionar fenómenos catastróficos, en consonancia con la protección del interés público.

La computación cuántica se basa en la manipulación de qubits, unidades de información que pueden existir simultáneamente en múltiples estados (superposición), a diferencia de los bits binarios de la computación clásica, que solo pueden representar un estado (0 o 1) en un momento dado. Además, los qubits pueden interactuar a través del fenómeno de entrelazamiento cuántico, donde el estado de un qubit influye instantáneamente en otro, independientemente de la distancia. Estas propiedades permiten a los sistemas cuánticos realizar cálculos que los superordenadores actuales no pueden abordar, abriendo nuevas posibilidades en áreas como el modelado climático, la predicción de catástrofes y la optimización de recursos.

La computación cuántica tiene un potencial innegable para abordar los desafíos inherentes a la predicción y mitigación de catástrofes naturales, como inundaciones, terremotos, tsunamis, huracanes e incendios forestales. Estos fenómenos, debido a su complejidad y escala, superan las capacidades de los sistemas actuales, lo que dificulta su modelado y anticipación en tiempo real. La computación cuántica ofrece soluciones avanzadas que mejoran la precisión y rapidez en la toma de decisiones, permitiendo a las administraciones públicas actuar de manera más eficiente.

Un ejemplo destacado es la colaboración entre el Servicio Geológico de los Estados Unidos (USGS) y la empresa australiana Q-CTRL. Este esfuerzo conjunto explora cómo la computación cuántica puede aplicarse en la detección temprana de catástrofes y el monitoreo del cambio climático. Tecnologías como la gravimetría cuántica, la magnetometría cuántica y la optimización logística avanzada se están utilizando para mejorar la gestión de los recursos hídricos subterráneos, el monitoreo de capas de hielo polar y la preparación frente a terremotos y tsunamis. Estas innovaciones prometen no solo una mayor precisión en la detección de riesgos, sino también una reducción de los presupuestos invertidos y de los tiempos en la puesta en marcha de medidas de carácter preventivo.

En Finlandia, la Infraestructura Finlandesa de Computación Cuántica (FiQCI) está desarrollando un sistema híbrido que combina el superordenador LUMI con el ordenador cuántico HELMI. Este planteamiento pionero utiliza datos de observación terrestre obtenidos de satélites para predecir fenómenos como tsunamis y huracanes, y también para detectar incendios forestales en sus etapas iniciales. El sistema permite realizar simulaciones avanzadas que integran información en tiempo real, optimizando los tiempos de respuesta ante emergencias y contribuyendo a salvar vidas. Este modelo de colaboración entre computación cuántica y clásica sienta un precedente para futuros desarrollos en el ámbito de la predicción de las catástrofes.

Progresivamente se irán conociendo más ejemplos de aplicaciones de la computación cuántica en el campo de las catástrofes naturales, y en un panorama siempre cambiante en lo tecnológico, está surgiendo una nueva frontera que será aún más disruptiva, y es esa frontera que emerge en la Inteligencia Artificial Cuántica (Quantum AI). Nos referimos a la fusión de la computación cuántica y la inteligencia artificial, un campo que está generando un inmenso interés en sectores como las finanzas o la salud, y que sin duda tendrían una enorme capacidad en el campo que analizamos. La Quantum AI combina los principios de la mecánica cuántica como hemos indicado, con las capacidades de reconocimiento de patrones y aprendizaje de la inteligencia artificial.

Por todo lo anterior, se adivina una mejora significativa en el ámbito de prever y mitigar los efectos derivados de las catástrofes como no se había conocido antes. Que los sistemas cuánticos permitan analizar grandes volúmenes de datos en tiempo real, mejorando la capacidad de las administraciones para tomar decisiones informadas y oportunas, será un instrumento del que hasta ahora no se disponía. También nos va a permitir optimizar las cadenas de suministros y rutas de evacuación, reduciendo costes y maximizando la eficacia de la respuesta. Además, los avances en computación cuántica fomentan la cooperación internacional, como lo demuestran las iniciativas en Estados Unidos, Finlandia o Australia, creando un ecosistema global de innovación, al que ha de incorporarse en este campo Europa, con intensidad.

Todavía es prematuro prever con precisión los nuevos marcos regulatorios, pero resulta evidente que el derecho administrativo deberá realizar un esfuerzo renovado para adecuarse a los desafíos de esta nueva era. Hasta ahora, hemos logrado, aunque de manera incipiente y no exenta de dificultades, adaptarnos a la realidad que plantea la inteligencia artificial. Sin embargo, el avance de tecnologías aún más avanzadas, como la inteligencia artificial cuántica, exigirá un replanteamiento profundo y dinámico de las normativas actuales para responder eficazmente a las transformaciones que estas supondrán.

Un ámbito emergente de gran relevancia es el de los sensores cuánticos (quantum sensing) aplicados a la predicción temprana de catástrofes naturales y a la protección de infraestructuras críticas. Gracias a su extraordinaria sensibilidad para detectar variaciones gravitacionales o electromagnéticas mínimas, estos dispositivos permiten anticipar fenómenos como terremotos, deslizamientos de tierra o colapsos de presas con mayor precisión que los sistemas convencionales. La Comisión Europea ha reconocido este potencial dentro del Quantum Flagship e impulsa proyectos vinculados a la resiliencia climática y de infraestructuras. En paralelo, la NASA y el Centro Europeo de Predicción Meteorológica a Medio Plazo (ECMWF) exploran algoritmos cuánticos que podrían mejorar la predicción de fenómenos climáticos extremos, como huracanes o tormentas, superando los límites de los superordenadores actuales.

Otro frente de innovación se encuentra en la ciberseguridad cuántica aplicada a emergencias, que busca garantizar comunicaciones seguras y resilientes entre hospitales, servicios esenciales y centros de coordinación en contextos de crisis. Proyectos como la infraestructura EuroQCI (European Quantum Communication Infrastructure), en la que participa España desde 2023, avanzan en el desarrollo de redes de comunicación cuánticamente seguras, concebidas para resistir tanto ataques híbridos como escenarios de catástrofe natural. Esta dimensión añade un valor estratégico adicional: no solo anticipar y mitigar los riesgos derivados de la naturaleza, sino también proteger la continuidad de los servicios críticos en situaciones de máxima vulnerabilidad.

El informe *La era cuántica. Tecnologías cuánticas: una oportunidad transversal e interdisciplinar para la transformación digital y el impacto social* (Fundación para el Conocimiento madri+d, 2025) subraya que la denominada revolución cuántica no solo incrementará exponencialmente la capacidad de cálculo, simulación y optimización, sino que también amenazará los sistemas de encriptación clásicos sobre los que se sustenta la infraestructura digital crítica de las administraciones públicas, la banca, la sanidad y la defensa.

La inminente obsolescencia de los algoritmos de cifrado asimétrico, base de la seguridad de la información en los sistemas actuales, plantea un riesgo jurídico y operativo de carácter sistémico que trasciende lo puramente tecnológico y alcanza el núcleo mismo de la seguridad jurídica y de la confianza institucional. Su eventual vulnerabilidad comprometería los principios de integridad, confidencialidad y autenticidad de los datos públicos y privados, pilares sobre los que se construye la Administración electrónica y la gobernanza digital contemporánea.

En este contexto, la transición hacia una criptografía poscuántica no constituye solo un reto técnico, sino una obligación jurídica y estratégica para preservar la continuidad del servicio público digital, la protección de la información sensible y la soberanía tecnológica del Estado[990].

---

990 Fundación para el Conocimiento madri+d. (2025). *La era cuántica. Tecnologías cuánticas: una oportunidad transversal e interdisciplinar para la transformación digital y el impacto social.* Comunidad de Madrid. https://www.madrimasd.org

Capítulo 5.
Acciones públicas para la gestión de catástrofes

1.- FORTALECIMIENTO DE LA COORDINACIÓN INTERINSTITUCIONAL Y LA COLABORACIÓN CIUDADANA

El Consejo Nacional de Protección Civil continúa siendo el principal punto de encuentro en materia de gestión de emergencias a nivel estatal. Su Pleno celebra reuniones periódicas con el objetivo de reforzar la cooperación entre los distintos niveles de la Administración y evaluar el grado de implementación de la Estrategia Nacional de Protección Civil. Asimismo, se mantiene y amplía el marco de los Convenios de Cooperación y Ayuda Mutua con las comunidades autónomas[991], instrumentos esenciales para optimizar recursos, favorecer la interoperabilidad de medios y garantizar una respuesta solidaria, integrada y más eficiente ante situaciones de crisis o catástrofes.

En el ámbito europeo, España impulsa como punto focal nacional el Registro de Capacidades de Respuesta del Sistema Nacional de Protección Civil, en el que se integran módulos, equipos y medios materiales, con el fin de contribuir a la Capacidad Europea de Respuesta a Emergencias (CERE) y al Fondo Voluntario (EERC/VP)[992], del Mecanismo de Protección Civil de

---

991 Estos acuerdos marco tienen una duración de cinco años, y tienen por finalidad mejorar la cooperación entre la Dirección General de Protección Civil y Emergencias del Ministerio del Interior y los organismos encargados de la protección civil en las Comunidades Autónomas. Entre las principales actividades que recoge este tipo de acuerdos, hay que subrayar un sistema de comunicación de los centros de emergencias de la Comunidad autónoma con la Sala de Emergencias de la Dirección General de Protección Civil y Emergencias del Ministerio del Interior. También se recogen aspectos relacionados con la formación de los intervinientes con la organización de jornadas y seminarios.

992 Es una reserva común de carácter voluntario de capacidades que previamente han sido comprometidas por los Estados miembros y comprende módulos, expertos y otras capacidades de respuesta ("voluntary pool"). Dicha capacidad se constituyó en 2014 para mejorar la capacidad de la Unión Europea ante los desastres, dotándose de una capacidad de respuesta rápida y correctamente planificada y coordinada. Para ello, cumplen estrictos criterios de calidad y están sometidos a un riguroso proceso de certificación.

la Unión Europea[993]. A tal efecto se intervendrá en los programas de formación y de intercambio de expertos de dicho Mecanismo, y se continuará cooperando con el Fondo Mundial para la Reducción de los Desastres y la Recuperación, en el marco de la Estrategia Internacional de Desastres (EIRD)[994] que impulsa la ONU desde la Conferencia Mundial sobre la Reducción de Desastres (CMRD) celebrada en 2005 en Kobe, Hyogo.

Durante 2023, se continuó priorizando la relación bilateral con terceros países, a través de Acuerdos de asistencia mutua, acuerdos administrativos para la cooperación, con países africanos que son prioritarios desde la óptica de los intereses generales del Ministerio del Interior, Iberoamérica en su conjunto, etc.

La Dirección General de Protección Civil y Emergencias impulsó acciones para la coordinación con el Comité Español para la Reducción del Riesgo de Desastres[995], con el objetivo de lograr los objetivos trazados en el Marco Sendai, y que se explicitan en el Capítulo VI de este libro, poniendo especial énfasis en la resiliencia de las ciudades.

Nuestra Carta Magna, no hace una mención expresa a la protección civil; en cambio, sí señala en su art. 30.4 "los deberes de los ciudadanos en los casos de grave riesgo, catástrofe o calamidad pública", los cuales se regularán mediante Ley. Deberes que son contemplados para tiempos de paz, pues el deber establecido como obligación militar se recoge en el art. 30.2 del texto constitucional. La configuración constitucional de la administración pública, en cuanto a su deber de servir con objetividad los intereses generales y cumplir eficazmente las funciones que le son atribuidas por el ordenamiento jurídico,

---

993 Decisión de Ejecución (UE) 2019/570 de la Comisión de 8 de abril de 2019 por la que se establecen las normas de ejecución de la Decisión n.º 1313/2013/UE del Parlamento Europeo y del Consejo en lo que respecta a las capacidades de rescEU y se modifica la Decisión de Ejecución 2014/762/UE de la Comisión. Diario Oficial de la Unión Europea de 10 de abril de 2019. https://bit.ly/3XfzBiY

994 La EIRD tiene como misión establecer comunidades resilientes a los desastres, a través de la promoción e impulso de una mayor concienciación respecto de la reducción de desastres, como un componente integral del desarrollo sostenible. El objetivo es lograr reducir la pérdida de vidas humanas, y también reducir los efectos sociales, económicos y medioambientales debido tanto a las amenazas de carácter natural como a los desastres derivados de riesgos tecnológicos y ambientales.

995 Regulado en el Real Decreto 967/2002, de 20 de septiembre, por el que se regula la composición y régimen de funcionamiento de la Comisión Nacional de Protección Civil, que sustituye al Real Decreto 1301/1990, de 26 de octubre, por el que se atribuye a la Comisión Nacional de Protección Civil el carácter de Comité Español del Decenio Internacional para la Reducción de Desastres Naturales

se establece en el art. 103.1 de la Constitución Española, lo que se relaciona directamente con la gestión de las situaciones de emergencia y protección civil.

La mayoría de los estatutos de autonomía de los denominados de primera generación no incluyeron como materia de competencia la protección civil, salvo el de las Islas Baleares (desde su promulgación), y tras su reforma el de Asturias. Dicho silencio normativo fue entendido e interpretado por el Tribunal Constitucional no como una competencia estatal, por aplicación de la cláusula residual del art. 149.3 del texto constitucional[996]. El Alto Tribunal, en su STC 123/1984, de 18 de enero, y STC 133/1990, de 19 de julio, precisaron que existe una concurrencia competencial con las comunidades autónomas, algo que parecen olvidar algunos estatutos de autonomía cuando lo recogen como propia. Este planteamiento se robustece al considerar que las competencias concurrentes no eliminan la responsabilidad del Estado de asegurar la protección general de la población, conforme se establece en el principio de coordinación entre administraciones públicas.

La fundamentación de la competencia en el ámbito de protección civil la buscaremos en el marco competencial, concretamente en la Ley Orgánica 3/1983, de 25 de febrero, de Estatuto de Autonomía de la Comunidad de Madrid. El Tribunal Constitucional señala en la STC 133/1990 de 19 julio, fundamento jurídico cuarto determina así que:

«La delimitación competencial en materia de protección civil ha de fundarse en las disposiciones constitucionales y estatutarias, y no, en forma exclusiva, en la interpretación que se proponga de la doctrina de este Tribunal, a partir de resoluciones de casos concretos: Pues, como es obvio, en ningún caso esa interpretación podrá sustituir a los títulos competenciales constitucionales y estatutarios, primer y obligado punto de referencia.» En su Fundamento Jurídico Sexto, señala:

«Por la misma naturaleza de la protección civil, que persigue la preservación de personas y bienes en situaciones de emergencia, se produce *en esta materia un encuentro o concurrencia de muy diversas Administraciones Públicas (de índole o alcance municipal, supramunicipal o insular, provincial, autonómica,*

---

996 Constitución Española. Art. 149.3. Las materias no atribuidas expresamente al Estado por esta Constitución podrán corresponder a las Comunidades Autónomas, en virtud de sus respectivos Estatutos. La competencia sobre las materias que no se hayan asumido por los Estatutos de Autonomía corresponderá al Estado, cuyas normas prevalecerán, en caso de conflicto, sobre las de las Comunidades Autónomas en todo lo que no esté atribuido a la exclusiva competencia de éstas. El derecho estatal será, en todo caso, supletorio del derecho de las Comunidades Autónomas.

estatal) que debe aportar sus respectivos recursos y servicios. Desde esta perspectiva, y en principio, la competencia en materia de protección civil dependerá de la naturaleza de la situación de emergencia, y de los recursos y servicios a movilizar. Ello puede suponer, de acuerdo con los términos de los respectivos Estatutos, que la Administración Autonómica sea competente en esta materia.»

Es importante el papel del Estado en la preservación del interés nacional, sin que esto deba interpretarse como un control tutelar. Este principio se encuentra reflejado en el Fundamento Jurídico 13:

«Así, las facultades autonómicas en materia de protección civil no pueden impedir, por la misma naturaleza del régimen de concurrencia de que se trata, la existencia de unas facultades superiores de coordinación e inspección a cargo del Estado cuando está en juego el interés nacional...Las facultades de dirección, coordinación e inspección 'superior' vienen, por tanto, impuestas por la diversidad de partes afectadas y la necesidad de su integración en un todo unitario, integración que puede exigir la adopción de medidas de acción conjunta, homogeneidad técnica o sistemas de relación, siempre y cuando no entrañen la sustracción de competencias propias de las entidades autonómicas sino tan solo un límite al ejercicio de las mismas; lo mismo cabe decir de las facultades de superior inspección de los servicios que, sin embargo, no pueden convertirse en un control tutelar de la acción administrativa de la propia Comunidad Autónoma».

Esta doctrina se consolida en posteriores sentencias, STC 155/2013, de 10 de septiembre; STC 87/2016, de 28 de abril;[997] y STC 58/2017, de 11 de mayo.

La STC 155/2013, de 10 de septiembre declara:

«Por lo que respecta a la delimitación de competencias en esta materia, de nuestra doctrina se deriva que la materia protección civil guarda relación con las competencias estatales en materia de seguridad pública ex art. 149.1.29 CE, tal como afirma la *STC 25/2004, de 26 de febrero, FJ 6, "[e]n esta misma línea de precisión del concepto de 'seguridad pública', este Tribunal señaló en la STC 148/2000, de 1 de junio, FJ 6, que su ámbito normativo puede ir más allá de la regulación de las intervenciones de la 'policía de seguridad', es decir, de las funciones propias de las fuerzas y cuerpos de seguridad, señalando que 'por relevantes que sean, esas actividades policiales, en sentido estricto, o esos servicios policiales, no agotan el ámbito material de lo que hay que entender por seguridad pública ... Otros*

---

997 "por lo que respecta a la delimitación de competencias en materia de protección civil, de nuestra doctrina se deriva que esta materia guarda relación con la competencia estatal en materia de seguridad pública ex art. 149.1.29 CE"

aspectos y otras funciones distintas de los cuerpos y fuerzas de seguridad, y atribuidas a otros órganos y autoridades administrativas ... componen sin duda aquel ámbito material (STC 104/1989, de 8 de junio, FJ 3)'. Y hemos aplicado este criterio en diversos supuestos, pero siempre guiados por una concepción restrictiva de la 'seguridad pública'. Tal ocurre con la 'protección civil', que requiere para la consecución de sus fines la integración y movilización de recursos humanos muy heterogéneos y no sólo policiales (SSTC 123/1984, de 18 de diciembre, y 133/1990, de 19 de julio)».

(...)

«Así pues tanto de las previsiones constitucionales y estatutarias como de la doctrina constitucional en la materia se deriva el hecho de que en la materia protección civil, por su propia naturaleza, y dado que su finalidad estriba en la preservación de personas y bienes en situaciones de emergencia, se produce una situación de encuentro o concurrencia de las competencias de las diferentes instancias territoriales, según este Tribunal Constitucional ha tenido ocasión de señalar en las SSTC 123/1984, de 18 de diciembre, FJ 4; 133/1990, de 19 de julio, FJ 6; 118/1996, de 27 de junio, FJ 20; y 118/1998, de 4 de junio, FJ 13, lo que obliga a cohonestar, en los términos que derivan de la doctrina constitucional, las competencias estatales en materia de seguridad pública con las autonómicas relacionadas con la protección civil.»

Por todo lo anterior es la razón por la que expresamos la existencia de competencias concurrentes, debido a la naturaleza de la materia (protección de personas y bienes en situaciones de emergencia). Esta naturaleza de competencias concurrentes se fundamenta en la necesidad de coordinar recursos y esfuerzos entre las distintas administraciones para una gestión más efectiva y eficiente de las emergencias, conforme lo establece la doctrina constitucional sobre la colaboración y coordinación entre la Administración del Estado y las autonómicas.

De ahí que tengamos que revisar los respectivos Estatutos de Autonomía, y analizar para encontrar la concurrencia en materia de protección entre las competencias exclusivas y aquellas de desarrollo legislativo, potestad reglamentaria y ejecución. En estas, encontraremos la respuesta a la intervención en materia de protección civil desde el ámbito de la Comunidad Autónoma. Es importante considerar cómo se distribuyen estas competencias, y cómo cada comunidad puede desarrollar normativas que complementen y refuercen el marco jurídico estatal, sin entrar en contradicción con este, asegurando así un sistema de protección civil efectivo y coherente.

No podemos dejar pasar la oportunidad para indicar el Dictamen realizado por el Consejo Consultivo de La Rioja, núm. 61/2011, de 8 de septiembre:

«Pues bien, como indicara este Consejo en su Dictamen 55/11 y se reitera en la Exposición de Motivos de la Ley autonómica 1/2011, de 7 de febrero, de Protección y Atención de Emergencias de La Rioja, "ni la Constitución española, ni la ley que aprueba el Estatuto de Autonomía de la Comunidad Autónoma de La Rioja mencionan expresamente la protección civil en sus respectivas listas de reparto o asunción de competencias. No obstante, el Tribunal Constitucional, en diversos pronunciamientos –Sentencias 123/1984 y 133/1990–, encuadra la protección civil en la competencia sobre seguridad pública que corresponde al Estado, pero sin perjuicio de la competencia estatutaria sobre materias que guardan alguna relación con la seguridad pública, como la vigilancia de sus edificios e instalaciones, o las competencias de sanidad, carreteras, montes y bosques, entre otras. Por tanto, la jurisprudencia constitucional mantiene el carácter *concurrente de la competencia sobre protección civil entre el Estado y las Comunidades Autónomas, si bien corresponderá necesariamente al Estado, en todo caso, establecer el régimen de la protección civil ante las emergencias, catástrofes o calamidades de alcance nacional". Por eso —añade con acierto la indicada Exposición de Motivos de la Ley 1/2011—, "la Comunidad Autónoma de La Rioja ostenta competencias sobre protección civil que surgen de su propio Estatuto de Autonomía, al ser titular de competencias sectoriales que, con diverso alcance, inciden en la mencionada materia»*.[998]

Algunas comunidades autónomas han ido evolucionando en sus normas autonómicas reguladoras de la protección civil, que inicialmente se circunscribían a entender una protección civil en torno a la emergencia o calamidad pública. La Ley 4/2007, de 28 de marzo, de protección ciudadana de Castilla y León[999], modificada posteriormente por la Ley 2/2019, de 14 de febrero[1000], eleva el concepto de protección civil, adentrándose en la mejora de las condiciones de bienestar de los ciudadanos en una amplia y extensa Exposición de Motivos. Esta ampliación conceptual refleja una tendencia hacia una comprensión más integral de la protección civil, que no solo abarca respuestas a emergencias, sino también la prevención y preparación frente a los diversos riesgos que nos rodean, con un enfoque proactivo en el bienestar ciudadano y la resiliencia comunitaria.

No se entiende muy bien que aprovechando la reforma de la Ley 4/2007 por la Ley 2/2019, se introduzca un vasto cuerpo normativo vía disposiciones transitorias para aquello que debería regularse en una Ley específica de Bom-

---

998 En parecidos términos se expresa el Consejo Consultivo de Castilla-La Mancha. (2013, 13 de junio). Dictamen núm. 188/2013.

999 https://www.boe.es/buscar/pdf/2007/BOE-A-2007-9097-consolidado.pdf

1000 https://boe.es/boe/dias/2019/03/01/pdfs/BOE-A-2019-2865.pdf

beros.[1001] Este enfoque puede generar confusiones y solapamientos de competencias y funciones entre los cuerpos de bomberos y los restantes servicios de emergencias, sugiriendo la necesidad de una legislación más clara y delimitada que asegure la eficacia en la gestión de emergencias y la seguridad pública.

En cambio, la mayor parte de la legislación autonómica continúa configurando la protección civil en el sentido de protección de las personas y los bienes ante situaciones de emergencia colectiva, siguiendo el patrón tradicional. Los nuevos estatutos que vieron la luz durante los años 2006 y 2007 se arrogaron la exclusividad de la competencia de protección civil, una *fictio iuris* del legislador autonómico. Es crucial reconocer que, si bien la descentralización fomenta una gestión más cercana al ciudadano, también requiere de un marco coordinado a nivel estatal que asegure homogeneidad en los estándares de seguridad y respuestas eficaces.

La evolución de los riesgos a los que nuestras sociedades están sometidos, las nuevas amenazas en modo híbrido, el cambio climático, han hecho superar (o han debido hacer superar) esas competencias que antaño se ejercían con cierto celo y exclusividad, por un marco de cooperación auténtico en un Sistema, en el que el todo es lo importante, y las partes son capitales. Se ofrece un servicio público vinculado a la seguridad pública y a la emergencia con carácter "extraordinario" (para lo "ordinario", se cuenta con los servicios de bomberos, sanitarios y policiales sin necesidad de activar los mecanismos de protección civil). Este cambio de paradigma refleja una visión más holística y adaptativa de la protección civil, donde la colaboración interjurisdiccional y la adaptación a nuevos desafíos globales son fundamentales para proteger eficazmente a la sociedad en su conjunto.

En el ámbito autonómico, la organización de la protección civil ha seguido la estela estatal en cuanto a la configuración del servicio, atribuyendo generalmente la competencia al Departamento o Consejería con competencias en "Interior", integrándose en "gobernación", "administración pública", "presidencia", entre otras. Lo habitual es contar con una Dirección General de Protección Civil o Emergencias, o ambas, si bien también hay Direcciones generales más amplias en su ámbito funcional que la asume (es el caso de las Direcciones Generales de Interior, e incluso de Justicia e Interior). En el caso de Castilla y León, se ha creado una "agencia" para la gestión. Sea como fuere, la Dirección General de Protección Civil y Emergencias del Ministerio del Interior ha venido realizando

---

1001 Encontramos disposiciones adicionales para establecer las categorías del personal de bomberos existente en la Comunidad Autónoma, reclasificación de los efectivos o efectos retributivos.

en los últimos años un papel armonizador muy importante, de la mano del Consejo Nacional de Protección Civil y con una clara voluntad de acuerdo de todas las administraciones implicadas para sumar voluntades y ganar en eficacia[1002]. Este enfoque colaborativo es fundamental para garantizar una gestión eficiente como tantas veces hemos insistido, permitiendo una coordinación más efectiva entre las diferentes administraciones y niveles de gobierno.

El principio de buena regulación establecido en el art. 129 de la Ley 39/2015, de 1 de octubre, del Procedimiento Administrativo Común de las Administraciones Públicas, subraya la importancia de la transparencia, la coherencia, la eficiencia y la efectividad en la gestión pública. Este principio es especialmente relevante en el ámbito de protección civil, donde la capacidad de respuesta rápida y efectiva puede ser crítica. Aporta una mejora de la preparación y respuesta ante emergencias, una reducción del riesgo de catástrofe, protege la vida de las personas y sus bienes, y genera confianza en la ciudadanía.

En el año 2023, la Comunidad de Madrid aprobó la Ley 5/2023, de 22 de marzo, del Sistema Integrado de Protección Civil y Emergencias de la Comunidad de Madrid, en atención a lo dispuesto en el art. 7 del Decreto 52/2021, de 24 de marzo[1003], del Consejo de Gobierno de dicha Comunidad Autónoma. Se hace a tal efecto una profunda reestructuración de servicios y se crea una Agencia, que será la Agencia de Seguridad y Emergencias Madrid 112, como ente de derecho público, evitando así una dispersión de recursos, y mejorando en gestión, impulso e integración de servicios. A tal efecto, se trabajó con la normativa legal y reglamentaria[1004] de la Comunidad de Madrid en materia de protección civil y emergencias, y también en otros instrumentos normativos.

1002 El 24 de octubre de 2022 se aprobó en el V Pleno del Consejo Nacional de Protección Civil, por unanimidad el Plan Horizonte 2035. El Plan persigue "impulsar y desarrollar un Sistema maduro, para garantizar una respuesta altamente eficaz a las emergencias y catástrofes, asegurando una protección en condiciones de igualdad en todo el territorio nacional". https://bit.ly/3Hzg0oW

1003 Comunidad de Madrid. (2021). Decreto 52/2021, de 24 de marzo, del Consejo de Gobierno, por el que se regula y simplifica el procedimiento de elaboración de las disposiciones normativas de carácter general en la Comunidad de Madrid. Boletín Oficial de la Comunidad de Madrid (BOCM), número 71, de 25 de marzo de 2021. El precitado artículo 7, se refiere a la Memoria Extendida del Análisis de Impacto Normativo.

1004 Normas con rango de ley:
Ley 25/1997, de 26 de diciembre, que regula el servicio de atención de urgencias 112. Decreto Legislativo 1/2006, de 28 de septiembre, por el que se aprueba el Texto Refundido de la Ley por la que se regulan los Servicios de Prevención, Extinción de Incendios y Salvamentos de la Comunidad de Madrid.

Nos referimos a los marcos de organización que emanan de la competencia relativa a la libre organización de la propia Administración autonómica, como se indica en la STC 50/1999, de 6 de abril, es "algo inherente a la autonomía", y que en STC 251/2006, de 25 de julio, encuentra expresión

---

Ley 16/1995, de 4 de mayo, Forestal y de Protección de la Naturaleza de la Comunidad de Madrid
Normas de carácter reglamentario:
- Decreto 61/1989, de 4 de mayo, por el que se crea la Comisión de Protección Civil de la Comunidad de Madrid, se establece su composición y se determinan sus funciones y su régimen de funcionamiento. Modificado por el Decreto 150/2018, de 16 de octubre, del Consejo de Gobierno.
- Decreto 74/2017, del 29 de agosto, del Consejo de Gobierno, por el que se crea y regula el funcionamiento del Registro de Datos de Planes de Autoprotección de la Comunidad de Madrid.
- Decreto 165/2018, de 4 de diciembre, del Consejo de Gobierno, por el que se aprueba el Reglamento de Organización y Funcionamiento de las Agrupaciones Municipales de Voluntarios de Protección Civil en la Comunidad de Madrid.
- Decreto 59/2017, de 6 de junio, por el que se aprueba el Plan de Protección Civil de Emergencia por Incendios Forestales. (INFOMA)
- Decreto 159/2017, de 29 de diciembre, por el que se aprueba el Plan de Protección Civil ante el riesgo de accidentes en el transporte de mercancías peligrosas por carretera y ferrocarril de la Comunidad de Madrid (TRANSCAM).
- Acuerdo de 30 de abril de 2019, del Consejo de Gobierno, por el que se aprueba el Plan Territorial de Protección Civil de la Comunidad de Madrid (PLATERCAM).
- Orden 1624/2000, de 18 de abril, del Consejero de Medio Ambiente, por la que se modifica el Plan de Protección Civil ante Inclemencias Invernales en la Comunidad de Madrid.
- Acuerdo de 9 de diciembre de 2020, del Consejo de Gobierno, por el que se aprueba el Plan Especial de Protección Civil ante el Riesgo Radiológico de la Comunidad de Madrid (RADCAM).
- Acuerdo de 9 de diciembre de 2020, del Consejo de Gobierno, por el que se aprueba el Plan Especial de Protección Civil ante el Riesgo de Inundaciones en la Comunidad de Madrid (INUNCAM).
Acuerdo de 21 de abril de 2021, del Consejo de Gobierno, por el que se procede a la corrección de errores del Acuerdo de 9 de diciembre de 2020, del Consejo de Gobierno, por el que se aprueba el Plan Especial de Protección Civil ante el riesgo de inundaciones en la Comunidad de Madrid (INUNCAM).
- Acuerdo de 12 de abril de 2021, del Consejo de Gobierno, por el que se procede a la corrección de errores del Acuerdo de 9 de diciembre de 2020, del Consejo de Gobierno, por el que se aprueba el Plan Especial de Protección Civil ante el Riesgo Radiológico de la Comunidad de Madrid (RADCAM).
- Acuerdo de 14 de enero de 2020, de Consejo de Gobierno, por el que se aprueba el Plan de Actuación de Protección Civil ante atentados terroristas en la Comunidad de Madrid.
Acuerdo de 14 de octubre de 2020, del Consejo de Gobierno, por el que se aprueba el Plan de Actuación de Protección Civil ante Pandemias en la Comunidad de Madrid.

cuando afirma que la *"potestad autoorganizatoria de las Comunidades Autónomas constituye una manifestación central del principio de autonomía".*

En la STC 50/1999, de 6 de abril, se expresa:

«Respecto de la competencia relativa a la libre organización de la propia Administración autonómica, que con carácter de competencia exclusiva alegan las dos Comunidades Autónomas, debe advertirse que esta competencia, que efectivamente ha sido reconocida por este Tribunal en diversas ocasiones como algo inherente a la autonomía *(STC 227/1988, fundamento jurídico 24) en tanto que competencia exclusiva tiene como único contenido la potestad para crear, modificar y suprimir los órganos, unidades administrativas o entidades que configuran las respectivas Administraciones autonómicas o dependen de ellas (SSTC 35/1982, 165/1986, 13/1988 y 227/1988). Hemos declarado que «conformar libremente la estructura orgánica de su aparato administrativo» (STC 165/1986, fundamento jurídico 6º), establecer cuáles son «los órganos e instituciones» que configuran las respectivas Administraciones (STC 35/1982, fundamento jurídico 2º), son decisiones que corresponden únicamente a las Comunidades Autónomas y, en consecuencia, el Estado debe abstenerse de cualquier intervención en este ámbito (STC 227/1988 y «a sensu contrario» STC 13/1988)».*

Una consecuencia de la anterior STC es que el Estado debe abstenerse de cualquier intervención en el ámbito de una competencia exclusiva de las CCAA, basándose en el principio de autonomía consagrado en el art. 2 de la Constitución Española.

La STC 50/1999 reafirma la competencia exclusiva de las CCAA en materia de organización administrativa, limitándose la misma a la creación, modificación y supresión de órganos, unidades administrativas o entidades que conforman las Administraciones autonómicas o dependientes de estas.

Las Comunidades Autónomas, además, tendrán reconocida competencia en materia de régimen sancionador. Así se señala en la STC 15/2004, de 21 de septiembre:

«De ahí que las Comunidades Autónomas puedan adoptar normas administrativas sancionadoras cuando tengan competencia sobre la materia sustantiva de que se trate, debiendo acomodarse las disposiciones que dicten a las garantías constitucionales dispuestas en este ámbito del Derecho administrativo sancionador (art. 25.1 CE), y no introducir divergencias irrazonables y desproporcionadas al fin perseguido respecto del régimen jurídico aplicable en otras partes del territorio (art. 149.1.1 CE; *SSTC 87/1985, de 16 de julio, FJ 8; 196/1996, de 28 de noviembre, FJ 3). La regulación de las infracciones y sanciones que las Comunidades Autónomas lleven a cabo estará pues limitada por los principios básicos del ordenamiento estatal (STC 227/1988, de 29 de noviembre,*

FJ 29) y, en todo caso, habrá de atenerse a lo dispuesto en el art. 149.1.1 CE; de igual modo el procedimiento sancionador habrá de ajustarse al 'administrativo común', cuya configuración es de exclusiva competencia estatal (art. 149.1.18 CE), sin que ello implique que toda regulación del Derecho administrativo sancionador, por el hecho de afectar al ámbito de los derechos fundamentales, sea competencia exclusiva del Estado (STC 87/1985, de 16 de julio, FJ 8».

El objetivo es superar la falta de versatilidad que en ocasiones atenaza a la administración. Como señala RIVERO[1005], "difícilmente se adaptan a nuevas tareas o cambios en las necesidades de intervención, pues sus estructuras están diseñadas para gestionar procedimientos concretos, formalizados y recurrentes", ante lo cual, como alternativa, se crean "entidades personificadas" como es el caso, no exentas también de problemas. Esta crítica destaca la necesidad de una reestructuración en las administraciones para permitir una mayor flexibilidad y adaptabilidad a las cambiantes condiciones y exigencias de la gestión de emergencias, al encontrarnos con una rigidez estructural y una carencia de flexibilidad de las estructuras administrativas.

Estamos pues ante la expresión de la facultad de mayor alcance de la potestad organizativa[1006], pues supone la creación de una nueva administración especializada.

Sin duda, un hito muy importante es la aprobación del Plan Nacional de Reducción del Riesgo de Desastres: Plan Horizonte 2035, en el Consejo Nacional de Protección Civil. En su capítulo XVI, se instaura la necesidad de que las Comunidades Autónomas y las Ciudades de Ceuta y Melilla, aprueben sus respectivas Estrategias cuatrienales de protección civil, con posterioridad a la aprobación de la Estrategia del Sistema.

Las relaciones en materia de Protección Civil de las Comunidades Autónomas con el Estado se rigen por el principio de colaboración y cooperación. En la Ley 40/2015, de 1 de octubre, de Régimen Jurídico del Sector Público (LRJSP)[1007] se definen ambos conceptos: la colaboración, como "el deber de actuar con el resto de Administraciones Públicas para el logro de fines comunes" y la cooperación como "la situación que se da cuando dos

---

1005 Rivero Ortega, R. (2Ed). (2023). Derecho administrativo (2ª ed.). Tirant lo Blanch. Página 112.

1006 Tarrés, M. (s.f.). Introducción al derecho administrativo. Universitat Oberta de Catalunya. Página 42.

1007 España. (2015). Ley 40/2015, de 1 de octubre, de Régimen Jurídico del Sector Público. Boletín Oficial del Estado (BOE), número 236, de 2 de octubre de 2015. https://bit.ly/3VAHRtc

o más Administraciones Públicas, de manera voluntaria y en ejercicio de sus competencias, asumen compromisos específicos en aras de una acción común" (art. 140). Para la jurisprudencia constitucional[1008], el deber de colaboración o cooperación en el sistema de distribución de competencias es un presupuesto implícito, en la lealtad y solidaridad constitucional, y que no necesita justificarse en títulos constitucionales expresos. Ha habido algunos procedimientos elevados al Alto Tribunal en los que determinada Comunidad Autónoma aspira a una función pública autónoma, algo que no sería para nada congruente con el principio de coordinación y cooperación en materias concurrentes, con los límites del interés general, que alcanza incluso a aquellas competencias exclusivas de ámbito autonómico.

Las administraciones públicas han de respetar el libre ejercicio de las competencias por parte del resto de administraciones, y también facilitarlo, como indica el art. 141 de la LRJSP.

La técnica para hacer posible tales obligaciones de colaboración se determina en el art. 142 LRJSP[1009], algo esencial para poder ofrecer una res-

---

[1008] Tribunal Constitucional. (1983). Sentencia 76/1983, de 5 de agosto (BOE núm. 206, de 28 de agosto de 1983).

[1009] Ley 40/2015, de 1 de octubre, de Régimen Jurídico del Sector Público. BOE, 2 de octubre de 2015. Artículo 142. Técnicas de colaboración:

a) El suministro de información, datos, documentos o medios probatorios que se hallen a disposición del organismo público o la entidad al que se dirige la solicitud y que la Administración solicitante precise disponer para el ejercicio de sus competencias.

b) La colaboración a fin de proporcionar la inclusión en un sistema integrado de información de las respectivas áreas personalizadas o carpetas ciudadanas, o determinadas funcionalidades de las mismas, de forma que el interesado pueda acceder a sus contenidos, notificaciones o funcionalidades mediante procedimientos seguros que garanticen la integridad y confidencialidad de los datos de carácter personal, independientemente de cuál haya sido el punto de acceso.

c) El desarrollo de la Plataforma Digital de Colaboración entre las Administraciones Públicas como instrumento destinado a facilitar las relaciones y el soporte electrónico de los órganos integrantes del sistema de Conferencias Sectoriales y en general de los órganos de cooperación, así como de otras de plataformas comunes para el intercambio de datos en el ámbito de todas las administraciones públicas.

d) La creación y mantenimiento de sistemas integrados de información administrativa con el fin de disponer de datos actualizados, completos y permanentes referentes a los diferentes ámbitos de actividad administrativa en todo el territorio nacional.

El deber de asistencia y auxilio, para atender las solicitudes formuladas por otras Administraciones para el mejor ejercicio de sus competencias, en especial cuando los efectos de su actividad administrativa se extiendan fuera de su ámbito territorial. f) Cualquier otra prevista en una Ley.

puesta a las situaciones de emergencia, y cumplir con unos tiempos que sean garantes de la salvaguarda de la salud, la vida y los patrimonios de las personas. La cooperación en cuanto a su técnica se regula en los arts. 143 y 144 de la norma. La efectividad de las respuestas en situaciones de emergencia depende en gran medida de la capacidad de las administraciones para colaborar y coordinar sus acciones de manera ágil y eficaz.

No podemos olvidar el papel de los cuerpos de policía local de los ayuntamientos de las distintas Comunidades Autónomas, pues una de sus funciones es precisamente la colaboración en protección civil (art. 53.1.f de la Ley Orgánica 2/1986, de 13 de marzo, de Fuerzas y Cuerpos de Seguridad, y la normativa específica de las distintas Comunidades Autónomas que se dicta al objeto de coordinar dichas policías locales). Estos cuerpos de policía local no solo cumplen funciones de seguridad pública y orden, sino que también son actores clave en la ejecución de planes de protección civil y respuestas a emergencias, colaborando estrechamente con otras fuerzas de seguridad y servicios de emergencia.

El marco de derecho nacional básico está constituido por la Ley 17/2015, de 9 de julio, del Sistema Nacional de Protección Civil (el art. 2 persigue asegurar tanto la coordinación, como la cohesión y la eficacia de las políticas públicas en esta materia[1010]), el Real Decreto 524/2023, de 20 de junio, por el que se aprueba la Norma Básica de Protección Civil y la Orden PJC/1430/2024, de 16 de diciembre, por la que se publica la Estrategia Nacional de Protección Civil, aprobada por el Consejo de Seguridad Nacional.

En el marco de derecho europeo, es relevante destacar el Reglamento (UE) 2021/836 del Parlamento Europeo y del Consejo de 20 de mayo de 2021 por el que se modifica la Decisión número 1313/2013/UE relativa a un Mecanismo de Protección Civil de la Unión, así como la Decisión del Consejo de las Comunidades Europeas 91/396/CEE, de 29 de julio de 1991, relativa a la creación de un número de llamada de urgencia único europeo y atribuido a las comunidades autónomas por medio del Real Decreto 903/1997, de 16 de junio.

Distintas Comunidades Autónomas en el conjunto del país han dictado normas de transparencia y de participación de los ciudadanos, en virtud de las cuales los mismos, con carácter previo a la elaboración de un pro-

---

1010 Define la situación de emergencia de protección civil como aquella: "Situación de riesgo colectivo sobrevenida por un evento que pone en peligro inminente a personas o bienes y exige una gestión rápida por parte de los poderes públicos para atenderlas y mitigar los daños y tratar de evitar que se convierta en una catástrofe", añadiendo que "Se corresponde con otras denominaciones como emergencia extraordinaria, por contraposición a emergencia ordinaria que no tiene afectación colectiva".

yecto de Ley o de proyectos reglamentarios, podrán participar y colaborar a través de la preceptiva consulta pública. No se trata de conocer -como se desprende del artículo 7 de la Ley 19/2013, de 9 de diciembre-, sino también de participar. Participación que viene recogida en el art. 133 de la Ley 39/2015, de 1 de octubre[1011], del Procedimiento Administrativo Común de las Administraciones Públicas y en el art. 26 de la Ley 50/1997, de 27 de noviembre, del Gobierno[1012], y también en la Orden PRE/1590/2016, de 3 de octubre[1013], por el que se publica el Acuerdo del Consejo de Ministros de 30 de septiembre de 2016, por el que se dictan instrucciones para habilitar la participación de los ciudadanos en el proceso de confección normativa a través de los portales web que disponen los departamentos ministeriales.

Esta participación ciudadana es capital, y, como ya vimos, viene expresada también en normativa de ámbito internacional como es el Marco de Sendai.

La regulación, tanto en ámbito autonómico, como también el nacional, debe hacer un uso prudente de la declaración de urgencia, como se determina en el Dictamen 779/2009, de 21 de mayo del Consejo de Estado:

"es característica de la Administración consultiva clásica la de operar con sosiego y reflexión, en un proceso no siempre rápido de maduración, que puede quedar frustrado si se trasladan al Consejo de Estado, en demasía, las exigencias y apremios propios de la Administración activa".

Y todo porque como ya ha expresado el Tribunal Constitucional[1014], puede provocar lesión en ese orden:

1011 Ley 39/2015, de 1 de octubre, del Procedimiento Administrativo Común de las Administraciones Públicas. Jefatura del Estado. BOE, número 236, de 2 de octubre de 2015. Referencia: BOE-A-2015-10565.

1012 Ley 50/1997, de 27 de noviembre, del Gobierno. Jefatura del Estado. BOE, número 285, de 28 de noviembre de 1997. Referencia: BOE-A-1997-25336.

1013 Orden PRE/1590/2016, de 3 de octubre, por la que se publica el Acuerdo del Consejo de Ministros de 30 de septiembre de 2016, por el que se dictan instrucciones para habilitar la participación pública en el proceso de elaboración normativa a través de los portales web de los departamentos ministeriales. BOE, número 241, de 5 de octubre de 2016.

1014 Pleno. (2011). Sentencia 136/2011, de 13 de septiembre de 2011. Recurso de inconstitucionalidad 1390-1999. Interpuesto por 89 Diputados del Grupo Parlamentario Socialista del Congreso de los Diputados en relación con diversos preceptos de la Ley 50/1998, de 30 de diciembre, de medidas fiscales, administrativas y del orden social. Leyes de contenido heterogéneo, facultades de enmienda del Senado, principios democrático, de seguridad jurídica y de interdicción de la arbitrariedad de los poderes públicos: validez de las disposiciones legales que, no incluidas en

"Desatender los límites constitucionales bajo el paraguas de la urgencia normativa no deja de ser una lesión constitucional por mucho que pueda parecer conveniente coyunturalmente".

La participación de las distintas administraciones —estatales, autonómicas y locales—, tienen un punto de encuentro y trabajo loable en el Foro de Gobierno Abierto, donde también confluye la sociedad civil[1015].

Tras los incendios forestales del verano de 2025, el Ejecutivo español anunció la posible creación de una Agencia Estatal de Protección Civil, concebida como un organismo especializado destinado a coordinar de manera integral las actuaciones frente a emergencias y catástrofes. La futura agencia se plantea como un instrumento con personalidad jurídica propia, autonomía administrativa y recursos técnicos específicos, con el objetivo de reforzar la planificación, la prevención y la respuesta a nivel nacional, en estrecha colaboración con las Comunidades Autónomas y en consonancia con los compromisos europeos en el marco del Mecanismo de Protección Civil de la Unión Europea. Este anuncio responde a la necesidad, evidenciada en los últimos episodios de incendios, de contar con estructuras más ágiles y resilientes, capaces de integrar la innovación tecnológica, la cooperación interterritorial y la participación ciudadana en la gestión de riesgos de gran magnitud.

2.- PROPUESTAS PARA LA MEJORA DE LA FORMACIÓN DEL PERSONAL PÚBLICO

Siendo el personal el principal activo de cualquier organización en orden al cumplimiento de sus fines, en el ámbito que nos ocupa, resultan de especial interés las siguientes acciones:

---

una ley de presupuestos, modifican tributos o regulan materias no directamente relacionadas con la ejecución de los presupuestos o la política económica del Gobierno; modificación no arbitraria del régimen de compensación a las empresas eléctricas afectadas por los costes de transición de un sistema monopolístico a un mercado en competencia; ejercicio del derecho de enmienda y relación de homogeneidad entre enmiendas e iniciativa legislativa que se pretende modificar. Votos particulares. BOE núm. 245, de 12 de octubre de 2011.

1015 Orden HFP/134/2018, de 15 de febrero, por la que se crea el Foro de Gobierno Abierto. Ministerio de Hacienda y Función Pública. BOE, número 45, de 20 de febrero de 2018.
Referencia: BOE-A-2018-2327.

Se continuará con el impulso de la Escuela Nacional de Protección Civil en la condición de Centro Nacional de Referencia[1016] (centros públicos que realizan acciones de innovación y experimentación en materia de formación profesional, especializados en sectores de la actividad productiva a través de familias profesionales) para la familia de prevención y seguridad, así como la convergencia de programas de actividades formativas de la ENPC con los currículos de las titulaciones oficiales y con los certificados de profesionalidad[1017]. Para el personal integrado en el Sistema Nacional de Protección Civil se seguirá la senda de la formación continua (prioritariamente a los que forman parte de la Administración General del Estado, sin descartar al personal de otras Administraciones Públicas y a los voluntarios de protección civil). Se potenciará la formación en los planes de emergencia nuclear para los intervinientes, se fomentará el intercambio y colaboración en la esfera formativa con las Comunidades Autónomas y centros de formación en protección civil, y se avanzará en la consolidación de la Escuela Nacional de Protección Civil como un centro de referencia internacional en formación.

Se ha de seguir incrementando el número de acciones formativas dentro del programa de formación para la mejora del Sistema de Gestión del Riesgo de Desastres, tanto en América Latina como en el Caribe, así como la celebración de reuniones con Portugal, Francia y otras naciones para fijar y perfeccionar actividades formativas en la materia.

Se fomentarán políticas de igualdad, a través de la formación, impulsando una actividad formativa relacionada con el conocimiento de las personas con discapacidad y las demandas que tales personas pueden requerir de los actuantes en el ámbito de la protección civil.

Se seguirá impulsando la formación online con el soporte de las TIC´s, y la medición de la calidad de la formación impartida entre los alumnos, profesores y gestores.

Convendría que los líderes y responsables públicos, todos, contaran con conocimientos al menos básicos del marco jurídico en materia de protección civil, niveles de emergencia y elementos de cooperación entre administraciones.

[1016] Real Decreto 229/2008, de 15 de febrero, por el que se regulan los Centros de Referencia Nacional en el ámbito de la formación profesional. «BOE» núm. 48, de 25 de febrero de 2008. https://bit.ly/3Xpq3Sx

[1017] Regulados por el Real Decreto 34/2008, de 18 de enero, por el que se regulan los certificados de profesionalidad. «BOE» núm. 27, de 31 de enero de 2008. https://bit.ly/2RJ15Py

3.- PARTICIPACIÓN CIUDADANA EN LA GESTIÓN DE DESASTRES: ESTRATEGIAS PARA LA CONSTRUCCIÓN DE COMUNIDADES RESILIENTES

El término resiliencia se utiliza con profusión como sinónimo de lo que los británicos llaman "bouncing back", recuperarse. Es una derivación del latín *resiliere*, que significa "salto atrás", o cambio a un estadio anterior (to jump back), si bien no se capta la noción con esta explicación tan sucinta.

La resiliencia es un término que se emplea con profusión y, a veces, con cierta confusión en los últimos tiempos pero, más allá de la aparente novedad, es un término que ha cobrado relevancia en la comunidad internacional relacionada con la gestión de emergencias y desastres.

En el Marco de Acción de Hyogo, se define como:

"La capacidad de un sistema, comunidad o sociedad expuesta a amenazas para resistir, absorber, acomodarse y recuperarse de los efectos de una amenaza de manera oportuna y eficiente, incluso mediante la preservación y restauración de sus estructuras y funciones básicas esenciales." UNISDR. Ginebra, 2009.

Para el Departamento de Seguridad Nacional de Estados Unidos, la resiliencia se define como "la capacidad de adaptarse a las condiciones cambiantes y soportar y recuperarse rápidamente de las interrupciones debidas a las emergencias".[1018] Esta definición se inserta en un contexto amplio que abarca desde el terrorismo hasta las catástrofes futuras, y se basa en la definición del diccionario Webster, que la describe como "la capacidad de recuperarse o ajustarse fácilmente a una desgracia o a un cambio".

Una definición más elaborada proviene del Jefe de Resiliencia (CRO)[1019] de San Francisco, quien la describió en la revista Emergency Management como "la forma en que una ciudad sigue prosperando y se recupera de los choques agudos y las tensiones crónicas".[1020]

La Academia Nacional de Ciencias de Estados Unidos define la resiliencia como: "la capacidad de prepararse y planificar, absorber, recuperarse y adaptarse con mayor éxito a los acontecimientos adversos".

1018 U.S. Department of Homeland Security. (2007). National Preparedness Goal, First edition, September 11.

1019 Progresivamente, las ciudades de Estados Unidos se dotan de un Jefe de Resiliencia (CRO, Chief Resilience Officer en inglés).

1020 Barishansky, Raphael M. (2015, October). The Word on "Resilience" in Emergency Management. https://bit.ly/3Ar1ATD

Podríamos definir también resiliencia como "oportunidad para las personas y sus comunidades, de adaptarse a consecuencia de una catástrofe natural o tecnológica, mejorando el punto de partida, con la concurrencia planificada de un proceso individual y colectivo."[1021].

Se habla de resiliencia debido a que los riesgos están aumentando a un ritmo sin precedentes en el mundo, lo que ha provocado un notable incremento en el número de personas afectadas por desastres en los últimos cinco años en comparación con períodos anteriores.

Este incremento ha hecho notar sus efectos en las comunidades, en las infraestructuras esenciales y en los sectores productivos, creando nuevos desafíos. La pandemia del COVID-19 y los fenómenos meteorológicos adversos han interrumpido la cadena de suministros. Las altas temperaturas registradas han sido una llamada de atención hasta para los más escépticos, al menos en lo que respecta a los cambios que están ocurriendo.

Por eso es necesario realizar cambios frente a esta constante evolución. Debemos evolucionar en nuestros sistemas de gobernanza y responder ante los desafíos, en lugar de esperar a que se resuelvan por sí solos. Es fundamental ajustar, mejorar y ampliar la respuesta frente a los riesgos y desastres.

En el informe del Grupo de Trabajo II, elaborado para el Sexto Informe de Evaluación del Grupo Intergubernamental de Expertos sobre el Cambio Climático, en su Capítulo 13, se analizaron las vías de desarrollo resiliente al clima en las ciudades europeas. La mitigación y la adaptación sin duda traen consigo efectos positivos en el ámbito de la sostenibilidad ambiental, social y económica. Sin embargo, aún queda mucho trabajo por realizar, ya no son abundantes las ciudades que integran la mitigación y la adaptación en sus planes de desarrollo urbano (tan solo se encuentran 147 casos de 885 ciudades revisadas).

Se aconseja en los entornos urbanos actuaciones como:

- Infraestructuras verdes
- Edificios y construcciones energéticamente eficientes.
- Transporte Colectivo
- Transporte sostenible bajo en emisiones.
- Reverdecimiento urbano.

[1021] Definición propuesta por el autor de la Tesis.

Lo anterior contribuye a la resiliencia frente al cambio climático de nuestras ciudades, si bien hay que hacer constar que hay limitaciones de capital para abordar dichas evoluciones de desarrollo.

Analizado el caso de la ciudad de Milán (Italia), que cuenta con casi millón y medio de habitantes, se ha adoptado un enfoque de desarrollo urbano alineado con los Objetivos de Desarrollo Sostenible, a través de un Plan Maestro de la Ciudad. Este plan se centra en un desarrollo bajo en carbono, inclusivo y equitativo. Interesa conocer el refuerzo a la respuesta a las catástrofes, que se dimensiona a escala de barrio, así como la creación de un departamento de resiliencia.

En los hogares europeos, la adaptación planificada sigue siendo muy reducida, con pocos ejemplos inspiradores. En una encuesta realizada en hogares de Suecia sobre fenómenos meteorológicos adversos como tormentas e inundaciones, se observó que algunas medidas organizativas simples, como guardar pertenencias y enseres en el interior de la casa antes de una tormenta o prepararse con velas o linternas frente a cortes de luz, eran comunes. Sin embargo, pocos hogares implementaron medidas adicionales.

En Alemania, aunque los ayuntamientos ofrecieron ayudas para hacer frente de manera preventiva al riesgo de inundaciones, hubo una escasa demanda de estas ayudas. La percepción de responsabilidad personal para abordar el cambio climático sigue siendo baja en toda la Unión Europea, lo que explica por qué la adaptación avanza a un ritmo lento, a pesar de un aumento de la percepción del riesgo, especialmente acentuado por los medios de comunicación ante determinados fenómenos meteorológicos. En Europa, en general, salvo los expertos, los no expertos tienden a subestimar los riesgos de cambio climático, lo que sugiere la necesidad de impulsar una auténtica "alfabetización climática".

Una sociedad resiliente es aquella que puede adaptarse al cambio y que cuenta con diversidad y flexibilidad que puede ser utilizada como respuesta a las perturbaciones.[1022] Para las Academias Nacionales de Ciencias de Estados Unidos, es "la capacidad de prepararse y planificar, absorber, recuperarse y adaptarse con mayor éxito a los acontecimientos adversos".

Acudiendo al buscador Google, observamos que "resilience" apenas se ha utilizado hasta mediados de la década de los 90, incrementando progresivamente su presencia. Si revisamos la base de datos de tesis del Centro de Seguridad Nacional y Defensa de la Escuela Naval de Postgrado de los

---

1022 Redman, C.L., & Kinzig, A.P. (2003). Resilience of past landscapes: Resilience theory, society, and the Longue Durée. Ecology and Society, 7(1).

Estados Unidos, encontraremos que en el ámbito temporal que abarca desde 2001 a 2010 la palabra "resiliencia" en poco más de 250 ocasiones. Del 2010 al 2015, la cifra superaba las 400. Si acudimos a la Biblioteca Digital de Seguridad Nacional en busca del término "resiliencia", encontraremos a finales del 2022 la cifra de 21010 resultados.[1023]

Un caso ilustrativo es la colaboración entre Nueva York y Copenhague en materia de resiliencia climática frente a lluvias intensas. Nueva York ha adoptado un plan denominado Cloudburst Resilience Planning, inspirado en la experiencia de Copenhague, que combina infraestructuras "azul-verdes" (como jardines de retención, estanques de infiltración o pavimentos permeables) con soluciones convencionales de drenaje para reducir inundaciones urbanas. Estas intervenciones no solo minimizan el riesgo hídrico, sino que también generan beneficios en captación de CO_2, mejora del paisaje urbano y biodiversidad. Esta cooperación demuestra cómo ciudades con diferentes contextos pueden intercambiar estrategias adaptativas, adaptándolas a sus propias realidades climáticas y estructurales.

La resiliencia es la capacidad de resistir en primer término, y seguidamente, recuperarse de un acontecimiento adverso. Y esa capacidad, si se involucra a la comunidad en todo el proceso de planificación ante las amenazas y riesgos, mejora la capacidad de respuesta. La participación en el proceso planificador y la comunicación de las actuaciones se revelan como instrumentos muy importantes, que van un paso más allá porque no pueden descansar en la expectativa de que sean los servicios públicos los que capitalicen toda la actuación porque, desgraciadamente, en situaciones de extrema gravedad, estos no llegarán a tiempo.

Hay muchos ejemplos de procesos en los que la participación de la comunidad hace adquirir mayor resiliencia por parte de esta. Cuando la comunidad participa en la proyección de los usos del suelo, en la confección de normativas relativas a la construcción de edificaciones p.ej., se reducen las necesidades de recursos de respuesta en el caso de las emergencias.

A nivel municipal, comarcal y regional, promover la resiliencia a través de la planificación implica conocer la realidad del ámbito poblacional de que se trate, las características del territorio o su demografía, en definitiva, sus señas de identidad. No es lo mismo planificar un plan de emergencia en entornos rurales que en entornos urbanos densamente poblados. No será lo mismo planificar en ámbitos donde haya una pirámide de edad envejecida que en aquella que, por fortuna, tenga vigor en los nacimientos. Las demandas de la población con

1023 Búsqueda realizada el 3 de diciembre de 2022. https://www.hsdl.org

algún tipo de discapacidad, requerirán unas necesidades de acceso y funcionales específicas, como aquellos entornos con presencia de animales domésticos.

Un ejemplo destacado en España de ciudad resiliente es el de Barcelona, que ha desarrollado el proyecto europeo RESCCUE (Resilience to Cope with Climate Change in Urban Environments)[1024], convirtiéndose en una referencia internacional en la aplicación de estrategias urbanas integradas frente al cambio climático. Este proyecto, impulsado en el marco del programa Horizon 2020, aborda la resiliencia desde una perspectiva multirriesgo, combinando infraestructuras tradicionales con soluciones basadas en la naturaleza, planificación hidrológica y herramientas de modelización urbana. La iniciativa ha permitido elaborar un Plan Director de Resiliencia Urbana, orientado a mejorar la respuesta de la ciudad ante episodios de inundaciones, olas de calor y sequías, promoviendo la cooperación público-privada y la participación ciudadana. Barcelona se consolida así como una ciudad laboratorio en gestión del riesgo climático, alineada con los principios del Marco de Sendái 2015-2030 y los Objetivos de Desarrollo Sostenible, especialmente los ODS 11 y 13.

El sector privado también tiene que implicarse, como hemos indicado en el caso anterior, en este proceso de dotar de resiliencia a la ciudadanía, al igual que las organizaciones sin ánimo de lucro. Muchas de las infraestructuras críticas y esenciales para ofrecer una respuesta pertenecen al sector privado o son gestionadas por él, y las ONG´s son prestatarias de servicios clave en las fases de respuesta y recuperación. La administración pública, el sector privado y las ONG´s forman un triángulo esencial que debe relacionarse.

En España, se ha utilizado con profusión en los últimos tiempos, especialmente a consecuencia de la pandemia de COVID-19. Así, se aprobó el Real Decreto-ley 36/2020, de 30 de diciembre, que lo acogió al final de su enunciado, "por el que se aprueban medidas urgentes para la modernización de la Administración Pública y para la ejecución del Plan de Recuperación, Transformación y Resiliencia".[1025] Este Real Decreto-ley se inspiró en el Consejo Europeo del 21 de julio de 2020, que acordó un planteamiento novedoso e histórico para recuperar las heridas de la pandemia, sobre los pilares de la convergencia, la resiliencia y la transformación en la Unión Eu-

---

1024 RESCCUE Project. (2021). Resilience to Cope with Climate Change in Urban Environments (RESCCUE). European Commission – Horizon 2020 Programme. Recuperado de https://resccue.eu/

1025 Real Decreto-ley 36/2020, de 30 de diciembre, por el que se aprueban medidas urgentes para la modernización de la Administración Pública y para la ejecución del Plan de Recuperación, Transformación y Resiliencia. BOE, núm. 341.

ropea, con medidas de alto impacto y un paquete presupuestario movilizado de gran volumen. De ahí nace el Marco Financiero Plurianual (MFP) y el marco "Next Generation EU", que irán unidos en su desarrollo e impulso.

En definitiva, Europa ha impulsado un plan de recuperación que demanda inversión tanto pública como privada para recuperar de modo sostenible a Europa y hacerla resiliente, creando empleo y restañando las heridas de los daños producidos por la pandemia. El MFP, reforzado por "Next Generation EU", es el principal instrumento con el que cuenta Europa. Para alcanzar los objetivos de resiliencia, que engloba el apoyo a la inversión, la creación de empleo y el crecimiento, "contribuyendo a reducir las disparidades económicas, sociales y territoriales de los Estados Miembros", la Unión se dotará de 377.768 millones de euros, de los cuales 330.234 millones EUR se destinarán a "cohesión económica, social y territorial" y 47.533 millones EUR a "resiliencia y valores".[1026]

En febrero de 2021 se aprobó el Reglamento del Parlamento Europeo y del Consejo por el que se establece el Mecanismo de Recuperación y Resiliencia.[1027] Este Mecanismo constituye la parte más importante de "Next Generation EU", abarcando en torno al 90% del importe total. La dotación de este Mecanismo alcanza la cifra de 672.500 millones EUR (en precios de 2018), donde 360.000 millones EUR son préstamos y 312.500 millones EUR son subvenciones.

El 13 de julio de 2021, el Consejo aprobó los planes de recuperación de la UE de las doce primeras naciones que los presentaron, entre los cuales se encontraba España. El Plan de Recuperación, Transformación y Resiliencia de España se informa a través de un Portal Web dedicado al desarrollo del mismo[1028], donde se puede acceder a información relativa a la ejecución alcanzada y a las convocatorias en vigor para acceder a las ayudas. Cabe destacar la publicación de un Boletín Semanal del Plan de Recuperación[1029].

1026 Consejo Europeo. (2020, 21 de julio). Reunión Extraordinaria del Consejo Europeo (17 a 21 de julio de 2020), Conclusiones. Euco 10/20. Bruselas.

1027 Reglamento del Parlamento Europeo y del Consejo por el que se establece el Mecanismo de Recuperación y Resiliencia. Bruselas, 10 de febrero de 2021, PE-CONS 75/20. https://bit.ly/3FqWJVz

1028 Plan de Recuperación, Transformación y Resiliencia de España. Gobierno de España. https://planderecuperacion.gob.es/

1029 Gobierno de España. Plan de Recuperación, Transformación y Resiliencia. Boletín Semanal del Plan de Recuperación. https://planderecuperacion.gob.es/documentos-y-enlaces/boletinsemanal-nextgenerationeu

Para facilitar el impulso de los convenios administrativos tendentes a ejecutar proyectos con cargo a los fondos europeos del Plan de Recuperación, Transformación y Resiliencia, se simplifican respecto de la regulación contemplada en la Ley 40/2015, de 1 de octubre, de Régimen Jurídico del Sector Público.[1030]

Ha habido que remover muchos obstáculos para poder gestionar tal volumen presupuestario en un universo amplio de departamentos del gobierno y con implicación de las distintas administraciones públicas. No faltan voces críticas que señalan la lentitud en la tramitación administrativa, pese a los esfuerzos realizados. Mencionemos, entre otros, como indica LÓPEZ VIÑA[1031], la posibilidad de reforzar las plantillas de personal con el nombramiento de personal estatutario temporal, personal funcionario interino o personal laboral con contratos de duración determinada, de acuerdo con lo establecido en su instrumento de planificación estratégica de gestión, el texto refundido de la Ley del Estatuto Básico del Empleado Público[1032] y el texto refundido de la Ley del Estatuto de los Trabajadores[1033]. También LÓPEZ VIÑA expresa la limitación de la función de fiscalización por los órganos interventores, la facilitación de "la tramitación de urgencia y la utilización de los procedimientos abierto simplificado abreviado y abierto simplificado ordinario, así como el encargo a medios propios", y medidas de impulso tendentes a la agilización de los convenios financiables y subvenciones financiables con fondos UE.

A la luz de lo expuesto, estamos ante un Plan de envergadura mayor, no conocido en mucho tiempo. Supone una apuesta por una gobernanza de los fondos que requiere cambios sustanciales en la normativa administrativa en escaso tiempo. Sin embargo, este enfoque plantea la amenaza de las consecuencias derivadas de un menor control del gasto, al reducirse los controles y todo ello bajo el uso de la controvertida fórmula del Decreto-Ley.

1030 Ley 40/2015, de 1 de octubre, de Régimen Jurídico del Sector Público. (2015). Boletín Oficial del Estado, núm. 236, de 02/10/2015. https://www.boe.es/buscar/pdf/2015/BOE-A-2015-10566-consolidado.pdf

1031 López Viña, J. (2021). La "Ley de Resiliencia": Luces y sombras. Ed. Tuayuntamientoaqui.com. https://bit.ly/3OZsRT5

1032 Real Decreto Legislativo 5/2015, de 30 de octubre, por el que se aprueba el texto refundido de la Ley del Estatuto Básico del Empleado Público. BOE núm. 261, de 31 de octubre de 2015.https://www.boe.es/buscar/pdf/2015/BOE-A-2015-11719-consolidado.pdf

1033 Real Decreto Legislativo 2/2015, de 23 de octubre, por el que se aprueba el texto refundido de la Ley del Estatuto de los Trabajadores. (2015). BOE, núm. 255, de 24 de octubre de 2015. https://www.boe.es/buscar/pdf/2015/BOE-A-2015-11430-consolidado.pdf

Parece que los esfuerzos de la Comisión para la Reforma de las Administraciones Públicas (CORA)[1034], que dio lugar a normas importantes como la Ley 39/2015, de 1 de octubre, del Procedimiento Administrativo Común de las Administraciones Públicas[1035], y la Ley 40/2015, de 1 de octubre, de Régimen Jurídico del Sector Público[1036], no han bastado para solventar la necesidad de una administración moderna, ágil y eficaz. Si bien el documento de conclusiones[1037] refleja los avances realizados, en la gestión de riesgos, no siempre todos los escenarios estaban previstos. Para MONTILLA MARTOS[1038], el Informe Cora "no incide en la configuración de una nueva administración... Hacer más con menos como nuevo paradigma de la actuación administrativa significa simplemente gastar menos en los servicios públicos esenciales."

A pesar de todos los retos en el camino, RIFKIN[1039] señala que vivimos el mayor reajuste de la historia, y que nos adentramos en lo que él denomina "la era de la resiliencia" como respuesta al cambio climático. Augura un desarrollo de las bioregiones frente al tradicional modelo de gobiernos de naturaleza estatal, porque "a las catástrofes climáticas le importan un comino las fronteras políticas".

1034 En octubre de 2012 el Gobierno de España encomendó la elaboración de un documento para mejorar el funcionamiento del conjunto de las administraciones, con un aprovechamiento en escala de los recursos, evitando duplicidades y con el afán de establecer procedimientos simplificados y también sujetos a una estandarización que los hiciese más ágiles. El informe de la CORA se publica en junio de 2013, en el que participaron patronal y sindicatos, y los ámbitos universitarios así como de la sociedad civil. Sin duda un gran trabajo, a raíz de las conclusiones, pero que ha sido insuficiente para un reto como el que ha supuesto la post pandemia, en relación a los proyectos que hay que impulsar con fondos de la Unión Europea.

1035 Ley 39/2015, de 1 de octubre, del Procedimiento Administrativo Común de las Administraciones Públicas. BOE, núm. 236, de 02 de octubre de 2015. https://www.boe.es/buscar/pdf/2015/BOE-A-2015-10565-consolidado.pdf

1036 Ley 40/2015, de 1 de octubre, de Régimen Jurídico del Sector Público. BOE, núm. 236, de 02 de octubre de 2015. https://www.boe.es/buscar/pdf/2015/BOE-A-2015-10566-consolidado.pdf

1037 Ministerio de Hacienda y Administraciones Públicas, & Ministerio de la Presidencia. (2021). Reforma de las Administraciones Públicas. CORA. Gobierno de España. https://bit.ly/3F0W7nT

1038 Montilla Martos, J. A. (2016). "El Informe CORA". IDP. Observatorio de Derecho Público. https://idpbarcelona.net/el-informe-cora/

1039 Rifkin, J. (2022, 10 de noviembre). Entrevista en la Revista PAPEL del Diario El Mundo, páginas 39-42.

Podemos concluir este apartado indicando que la resiliencia se compone de cuatro elementos esenciales[1040]:

1. Las comunidades, miembros, empresas e instituciones sociales, deben disponer de recursos (p.ej.: planes de emergencia, planificación para eventualidad sobre las actividades económicas, etc.) para garantizar la continuidad de las actividades y funciones.
2. Deben disponer de competencias, básicas para movilizar, organizar y emplear estos recursos para encarar los problemas que se presenten (personal formado, procedimiento en la gestión de emergencias, etc.).
3. Las estrategias de planificación y desarrollo empleadas para promover la resiliencia deben contemplar instrumentos que por un lado integren los recursos disponibles en cada nivel, para así lograr el objetivo de aprovechar las oportunidades que presenta esta situación de cambio.
4. Las estrategias han de orientarse para garantizar la sostenibilidad de los recursos con que contamos, así como las competencias precisas para activarlos en cualquier momento.

4.- EL VOLUNTARIADO DE PROTECCIÓN CIVIL

En su art. 25.2, la Ley 7/1985, de 2 de abril, de Bases del Régimen Local (LBRL) [1041] indica que el Municipio ejercitará en todo caso como competencias propias, en los términos de la legislación del Estado y de las Comunidades Autónomas, entre otras materias la "protección civil."

En el artículo 26.1.c) de la precitada norma, se indica que los Municipios con una población de más de 20.000 habitantes deberán prestar el servicio de "protección civil".

Dicha prestación se deberá realizar acorde a lo que señala el art. 25.3 de la Ley de Bases de Régimen Local, que indica que ha de evaluarse la pertinencia

---

[1040] Paton, D., & Johnston, D. (2006). Disaster Resilience: An Integrated Approach. Charles C Thomas Publisher Ltd. (p. 9).

[1041] Ley 7/1985, de 2 de abril, Reguladora de las Bases del Régimen Local. *BOE,* núm. 80, de 03 de abril de 1985. https://bit.ly/3I4CUmP

de la puesta en marcha de servicios locales "conforme a los principios de descentralización[1042], eficiencia[1043], estabilidad y sostenibilidad financiera[1044]".

Conviene precisar que cuando se habla de "servicio" de protección civil se hace referencia a una unidad administrativa integrada en la estructura de una administración pública, que puede incluir entre sus componentes al voluntariado. Este matiz resulta esencial, ya que con frecuencia se confunde el voluntariado de protección civil con los propios servicios de protección civil, pese a que el primero constituye un recurso complementario y colaborador, mientras que los segundos forman parte de la organización institucional y profesionalizada del sistema.

En el Preámbulo de la Ley 17/2015, de 9 de julio, del Sistema Nacional de Protección Civil se señala:

"Finalmente las disposiciones adicionales reconocen que el voluntariado de protección civil ha jugado siempre en la protección civil un papel importante, aunque complementario y auxiliar de las funciones públicas correspondientes. La ley persigue potenciar ese papel, en el marco de los principios y régimen jurídico establecidos en la legislación propia del voluntariado, si bien recalcando el deber y el derecho de formación de los voluntarios y sin perjuicio del deber general de colaboración de todos los ciudadanos, cuando proceda. Pretende integrar también las capacidades de Cruz Roja Española en personal y medios, así como las de los radioaficionados y otras entidades colaboradoras cuyo esfuerzo ha sido y seguirá siendo muy importante".

En la Ley 17/2015, de 9 de julio, del Sistema Nacional de Protección Civil, se establece un artículo 7 quater donde se expresa:

1. El voluntariado de protección civil podrá colaborar en la gestión de las emergencias, como expresión de participación ciudadana en la respuesta social a estos fenómenos, de acuerdo con lo que establezcan las normas aplicables, sin perjuicio del deber general de colaboración de los ciudadanos en los términos del artículo 7 bis.

1042 El art. 103.1 de la Constitución Española incluye el principio de descentralización.

1043 Es uno de los principios recogidos en recogido en el art. 7 de la Ley Orgánica 2/2012, de 27 de abril, de Estabilidad Presupuestaria y Sostenibilidad Financiera. *BOE*, núm. 103, de 30 de abril de 2012.

1044 Consagra la estabilidad presupuestaria como conducta financiera permanente de todas las Administraciones Públicas, recogido en los arts. 3 y 4 de la Ley Orgánica 2/2012, de 27 de abril, de Estabilidad Presupuestaria y Sostenibilidad Financiera. BOE, núm. 103, de 30 de abril de 2012. Referencia: BOE-A-2012-5730.

Las actividades de los voluntarios en el ámbito de la protección civil se realizarán a través de las entidades de voluntariado en que se integren, de acuerdo con el régimen jurídico y los valores y principios que inspiran la acción voluntaria establecidos en la normativa propia del voluntariado, y siguiendo las directrices de aquellas, sin que en ningún caso su colaboración entrañe una relación de empleo con la Administración actuante.

2. Los poderes públicos promoverán la participación y la formación de los voluntarios en apoyo del Sistema Nacional de Protección Civil.

3. La red de comunicaciones de emergencia formada por radioaficionados voluntarios podrá complementar las disponibles ordinariamente por los servicios de protección civil.

Debemos destacar en primer lugar el papel que el legislador le ha querido dar al voluntariado, subrayado por el hecho de poder colaborar en la "gestión", siguiendo así la recomendación que en su día se hizo en el Marco de Sendai[1045], donde se invitaba a los gobiernos a que el voluntariado tuviese un papel relevante en el diseño, aplicación de políticas, planes y normas relacionados con este ámbito.

Señala asimismo que las acciones de los voluntarios en el campo de la protección civil se han de llevar a cabo mediante entidades del voluntariado, lo cual abre el abanico a la sociedad civil. Así, si acudimos a la página web[1046] de la Dirección General de Protección Civil y Emergencias del Ministerio del Interior, en el apartado de "voluntariado de protección civil" se indica que los interesados se pueden dirigir "a su Ayuntamiento[1047] o a alguna de las asociaciones a nivel regional o estatal que agrupan a las asociaciones de voluntarios de protección civil." También expresa otras formas, como son Cruz Roja o la Red Nacional de Radio de Emergencias (REMER).

En cuanto a la promoción de la presencia y capacitación de los voluntarios en la protección civil por los poderes públicos podemos encontrar una amplia casuística: desde entidades locales y Comunidades Autónomas que son

---

1045 Asamblea General de las Naciones Unidas. (2015). Marco de Sendai para la Reducción del Riesgo de Desastres 2015-2030. Resolución aprobada el 3 de junio de 2015. Principios rectores, art. 19.d) y Función de los actores pertinentes, art. 35.a).

1046 Ministerio del Interior. (2024). Dirección General de Protección Civil y Emergencias. https://bit.ly/3I896pl

1047 Muchos de ellos constituyen Agrupaciones Locales de Voluntarios de Protección Civil.

partícipes de estas tareas[1048] y otras instituciones públicas cuya implicación es escasa, o sencillamente nula.[1049] Hay que hacer constar el impulso que de este tema hace la Dirección General de Protección Civil y Emergencias del Ministerio del Interior, que anualmente oferta cursos en su Escuela Nacional. Entre otros, podemos señalar en 2025 los referidos a la colaboración de los voluntarios de protección civil en dispositivos ante grandes concentraciones humanas, fomento de la cultura preventiva en escolares, técnicas de especialización en intervención en emergencias con riesgo biológico, etc.

Cuando sean requeridos los servicios de las organizaciones de voluntarios y entidades colaboradoras, su activación y actuación, conforme al art. 17.3. de la Ley 17/2015, de 9 de julio, del Sistema Nacional de Protección Civil habrán de subordinarse a las de los servicios de carácter público.

Si se ha creado en el ámbito local el servicio de protección civil, el Alcalde Presidente de la Corporación Local será el máximo responsable de dicho servicio en su ámbito territorial, asumiendo también la dirección de las emergencias de conformidad con lo previsto en los respectivos Planes de Emergencia Municipal. Podrá impulsar la constitución de una Agrupación de Voluntarios de Protección Civil, ostentando la Jefatura de la misma, pudiendo delegar en un concejal sus competencias en la materia.

Mediante ley, las situaciones de grave riesgo colectivo, catástrofe o calamidad pública, podrán regular los deberes de los ciudadanos, como señala la Carta Magna en su art. 30, apartado 4.

Si acudimos a la Ley Orgánica 4/1981[1050], de 1 de junio, de los estados de alarma, excepción y sitio, prevista para aquellos escenarios donde se hace imposible "el mantenimiento de la normalidad mediante los poderes ordi-

---

[1048] Amplia la formación en la Comunidad Autónoma de Andalucía, a través del Plan Anual de Formación del Instituto de Emergencias y Seguridad Pública de Andalucía (IESPA): https://bit.ly/3YQj1qq, también en Castilla La Mancha a través de la Escuela de Protección Ciudadana: https://bit.ly/3S3xL34 o Cataluña a través del Instituto de Seguridad Pública de Cataluña, https://bit.ly/3EdjZoG, entre otros.

[1049] En donde existan Agrupaciones u Organizaciones de voluntariado de protección civil, y no exista esta formación, ha de demandarse a los poderes públicos, en concordancia con lo establecido en la Disposición Adicional Primera del voluntariado en el ámbito de la protección civil y entidades colaboradoras de la Ley 17/2015, de 9 de julio, del Sistema Nacional de Protección Civil.: "los poderes públicos promoverán la participación y la debida participación de los voluntarios en apoyo del Sistema Nacional de Protección Civil…".

[1050] Ley Orgánica 4/1981, de 1 de junio, de los estados de alarma, excepción y sitio. BOE núm. 134, de 05 de junio de 1981. Referencia: BOE-A-1981-12774.

narios de las Autoridades competentes" (art, 1.1), observaremos la previsión de su activación ante situaciones entre otras de: "Catástrofes, calamidades o desgracias públicas, tales como terremotos, inundaciones, incendios urbanos y forestales o accidentes de gran magnitud." (art. 4.a).

En el artículo 9.1 señala:

"Por la declaración del estado de alarma todas las Autoridades civiles de la Administración Pública del territorio afectado por la declaración, los integrantes de los Cuerpos de Policía de las Comunidades Autónomas y de las Corporaciones Locales, y los demás funcionarios y trabajadores al servicio de las mismas, quedarán bajo las órdenes directas de la Autoridad competente en cuanto sea necesario para la protección de personas, bienes y lugares, pudiendo imponerles servicios extraordinarios por su duración o por su naturaleza."

Debe entenderse que los voluntarios de protección civil, una vez formados por las administraciones públicas, conforme a la obligación que estas tienen de garantizar su capacitación, quedan sujetos a la prestación de servicios extraordinarios en las situaciones contempladas en el artículo primero, apartado uno, anteriormente citado. Esta obligación se justifica en la propia naturaleza vocacional y funcional de su compromiso, ya que, si las prestaciones de auxilio o colaboración pueden imponerse excepcionalmente a cualquier ciudadano en virtud del deber general de cooperación ante emergencias, con mayor razón deben ser exigibles a quienes poseen formación específica y se encuentran integrados en los mecanismos organizados de protección civil.

La regulación que rige para las agrupaciones de voluntarios de protección civil es la Ley 45/2015, de 14 de octubre, del Voluntariado[1051] (que derogó la Ley 6/1996, de 15 de enero, del Voluntariado[1052]), la Ley 23/1998, de 7 de julio, de Cooperación internacional para el desarrollo[1053], además de la Ley Orgánica 1/2002, de 22 de marzo, reguladora del Derecho de Asociación[1054], sin obviar la Ley 43/2015, de 9 de octubre, del Tercer Sector de Acción Social[1055].

[1051] Ley 45/2015, de 14 de octubre, de Voluntariado. BOE núm. 247, de 15 de octubre de 2015. Referencia: BOE-A-2015-11072. https://bit.ly/2J8orK5

[1052] Ley 6/1996, de 15 de enero, del Voluntariado. https://bit.ly/3I2L2o5

[1053] Ley 23/1998, de 7 de julio, de Cooperación Internacional para el Desarrollo, BOE núm. 162 de 8 de julio de 1998. https://bit.ly/3YTx0Mj

[1054] Ley Orgánica 1/2002, de 22 de marzo, reguladora del Derecho de Asociación. BOE núm. 46, de 22 de febrero de 2002. https://bit.ly/3EbqgBi

[1055] Ley 43/2015, de 9 de octubre, del Tercer Sector de Acción Social. BOE núm. 243, de 10 de octubre de 2015. https://bit.ly/3KecGkD

De la lectura de la Ley 45/2015, de 14 de octubre, de Voluntariado, tenemos la definición de las entidades de voluntariado:

"Artículo 13. De las entidades de voluntariado. 1. Tendrán la consideración de entidades de voluntariado las personas jurídicas que cumplan los siguientes requisitos:

a) Estar legalmente constituidas e inscritas en los Registros competentes, de acuerdo con la normativa estatal, autonómica o de otro Estado miembro de la Unión Europea de aplicación.

b) Carecer de ánimo de lucro.

c) Estar integradas o contar con voluntarios, sin perjuicio del personal de estructura asalariado necesario para el funcionamiento estable de la entidad o para el desarrollo de actuaciones que requieran un grado de especialización concreto.

d) Desarrollar parte o la totalidad de sus actuaciones mediante programas de voluntariado diseñados y gestionados en el marco de las actividades de interés general, que respeten los valores, principios y dimensiones establecidos en el artículo 5 y se ejecuten en alguno de los ámbitos recogidos en el artículo 6. 2. En todo caso tendrán la consideración de entidades de voluntariado las federaciones, confederaciones o uniones de entidades de voluntariado legalmente constituidas en el ámbito estatal o autonómico o de la Unión Europea".

Y en su disposición adicional primera, encontramos un apartado específico del voluntariado de protección civil que señala que las prácticas del voluntariado en el ámbito de protección civil estarán reguladas por su normativa específica, teniendo pues carácter supletorio en su aplicación la Ley 45/2015.

Distintas Comunidades Autónomas han regulado la protección civil, y su voluntariado. En ocasiones, sin siquiera venir recogida[1056], al igual que en la Constitución Española dicha materia en sus respectivos Estatutos de Autonomía. Comunidades Autónomas que han creado registros para inscribir las agrupaciones de voluntarios[1057], estableciendo derechos y deberes. Otras, en cambio, sí tienen explicitada como competencia exclusiva el ámbito de "protección civil", o "protección civil y emergencias"[1058].

1056 Caso por ejemplo del Estatuto de Autonomía de Cantabria, que nada dice al respecto de la protección civil, pero si reconoce en cambio la función ejecutiva en "salvamento marítimo". Ley Orgánica 8/1981, de 30 de diciembre, de Estatuto de Autonomía para Cantabria. Jefatura del Estado «BOE» núm. 9, de 11 de enero de 1982. Referencia: BOE-A-1982-635. https://bit.ly/3Is4Lio, al igual que ocurre con el Estatuto de Autonomía del País Vasco: https://bit.ly/2K6jxO2

1057 Registro del Voluntariado de Protección Civil de Castilla y León. https://bit.ly/3YVerax

1058 Ley Orgánica 1/2011, de 28 de enero, de Reforma del Estatuto de Autonomía de Extremadura en su artículo 9.1 sobre competencias exclusivas, en el punto 42

En la Comunidad Autónoma de Andalucía, se incluye la "protección civil" entre sus principios rectores, de cara a los escenarios de emergencia, catástrofe o calamidad pública, y señala la "protección civil y emergencias" como competencia exclusiva, con una redacción similar a la que se recoge en el Estatuto de Autonomía de Cataluña. Antes afirmamos que, con independencia de las atribuciones exclusivas que puedan reseñar las normas autonómicas, los límites con respecto a las atribuciones del Estado, están delimitados perfectamente por la doctrina constitucional.

Como quiera que la protección civil no viene recogida en dicho texto de modo expreso, habrá que acudir a la doctrina que emana del Tribunal Constitucional, que en su STC 87/2016[1059], de 28 de abril, FJ 5 expresa que "esta materia guarda relación con la competencia estatal en materia de seguridad pública". Por ello, la competencia en la materia de protección civil vendrá determinada por las características específicas de la situación de la emergencia y de los recursos disponibles para actuar y poner en funcionamiento, precisando que el ejercicio de la competencia por la Comunidad Autónoma tendrá los límites dibujados por el posible interés nacional y supracomunitario que pueda verse afectado por una situación de emergencia o catástrofe (STC 133/1990, de 19 de julio FJ 61047). De cualquier modo, la competencia de protección civil es una competencia concurrente, como señala la STC 155/2013 [1060], de 10 de septiembre, sin que la concurrencia despoje al Estado del ejercicio de sus competencias exclusivas (SSTC 18/1982[1061], de 4 de mayo y 152/1988[1062], de 24 de agosto), la competencia coordinadora del Estado dispone de una legitimidad constitucional en el ámbito que nos ocupa por exigencia del interés antes referido, el interés nacional.

---

atribuye a la Comunidad Autónoma la competencia en materia de "protección civil y emergencias". https://bit.ly/3lHufzm

1059 https://hj.tribunalconstitucional.es/es/Resolucion/Show/24939
1047 Pleno. Sentencia 133/1990, de 19 de julio. Recurso de inconstitucionalidad 355/1985. Contra la Ley 2/1985, de 21 de enero, de Protección Civil, y conflicto positivo de competencia 1.699/1989, acumulado, frente a determinados anexos de la Orden de 29 de marzo de 1989, que dispone la publicación de Acuerdo del Consejo de Ministros que aprueba el Plan Básico de Emergencia Nuclear. Voto particular. https://bit.ly/3xrv9CD

1060 STC 155/2013, de 10 de septiembre, https://www.boe.es/diario_boe/txt.php?id=BOE-A-2013-10537

1061 STC 18/1982, de 5 de mayo. https://bit.ly/3ItSH05

1062 STC 152/1988, de 4 de agosto. https://bit.ly/3ItQe5A

No vamos a abordar en el presente trabajo la capacidad reglamentaria que tienen los Ayuntamientos para regular, si así lo desean, un voluntariado de protección civil. Pero sí recordar qué nos dice el Marco de Sendai y la Ley del Sistema Nacional de Protección Civil de cara a la participación de los ciudadanos en esta materia. Sabiendo nuestros compromisos internacionales, y nuestro marco normativo, podremos, pues, establecer ese Reglamento, sin más originalidades que las que prescribe el sentido común en esta materia.

El Marco de Sendai para la Reducción del Riesgo de Desastres 2015-2030, aprobado por Resolución de la Asamblea General de Naciones Unidas el 3 de junio de 2015, señala que los gobiernos deben actuar, entre otros, no solo con la comunidad de profesionales, sino también con los voluntarios. Una colaboración que se ha de hacer con mayúsculas, no con carácter residual. Así, esa colaboración dará participación a los voluntarios en ámbitos tan importantes como son el diseño, el impulso de la aplicación de políticas, normas y planes.

Es decir, los voluntarios también serán fuente normativa que enriquezca la labor del legislador.

La experiencia demuestra que cuando no existen cauces de participación del voluntariado en los tiempos actuales, este se abre paso y se organiza de modo autónomo. La digitalización y las nuevas herramientas de la sociedad de la información, como no había sucedido antes, ahora lo permiten, sin olvidar que “el voluntarismo no es buen gobierno”.[1063]

5.- PROGRAMAS DE EDUCACIÓN Y SENSIBILIZACIÓN PÚBLICA: LA CULTURA DE LA PREVENCIÓN

La educación de los ciudadanos, que en sus etapas iniciales tiene la escuela como pilar fundamental, nunca antes había dispuesto de tanto presupuesto ni acceso a edificios escolares y materiales didácticos tan sugerentes como hoy. Como diría ENKVIST [1064], ahora hay más tiempo para estudiar, mejor alimentación, de ahí que el problema no sea financiero -en sociedades como la nuestra- sino de naturaleza política o ideológica, proponiendo “introducir

[1063] NEVADO-BATALLA, P.T. (2022). Buena gobernanza y control de las decisiones públicas. El papel del ciudadano. Universidad de Salamanca. Centro de Investigación para la Gobernanza Global. https://acortar.link/nMo1j9

[1064] Enkvist, I. (2022, 21 de septiembre). Salida a la crisis de la educación. Diario ABC, p. 3.

otras ideas". ENKVIST apuesta, como prestigiosa pedagoga[1065] que es, por escuelas que, entre otras cuestiones, pongan más énfasis en ciertas materias que en otras: "es imposible que un modelo único de escuela sea lo mejor para todos los alumnos". Sin embargo, donde tal vez haya menos consenso es cuando afirma que "en la agenda 2030 se ve un énfasis en convertir a los alumnos en agentes del desarrollo sostenible como una parte de la ingeniería social." Es decir, aprender, pues, actitudes frente a ser una persona culta.

Vayamos a nuestro ordenamiento jurídico y adentrémonos en el Real Decreto 217/2022[1066], de 29 de marzo, por el que se establece la ordenación y las enseñanzas mínimas de la Educación Secundaria Obligatoria, pues ello nos puede proporcionar un campo de enseñanza de indudable valor para formar una sociedad capaz de dar respuesta por sí misma a situaciones de extraordinaria gravedad, donde la presencia de los servicios públicos se demore, o sencillamente, nunca puedan manifestar el objeto para el cual nacieron.

Expresa en la exposición de motivos:

La ley señala que aspectos como son la comprensión lectora, la expresión tanto oral como escrita, la comunicación de tipo audiovisual, la competencia digital, el emprendimiento, el fomento del espíritu crítico y científico, la educación emocional y en valores, la educación para la paz y no violencia y la creatividad deberán trabajarse desde todas las materias. Asimismo, se prevé que la educación para la salud, incluida la afectivo-sexual, la igualdad entre hombres y mujeres, la formación estética y también el respeto mutuo y la cooperación entre iguales, sean objeto de un tratamiento transversal. Por último, se establece que todo el alumnado deberá cursar Educación en Valores Cívicos y Éticos en alguno de los cursos comprendidos en la etapa.

El Real Decreto establece las materias que se impartirán en los tres primeros cursos, haciendo constar que los alumnos podrán realizar alguna materia optativa "que también podrá configurarse como un trabajo monográfico o un proyecto interdisciplinar o de colaboración con un servicio a la comunidad"[1067]. Asimismo, en cuarto curso también se regula la oferta de las asignaturas optativas.

Las competencias clave que habrá de alcanzar el alumnado al culminar los estudios de la enseñanza básica, entre otras, comprende la ciudadana, y enten-

---

[1065] Enkvist, I., es hispanista y pedagoga sueca, catedrática de español en la Universidad de Lund y exasesora del Ministerio de Educación de Suecia.

[1066] Real Decreto 217/2022, de 29 de marzo, por el que se establece la ordenación y las enseñanzas mínimas de la Educación Secundaria Obligatoria. (2022). Boletín Oficial del Estado, núm. 76, de 30 de marzo de 2022.

[1067] Ibid. art. 8.4

demos que, en esa competencia, la capacidad de la persona para proporcionar una respuesta adecuada a las consecuencias de las situaciones catastróficas es clave, aunque a ello no se refiere el texto legislativo. Si los centros, en el ejercicio de su autonomía, pueden adoptar programas educativos, planes de trabajo o experimentaciones, qué duda cabe que ante riesgos específicos del entorno, pueden contribuir de manera decisiva a la formación de los alumnos y, en consecuencia, a la construcción de una sociedad más resiliente.

Es crucial abordar los desafíos actuales en el ámbito de protección civil, incluyendo la formación para hacer frente a las emergencias derivadas del cambio climático. En el ANEXO I, que describe el perfil de salida del alumnado al término de la enseñanza básica, se detallan los aprendizajes que deberían preparar a los estudiantes para enfrentar los principales desafíos a lo largo de sus vidas. Se echa de menos la "formación frente a las emergencias derivadas del cambio climático".

De ello se desprende la necesidad de introducir, de manera transversal, conocimientos de los riesgos naturales y tecnológicos, así como medidas de autoprotección en cada uno de ellos. Decimos transversal porque en la asignatura "Geografía e Historia", en los cursos primero y segundo, entre los saberes básicos al abordar los retos del mundo actual, de manera muy pertinente se invita a conocer los "riesgos y catástrofes climáticas en el presente, en el pasado y en el futuro. Vulnerabilidad, prevención y resiliencia de la población ante las catástrofes naturales y los efectos del cambio climático." También, entre los compromisos cívicos se señala "la seguridad y la cooperación internacional", "la contribución del Estado y sus instituciones... a la seguridad integral ciudadana...", entre otros. Como observamos en el texto normativo, estos son ámbitos del conocimiento que se focalizan en áreas muy concretas, pero que, a nuestro juicio, desde la transversalidad, deberían tomar espacios hasta ahora inexistentes del conocimiento.

La Ley Orgánica 2/2006, de 3 de mayo, de Educación[1068], y su reglamento en materia de currículo, que anteriormente hemos mencionado, el Real Decreto 217/2022, de 29 de marzo, por el que se establece la ordenación y las enseñanzas mínimas de la Educación Secundaria Obligatoria, facultan a las Comunidades Autónomas, en virtud de sus competencias en educación, así como a la Ley Orgánica y al Real Decreto citados, para que se incluya en el currículo conocimientos relacionados con la protección civil, así como la autoprotección frente a los riesgos derivados de catástrofes naturales y tecnológicas. La razón es clara

---

[1068] Ley Orgánica 2/2006, de 3 de mayo, de Educación. (2006). BOE, núm. 106, de 4 de mayo de 2006.

y se deriva del escenario presente y futuro que agrava determinadas emergencias, entre otros factores, debido al cambio climático. Una asignatura de esta naturaleza, que podría ser "protección civil y autoprotección ciudadana", es una herramienta para trabajar valores y también para reforzar la prevención. El potencial de esta asignatura es, sin ninguna duda, una gran inversión a corto, medio y largo plazo, pues haremos que nuestra sociedad pueda enfrentarse a importantes desafíos con mayores garantías de éxito.

La implantación de esta asignatura responde al principio de necesidad, en tanto que la adaptación a los desafíos derivados del cambio climático, los riesgos naturales y tecnológicos, y la protección civil no admite demora. Desde la perspectiva del Derecho Administrativo, esta medida se enmarca en la obligación de los poderes públicos de garantizar la seguridad, la prevención y la protección de las personas y bienes, conforme al mandato constitucional del artículo 43 CE, y a la Ley 17/2015, de 9 de julio, del Sistema Nacional de Protección Civil, que impone la promoción de una cultura de autoprotección y resiliencia. La inclusión de estos contenidos contribuye, además, a dotar de coherencia al ordenamiento jurídico español con las recomendaciones internacionales emanadas de la Agenda 2030, el Marco de Sendái para la Reducción del Riesgo de Desastres (2015-2030) y las directrices de la Unión Europea en materia de adaptación y sostenibilidad.

En consecuencia, la enseñanza de la protección civil en el sistema educativo obligatorio debe entenderse como una política pública de interés general, orientada a la formación cívica y a la reducción del riesgo desde edades tempranas. Su introducción en los currículos escolares garantiza una transmisión eficaz de conocimientos esenciales, aprovechando la elevada capacidad de aprendizaje y sensibilización propia de las etapas educativas iniciales. Así, esta acción no sólo cumple con las obligaciones preventivas del Estado, sino que refuerza la función pedagógica del Derecho Administrativo como instrumento de prevención, educación y garantía de seguridad colectiva.

Las Comunidades Autónomas podrían impulsar esta asignatura cumpliendo con los trámites de audiencia e información pública a través de los respectivos Portales de Transparencia, conforme a lo dispuesto en el artículo 26.6 de la Ley 50/1997[1069], de 27 de noviembre, del Gobierno, respetando así el principio de transparencia normativa.

[1069] Ley 50/1997, de 27 de noviembre, del Gobierno. (1997). BOE, núm. 285, de 28 de noviembre de 1997:
6. Sin perjuicio de la consulta previa a la redacción del texto de la iniciativa, cuando la norma afecte a los derechos e intereses legítimos de las personas, el centro directivo compe-

Para dotarlo de calidad técnica, los elementos esenciales deberían elaborarse con el asesoramiento de la Dirección General de Protección Civil y Emergencias del Ministerio del Interior, así como de aquellos órganos especializados en la materia de las distintas administraciones.

Si analizamos el Real Decreto 243/2022, de 5 de abril, por el que se establecen la ordenación y las enseñanzas mínimas del Bachillerato [1070], encontraremos entre sus objetivos "el fomento de una actitud responsable y comprometida en la lucha contra el cambio climático y en la defensa del desarrollo sostenible", pero no se incluyen elementos para hacer frente a sus consecuencias.

Las materias optativas podrán ser propuestas por los centros en el marco de lo dispuesto en la normativa aplicable, lo que contribuye a cubrir un vacío de conocimientos en el área de protección civil. Es algo que el Real Decreto estimula y facilita, en virtud de la autonomía pedagógica, de organización y de gestión, de conformidad con la Ley Orgánica 2/2006, de 3 de mayo, modificada por la Ley Orgánica 3/2020, de 29 de diciembre[1071], así como en las normas de desarrollo. Es recomendable hacerlo en colaboración con los servicios de protección civil de las Comunidades Autónomas y locales, donde existan, para adaptar contenidos y enseñanzas en función de los riesgos y confeccionar, por ejemplo, unidades didácticas, todo ello en el marco de

---

tente publicará el texto en el portal web correspondiente, con el objeto de dar audiencia a los ciudadanos afectados y obtener cuantas aportaciones adicionales puedan hacerse por otras personas o entidades. Asimismo, podrá recabarse directamente la opinión de las organizaciones o asociaciones reconocidas por ley que agrupen o representen a las personas cuyos derechos o intereses legítimos se vieren afectados por la norma y cuyos fines guarden relación directa con su objeto. El plazo mínimo de esta audiencia e información públicas será de 15 días hábiles, y podrá ser reducido hasta un mínimo de siete días hábiles cuando razones debidamente motivadas así lo justifiquen; así como cuando se aplique la tramitación urgente de iniciativas normativas, tal y como se establece en el artículo 27.2. De ello deberá dejarse constancia en la Memoria del Análisis de Impacto Normativo. El trámite de audiencia e información pública sólo podrá omitirse cuando existan graves razones de interés público, que deberán justificarse en la Memoria del Análisis de Impacto Normativo. Asimismo, no será de aplicación a las disposiciones presupuestarias o que regulen los órganos, cargos y autoridades del Gobierno o de las organizaciones dependientes o vinculadas a éstas.

[1070] Real Decreto 243/2022, de 5 de abril, por el que se establecen la ordenación y las enseñanzas mínimas del Bachillerato. (2022). BOE, núm. 82, de 6 de abril de 2022. https://bit.ly/3Uf0p21

[1071] Ley Orgánica 3/2020, de 29 de diciembre, por la que se modifica la Ley Orgánica 2/2006, de 3 de mayo, de Educación. https://bit.ly/3LEwDjr

programas educativos que fomenten la innovación pedagógica[1072]. La posibilidad de ofrecer materias optativas, que pueden adoptar la forma de trabajo monográfico, proyecto interdisciplinar o proyecto de colaboración con un servicio a la comunidad, abre una magnífica ventana de conocimiento.

Las materias en las que podemos encontrar relaciones con la protección civil se encuentran principalmente en la modalidad de Bachillerato de Ciencias y Tecnología, en asignaturas como Geología y Ciencias Ambientales. Como saberes básicos, incluidos en la dinámica y composición terrestres, expresa[1073]:

Los riesgos naturales: relación con los procesos geológicos y las actividades humanas. Estrategias de predicción, prevención y corrección.

En la materia de Ciencias Generales, entre los saberes básicos se aborda el sistema Tierra, y dentro de él:

"Principales problemas medioambientales (calentamiento global, agujero de la capa de ozono, destrucción de los espacios naturales, pérdida de la biodiversidad, contaminación del aire y el agua, desertificación...) y riesgos geológicos: causas y consecuencias."

De todo lo anterior se desprende que hay todo un campo no cubierto por estas enseñanzas en el ámbito de protección civil, especialmente en el campo de la autoprotección ciudadana, que podría cubrirse académicamente en el modo ya indicado. Se echa en falta contenidos complementarios de carácter educativo, al menos con la misma profusión que podemos encontrar en el ámbito de la sostenibilidad y el cambio climático. Hay empresas que tal vez[1074] proyecten su sensibilidad para obtener una rentabilidad de marca, lo cual no deja de ponernos en alerta.

Los Objetivos de Desarrollo Sostenible (ODS) se tratan de manera transversal en los centros de Educación Primaria y Secundaria Obligatoria desde septiembre de 2022. Para este propósito, se han creado plataformas virtuales de contenidos, que permiten trabajar aspectos curriculares relacionados con

---

1072 Real Decreto 243/2022, de 5 de abril. (2022). Por el que se establecen la ordenación y las enseñanzas mínimas del Bachillerato. BOE, núm. 82, de 6 de abril de 2022, artículo 26, autonomía de los centros. https://bit.ly/3Uf0p21

1073 Íbid, pg. 50. Íbid, pg. 57. https://www.fundacionrepsol.com/es/zinkers

1074 REPSOL, a través de la Fundación Repsol Zinkers, ha lanzado una plataforma con variados recursos para aprender sobre energía y la transición energética. Lo ilustra con un grupo de escolares en su página web. Es una plataforma digital que abarca de los 6 a los 16 años. Todo el peso de los contenidos gira en torno a temas que tienen que ver con la sensibilidad ambiental, y ninguno sobre los efectos adversos de las catástrofes derivadas del cambio climático.

la energía, la sostenibilidad, el cambio climático y la Agenda 2030. Se trata de impulsar un aprendizaje grupal y el trabajo por proyectos e interdisciplinario. Sin embargo, no hemos encontrado ningún enfoque sistemático para promover la autoprotección ciudadana en la escuela. Aunque estamos sensibilizados sobre el cambio climático, ignoramos las advertencias internacionales que nos instan a saber cómo responder ante catástrofes y emergencias por nuestros propios medios, llegado el caso. En España, diversos centros educativos y proyectos autonómicos han comenzado a incorporar contenidos relacionados con la gestión de riesgos naturales y la cultura de protección civil. Programas como "Aprende a Crecer con Seguridad" en Andalucía, "Plan de Autoprotección Escolar" en la Comunidad Valenciana o "Educar en Prevención" en Castilla y León, buscan fomentar la conciencia preventiva y la preparación ante emergencias desde la educación primaria, integrando simulacros, talleres sobre riesgos naturales —inundaciones, incendios, terremotos— y formación en autoprotección, si bien de modo disperso y no normativizado.

También existen algunas propuestas interesantes en el ámbito educativo no universitario que promueven la adaptación y la resiliencia ante el cambio climático, poniendo el acento en la prevención y mitigación de los riesgos climáticos. Se destacan especialmente iniciativas para enseñar sobre el riesgo de inundación en la geografía escolar[1075].

[1075] Morote, A. F., & Olcina Cantos, J. (2021). El riesgo de inundación en el contexto actual de cambio climático: Propuestas didácticas para su enseñanza en la Geografía escolar [The flood risk in the current context of climate change: Didactic proposals to teach in school Geography]. PAPELES, 13(26). https://doi.org/10.54104/papeles.v13n26.1122

Capítulo 6.
Buenas prácticas administrativas en la gestión de emergencias y catástrofes naturales

1. INTRODUCCIÓN

Las emergencias y catástrofes naturales plantean retos inmensos a las administraciones públicas, que deben responder con rapidez y eficacia sin desviar su actuación de los principios del Estado de Derecho. El derecho administrativo ofrece un marco de actuación que garantiza que incluso en situaciones críticas se respeten la legalidad, los derechos fundamentales y la seguridad jurídica. Aplicar buenas prácticas administrativas en la gestión de emergencias no solo mejora la efectividad de la respuesta, sino que también refuerza la confianza institucional de la ciudadanía al asegurar que las autoridades actúan de manera ética, transparente y coordinada. En este capítulo se exponen las directrices y principios que deben guiar la actuación de gestores públicos y demás intervinientes en emergencias a todos los niveles, alineadas con los grandes principios del derecho público (legalidad, eficacia, responsabilidad, coordinación interadministrativa, respeto a los derechos fundamentales, entre otros).

La exposición se estructura en varias secciones temáticas. Primero, se abordan los principios generales y éticos que deben regir la actuación en emergencias, destacando la primacía del interés público, la protección de la vida y la dignidad humana como ejes centrales. A continuación, se examina la coordinación institucional y la toma de decisiones basada en el derecho, destacando la necesidad de que todas las medidas cuenten con habilitación legal y se adopten de forma planificada y conjunta entre administraciones competentes. Posteriormente, se analiza la importancia de la transparencia y trazabilidad de las actuaciones, así como la protección de datos y el uso responsable de tecnologías, incluyendo herramientas de inteligencia artificial, de forma acorde con las normativas vigentes y principios éticos. También se destacará el valor de la formación continua y el deber de diligencia del personal público involucrado, así como la relevancia de la participación ciudadana y la rendición de cuentas en todo el ciclo de gestión de la emergencia. Por último, se tratarán las buenas prácticas en gestión documental, interoperabilidad y comunicación oficial, elementos clave para garantizar la eficacia operativa y la seguridad jurídica. A lo largo del capítulo se incorporarán referencias a marcos normativos nacionales e iniciativas internacionales de buena administración, proporcionando ejemplos que ilustren cómo la observancia de estos principios mejora la respuesta a desastres y fortalece la legitimidad de la actuación pública.

2. PRINCIPIOS GENERALES Y ÉTICOS DE ACTUACIÓN EN EMERGENCIAS

Toda actuación pública frente a emergencias debe sustentarse en principios éticos y jurídicos sólidos que orienten la toma de decisiones hacia la protección del interés general y de la vida humana. En primer lugar, el principio de legalidad es ineludible: incluso en circunstancias excepcionales, la Administración solo puede actuar conforme a las facultades que le concede el ordenamiento jurídico. Esto implica que las medidas adoptadas para gestionar una catástrofe (evacuaciones, requisas, limitaciones de derechos, etc.) deben basarse en una norma habilitante (por ejemplo, la declaración formal de un estado de alarma o la aplicación de legislación sectorial de protección civil) y respetar los límites que ésta imponga. El respeto al principio de legalidad garantiza la seguridad jurídica, evitando la arbitrariedad y asegurando que los ciudadanos conozcan el fundamento y el alcance de las decisiones tomadas.

Junto a la legalidad, destacan otros valores éticos fundamentales. El principio de humanidad[1076] exige que la respuesta a desastres se centre en salvar vidas, aliviar el sufrimiento y respetar la dignidad de las personas afectadas, sin discriminación alguna. Asimismo, el principio de igualdad e imparcialidad[1077] implica que la ayuda y los recursos se distribuyan según criterios objetivos de necesidad, sin favores ni discriminaciones arbitrarias. La solidaridad también juega un papel clave: las distintas administraciones y la sociedad en su conjunto deben cooperar para asistir a las comunidades más golpeadas, compartiendo recursos e información de manera equitativa. Desde una perspectiva internacional, el Consejo de Europa ha subrayado

---

1076 Defensor del Pueblo. (2021). *Informe anual 2020*. Cortes Generales. https://www.defensordelpueblo.es/informe-anual/

1077 Comité Internacional de la Cruz Roja. (2013). *Código de conducta para el Movimiento Internacional de la Cruz Roja y de la Media Luna Roja y las ONG en operaciones de socorro en casos de desastre*. CICR. https://www.icrc.org/es/doc/resources/documents/publication/p1067.htm

que la buena gobernanza en la gestión de desastres obliga a facilitar la participación de la población en la planificación y reducción de riesgos, así como a rendir cuentas de las acciones realizadas, lo que además reduce el riesgo de corrupción. Esto refleja un principio ético de responsabilidad: los poderes públicos tienen el deber de justificar sus decisiones y asumir las consecuencias de éstas, protegiendo siempre los derechos de las personas afectadas. En particular, los colectivos más vulnerables (niños, ancianos, personas con discapacidad, minorías) requieren una protección reforzada de sus derechos durante las emergencias, evitando tanto la desatención como cualquier abuso bajo pretexto de la urgencia.

Otro pilar ético-jurídico es el principio de proporcionalidad[1078]. Las medidas extraordinarias deben ser estrictamente necesarias y adecuadas para atender la situación de peligro, causando la menor interferencia posible con los derechos individuales. Por ejemplo, si se impone un toque de queda o se limitan ciertas libertades por razón de la emergencia, ello debe hacerse solo en la medida y durante el tiempo imprescindible para proteger bienes superiores (como la vida y la seguridad), y con las debidas garantías. De igual forma, el principio de eficacia demanda que toda intervención tenga una orientación a resultados: la acción pública debe lograr rápidamente la mitigación del daño y el restablecimiento de la normalidad, optimizando los recursos disponibles. Este principio está consagrado en la legislación española, que obliga a las Administraciones a servir con objetividad el interés general actuando con eficacia, economía y eficiencia en la asignación de recursos.

En última instancia, los principios éticos y generales aquí descritos se traducen en un mandato de buena administración[1079] durante las emergencias. Esto significa actuar con buena fe, lealtad institucional y respeto a la confianza legítima de la ciudadanía. La buena fe se refleja en comunicar la verdad de la situación sin encubrimientos; la lealtad institucional, en la cooperación sincera entre organismos (sin rivalidades competenciales que entorpezcan la ayuda); y la confianza legítima, en que las autoridades no cambiarán arbitrariamente de criterio causando indefensión a los afectados. Al observar estos principios, los gestores públicos no solo cumplen con el imperativo legal, sino que cimentan

---

[1078] Tribunal Constitucional. (2016, 28 de abril). *Sentencia 83/2016* (ECLI:ES:TC:2016:83). https://hj.tribunalconstitucional.es/es/Resolucion/Show/24862

[1079] Consejo de Estado. (2020). *Memoria sobre el principio de buena administración*. Ministerio de la Presidencia, Relaciones con las Cortes y Memoria Democrática. https://www.consejo-estado.es/

la legitimidad de su actuación ante los ciudadanos en los momentos de crisis, lo cual es crucial para mantener la calma pública y la colaboración social.

3. COORDINACIÓN INSTITUCIONAL Y TOMA DE DECISIONES BASADAS EN EL DERECHO

Una buena gestión de emergencias requiere una coordinación estrecha entre todas las instituciones implicadas, así como una toma de decisiones respaldada por el marco jurídico vigente. Las catástrofes suelen desbordar las competencias de una sola entidad, por lo que la cooperación interadministrativa es esencial: autoridades locales, autonómicas, nacionales e incluso internacionales[1080] deben articular sus esfuerzos de forma complementaria, evitando duplicidades o vacíos en la respuesta. El ordenamiento español consagra este principio al establecer el deber de *cooperación, colaboración y coordinación* entre las Administraciones Públicas. En la práctica, ello implica la existencia de planes nacionales de protección civil que integran a distintos organismos, la creación de comités de crisis conjuntos y la designación de mandos únicos o centros de coordinación donde se comparte información en tiempo real. Por ejemplo, ante una emergencia química mayor, es común que los servicios de bomberos, policía, salud y protección civil establezcan un *puesto de mando avanzado* unificado para dirigir las operaciones, asegurando que todos trabajen con un objetivo común y bajo directrices coherentes.

La unidad de acción, sin embargo, no debe lograrse a expensas del respeto al reparto competencial y al Estado de Derecho. Cada administración debe intervenir dentro del ámbito de sus atribuciones legales, aunque adaptando los procedimientos para agilizar la colaboración. En situaciones extremas, las leyes pueden prever mecanismos de recentralización temporal de competencias o de dirección única (como ha ocurrido en algunos países durante emergencias sanitarias o de seguridad), pero tales alteraciones del reparto de poder han de establecerse formalmente (por decreto de estado de alarma u otra norma habilitante) y ser proporcionales a la gravedad del evento. Una buena práctica es asegurar que los planes de emergencias están previamente aprobados por las autoridades competentes (por ejemplo, planes territoriales o especiales de protección civil) y contemplan claramente qué

[1080] Consejo de la Unión Europea. (2019, 8 de abril). *Decisión (UE) 2019/420 del Parlamento Europeo y del Consejo por la que se modifica la Decisión n.° 1313/2013/UE relativa a un Mecanismo de Protección Civil de la Unión. Diario Oficial de la Unión Europea*, L 77, 1-15. https://eur-lex.europa.eu/legal-content/ES/TXT/?uri=CELEX:32019D0420

nivel de gobierno lidera la respuesta según el tipo y ámbito del incidente. De ese modo, al ocurrir la crisis, no hay dudas sobre quién debe tomar las riendas ni se producen conflictos interinstitucionales que retrasen la acción.

La toma de decisiones en emergencias debe ser técnicamente informada, pero siempre legitimada jurídicamente[1081]. Esto significa que los responsables operativos y las autoridades políticas deben apoyarse en informes de expertos, datos científicos y evaluaciones de riesgo para escoger las medidas más adecuadas, pero sin perder de vista los requisitos legales aplicables. Por ejemplo, si los técnicos aconsejan evacuar una zona amplia por riesgo de inundación, la autoridad competente debe dictar una resolución o declaración oficial que ordene la evacuación, invocando las facultades que la normativa le confiere (sea una norma de protección civil o, si procede, un estado de alarma). Formalizar las decisiones importantes de este modo sirve a varios fines: da base legal explícita a la actuación (reforzando su defendibilidad jurídica), clarifica el ámbito de aplicación de la medida (p. ej., qué localidades o cuánto tiempo abarca la orden) y genera un documento público que contribuye a la transparencia y posterior evaluación de lo actuado.

Una coordinación eficaz también exige comunicación constante y flujos de información fiables entre instituciones. Las buenas prácticas internacionales muestran la utilidad de redes y plataformas compartidas donde distintas agencias puedan volcar datos y situar información en tiempo real (por ejemplo, sistemas informáticos de gestión de emergencias compartidos a nivel nacional, o el uso de canales de radio interoperables entre servicios de emergencia). La interoperabilidad técnica y organizativa, que analizaremos más adelante, es un prerrequisito para que esta cooperación sea fluida. Además, a nivel estratégico, es importante involucrar no solo a las administraciones públicas sino también a otros actores relevantes en la planificación y respuesta: empresas de servicios críticos (electricidad, agua, telecomunicaciones), organizaciones humanitarias y la propia comunidad local deben integrarse en los esquemas de coordinación, conforme a lo previsto en los planes de protección civil. Esto refleja el principio de que la gestión de riesgos es una tarea compartida (***gobernanza colaborativa***[1082]), donde cada sector aporta sus recursos y capacidades bajo la dirección común de la autoridad pública competente.

1081 Tribunal Constitucional. (2021, 14 de julio). *Sentencia 148/2021* (ECLI:ES:TC:2021:148). https://hj.tribunalconstitucional.es/es/Resolucion/Show/28661

1082 Comisión Europea. (2020). *EU Strategy on Disaster Risk Reduction – Building Resilience to Disasters 2021–2030.* Bruselas: Dirección General de Protección Civil y Operaciones de Ayuda Humanitaria (ECHO). https://ec.europa.eu/echo/

En síntesis, una decisión bien coordinada y basada en el derecho logra equilibrar la necesidad de actuación rápida con la obligación de actuar dentro del marco legal. Esta conjunción garantiza que, aun actuando con urgencia, la Administración mantenga la legitimidad de sus actos y evite incurrir en excesos o vacíos de poder. Al mismo tiempo, la coordinación eficaz entre instituciones refuerza la eficacia (evitando redundancias y aprovechando sinergias) y la confianza de la ciudadanía en que sus gobiernos trabajan unidos ante la adversidad.

4. TRANSPARENCIA Y TRAZABILIDAD DE LAS ACTUACIONES

La transparencia es un valor cardinal en la actuación pública, máxime durante una emergencia, cuando la sociedad demanda información clara sobre lo que sucede y cómo están respondiendo las autoridades. Mantener al público informado de manera veraz, frecuente y comprensible resulta imprescindible para conservar su confianza y fomentar su cooperación. Una comunicación transparente implica reconocer la magnitud del problema, explicar qué acciones se están tomando y por qué, así como admitir la incertidumbre cuando exista (por ejemplo, sobre la evolución de un incendio o las últimas cifras disponibles). Según las guías internacionales de comunicación en crisis, es preferible compartir información preliminar aunque sea incompleta, indicando que está sujeta a actualización, antes que guardar silencio o demorar los avisos. La honestidad[1083] en reconocer lo que se sabe y lo que no se sabe, así como la rapidez en difundir alertas y recomendaciones, son elementos de transparencia que salvan vidas y evitan rumores o desinformación.

No obstante, la transparencia no solo se refiere a la comunicación hacia afuera, sino también a la trazabilidad[1084] interna de las actuaciones administrativas. En una gestión de emergencia, se toman multitud de decisiones bajo presión (movilización de recursos, contrataciones urgentes, priorización de auxilios, etc.). Es fundamental que cada una de esas decisiones quede registrada y documentada[1085] adecuadamente: qué se decidió, quién lo autorizó,

---

1083 Organización Mundial de la Salud. (2017). *WHO Guidelines for Emergency Risk Communication (ERC)*. Ginebra: OMS. https://www.who.int/publications/i/item/9789241550206

1084 Organización para la Cooperación y el Desarrollo Económicos (OCDE). (2018). *Recommendation of the Council on Open Government*. París: OCDE. https://legalinstruments.oecd.org/en/instruments/OECD-LEGAL-0438

1085 Boletín Oficial del Estado. (2015, 2 de octubre). *Ley 39/2015, de 1 de octubre, del Procedimiento Administrativo Común de las Administraciones Públicas* (BOE n.º 236).

en qué momento y con qué base de información. Esta trazabilidad permite reconstruir a posteriori la cadena de acontecimientos y evaluar la eficacia de la respuesta, pero también es crucial para depurar responsabilidades o aprender lecciones. Las buenas prácticas aconsejan llevar diarios de incidentes, actas de reuniones de coordinación y registros de decisiones clave. Además, muchas administraciones disponen ya de sistemas digitales (por ejemplo, plataformas de gestión de emergencias o registros electrónicos) que facilitan esta labor de registro en tiempo real y aseguran que la información crítica no se pierda. Según la normativa española sobre Administración Electrónica, los documentos derivados de actuaciones oficiales deben conservarse en archivos electrónicos seguros, garantizando su integridad y localización futura.

La transparencia externa se materializa, además, en la rendición de cuentas pública[1086] sobre cómo se gestionó la emergencia (tema que se profundiza más adelante). Esto incluye publicar informes posteriores al desastre, con detalles de las medidas adoptadas, los recursos empleados y, en su caso, las razones de ciertas decisiones difíciles. Un área donde la transparencia resulta particularmente importante es la gestión de ayudas y donaciones. Ciudadanos y organismos donantes deben poder verificar que los fondos destinados a la recuperación se emplean correctamente. Por ello, es una buena práctica establecer mecanismos de seguimiento de las ayudas, como portales web donde se reporte periódicamente cuánto se ha recaudado y cómo se ha distribuido, y auditorías externas que fiscalicen ese proceso. La aplicación de tecnología puede ser de gran ayuda para este fin: por ejemplo, se han diseñado sistemas digitales de trazabilidad de ayudas humanitarias[1087] que registran cada entrega de suministros a personas afectadas, aumentando la visibilidad del proceso y con ello la transparencia y la equidad en la distribución. Tales sistemas no solo refuerzan la confianza de los donantes y la población en general, sino que permiten detectar y corregir más fácilmente posibles desajustes (como duplicidades en la entrega de ayudas o colectivos inadvertidamente no atendidos).

En síntesis, la transparencia y la trazabilidad son dos caras de la misma moneda: hacia el exterior, informar con claridad y veracidad para mantener

---

https://www.boe.es/eli/es/l/2015/10/01/39

1086 Organización para la Cooperación y el Desarrollo Económicos (OCDE). (2018). *Recommendation of the Council on Open Government.* París: OCDE. https://legalinstruments.oecd.org/en/instruments/OECD-LEGAL-0438

1087 Naciones Unidas. (2015, 23 de marzo). *Sendai Framework for Disaster Risk Reduction 2015–2030* (A/RES/69/283). https://www.undrr.org/publication/sendai-framework-disaster-risk-reduction-2015-2030

la confianza pública; hacia el interior, documentar y dejar rastro de la actuación para garantizar la responsabilidad administrativa. Ambas fomentan la seguridad jurídica, pues la ciudadanía puede conocer cómo y por qué se actuó de determinada manera (lo que facilita eventualmente ejercer controles o reclamaciones), y la Administración puede justificar sus decisiones sobre base fáctica si son impugnadas. Además, una cultura de transparencia disuade de conductas opacas o irregulares durante la emergencia, previniendo la corrupción y reforzando la ética pública en momentos críticos.

5. PROTECCIÓN DE DATOS Y USO RESPONSABLE DE TECNOLOGÍAS

En la gestión moderna de emergencias, el uso de tecnologías avanzadas (desde sistemas de información geográfica hasta inteligencia artificial) se ha vuelto común para mejorar la predicción, la respuesta y la recuperación. Sin embargo, su implementación conlleva retos legales y éticos importantes, particularmente en materia de protección de datos personales[1088] y respeto a la privacidad. Durante una catástrofe se recaban gran cantidad de datos sensibles: listados de víctimas y desaparecidos (con datos de salud, familiares, etc.), información geolocalizada de personas evacuadas, imágenes de cámaras de vigilancia o drones en zonas siniestradas, entre otros. Es fundamental que el manejo de estos datos se ajuste al marco legal de protección de datos (Reglamento General de Protección de Datos de la UE y normativa nacional correspondiente). Ello implica varios deberes[1089]: recabar solo los datos indispensables (principio de minimización), contar con bases jurídicas claras para su tratamiento (por ejemplo, el consentimiento de los afectados cuando es posible, o la salvaguarda de intereses vitales en situaciones de peligro grave), y asegurar su tratamiento íntegro y confidencial. La legislación española impone además a las Administraciones el deber de garantizar la protección de los datos de carácter personal en sus comunicaciones electrónicas e intercambio

---

1088 Parlamento Europeo y Consejo de la Unión Europea. (2016, 4 de mayo). *Reglamento (UE) 2016/679, relativo a la protección de las personas físicas en lo que respecta al tratamiento de datos personales y a la libre circulación de estos datos (Reglamento General de Protección de Datos – RGPD). Diario Oficial de la Unión Europea,* L 119, 1–88. https://eur-lex.europa.eu/eli/reg/2016/679/oj

1089 Boletín Oficial del Estado. (2018, 6 de diciembre). *Ley Orgánica 3/2018, de 5 de diciembre, de Protección de Datos Personales y garantía de los derechos digitales* (BOE n.º 294). https://www.boe.es/eli/es/lo/2018/12/05/3

de información, obligando a extremar las precauciones en entornos como los centros de datos de emergencias o las plataformas compartidas entre agencias.

El uso de inteligencia artificial (IA) y algoritmos de análisis de datos en emergencias ofrece oportunidades valiosas (por ejemplo, sistemas que predicen la propagación de incendios forestales, aplicaciones que clasifican la urgencia de llamadas de auxilio o asignan eficientemente recursos de socorro). No obstante, su aplicación debe ser *responsable y ética*. Según recomendaciones recientes, el uso de IA en el ámbito público debe ser proporcional y justificado, aplicándose solamente cuando aporte un valor real y bajo condiciones de estricto control humano. Esto significa que la mera disponibilidad de una herramienta algorítmica no legitima su empleo indiscriminado: debe evaluarse previamente su fiabilidad, sus posibles sesgos y el impacto que tendrá en la población. En contextos críticos, una decisión errónea sugerida por una IA (por ejemplo, priorizar mal el envío de rescates) podría costar vidas; por tanto, la autoridad siempre debe supervisar y tener la última palabra, sin delegar automáticamente el juicio en una máquina.

Las buenas prácticas en el uso de tecnología durante emergencias[1090] incluyen la realización de evaluaciones de riesgo y de impacto antes de implementar sistemas digitales novedosos. Por ejemplo, si se va a emplear reconocimiento facial para buscar desaparecidos, habría que valorar el riesgo de falsos positivos o de violación de la privacidad, y establecer salvaguardias (como limitar su uso a ubicaciones acotadas y período breve, y no conservar las imágenes más allá de lo necesario). Asimismo, se debe asegurar la trazabilidad[1091] de los procesos automatizados: que quede registro de cuándo y cómo una herramienta tecnológica fue usada para tomar cierta decisión, de modo que posteriormente pueda auditarse su desempeño. Una recomendación esencial es garantizar la confidencialidad de los datos manejados por estas herramientas y documentar adecuadamente su utilización, de forma que la Administración pueda justificar ante terceros (ciudadanos, órganos de control o jueces) que el uso de la tecnología fue pertinente y respetuoso con los derechos.

1090 Agencia Española de Protección de Datos. (2023). *Guía de protección de datos en situaciones de emergencia y catástrofes*. Madrid: AEPD. https://www.aepd.es/

1091 Comisión Europea. (2024, 21 de mayo). *Reglamento (UE) 2024/1689 del Parlamento Europeo y del Consejo por el que se establecen normas armonizadas en materia de inteligencia artificial (Reglamento de Inteligencia Artificial). Diario Oficial de la Unión Europea*, L 206, 1–102. https://eur-lex.europa.eu/eli/reg/2024/1689/oj

Por otro lado, la introducción de tecnologías emergentes no exime a la Administración de su obligación de respetar derechos fundamentales[1092]. Es imperativo vigilar que las aplicaciones digitales no introduzcan discriminaciones ni vulneren derechos como la intimidad, la protección de datos personales o la no discriminación. La literatura especializada advierte, por ejemplo, que los algoritmos pueden incorporar sesgos que amplifiquen desigualdades si no se controlan adecuadamente (por ejemplo, dejando en segundo plano a comunidades marginadas en el reparto de ayuda si los datos de entrenamiento eran incompletos). Por ello, se deben establecer controles como auditorías periódicas de los algoritmos, verificación de la calidad y equidad de los datos usados, y fomentar la diversidad en los equipos de desarrollo y supervisión de estas herramientas. El objetivo es prevenir resultados algorítmicos injustos y asegurar que, en última instancia, la tecnología refuerce –y no debilite– la tutela de los derechos de todos los ciudadanos, incluyendo los más vulnerables.

Finalmente, debe subrayarse la relevancia del cumplimiento normativo en el uso de tecnologías aplicadas a la gestión de emergencias. La implantación de sistemas digitales, plataformas de análisis de datos o herramientas basadas en inteligencia artificial debe alinearse no sólo con las leyes vigentes en materia de protección de datos, ciberseguridad, propiedad de la información y contratación pública, sino también con los principios éticos y de buena administración que rigen la actuación del sector público.

Desde 2024, la Unión Europea cuenta con un marco jurídico pionero en el mundo, el Reglamento (UE) 2024/1689 sobre Inteligencia Artificial, que entrará plenamente en vigor en 2026 y clasifica las aplicaciones de IA utilizadas por organismos públicos —especialmente en contextos de seguridad, salud o gestión de crisis— como de “alto riesgo”. Este Reglamento impone obligaciones estrictas en materia de transparencia, trazabilidad, evaluación de conformidad, supervisión humana y gestión del riesgo algorítmico, estableciendo sanciones significativas en caso de incumplimiento.

En este nuevo marco, se recomienda que las administraciones públicas anticipen su adaptación mediante la aprobación de protocolos internos de gobernanza algorítmica, la designación de responsables de supervisión tecnológica, la implantación de evaluaciones de impacto ético y jurídico antes de desplegar nuevas herramientas, y la realización de auditorías periódicas independientes. Solo de este modo puede asegurarse que la innovación

---

1092 Organización de las Naciones Unidas para la Educación, la Ciencia y la Cultura (UNESCO). (2021). *Recommendation on the Ethics of Artificial Intelligence.* París: UNESCO. https://unesdoc.unesco.org/ark:/48223/pf0000381137

tecnológica avance de la mano de la seguridad jurídica, la ética pública y la tutela de los derechos fundamentales, evitando que la urgencia o el entusiasmo tecnológico deriven en actuaciones contrarias a los principios esenciales del Derecho Administrativo y de la dignidad humana[1093].

6. FORMACIÓN CONTINUA Y DEBER DE DILIGENCIA DEL PERSONAL PÚBLICO

El éxito de las políticas públicas de gestión de emergencias depende en gran medida de las personas encargadas de ejecutarlas: funcionarios, técnicos y demás profesionales que deben tomar decisiones rápidas bajo presión. Por ello, es crucial fomentar una formación continua de todo el personal público involucrado en emergencias, así como inculcar un fuerte deber de diligencia[1094] en el ejercicio de sus funciones. La formación permanente asegura que los intervinientes están al día en procedimientos, conocimiento técnico y marcos normativos aplicables. Esto abarca desde la capacitación en primeros auxilios o manejo de equipos de rescate, hasta cursos sobre nuevas amenazas (como riesgos climáticos emergentes o ciberdelitos que afecten infraestructuras críticas) y sobre el uso óptimo de herramientas tecnológicas. También implica conocer el entramado jurídico-administrativo: por ejemplo, saber cómo tramitar con diligencia una contratación de emergencia o cómo activar formalmente un plan de protección civil. En España, organismos como la Escuela Nacional de Protección Civil y los institutos de Administración Pública de las Comunidades Autónomas juegan un papel fundamental ofreciendo programas formativos[1095] específicos para gestores de emergencias.

El deber de diligencia implica que los servidores públicos deben actuar con cuidado, precisión y profesionalidad en todas sus intervenciones. No

---

[1093] Parlamento Europeo y Consejo de la Unión Europea. (2024, 21 de mayo). *Reglamento (UE) 2024/1689 del Parlamento Europeo y del Consejo por el que se establecen normas armonizadas en materia de inteligencia artificial y se modifican los Reglamentos (CE) n.º 300/2008, (UE) n.º 167/2013, (UE) n.º 168/2013, (UE) 2018/858, (UE) 2018/1139 y (UE) 2019/2144, así como la Directiva 2014/53/UE (Reglamento de Inteligencia Artificial). Diario Oficial de la Unión Europea,* L 206, 1–220. https://www.boe.es/buscar/doc.php?id=DOUE-L-2024-81079

[1094] Boletín Oficial del Estado. (2015, 2 de octubre). *Ley 40/2015, de 1 de octubre, de Régimen Jurídico del Sector Público* (BOE n.º 236). https://www.boe.es/eli/es/l/2015/10/01/40

[1095] Ministerio del Interior. (2023). *Plan de Formación de la Escuela Nacional de Protección Civil 2023–2026.* Madrid: Dirección General de Protección Civil y Emergencias. https://www.proteccioncivil.es/

basta con la buena voluntad; se exige una *diligencia técnica y jurídica* reforzada, acorde con la importancia de los bienes protegidos (vidas humanas, medio ambiente, patrimonio). Este deber tiene incluso respaldo legal: el ordenamiento prevé la responsabilidad disciplinaria, patrimonial e incluso penal de las autoridades o empleados públicos que actúen con negligencia grave o dolo en el desempeño de sus funciones (artículos 36 y 37 de la Ley 40/2015, sobre responsabilidad de autoridades y personal). Por tanto, formación y diligencia van de la mano: un profesional bien formado estará en mejores condiciones de anticipar riesgos, cumplir protocolos y minimizar errores; y al mismo tiempo, quien es diligente reconoce la necesidad de actualizar sus conocimientos continuamente. Las guías de buenas prácticas recientes subrayan la *necesidad de formación continua y supervisión humana* especialmente cuando se incorporan nuevas técnicas o tecnologías a la labor pública. Por ejemplo, si un cuerpo de bomberos introduce drones para supervisar incendios, sus miembros deben recibir adiestramiento no solo en el manejo de estos dispositivos sino también en las implicaciones legales de su uso (v.gr., espacios aéreos restringidos, privacidad de las imágenes captadas, etc.).

Una práctica recomendable es establecer planes periódicos de simulacros y ejercicios interinstitucionales[1096]. Estos simulacros permiten al personal aplicar en un entorno controlado sus conocimientos, pulir la coordinación entre equipos y detectar áreas de mejora tanto operativas como administrativas. La evaluación posterior a cada simulacro es parte del aprendizaje: se analizan desviaciones respecto a los protocolos, se actualizan planes y se comparten las lecciones aprendidas. Además, estos ejercicios refuerzan la conciencia del deber de diligencia, ya que ponen de manifiesto las consecuencias potenciales de decisiones erradas o demoras durante una crisis.

Otro aspecto relevante es la diligencia en la información y comunicación. El personal público debe manejar datos y difundir información con precisión y prudencia. Por ejemplo, al comunicar cifras de afectados o emitir recomendaciones a la población, se debe verificar la exactitud de los datos y la claridad del mensaje. La difusión de información errónea por descuido podría agravar el pánico o inducir a comportamientos de riesgo. Así, el deber de diligencia no solo cubre la ejecución material de las tareas (rescatar, curar, vigilar), sino también la gestión de la información y la interacción con el público y los medios de comunicación.

[1096] Organización de las Naciones Unidas para la Reducción del Riesgo de Desastres (UNDRR). (2023). *Words into Action: Capacity Development for Disaster Risk Reduction.* Ginebra: Naciones Unidas. https://www.undrr.org/

Finalmente, cabe señalar que el fomento de la formación y la diligencia también contribuye a la motivación y profesionalización de los cuerpos de emergencias. Cuando los gestores sienten respaldo institucional para capacitarse y mejorar, es más probable que desarrollen un sentido de orgullo profesional y responsabilidad ética en su labor. Esto redunda en mejores servicios al ciudadano y en una mayor confianza de éste en sus instituciones de emergencia.

7. PARTICIPACIÓN CIUDADANA Y RENDICIÓN DE CUENTAS

La ciudadanía no es un sujeto pasivo durante las emergencias; por el contrario, su involucración activa puede marcar la diferencia en la eficacia de la respuesta y en la legitimidad de ésta. La participación ciudadana[1097] en la gestión de emergencias tiene varias dimensiones. En la fase de prevención y preparación, supone incluir a la comunidad en la identificación de riesgos y en la planificación de la respuesta. Las autoridades deben informar a los residentes sobre los peligros potenciales (por ejemplo, zonas inundables, protocolos de evacuación) y pueden organizar consultas públicas o trabajar con asociaciones vecinales para incorporar el conocimiento local en los planes de emergencia. Esta participación anticipada genera corresponsabilidad: los ciudadanos que conocen los planes tienden a cumplir mejor las instrucciones en el momento crítico y pueden actuar como multiplicadores de buenas prácticas entre sus vecinos.

Durante la fase de respuesta, la participación del público se manifiesta en la cooperación con las directrices oficiales (siguiendo órdenes de evacuación, acudiendo a refugios, etc.), pero también en la auto-movilización solidaria. Es habitual que surjan voluntarios espontáneos dispuestos a ayudar; una buena práctica es canalizar esa energía de manera organizada, por ejemplo, integrándolos bajo la supervisión de la protección civil local o de la Cruz Roja, para que contribuyan sin ponerse en riesgo ni entorpecer las labores profesionales. Además, contar con voluntarios formados de antemano (como las agrupaciones de voluntarios de protección civil existentes en muchos municipios) enriquece la capacidad de respuesta y refuerza el vínculo entre la administración y la ciudadanía.

[1097] Naciones Unidas. (2015, 23 de marzo). *Sendai Framework for Disaster Risk Reduction 2015–2030* (A/RES/69/283). https://www.undrr.org/publication/sendai-framework-disaster-risk-reduction-2015-2030

La rendición de cuentas[1098] es el correlato natural de la participación y la transparencia: una vez pasada la emergencia, las instituciones deben dar explicaciones claras de su actuación. Esto implica evaluaciones públicas, investigaciones independientes si hubiera denuncias de fallos, y difusión de informes tanto técnicos como financieros. En democracias avanzadas, es común que tras una gran catástrofe se realicen auditorías o comisiones de investigación parlamentarias para esclarecer cómo operaron los servicios públicos, qué aciertos y errores hubo, y qué medidas de mejora se van a implementar. Lejos de socavar la imagen de las instituciones, estos ejercicios de rendición de cuentas fortalece la confianza ciudadana, pues demuestran un compromiso con el aprendizaje y la mejora continua, así como con la asunción de responsabilidades. Además, reducen el espacio para la corrupción o la impunidad: saber que las actuaciones serán escrutadas desalienta conductas dolosas y promueve la honestidad.

Un aspecto importante de la rendición de cuentas es la atención a las reclamaciones y quejas de los afectados. Tras una emergencia, los ciudadanos pueden interponer reclamaciones patrimoniales si consideran que una administración actuó de forma negligente y eso les causó perjuicios. Es deber de los poderes públicos establecer vías accesibles para tramitar estas reclamaciones, así como responder a ellas en plazo y forma. A nivel más general, la participación ciudadana incluye también abrir espacios de diálogo con la comunidad durante la fase de reconstrucción, de manera que las decisiones sobre cómo reconstruir (por ejemplo, si reubicar un pueblo entero lejos de una zona de riesgo) se tomen escuchando a quienes van a verse directamente afectados.

La perspectiva internacional refuerza esta idea: instrumentos como el Marco de Sendai para la Reducción del Riesgo de Desastres (2015-2030) mencionan la necesidad de una gobernanza incluyente del riesgo, donde todas las partes interesadas (gobiernos, sector privado, academia, sociedad civil) participen activamente en las políticas de gestión de desastres. También el Consejo de Europa, en sus principios éticos para la resiliencia, subraya que una buena gobernanza facilita la participación y exige a los responsables rendir cuentas, reduciendo con ello las posibilidades de corrupción. Dicho con otras palabras, la legitimidad de las medidas de emergencia se refuerza si éstas se adoptan *con* la ciudadanía y no *a espaldas* de ella, y si tras la crisis se esclarece ante la opinión pública cómo se actuó y por qué.

En la práctica, muchas administraciones han adoptado ya herramientas de participación y rendición de cuentas específicas para emergencias: encuestas

---

1098 Consejo de Europa. (2016). *Guidelines on Ethics and Disaster Risk Reduction.* Estrasburgo: Directorate of Democratic Governance. https://rm.coe.int/16806f1c47

públicas de satisfacción con la respuesta recibida, reuniones comunitarias de retroalimentación, portales de transparencia con datos abiertos sobre la gestión de la emergencia, etc. Incorporar estas prácticas consolida un modelo de gestión en el que el ciudadano se siente parte del proceso y ve atendidas sus inquietudes, lo cual incrementa la confianza en las instituciones.

8. GESTIÓN DOCUMENTAL, INTEROPERABILIDAD Y COMUNICACIÓN OFICIAL

La última pieza, pero no menos importante, en las buenas prácticas administrativas para emergencias corresponde a los instrumentos de apoyo: la gestión documental rigurosa, la interoperabilidad de sistemas y una comunicación oficial efectiva. Estos aspectos, de carácter más técnico, proporcionan el andamiaje que sostiene todo lo anterior.

En cuanto a la gestión documental, ya se mencionó la importancia de documentar decisiones y actuaciones para asegurar la trazabilidad. Aquí se enfatiza además la necesidad de orden y acceso a la información. En medio del caos de una emergencia, disponer de una buena gestión documental significa que los responsables puedan localizar rápidamente los planes de respuesta vigentes, los protocolos aplicables, los recursos disponibles inventariados, e incluso el historial de eventos similares pasados (lecciones aprendidas). Para ello, las administraciones deben contar con sistemas de archivo y gestión de información diseñados para emergencias, idealmente digitalizados y respaldados fuera de la zona de riesgo. Un ejemplo de buena práctica es tener repositorios electrónicos accesibles en línea que contengan todos los planes de protección civil, mapas de riesgo actualizados y bases de datos de recursos (vehículos, albergues, suministros). Estos repositorios deben ser interoperables[1099] entre instituciones, de modo que, por ejemplo, un equipo de respuesta rápida que llega de otra región pueda acceder al plan local y a la información crítica sin retrasos.

La interoperabilidad, en efecto, es otro pilar: hace referencia a la capacidad de distintos sistemas (tecnológicos y administrativos) de trabajar conjuntamente. En un sentido técnico, implica estandarizar formatos de datos y protocolos de comunicación entre agencias. Por ejemplo, si Policía y Bomberos usan plataformas distintas para gestionar incidentes, éstas

---

1099 Comisión Europea. (2021). *EU Strategy on Data: Building a European Data Space.* Bruselas: Dirección General de Redes de Comunicación, Contenido y Tecnologías (DG CONNECT). https://digital-strategy.ec.europa.eu/en/policies/strategy-data

deberían poder intercambiar datos o integrarse para que no haya compartimentos estancos. La ley impulsa esta interoperabilidad estableciendo que las Administraciones se relacionarán por medios electrónicos garantizando la compatibilidad e interconexión de sus sistemas. Esto incluye también la seguridad de la información: los sistemas compartidos han de ser resistentes a fallos y ciberataques, pues un incidente informático durante una emergencia podría tener consecuencias severas. A nivel organizativo, la interoperabilidad se refleja en la capacidad de *hablar el mismo lenguaje operacional*: utilizar simbología común en mapas, tener clasificación homologada de niveles de alerta, y en general procedimientos armonizados que permitan que distintos equipos entiendan rápidamente qué está pasando y qué hacer.

Finalmente, la comunicación oficial[1100] es la interfaz entre la administración y el público durante la crisis. Una buena comunicación oficial tiene varias características: es única, veraz, frecuente y accesible. *Única* significa que, idealmente, la información provenga de una fuente o vocería central coordinada, para evitar mensajes contradictorios. Esto no impide que diversas agencias se comuniquen, pero sí que alineen su mensaje (por ejemplo, que el gobierno regional y el ayuntamiento den las mismas indicaciones de evacuación). *Veraz* implica no minimizar ni exagerar la situación, sino ceñirse a los datos comprobados: la credibilidad es un activo crítico durante la emergencia. *Frecuente* quiere decir que la población reciba actualizaciones periódicas, aunque sea para decir que no hay cambios sustanciales; el silencio comunicativo genera incertidumbre y rumores. Y *accesible* supone que la información llegue por canales adaptados a todos los grupos: radios locales, redes sociales, señales sonoras en comunidades rurales, distintos idiomas si es necesario, etc., además de contemplar a personas con discapacidad (por ejemplo, lenguaje de señas en las ruedas de prensa, alertas de texto adaptadas a lectores de pantalla).

La comunicación oficial, además, debe incluir mecanismos de retroalimentación. Por ejemplo, líneas telefónicas de información a la población (centros de atención telefónica) o cuentas en redes sociales que respondan dudas frecuentes. Esto complementa el flujo unidireccional de la información con cierto grado de interacción, lo que puede ayudar a corregir malentendidos a tiempo y a conocer preocupaciones emergentes de la ciudadanía.

En la era digital, una consideración adicional es la gestión de la desinformación. Las autoridades deben monitorear rumores peligrosos o noticias

[1100] Naciones Unidas. (2023). *United Nations Office for Disaster Risk Reduction (UNDRR) Annual Report 2023*. Ginebra: Naciones Unidas. https://www.undrr.org/publication/undrr-annual-report-2023

falsas que puedan circular durante la crisis (por ejemplo, teorías infundadas que causen pánico o remedios falsos en una emergencia sanitaria) y contrarrestarlos rápidamente con información oficial. Para ello, muchas veces se coordinan con medios de comunicación y con plataformas de redes sociales, buscando que fuentes confiables amplifiquen los mensajes veraces.

En conclusión, una Administración Pública preparada para emergencias es aquella que no solo tiene buenos planes en el papel, sino que dispone de sistemas de información robustos, procedimientos claros para compartir datos, y canales de comunicación efectivos y honestos con el público. Estos elementos de apoyo garantizan que los principios materiales (legalidad, derechos, eficiencia) puedan materializarse operativamente en medio de la contingencia, cerrando el círculo de la buena gobernanza en situaciones críticas.

Capítulo 7.
Desafíos jurídicos ante situaciones de desastre

1.- LA INNOVACIÓN EN LA REDUCCIÓN DE LOS EFECTOS DE LOS DESASTRES

Innovación es una palabra de moda, como otras tantas, pero esto no es obstáculo para no dotarla de pleno significado y desarrollo. La innovación, tan utilizada para todo, podría tener un carácter inversamente proporcional en utilidad al incremento de su uso. A todo le llamamos innovador, como también resiliente. Hay cientos de libros que contienen la palabra, miles de veces que se mencionan en informes de todo tipo, las empresas incorporan a Jefes de Innovación, y entre las misiones de cualquier compañía está, cómo no la "innovación". Pero, ¿qué es la innovación?

La innovación contiene productos y tecnología, también servicios, procesos, modelos, y muchas más cosas. Innovar es "crear valor", es decir, es un solucionador de problemas. Y cuanto mayor sea el problema resuelto, más alcance tiene la innovación, pues crea más valor. No hay, por tanto, una única acepción para definir la innovación, pero sí podemos categorizarla en tres tipos[1101]:

La innovación básica demanda un cambio mínimo o nulo en un modelo por ejemplo de negocio (clientes, ofertas, procesos...). También se le denomina continua o incremental, pero ayuda y mucho a mejorar constantemente lo que se ejecuta.

La innovación adyacente produce un cambio importante en al menos un mecanismo de su modelo de negocio. Por ejemplo: ampliar la cartera de servicios.

La innovación radical es aquella que realmente cambia todo el negocio, aunque supone un alto riesgo y requieren de espacios temporales dilatados, una inmensa cantidad de recursos financieros y una alta dosis de paciencia.

1101 Bolton, R. (2019, 30 de diciembre). Back to basics: what is innovation?. Forbes Business Council. https://bit.ly/3VN9sXS

Para algunos autores, la innovación también implica un sistema de valores que busca un resultado positivo del acto inventivo. No cabe duda de que no todo el mundo está pensando en dichos fines cuando innovan.

La reducción de los efectos de los desastres pone de manifiesto desde hace tiempo la necesidad de mejorar la interrelación entre ciencia y política[1102], entendida como gobernanza. El campo de las ciencias englobaría las ciencias naturales, medioambientales, sociales, económicas, de la salud y las ingenierías, así como sus vertientes científicas. La innovación en sistemas de alerta temprana o en construcción para incrementar la resiliencia edificatoria y de infraestructuras son buenos ejemplos.

Lo importante es que se genere una cultura de la innovación, consciente de los desafíos actuales y futuros en la gestión de riesgos en el ámbito de la protección civil, y que proponga soluciones y enfoques en los distintos niveles de decisión para minimizar los efectos de los riesgos. Un legislador y un gobernante del siglo XXI debe fomentar la creación y utilización de instrumentos innovadores en este campo. En definitiva, adoptar un enfoque proactivo hacia el futuro.

En el Marco de Sendai[1103] para la Reducción del Riesgo de Desastres ya se destacaba la importancia del estímulo de la innovación y el desarrollo tecnológico ante el riesgo de desastres, promoviendo: “la cooperación entre las entidades y redes académicas, científicas y de investigación, y el sector privado a fin de desarrollar nuevos productos y servicios”. En ese campo de innovación, es esencial incluir en las agendas de los investigadores y gobernantes los intereses locales, porque de este modo se podrá lograr auténtica innovación social (demasiado a menudo, se omite el papel participativo de estos, quienes pueden ser sujetos afectados por un desastre).

La innovación no se limita solo a los bits o a productos de alta tecnología; la innovación también puede radicar en los enfoques. Si bien en el ámbito de la Inteligencia Artificial, existen muchas ayudas y apoyos para la gestión, como se abordará en un capítulo específico.

Pero cuando hablamos de la necesidad de inversión en innovación, ¿a qué innovaciones nos referimos? Una encuesta realizada por Naciones Unidas en el ámbito de la universidad, involucrando a profesionales, el sec-

---

1102 Southgate, R. J., et al. (2013). Using science for disaster risk reduction. Report of the UNISDR Scientific and Technical Advisory Group.

1103 United Nations. UNISDR. (2015). Marco de Sendai para la Reducción del Riesgo de https://bit.ly/3Fu0UA0
Desastres 2015-2030 (1ª ed.). Documento UNISDR/GE/2015–ICLUX ES.

tor privado y gobiernos con respecto a esta pregunta, arrojó los siguientes resultados antes de la aprobación del Marco de Sendai: había demanda de respuestas por parte de la ciencia y la tecnología en los campos de estimación de riesgos e instrumentos prácticos para riesgos específicos. Establecer marcos normativos que involucren la ciencia es algo al alcance de los países desarrollados, pero distante para aquellos en vías de desarrollo. La falta de acceso al conocimiento, a la capacitación técnica y la financiación son paredes infranqueables, como lo es un diálogo que resulta difícil, pues normalmente las poblaciones tienen otras prioridades básicas.

En el catálogo de productos innovadores[1104], se puede indicar:

1. GIS (Geographic Information System) y sensores remotos.
2. Drones.
3. Servicios de Redes Sociales.
4. Cemento y acero: materiales de construcción e infraestructuras.
5. Seguros del riesgo de catástrofes
6. Sistemas de telemetría y radio para la prevención de desastres (Bosai musen[1105]).
7. Escuela y refugios contra ciclones.
8. Código sísmico.
9. Microzonificación sísmica.
10. Alerta temprana de sismos en trenes de alta velocidad.
11. Radar Doppler
12. Material resiliente frente a desastres.
13. Recogida de aguas pluviales

1104 Este catálogo de productos innovadores y enfoques surgen tras encuesta realizada entre diciembre de 2018 y enero de 2019 a través de redes como la Asociación de Universidades de la Cuenca del Pacífico, la Investigación Integrada sobre el Riesgo de Desastres, la Red Asiática de Respuesta y Reducción de Desastres, los contactos de los investigadores, las universidades y las ONG. En total, se recibieron 228 respuestas de universidades e institutos de investigación (145), gobiernos (30), ONG (24), organizaciones internacionales y regionales (16), sector privado (6) y otros (7).

1105 Es un sistema de megafonía empleado en Japón, consistente en una melodía. https://bit.ly/42RonnB

14. Estudios sobre resistencia eléctrica.

Enfoques:

1. Reducción/gestión comunitaria del riesgo de catástrofes.
2. Marco de Acción de Hyogo.
3. Cartografía de peligros.
4. Plataformas nacionales para la reducción del riesgo de catástrofes.
5. Escuelas y hospitales seguros.
6. Evaluaciones y enfoque basado en índices: evaluación de la vulnerabilidad, índice de resiliencia, sostenibilidad.
7. Crowdsourcing.
8. Proyecto Esfera[1106].
9. Terminologías de resiliencia y vulnerabilidad.
10. Evaluación de las necesidades tras la catástrofe.
11. Iniciativa transnacional sobre ciudades resilientes.
12. Pago por móvil: una herramienta para acceder a la distribución/ financiación tras una catástrofe.
13. Un dólar para la prevención frente a catástrofes ahorra siete dólares en respuesta y recuperación de catástrofes.
14. Prácticas tradicionales y comportamientos de evacuación.
15. Tecnología autóctona para la reducción de los efectos de los desastres.
16. Ingeniería fluvial.

Cuando solicitamos estas innovaciones a la Universidad, el Gobierno y las ONG, los resultados muestran algunas diferencias. De ahí la necesidad ya mencionada de diálogo permanente para evitar una brecha en esta interfaz.

[1106] Este proyecto nace en 1997 de la mano de un conjunto de ONG, con el propósito de mejorar tanto la calidad de la respuesta humanitaria en situaciones de desastres, como la rendición de cuentas por sus actuaciones. El Manual puede consultarse a continuación: https://bit.ly/3B2KfQL

En el Reglamento Interno de Organización y Funcionamiento del Consejo Nacional de Protección Civil[1107], se prevé la posibilidad de convocar para asistir al Pleno de dicho Consejo expertos que se consideren convenientes, según la especialidad de los temas que se aborden (art. 5.6). Asimismo, los miembros de la Comisión Permanente pueden estar acompañados de personal técnico (art. 7.5). Se señala en dicho Reglamento que el Comité Español de la Estrategia Internacional para la Reducción de Desastres de las Naciones Unidas, promoverá iniciativas público-privadas para la "realización de actuaciones que contribuyan a la mejora de la prevención y mitigación de riesgos" y fomentará la coordinación (art. 9.b y 9.e), así como impulsará la mejora del conocimiento científico relativo a los desastres naturales, ambientales y también tecnológicos (art. 9.f). También se prevé que en las Comisiones Técnicas que puedan ser creadas, participen representantes de entidades privadas por su especialidad (art. 11.3), al igual que los Grupos de Trabajo (art. 11.4).

Además de todas las innovaciones hasta ahora mencionadas, hay otras que se detallarán a continuación, y que incluyen la Inteligencia Artificial. Entre los productos señalamos:

1. Semillas resistentes a las sequías.
2. Tecnologías de Comunicación.
3. Aplicaciones móviles para la gestión inteligente del agua.
4. Inteligencia Artificial.
5. Tecnología sanitaria durante la emergencia.
6. Cartografía de la variabilidad asociada al cambio climático.
7. Alerta precoz mediante llamadas de emergencia/alertas de catástrofe a través del teléfono móvil.
8. Sistema digital de gestión de la información.
9. Educación en realidad virtual para la reducción de desastres.
10. Energía solar utilizada para respuestas como el tratamiento móvil del agua.

Enfoques:

1. Previsiones basadas en las consecuencias.

1107 Consejo Nacional de Protección Civil. (2017, 29 de marzo). Reglamento Interno de Organización y Funcionamiento del Consejo Nacional de Protección Civil. https://bit.ly/3kejT9U

2. Cambio climático y reducción del riesgo de desastres.
3. Demostración mediante mesa de sacudidas (o mesa vibratoria).
4. Ecosistemas basados en adaptaciones a la reducción de desastres.
5. Mecanismos de respuesta regional y nacional.
6. Previsiones a corto plazo.
7. Regulación de los usos del suelo.
8. Fondo para atender la reducción de desastres.
9. Go Bag o Kit de supervivencia portátil o de mano.
10. Financiación basada en previsiones.
11. Agricultura basada en el clima.

Podemos adentrarnos con más especificidad a continuación en algunos de ellos.

Mediante el análisis global geoespacial, podemos observar el impacto directo del cambio climático en 105 países durante los próximos 30 años. Estos 105 países constituyen el 90% de la población mundial y el 90% del PIB del planeta[1108]. El objetivo de este innovador estudio consiste en medir el impacto directo de los riesgos climáticos sobre los sistemas socioeconómicos, definiendo dicho impacto como potencial directo y determinado por la gravedad del peligro y la probabilidad de suceso, con exposición de personas, capital físico y capital natural. Para mitigar los impactos, se calculan los costes globales de adaptación. El Programa de las Naciones Unidas para el Medio Ambiente (PNUMA), en 2016 estimó los costes de adaptación para los países en vías de desarrollo entre los 140.000 y 300.000 millones de dólares anuales, incrementándose de 280.000 a 500.000 millones de dólares anuales en 2050. La Comisión Global

---

1108 Para hacer este análisis se han basado los autores en datos geoespaciales sobre riesgos climáticos incluidos los del Woods Hole Research Center analysis del CMIP5 Global Climate Model output, del World Resources Institute, del European Center for Medium-Range Weather Forecasts y datos provenientes de RUBEL et al. (obtenidos de the National Oceanic and Atmospheric Administration). Se han utilizado datos geoespaciales y de población, capital stock, y GDP de la European Commission Global Human Settlement (GHS) y de UN Global Assessment Report on Disaster Risk Reduction. Otros datos utilizados son los datos de población de las Perspectivas de la Población Mundial de la ONU 2019 y las Perspectivas de Urbanización Mundial de la ONU Prospects, datos de empleo de Oxford Economics, datos sobre el PIB de IHS Markit Economics y Country Risk, y funciones de daños regionales para las inundaciones del European Commission Joint Research Centre

de Adaptación (GCA) calculó las inversiones necesarias de adaptación entre 2020 y 2030 en 1,8 billones de dólares para este tipo de países.

Estos cálculos de costes, tanto para países en vías de desarrollo como desarrollados, son un desafío. Los economistas tratan el clima como si fuese un activo, si hablamos en términos económicos. Por ello el impacto del cambio climático se interpreta en términos de PIB, al igual que las catástrofes naturales. Para algunos autores[1109], entre el 10 y el 60 por ciento del PIB mundial podría estar en riesgo a finales de siglo, mientras para otros[1110] la cifra sería del 7%. No es nada optimista el pronóstico para incrementos de 10 a 12 grados de temperaturas medias globales[1111], lo que provocaría que la mayor parte de los habitantes del globo experimentase temperaturas estivales por encima del umbral de habitabilidad del ser humano. Es evidente que los rangos de variabilidad son amplios, y esto se debe a la incertidumbre al intentar describir con precisión la respuesta de los sistemas económicos.

Los países y regiones con PIB per cápita más bajos suelen estar más expuestos, también las regiones más pobres suelen tener climas más cercanos a los umbrales físicos de tolerancia, con una mayor dependencia de trabajo al aire libre y al capital natural, y con menos recursos financieros para adaptarse con velocidad al nuevo escenario. No obstante, este modelo nos indica que el riesgo climático actual y futuro es "omnipresente" en todo el planeta, dado que los 105 países analizados disponen al menos de un indicador de riesgo para 2030.

Por tanto, queda mucho trabajo por delante desde el ámbito del derecho administrativo, si el legislador asume con responsabilidad y determinación el impulso de políticas tendentes a minimizar riesgos, y desarrollar instrumentos que den respuesta al reto global. De la mano de la innovación, debemos perfeccionar las evaluaciones de riesgo específicas, los impactos físicos y socioeconómicos, los análisis de probabilidad, y la predicción de riesgos sistémicos en cascada.

[1109] Burke, M., Hsiang, S., & Miguel, E. (noviembre de 2015). Global non-linear effect of temperature on economic production. Nature, 527(7577).

[1110] Kahn, M. E., et al. (julio de 2019). Long-term macroeconomic effects of climate change: A cross-country analysis. Federal Reserve Bank of Dallas, Globalization Institute Working Paper 365. Colacito, R., et al. (agosto de 2018). The impact of higher temperatures on economic growth. Federal Reserve Bank of Richmond, North Carolina, Economic Brief EB18-08.

[1111] Sherwood, S. C., & Huber, M. (25 de mayo de 2010). An adaptability limit to climate change due to heat stress. Proceedings of the National Academy of Sciences, 107(21).

Una gestión innovadora requiere incorporar un informe de impacto físico y socioeconómico de cambio climático. Hemos incorporado a nuestra gestión diaria informes de impacto de género, de compliance, de riesgos cibernéticos, y el cambio climático sin duda debe ser un elemento más, esencial. ¿O acaso no es fundamental para las empresas saber qué productos desarrollar y cómo gestionar la cadena de suministros con las amenazas actuales de cambio climático? También lo es en la planificación urbana, que requiere desde hace décadas impactos ambientales, pero no informes de impacto climático. ¿No es importante a la hora de planificar las áreas verdes, los volúmenes edificatorios, el entramado urbano, y las necesidades de infraestructuras? Por eso, ante nuevos riesgos, es necesario innovar con nuevos instrumentos, mediciones y análisis. Esto es un cambio de paradigma o mentalidad claro que se deriva en unos modelos económicos que antaño eran históricamente invariables, pero que ahora incluyen una dimensión geoespacial desafiante (muchos análisis de riesgos se hacen considerando su impacto a escala local). Un ejemplo es la necesidad de analizar las ubicaciones de los proveedores críticos, y el establecimiento de estrategias que consistan en aumentar los niveles de inventario o tener ubicaciones de abastecimiento alternativas.

Innovar ante el cambio climático supone adaptarse para proteger a las personas y los bienes, aumentar la resiliencia, reducir la exposición al riesgo, garantizar la existencia de seguros y vías de financiación. Esto se logra mejor mediante la cooperación entre grupos de interés, sectores, iniciativas públicas y privadas, compartiendo las mejores prácticas.

Como observamos por los gráficos, analizar los cambios de patrones en determinados aspectos nos permite establecer estrategias de adaptación.

Habrá que impulsar cambios en el uso del suelo, nos estamos refiriendo a la reforestación, que ya tiene algunos seguidores, como es el caso de la iniciativa Motor Verde de la Fundación Repsol, que prevé reforestar 70.000 hectáreas, compensando 16 millones de toneladas de CO2 y creando 15.000 empleos locales. A este proyecto se han sumado algunos gobiernos autonómicos y distintas empresas.[1112] También se requieren cambios tecnológicos que eviten los PFC de la industria de semiconductores o emisiones de óxido nitroso en el sector agropecuario.

Muchas de estas tecnologías aún no existen o están en proceso de investigación, en un itinerario de coste muy elevado, que no siempre consigue el objetivo de una aceptación generalizada y que, en ocasiones, lleva décadas.

1112 Información promocional en la web: https://www.fundacionrepsol.com/es/motor-verde

De ahí los incentivos o recompensas desde el ámbito normativo, fruto de una voluntad política para obtener el éxito de la medida. Sería el caso de proporcionar incentivos para que las compañías energéticas primen la reducción de la demanda energética en el uso del transporte, los edificios residenciales y comerciales, el planeamiento y desarrollo urbanístico, es decir, alejándose de la prioridad en el incremento del volumen de energía facturada.[1113] De lo contrario, ¿para qué iba a invertir una compañía en estas medidas? Se trata de brindar "fuerte apoyo a los esfuerzos de investigación y desarrollo"[1114].

Es lo que señala Edward Rubin: "Solo mediante acciones gubernamentales que exijan o hagan viable desde el punto de vista financiero reducir las emisiones de GEI se pueden crear mercados de cierta entidad para los productos y los servicios que posibilitan tales reducciones."

Entre las opciones para impulsar las innovaciones están las opciones de políticas tecnológicas (fondos gubernamentales directos para la generación de conocimiento, apoyo directo o indirecto a la comercialización y la producción, y por último, la difusión del conocimiento y aprendizaje) y las opciones de políticas de regulación (medidas económicas generales y regulaciones y estándares específicos de distintos sectores o tecnologías).[1115]

Tabla

Fondos gubernamentales directos para la generación de conocimiento	**Apoyo directo o indirecto a la comercialización y la producción**	**Difusión del conocimiento y aprendizaje**	**Medidas económicas generales y regulaciones y estándares específicos de distintos sectores o tecnologías**
Contratos de I+D con empresas privadas (totalmente financiados o con costes compartidos)	Créditos fiscales de I+D	Formación y capacitación	Impuesto sobre las emisiones

1113 Rubin, E. S. (s/f). Innovación y cambio climático. OpenMind BBVA. Recuperado el 30 de octubre de 2021, de https://bit.ly/3pRHgGo

1114 The National Academy of Sciences. (2010). America's Climate Choices: Limiting the Magnitude of Future Climate Change.

1115 Opciones políticas que pueden impulsar las innovaciones tecnológicas para reducir las emisiones de GEI (Fuente: NRC 2010a). Tomado de Open Mind BBVA: https://bit.ly/3pRHgGo

Contratos y becas de I+D con universidades y entidades sin ánimo de lucro	Patentes	Codificación y difusión del conocimiento técnico (por ejemplo, a través de la interrelación y la validación de los resultados de I+D, la selección, el apoyo a bases de datos)	Programa de comercio de derechos de emisión
I+D interno en laboratorios del gobierno	Créditos fiscales o subsidios de producción para las empresas que introducen nuevas tecnologías en el mercado	Estándares técnicos	Estándares de rendimiento (para las tasas de emisión, la eficiencia u otras medidas del rendimiento)
Contratos de I+D con consorcios o colaboraciones	Créditos fiscales, rebajas o pagos para los compradores y los usuarios de las nuevas tecnologías	Programas de ampliación tecnológicos e industriales	Impuesto sobre los combustibles
	Suministro por parte del gobierno de tecnologías nuevas o avanzadas Proyectos piloto Garantías de préstamo Incentivos monetarios	Publicidad, persuasión e información para el consumidor	Estándar de la cartera de políticas

El apoyo gubernamental directo a las iniciativas de I+D para generar nuevos conocimientos y soluciones, tanto en investigación básica como aplicada, es la forma más común de impulso, involucrando la colaboración público-privada.

Las medidas deberán ser frecuentemente un mix de medidas voluntarias y obligadas: "zanahoria" y "palo", con las que se necesitará impulsar "políticas de regulación suficientemente restrictivas para limitar las emisiones de GEI y fomentar la innovación tecnológica".[1116] El papel más destacado en la innovación tecnológica debe ser asumido por el sector privado. Tal afirmación se sustenta en los datos que aporta la Agencia Internacional de la Energía[1117] y otras fuentes, los cuales muestran que las empresas energéticas invierten menos en I+D que sus homólogas del sector farmacéutico, biotecnológico o del sector informático.

[1116] Ibídem.

[1117] International Energy Agency. (2000). Experience Curves for Energy Technology Policy. París. Rubio, A., Mañez, M., Pulido, M., Garcia, A., Celliers, L., Llario, F., & Macina, J. (2021, octubre).

Los servicios climáticos son herramientas y productos diseñados para proporcionar información útil sobre el clima y, de este modo, apoyar la toma de decisiones informadas para la adaptación al cambio climático. Es pues un modelo de negocio poco desarrollado en nuestro país, y que fue implementado, por ejemplo, en el suministro de agua urbano en Valencia. Se trata de adquirir capacidad de anticipación a los escenarios futuros que supone el cambio climático, suavizando la adaptación inherente a la toma de decisiones, buscando el éxito de la estrategia o acción de adaptación[1118].

Un riesgo, que puede tener entre otros marcos una "gestión de riesgos" desarrollada bajo estándares internacionales. Así, ISO/TC 262 "Gestión de riesgos", es el Comité Técnico de la Organización Internacional de Normalización (ISO) responsable de la gestión del riesgo (risk management).

Fue creado oficialmente en 2011 con el objetivo de desarrollar normas internacionales, directrices y buenas prácticas que ayuden a organizaciones públicas y privadas a identificar, analizar, evaluar y tratar los riesgos que pueden afectar a sus objetivos estratégicos, operativos, financieros o de seguridad.[1119]. El comité ISO/TC 262 es el responsable, entre otras, de la norma ISO 31000:2018 "Gestión del riesgo – Directrices", considerada el marco de referencia global para la gestión integral del riesgo, aplicable a cualquier tipo de organización. También ha desarrollado normas complementarias como:

ISO Guide 73:2009, que proporciona la terminología estándar en gestión del riesgo.

ISO/TR 31004:2013, guía para la implementación de la norma ISO 31000.

ISO 31010:2019, que describe las técnicas de evaluación del riesgo.

ISO 31073:2022, actualización de la terminología de gestión del riesgo.

En su estructura participan expertos de más de 60 países, así como organizaciones internacionales observadoras (por ejemplo, la OCDE o el Banco Mundial). Sus trabajos son especialmente relevantes en ámbitos como la

---

1118 Bowyer, P., Bender, S., Rechid, D., & Schaller, M. (2014). Adapting to climate change: Methods and tools for climate risk management (p. 124). Climate Service Center.

1119 ISO (Organización Internacional de Normalización) es una federación mundial de organismos nacionales de normalización (organismos miembros de ISO), cuyas normas suelen elaborarse a través de comités técnicos de ISO. La ISO/TC 262, es el comité técnico de riesgos, y es responsable, entre otras, de las siguientes normas: ISO 31000, Gestión de riesgos (Directrices); (Manual) ISO 31000, Gestión de riesgos, Guía práctica; IEC 31010, Gestión de riesgos, Técnicas de evaluación de riesgos; ISO 31022, Gestión de riesgos, Directrices para la gestión del riesgo legal. https://bit.ly/40EJOak

protección civil, la ciberseguridad, la gobernanza pública, la sostenibilidad y la resiliencia organizacional, al proporcionar un marco armonizado para la gestión anticipada y coordinada de riesgos.

Y el campo está todavía por explorar. La innovación puede encontrar un nicho por explorar en cómo reducir la demanda subyacente de bienes y servicios que requieren energía, en mejorar la eficiencia con la que la energía se utiliza, ampliar el uso de fuentes de energía de emisiones de carbono bajas, capturar y secuestrar CO2 directamente de la atmósfera (plantación de bosques), capturar y secuestrar CO2 de plantas de energía[1120] y factorías industriales.

Y no olvidar que las medidas impulsadas han de durar en el tiempo, porque ello provoca el interés de aquellos grupos que se benefician de las medidas, sin perder flexibilidad adaptativa.

Será un desafío continuo, sí, pero es la única hoja de ruta alternativa. Así se ha puesto de manifiesto en el documento[1121]difundido el 21 de octubre de 2021 por la Casa Blanca, y elaborado por las agencias de inteligencia de Estados Unidos, sobre el cambio climático y los riesgos de este fenómeno en el orden de la seguridad para el país dentro y fuera de sus fronteras, ya que provoca una mayor tensión geopolítica. Las repercusiones afectarán a la agricultura, el transporte, la energía, la seguridad nacional, la defensa, el comercio, entre otros ámbitos.

En el Senado de España se elaboró el "Informe[1122]de la Ponencia de Estudios sobre los Retos de una Transición Energética Sostenible". Dicha Ponencia de estudio sobre los retos de una transición energética sostenible, se constituyó en el seno de la Comisión de Transición Ecológica de la Cámara Alta, siendo el resultado de la aprobación por el plenario del Senado, en la sesión realizada el 12 de febrero de 2020, de una serie de medidas[1123] a desarrollar tanto por el ejecutivo nacional como por la Unión Europea.

1120 National Academy of Sciences. (2010). America's Climate Choices: Limiting the Magnitude Structuring Climate Service Co-Creation Using a Business Model Approach. https://doi.org/10.1029/2021EF002181

1121 Department of Defense, Office of the Undersecretary for Policy (Strategy, Plans, and Capabilities). (2021). Department of Defense Climate Risk Analysis. Report Submitted to National Security Council.

1122 Senado. (2022). Informe de la Ponencia de Estudios sobre los Retos de una Transición Energética Sostenible. ISBN: 978-84-96451-75-9. https://bit.ly/3G0zD7S

1123 Se instaba al Gobierno a:
"1. Trabajar en la implementación urgente de la Declaración de Emergencia Climática en España aprobada recientemente, comprometiéndose con el horizonte

A la Ponencia acudieron comparecientes del sector público y privado, evidenciando la importancia de la participación social en las deliberaciones que se adoptan en cámaras de representación política como es el caso del Senado. Además de la participación de los integrantes de los distintos grupos parlamentarios, los comparecientes proporcionaron luz y opinión sobre un tema de alcance global, enriqueciendo a los parlamentarios de sus campos de saber y experiencia[1124].

Las Conclusiones de dicha Ponencia[1125], recogían en su primer punto que "el consenso científico es unánime en que el cambio climático es uno de los problemas más importantes a los que se enfrenta la humanidad, con impacto no solo sobre el medio ambiente, sino también sobre la economía, la sociedad y la salud de las personas", y reconociendo que nuestro país, por su ubicación, es "uno de los territorios más vulnerables". A tal efecto, y para mitigar el cambio climático, reconocen los integrantes de la Ponencia que "es necesario reducir las emisiones de efecto invernadero (GEI), y esto pasa por una transición energética imprescindible, urgente e irreversible..."[1126].

El resultado del debate y posterior votación del Informe de la Ponencia tuvo 261 votos emitidos, de los cuales 254 fueron a favor, 3 en contra y 4 abstenciones, lo que demuestra que el consenso fue muy amplio, eviden-

---

de total descarbonización en 2050 y a impulsar un Green New Deal, en España y en la Unión Europea, con financiación suficiente para garantizar la creación de empleo y una transición justa en los sectores y territorios más vulnerables ante los necesarios cambios en los modos de producción y de consumo.
La remisión, a la mayor brevedad posible, a las Cortes Generales del Proyecto de Ley de cambio climático y transición energética, así como a la aprobación definitiva del Plan Nacional Integrado de Energía y Clima y la Estrategia de Transición Justa.
El Senado acuerda la creación de una Ponencia de estudio, en el seno de la Comisión de Transición Ecológica, al objeto de abordar los retos de una transición energética sostenible, que consolide las bases de la descarbonización de la economía española y que no comprometa los tres pilares básicos en que se tiene que fundamentar la transición energética: seguridad de suministro, sostenibilidad ecológica y sostenibilidad económica.»

1124 Asistieron catedráticos, investigadores, doctores, así como responsables de entidades de derecho público tan importantes como Red Eléctrica de España, o representantes de empresas de energía y agentes sociales, entre otros.

1125 La Mesa de la Comisión de Transición Ecológica aprobó el 19 de febrero de 2021 celebrar las comparecencias precisas para el desarrollo de los trabajos en el seno de dicha Comisión, celebrándose entre los meses de marzo a octubre de 2021 un total de seis sesiones, con un total de treinta y dos personas comparecientes.

1126 Senado. (sin año). Informe de la Ponencia de Estudios sobre los Retos de una Transición Energética Sostenible. ISBN: 978-84-96451-75-9. https://bit.ly/3G0zD7S

ciando la sensibilidad hacia la materia de la inmensa mayoría de las fuerzas parlamentarias que conforman la Cámara Alta.

Ese consenso es esencial para alcanzar logros en el futuro, y ejemplos hay de ello. Así, recordaremos que hace 36 años el Protocolo de Montreal[1127] decretó la eliminación de 96 sustancias químicas que contribuían con las emisiones de CFCs y halones, al agujero en la capa de ozono. España y la Unión Europea formaban parte de dicho Protocolo. Más aún, Europa elaboró Reglamentos[1128] para alcanzar los objetivos marcados.

Pues bien, tras esta acción concertada, el último informe del Grupo de Evaluación Científica del Protocolo de Montreal confirmó que la eliminación progresiva de las sustancias nocivas ha provocado que se recupere de modo notable la capa de ozono, lo cual es un estímulo claro para la acción climática, como indicó TAALAS[1129].

2.- GOBERNABILIDAD EN LA GESTIÓN DE CRISIS: ESPECIAL ATENCIÓN A LA ADMINISTRACIÓN LOCAL

El rol de las administraciones públicas en el objetivo de contribuir a hacer sociedades más resilientes es indudable. Este objetivo viene impulsado por un cuerpo normativo que ha de estar bien estructurado y, en la medida de lo posible, alejado de la ideología para adentrarse en el campo del sentido común, o si se me permite, de la salud y la vida.

Nuestro ordenamiento jurídico administrativo es una palanca para una gobernanza resiliente que dé respuesta a los desafíos del cambio climático en todos los ámbitos de la sociedad y mitigue los efectos de los riesgos en los que estamos envueltos. Necesitamos que haya una alta confianza en lo que planifiquemos. La normativa puede facilitar la sensibilización de todos los intervinientes en el ámbito de la gobernanza (ciudadanos, legisladores, empleados públicos, socie-

---

1127 Programa de las Naciones Unidas para el Medio Ambiente (PNUMA). (sin año). Protocolo de Montreal relativo a las sustancias que agotan la capa de ozono. https://bit.ly/40LiI1e

1128 Parlamento Europeo y Consejo de la Unión Europea. (2009). Regulation (EC) No 1005/2009 of the European Parliament and of the Council of 16 September 2009 on substances that deplete the ozone layer que sustituyó a Parlamento Europeo y Consejo de la Unión Europea. (2000). Regulation (EC) No 2037/2000 of the European Parliament and of the Council of 29 June 2000. https://bit.ly/3M1oR5i

1129 Taalas, P. (2023, 10 de enero). La capa de ozono se dirige hacia su total recuperación. El País, p. 25.

dad civil, academia...), coordinando sus respuestas y alineando a la comunidad científica y la sociedad receptora de sus resultados. Si se consigue la aceptación, haremos normas con menos volatilidad temporal y con mayor calidad que no está reñida con una economía en la producción normativa.

Nuestras normas nacionales, como hemos podido conocer hasta ahora, transponen compromisos internacionales en materia de cambio climático y respuesta frente a los riesgos y emergencias. No se trata sólo de cumplir con una formalidad, sino de desarrollar un compromiso.

En nuestro país, no tenemos el obstáculo de las naciones en vías de desarrollo, que hace que el cumplimiento de un compromiso carezca del respaldo presupuestario necesario, convirtiendo lo firmado en un mero deseo o aspiración. No tenemos esa excusa; tan solo debemos hacer una gestión adaptativa de nuestros recursos, con una programación rigurosa en objetivos y plazos.

El régimen jurídico para una "gobernanza resiliente" aún se encuentra en una etapa tan embrionaria que aún no permite tener un vademécum de buenas prácticas en cada ámbito de aplicación. Antes de avanzar hacia nuevas normativas, deberíamos evaluar las existentes y perfeccionarlas en aquellos casos que sea posible (veremos a continuación el ejemplo de las Ordenanzas Municipales).

En el Plan Nacional de Adaptación al Cambio Climático 2021-2030[1130] se establecen unos objetivos claros en aras a la disminución del riesgo de desastres:

- Impulsar la evaluación prospectiva de los riesgos de catástrofes considerando las proyecciones y escenarios de cambio climático.
- Promover la integración de criterios y medidas adaptativas en el Sistema Nacional de Protección Civil (planes territoriales, planes básicos y los planes especiales estatales).
- Apoyar y reforzar las medidas preventivas, especialmente soluciones basadas en la naturaleza, así como los sistemas de observación, alerta temprana, comunicación y educación ante el riesgo de desastres.
- Fomentar la consideración de los análisis de riesgos asociados al cambio climático en el estudio, análisis y definición de medidas de autoprotección, así como promover la autoprotección para los diferentes riesgos de desastres relacionados con el cambio del clima.

1130 Plan Nacional de Adaptación al Cambio Climático 2021-2030. (2021). Gobierno de España. Vicepresidencia Cuarta del Gobierno. Ministerio para la Transición Ecológica y el Reto Demográfico. https://bit.ly/3UBh0fd

En su Anexo II se expresan las líneas de acción, su descripción y los responsables de las mismas. Además en su Anexo III se establecen indicadores de impacto para medir la superficie afectada por grandes incendios forestales, olas de calor, inundaciones, temporales costeros, etc.

Es necesario impulsar, promover, apoyar, reforzar, fomentar, y todas las acciones antes mencionados. El instrumento para ello es un Plan de Seguimiento.[1131]

Existe un ámbito que aproxima la toma de decisiones al ciudadano de manera sustancial: nos referimos al ámbito de los municipios.

España ocupa el séptimo lugar en Europa en el ranking de países más poblados y el cuarto en la Unión Europea, con sus 47,4 millones de habitantes. Tenemos dos ciudades con más de un millón de habitantes y un conjunto de seis que superan el medio millón. El 96,6% de la población española se concentra en el 39,7% de los municipios, lo que nos lleva a la conclusión de que de cada tres municipios, dos están casi despoblados. Según el Instituto Nacional de Estadística, España ganaría más de cuatro millones de habitantes en los próximos 15 años, y más de cinco de aquí hasta 2072 si se mantienen las tendencias demográficas actuales. No obstante, en el siglo

---

[1131] En el I Plan Nacional de Adaptación al Cambio Climático, V Informe de Seguimiento 20182020, octubre de 2021, elaborado por el Gobierno de España, se expresa lo actuado en el marco del Plan de Impulso al Medio Ambiente (PIMA Adapta Agua), consistente en la elaboración de una serie de guías técnicas para reducir la vulnerabilidad de los elementos situados en zonas inundables y promover la adaptación al riesgo por inundaciones. Las Guías son: MITECO (2018), Inundaciones y Cambio Climático https://bit.ly/3VXwrzI; MITECO (2019), Evaluación de la resiliencia de los núcleos urbanos frente al riesgo de inundación: redes, sistemas urbanos y otras infraestructuras https://bit.ly/3VCcr5B; MITECO (2019), Guías de adaptación al riesgo de inundación: explotaciones agrícolas y ganaderas https://bit.ly/3F4wXFe; MITECO (2019), Recomendaciones para la construcción y rehabilitación de edificaciones en zonas inundables https://bit.ly/3h5af7G; MITECO (2019), Guías de adaptación al riesgo de inundación: sistemas urbanos de drenaje sostenible https://bit.ly/3BdPSfH; MITECO (2019), Buenas prácticas en actuaciones de conservación, mantenimiento y mejora de cauces https://bit.ly/3Fxy2H3. Expresa que en la Estrategia Nacional de Protección Civil (2019), se desarrolla un análisis de las principales amenazas y riesgos de origen natural, humano o tecnológico que pueden dar lugar a emergencias y/o catástrofes en nuestro país, así como las líneas de actuación, y su revisión. Esto último se contempla en la Estrategia Nacional de Protección Civil (2024), en su capítulo IV, indicando que será objetivo de revisión al menos cada cinco años, así como cuando lo aconsejen las modificaciones de la Estrategia de Seguridad Nacional o "las circunstancias cambiantes del entorno". El cambio climático como "factor potenciador del riesgo".

XXI se ha intensificado el proceso de despoblación, que es un fenómeno eminentemente rural y con mayor afectación en los pequeños municipios.

Según GLAESER, las ciudades son "el mejor invento de la humanidad". El auge de las ciudades explica buena parte del crecimiento de la economía mundial, y por tanto, del bienestar de las personas. En nuestro país, las áreas urbanas ocupan un 23% del territorio nacional, concentran más del 60% de la población y del empleo, y producen casi el 70% del PIB. En Europa, las grandes áreas urbanas ocupan un 12% de la superficie, agrupan un 45% de la población y del empleo, y concentran un 55% de la renta.[1132] Este auge de las ciudades, que se nutre de los habitantes de núcleos urbanos menos poblados, provoca un debate político que se enmarca en el llamado "reto demográfico". Los que ganan, quieren seguir ganando más población, mientras que los que pierden no desean seguir perdiendo población. Pero no vamos a profundizar en una dinámica que tiene más que ver con estilos de vida y expectativas que del tema que nos ocupa.

Los ayuntamientos, como administración que siempre se ha considerado más cercana a los ciudadanos, no elaboran leyes, pero sí tienen a disposición un instrumento de producción normativa de indudable utilidad: la potestad reglamentaria[1133]. Existe una gran diversidad de normas locales que regulan la vida y actividades de los vecinos de un municipio: ordenanzas de policía, ordenanzas de construcción y planes de urbanismo, y ordenanzas fiscales. Así podemos encontrar Ordenanzas de Veladores, Ordenanzas de Parques y Jardines, Ordenanzas de Animales, Ordenanzas de Uso de la Vía Pública, Ordenanza de Prevención de Incendios, etc. Todas ellas pueden ser objeto de análisis y revisión desde una doble perspectiva: el cambio climático y la prevención de emergencias que pueden afectar negativamente a la integridad física y la vida de los ciudadanos en la comunidad local. Sin duda, muchas de las orientaciones que hemos ido desgranando en esta tesis tienen encaje normativo en dichas Ordenanzas. La zonificación del suelo (establecida mediante la aprobación de los Planes de Ordenación Urbana), y otros elementos de planificación, son factores que facilitan la toma de decisiones en el futuro, ya que constituyen un marco que especifica elementos y tipologías de construcción, infraestructuras, prácticas medioambientales y también de

---

1132 Cardoso, M. (2018). El tamaño de las ciudades. BBVA Research. https://bit.ly/3VHNlCn

1133 El artículo 4 de la Ley 7/1985, de 2 de abril, reguladora de las Bases de Régimen Local (LBRL), reconoce a los municipios, en su calidad de Administraciones públicas de carácter territorial, y dentro de la esfera de sus competencias, las potestades reglamentaria y de autoorganización. (Art. 4.1 a) LBRL). https://bit.ly/3BfOXLo

carácter social. Por ejemplo, si la tendencia en una determinada zona es un aumento de las lluvias, será necesario redimensionar los tamaños de las alcantarillas y los colectores de evacuación para evitar los efectos negativos de la escorrentía en volúmenes superiores a los habitualmente conocidos.

Con este fin, conocemos de alguna Guía para el Desarrollo de normativa local en la lucha contra el cambio climático (orientada esencialmente a la eficiencia energética) impulsada en cooperación tanto con el sector público como con el privado. Sería aconsejable que en el seno de la Federación Española de Municipios y Provincias se constituya un Grupo de Trabajo en el que participen también las entidades responsables a distintos niveles en el área de protección civil, así como sociedad civil, con el objetivo de elaborar una Guía para el Desarrollo de normativa local en la lucha contra las catástrofes. Dicha guía podría servir de orientación con recomendaciones y exposición de buenas prácticas.

En 2010 se puso en marcha la Campaña Ciudades Resilientes, bajo el paraguas de la Oficina de Naciones Unidas para la Reducción del Riesgo de Desastres (UNDRR), la cual concluyó en 2020. La campaña establecía 10 puntos de verificación para que las ciudades fueran resilientes, al objeto de orientar la acción de los responsables del gobierno local en la planificación y toma de decisiones. Más de 4.360 ciudades se adhirieron a la campaña. En 2017 se publicó un Libro de Bolsillo para los Gobernantes Locales.[1134]

La campaña continúa con el nombre de Making Cities Resilient (haciendo ciudades resilientes), MCR2030[1135], invitando a todas las ciudades y gobiernos locales a que se inscriban como miembro, así como sociedad civil, con el objetivo de conformar una red que pueda impulsar a las ciudades hacia los objetivos de resiliencia. En encuestas realizadas a ciudades para analizar su grado de preparación frente a catástrofes, se han observado mejores indicadores en aquellas ciudades que han participado en la campaña anterior. Casi el 70% de las ciudades participantes han llevado a cabo evaluaciones de riesgos y hay un mayor esfuerzo de comunicación por parte de estas.[1136].

1134 United Nations for Disaster Risk Reduction (UNDRR). (2017). How To Make Cities More Resilient: A Handbook For Local Government Leaders. Geneve. A contribution to the Global Campaign 2010-2020 Making Cities Resilient – "My City is Getting Ready!".

1135 United Nations UNDRR. (2024). Making Cities Resilient. https://mcr2030.undrr.org/

1136 Los medios más utilizados por los gobiernos locales para comunicar información sobre riesgos son Facebook, Twitter e Instagram, seguido de los periódicos locales y folletos.

Sin duda, un elemento que contribuye a hacer una ciudad más resiliente es su "inteligencia", entendida como la adaptación tecnológica. Es decir, para lograr una resiliencia urbana se necesitan ciudades inteligentes [1137], donde las tecnologías de la información y la comunicación (TIC) sirvan a las necesidades de las personas y sus comunidades. Solo de este modo podremos implementar una "gobernanza adaptativa", lo que nos permitirá superar con éxito los riesgos existentes, evitando así los errores del pasado, como el crecimiento únicamente basado en el consumo y medidas paliativas frente a los desequilibrios económicos.

Por tanto, la preocupación por la resiliencia en las ciudades se centra no solo en objetivos, sino algo que es muy importante: los procesos y los resultados. La resiliencia de las ciudades inteligentes [1138] implica una superación de los resultados económicos, sociales y culturales, mediante un nuevo equilibrio que pivote en el fomento de las conexiones[1139] entre grupos diversos dentro de sus fronteras.

Las ciudades, por su dimensión, pueden entrañar problemas en relación con el medio ambiente, el tráfico, el gobierno, las condiciones de vida, en definitiva, del entorno de las personas. De ahí la necesidad de avanzar hacia ciudades inteligentes, que con una visión integradora y holística, puedan resolver todos estos problemas. Una ciudad que conecta sus diferentes sectores e infraestructuras capitaliza su inteligencia colectiva. garantizando las necesidades de las generaciones tanto actuales como futuras en los ámbitos económico, social y medioambiental[1140].

Por ello es importante la creación de una Plataforma de Datos Urbanos que compile los principales indicadores necesarios para abordar estrategias de respuesta a diferentes problemas y para la gestión de las emergencias. La capitalización del conocimiento en las ciudades inteligentes hace que

---

1137 Yovanof, G. S., & Hazapis, G. N. (2009). An Architectural Framework and Enabling Wireless Technologies for Digital Cities & Intelligent Urban Environments. Wireless Personal Communications, 49, 445–463. https://doi.org/10.1007/s11277-009-9693-4.

1138 Para ampliar información en relación a ciudades inteligentes, se puede visitar el espacio de la Comisión Europea creado al efecto: https://bit.ly/2xkKgkZ.

1139 Pickett, S., Boone, C. G., McGrath, B. P., Cadenasso, M. L., Childers, D. L., Ogden, L. A., McHale, M., & Grove, J. M. (2013). Ecological science and transformation to the sustainable city. Cities, 32, S10–S20. https://doi.org/10.1016/j.cities.2013.02.008

1140 Mohanty, S. P., Choppali, U., & Kougianos, E. (2016). Everything you wanted to know about smart cities: The Internet of things is the backbone. IEEE Consumer Electronics Magazine, 5, 60– 70. https://doi.org/10.1109/mce.2016.2556879.

estas, de la mano de la innovación y la gestión del propio conocimiento, actúen con principios de gobernanza inteligente. Para esta capitalización del conocimiento han de intervenir tres factores[1141]: la universidad, la industria y el gobierno. Además, hay ocho factores críticos[1142] a tener en cuenta: gestión y organización, tecnología, gobernanza, contexto político, personas y comunidades, economía, infraestructuras y medio ambiente.

La respuesta ofrecida por las ciudades tras la pandemia de la COVID-19 puede ayudarnos a extraer lecciones para un desarrollo resiliente. Las ciudades resilientes no se detuvieron con la pandemia, sino que se adaptaron con prontitud al nuevo escenario. Por ejemplo, se reorientaron los equipos de innovación contra el virus como forma de mejorar el gobierno y, al mismo tiempo, hacer frente a la amenaza emergente más peligrosa para la comunidad"[1143]. En breve espacio de tiempo, fue necesario replantear la ciudad y reconstruir una economía urbana[1144] "de nuevo cuño".

Se ha formulado una hipótesis para determinar cómo las ciudades inteligentes nos proporcionan una mayor resiliencia en las zonas urbanas:

1. Existe un fuerte vínculo entre ciudades inteligentes y ciudades resilientes en el caso de Europa.
2. Las ciudades inteligentes conducen a ciudades más resilientes en los países de Europa.
3. Los mecanismos de las ciudades inteligentes tienen una gran correlación con la resiliencia urbana.

Hay mucha bibliografía que considera la resiliencia urbana como parte del desarrollo sostenible. Sin embargo, aunque esta afirmación sea cierta, la resiliencia urbana debe abarcar también la seguridad frente a los riesgos que

---

1141 Lombardi, P., Giordano, S., Farouh, H., & Yousef, W. (2012). Modelling the smart city performance. Innovation: The European Journal of Social Science Research, 25, 137–149. https://doi.org/10.1080/13511610.2012.660325.

1142 Chourabi, H., Nam, T., Walker, S., Gil-García, J. R., Mellouli, S., Nahon, K., Pardo, T. A., & Scholl, H. J. (2012). Understanding Smart Cities: An Integrative Framework. In Proceedings of the 2012 45th Hawaii International Conference on System Sciences, Maui, HI, USA, 4–7 January 2012.

1143 Cities Today. (2021). Pandemic Response Offers Lessons for the Future of Smart Cities. Disponible en línea: https://cities-today.com/industry/pandemic-response-offers-lessons-forthe-future-of-smart-cities/ (accessed on 18 April 2024).

1144 Wahba, S., & Vapaavuori, J. (2020). A functional city's response to the COVID-19 pandemic. Sustainability in Cities.

pueden derivar en emergencias y catástrofes. Los datos ofrecen la posibilidad de una mejor medición de los riesgos mediante indicadores estadísticos.

En la contratación pública que se está llevando a cabo en muchas ciudades de servicios de Smart Cities por parte de operadores privados, es necesario adoptar un enfoque innovador. Si bien las ofertas suelen estar orientadas a mejorar el transporte eléctrico e interconectarlo, facilitar trámites oficiales desde el móvil, controlar el gasto en electricidad, potenciar el sistema de salud inteligente, ofrecer datos abiertos y transparentes, y enseñar programación en las escuelas, también es importante solicitar soluciones preventivas.

Aunque a corto plazo estas soluciones preventivas pueden no ofrecer ningún beneficio político inmediato, sin duda son una inversión en la seguridad y la resiliencia de la ciudad de cara al futuro.

3.- EL ASEGURAMIENTO DEL RIESGO COMO RETO EMERGENTE EN LA GESTIÓN DE DESASTRES

Sin duda, una eficaz cobertura de seguro ayuda a minimizar el impacto económico de los desastres naturales. De ahí la utilidad de pólizas de seguro de riesgo climático bien diseñadas, pues serán una ayuda importante como red de seguridad y un amortiguador tras un evento extremo[1145]. Como señala Cebotari et al.:

"Las grandes catástrofes afectan al crecimiento a corto y, a menudo, a largo plazo, destruyen capital y aumentan la deuda pública, perpetuando a menudo el círculo vicioso de alta deuda y bajo crecimiento en el que están atrapadas muchas economías pequeñas. También afectan a los resultados sociales. Los más vulnerables pueden carecer de mecanismos adecuados para hacer frente a la falta de redes de seguridad social".[1146]

Es importante el aseguramiento de los riesgos, pues ello es un mecanismo para hacer frente a las lógicas incertidumbres del futuro en el caso de que estos se manifiesten. Esto es aplicable tanto a riesgos de tipo catastrófico (poco frecuentes, alto impacto e intensidad), de tipo sistémico (aquellos que pueden afectar al sistema financiero, y por ende, a toda la sociedad) y así como de tipo global (efecto en cascada con capacidad de desestabilizar temporal o de modo permanente el sistema).

[1145] Cebotari, A., & Youssef, K. (2020). Natural Disaster Insurance for Sovereigns: Issues, Challenges and Optimality. Documento de trabajo del FMI, WP/20/3. ISBN: 9781513525891.

[1146] Ibid, pg. 5.

A tal efecto, hay soluciones apoyadas en el mercado para la asegurabilidad de los riesgos, así como en la intervención pública u otras opciones, como observaremos a continuación[1147].

Soluciones basadas en el mercado:

- Seguro más reaseguro.
- Distribución global del riesgo.
- Prima basada en el riesgo.
- Falta de disponibilidad ocasional.
- Baja penetración (coste elevado de la cobertura).
- Posible necesidad de intervención estatal ex post.

Soluciones con intervención pública: gestión pública o cooperación público-privada.

- Las administraciones intervienen para cubrir carencias o como reforzamiento al mercado.
- Suelen disponer algún tipo de obligatoriedad (seguro obligatorio o extensión obligatoria de la cobertura).
- Alta penetración y bajo coste de la cobertura.
- Capacidad limitada del seguro como instrumento incentivador de medidas de reducción del riesgo porque la prima no está basada en el riesgo.

Otras opciones:

- ILS (instrumentos de vinculación de seguros, como bonos de catástrofes)
- Seguros paramétricos, entre otros.

Soluciones mixtas que combinen los anteriores.

La cobertura aseguradora en España de los riesgos naturales viene de la mano de instrumentos como el seguro ordinario, el seguro de riesgos extraordinarios y el seguro agrario combinado[1148].

1147 Espejo Gil, F. (23 de noviembre de 2022). Ponencia titulada "Retos para el seguro de catástrofes" presentada en el VII Simposium del Observatorio de Catástrofes. Subdirector de Estudios y Relaciones Internacionales del Consorcio de Compensación de Seguros, Ministerio de Asuntos Económicos y Transformación Digital.

1148 Íbidem.

En el caso del seguro ordinario, las aseguradoras privadas tarifican libremente los riesgos que aseguran, incluyendo incendios forestales, lluvia, nieve, granizo, aludes, deslizamientos y vientos fuertes inferiores a los 120 km/h.

En el caso del seguro de riesgos extraordinarios, se trata de una extensión obligatoria de las pólizas suscritas por las compañías aseguradoras privadas. Este seguro cubre los riesgos de naturaleza extraordinaria, tales como inundaciones, embates de mar, vientos fuertes superiores a 120 km/h, tornados, terremotos, tsunamis, erupciones volcánicas y meteoritos, con cobertura subsidiaria proporcionada por el Consorcio de Compensación de Seguros.

El seguro agrario combinado se basa en un pool coasegurador (Agroseguro), compuesto por compañías privadas aseguradoras y el Consorcio de Compensación de Seguros, actuando este último como reasegurador. Los sujetos asegurados, agricultores y ganaderos, reciben subvenciones públicas (de carácter tanto autonómico como estatal) para el abono de las primas, cubriendo riesgos como inundaciones, sequías, fuertes vientos, heladas, olas de calor, granizo e incendios.

Como señala Espejo Gil[1149]:

"En un contexto de aumento de la peligrosidad, y con un gran aumento constatado de la exposición, la mejor alternativa para contener el riesgo y que siga pudiendo transferirse al seguro es reducir la susceptibilidad.

El seguro debe ser un mecanismo que además de aportar resiliencia financiera (capacidad de respuesta) aporte resiliencia física (reducción de la susceptibilidad) de forma directa o indirecta".

En España, el Reglamento del Seguro de Riesgos Extraordinarios alcanza una serie de riesgos cubiertos, que van desde los fenómenos producidos por la naturaleza a los ocasionados violentamente por manifestaciones como el terrorismo o la sedición. Así se establece en su artículo 1, a):

"Los siguientes fenómenos de la naturaleza: los terremotos y maremotos, las inundaciones extraordinarias, las erupciones volcánicas, la tempestad ciclónica atípica y las caídas de cuerpos siderales y aerolitos."

El artículo 2 define a efectos de la cobertura de los riesgos extraordinarios, qué se entiende por cada uno de estos fenómenos de la naturaleza.[1150]

1149 Íbidem.

1150 Artículo 2. Definiciones.1. A los efectos de la cobertura de los riesgos extraordinarios, se entiende por:
a) Terremoto: sacudida brusca del suelo que se propaga en todas las direcciones, producida por un movimiento de la corteza terrestre o punto más profundo.

Para ello, se establecen unas Tarifas de Recargos a favor del Consorcio de Compensación de Seguros y cláusulas que se incorporan en las pólizas de seguro

---

b) Maremoto: agitación violenta de las aguas del mar, como consecuencia de una sacudida de los fondos marinos provocada por fuerzas que actúan en el interior del globo.
c) Inundación extraordinaria: el anegamiento del terreno producido por la acción directa de las aguas de lluvia, las procedentes de deshielo o las de los lagos que tengan salida natural, de los ríos o rías o de cursos naturales de agua en superficie, cuando éstos se desbordan de sus cauces normales, así como los embates de mar en las costas. No se entenderá por tal la producida por aguas procedentes de presas, canales, alcantarillas, colectores y otros cauces subterráneos, construidos por el hombre, al reventarse, romperse o averiarse por hechos que no correspondan a riesgos de carácter extraordinario amparados por el Consorcio de Compensación de Seguros, ni la lluvia caída directamente sobre el riesgo asegurado, o la recogida por su cubierta o azotea, su red de desagüe o sus patios.
d) Erupción volcánica: escape de material sólido, líquido o gaseoso arrojado por un volcán.
e) Tempestad ciclónica atípica: tiempo atmosférico extremadamente adverso y riguroso producido por:
1º.- Ciclones violentos de carácter tropical, identificados por la concurrencia y simultaneidad de velocidades de viento superiores a 96 kilómetros por hora, promediados sobre intervalos de 10 minutos, lo que representa un recorrido de más de 16.000 metros en este intervalo, y precipitaciones de intensidad superior a 40 litros de agua por metro cuadrado y hora. 2º.- Borrascas frías intensas con advección de aire ártico identificadas por la concurrencia y simultaneidad de velocidades de viento mayores de 84 kilómetros por hora, igualmente promediadas sobre intervalos de 10 minutos, lo que representa un recorrido de más de 14.000 metros en este intervalo, con temperaturas potenciales que, referidas a la presión al nivel del mar en el punto costero más próximo, sean inferiores a 6ºC bajo cero.
3º.- Tornados, definidos como borrascas extratropicales de origen ciclónico que generan tempestades giratorias producidas a causa de una tormenta de gran violencia que toma la forma de una columna nubosa de pequeño diámetro proyectada de la base de un cumulonimbo hacia el suelo.
4º.- Vientos extraordinarios, definidos como aquellos que presenten rachas que superen los 120 Km. por hora. Se entenderá por racha el mayor valor de la velocidad del viento, sostenida durante un intervalo de tres segundos.
Con objeto de la delimitación geográfica del área de afectación del fenómeno meteorológico descrito, el Consorcio de Compensación de Seguros facilitará a la Agencia Estatal de Meteorología cuantas mediciones ajenas a la misma reciba o pueda recabar, a efectos de su contraste por la Agencia, y solicitará su colaboración en la delimitación geográfica mediante la extrapolación, con los criterios científicos más avanzados, de las mediciones existentes, de forma que se procure la mayor homogeneidad posible en la definición del área y se evite la exclusión de puntos aislados respecto de los que exista duda razonable, incluso aunque pudieran carecer de mediciones específicas, teniendo en consideración las registradas en los municipios limítrofes y, en su caso, los colindantes con éstos.

ordinario. Estas disposiciones permiten que el Consorcio cumpla su función en materia de riesgos extraordinarios. Las pólizas se regulan a través de la Ley de Contrato de Seguro[1151], que obliga al asegurador, mediante la percepción de una prima, a reembolsar un capital, una renta u otras prestaciones convenidas en el caso de que se materialice un evento cuyo riesgo fue objeto de contrato. Es importante destacar la calidad de esta Ley, la cual es altamente valorada por la doctrina.

La característica principal de la cobertura del Consorcio de Compensación de Seguros, como instrumento al servicio del sector asegurador español es que:

"no se trata de una ayuda o de una subvención, sino de una indemnización a la que tienen derecho quienes previamente al acaecimiento del hecho catastrófico tuvieran contratada una póliza que se inscriba en alguno de los siguientes ramos, o en alguna modalidad combinada: 1. para el daño en las personas, el ramo de accidentes. 2. Para daños en bienes, los de incendios y eventos de la naturaleza, automóviles, vehículos ferroviarios, otros daños en los bienes."[1152]

Los "riesgos extraordinarios" frente a los que actúa el Consorcio de Compensación de Seguros (CCS) pueden agruparse, de un lado, en los derivados de fenómenos de origen natural y, de otro, en los de naturaleza político-social. El marco jurídico aplicable a esta cobertura se contiene en el Estatuto Legal del Consorcio, aprobado por la Ley 21/1990, de 19 de diciembre1154[1153],

---

f) Caídas de cuerpos siderales y aerolitos: impacto en la superficie del suelo de cuerpos procedentes del espacio exterior a la atmósfera terrestre y ajenos a la actividad humana.

.../...

2. Los datos de los fenómenos atmosféricos y sísmicos, y de erupciones volcánicas y caídas de cuerpos siderales, se obtendrán por el Consorcio de Compensación de Seguros mediante informes certificados expedidos por el Instituto Nacional de Meteorología, el Instituto Geográfico Nacional y demás organismos públicos competentes en la materia. En los casos de acontecimientos de carácter político o social, así como en el supuesto de daños producidos por hechos o actuaciones de las Fuerzas Armadas o de las Fuerzas o Cuerpos de Seguridad en tiempo de paz, el Consorcio de Compensación de Seguros podrá recabar de los órganos jurisdiccionales y administrativos competentes información sobre los hechos

1151 Ley 50/1980, de 8 de octubre, de Contrato de Seguro. Boletín Oficial del Estado (BOE), número 250, de 17 de octubre de 1980. https://www.boe.es/buscar/pdf/1980/BOE-A-1980-22501-consolidado.pdf

1152 López Zafra, J. M. & Paz Cobo, S. (sin fecha). El sector asegurador ante el cambio climático: riesgos y oportunidades. En Fundación MAPFRE (Eds.), [Título del libro]. Página 87.

1153 Ley 21/1990, de 19 de diciembre, para adaptar el Derecho español a la Directiva 88/357/CEE, sobre libertad de servicios en seguros distintos al de vida, y de actua-

que, tras sucesivas modificaciones, fue objeto de refundición en el Real Decreto Legislativo 7/2004, de 29 de octubre[1154], por el que se aprueba el texto refundido del Estatuto Legal del Consorcio de Compensación de Seguros, posteriormente modificado en diversas ocasiones:

> Los términos en los que se efectúa la cobertura por el CCS de este tipo de riesgos se desarrollan en el Reglamento del Seguro de Riesgos Extraordinarios[1155].

Debemos hacer constar una evolución en el ámbito del seguro. Antaño, las catástrofes naturales estaban excluidas del aseguramiento, o si se aseguraban eran múltiples las limitaciones existentes. La razón estribaba en su escasa frecuencia y muy alta intensidad, lo que no lo hacía precisamente rentable como negocio. Pero la escasez devino en un nicho de negocio para aquellos que, desde el análisis predictivo basado en la ciencia, podrían establecer modelos que mejorasen las predicciones, y con ello, encontraran cifras de negocio positivas. Estos modelos han supuesto un gran avance para asegurar la sostenibilidad de las compañías, y ofrecer mejores productos y servicios, pues en el estudio de vulnerabilidad de la compañía, se ha acotado con mayor precisión la máxima pérdida probable (en inglés, Probable Maximum Loss)[1156].

Algunos autores proponen posibles formas de actuación del Estado que en España ya se producen (de ahí el avanzado desarrollo del ordenamiento jurídico español) para cubrir los riesgos del terrorismo, del que podrían

---

lización de la legislación de seguros privados. Boletín Oficial del Estado (BOE), número 304, de 20 de diciembre de 1990. https://bit.ly/3iJmpUo

1154 España. (2004). Real Decreto Legislativo 7/2004, de 29 de octubre, por el que se aprueba el texto refundido del Estatuto Legal del Consorcio de Compensación de Seguros. Boletín Oficial del Estado (BOE), número 267, de 5 de noviembre de 2004. https://bit.ly/3uwmP2V

1155 Real Decreto 300/2004, de 20 de febrero, por el que se aprueba el Reglamento del seguro de riesgos extraordinarios. Boletín Oficial del Estado (BOE), número 47, de 24 de febrero de 2004. https://bit.ly/3UI6sLo, modificado por el Real Decreto 1265/2006, de 8 de noviembre, por el que se modifica el Reglamento del seguro de riesgos extraordinarios, «BOE» núm. 279, de 22 de noviembre de 2006, https://bit.ly/3VGwpMI

1156 La Máxima Pérdida Probable (PML en inglés), es la pérdida máxima que espera que sufra un asegurador en una póliza. Se asocia con frecuencia a seguros sobre bienes (incendio o inundación). La PML representa el peor escenario para un asegurador obviamente. La PML suele ser inferior a la Pérdida Máxima Previsible, que es el daño potencial en el caso de que fallen los sistemas de salvaguardas (p.ej. rociadores automáticos contra incendios o barreras contra las inundaciones).

extraerse medidas positivas para el ámbito de los desastres naturales[1157]. Hay quien, yendo un paso más allá, Whitmore[1158] (2000) propone el establecimiento de un seguro de responsabilidad de suscripción obligatoria para el riesgo de cambio climático, con las siguientes ventajas:

1. Los afectados por el cambio climático tendrían un lugar al que acudir.
2. La responsabilidad de la compensación recae sobre los emisores de gases de efecto invernadero.
3. Generación de mercados secundarios para abrir riesgos.
4. Los gobiernos tal vez deberían intervenir en aquellos riesgos no cubiertos por el sector asegurador privado.

Pero yendo un paso más allá, el propio sector asegurador tiene capacidad para contribuir a la reducción del calentamiento global, con medidas que Hoeppe y Berz (2005)[1159] expresan como pequeños pasos de indudable valor:

1. Información y motivación financiera a los clientes y gobernantes mediante la limitación de ciertas coberturas.
2. Desarrollo de productos y coberturas medioambientales "amigables" como la bonificación de cierto tipo de vehículos.
3. "Eco" auditorías para seguros de responsabilidad medioambiental.
4. Incorporación de atributos medioambientales como la sostenibilidad como criterios adicionales de inversión.
5. Mecenazgo ambiental.
6. Elaboración de balances medioambientales amén de los puramente económicos.

1157 Cummins, J. D., & Doherty, N. (2002). Federal terrorism reinsurance: An analysis of issues and program design alternatives. Conferencia presentada en el NBER Insurance Project Workshop, Cambridge, MA, 01 de febrero.

1158 Whitmore, A. (2000). Compulsory environmental liability insurance as a means of dealing with climate change risk. Energy Policy, 28, 739–741.

1159 Hoeppe, P., & Berz, G. (2005). Risks of climate change the perspective of the (Re) insurance industry. Recuperado en http://ieeexplore.ieee.org. Citado en López Zafra, J. M. & Paz Cobo, S. en "El sector asegurador ante el cambio climático: riesgos y oportunidades". Fundación MAPFRE. Páginas 91-92.

Estas propuestas, lanzadas en 2005 por estos autores, y otras muchas incluso anteriores, impregnan la información pública de empresas, y en ellas, como no podía ser de otro modo, también las aseguradoras con especial protagonismo.

Una amenaza que se cierne sobre el sector viene derivada de un aumento de la siniestralidad en la industria, un aumento de la exposición al riesgo, un previsible incremento de las reclamaciones y presión de los agentes sociales sobre la industria aseguradora.[1160] Para López Zafra y Paz Cobo, ante la pregunta si puede asegurarse el cambio climático, su respuesta es taxativa: no; solo ciertos riesgos asociados, pero no todos.

En el Plan de Actuación Trienal 2020-2022 del Consorcio de Compensación de Seguros (PAT2022)[1161], establecía una revisión completa de los objetivos estratégicos de la entidad para el trienio, y entre las novedades se encontraba la inclusión de un bloque temático para la gestión de situaciones de gran impacto que alcanzara riesgos extraordinarios, la inclusión de un bloque temático para el conocimiento de los riesgos y reducción de la siniestralidad (con la consideración de los impactos del cambio climático sobre el seguro de riesgos extraordinarios y los seguros agrarios); el fomento proactivo de la sostenibilidad, y un eje específico para la Transformación Digital y Ciberseguridad (contemplando el gobierno y la economía de los datos, la transformación digital y de los procesos de gestión y trabajo, o la ciberseguridad).

En 2021, el Consorcio de Compensación de Seguros participó en numerosas iniciativas relacionadas con la prevención y reducción del riesgo de catástrofes en general[1162], que tienen que ver con grupos e iniciativas como son másteres (relacionados con los desastres y la gestión de riesgos naturales), cursos (de medidas de carácter preventivo estructurales y no estructurales frente a riesgos naturales), convenios (con el Instituto Geológico y Minero de España) o cooperación con entidades oficiales (como la Comisión Europea).

En su revista, ha abordado una temática centrada en desastres naturales, abarcando desde el análisis de los daños por inundación en España a nivel

---

1160 López Zafra, J. M., & Paz Cobo, S. (s.f.). El sector asegurador ante el cambio climático: riesgos y oportunidades. Fundación MAPFRE. Página 103.

1161 Gobierno de España. Ministerio de Asuntos Económicos y Transformación Digital. (2020). Plan de Actuación Trienal 2020-2022 del Consorcio de Compensación de Seguros (PAT2022).
Página 4. https://bit.ly/3VtqDhr

1162 Gobierno de España. Ministerio de Asuntos Económicos y Transformación Digital. (2021). Memoria de Responsabilidad Social 2021, Consorcio de Compensación de Seguros. Página 117. https://bit.ly/3ukaij5

municipal a la gestión del riesgo volcánico en España, así como la actividad aseguradora y el cambio climático.

Aunque el 2021 estuvo presidido por el suceso del volcán de La Palma, si se considera el coste total y el número de siniestros, la inundación fue la causa dominante según los datos del Consorcio de Compensación de Seguros[1163], destacando dos episodios de DANA a comienzos del mes de septiembre en el sur y este peninsular, y las inundaciones acaecidas en el tercio superior de la cuenca del Ebro al arranque del mes de diciembre. Los daños por inundación en 2021 ascendieron a 42.000 solicitudes de indemnización, con un alcance económico de 260 millones de euros.

En el Plan de Actuación Trienal (PAT) 2023-2025 del Consorcio de Compensación de Seguros (CCS), la estructura del PAT se centra en tres ejes estratégicos: actividad empresarial, responsabilidad social y sostenibilidad, y tecnología y ciberseguridad. Este nuevo plan reduce el número de acciones del plan anterior, pasando de 308 a 190, buscando una mayor eficiencia y efectividad en su ejecución. En este plan los riesgos extraordinarios y el cambio climático se abordan a través de un enfoque de responsabilidad social y sostenibilidad. Este eje incluye la gestión y reducción de riesgos, y se destaca por integrar consideraciones de sostenibilidad en todas las actividades de la entidad. Se ha hecho un esfuerzo particular para evaluar el impacto de cada programa en relación con los Objetivos de Desarrollo Sostenible (ODS), enfocando especialmente en aquellos objetivos que se relacionan con la sostenibilidad y el impacto climático, como son los ODS 11 (ciudades y comunidades sostenibles) y 13 (acción por el clima). El PAT se alinea estratégicamente con la necesidad de adaptarse y mitigar los efectos de cambio climático, y esta orientación se refleja en la forma en que el CCS aborda las operaciones aseguradoras y no aseguradoras, asegurando que la sostenibilidad permea todos los niveles de su actuación.

En 2023, la Presidenta de UNESPA, Pilar González de Frutos, expresó en una conferencia-coloquio organizada por la Fundación Aon España que: "la introducción del cambio climático y sus consecuencias en el cálculo del perfil que cada asegurador debe realizar es ya algo obligatorio" y que "el estudio de aquellas bolsas de no-aseguramiento que tenemos en nuestra sociedad y en nuestra economía tiene más capacidad de crecimiento cuando más asegurado está, por lo que para que nosotros podamos hacer nuestro trabajo, es necesario que la persona expuesta a un riesgo haga el suyo antes

[1163] Gobierno de España. Ministerio de Asuntos Económicos y Transformación Digital. (2021). Memoria de Responsabilidad Social 2021, Consorcio de Compensación de Seguros. Página 129. https://bit.ly/3ukaij5

asegurándose"[1164]. Así venía marcado por la normativa de cambio climático, la Ley 7/2021, de 20 de mayo[1165], de cambio climático y transición energética, al establecer que las entidades aseguradoras deben integrar este riesgo en sus sistemas de gestión de riesgos, así como elaborar un informe anual con el impacto financiero de los riesgos asociados al cambio climático, y las medidas que se han de adoptar para hacer frente a dichos riesgos.

Sin duda fueron unas palabras pertinentes, dado el impacto causado por la DANA el 29 de octubre de 2024 en Valencia, Albacete, Cuenca y Andalucía oriental. El volumen económico que abarca el Consorcio (aún no evaluado en su totalidad) será muy superior al del 2021, con motivo del volcán de La Palma. Solo en los primeros cuatro días las reclamaciones fueron superiores a las 30.000, desplazándose 400 peritos a la zona para las labores propias de evaluación.

La siniestralidad total del sector agrario gestionada por el Consorcio de Compensación de Seguros (CCS) ha seguido una tendencia ascendente en los últimos años, en línea con el incremento de los fenómenos meteorológicos extremos. En 2021, el coste total asumido por el CCS —en sus funciones de coasegurador y reasegurador— ascendió a 156,1 millones de euros, casi el triple de los 55,7 millones registrados en 2020. Esta cifra se vería ampliamente superada en ejercicios posteriores: en 2022 la siniestralidad superó los 250 millones de euros, y en 2023 alcanzó los 410 millones, impulsada por las tormentas de granizo y las sequías prolongadas que afectaron a amplias zonas de Castilla y León, Aragón y Andalucía. Sin embargo, el año 2024 marcó un punto de inflexión histórico con motivo de la DANA del 29 de octubre, cuyos efectos devastadores sobre cultivos, infraestructuras rurales

---

1164 Fundación Aon España. (febrero de 2023), https://bit.ly/3lKaGqt

1165 Ley 7/2021, de 20 de mayo, de cambio climático y transición energética. Boletín Oficial del Estado (BOE), Número 121, de 21 de mayo de 2021. Art. 32.3.:
"3. Los grupos consolidables de entidades aseguradoras y reaseguradoras y las entidades aseguradoras y reaseguradoras no integradas en uno de estos grupos sometidos al régimen de supervisión de la Dirección General de Seguros y Fondos de Pensiones, de conformidad con lo previsto en la Ley 20/2015, de 14 de julio, de ordenación, supervisión y solvencia de las entidades aseguradoras y reaseguradoras, divulgarán y remitirán a la Dirección General de Seguros y Fondos de Pensiones, en los plazos señalados en el artículo 93 del Real Decreto 1060/2015, de 20 de noviembre, de ordenación, supervisión y solvencia de entidades aseguradoras y reaseguradoras para el informe de situación financiera y de solvencia, un informe de carácter anual, en el que se haga una evaluación del impacto financiero sobre la sociedad de los riesgos asociados al cambio climático generados por la exposición a este de su actividad, incluyendo los riesgos de la transición hacia una economía sostenible y las medidas que se adopten para hacer frente a dichos riesgos." https://bit.ly/42Jwi6R.

y explotaciones ganaderas elevaron el coste asegurado por encima de los 650 millones de euros, situando este episodio entre los más costosos de la historia del seguro agrario español.

Debe destacarse que en España existen subvenciones públicas destinadas a la contratación de pólizas de seguros agrícolas, ganaderas y forestales, en el marco del sistema de seguros agrarios combinados gestionado por ENESA (Entidad Estatal de Seguros Agrarios) y Agroseguro, con participación del Consorcio de Compensación de Seguros (CCS). Estas ayudas constituyen un instrumento esencial de política agraria y de protección frente a los efectos del cambio climático, garantizando la continuidad económica del sector primario ante la creciente frecuencia de eventos extremos.

El Consejo de Ministros, en su reunión de 26 de diciembre de 2024, aprobó el cuadragésimo sexto Plan de Seguros Agrarios Combinados (46.º Plan, para el ejercicio 2025), publicado mediante Resolución de 8 de enero de 2025, de la Subsecretaría. Este nuevo plan refuerza la línea de apoyo estatal a la contratación de seguros, con una dotación récord de 364,6 millones de euros, lo que supone un incremento del 10 % respecto al ejercicio anterior, e incorpora medidas específicas para fomentar la suscripción entre jóvenes agricultores y explotaciones sostenibles. Asimismo, introduce incentivos para la cobertura de riesgos climáticos emergentes —como sequías prolongadas, heladas tempranas o daños por calor extremo—, y para la adaptación de los seguros forestales y ganaderos a las nuevas condiciones meteorológicas.

El 46.º Plan consolida, además, la apuesta por la digitalización del sistema, mediante la implementación de plataformas de gestión y análisis de datos de siniestralidad en tiempo real, y refuerza la cooperación entre administraciones, aseguradoras y organizaciones profesionales agrarias, en línea con los objetivos de resiliencia y sostenibilidad establecidos por la Política Agraria Común (PAC) 2023-2027 y la Estrategia Nacional de Adaptación al Cambio Climático 2021-2030. Para ampliar información sobre las líneas seguros (agrícolas, ganaderos, forestales y acuícolas), el Ministerio de Agricultura, Pesca y Alimentación, mantiene una página web con amplia información a disposición de los usuarios generales y los asegurados[1166], ejemplificando buena administración.

El importe total de los daños derivados de catástrofes naturales ocurridas en España ha mostrado un crecimiento sostenido durante el último lustro, reflejando el impacto creciente del cambio climático y la intensificación

---

[1166] Ministerio de Agricultura, Pesca y Alimentación. ENESA, https://bit.ly/3JPTIz2

de los fenómenos meteorológicos extremos. En 2021, las pérdidas totales alcanzaron un valor estimado de 3.600 millones de euros, de los cuales 2.320 millones contaban con cobertura aseguradora, lo que supuso un incremento del 63 % respecto a 2020 y del 29 % frente a 2019. En los años posteriores, esta tendencia se acentuó: en 2022 los costes superaron los 4.100 millones de euros, impulsados por la borrasca Filomena y las DANAs estivales; mientras que en 2023 el total de siniestros cubiertos ascendió a 5.200 millones, destacando los daños por inundaciones, incendios forestales y granizo.

El ejercicio 2024, aún en fase de evaluación definitiva, marcará previsiblemente un récord histórico, con estimaciones preliminares que superan los 7.000 millones de euros en pérdidas totales, de los cuales más de 4.500 millones corresponderían a daños asegurados, principalmente por la DANA del 29 de octubre de 2024, que afectó gravemente a la Comunidad Valenciana, Murcia, Andalucía oriental y Baleares. Este incremento evidencia la creciente vulnerabilidad del territorio español ante eventos extremos y la necesidad de fortalecer tanto los instrumentos de cobertura aseguradora como las políticas públicas de prevención, planificación territorial y resiliencia climática, en coherencia con la Estrategia Nacional de Adaptación al Cambio Climático 2021-2030 y el Plan Nacional de Reducción del Riesgo de Desastres.

Según el Informe de Catástrofes Naturales y Riesgos Extraordinarios 2024 elaborado por el Consorcio de Compensación de Seguros, las diez adversidades naturales con mayor volumen indemnizatorio en el período 2021-2024 reflejan la intensificación y diversidad de los riesgos climáticos que afectan al territorio español. Entre ellas destacan fenómenos de carácter meteorológico extremo —borrascas, DANAs, granizo, heladas e incendios— y un evento geológico de gran impacto, como la erupción volcánica de La Palma.

Tabla

EVENTO	COSTE ASEGURADO	INICIO	DURACIÓN
Filomena	505 millones de €	1 de enero	19 días
Erupción La Palma	233 millones de €	1 de septiembre	90 días
Pedrisco y lluvia	120 millones de €	23 de mayo	32 días
DANA (gota fría)	99 millones de €	13 de septiembre	13 días
Inundación	96 millones de €	1 de diciembre	31 días
Helada	83 millones de €	19 de marzo	6 días
DANA (gota fría)	78 millones de €	1 de septiembre	2 días
Helada	20 millones de €	12 de abril	8 días
Serie sísmica	18 millones de €	1 de enero	31 días

Viento y golpe de calor	10 millones de €	14 de agosto	5 días
TOTAL	**1.262 millones de €**		

Fuente: Elaboración propia a partir de datos de Agroseguro (2024) y Consorcio de Compensación de Seguros (Informe de Catástrofes 2024).[1167]

El Consorcio de Compensación de Seguros en el contexto internacional se caracteriza por un sistema dotado de una alta fortaleza. De un lado, debido a la gran diversidad de riesgos cubiertos: naturales y de carácter político-social. De otro, por sus amplias coberturas (seguro de daños en los bienes, de daños personales y de pérdida de beneficios), y la cooperación con el sector asegurador de carácter privado (solución aseguradora en el área de la colaboración público-privada). Sus décadas de experiencia le hacen ser un sistema eficiente, flexible y adaptable.

Cuando se produce una catástrofe, el sistema asegurador español que configura el CCS no solo se limita a asumir el coste económico de la catástrofe, también gestiona a través de su organización la entrada de reclamaciones, la organización del trabajo pericial, y la tramitación y pago por transferencia bancaria. Constituye, pues, todo un sistema que ha de dar respuesta eficaz en breve espacio de tiempo dada la naturaleza de los hechos.

El capital asegurado por daños en los bienes creció desde los 1,6 billones de euros en 1990 a los 6 billones de 2021, pasando a ser el volumen de pólizas desde los 15 millones a los 60 millones.[1168]

El sector agrario cuenta con un coaseguro conformado por varias decenas de compañías y gestionado por Agroseguro S.A.[1169], como instrumento a disposición de las explotaciones agrícolas y ganaderas, para asegurar los

---

1167 Revista Digital Consorseguros. (2022). Número 17, Otoño 2022. https://bit.ly/3LU6izL

1168 Espejo Gil, F. (2022). Revista Digital Consorseguros, número 17, página 3. Otoño 2022. https://bit.ly/3LU6izL

1169 Fundación Aon España. (2022). Conferencia-Coloquio del Observatorio de Catástrofes celebrado en el Instituto de la Ingeniería Española, octubre de 2022. En el evento, el presidente de Agroseguro, Ignacio Machetti, describió el sistema como "una estructura paradigmática y modélica desde 1978".https://bit.ly/3z80Bqj

riesgos hidrometeorológicos [1170] de naturaleza climática [1171]. El Consorcio de Compensación de Seguros forma parte de su estructura, es el reasegurador de todo el sistema e inspecciona los peritajes. Los productores agrarios que deciden asegurarse cuentan con importantes subvenciones a la prima por parte de la Administración autonómica y estatal. Las estadísticas del SER señalan que el 93% de todos los daños indemnizados durante los últimos 30 años se derivan de causas naturales, el 69% se deriva de inundaciones, el 17% se debe a vientos fuertes y el 7% a terremotos. Es decir, el 86% de estos daños ha tenido causas hidrometeorológicas, y por tanto sujetos a agravamiento por el efecto del cambio climático.

La realidad es que tanto el clima extremo como las ciberamenazas incrementan el precio de las primas de los seguros, con un coste que lleva acumulados incrementos a nivel mundial en los últimos veinticinco trimestres.

Para Trueba, el precio de los seguros comerciales se ha incrementado en un 6% en Europa y un 4% a nivel mundial en el último trimestre de 2022. "Las aseguradoras llevan cinco años seguidos en los que tienen que cubrir daños superiores al umbral de los 100.000 millones a causa del clima". Para la reaseguradora Gallagher Re[1172], se estima que los fenómenos meteorológicos agravados a causa del cambio climático han tenido un impacto en forma de daños a la economía de 360.000 millones de dólares en el año 2022 (el 60% de este montante estaba fuera de cobertura asegurada). Las

---

1170 Los riesgos hidrometeorológicos se refieren a la probabilidad de ocurrencia de un desastre causado por un fenómeno atmosférico relacionado con el agua. Dichos fenómenos atmosféricos pueden ser ciclones tropicales, inundaciones, tornados, tormentas eléctricas, sequías, lluvias torrenciales, nevadas y granizadas.

1171 Informe Anual de Agroseguro. "Las primas contratadas en 2021, han sido de 814 millones de euros, superando las de 2020 en un 2,09%. El valor de la producción asegurada se ha situado en 2021 en los 15.590 millones de euros (un 2,16% más que en el año anterior) y la superficie asegurada en seguros agrícolas ha alcanzado los 6,25 millones de hectáreas, lo que también representa un crecimiento (del 1,54%). No obstante, el número de pólizas contratadas se ha limitado prácticamente a mantenerse (-1,4%), alcanzando algo más de 409.000." Pg. 10, https://bit.ly/3JQHeH8

1172 Gallagher Re Global InsurTech Report. (Febrero de 2023): "el mundo evoluciona rápidamente y el riesgo de catástrofes naturales y otros segmentos humanitarios plantea más retos que nunca. Las repercusiones financieras de los fenómenos meteorológicos y climáticos cuestan por sí solas a la economía mundial cientos de miles de millones de dólares cada año, y se prevé que esas pérdidas aumenten en los próximos años. La forma en que nos preparemos para hacer frente a los crecientes riesgos físicos y no físicos para la vida, la propiedad y otros lugares será fundamental para conseguir limitar los impactos a los que nos enfrentaremos mañana." Pg. 24

aseguradoras públicas cubrieron en torno a los 15.000 millones y las privadas aproximadamente 125.000 millones de dólares de los daños no asegurados. Las grandes corporaciones aseguradoras han observado que deben hacer muy bien la planificación de la exposición a riesgos derivados del cambio climático[1173]. En los estudios de esta aseguradora, se observa que hay más confianza en los análisis sobre temperaturas extremas (tanto cálidas como frías), que en el peligro de tormenta convectiva grave (tormenta eléctrica).

Es por ello que en la COP 27 hubo debate sobre la constitución de un fondo de "pérdidas y daños" para los países que más se ven afectados por este efecto de las catástrofes naturales derivadas del cambio climático.

Mientras, se recurre cada vez más a los modelos de catástrofes (conocidos en inglés como *cat models*), al objeto de poder interpretar con mayor precisión los futuros entornos climáticos. Estos modelos de catástrofes condicionados por el clima (*climate-conditioned cat models*), son de reciente aparición, y sugieren un "modelo que incorpora varios conjuntos de eventos futuros relacionados con el cambio climático o que ha realizado suficientes simulaciones en comparación con el entorno actual para determinados cambios de frecuencia"[1174]. Esos ajustes se proyectan al futuro con las características de ese entorno (población, propiedad, etc.).

En 2024, por quinto año consecutivo, las pérdidas aseguradas por catástrofes naturales superaron la barrera de los cien mil millones de dólares. El volumen de daños cubiertos alcanzó los 135 mil millones, mientras que las pérdidas económicas totales se elevaron hasta los 318 mil millones. De este montante, más de la mitad quedó fuera de cobertura, revelando una brecha aseguradora que continúa ampliándose año tras año y que recae directamente sobre los Estados y los ciudadanos. Esta dinámica confirma que la creciente frecuencia e intensidad de los desastres naturales no se acompaña de una capacidad proporcional de cobertura, generando tensiones financieras en todo el sistema.

La tendencia se ha intensificado en 2025. Solo en la primera mitad del año, las pérdidas aseguradas alcanzaron los 80 mil millones de dólares, más del doble del promedio de la última década. Todo apunta a que el ejercicio cerrará con más de 150 mil millones en indemnizaciones, un récord histórico.

1173 Messer, Ed., & Bowen, St. (Febrero de 2023). Gallagher Re Global InsurTech Report: "El reto es que la influencia del cambio climático en el comportamiento de los riesgos no es uniforme por riesgo o región, y el nivel de confianza del impacto climático varía considerablemente por riesgo dentro de la investigación científica actual." Pg. 34

1174 Messer, E., & Bowen, S. (Febrero de 2023). Gallagher Re Global InsurTech Report (p. 34).

Entre los episodios más relevantes se encuentran los incendios forestales de Los Ángeles, que provocaron daños asegurados sin precedentes en este tipo de siniestros, con alrededor de 40 mil millones de dólares en reclamaciones. Este hecho confirma que los megaincendios, junto a huracanes e inundaciones, se consolidan como las catástrofes más costosas en un contexto de cambio climático y urbanización creciente.

Las proyecciones de pérdida media anual asegurada reflejan un escenario de nueva normalidad: más de 150 mil millones de dólares anuales en indemnizaciones. Este incremento sostenido respecto a años anteriores pone de manifiesto que los desastres climáticos han dejado de ser episodios excepcionales y se han convertido en fenómenos recurrentes, con impacto directo en la estabilidad financiera de aseguradoras y reaseguradoras, y efectos indirectos sobre los presupuestos públicos.

Modelización de catástrofes

Es una disciplina relativamente joven[1175], de hace unos 25 años, que asiste a las compañías aseguradoras en la anticipación de la probabilidad y gravedad de posibles catástrofes futuras, con el objeto de poder estar preparadas frente al resultado del impacto financiero que puedan ocasionar. Antes de la existencia de los *cat models,* los análisis partían de un planteamiento que no invitaba a la precisión, pues utilizaban técnicas actuariales, con escasos datos de base, con utilización de una cartografía espacial del riesgo y una medición del peligro de forma diferenciada. Mediante fórmulas, trataban de prever las Pérdida Máxima Probable (*PML, Probable Maximum Loss),* con el foco puesto en la gravedad del suceso potencial más que en la frecuencia[1176]. Aunque en la década de los 80, algunas compañías tecnológicas comenzaron a trabajar en las estimaciones mediante *cat models,* las aseguradoras no mostraron excesivo interés hasta que el huracán Hugo provocó pérdidas por valor de 4.000 millones de dólares, y el terremoto de Loma Prieta por importe de 6.000 millones, a lo que se sumó el huracán Andrew en 1992 con un impacto financiero de más de 13.000 millones de dólares. Este último fenómeno acarreó la quiebra de 11 compañías aseguradoras, poniendo de manifiesto que los cálculos actuariales dejaban paso a un crecimiento exponencial de los modelos catastróficos.

1175 AIR Worldwide. (2012). About Catastrophe Models. http://www.airworldwide.com/Models/About-Catastrophe-Modeling/

1176 Toumi, R., & Restell, L. (2014). Lloyds: Catastrophe Modelling and Climate Change (p. 8).

Los modelos de catástrofes, en su mayoría adoptan un enfoque modular, como el descrito por Dlugolecki, y ello debido a que las probabilidades de siniestro cambian con celeridad[1177].

Este entorno aparentemente hostil para las aseguradoras cuenta con una oportunidad de negocio: a mayor riesgo, mayor necesidad de aseguramiento. De ahí que el sector se esté reorientando en este nuevo escenario, aunque debe contribuir a que los "clientes" tengan percepción de los riesgos a los que se enfrentan.

Si bien los países en desarrollo tendrán distinta respuesta a países desarrollados. Mientras que para los primeros, adaptarse al riesgo desde la planificación, así como abrazar el aseguramiento se antoja complejo; en los países desarrollados, como el nuestro, caben tres alternativas al seguro ante un riesgo[1178]:

- Evitar el riesgo.
- Transferir o mancomunar el riesgo.
- Aceptar el riesgo.

Las anteriores alternativas pueden combinarse con la reducción del riesgo. El modelo teórico nos plantearía reducir los riesgos de los efectos adversos del cambio climático plenamente, pero se alumbra difícil por el momento. En cambio, a nivel local, podría realizar un gran trabajo de adaptación al riesgo ("el ajuste de los sistemas naturales o humanos en respuesta a estímulos climáticos reales o previstos o a sus efectos, que modera los daños o aprovecha las oportunidades beneficiosas. -IPCC, 2007[1179]- ") y gestión del riesgo (anticipar los riesgos adversos de los efectos climáticos y poner en marcha medidas para evitar los daños).

Sin entrar en más profundidades en este capítulo, sí es pertinente reseñar los avances que sobre *cat models* se están impulsando en algunas partes. Así, en el Reino Unido, se ha realizado por parte de una compañía privada una modelización de inundaciones[1180] que arroja una información importante:

1177 Dlugolecki, A. (Mayo de 2009). The Climate Change Challenge. The Geneva Association, Risk & Insurance Economics, Risk Management SC1.

1178 Silver, N., & Dlugolecki, A. (2009). The insurability of the impacts of climate change. Science, 324(5934), 1551-1554.

1179 Organización Meteorológica Mundial y Programa de las Naciones Unidas para el Medio Ambiente. (2007). Informe del Grupo Intergubernamental de Expertos sobre el Cambio Climático: Cambio Climático 2007, Informe de Síntesis. ISBN 92-9169-322-7.

1180 La citada modelización fue realizada por la compañía JBA Risk Management, cuyos servicios de inundación realizan mapas, modelos y análisis para las aseguradoras,

a causa del cambio climático se podría duplicar el número de propiedades en riesgo de inundación de aquí a 2035, salvo que se adopten medidas preventivas. La conclusión es el impulso de medidas de resiliencia a las edificaciones, con el objeto de poder adaptarse al escenario futuro. Para ello, habrá que impulsar una política de incentivos y de información que consigan que las casas obtengan la etiqueta de "casa adaptada"[1181].

La legislación española vigente no contempla de manera expresa el uso de modelos catastróficos (cat models) en la gestión pública del riesgo de desastres. Esta ausencia normativa genera un vacío en cuanto a la definición jurídica, los criterios de validación y los estándares de calidad aplicables a dichos modelos, pese a su creciente relevancia en la predicción, evaluación económica y planificación preventiva de los riesgos naturales y tecnológicos. Resulta, por tanto, necesaria la elaboración de un marco legislativo y técnico que reconozca formalmente la función de los cat models en la toma de decisiones administrativas y aseguradoras, estableciendo principios de transparencia, interoperabilidad, trazabilidad y control de calidad de los datos. Ello permitiría integrar estas herramientas dentro del Sistema Nacional de Protección Civil y en las políticas de resiliencia territorial, en coherencia con las directrices de la EIOPA, la OCDE y la Comisión Europea en materia de gobernanza del riesgo y gestión basada en la evidencia. De conformidad con la Ley 39/2015, de 1 de octubre, de Procedimiento Administrativo Común, habría de sujetarse a principios generales como la transparencia, la participación pública y la motivación de la toma de decisiones. La utilización de este tipo de modelos puede contribuir a un uso más eficiente de los recursos públicos destinados a la gestión de catástrofes, con los consiguientes ahorros en las inversiones, y la reducción del alcance de los riesgos una vez se materialicen.

---

reaseguradoras, gobiernos y compañías inmobiliarias. También ofrece servicio de consultoría para implementar medidas frente al riesgo de inundaciones.

1181 Tras las inundaciones acaecidas en el Río Elba en el año 2002, se comprobó que aquellos edificios construidos con un nivel de calidad alto desde la perspectiva del riesgo de inundación, redujeron los daños medios en un 53% en edificios y enseres. Tras la inundación, un 42% de los hogares adoptaron medidas de prevención en la construcción, como señala Kreibich, H., Thieken, A. H., Petrow, Th., Müller, M., & Merz, B. (2015). Reducción de pérdidas por inundaciones en hogares privados debido a medidas de precaución en la construcción: lecciones aprendidas de la inundación del Elba en agosto de 2002. Peligros naturales y Ciencias del Sistema Terrestre. Disponible en: https://bit.ly/3jUvvP6

3.1. Los "cat bonds" o bonos de catástrofes naturales.

El auge de los bonos de catástrofes naturales (*catastrophe bonds* o *cat bonds*) constituye una de las transformaciones más significativas del mercado financiero contemporáneo en relación con la gestión pública y privada del riesgo. Estos instrumentos —emitidos por aseguradoras, reaseguradoras o entidades públicas— permiten transferir al mercado financiero una parte del riesgo extremo asociado a desastres naturales como huracanes, terremotos o incendios forestales. A cambio, los inversores obtienen rendimientos elevados mientras asumen la posibilidad de pérdidas parciales o totales en caso de catástrofe. Su expansión responde al aumento de los costes aseguradores derivados del cambio climático y a la necesidad de reforzar la resiliencia financiera de los Estados y del sistema asegurador internacional.

En 2025, el volumen global de este mercado superó los 55.000 millones de dólares, según datos de Artemis, con alrededor de 17.000 millones gestionados en fondos europeos UCITS, frente a los 5.000 millones registrados en 2020. Este crecimiento exponencial ha generado un debate normativo en el seno de la Unión Europea, a raíz de la recomendación de la Autoridad Europea de Valores y Mercados (ESMA) de limitar el acceso de los inversores minoristas a dichos productos por su complejidad y su exposición a pérdidas tras eventos catastróficos. La AEVM ha propuesto restringir al 10 % la inversión indirecta en cat bonds dentro de los fondos UCITS, equiparándolos a activos de riesgo alternativo como las criptomonedas o los fondos inmobiliarios altamente apalancados.

Frente a ello, las principales gestoras especializadas —Twelve Capital, Fermat Capital y Plenum Investments— han defendido ante la Comisión Europea que tales restricciones podrían frenar la movilización de capital privado hacia la economía real y obstaculizar el desarrollo de un mercado financiero complementario a la política pública de aseguramiento y reaseguro de catástrofes. Según Daniel Grieger (Plenum Investments), los bonos cat "no agravan el riesgo sistémico, sino que lo redistribuyen, al estar garantizados por valores de alta calificación y contribuir a reducir el coste global del seguro".

Desde la óptica del derecho administrativo europeo, los cat bonds ejemplifican la transición hacia una gobernanza financiera del riesgo, en la que los instrumentos de mercado coexisten con las funciones clásicas del Estado en materia de protección civil, compensación y reparación de daños. Su integración en la política de resiliencia climática de la Unión Europea podría ampliar la base de financiación de los mecanismos de solidaridad —como el Fondo de Solidaridad de la Unión Europea (FSUE) o el Mecanismo de

Protección Civil de la Unión (UCPM/rescEU)— y reducir la dependencia de los presupuestos nacionales ante desastres de gran magnitud[1182].

El debate regulatorio entre la AEVM y las gestoras refleja una tensión jurídica estructural: cómo equilibrar la protección del inversor minorista con la necesidad de financiar riesgos sistémicos mediante innovación financiera. En este contexto, la regulación de los cat bonds se sitúa en la intersección entre el Derecho financiero europeo (Directiva UCITS, Directiva MiFID II) y el Derecho de la resiliencia administrativa, orientado a anticipar, absorber y financiar los impactos de las catástrofes. Su desarrollo controlado podría sentar las bases de un mercado europeo de reaseguro público-privado, alineado con los Objetivos de Resiliencia de la Unión (Recomendación UE 2023/C 56/01) y con las políticas de adaptación climática de la Comisión Europea, consolidando así un modelo de solidaridad financiera multinivel frente a los desastres del siglo XXI[1183].

4.- EL DESARROLLO DE UN NUEVO MARCO NORMATIVO: ESTRATEGIAS DE REFORMA

4.1.- La nueva Norma Básica de Protección Civil

La nueva Norma Básica de Protección Civil de 2023 sucede a la anterior tras más de tres décadas de vigencia [1184]. En el Plan Anual Normativo 2022 elaborado por la Administración General del Estado, en el Capítulo 8, apartado VII se programaba la actualización del Real Decreto 407/1992, de 24 de abril, por el que se aprueba la Norma Básica de Protección Civil. Parecía pertinente adaptar una Norma, máxime existiendo un consenso total a este respecto[1185].

1182 Artemis. (2025). *Catastrophe bond & insurance-linked securities market report: Q2 2025 update.* Artemis.bm. https://www.artemis.bm

1183 European Securities and Markets Authority (ESMA). (2025). *Recommendation on investor protection and risk exposure in catastrophe bond UCITS funds.* Publications Office of the European Union.

1184 Real Decreto 524/2023, de 20 de junio, por el que se aprueba la Norma Básica de Protección Civil. https://www.boe.es/buscar/act.php?id=BOE-A-2023-14679

1185 El Congreso de los Diputados aprobó el 22 de diciembre de 2021, en el seno de la Comisión de Interior (número de expediente 161/003197), una Proposición No de Ley en LA que se instaba a dicha actualización. Diario de Sesiones, XIV Legislatura, núm. 583. https://bit.ly/41kLnek

Se produjo el trámite de consulta pública previa (arts. 26.2 de la Ley 50/1997, de 27 de noviembre, del Gobierno[1186], y el artículo 133 recogido en la Ley 39/2015, de 1 de octubre, del Procedimiento Administrativo Común de las Administraciones Públicas[1187]).

Hubo un texto del Proyecto y una Memoria del análisis del impacto normativo, si bien, en febrero de 2023, estaba en fase de informes del Consejo Nacional (procedimiento escrito). El plazo para emitirlo finalizó el 20 de febrero. A partir de ahí, lo informó el Consejo de Estado, viendo la luz a mediados de 2023[1188].

Entre las principales novedades que introdujo la Norma Básica de Protección Civil destaca la creación del Comité Nacional de Prospectiva, un órgano especializado dentro del Consejo Nacional de Protección Civil. Este comité tendrá como función principal el análisis de los riesgos emergentes y la elaboración de propuestas para su inclusión en el catálogo de riesgos de protección civil, fortaleciendo así la capacidad de anticipación y gestión del Sistema Nacional de Protección Civil. Los Comités de Prospectiva son un instrumento que ha ido tomando cuerpo en la Unión Europea[1189], especialmente desde el año 2018[1190]. Supone un afán anticipatorio a los retos a los que la administración ha de responder.

Se definen también las fases y situaciones operativas, siendo las mismas:

1. Fase de alerta y seguimiento, o preemergencia (SOP 0).
2. Fase de emergencia: situación operativa 1 (SOP 1), situación operativa 2 (SOP 2) y situación operativa 3 (SOP 3).
3. Fase de recuperación.

1186 Ley 50/1997, de 27 de noviembre, del Gobierno. *BOE* núm. 285, de 28 de noviembre de 1997. https://bit.ly/40heY6V

1187 Ley 39/2015, de 1 de octubre, del Procedimiento Administrativo Común de las Administraciones Públicas. *BOE* núm. 236, de 02 de octubre de 2015. https://bit.ly/40eJRJ5

1188 Marcos González, L. (9 de febrero de 2023). Información facilitada personalmente por el Director General de Protección Civil y Emergencias del Ministerio del Interior.

1189 Podemos citar a título de ejemplo uno de los últimos exponentes: el Informe de Prospectiva Estratégica 2022 que realiza la Comisión al Parlamento Europeo y al Consejo, a propósito de la transición verde y digital en el nuevo contexto geopolítico, https://bit.ly/3GQMdqW

1190 En junio de 2018 se pone en marcha, en el marco de la sexta edición de la Conferencia Internacional Futured-oriented Technology Analysis (FTA) el Centro de Competencia en Prospectiva (CC on Foresight), cuyo principal eje de actuación pivota sobre la cultura de anticipación en el proceso de elaboración de las políticas que impulsa la Unión Europea.

Por su importancia, se expresa el literal del artículo 7.d):

> "d) Operatividad del plan
> 1.º Definición de fases y situaciones operativas, con la identificación del órgano competente para declarar cada una de ellas, y que deberá responder al siguiente esquema básico:
> Fase de alerta y seguimiento o de preemergencia, en la que no se han producido daños o estos son muy localizados o de carácter leve, pudiendo bastar un seguimiento y la movilización de algunos medios o recursos del sistema de respuesta a emergencias para la protección y la autoprotección de la población. A esta fase corresponde la situación operativa 0, que constituye el modo ordinario de funcionamiento de los servicios oficiales de Protección Civil, y no requiere la movilización de recursos de intervención, o una mínima movilización para hacer frente a daños muy localizados, y en la que, en ocasiones, puede precisarse la toma de medidas concretas para la protección y autoprotección de la población.
> 2.º Fase de emergencia, a la que corresponden las siguientes situaciones operativas:
> 2.º1 Situación operativa 1, en la que la intervención puede realizarse con medios propios de la Administración Pública responsable de la dirección de la emergencia, o asignados al plan."
> 2.º2 Situación operativa 2, que constituye el máximo nivel de las emergencias de dirección autonómica, en la que la respectiva Comunidad Autónoma, o Ciudad dotada de Estatuto de Autonomía, puede requerir la asistencia de medios de otras Administraciones Públicas no asignados al plan, o movilizables por otras Administraciones Públicas, en particular por la Administración General del Estado.
> 2.º3 Situación operativa 3, que se corresponde con las emergencias de interés nacional, declaradas por la persona titular del Ministerio del Interior de acuerdo con la ley.
> 3.º Fase de recuperación, que es consecutiva a la de emergencia, aunque puede coincidir con esta cuando las actuaciones sean compatibles con la intervención, y se prolonga hasta el restablecimiento de los servicios básicos en la zona afectada por la emergencia.

Y algo esencial: las normas de transición entre las diferentes fases y actuaciones, así como las normas de integración con otros planes.

La tipología de planes de protección civil es:

a) El Plan Estatal General.

b) Los Planes Territoriales.

c) Los Planes Especiales.

d) Los Planes de Autoprotección.

Los mencionados planes se integran en un "conjunto homogéneo y cohesionado", estableciéndose las reglas para que se cumpla dicho objetivo. Todos ellos deben constar de un programa de evaluación y revisión, así como de la elaboración de una memoria anual sobre su aplicación y capacidad funcional.

Esto supondrá sin duda todo un reto para el conjunto de las administraciones públicas, pues hasta ahora, una vez aprobados los respectivos planes, con demasiada frecuencia se entendía cumplimentada una exigencia, sin existir un compromiso real de mantenimiento y vigencia plena a lo largo del tiempo de los mismos.

La Norma Básica de 2023 impulsa una serie de principios: dirección única, coordinación, información relevante, especialidad, así como de sucesión ordenada de planes y situaciones operativas.

En su Anexo se contempla el "Catálogo de riesgos de protección civil":

1. Inundaciones
2. Terremotos
3. Maremotos
4. Riesgos volcánicos
5. Fenómenos meteorológicos adversos
6. Incendios forestales
7. Accidentes en instalaciones o procesos en los que se utilicen o almacenen sustancias químicas, biológicas, nucleares o radiactivas
8. Accidentes de aviación civil y transportes públicos colectivos
9. Accidentes en el transporte de mercancías peligrosas
10. Riesgo bélico.

Como indicaba Josep Borrell, en el Diplomat Service of the European Union en noviembre de 2024, ese año confirmó la creciente amenaza para Europa debido a la multiplicación de conflictos y crisis en su entorno geopolítico, desde Ucrania y Oriente Medio hasta el Cáucaso Sur, el Cuerno de África y el Sahel, además de tensiones en el Mar de China Meridional con repercusiones económicas globales. De ahí la urgencia de priorizar la seguridad y la defensa en la agenda de la Unión Europea para poder encontrar respuestas a un mundo cada vez más peligroso. Europa está en el "Arc of Fire" y de ahí que se integre el Riesgo Bélico por primera vez en la Norma Básica desde 1992.

Con la aprobación de la Norma Básica, queda derogado el Real Decreto 407/1992, de 24 de abril, por el que se aprueba la Norma Básica de Protección Civil, así como el Real Decreto 1378/1985, de 1 de agosto, sobre medidas provisionales para la actuación en situaciones de emergencia en los casos de grave riesgo, catástrofe o calamidad pública, así como aquellas normas de igual o inferior rango que se opongan, contradigan o resulten incompatibles con lo preceptuado en esta nueva Norma Básica, estableciendo un plazo de adaptación en el caso de las Directrices Básicas.

Esta Norma es ambiciosa en sus objetivos y viene a actualizar su edición anterior, acompasándola a los nuevos escenarios, y a las exigencias de los ciudadanos de una gestión eficaz, especialmente en una materia tan sensible como la que nos ocupa.

4.2.- I Plan Nacional de Reducción del Riesgo de Desastres: Horizonte 2035

Este Plan[1191] continúa la siempre inconclusa tarea de perfeccionar un auténtico Sistema Nacional de Protección Civil. Así se estableció en la XXVI Conferencia de Presidentes[1192] el 13 de marzo de 2022, celebrada en la Isla de La Palma[1193], donde se acordó fortalecer el Sistema Nacional de Protección Civil dotándolo de un Plan Nacional de Reducción del Riesgo de Desastres. Se trata de un programa compartido entre la Administración General del Estado, las comunidades autónomas y corporaciones locales, es decir, un programa de cooperación intergubernamental.

La principal novedad es que se adopta un "modelo de gobernanza avanzado en el que las atribuciones de cada nivel competencial se ejercen en el marco de un proceso global de planificación".[1194]

Este Plan fue presentado en el Pleno del Consejo Nacional de Protección Civil del 24 de octubre de 2022, mostrando su conformidad todas las Comunidades Autónomas. En el mismo, se establecen como instrumentos de planificación operativa Estrategias, que tendrán carácter cuatrienal. Nos encontramos con una Estrategia de Protección Civil que inspira y perfecciona la Estrategia del Sistema Nacional, y esta a su vez es impulsor de otras tres:

1191 Ministerio del Interior. Plan Nacional de Reducción del Riesgo de Desastres. Horizonte 2035. https://acortar.link/6E1iYj

1192 La Conferencia de Presidentes es el órgano de mayor nivel político de cooperación multilateral entre el Estado y las comunidades y ciudades autónomas. Dispone de un Reglamento interno aprobado en la IV Conferencia, el 14 de diciembre 2009, y modificado en la VI Conferencia, el 17 de enero de 2017.

1193 Inicialmente estaba prevista para el día 25 de febrero en La Palma, motivado por la erupción del volcán y sus consecuencias, pero fue suspendida por la repentina invasión de Ucrania por parte de Rusia.

1194 Gobierno de España. Ministerio del Interior. Sistema Nacional de Protección Civil. I Plan Nacional de Reducción del Riesgo de Desastres: Horizonte 2035. Documento facilitado por la Dirección General de Protección Civil.

Estrategia de la Administración General del Estado, Estrategias Autonómicas y de las ciudades de Ceuta y Melilla, y Estrategia Local.

La pertinencia de fortalecer el Sistema trae causa del el cambio climático, el incremento de la necesidad de una seguridad integral, la consideración del Sistema Nacional de Protección Civil como un pilar esencial del Estado al tiempo que un instrumento de cohesión social, y de ser proactivos y anticiparse a los riesgos. Se busca, pues, ordenar todos los recursos del Sistema Nacional, de tal forma que cumplan eficazmente su función en cada ámbito de actuación y responsabilidad, así como "incrementar la resiliencia de la sociedad mediante el impulso de la cultura preventiva".[1195]

Con carácter transversal, el Plan incorpora actuaciones como la integración de la Ciencia y el I+D+I, la participación de agentes importantes del sector privado, así como el fortalecimiento de los vínculos entre la protección civil, los servicios sociales y los servicios de carácter humanitario.

Todo este catálogo de propósitos tiene un horizonte temporal: 2035 (primer ciclo: 2023-2026, segundo ciclo: 2027-2030, tercer ciclo: 2031-2035), que serán evaluados al término de cada ciclo. Se llevarán a cabo estrategias cuatrienales como ya se indicó anteriormente, con la temporalización que se expresa a continuación.

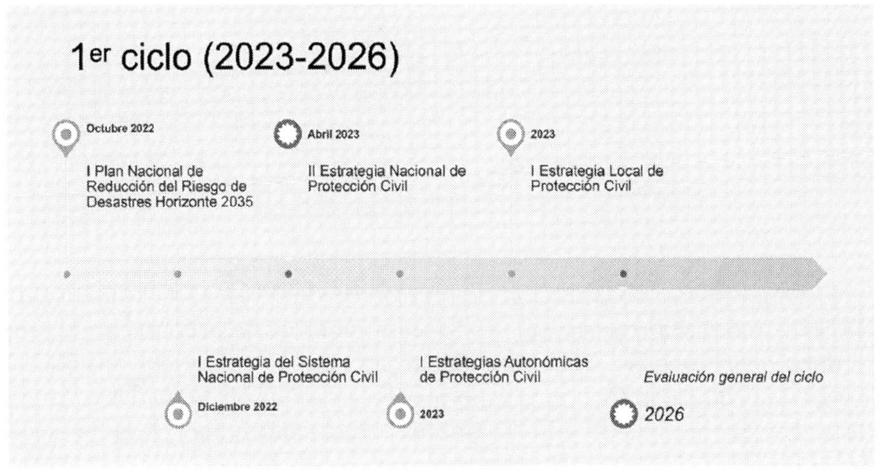

1195 Íbidem.

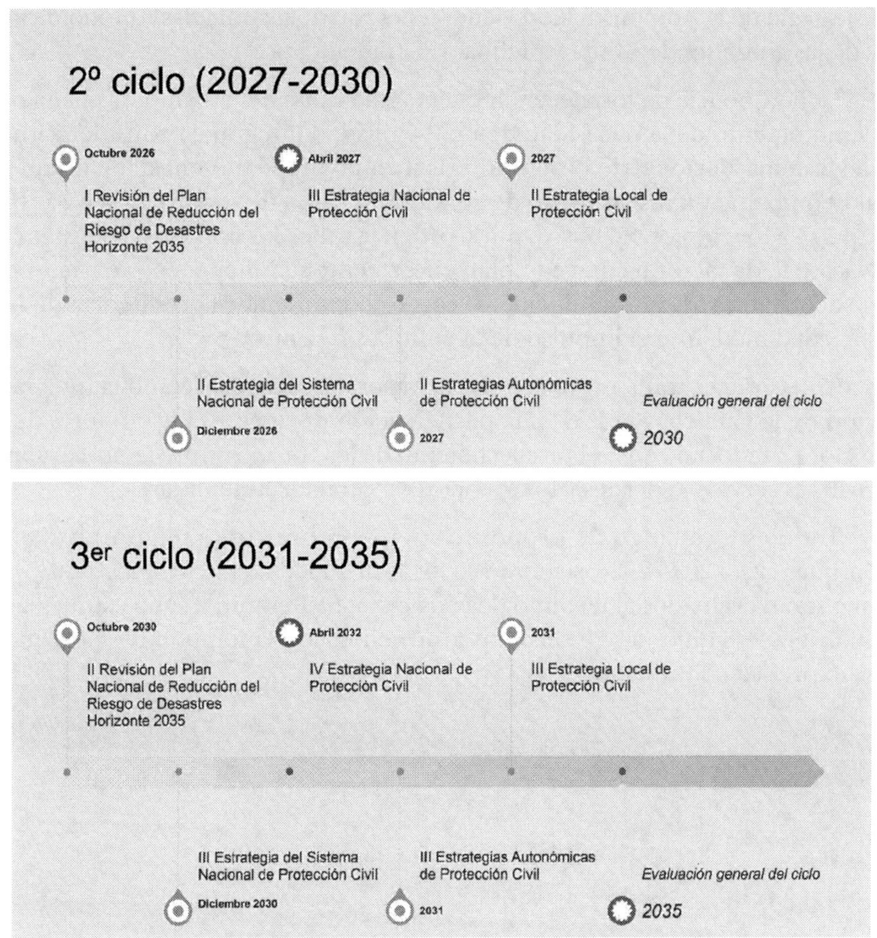

El Plan prevé la constitución de un Comité del Plan, con el objetivo de actuar como órgano permanente de seguimiento y de preparación de los asuntos relacionados con él y que deban ser conocidos por el Consejo Nacional de Protección Civil. En dicho órgano estarán representadas la Administración General del Estado, las Comunidades Autónomas y la Federación Española de Municipios y Provincias.

Un principio organizativo capital es el denominado "principio de dirección única", es decir, que en cada Administración involucrada en el Sistema de Protección Civil exista un único órgano en el que residan las competencias en esta materia. La comunicación entre los distintos centros de emergencias se logra a través de un Plan Nacional de Interconexión de dichos centros, con especial énfasis en el Centro Nacional de Seguimiento y Coordinación de Emergencias[1196] del Ministerio del Interior y sus homólogos autonómicos.

Al involucrar a un universo amplio de colectivos y profesionales con tareas complejas, se precisa una cultura común de respuesta que vendrá de la mano de la formación. Por lo tanto, es necesario establecer unos programas coordinados desde los distintos Centros de Formación[1197], a tal efecto se crea un Comité Estatal de Formación, cuya composición será determinada por el Consejo Nacional.

Se subraya la misión de la Escuela Nacional de Protección Civil, que con su Plan anual debe reforzar las necesidades que demanda el Sistema Nacional de Protección Civil, así como mejorar en materia de capacidades la forma de operar de los distintos elementos que lo conforman. Se contempla el voluntariado como expresión de un derecho y el reconocimiento de una capacidad de extraordinario valor.

El Plan subraya también el papel de lo que denomina "nuevos actores": el comité científico asesor, el seguro y la vinculación con los servicios sociales.

Otro pilar esencial es la "cultura preventiva", que se asienta entre otros pilares en el "sistema educativo". En esta cultura preventiva también cobra relevancia el papel de los medios de comunicación y la autoprotección. Por ello, desde la Escuela Nacional de Protección Civil se impulsará un Programa Nacional de Autoprotección, que sea un repositorio de materiales de información al servicio de la sociedad.

El Plan impulsa un Comité Nacional de Prospectiva[1198], con el encargo de analizar prospectivamente los nuevos riesgos o las lagunas que puedan producirse en el Sistema de Protección Civil.

Nuestra situación en el Mediterráneo, los compromisos derivados del Mecanismo Europeo, las recomendaciones del Marco de Sendai y nuestros estrechos vínculos con Iberoamérica hacen que este Plan esté dotada de una clara dimensión internacional.

1196 "El Centro Nacional de Seguimiento y Coordinación de Emergencias (CENEM) es el centro instrumental y de comunicaciones de la Dirección General de Protección Civil y Emergencias en todas las fases y situaciones del Plan Estatal General de Emergencias, constituyéndose como Centro de Coordinación Operativa en las emergencias de interés nacional." Memoria Anual de Actividades del Centro Nacional de Seguimiento y Coordinación de Emergencias CENEM 2020, Ministerio del Interior. Informes DGPCE, abril 2021. https://bit.ly/3Dvu292

1197 Entre otros, la Escuela Nacional de Protección Civil, los Centros de Formación existentes en las Comunidades Autónomas, y también, en algunas corporaciones locales.

1198 El mismo viene recogido en el Proyecto de la nueva Norma Básica de Protección Civil.

Se establece la necesidad de impulsar un sistema de información estadística en el que se contemple el esfuerzo inversor de cada administración implicada en la gestión de protección civil, dado que actualmente se desconoce dicho esfuerzo inversor. Es también un compromiso de este Plan dotar al Fondo de Prevención de Emergencias para poder llevar a cabo actuaciones en los campos de la prevención, como "inversiones de seguridad" necesarias. Este Fondo podría contar, como vía de ingresos, con aportaciones del sector asegurador vinculadas a los riesgos.

La Ley 17/2015, de 9 de julio, del Sistema Nacional de Protección Civil, prevé en su artículo 4 la elaboración de una Estrategia del Sistema Nacional de Protección Civil. Esta estrategia debe servir para analizar prospectivamente los riesgos que pueden afectar a las personas y bienes, definir líneas estratégicas de acción y alinear esfuerzos para optimizar recursos en situaciones de emergencia. Asimismo, la propia ley determina que esta estrategia debe ser aprobada por el Pleno del Consejo Nacional de Protección Civil y que contará con directrices para su implementación, seguimiento y evaluación periódica.

A pesar de esta previsión normativa, la adopción efectiva de la estrategia del Sistema ha sido un proceso prolongado y aún pendiente. La normativa contempla que, una vez aprobada la estrategia nacional, las autonomías y los municipios deberán adaptar sus estrategias propias de protección civil conforme a ella, lo que implica una fase descendente de implementación normativa y operativa. Además la ley establece mecanismos de evaluación e inspección del sistema, así como la elaboración de una memoria anual que permita valorar la eficacia del Sistema Nacional de Protección Civil.

Senado de España

Con la actualización más reciente, la Estrategia Nacional de Protección Civil 2024, aprobada mediante la Orden PJC/1430/2024, incorpora expresamente un Comité Técnico de Seguimiento, presidido por la Subsecretaría del Interior, encargado del seguimiento y evaluación del grado de cumplimiento de los objetivos y de formular propuestas de revisión cuando sea necesario. Además, la estrategia fijada será objeto de revisión cada cinco años como mínimo, o bien cuando lo exijan circunstancias externas o modificaciones de la Estrategia de Seguridad Nacional.

El 17 de abril de 2023, compareció el Director General de Protección Civil y Emergencias, D. Leonardo Marcos González, en la Comisión de Interior del Senado, para explicar los retos de la política de Protección Civil, y en concreto, el Horizonte 2035.

Por su interés, se reproduce la intervención del Director General, así como la intervención del autor, pues ambas intervenciones se ciñeron al epígrafe que consta en la convocatoria. El resto de las intervenciones pueden ser consultadas en el Diario de Sesiones del Senado[1199].

En su primera intervención, el Director General de Protección Civil y Emergencias expresó:

"En primer lugar, quiero expresar mi agradecimiento a la presidenta y a la Mesa por haber aceptado esta comparecencia y por darnos la oportunidad de hablar en esta Cámara del Plan Horizonte 2035, cuyo nombre completo es I Plan Nacional de Reducción del Riesgo de Desastres Horizonte 2035. Me referiré también brevemente a la gestión llevada a cabo por el Ministerio del Interior de la borrasca Filomena, tal y como figura en el orden del día. Como saben, esta es la Cámara natural de la Protección Civil y del sistema de emergencias, dada la intensa descentralización que existe en nuestro país en esta parte de la política de seguridad pública. Esta es la razón por la que quisimos celebrar en el Senado la sesión del Consejo Nacional de Protección Civil, en la que se aprobó, el 25 de abril del año pasado de 2022, la iniciativa para la elaboración de este Plan Horizonte 2035. La protección civil como instrumento de la política de seguridad pública es un servicio público; es el servicio público que protege a las personas y a sus bienes, garantizando una respuesta adecuada ante las emergencias y catástrofes. Es una política muy adaptada a nuestro régimen territorial. Nuestro papel, el papel de la Administración del Estado en protección civil consiste básicamente en siete funciones, que enumero brevemente para situar cuáles son exactamente los puntos más destacados del Plan Horizonte 2035. En primer lugar, debemos atender a las emergencias de mayor gravedad, aquellas que sean declaradas de interés nacional. En segundo lugar, debemos ocuparnos del seguimiento permanente de todas aquellas situaciones que puedan ocurrir en cualquier parte del territorio nacional y también en nuestro entorno más inmediato, y que puedan afectar a los bienes que protegemos. En tercer lugar, nuestra misión es apoyar a las comunidades autónomas, que son las competentes primarias en la gestión de las emergencias que sean de su ámbito competencial. En cuarto lugar, ejercemos las competencias internacionales del sistema, que se contraen fundamentalmente a nuestra participación en el mecanismo europeo de Protección Civil y en el Comité de Naciones Unidas para la reducción del riesgo de desastres, más conocido como el Marco de Sendai. En quinto lugar, nos corresponde desarrollar la legislación común del sistema, que incluye, entre

1199 CORTES GENERALES. DIARIO DE SESIONES DEL SENADO. XIV Legislatura, núm. 496, 17 de abril de 2023. Comparecencia del Director General de Protección Civil y Emergencias, D. Leonardo Marcos González, ante la Comisión de Interior, para explicar los retos de la política de Protección Civil: El Horizonte 2035. Pgs. 2-19.

otras cosas, la determinación de aquellos riesgos que deben ser objeto de planificación por las diferentes administraciones públicas. Nos corresponde también la coordinación general del sistema, lo cual realizamos fundamentalmente a través del Consejo Nacional de Protección Civil, que es la única conferencia sectorial que lidera el Ministerio del Interior. Y en séptimo y último lugar, nos corresponde también una función muy importante que está muy vinculada a esta Cámara, cual es la evaluación del sistema con carácter previo al correspondiente debate que la Ley 17/2015 sitúa precisamente en esta Cámara. El Sistema Nacional de Protección Civil en su configuración actual es un gran instrumento de coordinación de capacidades de todas las administraciones públicas, plenamente integrado en el sistema de Seguridad Nacional como uno de sus componentes fundamentales y con capacidad también para integrar en sus actuaciones medios y recursos privados que puedan ser necesarios para garantizar en situaciones de emergencia la seguridad de las personas. Una de las características fundamentales de las emergencias es que convierte a todas las personas en seres extremadamente vulnerables. Por eso esta política —Protección Civil somos todos solemos decir en el sistema— involucra a todas las administraciones, a todos los Gobiernos y también al conjunto de la sociedad. La construcción del actual Sistema Nacional de Protección Civil —un buen sistema del que globalmente podemos sentirnos razonablemente satisfechos— es el resultado del trabajo de muchas personas, de muchos Gobiernos durante mucho tiempo. Permítanme en este punto que recuerde el consenso que han obtenido en las Cortes Generales, y también en la sociedad, las dos leyes que hasta ahora nos han regido: la Ley 2/1985, nuestra primera ley de protección civil, que estuvo vigente durante 30 años, y la ley actual, la Ley 17/2015. Quiero enfatizar desde ya esta característica: el consenso, el gran acuerdo que siempre ha habido en el Parlamento y en la sociedad en el desarrollo de esta parte de la política de seguridad pública. Las emergencias, la protección civil, son un espacio de acuerdo. La colaboración, la ayuda mutua, la coordinación forman parte de nuestro ADN. Que dispongamos en España de un Sistema Nacional de Protección Civil razonablemente bien organizado y capaz de responder a los retos a los que nos enfrentamos cotidianamente no es, no puede ser de ninguna manera, razón para ninguna clase de complacencia; antes bien, al contrario, es un acicate para seguir manteniendo los elevados niveles de seguridad de que disponemos en nuestro país. Sabemos que somos uno de los países más seguros del mundo y que a esta seguridad contribuye de manera importante nuestro sistema de protección civil y emergencias. Pero también sabemos que una sociedad avanzada como la nuestra está sometida a riesgos que hay que prever, que hay que analizar y para los que hay que estar permanentemente preparados. También sabemos —hay pocas dudas al respecto— que nos enfrentamos a cambios en la climatología y que cuestiones como la forma en que estamos ocupando el territorio hacen que nos enfrentemos a situaciones que suponen un riesgo cada vez más importante para nuestra seguridad, para nuestra forma de vida. Definido así el escenario en el que nos desenvolvemos, la razón fundamental para apostar de una forma decidida, como el Gobierno de la nación está haciendo, como estamos haciendo globalmente en el conjunto del Sistema Nacional de Protección Civil, no es otra que la de mantener e incrementar, si es posible, nuestros elevados estándares de seguridad. Si me permiten la expresión, tenemos que ganar la carrera al cambio climático y al resto de factores que nos sitúan frente a escenarios de incremento de la incertidumbre y de la vulnerabilidad. Tenemos que conseguir que todo este escenario de riesgos no suponga una amenaza para nuestra forma de vida. En una concepción integral de la seguridad, como la que aquí defendemos, nuestro método de trabajo abarca varias fases en las que diseccionamos cada uno de los riesgos. Todas ellas son importantes para la consecución de nuestros objetivos. Me referiré más adelante a cómo hemos programado cada una de estas fases: análisis, prevención, planificación, intervención, recuperación y evaluación, pero quiero destacar desde ahora que nuestra concepción del riesgo es integral y nuestra praxis enfatiza precisamente la prevención, las medidas ex ante, la mitigación de los daños, y todo ello porque estamos convencidos de que tenemos que adelantarnos a las emergencias, tenemos que adelantarnos a la producción de los hechos riesgosos. Antes de referirme al Plan Horizonte 2035 me van a permitir que exponga brevemente cómo llegamos a él, cómo llegamos a la conclusión en el Ministerio del Interior de que la política de protección civil es un elemento clave del Estado de bienestar que requería, que requiere de un gran impulso político, como creemos que se le está imprimiendo. Podemos citar hasta seis precedentes extraordinarios que están en el origen de la formulación de este plan. En primer lugar, la aprobación en abril de 2019 de la primera Estrategia Nacional de Protección Civil, en la que se establecen dos principios fundamentales para el sistema: primero, su plena inserción en el sistema de Seguridad Nacional, y segundo, el objetivo de consolidar el Sistema Nacional de Protección Civil como el instrumento integrador de todas las capacidades de España para gestionar la respuesta ante emergencias y catástrofes; objetivo que todavía hoy sigue siendo, obviamente, una prioridad. En segundo lugar, la pandemia. La pandemia supuso un gran reto, no solo para la protección civil, sino para el conjunto de la sociedad española y europea, para todos los países del mundo en la que seguramente haya sido la mayor crisis que nuestra generación ha debido enfrentar. Como no podía ser de otra manera, la pandemia puso en máxima tensión a nuestro sistema y nos puso sobre la pista de algo que ya veníamos analizando, como es la necesidad de atender a riesgos encadenados, a situaciones de efecto dominó. ¿Y qué hicimos en Protección Civil ante la pandemia? Seguramente hicimos lo que mejor sabemos hacer y lo que somos. Somos organización, lo mejor que sabemos hacer, porque lo hacemos todos los días, es organizar y coordinar recursos en situaciones de incertidumbre. Esta es la razón por la que en el real decreto de alarma se activó el Sistema Nacional de Protección Civil bajo el mando unificado del Ministerio del Interior, y constituimos inmediatamente las estructuras de coordinación propias del sistema, dotándonos en el conjunto del país de una estructura homogénea en la que se integraron servicios estatales, autonómicos y locales, y otras instituciones como Cruz

Roja, por identificar alguna, en apoyo del Sistema Nacional de Salud. El Comité estatal de dirección y coordinación, que es un órgano propio de la protección civil, se constituyó así con carácter extraordinario bajo la presidencia del ministro del Interior. Se celebraron un total de once reuniones en su nivel central y fueron incontables las que tuvieron lugar a lo largo y ancho de todo el territorio nacional en todas las comunidades autónomas. Esta primera activación del sistema de protección civil fue total. Tuvo lugar en todo el territorio nacional y durante un largo período del tiempo. Es decir, supuso para nosotros una situación de máxima tensión, y aquí comprendimos que era necesario avanzar en la configuración de instrumentos de intervención para situaciones multirriesgo, y eso es lo que es el siguiente punto, el siguiente precedente, que fue el Plan General Estatal de Emergencias, el Plegem, como el tercer gran precedente de este Plan Horizonte 2035. El Plegem fue aprobado por el Gobierno el 15 de diciembre de 2020. Si me lo permiten, este fue el principal resultado, la principal enseñanza que obtuvimos en el Sistema Nacional de Protección Civil como consecuencia del tremendo desafío que supuso para nuestra seguridad la pandemia. El plan fue aprobado en un tiempo récord, pues la decisión de elaborarlo la tomamos en el ministerio en mayo de aquel año; fue informado favorablemente en el pleno del Consejo Nacional de Protección Civil por una abrumadora mayoría próxima a la unanimidad en octubre de 2020, y tiene cuatro características fundamentales. En primer lugar, es un instrumento adecuado para la gestión de crisis multirriesgo y amenazas inespecíficas, incorporando a la totalidad de los planes estatales y territoriales de las comunidades y ciudades autónomas, de forma tal que se garantiza la cohesión global del sistema. En segundo lugar, establece como principio de funcionamiento la alerta y el seguimiento permanente de las situaciones de interés para la protección civil en el conjunto del territorio nacional. En tercer lugar —y esta es una de las grandes novedades del plan—, prevé una fase de apoyo a otros sistemas nacionales. En definitiva esto es lo que hicimos durante la pandemia, constituir la protección civil en apoyo del Sistema Nacional de Salud. Y, finalmente, otra gran novedad, otra gran aportación del PLEGEM es la creación del Mecanismo nacional de respuesta como instrumento para movilizar recursos autonómicos y locales en cualquier ámbito territorial. Apenas tres semanas después de la aprobación de este plan general tuvimos ocasión de comprobar su utilidad cuando la borrasca Filomena puso en máxima alerta a varias comunidades autónomas, como Andalucía, Castilla-La Mancha, Madrid, Castilla y León, Aragón y Cataluña por aquella intensa nevada, a la que me referiré posteriormente con carácter monográfico. El siguiente precedente fue —cómo no mencionarlo— la erupción volcánica de La Palma del 19 de septiembre, una erupción que duró ochenta y cinco días, siendo la erupción volcánica de más larga duración que ha habido en la isla de La Palma y la tercera en el Archipiélago. Y, finalmente, en sexto lugar, nos han impulsado a elaborar este plan las intensas y graves, y podemos utilizar el calificativo que cada uno prefiera, campañas de incendios forestales de 2021 y de 2022. De la campaña de incendios forestales del año pasado nos interesa que retengan sus señorías un dato, que es el de las 30 000 evacuaciones, 30 000 personas tuvieron que ser evacuadas el año pasado de manera preventiva para garantizar su seguridad. Creo que este es el dato, es mucho más importante incluso que el número de hectáreas, que también fue absolutamente inabordable. Con estos precedentes el plan parte del acuerdo alcanzado en la Conferencia de Presidentes de La Palma, celebrada el 13 de marzo de 2022, que aprobó virtualmente por unanimidad la propuesta del presidente del Gobierno de impulsar y desarrollar el conjunto del Sistema Nacional de Protección Civil para proveer una respuesta en condiciones de igualdad en cualquier punto del territorio nacional. A partir de este acuerdo político alcanzado al más alto nivel en nuestro sistema de cogobernanza, el Consejo Nacional se reunió en sesión plenaria en esta Cámara, como dije anteriormente, el 25 de abril. Ahí nos dimos un plazo de seis meses para elaborar el plan y, finalmente, el día 24 de octubre fue aprobado por unanimidad, y recalco lo de la unanimidad porque, para nosotros, para todos los integrantes del sistema, tanto los representantes de la Administración General del Estado, como de las corporaciones locales y de las comunidades autónomas, es un motivo de orgullo que precisamente un instrumento de esta importancia y haya sido apoyado por todos los integrantes del sistema. El plan que por su duración hasta 2035 cabe calificar como un instrumento de planificación de medio a largo plazo, está configurado de un modo muy ambicioso y pretende sentar las bases para dotar a España de un sistema de protección civil capaz de responder a los riesgos que se nos van a presentar en los próximos años. Para ello contemplamos cuatro grandes objetivos, como son: la creciente amenaza del cambio climático, la demanda de seguridad integral de nuestra sociedad, la necesidad de garantizar un pilar esencial del Estado que contribuya decisivamente a la cohesión social y territorial, y la necesidad de adelantarnos a los riesgos, convirtiendo el gasto en emergencias en inversiones en seguridad y bienestar. Junto con estos cuatro ejes básicos pretendemos cuatro objetivos, como son: en primer lugar, fortalecer la capacidad organizativa, directiva, planificadora y coordinadora del conjunto de los órganos del sistema, sean del Estado, sean de las comunidades autónomas o de las corporaciones locales. En segundo lugar, ordenar los recursos de modo transparente, garantizando la interoperabilidad de las capacidades de respuesta. En tercer lugar, garantizar, exigir, si me lo permiten, que todos los actores, todas las administraciones públicas territoriales, dispongan de la capacidad operativa necesaria para hacer frente a las emergencias ordinarias que tengan lugar en su ámbito territorial. Y, finalmente, otro gran objetivo es mejorar la resiliencia de la sociedad, impulsando la cultura preventiva. En el plan hemos incluido tres actuaciones transversales, como son la incorporación de la ciencia; la incorporación de actores relevantes del sector privado, buscando allí donde sea posible y necesario fórmulas de colaboración público-privada, y el reforzamiento de los vínculos entre la protección civil, los servicios sociales y la ayuda humanitaria. Nuestro objetivo es, no lo olvidemos, la seguridad integral de las personas; de ahí que busquemos en el desarrollo de nuestro sistema esta vinculación con los servicios socia-

les y con la ayuda humanitaria. La Conferencia de Presidentes de La Palma no solo aprobó estas líneas básicas del plan que acabo de exponer, sino que también adoptó otros acuerdos fundamentales incorporados al plan para el impulso de esta política de seguridad pública por todas las administraciones, y que les enumero brevemente, como son la creación de un foro permanente sobre el Sistema Nacional de Protección Civil en esta Cámara, que conocerá anualmente el informe anual sobre el funcionamiento del conjunto del sistema; el reforzamiento de los órganos centrales del sistema, en particular la Dirección General de la que soy titular, para garantizar una mejor coordinación con las comunidades autónomas, con los demás departamentos ministeriales y con aquellos centros de la Unión Europea y de nuestros países vecinos involucrados en la gestión del sistema de emergencias; desarrollar la colaboración entre administraciones públicas en la fase de recuperación, que es otro ámbito en el que hay una gran capacidad de crecimiento, una gran capacidad de mejora; impulsar la cultura de la prevención, de la autoprotección, y desarrollar la protección civil en el ámbito local. Esta es la razón por la que el Pleno del Consejo declaró el año 2022 como el año de la autoprotección, y el año 2023, como el año de la cultura preventiva; para impulsar mejor la protección civil en el ámbito municipal, hemos puesto en marcha, en colaboración con la FEMP, la Federación de Municipios, la campaña «Municipio seguro», en cuya primera edición han participado 115 municipios, que próximamente recibirán la correspondiente mención de municipio seguro, por lo que respecta a la protección civil, y además la Conferencia de Presidentes se refirió a la necesidad de fortalecer la formación a través de la Escuela Nacional de Protección Civil. Con todos estos antecedentes, la aprobación del Plan Horizonte 2035 supone abordar una tercera fase en el proceso de construcción de nuestro sistema de emergencias. En este sentido, si la Ley 2/1985 sentó las bases para un sistema moderno y eficiente y la Ley 17/2015 se asienta sobre el pleno desarrollo por las comunidades autónomas de sus sistemas regionales de Protección Civil y Emergencias, con el Plan Horizonte 2035 pretendemos incorporar a esta tarea definitivamente a las corporaciones locales para garantizar a todos los ciudadanos un escudo de protección sustancialmente igual en todo el territorio nacional y establecer las bases para optimizar todos los recursos disponibles en el país. En este sentido, uno de los ejes fundamentales del plan es este muy necesario giro local del sistema de protección civil. El diseño básico del Plan Horizonte 2035 se asienta en la elaboración de sucesivas estrategias de carácter anual. Así, en primer lugar, será necesario aprobar la primera estrategia del sistema prevista en la ley, hasta ahora nunca desarrollada, y que pretendemos aprobar en el primer Pleno que el Consejo Nacional de Protección Civil celebre tras las próximas elecciones autonómicas y locales; razonablemente, será en las últimas semanas del próximo mes de junio. En segundo lugar, en abril de 2024, tendremos que aprobar la segunda estrategia nacional de protección civil, en la que se alinearán las actuaciones que corresponden a la Administración General del Estado. Esta estrategia debe ser aprobada, como la actualmente vigente, por el Consejo de Seguridad Nacional.

Será necesario también que las comunidades autónomas y las ciudades de Ceuta y Melilla aprueben las correspondientes estrategias autonómicas de protección civil, lo cual constituye una novedad importante. Ya hay varias comunidades autónomas que están trabajando en la formulación de su primera estrategia autonómica. Y, finalmente, y es una gran novedad, la primera estrategia local de protección civil, que habrá de abordarse también a lo largo de este año. Desde el punto de vista de su desarrollo temporal, el plan se basa en tres ciclos sucesivos, que terminarán en los años 2026, 2030 y 2035, al término de cada uno de los cuales hemos previsto una evaluación para poder adaptar el plan a la situación que tengamos en cada momento. Con esta configuración —reconocemos su complejidad—, pretendemos abordar, tanto las tareas más urgentes, como la revisión de los planes en vigor, junto con otras actuaciones de carácter transversal, como, por ejemplo, el establecimiento de un sistema de información estadística que nos permita conocer el coste de las emergencias, así como la permanente actualización de los objetivos. El esquema y el calendario previsto nos permitirán completar la planificación estatal, autonómica y local, dar un impulso definitivo a la autoprotección y concluir el desarrollo de la Ley 17/2015, de tal forma que, a los veinte años de su aprobación, el sistema esté en condiciones de abordar un nuevo período de desarrollo. Dentro del plan, un capítulo importante son las medidas organizativas, que suponen un elemento clave, con dos cuestiones fundamentales: en primer lugar, queremos que se implante definitivamente el principio de dirección única de las emergencias; un principio que figura en el enunciado del preámbulo de la vigente Ley 17/2015, y que es uno de los contenidos fundamentales de la norma básica de protección civil, actualmente en tramitación. Este proyecto de real decreto se encuentra, en concreto, en fase de dictamen en el Consejo de Estado y esperamos tenerlo aprobado próximamente. Este principio de dirección única de las emergencias es un principio esencial, que está establecido así también en el Mecanismo Europeo de Protección Civil, y necesariamente debería llevarnos a que en cada administración pública haya un único órgano administrativo que aglutine las competencias en materia de protección civil y emergencias. En segundo lugar, y dentro de las medidas organizativas, el plan se asienta en la gestión compartida de las emergencias. En la situación actual, hay que reconocer que la mayoría de los planes vigentes no contemplan adecuadamente la posible existencia de episodios de protección civil que pueden afectar al territorio de más de una comunidad autónoma; es un dicho común que las emergencias no conocen de fronteras, no conocen de límites territoriales. Así, en emergencias que, aun sin constituir situaciones de interés nacional, es cada vez más frecuente que nos enfrentemos a emergencias que afectan a dos o más comunidades autónomas. Además, la experiencia cotidiana nos muestra que cada vez es más frecuente que en las emergencias de cierta gravedad participen medios y recursos de varias administraciones públicas. La consecuencia necesaria de estos hechos es el reforzamiento de los instrumentos de cogobernanza, el favorecimiento de una dirección y de una gestión de emergencias acorde con la naturaleza de estas y con su extensión y con los recursos que se requieren para enfrentarse a estas situaciones con éxito. En el plan nos referimos también a la formación como uno de los pilares esenciales. El Sistema Nacional de Protección Civil está integrado, tal como define el artículo 17 de nuestra ley, por una multiplicidad de colectivos profesionales. Para gestionar adecuadamente este colectivo tan vasto de diferentes profesionales, de diferentes especialistas, necesitamos que el conjunto de ellos actúe bajo una cultura común. El instrumento que tenemos para garantizar esta cultura común, así como el elevado nivel técnico que existe en nuestros profesionales, es la Escuela Nacional de Protección Civil, nuestra escuela, a la que queremos convertir en un centro de referencia para el empleo; de hecho, en estos días estamos tramitando ante el Ministerio de Educación y Formación Profesional el expediente para obtener este título. Y además, queremos vincular la formación de nuestros profesionales a la universidad para la impartición de cursos de especialización. En este sentido, puedo anunciarles que estamos trabajando en la actualidad junto con los centros universitarios de la Policía Nacional y de la Guardia Civil, así como con algunas universidades públicas y privadas, para iniciar en el próximo curso los primeros cursos de posgrado vinculados a la gestión de emergencias, promovidos directamente por el Ministerio del Interior, por el Sistema Nacional de Protección Civil. Pretendemos también, desde el ámbito de la formación, mejorar y homologar la formación, la capacitación de los responsables de las actuaciones operativas en emergencias complejas, es decir, en aquellas que requieren la utilización de recursos de varias administraciones públicas. Por otra parte, en el sistema no podemos continuar siendo ajenos en los órganos de protección civil a la formación de su futuro personal de los niveles básicos e intermedios, definiéndose como una línea de actuación estratégica la adecuación de la oferta del sistema educativo a la demanda de los servicios de intervención, así como incluir en los procesos selectivos como mérito preferente la formación profesional en materia de emergencias. Otra línea de actuación básica en el plan es la mejora de la interoperabilidad de las capacidades del sistema. En la actualidad, son frecuentes, como decía antes, las intervenciones de medios y recursos de diferentes administraciones públicas y de muy diferentes áreas de especialización. Esta multiplicidad de actores requiere como condición inexcusable unos protocolos de coordinación minuciosos y, sobre todo, una intensa tarea de estandarización de procedimientos y materiales. Algunos primeros pasos ya se han dado en esta línea, como pone de manifiesto la creación en el plan estatal, en el Plegem, el mecanismo nacional de respuesta en emergencias. Para favorecer esta nueva línea de organización de medios y recursos, el Plegem ha abogado decididamente por la organización en módulos, definidos como dispositivos autosuficientes y autónomos y dotados de una gran capacidad de movilización. Las capacidades, por otra parte, deben responder a unas especificaciones mínimas, de acuerdo con requisitos basados en la garantía de su interoperabilidad, previéndose procedimientos de certificación y acreditación que constituyen, además, un primer paso esencial para la proyección internacional del sistema. Recientemente, como habrán podido conocer a través de los medios de comunicación, España ha desplegado dos de nuestras capacidades más eficaces en el terremoto de Turquía. Allí se desplegaron dos equipos de rescate urbano: uno de la Unidad Militar de Emergencias y otro de la Comunidad Autónoma de Madrid, el Ericam. El éxito de la operación organizada por el Mecanismo Europeo de Protección Civil en Turquía en muy buena medida tiene que ver con esta organización de las capacidades de los diferentes países en módulos previamente certificados, dotados de protocolos y de estándares comunes de actuación, lo que permite un despliegue muy rápido y, sobre todo, que puedan empezar a actuar en cuanto llegan al territorio en el que tienen que actuar. Pretendemos, en consecuencia, organizar el conjunto de capacidades de nuestro sistema nacional bajo esta configuración de módulos de carácter operativo. Otra parte de ese plan tiene que ver con la incorporación de nuevos actores al ámbito de la protección civil. Es común afirmar en el mundo de las emergencias que Protección Civil somos todos, para enfatizar precisamente que todas las personas, todas las instituciones, toda la sociedad, en suma, tenemos un papel activo en la construcción de este escudo de protección civil frente a situaciones de emergencia. Pues bien, en la incorporación de nuevos actores al sistema, una tarea por definición siempre inacabada, hay al menos dos colectivos que hemos encontrado del máximo interés: la ciencia y la industria del seguro. Por esta razón, el plan prevé la creación de un comité científico asesor, así como la constitución de comités científicos en cada uno de los planes de protección civil. El papel de la ciencia es fundamental en nuestro trabajo, como pudimos observar durante la erupción volcánica en la isla de La Palma; de hecho, en los planes que llamamos de última generación, como es el Plan de maremotos, aprobado recientemente o el Plan volcánico, incorporan comités científicos a su estructura orgánica. Por lo que se refiere al mundo del seguro, no disponemos todavía de un sistema estadístico de emergencias que nos permita conocer con exactitud el coste de las catástrofes, de las emergencias, cual es el coste de lo que hacemos ni tampoco cuál es el coste de la inacción. Evaluaciones preliminares realizadas en los últimos años nos permiten afirmar que disponemos de una tasa de cobertura de daños de naturaleza catastrófica de casi el 50 %, que es ligeramente superior a la media de los países de nuestro entorno, pero que también nos permite albergar esperanzas de que un mayor desarrollo, un incremento de esta tasa, puede dotar al conjunto de la sociedad de una mejor protección frente a situaciones de naturaleza catastrófica. En nuestro país funcionan muy bien dos instrumentos que ilustran la necesidad de explorar todas las vías de incorporación de este sector a las diferentes fases de la protección civil, como son el Consorcio de Compensación de Seguros y el Sistema Español de Seguros Agrarios, dos instrumentos de muy diversa organización y muy diversas finalidades, que contribuyen de una forma altamente eficaz a aminorar los efectos de los resultados dañosos de fenómenos de naturaleza extraordinaria. El plan se refiere también —no podía no hacerlo— al voluntariado de Protección Civil. El sistema nacional en su desarrollo actual se asienta fundamentalmente en los profesionales. Es un sistema maduro y, obviamen-

te, todo sistema de protección civil maduro se asienta básicamente en profesionales. Sin embargo, la participación en la protección civil de personal voluntario es una de las características de esta política de seguridad pública, así está recogido en la Ley 17/2015, y también es un derecho reconocido en la Constitución. Por todo ello, porque es un derecho, el plan quiere promover también el desarrollo del voluntariado, básicamente a través de las agrupaciones locales del voluntariado. Este principio, esta voluntad, debe recogerse expresamente en todas las estrategias. Desde luego, esto lo vimos muy bien en la pandemia y los alcaldes conocen muy bien cuál es la gran diferencia de contar en el municipio con un servicio oficial de protección civil o no y cuál es la diferencia entre tener una agrupación de voluntarios o no tenerla. Por eso, aun cuando el sistema se basa en profesionales, y debemos seguir apostando por la profesionalización, la incorporación masiva de voluntariado constituye también una prioridad. El plan se refiere también a la cultura preventiva. Esta es una actuación de carácter permanente. Debemos promover la cultura de la prevención en el sistema educativo. Debemos llevarlo a los medios de comunicación y también a colectivos específicos bajo la directriz de que todas las personas pueden y deben contribuir a la creación de un primer círculo de seguridad en situaciones de incertidumbre. En este capítulo estamos desarrollando ya un programa nacional de autoprotección, construido sobre tres círculos de interés, como son la autoprotección personal y familiar, la autoprotección comunitaria y la autoprotección de centros e instalaciones. Próximamente, nos planteamos la actualización de la directriz básica de autoprotección. Les decía al principio de mi intervención que las actividades de Protección Civil atienden a todas las fases de las emergencias, focalizando siempre la prevención. Pues bien, una de las medidas estrella del Plan

Horizonte 2035 es precisamente la creación de un comité nacional de prospectiva como un órgano especializado del Consejo Nacional de Protección Civil, con la función de analizar prospectivamente si nuevos riesgos o espacios vacíos en nuestro sistema pueden llegar a constituir una amenaza que requiera planificar una determinada respuesta. El análisis de riesgos tiene en nuestro país una larga y fecunda tradición, y así se refleja en la intensa actividad planificadora que ya está desarrollada. Debemos incidir en la incidencia en aquellas situaciones en las que se da una concatenación de episodios de diferente naturaleza, el efecto dominó al que me refería en otra parte de mi intervención. Por ello, pensamos que el análisis prospectivo es una tarea fundamental. En el plan hay un capítulo dedicado a la dimensión internacional del sistema que aboga básicamente por la proyección de nuestro sistema de protección civil en nuestro entorno europeo, en el entorno mediterráneo, y también en el ámbito iberoamericano. También dedicamos un capítulo especial al Marco de Sendai, especialmente en lo que se refiere a la constitución de un sistema estadístico propio del mundo de las emergencias y del que, lamentablemente, carecemos hasta ahora. Hay un capítulo muy interesante en el Plan Horizonte 2035 en el que vamos a tener que trabajar durante todos estos años, que es la financiación del Sistema Nacional de Protección Civil. Es un tema crucial, transversal al conjunto de políticas públicas, y en el que contemplamos algunas actuaciones que me interesaría destacar brevemente. En primer lugar, constatamos la necesidad de conocer exactamente cuál es el coste de las emergencias. Llevamos ya un tiempo trabajando para poner cifras a las emergencias, una cuestión que consideramos fundamental para poder hacer una correcta programación en materia de protección civil, en materia de seguridad. Debemos conocer el coste de la inversión y también el coste, como decía anteriormente, de la inacción. Estamos desarrollando actualmente con financiación del mecanismo europeo de protección civil un programa que se llama Programa Impacto, que tendremos listo en los próximos meses y pondremos a disposición de todos los actores del sistema y con el que pensamos que tendremos un conocimiento muy aproximado, y sobre todo muy inmediato, del coste de las emergencias prácticamente en cuanto se produzcan. En segundo lugar, queremos avanzar en el desarrollo de la colaboración interadministrativa en la fase de recuperación. Nuestro objetivo es que todas las administraciones públicas deben abordar los costes de la recuperación en función de las competencias que tienen asumidas, con la mirada puesta en una recuperación justa para cualquier emergencia a la que nos enfrentemos. Una referencia que está expresamente recogida en el plan es la dotación adecuada del Fondo de Prevención de Emergencias y es otro objetivo que pretendemos cumplir con este Plan Horizonte 2035. Este fondo, como ustedes conocen, fue creado en la Ley 17/2015, pero no ha sido desarrollado hasta ahora sino muy tímidamente, aun cuando es un instrumento adecuado para financiar actuaciones transversales de prevención, previa dotación suficiente de fondos presupuestarios, como de otros que se determinen y que sean enmarcables bajo la rúbrica de inversiones en seguridad o inversiones en bienestar. Creemos que es un buen instrumento que hay en la ley y creemos que merece ser desarrollado, porque ello va a redundar en la seguridad del conjunto de la población. Finalmente, el plan contiene un capítulo dedicado a la evaluación y a la revisión. La evaluación, que está incluida en la Ley 17/2015 como una de sus novedades, no se ha desarrollado adecuadamente hasta la fecha. En el Plegem y en la norma básica hemos incluido la evaluación precisamente como una nueva fase de las emergencias. Solo a través del análisis crítico de cada una de las situaciones de cierta importancia seremos capaces de introducir en el sistema un principio de mejora permanente. Consideramos que la introducción de esta fase de evaluación en la gestión de las emergencias como una fase más de su ciclo, al mismo nivel que el análisis de riesgos, la planificación o la intervención, es perfectamente coherente con la distribución competencial al estar atribuida a cada una de las administraciones públicas competentes, correspondiendo finalmente al Senado el examen del conjunto del sistema en cuanto que es la Cámara de representación territorial. Por lo que se refiere a la revisión del plan, se prevé una revisión al final de cada uno de sus tres ciclos, de forma que, aun manteniendo su unidad, pueda ir adaptándose a las necesidades que se detecten para cada uno de sus períodos anuales.

.../...

Concluyo. El Plan Horizonte 2035 incorpora como novedad particularmente relevante en este estadio de desarrollo del Sistema Nacional de Protección Civil la implicación de la Conferencia de Presidentes, al tiempo que dota al sistema de un marco conceptual coherente con la actual distribución de competencias entre las administraciones territoriales, adoptando un modelo de cogobernanza avanzado, en el que las atribuciones de cara a nivel competencial se ejercitan en el marco de un proceso global e integrado de planificación. En el Ministerio del Interior, en el Consejo Nacional de Protección Civil, todos los integrantes del sistema pensamos que el Plan Horizonte 2035 es un buen plan, es un instrumento útil y necesario para dotarnos del sistema de emergencias que nuestra sociedad y nuestros retos demandan."

La intervención del Senador Monago Terraza se recoge a continuación:

"Bienvenido, director general. Le tengo que decir que los retos de protección civil en España son una obra colectiva, como ya se ha dicho aquí. Lo han sido en sus antecedentes, lo son en su presente y estoy convencido de que va a ser así en el futuro, y nadie debe sentirse, por lo tanto, ajeno a la contribución que hay que hacer en relación con estos retos, porque nos va mucho en ello como sociedad. Hay que reconocer —y nosotros, el Grupo Parlamentario Popular, lo hacemos— que configurar la protección civil en nuestro país como un sistema donde todos tienen un papel que desempeñar es algo que debe hacernos tener un sentimiento de orgullo, y no es fácil, dada la configuración descentralizada de la Administración en nuestro país, donde a menudo las parcelaciones de competencias malentendidas restan efectividad a las demandas de la sociedad, y hay que decir que en España la protección civil es un referente para Europa y, por qué no decirlo, para el resto del mundo, salvo algunas nostalgias. Esa es la realidad, una realidad que hay que seguir —como bien se ha manifestado— perfeccionando día a día. ¿Cuáles son los retos del futuro? Muchos han sido definidos en el Plan nacional de reducción del riesgo de desastres Horizonte 2035 y coincidimos en ellos porque hablamos el mismo lenguaje, un lenguaje que viene inspirado, primero, por compromisos internacionales, por el derecho internacional público y también por el derecho comunitario, y es lógico, porque los retos trascienden en muchas ocasiones nuestros límites geográficos. El cambio climático agrava las vulnerabilidades de las comunidades y de nuestro medioambiente, nos compromete, y uno de los efectos más importantes del cambio climático es el aumento del número de fenómenos extremos, como los que estamos conociendo: mayor gravedad de las tormentas y de las inundaciones, por un lado, y mayor gravedad de la sequía, por otro —y en esto último, viendo cómo está estos días, no vamos a profundizar—. De ahí, que las respuestas de futuro ante esta realidad hayan de salir de los cánones clásicos que giraban en exceso solamente en torno a las respuestas. Hay un aumento de la incertidumbre ante la complejidad de las situaciones de emergencia, lo que nos debe conducir a una mayor eficacia y a

una exigencia de nivel de los planes de prevención y de todos los intervinientes. Hay que implicar a todas las partes con más intensidad, pues las interdependencias ofrecen mayores capacidades, pero a la vez más exigencia de coordinación, y una clave está en la ordenación del territorio. La indisciplina en este ámbito produce comunidades vulnerables. La población, las viviendas, las infraestructuras deben tener una ordenación, teniendo en cuenta que el nuevo escenario climático en el que vivimos nos está afectando, y en este punto también quiero subrayar el papel de las entidades locales, que ahí tienen mucho que decir y mucho que aportar. Tener, como tenemos, tantas normas en nuestro derecho administrativo que luego no se cumplen debe hacernos reflexionar sobre si tal vez el exceso de tanto compendio normativo complica su cumplimiento. Por poner un ejemplo, los mapas de riesgo que debe contemplar cualquier plan general de ordenación urbana no son una carpeta de mapas ni un trámite más a cumplir; son la garantía de la vida de las personas y de la continuidad o no del desarrollo y del progreso de la comunidad a la que afectan. Sin embargo, hay que señalar que los mapas de riesgo en nuestro país refieren una situación heterogénea en función de las distintas comunidades autónomas, y en muchas ocasiones muy poco satisfactoria. Se ha introducido la resiliencia como eje transversal de actuación. La resiliencia es un compromiso de lo que pueden hacer los propios ciudadanos y las comunidades frente a estos escenarios adversos. Es, si se me permite la expresión, el reconocimiento de una mayoría de edad, donde, como individuos actuamos y no esperamos a que todas las respuestas y acciones nos vengan dadas por los servicios públicos, y en un mundo con tanta distorsión y tanta desinformación los medios de comunicación deben ser unos aliados del sistema de protección civil, un auténtico notario que aporte información validada, útil y precisa cuando más se requiere. Los canales oficiales y los medios de comunicación deben tejer alianzas en pro de la seguridad de las personas, y eso se consigue con un diálogo y una colaboración.

Debemos tejer una colaboración multinivel entre los representantes políticos en las grandes emergencias. Ello es clave principalmente para los propios servicios que integran el sistema de protección civil. Para ello, debe haber conexiones y relaciones sólidas. El sistema de protección civil es un sistema de naturaleza civil en el que el protagonismo es del propio sistema, no de una administración o un ministerio en particular. Bien es cierto que el responsable último es el Ministerio del Interior con carácter general, como todos sabemos, pero el protagonismo corresponde a todos los integrantes del sistema con o sin uniforme, porque, de lo contrario, caemos en la patrimonialización, que es lo contrario a lo que demanda una buena gestión y la cogobernanza de las emergencias. Hay que impulsar estrategias adaptativas y proactivas en la actuación frente a los retos que tenemos por delante. Pasamos de la posición tradicional reactiva y operativa por continuas respuestas a continuas amenazas y a continuas preguntas que nos plantean los nuevos escenarios, y no debe haber fatiga por el cambio. Hay que ser conscientes de que es el escenario que hay y de que además este escenario ha venido para quedarse. Y hay un papel clave que pueden aportar las nuevas tecnologías, sin duda realmente revolucionario, y es disponer del conocimiento científico de los peligros que tenemos en estos momentos y de la respuesta que la comunidad científica, ya se ha dicho, nos puede aportar; saber qué causa el problema nos acerca a la solución, y el incremento de la velocidad de procesamiento y cálculo de los sistemas tecnológicos, así como de la inteligencia artificial nos permite ofrecer soluciones y aproximaciones a esta casi permanente necesidad de respuesta con unos períodos de respuesta inmediata. Se trata, si se me permite el concepto, de hacer una gestión inteligente de la emergencia del siglo XXI. La temporalización de este horizonte 2035 hace que sea muy importante la evaluación de cada una de las fases en su primer, segundo y tercer ciclo, y también es capital que todos los comités que se señalan en esta estrategia se constituyan y tengan un trabajo constante, solo así el diseño que es bueno pasa del ámbito conceptual y teórico al ámbito práctico. Les recuerdo a sus señorías que la evaluación del sistema Nacional de Protección Civil se regula en su capítulo VI, evaluación e inspección, de la Ley 17/2015, que prevé como medida más significativa la elevación de un informe anual del funcionamiento global del sistema al Senado. Saben sus señorías que algo tan importante como esa evaluación se desconoce en esta Cámara. Bueno es señalar que en la estrategia Horizonte 2035 se reconoce este extremo que lógicamente hay que corregir. Me parece también importante comenzar a trabajar en la realización de estudios generales para analizar la afectación que pueden tener las infraestructuras públicas y privadas por el cambio climático; realizados estos se pueden prever evoluciones y consignar dotaciones presupuestarias futuras, así como adaptaciones y mejoras para minimizarlo. Ya termino. En un mundo global en sus amenazas, a la vez que polarizado en muchos de sus comportamientos, la demanda de soluciones por los ciudadanos nos exige la cooperación, la suma; actuar, en definitiva, como un todo, como un sistema, el sistema de protección civil, y debe ser un sistema nacional de protección civil en el que todos tengan un papel relevante y en el que el objetivo final merezca este empeño y nos haga estar a la altura de los ciudadanos. Así que le deseamos, señor director general, que los objetivos que se marca, que son muy ambiciosos, con el concurso de todas las administraciones siga haciendo que tengamos ese sentimiento de orgullo por tener un buen sistema de protección civil en nuestro país."

En la siguiente intervención, el Director General respondió a la intervención en los siguientes términos:

"Señor Monago, me quedo con el tono general de su intervención, que agradezco, porque representa muy bien el compromiso de su grupo y de las comunidades autónomas gobernadas por el partido político al que usted pertenece. Todas ellas han votado a favor del plan Horizonte 2035, como votaron a favor de la norma básica y también del Plan estatal general de emergencias. Ha dicho algo que nos interesa particularmente enfatizar: que hay que poner el foco en las actuaciones preventivas, no solo en los incendios forestales, sino en todo el sistema de protección civil. Hay

un dato que cada vez es más conocido y que se refiere específicamente a incendios forestales: prácticamente el 80 % de lo que se gasta, de lo que estamos gastando —el 76 % para ser exactos— en materia de incendios forestales se está dedicando a la extinción y el 24 % restante a la prevención. Una tarea urgente que tenemos que hacer, y lo tenemos que hacer entre todos, es invertir esta cifra. Hay que dedicar más dinero, más inversión a la prevención, porque ello hará que sea una consecuencia inmediata y va a producir menos gasto en extinción. En definitiva, lo que llevamos a la prevención es una inversión, una inversión que nos va a permitir ahorrar muchos recursos económicos, pero, sobre todo, nos va a permitir ahorrar mucho sufrimiento. Por eso quiero agradecer que haya puesto usted el foco en la necesaria importancia de la prevención. Horizonte 2035 es un plan de todos, no solo de la Administración General del Estado, lo es de todas y cada una de las comunidades autónomas, de las ciudades autónomas y de la Federación de Municipios. En definitiva, en ese empeño debemos continuar trabajando codo con codo. Ha hecho referencia a la falta de conocimiento por esta Cámara del informe anual del sistema. Sin duda, esa es una carencia que tiene el sistema, es una carencia que venimos arrastrando desde que en 2015 se aprobó la ley, y nosotros tenemos la intención de que sea este año el primero en el que el Senado conozca el informe sobre el funcionamiento global del Sistema

Nacional de Protección Civil, porque, lo dice la ley, es una obligación, pero, sobre todo, porque creemos en ello, creemos que es absolutamente necesario y que es absolutamente necesario tener al menos un debate anual. Para no tener que hablar de nevadas dos años y medio más tarde es absolutamente esencial tener un debate periódico en esta Cámara sobre nuestro sistema."

Como se desprende del debate reproducido prácticamente en su integridad, el consenso en materia de protección civil es una realidad en España, lo que contribuye a legislar con la urdimbre del consenso, que le confiere a las normas mayor carácter de permanencia y, lo que es más importante, utilidad para los ciudadanos.

4.3.- Estrategia Nacional de Protección Civil

La Estrategia Nacional de Protección Civil, aprobada en la Orden PJC/1430/2024, de 16 de diciembre, tiene su fundamento en un marco de riesgos de carácter diversificado y en crecimiento.[1200]

1200 Orden PJC/1430/2024, de 16 de diciembre, por la que se publica la Estrategia Nacional de Protección Civil, aprobada por el Consejo de Seguridad Nacional. https://acortar.link/SfPxIE

La Estrategia Nacional es un marco de actuación en el que se señalan los vectores presentes en el ciclo de la gestión de las emergencias, tales como la anticipación, la prevención, el planeamiento, la respuesta y la recuperación, delimitando en cada fase la gestión que corresponde desarrollar.

En esta Estrategia se reconoce ampliamente la influencia del Departamento de Seguridad Nacional, ya que ordena la adaptación del Sistema Nacional de Protección Civil al Sistema de Seguridad Nacional.

El ámbito de la seguridad pública está muy presente en la mencionada Estrategia, y cuando hablamos de ella nos referimos a la "seguridad humana", así como a factores transversales, como son:

- El cambio climático como potenciador de riesgos.
- La demografía respecto a su situación y dinámica de evolución.
- La ordenación del territorio, con especial énfasis en los usos del suelo.
- La vulnerabilidad de personas y colectivos socialmente sensibles ante emergencias y catástrofes.

Este concepto de "seguridad humana" incluido en la norma, se inspira en la Resolución 66/290 de la Asamblea General de Naciones Unidas [1201]. Se circunscribe al objetivo de establecer y superar "las dificultades generalizadas e intersectoriales que afectan a la supervivencia, los medios de subsistencia y la dignidad de sus ciudadanos". Si bien es importante destacar una evolución en lo que hoy entendemos por "seguridad humana", ya que, durante la Cumbre del Milenio en septiembre de 2000, se creó la Comisión sobre la Seguridad Humana de las Naciones Unidas (CHS, por sus siglas en inglés). En el año 2003 la CHS definió la seguridad humana de la siguiente manera:

"La seguridad humana consiste en proteger la esencia vital de todas las vidas humanas de una forma que realce las libertades humanas y la plena realización del ser humano. Seguridad humana significa proteger las libertades fundamentales: libertades que constituyen la esencia de la vida. Significa proteger al ser humano contra las situaciones y las amenazas críticas (graves) y omnipresentes (generalizadas). Significa utilizar procesos que se basan en la fortaleza y las aspiraciones del ser humano. Significa la creación de sistemas políticos, sociales, medioambientales, económicos, militares y

---

1201 Asamblea General de las Naciones Unidas. (10 de septiembre de 2012). Resolución 66/290. https://documents-ddsny.un.org/doc/UNDOC/GEN/N11/476/25/PDF/N1147625.pdf?OpenElement

culturales que en su conjunto brinden al ser humano las piedras angulares de la supervivencia, los medios de vida y la dignidad."[1202]

La Estrategia tiene como objetivo evitar los efectos del aumento de la gravedad de las emergencias y catástrofes en las últimas décadas, así como el futuro poco halagüeño de su empeoramiento, ya sea por razones naturales o tecnológicas. En aras de la seguridad humana, la protección civil se define como un elemento capital del Sistema de Seguridad Nacional. Esto se reconoce desde la aprobación de la Estrategia de Seguridad Nacional del año 2017, donde se explicitaron los desafíos derivados de las emergencias y catástrofes[1203], los efectos del cambio climático y la vulnerabilidad energética, que ahora son preocupaciones prominentes en muchas partes del planeta. Estableció una serie de objetivos[1204] que continúan en la Estrategia de Seguridad Nacional aprobada en 2021 (ESN 2021).

[1202] Commission on Human Security: Human Security Now, New York, ISBN 0-9741108-0-9, 2003, p. 4

[1203] Real Decreto 1008/2017, de 1 de diciembre, por el que se aprueba la Estrategia de Seguridad Nacional 2017. Emergencias y catástrofes:
Las emergencias y catástrofes siguen siendo uno de los principales desafíos del mundo moderno. Su impacto no sólo afecta a la vida y salud de las personas sino, también, a los bienes patrimoniales, al medio ambiente y al desarrollo económico. Cuatro son los factores que están potenciando estos desafíos. El primero es de carácter demográfico. Está motivado por el incremento de población urbana en zonas de peligro ambiental o antrópico. El segundo factor está ligado a la vulnerabilidad de la infraestructura económica y tecnológica. Ello hace que se acentúe la rapidez y propagación de los riesgos y se produzcan efectos en cascada, como ocurrió en el terremoto de Japón de 2011. El tercer factor es la degradación de los ecosistemas, que reduce las defensas naturales. Por último, hay que tener en cuenta el incremento de magnitud y frecuencia de algunos fenómenos adversos (tales como olas de calor, sequías, incendios forestales o erosión) a consecuencia del cambio climático. España es un país que se enfrenta a este desafío con un bagaje de experiencia positiva y con una importante dotación de medios, adaptada a las amenazas y desafíos que soporta y que siguen presentes. Sin embargo, ante la posibilidad de incremento de algunas emergencias y catástrofes, es preciso seguir reforzando el estado de preparación en aras a facilitar la prevención y una pronta recuperación ante una situación catastrófica.

[1204] 1170 – Elaborar, aprobar e implantar de forma cooperativa en todas las Administraciones competentes la Estrategia del Sistema Nacional de Protección Civil, tras su aprobación por el Consejo de Seguridad Nacional.
– Completar el marco jurídico de la protección ante emergencias y catástrofes, desarrollando reglamentariamente la Ley 17/2015.
– Fomentar la colaboración público-privada, especialmente en materia de prevención.

Los factores potenciadores del riesgo de emergencias y catástrofes descritos por la Estrategia de Seguridad Nacional de 2021[1205] son los siguientes:

- Despoblación Rural.
- Sobrepoblación de algunas ciudades.
- Degradación de ecosistemas debido al cambio climático.
- Incremento de frecuencia y magnitud de los fenómenos meteorológicos adversos.

Y los principales riesgos:

- Inundaciones.
- Incendios Forestales.
- Terremotos y Maremotos.
- Riesgos Volcánicos.
- Fenómenos meteorológicos adversos.
- Los accidentes en instalaciones o durante procesos en los que se utilicen o almacenen sustancias peligrosas.
- El transporte de mercancías peligrosas por carretera y ferrocarril.
- Los accidentes catastróficos en el marco del transporte de viajeros.
- Los riesgos nucleares, radiológicos y biológicos.

– Fortalecer la integración de capacidades de todo el Sistema Nacional de Protección Civil incrementando la cooperación y coordinación entre todas las Administraciones Públicas competentes, con actuaciones concretas:
Constituir e implantar la Red de Alerta Nacional de Protección Civil para mejorar la prevención, con un enfoque integrado y multirriesgo.
• Mantener directorios de capacidades.
• Diseñar en común acciones de asistencia integral a las víctimas.
• Establecer protocolos de gestión y comunicación a nivel nacional e internacional, en coordinación con la UE y otros organismos internacionales
– Promover la coordinación y cooperación internacional en materia de Protección Civil, con especial atención al Mecanismo de Protección Civil de la UE y la Estrategia Internacional de Reducción del Riesgo de Desastres de la ONU, así como, de forma bilateral, con terceros países.

1205 Real Decreto 1150/2021, de 28 de diciembre, por el que se aprueba la Estrategia de Seguridad Nacional 2021. https://www.boe.es/boe/dias/2021/12/31/pdfs/BOE-A-202121884.pdf

En la Estrategia Nacional de Protección Civil, aprobada el 16 de diciembre de 2024, se detallan en su Capítulo 2, apartado 2, los siguientes riesgos en el ámbito de la protección civil:

- Inundaciones.
- Incendios Forestales.
- Terremotos y maremotos.
- Volcánico.
- Fenómenos meteorológicos adversos.
- Accidentes en instalaciones o procesos en los que se utilicen o almacenen sustancias químicas, biológicas, nucleares o radiactivas.
- Riesgo químico derivado de accidentes en instalaciones en los que se utilicen o almacenen sustancias químicas.
- Riesgo biológico derivado de accidentes en instalaciones en los que se utilicen o almacenen sustancias Biológicas.
- Riesgo nuclear derivado de accidentes en instalaciones en los que se utilicen o almacenen sustancias combustibles empleadas en las centrales nucleares.
- Riesgo radiológico derivado de accidentes en instalaciones en los que se utilicen o almacenen sustancias radioactivas.
- Accidentes en el transporte de mercancías peligrosas por carretera y ferrocarril.
- Accidentes de aviación civil.
- Riesgo bélico.

Cabe indicar como dato histórico que los riesgos mencionados en la Estrategia Nacional de Protección Civil de 2019 iluminaron aquellos que fueron reseñados en la Estrategia de Seguridad Nacional aprobada cinco años más tarde.

Sin embargo, existe un riesgo que no se mencionó en la Estrategia Nacional de Protección Civil de 2019, pero que sí fue destacado en la Estrategia de Seguridad Nacional[1206] tanto del 2017 como del 2021 como riesgo

---

[1206] Real Decreto 1008/2017, de 1 de diciembre, por el que se aprueba la Estrategia de Seguridad Nacional 2017. *Boletín Oficial del Estado (BOE), núm. 305, de 21 de diciembre de 2017, p. 125969.* Real Decreto 1150/2021, de 28 de diciembre, por el que se

biológico: el riesgo de pandemias, el cual se incorporó posteriormente en la Estrategia Nacional de Protección Civil de 2024.

La Estrategia Nacional de Protección Civil de 16 de diciembre de 2024, tiene como objetivo proteger a las personas, bienes y el entorno, garantizando una respuesta adecuada ante emergencias y catástrofes de cualquier índole. Se busca fortalecer pues la capacidad de anticipación, prevención, planificación, respuesta inmediata y recuperación, dentro de un enfoque integral y coordinado que abarca todas las fases del ciclo de gestión de las emergencias.

El 31 de diciembre de 2019, en Wuhan, China, se informó sobre un grupo de 27 casos de neumonía de origen desconocido. Este brote se propagó rápidamente a otras regiones del país y del mundo, y la Organización Mundial de la Salud reconoció oficialmente el coronavirus como SARS-CoV-2 y denominó a la enfermedad como COVID-19.[1207]

Esto resalta que el análisis de riesgos y las acciones para hacerles frente son cuestiones en constante evolución que requieren una atención significativa por parte de las administraciones públicas y, especialmente, del legislador. Sin embargo, el Sistema Nacional de Protección Civil, al integrar todas las capacidades nacionales en la gestión de emergencias y catástrofes, tiene una alta capacidad de adaptación y respuesta inmediata a nuevos escenarios. Se ha trabajado durante mucho tiempo en la coordinación entre las diferentes administraciones públicas, así como en los mecanismos de participación y colaboración con los ciudadanos.

Lo mismo ocurre con nuestro Sistema Nacional de Salud, que actuó cuando la Organización Mundial de la Salud (OMS) reveló el brote del nuevo coronavirus y alertó el 30 de enero de 2020 sobre una Emergencia de Salud Pública Internacional (ESPII).[1208]

---

aprueba la Estrategia de Seguridad Nacional 2021. *Boletín Oficial del Estado (BOE), núm. 312, de 29 de diciembre de 2021.* https://www.boe.es.

1207 Cronología: actuaciones del Consejo de la Unión Europea en relación con la COVID-19. https://www.consilium.europa.eu/es/policies/coronavirus/timeline/

1208 Las medidas fueron durante febrero e inicios de marzo de 2020, reforzamiento gradual de las medidas de prevención y control dentro del marco del Consejo Interterritorial del Sistema Nacional de Salud (CISNS). El 12 de marzo se extendieron las medidas de distanciamiento físico, de conformidad con las recomendaciones del Centro Europeo para la Prevención y Control de Enfermedades (ECDC). Dos días después, el Gobierno aprobó el RD 463/2020, por el que se declara el estado de alarma para la gestión de la situación de emergencia sanitaria derivada de la COVID-19.

Este riesgo, el de pandemias, no estaba adecuadamente abordado, como hemos señalado, en la Estrategia Nacional de Protección Civil de 2019, ni explícitamente en la Norma Básica. A pesar de ello, dentro del marco competencial de las Comunidades Autónomas, éstas tienen la facultad de implementar soluciones a través de los Planes Especiales. Un ejemplo de ello es Cataluña, que en 2009 estableció un "Pla d'actuació del PROCICAT per pandèmies" el cual recibió un informe favorable por parte de la Comisión de Protección Civil de Cataluña en noviembre de 2009 y fue aprobado en febrero de 2010. Este tipo de Planes tiene su encaje normativo en el art. 13 de la Norma Básica de Protección Civil, bajo el epígrafe: "planes relativos a riesgos no incluidos en el catálogo".

En este Plan se señalaba que el riesgo pandémico de una enfermedad vírica transmisible con potencial de alto riesgo no era predecible, ya que requeriría un cambio sustancial en la programación genética del virus en cuestión, aunque "los intervalos interpandémicos sólo durante el último siglo han variado entre 11 y 39 años"[1209]. Este "Pla d'actuació del PROCICAT per pandèmies" fue el primer Plan de Pandemias aprobado en España.

A modo de revisión, a este plan le siguió, el "Pla d'actuació del PROCICAT per malalties transmissibles emergents amb potencial alt risc", ratificado por el Gobierno de la Generalitat el 3 de marzo de 2020, diez años después, al que inmediatamente siguió el "Pla especial d'emergències per pandèmies", aprobado el 29 de marzo, que adapta el marco de protección civil de Cataluña a los retos planteados por las epidemias y pandemias, incorporando criterios de vulnerabilidad económica, social y territorial además del carácter epidemiológico. Este nuevo plan establece mecanismos de coordinación específicos entre las consellerías de Salud e Interior y requiere que los municipios de más de 20 000 habitantes elaboren su pla d'actuació municipal para riesgo de pandemias, al igual que ya cuentan con planes para inundaciones, incendios u otros riesgos.

Además, incluye la creación de un Consejo Asesor Jurídico para velar por la proporcionalidad y legalidad de las medidas que puedan afectar derechos fundamentales durante emergencias sanitarias.

El objetivo del citado plan es apoyar la estrategia de Salud Pública en la gestión de emergencias asociadas a pandemias o epidemias graves que afecten

---

1209 Generalitat de Catalunya. Departamento d'Interior. (s.f.). PLA D'ACTUACIÓ DEL PROCICAT PER emergències associades a malalties transmisibles emergents amb potencial alt risc. Aprovació de la revisió: ACORD GOV/40/2020, de 3 de març. https://bit.ly/3bYNXlD

a Cataluña, y contribuir a garantizar el pleno respeto y la menor restricción de los derechos y libertades de las personas, estableciendo la coordinación de los agentes que forman parte del sistema de protección civil y emergencias[1210].

En el caso de la Comunidad de Madrid, el Consejo de Gobierno acordó el 14 de octubre de 2020, un Plan de Actuación de Protección Civil ante Pandemias en dicha Comunidad.[1211] Se configura como un instrumento destinado a garantizar una respuesta rápida y coordinada ante situaciones de emergencia sanitaria causadas por pandemias. El Plan, informado favorablemente por la Comisión Regional de Protección Civil, organiza y jerarquiza la actuación de los diferentes departamentos y equipos intervinientes en escenarios de crisis pandémica, estructurando la operatividad en dos niveles: alerta y emergencia. Asimismo, su estructura contempla el apoyo a la autoridad sanitaria y articula procedimientos para la movilización de recursos humanos y materiales necesarios para responder de forma efectiva a las demandas generadas por estas crisis en la Comunidad de Madrid. Este Plan nace ocho meses y medio después de la declaración de Emergencia de Salud Pública Internacional (ESPII). La protección civil en la Comunidad de Madrid ha experimentado una profunda renovación normativa, motivada por la gestión de la pandemia y acontecimientos climáticos extremos. La promulgación de la Ley 5/2023, de 22 de marzo, de Creación del Sistema Integrado de Protección Civil y Emergencias, constituye un punto de inflexión al establecer un modelo coordinado y transversal que integra la actuación de todas las administraciones públicas y profesionales implicados, bajo la dirección estratégica de la Agencia Madrid 112. Este marco legal incorpora lecciones aprendidas de fenómenos recientes como la crisis sanitaria del COVID-19 y la borrasca Filomena, dotando al sistema de mayor capacidad operativa y resiliencia. La nueva ley refuerza la planificación preventiva y la capacidad de anticipación, impulsando la flexibilidad y la actualización permanente de los planes territoriales y especiales, y prioriza la protección de la ciudadanía y la gestión eficiente de los recursos públicos ante cualquier situación de emergencia o riesgo.

[1210] Generalitat de Catalunya. Departamento d'Interior. (s.f.). PLA ESPECIAL D'EMERGÈNCIES PER PANDÈMIES A CATALUNYA. Informe favorable: Comissió de Protecció Civil de Catalunya del 10.12.2021. Aprovació: ACORD GOV/58/2022, de 29 de març. https://bit.ly/3STN12B

[1211] Consejo de Gobierno de la Comunidad de Madrid. (14 de octubre de 2020). Acuerdo por el que se aprueba el Plan de Actuación de Protección Civil ante Pandemias en la Comunidad de Madrid. https://www.bocm.es/boletin/CM_Orden_BOCM/2020/10/16/BOCM-20201016-

El 16 de julio de 2020, el Ministerio de Sanidad (en el Consejo Interterritorial del Sistema Nacional de Salud) sanciona el Plan de Respuesta Temprana en un Escenario de Control de la Pandemia por COVID-19[1212]. Se fundamenta en el artículo 149.1.16ª de la Constitución, ya que corresponde al Estado la competencia exclusiva en materia de Sanidad Exterior, así como las bases y coordinación general de la Sanidad y la producción legislativa sobre productos los farmacéuticos. También se apoya en la Ley Orgánica 3/1986, de 14 de abril, de Medidas Especiales en Materia de Salud Pública (en relación a las facultades de las autoridades sanitarias ante enfermedades transmisibles), en la Ley 14/1986, de 14 de abril, General de Sanidad (que habilita para adoptar medidas administrativas preventivas y coercitivas, como son la confiscación o inmovilización de productos, cierre de empresas, la intervención de medios personales y materiales, etc.), y en la Ley 33/2011, de 4 de octubre, General de Salud Pública (que establece medidas excepcionales ante causas de gravedad o urgencia). A todo este corpus legislativo se sumó el estado de alarma derivado del Real Decreto 463/2020, de 14 de marzo[1213]. Como podemos observar, el Estado, que no disponía de un Plan Especial para Pandemias, utilizó el marco de los recursos de derecho administrativo que, esencialmente, el ámbito de la sanidad y la salud pública ofrecía en aquel período.

El Sistema de Seguridad Nacional está coronado por el presidente del Gobierno que lo dirige. El modelo institucional se articula en torno al Consejo de Seguridad Nacional (CSN), el Departamento de Seguridad Nacional, y los órganos de apoyo y enlace especializados. Este sistema busca garantizar una gestión integral y transversal de los riesgos y amenazas que afectan a la seguridad del Estado, con un enfoque cooperativo y multinivel entre los distintos actores públicos.

1. Consejo de Seguridad Nacional: es el órgano que define las directrices estratégicas y coordina las actuaciones de seguridad nacional. Depende directamente del Presidente del Gobierno y se complementa con la participación de comités especializados.
2. Departamento de Seguridad Nacional: forma parte del Gabinete de la Presidencia del Gobierno y actúa como centro operativo para la ejecución

---

[1212] Ministerio de Sanidad. (16 de julio de 2020). Plan de Respuesta Temprana en un Escenario de Control de la Pandemia por COVID-19. https://www.sanidad.gob.es/profesionales/saludPublica/ccayes/alertasActual/nCov/documentos/COVID19_Plan_de_respuesta_temprana_escenario_control.pdf

[1213] Real Decreto 463/2020, de 14 de marzo, por el que se declara el estado de alarma para la gestión de la situación de crisis sanitaria ocasionada por el COVID-19. https://www.boe.es/buscar/doc.php?id=BOE-A-2020-36921.PDF.

de las decisiones del CSN. Es responsable de la integración de la información estratégica y del enlace entre los distintos actores del sistema.

Como órganos también competentes se mencionan Las Cortes Generales (a través de la Comisión Mixta Congreso-Senado para la Seguridad Nacional), Gobierno (que incluye al Presidente, los ministros, los delegados del gobierno y el propio Consejo de Seguridad Nacional), las Comunidades Autónomas (que participan mediante la Conferencia Sectorial para Asuntos de Seguridad Nacional, respetando el reparto competencial en el marco de la colaboración interadministrativa) y los entes locales (que ejercen competencias específicas derivadas de la legislación de régimen local, alineadas con las directrices de seguridad nacional).

Los Comités especializados se ocupan de ofrecer una respuesta técnica y sectorial a los riesgos identificados: comité de situación (coordina en tiempo real la gestión de crisis), Consejo Nacional de Ciberseguridad (aborda amenazas en el ámbito digital), Consejo Nacional de Seguridad Marítima y Aeroespacial (se especializan en la seguridad en los entornos marítimos y aéreos, respectivamente) y Comités de Inmigración, Energética, No Proliferación de Armas de Destrucción Masiva y Luchas contra el Terrorismo (garantizan un enfoque sectorial que abarca desde la seguridad fronteriza hasta el desarrollo de energías estratégicas y la lucha contra amenazas globales).

El "Consejo de Seguridad Nacional" viene configurado en su composición en el Real Decreto 1/2024, de 9 de enero, por el que se establecen las Comisiones Delegadas del Gobierno[1214]:

a) El Presidente del Gobierno, que lo presidirá, excepto cuando S. M. el Rey asista a sus reuniones, en cuyo caso le corresponderá presidirlo.

b) La Vicepresidenta Primera del Gobierno y Ministra de Hacienda; la Vicepresidenta Segunda del Gobierno y Ministra de Trabajo y Economía Social; y la Vicepresidenta Tercera del Gobierno y Ministra para la Transición Ecológica y el Reto Demográfico.

c) Las personas titulares de los Ministerios de Asuntos Exteriores, Unión Europea y Cooperación; de la Presidencia, Justicia y Relaciones con las Cortes; de Defensa; del Interior; de Transportes y Movilidad Sostenible; de Industria y Turismo; de Economía, Comercio y Empresa;

1214 Real Decreto 1/2024, de 9 de enero, por el que se establecen las Comisiones Delegadas del Gobierno. *BOE* núm. 9, 10 de enero de 2024.

de Sanidad; de Ciencia, Innovación y Universidades; y para la Transformación Digital y de la Función Pública.

d) Las personas titulares de la Dirección del Gabinete de la Presidencia del Gobierno, de la Secretaría de Estado de Asuntos Exteriores y Globales, de la Jefatura de Estado Mayor de la Defensa, de la Secretaría de Estado de Seguridad y de la Dirección del Centro Nacional de Inteligencia.

De acuerdo a lo establecido en el art. 6.3 de la Ley 50/1997, de 27 de noviembre, la persona titular de la Dirección del Departamento de Seguridad Nacional será convocada a las reuniones del Consejo de Seguridad Nacional.[1215]

En el Capítulo III de la Estrategia Nacional define los objetivos estratégicos en el ámbito de la protección civil así como sus líneas de actuación. Estos objetivos se estructuran según las fases del ciclo de emergencias establecidas en la Ley 17/2015 del Sistema Nacional de Protección Civil, con el propósito de proteger a las personas y bienes frente a catástrofes. Además, incorpora objetivos transversales –formación y relaciones internacionales– y resalta la tecnología como herramienta esencial para mejorar la capacidad de respuesta. Cada fase incluye líneas de actuación específicas. La anticipación busca identificar los riesgos mediante estudios técnicos, promoviendo el uso de inteligencia artificial y la actualización de evaluaciones. La prevención se centra en mitigar los riesgos mediante la cooperación interadministrativa y la investigación, así como en el desarrollo de sistemas de alerta. La planificación establece la necesidad de planes actualizados. La respuesta inmediata refuerza la coordinación operativa y la interoperabilidad tecnológica, considerando las ciberamenazas como factores agravantes. Finalmente, la recuperación fomenta la resiliencia y garantiza la accesibilidad universal a las ayudas. La estrategia subraya la importancia de la formación continua de los profesionales y voluntarios, y el fomento de la cultura preventiva entre la ciudadanía, integrando valores y hábitos resilientes en los sistemas educativos y sociales. Por ello, se destaca el término "sociedad en riesgo", basado en los efectos de la globalización, los elementos demográficos, el cambio climático o el carácter asimétrico de las nuevas amenazas y riesgos. Además, se introduce el término "potenciadores" al referirse a cómo un riesgo impacta con más o menos intensidad en función de cuestiones específicas locales, históricas, políticas, económicas y sociales. Al aludir a los riesgos mencionados en la Estrategia Nacional de Protección Civil, se detallan su descripción, potenciadores, instrumentos normativos y de gestión, así como las actuaciones prioritarias.

[1215] Ley 50/1997, de 27 de noviembre, del Gobierno. BOE núm. 285, de 28 de noviembre de 1997.

En el Capítulo IV se establece la proyección internacional del sistema. Detalla el marco jurídico y las obligaciones internacionales de España en materia de protección civil, incluyendo su participación en el Mecanismo de Protección Civil de la Unión Europea, el Marco de Sendai[1216] y otros acuerdos bilaterales y multilaterales. Subraya la importancia de la cooperación transfronteriza y la alineación con los estándares internacionales.

Se destaca la necesidad de elaborar un Plan General Estatal de Protección Civil como instrumento esencial para la gestión integral y coordinada de emergencias y catástrofes en España.

En el Capítulo IV, la Estrategia Nacional de Protección Civil 2024 establece un sistema de seguimiento y evaluación continuos, con revisiones periódicas cada cinco años o cuando las circunstancias del entorno o cambios en la ESN lo requieran. A tal fin se constituye un Comité Técnico de Seguimiento, presidido por el titular de la Subsecretaría de Interior y compuesto por los representantes de todos los departamentos ministeriales y organismos estatales que forman parte del Consejo Nacional de Protección Civil, el cual habrá de reunirse al menos una vez al año.

4.4.- Estrategia Nacional de Protección Civil a disposición de la Estrategia de Seguridad Nacional

Este elemento es novedoso en nuestro ordenamiento jurídico, al menos en la forma en que se han configurado ambas estrategias. En términos de relación, la Estrategia de Seguridad Nacional sirve como un paraguas para la Estrategia de Protección Civil. Además, esta última se concibe como un "refuerzo" de la Seguridad Nacional, en el mismo plano que la Sanidad Pública[1217]. Pero, ¿qué ha llevado a esta situación?

En 2010 se elaboró la Estrategia Española de Seguridad, un documento público que destacaba la complejidad del mundo actual y los problemas igualmente complejos que enfrentamos, para los cuales se requieren estrategias precisas. En junio de 2011 se estableció la Estrategia Española de Seguridad. Posteriormente, en virtud del Real Decreto 1119/2012, de 20 de julio, que modificaba el Real Decreto 83/2012, de 13 de enero, por el cual

---

1216 Naciones Unidas. (2015). Marco de Sendai para la Reducción del Riesgo de Desastres 2015-2030. UNISDR/GE/2015–ICLUX ES 1ª edición.

1217 Real Decreto 1150/2021, de 28 de diciembre, por el que se aprueba la Estrategia de Seguridad Nacional 2021. *BOE* del 31 de diciembre de 2021, página 127817.

se reestructuraba la Presidencia del Gobierno, se estableció el Departamento de Seguridad Nacional, ubicado en el Gabinete del presidente del Gobierno. En 2013 se lanzó una nueva Estrategia de Seguridad Nacional, acompañada de un Real Decreto que regularía el Consejo de Seguridad Nacional.

En la Estrategia de Seguridad Nacional del año 2017, se menciona expresamente el término "protección civil" en cinco ocasiones. Esto representa un avance, ya que en la estrategia de 2013 no se cita en ninguna ocasión, y se refiere únicamente a esta como "Sistema Nacional de Protección de los ciudadanos"[1218]. Esto se hace para resaltar su papel como un instrumento integrador de todas las capacidades de nuestro país para hacer frente a situaciones de emergencias y catástrofes, asegurando "su integración dentro del sistema de Seguridad Nacional"[1219]. En la Estrategia de Seguridad Nacional de 2021, "protección civil" es citada en diez ocasiones, donde se indica la necesidad de un intercambio permanente y en tiempo real de información entre el Sistema Nacional de Protección Civil y el Sistema de Seguridad Nacional en caso de catástrofe.

Las principales amenazas y desafíos para la Seguridad Nacional, en dicha Estrategia eran [1220]: conflictos armados, terrorismo, crimen organizado, proliferación de armas de destrucción masiva y espionaje. Los objetivos y líneas estratégicas actúan en los vectores de: defensa nacional, lucha contra el terrorismo, lucha contra el crimen organizado, no proliferación de armas de destrucción masiva, contrainteligencia, ciberseguridad, seguridad marítima, protección de las infraestructuras críticas, seguridad económica y financiera, seguridad energética, ordenación de flujos migratorios, protección ante emergencias y catástrofes. Además se incluyen algunos objetivos novedosos, como la seguridad frente a pandemias y epidemias, así como la preservación del medio ambiente (con especial énfasis en la lucha contra el cambio climático), y la seguridad del espacio aéreo y ultraterrestre.

En la Estrategia de Seguridad Nacional de 2021 el mensaje es claro y nítido:

En el contexto de seguridad actual, caracterizado por un retroceso del multilateralismo, un aumento de la asertividad de ciertos actores y un incremento de la competición estratégica entre Estados, el riesgo de que se produzcan tensiones con impacto directo sobre los intereses nacionales, e incluso sobre la propia so-

---

1218 Estrategia Nacional de Seguridad Nacional 2013, pág. 38.

1219 Real Decreto 1008/2017, de 1 de diciembre, por el que se aprueba la Estrategia de Seguridad Nacional 2017. BOE del 21 de diciembre de 2017, página 126001.

1220 Básicamente ya estaban descritas en la Estrategia de Seguridad Nacional de 2013.

beranía, constituye una seria amenaza para la Seguridad Nacional, cuya máxima expresión tendría la posibilidad de evolucionar hacia un conflicto armado.[1221]

Los riesgos y amenazas observados y explicitados en la Estrategia de Seguridad Nacional de 2021 incluyen: tensión estratégica y regional, terrorismo y radicalización violenta, epidemias y pandemias, amenazas a las infraestructuras críticas, emergencias y catástrofes, espionaje e injerencias externas, campañas de desinformación, vulnerabilidades en el ciberespacio, espacio marítimo y aeroespacial, crimen organizado y delincuencia grave, flujos migratorios irregulares, vulnerabilidad en materia energética, proliferación de armas de destrucción masiva, así como los impactos del cambio climático y la degradación del medio ambiente.

Durante el año 2022, el Consejo de Seguridad Nacional mantuvo tres reuniones en las que se abordaron temas como la invasión rusa de Ucrania, la llegada de refugiados a nuestro país, así como cuestiones relacionadas con el terrorismo y la seguridad marítima. En 2023, se produjeron dos reuniones, donde siguió estando presente la invasión rusa y se abordó la lucha contra el enriquecimiento ilícito de las organizaciones criminales y de los delincuentes, acordándose la elaboración de una Estrategia Nacional para la Prevención de la Proliferación de Armas de Destrucción Masiva, y en la segunda, volvió a estar presente el conflicto en Ucrania y se abordó la regulación del Consejo Nacional de Seguridad Aeroespacial. En 2024 se han celebrado cuatro reuniones: en la primera se aprobó el Informe Anual de Seguridad Nacional del ejercicio 2023, así como las nuevas estrategias nacionales contra el Terrorismo y de Seguridad Marítima, sin olvidar la guerra de Ucrania y el conflicto en Gaza. En la segunda, se ocupó de temas relacionados con el Plan de Recuperación, Transformación y Resiliencia así como de digitalización, dándose el visto bueno al Esquema Nacional de Seguridad de redes y servicios 5G. La tercera se celebró el 26 de agosto, del que no se ha publicado el contenido (en este mes, el conflicto entre Israel y Gaza se intensificó con la evacuación de Deir Al Balah, desplazando a más de 250.000 personas y provocando críticas de Naciones Unidas por la falta de áreas seguras para los desplazados, mientras las negociaciones para un alto el fuego permanecían estancadas, al tiempo que en Ucrania seguían los ataques rusos, incluyendo un incidente en Kryvyi Rih que dejó numerosas víctimas, mientras el presidente Zelenski aumentaba la tensión geopolítica al amenazar con no renovar el acuerdo de tránsito de gas con Rusia. Mientras, España experimentaba un notable incre-

---

1221 Real Decreto 1150/2021, de 28 de diciembre, por el que se aprueba la Estrategia de Seguridad Nacional 2021. *BOE* del 31 de diciembre de 2021, página 167810.

mento de la inmigración irregular, pues hasta el 15 de agosto se registraron 31.155 llegadas, lo que representaba un aumento del 66,2% respecto al mismo período del 2023. Y la cuarta, con la presencia de S.M. el Rey, se abordaron los conflictos internacionales, se aprobó la vigente Estrategia Nacional de Protección Civil, la creación del Comité Especializado contra el Crimen Organizado y la Delincuencia Grave y las normas de elaboración de la Estrategia de Seguridad Aeroespacial. En 2025, el Consejo de Seguridad Nacional de España celebró varias reuniones clave para abordar temas estratégicos de seguridad nacional. El 24 de abril se aprobó el inicio del procedimiento para la elaboración de la nueva Estrategia de Seguridad Nacional, motivada por el notable cambio del entorno internacional desde 2021. Posteriormente, el 14 de julio, bajo la presidencia del presidente del gobierno, se aprobaron la Estrategia Nacional contra el Crimen Organizado y la Delincuencia Grave 2025, así como la Estrategia de Seguridad Aeroespacial Nacional, incluyendo el informe para el Plan Nacional contra la Financiación de la Proliferación de Armas de Destrucción Masiva. Además, estas reuniones contemplaron análisis pormenorizados sobre la situación en Oriente Próximo y Ucrania, evidenciando un enfoque multidisciplinar y coordinado entre miembros del Gobierno, altos cargos y cuerpos de inteligencia y defensa para afrontar los retos de seguridad del país durante el año.

Estamos enfrentándonos a un mundo complejo, con problemas muy variados y amenazas multifacéticas. Como se reconoce en documentos explicativos de la Estrategia de 2021, las crisis pueden presentar diferentes facetas, por lo que se hace necesario el empleo de sistemas de alerta temprana y la aplicación de nuevas tecnologías.

Como novedad, destaca la participación de las Comunidades Autónomas, por su disponibilidad de capacidades y recursos. Esto refleja la necesidad de una cogobernanza en competencias autonómicas o compartidas, así como su participación en el Plan Nacional de Adaptación al Cambio Climático 2021-2030 y la elaboración de un catálogo dinámico de recursos de los sectores estratégicos dentro de su ámbito competencial.

Se establece un plazo de cinco años para la integración de las Comunidades Autónomas y Ciudades Autónomas en el Sistema de Seguridad Nacional. Para ello, se requerirá un plan de extensión progresiva de comunicaciones especiales. Es evidente que todos estos recursos son fundamentales para alcanzar los objetivos de una estrategia adaptada a un sistema complejo.

Queda claro que la Estrategia que se impulsa en nuestro país en materia de Protección Civil está supeditada a la Seguridad Nacional. Así se expresa en el Capítulo IV de la Estrategia Nacional de Protección Civil al abordar el seguimiento, evaluación y revisión de dicha Estrategia. Se indica que la misma será objeto de revisión al menos cada cinco años, y también, entre otras razones, "cuando así lo aconsejen las modificaciones de la Estrategia de Seguridad Nacional".

4.5.- El Plan estatal de emergencias de Protección Civil (PLEGEM)

La Ley 17/2015, de 9 de julio, del Sistema Nacional de Protección Civil, establece la necesidad de una organización y procedimientos eficaces por parte de la Administración General del Estado. Estos deben brindar apoyo y asistencia a otras administraciones públicas en situaciones de emergencia dentro del ámbito de la protección civil. Además, la ley busca garantizar la capacidad de gestión y coordinación integral en situaciones de emergencia que afecten al interés nacional.

En 2015, con la aprobación de la Ley 17/2015, de 9 de julio, del Sistema Nacional de Protección Civil[1222], se estableció una línea estratégica para impulsar un Plan Estatal General de Protección Civil[1223]. Como resultado, surgió el Plan Estatal de Emergencias del Estado (PLEGEM), que fue aprobado por el Consejo de Ministros el 15 de diciembre de 2020. El objetivo principal del PLEGEM es mejorar la coordinación entre todas las administraciones que participan en el Sistema Nacional de Protección Civil e integrarlo en el Sistema de Seguridad Nacional.

Los Planes de Emergencia elaborados hasta ahora tenían objetivos específicos y limitados, lo que ha dejado sin respuesta situaciones de emergencia específicas y de naturaleza multirriesgo, que son de baja probabilidad pero de alto impacto. Con la creación del Plan Estatal de Emergencias del Estado (PLEGEM), por primera vez se integrarán todos los planes de emergencia, ya sean estatales o autonómicos. Esto refuerza la colaboración interadministrativa, que es fundamental para abordar estas situaciones de manera efectiva.

El Plan se estructura en 11 apartados:

1. Disposiciones generales.
2. Redes de información y comunicaciones de emergencia del Estado.
3. Riesgos en el ámbito de Protección Civil.

1222 Ley 17/2015, de 9 de julio, del Sistema Nacional de Protección Civil. https://www.boe.es/buscar/act.php?id=BOE-A-2015-7730

1223 Íbidem arts. 14, 15, 33 y 34.

4. Capacidades del Sistema Nacional de Protección Civil.
5. Órganos de gestión del PLEGEM.
6. Operatividad del Plan Estatal General.
7. Otras activaciones del PLEGEM.
8. Medidas de protección.
9. Integración del PLEGEM con otros Sistemas y planes.
10. Implantación, mantenimiento y evaluación del Plan.
11. Anexo I. Catálogo de Planes de competencia estatal.

Tiene por funciones básicas:

a. Definir los protocolos de gestión y dirección de emergencias y desastres de Protección Civil en situaciones de interés nacional.
b. Detallar los procedimientos de intervención de la Administración General del Estado para ofrecer ayuda y respaldo a otras Administraciones Públicas en emergencias de Protección Civil dentro de sus ámbitos de competencia.
c. Integrar los Planes Especiales de competencia de la Administración General del Estado, así como los Planes Territoriales y, en su caso, Especiales, de las Comunidades Autónomas y de las Ciudades de Ceuta y Melilla, manteniendo la coherencia y homogeneidad del Sistema Nacional de Protección Civil en todas sus fases.
d. Constituirse en el mecanismo operativo facilitador de la integración del Sistema Nacional de Protección Civil en el Sistema de Seguridad Nacional.
e. Ser el instrumento máximo de apoyo del SNPC a otros sistemas y servicios públicos que requieran recursos extraordinarios para garantizar la protección de personas y bienes en situaciones de grave riesgo y catástrofes.
f. Determinar los procedimientos para la gestión de la ayuda y colaboración internacional en las emergencias y catástrofes de Protección Civil.

Para cumplir con las funciones mencionadas anteriormente, se dota al Sistema de dos redes esenciales: la Red Nacional de Información (RENAIN) y la Red de Alerta Nacional (RAN). La RENAIN es gestionada por el Centro Nacional de Seguimiento y Coordinación de Emergencias (CENEM)[1224]. La necesidad de

1224 El Centro Nacional de Seguimiento y Coordinación de Emergencias (CENEM) es un centro de carácter estratégico de gestión y coordinación tanto de la información

poner en marcha ambas redes tiene su origen en la Ley 17/2015, de 9 de julio del Sistema Nacional de Protección Civil en sus artículos 9 y 12 respectivamente.

La Red Nacional de Información sobre Protección Civil contendrá información de importancia capital que requerirá una actualización constante. Esto incluirá el Mapa Nacional de Riesgos de Protección Civil, los catálogos oficiales de actividades que puedan desencadenar una emergencia de protección civil, el registro digital de los planes de protección civil, los catálogos de recursos disponibles, el Registro Nacional de Datos sobre Emergencias y Catástrofes, así como cualquier otra información pertinente para anticipar riesgos de emergencia.

La Red de Alerta Nacional tiene la capacidad de ofrecer avisos de emergencia a las autoridades competentes en materia de protección civil cuando sea necesario. Su objetivo principal es anticiparse a los riesgos y proporcionar una respuesta eficaz cuando la situación lo requiera, siempre respetando las competencias de las comunidades autónomas.

La Red de Alerta Nacional (RAN) dispone del Sistema de Avisos a la Población (Public Warning System, RAN-PWS), una iniciativa tecnológica de ámbito nacional que utiliza redes de telefonía móvil y canales masivos de comunicación para enviar alertas a la ciudadanía. Este sistema permite a las autoridades enviar avisos de forma generalizada e inmediata a personas geolocalizadas en áreas afectadas por emergencias o catástrofes, facilitando una respuesta rápida y coordinada. La implantación del RAN-PWS responde a la exigencia de la Directiva Europea 2018/1972, sobre comunicaciones electrónicas. Su operación se realiza mediante un contrato con la empresa SIA (Grupo Indra), y emplea tecnologías avanzadas como la difusión por celdas

---

como de la alerta a nivel nacional en el ámbito de la Protección Civil. Trabaja en cooperación con otros centros de coordinación, de ámbito autonómico y también internacionales, las 24 horas del día, los 365 días del año. Tiene un catálogo de funciones amplio, que abarca desde la divulgación de datos y estadísticas, es el Punto de Contacto con los órganos de la Unión Europea, canaliza información de su ámbito de actuación que ha de proporcionarse a los ciudadanos, y gestiona, como antes se mencionó, la Red Nacional de Información sobre Protección Civil y la Red de Alerta Nacional de Protección Civil, así como la Red de comunicaciones y emergencias de la Dirección General de Protección Civil y Emergencias del Ministerio del Interior. Conviene destacar que es un instrumento de gestión de la activación de la Unidad Militar de Emergencias, y se constituye en Centro de Coordinación Operativa a nivel estatal, cuando el Ministerio del Interior declare situación de emergencia de interés nacional. Por último, el CENEM es un nexo de colaboración en el ámbito de la Protección Civil entre todas las administraciones y los organismos públicos. Cuenta con la certificación de calidad AENOR.

(Cell Broadcast), que permite emitir mensajes simultáneos a todos los teléfonos móviles en la zona afectada sin importar el operador. El sistema soporta redes 2G, 3G, 4G y 5G, e incluye mecanismos para asegurar la redundancia y seguridad de las comunicaciones. Además, los mensajes se transmiten en varios idiomas, asegurando la accesibilidad a turistas y residentes, y cuentan con señales acústicas y de vibración incluso con el teléfono en modo silencioso para alertas críticas, garantizando la máxima eficacia en la protección civil[1225].

La Directiva (UE) 2018/1972 del Parlamento Europeo y del Consejo de 1 de diciembre de 2018, por la que se establece el Código Europeo de las Comunicaciones Electrónicas, expresa en su artículo 110, sistema de alerta público:

1. A más tardar el 21 de junio de 2022, cuando existan sistemas de alerta público en caso de grandes catástrofes o emergencias inminentes o en curso, los Estados miembros velarán por que los proveedores de servicios móviles de comunicaciones interpersonales basados en numeración transmitan las alertas a los usuarios finales afectados

El Gobierno de España puso en marcha el sistema ES-Alert, una herramienta tecnológica avanzada para la difusión de alertas de emergencia, que adapta el protocolo europeo EU-Alert a nivel nacional. Este sistema, desarrollado mediante un acuerdo entre los Ministerios del Interior y de Asuntos Económicos y para la Transformación Digital, ha sido financiado con los fondos del Plan de Recuperación, Transformación y Resiliencia, en el marco del programa Next Generation EU, evidenciando el compromiso del Estado con la modernización de sus infraestructuras de gestión de riesgos y emergencias.

El ES-Alert opera como parte del Sistema Nacional de Protección Civil, estando a disposición de los centros de coordinación de emergencia de las Comunidades Autónomas. Estos centros, junto con el Centro Nacional de

---

1225 Directiva (UE) 2018/1972 del Parlamento Europeo y del Consejo de 11 de diciembre de 2018 por la que se establece el Código Europeo de las Comunicaciones Electrónicas. *Diario Oficial de la Unión Europea,* 17 de diciembre de 2018.
(20) "La evolución técnica hace posible que los usuarios finales accedan a los servicios de emergencia no solo mediante llamadas de voz, sino también mediante otros servicios de comunicaciones interpersonales. El concepto de comunicación de emergencia debe abarcar, pues, todos los servicios de comunicaciones interpersonales que permiten el acceso a tales servicios de emergencia. Ese concepto se basa en los elementos del sistema de emergencia que ya se recogen en el Derecho de la Unión, a saber, el «punto de respuesta de seguridad pública» («PSAP») y el «PSAP más apropiado», según se definen en el Reglamento (UE) 2015/758 del Parlamento Europeo y del Consejo (1), y en los «servicios de emergencia», según se definen en el Reglamento Delegado (UE) n.o 305/2013 de la Comisión."

Seguimiento y Coordinación de Emergencias del Ministerio del Interior, tienen la responsabilidad de definir y emitir alertas dentro de sus respectivas competencias, activándolo únicamente cuando la situación lo precise. Este enfoque descentralizado permite una gestión eficiente y adaptada a las necesidades territoriales, respetando el principio de subsidiariedad y fortaleciendo la coordinación interadministrativa.

Un elemento clave del despliegue de ES-Alert ha sido la colaboración con los operadores de telefonía móvil, quienes han instalado la tecnología necesaria para transmitir las alertas mediante el uso de Cell Broadcast. Este sistema permite que los mensajes se emitan desde las antenas de telefonía móvil hacia los dispositivos dentro de su área de cobertura, independientemente de la numeración de los terminales. Esta característica garantiza una rápida difusión de alertas a los ciudadanos afectados, sin que sea necesario procesar datos personales, lo que exime al sistema de las obligaciones en la normativa de protección de datos.

De otro lado, el Sistema de Radiocomunicaciones Digitales de Emergencia del Estado (SIRDEE), gestionado por el Centro Tecnológico de Seguridad del Ministerio del Interior, proporciona a los órganos encargados de la gestión del Plan Estatal General de Emergencias del Estado (PLEGEM) comunicaciones, principalmente de voz, a través de canales cifrados. Es una red de radiocomunicaciones de tipo "trunking digital"[1226], construida sobre tecnología TETRAPOL[1227]. Y como elemento de apoyo, de ser necesario, también se dispone de la Red Nacional de Radio de Emergencias (REMER), que es una organización de radioaficionados voluntarios encuadrados en la Dirección General de Protección Civil y Emergencias (DGPCE). Estos voluntarios ponen a disposición sus equipos y conocimientos para demandas de protección

---

1226 Reghezza, D.: "El trunking, también conocido como acceso troncalizado, es un sistema de radio bidireccional administrado por el controlador -una computadora industrial capaz de gestionar los canales- que permite a los usuarios "compartir" múltiples frecuencias de comunicación. En otras palabras, es un sistema de irradiación para que radios portátiles y móviles se comuniquen. Las redes de telecomunicaciones en todo el mundo se basan en enlaces troncales que, como su nombre lo indica, funcionan como un árbol cuyo tronco es la línea principal y las ramas las líneas de comunicación."

1227 TETRAPOL: "Los usuarios profesionales de la seguridad pública o de la industria necesitan comunicaciones de llamada de grupo fiables y eficaces. Tetrapol es una tecnología de radio móvil profesional (PMR) abierta y digital, diseñada para adaptarse a estos usuarios más exigentes. Desde los organismos de seguridad pública y los militares hasta los operadores de servicios públicos y de transporte, los profesionales de todo el mundo confían en Tetrapol para proporcionar unas comunicaciones de voz y datos seguras y fiables." https://www.tetrapol.com

civil. El objetivo de la REMER es constituir un sistema de comunicaciones alternativo[1228] y complementario[1229] a las redes de comunicaciones de que dispone la DGPCE, así como conformar una estructura operativa que permita el derecho y deber ciudadano de colaborar en situaciones de emergencias y catástrofes, y constituirse en una capacidad estatal de apoyo al Sistema Nacional. En virtud de la Orden IET/1311/2013[1230], todo radioaficionado, sea voluntario o no, estará obligado a requerimiento de la Dirección General de Protección Civil y Emergencias, del Ministerio del Interior, a colaborar.

La REMER está regulada por la Orden INT/1149/2018[1231], de 29 de octubre, y sin duda es el exponente de una regulación precisa de la colaboración ciudadana en materia de protección civil, colaboración que comenzó a andar provisionalmente el 26 de abril de 1984[1232].

1228 Orden IET/1311/2013, de 9 de julio, por la que se aprueba el Reglamento de uso del dominio público radioeléctrico por radioaficionados. Art. 30.3: Las estaciones de aficionado pueden ser utilizadas para la transmisión de comunicaciones en nombre de terceros solamente en casos de emergencia o desastre.

1229 Ley 17/2015, de 9 de julio, del Sistema Nacional de Protección Civil. *BOE* núm. 164, de 10 de julio de 2015. Artículo 7. 2.:
"2. La participación de los ciudadanos en las tareas de protección civil podrá canalizarse a través de las entidades de voluntariado, de conformidad con lo dispuesto en las leyes y en las normas reglamentarias de desarrollo."
Artículo 7 quater. Voluntariado en el ámbito de la protección civil:
"1. El voluntariado de protección civil podrá colaborar en la gestión de las emergencias, como expresión de participación ciudadana en la respuesta social a estos fenómenos, de acuerdo con lo que establezcan las normas aplicables, sin perjuicio del deber general de colaboración de los ciudadanos en los términos del artículo 7 bis.
3. La red de comunicaciones de emergencia formada por radioaficionados voluntarios podrá complementar las disponibles ordinariamente por los servicios de protección civil."

1230 Orden IET/1311/2013, de 9 de julio, por la que se aprueba el Reglamento de uso del dominio público radioeléctrico por radioaficionados. Art. 30.4: Todo titular de una autorización de radioaficionado vendrá obligado, a requerimiento de la Dirección General de Protección Civil y Emergencias, del Ministerio del Interior, a colaborar con sus medios radioeléctricos, en las bandas de frecuencias atribuidas al servicio de radioaficionados, para satisfacer las necesidades de comunicaciones relacionadas con operaciones de socorro y seguridad en caso de catástrofes.

1231 Orden INT/1149/2018, de 29 de octubre, por la que se regula la organización y el funcionamiento de la Red Nacional de Radio de *Emergencia.* BOE*, 31 de* octubre de 2018.

1232 La creación fue por Resolución del 1 de diciembre de 1986 de la Dirección General de Protección Civil.

La interconexión de los Centros de Emergencias se realiza de conformidad a un Plan Nacional de Interconexión que aprueba el Ministerio del Interior, con informe previo del Consejo Nacional de Protección Civil.

El PLEGEM prevé la creación de un Mecanismo Nacional de Respuesta en Emergencias, inspirado en el modelo europeo, que permite movilizar entre comunidades autónomas los recursos del sistema en aquellas situaciones en las que no ha sido declarado el interés nacional, haciendo una disposición eficiente de los medios.

Se crea el Comité Estatal de Coordinación y Dirección (CECOD) como órgano de integración y colaboración entre las diferentes administraciones públicas y organismos que colaboran en la gestión de las emergencias. El Comité coordina las actuaciones que habrán de desarrollar cada una de ellas mediante la activación de un Mecanismo Nacional de Respuesta.

Para dotar a todo el sistema de una mayor operatividad, podrán movilizarse, cuando sea preciso, representantes del Ministerio de Asuntos Exteriores, Unión Europea y Cooperación, así como Defensa o Departamento de Seguridad Nacional de Presidencia del Gobierno.

Las capacidades del sistema de protección civil de España están disponibles para la movilización internacional, ya sea a petición de la Unión Europea o de terceros países, mediante acuerdos bilaterales o multilaterales, de acuerdo con los instrumentos del Derecho Internacional[1233]. La autorización corresponde al Ministerio del Interior. En caso de que nuestro país necesite ayuda,

---

[1233] En el caso de ser requeridos medios del Ministerio de Defensa, se aplicará la Ley Orgánica 5/2005, de 17 de noviembre, de la Defensa Nacional. *BOE* núm. 276, de 18 de noviembre de 2005.
Art. 19. Condiciones Para que las Fuerzas Armadas puedan realizar misiones en el exterior que no estén directamente relacionadas con la defensa de España o del interés nacional, se deberán cumplir las siguientes condiciones:
a) Que se realicen por petición expresa del Gobierno del Estado en cuyo territorio se desarrollen o estén autorizadas en Resoluciones del Consejo de Seguridad de las Naciones Unidas o acordadas, en su caso, por organizaciones internacionales de las que España forme parte, particularmente la Unión Europea o la Organización del Tratado del Atlántico Norte (OTAN), en el marco de sus respectivas competencias.
b) Que cumplan con los fines defensivos, humanitarios, de estabilización o de mantenimiento y preservación de la paz, previstos y ordenados por las mencionadas organizaciones.
Que sean conformes con la Carta de las Naciones Unidas y que no contradigan o vulneren los principios del derecho internacional convencional que España ha incorporado a su ordenamiento, de conformidad con el artículo 96.1 de la Constitución.

ésta se solicitará dentro del marco establecido por el Mecanismo Europeo de Protección Civil, a través de la Dirección del PLEGEM (es necesario que el PLEGEM esté activado, ya sea en de preemergencia, emergencia de interés nacional o de apoyo a otros sistemas nacionales). La ayuda que España pueda ofrecer, o que nos puedan ofrecer como país, se basa en los principios de solidaridad y complementariedad.

Tienen la consideración de órganos de dirección del PLEGEM: la Dirección del Plan, el Comité Estatal de Coordinación y Dirección (CECOD), la Dirección Operativa de la Emergencia, el Gabinete de Coordinación Informativa y los Comités de Dirección Territoriales.

La Dirección del Plan recae en el Ministerio del Interior en todas sus fases y situaciones operacionales (en caso de interés nacional, la dirección está a cargo del ministro del Interior; en el resto de situaciones, en el titular de la Subsecretaría de Interior o titular de la Dirección General de Protección Civil).

El Comité Estatal de Coordinación y Dirección (CECOD) es un órgano de integración y participación donde se reúnen tanto las Administraciones Públicas como los entes involucrados en la gestión de emergencias activadas por el PLEGEM, y está compuesto, entre otros, por:

- Titulares de la Subsecretaría de Interior y de la Dirección General de Protección Civil y Emergencias.
- Secretaría de Estado de Seguridad.
- Dirección General de la Policía.
- Dirección General de la Guardia Civil.
- Dirección General de Tráfico.
- Departamento de Seguridad Nacional.
- Ministerio de Defensa.
- Agencia Estatal de Meteorología.
- Cualquier otro designado por el Ministerio del Interior en función de la tipología de la emergencia y los recursos a movilizar.

En caso de declaración de interés nacional, se incorporará un representante con nivel de consejero de la Comunidad o Comunidades Autónomas, así como de las Ciudades de Ceuta y Melilla, atendiendo al ámbito territorial de la emergencia, junto con el titular de la Delegación del Gobierno y de la Unidad Militar de Emergencias.

Un elemento clave en toda situación de emergencia es contar con una adecuada política informativa que pueda, entre otras funciones, proporcionar recomendaciones a la población afectada. El Gabinete de Coordinación Informativa lo asume la Dirección de Comunicación del Ministerio del Interior en fases de emergencia con presencia del interés nacional, y en el resto de situaciones, por la Dirección General de Protección Civil y Emergencias a través de su servicio de comunicación.

Los órganos de mando e intervención son: el Mando Operativo Integrado, los Puestos de Mando Avanzados, los Grupos de Acción, los Centros de Recepción Logística y los Centros de Atención a los Ciudadanos.

Los Grupos de Acción pueden ser: Grupo de Intervención; Grupo de Reconocimiento de Daños y Restablecimiento de Infraestructuras; Grupo de Evacuación y Rescate; Grupo de Seguridad; Grupo Sanitario; Grupo Forense; Grupo de Albergue, Abastecimiento y Asistencia Social; Grupo de Apoyo Logístico y Grupo de Intervención Psicosocial.

La operatividad del PLEGEM está estructurada en las siguientes fases:

II. Alerta y seguimiento permanente.

III. Preemergencia.

IV. Emergencia de Interés Nacional.

V. Apoyo a otros Sistemas Nacionales.

VI. Recuperación.

La definición de las situaciones operativas será:

- Situación 1
- Situación 2
- Situación 3.
- Situación E

Las situaciones operativas del PLEGEM, tanto 1 como 2 y 3 son acumulativas. Tales situaciones describen supuestos en función de la capacidad de respuesta de los distintos ámbitos territoriales. Así, la Situación 1 se refiere a aquella en la que la emergencia se puede controlar con las capacidades de una o varias Comunidades Autónomas afectadas, o Ciudades de Ceuta y Melilla, o con apoyos de carácter puntual sin precisar una coordinación de los órganos centrales del Sistema Nacional de Protección Civil.

Nos encontraremos en una Situación 2 (declarada por el Ministerio del Interior), cuando la o las emergencias no se pueden controlar, o exista un riesgo cierto de que no se pueda lograr controlarla con los medios propios del ámbito territorial descrito en la Situación 1. Por lo tanto, se prevé la aportación de medios y recursos de carácter extraordinario por parte de la Administración General del Estado, así como de otras Comunidades Autónomas o Ciudades de Ceuta y Melilla. En esta Situación 2, hemos de tener presente la posibilidad de una evolución hacia una emergencia con presencia del interés nacional.

La Situación 3 estará presente cuando nos enfrentemos a una emergencia de interés nacional (la titularidad recae en el ministro del Interior o en el responsable de la Jefatura de la Unidad Militar de Emergencias, salvo que no se despliegue la Unidad).

Por último, la Situación E estará presente cuando apoyemos a otros Sistemas Nacionales (situación declarada por el responsable del Ministerio del Interior).

Las Fuerzas y Cuerpos de Seguridad del Estado podrán participar en las distintas fases del PLEGEM para el ejercicio de aquellas funciones que le son propias, formando parte del Grupo de Seguridad y participando en las funciones a desarrollar por los Centros de Coordinación Operativa, Centros de Coordinación Operativa Integrados, así como Puestos de Mando Avanzados, bajo la dirección, en todo caso, de sus mandos naturales.

Las Fuerzas Armadas colaboran conforme a lo establecido en la Ley Orgánica 5/2005, de 17 de noviembre, de la Defensa Nacional, así como en la Ley 17/2015, de 9 de julio, del Sistema Nacional de Protección Civil, junto con el resto de disposiciones legales y reglamentarias aplicables. Su actuación se desarrolla siempre bajo la dirección de sus mandos naturales, al igual que sucede con las Fuerzas y Cuerpos de Seguridad del Estado, garantizando así una coordinación eficaz y respetuosa con el marco institucional vigente.

La Unidad Militar de Emergencias es un exponente principal de la contribución de las Fuerzas Armadas, entre otras, para la actuación en emergencias, de conformidad con lo previsto en la legislación que la regula, así como el art. 37 de la Ley 17/2015, de 9 de julio, del Sistema Nacional de Protección Civil.

El PLEGEM también prevé que participen Cruz Roja Española, el Voluntariado de Protección Civil, así como otras organizaciones y entidades sociales.

Hasta aquí, hemos podido advertir las distintas situaciones en las que es susceptible de activación el PLEGEM; sin embargo, el abanico de posibilidades no se agota aquí. Puede ser activado como respuesta a algunas de las situaciones previstas en la Ley Orgánica 4/1981, reguladora de los estados de alarma, excepción y sitio[1234], así como en la Ley 36/2015, de 28 de septiembre, de Seguridad Nacional[1235], y en otras disposiciones con rango de ley. Además, el PLEGEM puede activarse en su fase de apoyo cuando se produzcan situaciones que afecten gravemente al funcionamiento de algún servicio esencial o de carácter crítico para la comunidad, de conformidad con las normas legales que así lo prevean.

En su vertiente exterior, el PLEGEM puede ser activado para ayudar en la respuesta a catástrofes o emergencias fuera de nuestras fronteras, ya sea en el ámbito de la Unión Europea o en el marco de los acuerdos bilaterales o multilaterales suscritos por España a través de Convenios o Tratados Internacionales, o por cualquier otra vía que se precise en función de la decisión de colaboración con terceros países. En estos casos, la activación corresponde al Ministerio del Interior.

Las medidas de protección están indicadas, con carácter general, en el Plan Estatal correspondiente, así como en los Planes Territoriales de la Comunidad Autónoma o de las Ciudades de Ceuta y Melilla. Consisten en: información y avisos a la población afectada, control de los accesos y funciones de seguridad ciudadana, confinamiento, alejamiento, evacuación, albergue y medidas de autoprotección. Llegados a este extremo, pondremos un énfasis especial en las medidas de autoprotección, que se recogen en el PLEGEM en su art. 8.8. como una obligación a impulsar por los órganos técnicos de protección civil[1236]. Esta función implica una tarea formativa importante, y como indicamos en la presente

---

1234 Ley Orgánica 4/1981, de 1 de junio, de los estados de alarma, excepción y sitio. Boletín Oficial del Estado núm. 134, de 05 de junio de 1981. Referencia: BOE-A-1981-12774.

1235 Ley 36/2015, de 28 de septiembre, de Seguridad Nacional. *Boletín Oficial del Estado* núm. 233, de 29 de septiembre de 2015.

1236 Resolución de 16 de diciembre de 2020, de la Subsecretaría, por la que se publica el Acuerdo del Consejo de Ministros de 15 de diciembre de 2020, por el que se aprueba el Plan Estatal General de Emergencias de Protección Civil. Boletín Oficial del Estado Núm. 328. *Art.8.8 Medidas de autoprotección Las medidas de autoprotección son actuaciones, individuales o colectivas, fácilmente realizables por cualquier persona adulta o grupo social simple, siendo de gran eficacia para garantizar la seguridad de las personas si se aplican correctamente, por lo que constituyen un complemento esencial de los Planes de protección civil.*
La elaboración de guías técnicas de autoprotección, y su difusión permanente, es una obligación esencial de los órganos técnicos de Protección Civil.
El Ministerio del Interior mantendrá a través de los medios de comunicación de la Dirección General de Protección Civil y Emergencias (DGPCE), un amplio repositorio de medidas de autoprotección aplicables a cualquier tipo de riesgo.
En todas las fases de activación del PLEGEM, se difundirán por los medios adecuados las medidas de autoprotección que se ajusten a cada situación de emergencia o catástrofe.

Tesis, el sistema educativo podría paliar las carencias con una sensibilización y formación desde una edad temprana. No en todos los territorios en España existen órganos técnicos de Protección Civil con esta capacidad de dar respuesta a este mandato, pero sí en todos los territorios existen centros educativos.

La protección del medio ambiente no es cuestión ajena al PLEGEM. Por lo tanto, en las actuaciones de emergencia, se debe tener en cuenta su afectación, con el objetivo de prevenirla, o al menos, minimizarla, especialmente cuando se trata de espacios naturales de gran valor. El Consejo Nacional de Protección Civil aprobará, a propuesta de los Ministerios del Interior y de Transición Ecológica y el Reto Demográfico, unas guías técnicas para promover esta protección. Además, esta protección debe extenderse a los bienes personales, públicos y aquellos con valor cultural, histórico y artístico[1237].

Si el PLEGEM es un instrumento para integrar el Sistema Nacional de Protección Civil[1238] en el Sistema de Seguridad Nacional, prevé su integración bajo las premisas que establezca la normativa y reglamentación correspondiente. Según la normativa reguladora del PLEGEM, en todas las fases del mismo, ya sea en preemergencia, emergencia de interés nacional o de apoyo, habrá un representante del Departamento de Seguridad Nacional formando parte del Comité Estatal de Coordinación y Dirección (CECOD).

Para garantizar la operatividad del PLEGEM mediante su implantación, es necesario realizar una labor constante de verificación y actualización de los directorios de comunicaciones de los órganos que lo integran, así como actualizar su catálogo de capacidades y difundir el Plan de manera adecuada entre los participantes. Además, se debe sensibilizar a la población a través de campañas informativas.

Los titulares de centros, establecimientos y dependencias en los que se realicen actividades que puedan originar una emergencia de protección civil, están obligados a informar preventivamente a los ciudadanos potencialmente afectados acerca de los riesgos y de las medidas de prevención adoptadas, de acuerdo con lo dispuesto en la normativa de aplicación.

1237 El elemento típico "bienes de valor histórico, artístico, científico, cultural o monumental, o en yacimientos arqueológicos, terrestres o subacuáticos "integra un elemento normativo de naturaleza cultural a valorar judicialmente", como señala la STS (Sala 2ª) de 20 de diciembre de 2019, rec. nº 1316/2018. El Tribunal Constitucional, en su sentencia 181/1998, de 17 de septiembre, señala que ostentan dicha condición aquellos bienes con un "valor intrínseco", aunque no haya una declaración formal de la condición de bienes de interés cultural.

1238 En él se integran a su vez los Planes Estatales Especiales y los Planes Territoriales de las Comunidades Autónomas o Ciudades de Ceuta y Melilla, así como los Planes Especiales de su ámbito territorial, y los de nivel inferior al de Comunidad Autónoma.

El mantenimiento del PLEGEM tiene como objetivo verificar y mejorar la eficacia, permitiendo la incorporación de avances de carácter científicos, tecnológicos y operacionales. Para ello, se promoverá la colaboración de las universidades, así como otros centros y organismos públicos y privados que puedan aportar conocimientos y herramientas, como el manejo de datos e inteligencia artificial, con el fin de alcanzar un mayor nivel de excelencia en la gestión de emergencias.

El Mantenimiento es una función que se centra en el análisis de riesgos de protección civil y sus efectos, así como en la evaluación de los sistemas de información aplicables en este ámbito. También implica la recopilación de datos sobre emergencias y catástrofes para su tratamiento automatizado y un análisis constante para mejorar los sistemas logísticos en la respuesta a las emergencias.

La Evaluación del PLEGEM es un trabajo continuo, mediante el análisis crítico que se realiza de las emergencias o catástrofes declaradas, así como de los ejercicios y simulacros realizados.

Un papel esencial es el que desempeña la Escuela Nacional de Protección Civil para promover Programas de Información y Capacitación. Dicha Escuela desarrolla, en colaboración con Comunidades Autónomas y las Ciudades de Ceuta y Melilla, así como Entidades Locales, programas formativos enfocados en el PLEGEM, con especial hincapié en la gestión de riesgos y emergencias de protección civil. También da entrada a los profesionales de los medios de comunicación, quienes son prescriptores importantes, así como a los distintos integrantes de los Grupos de Acción. Además, el Sistema Educativo recibe una atención preferente, permitiendo elaborar módulos informativos tanto sobre el PLEGEM como sobre los Planes Territoriales y Especiales dirigidos a la población en general.

La revisión del PLEGEM se realizará por el Gobierno cuando así lo aconsejen las circunstancias, previo informe del Consejo Nacional de Protección Civil, y en aras a garantizar su plena operatividad.

El PLEGEM incorpora en su Anexo I el Catálogo de Planes de Competencia Estatal, que agrupa planes especializados para riesgos concretos, entre los cuales destacan los planes de emergencia nuclear aprobados por distintos reales decretos y acuerdos del Consejo de Ministros.

Desde la Resolución de la Subsecretaría de 16 de diciembre de 2020, que publicó el Acuerdo del Consejo de Ministros de 15 de diciembre de 2020 aprobando el Plan Estatal General de Emergencias de Protección Civil (PLEGEM), han sido promulgadas normas sustantivas en el ámbito de la protección civil, entre las que destacan la Estrategia de Seguridad Nacional de 2021, la Norma Básica de Protección Civil de 2023 y la Estrategia Nacional de Protección Civil de 2024. Estas disposiciones, al incorporar nuevas amenazas y reforzar los objetivos tradicionales de anticipación, prevención, respuesta y recuperación, evidencian la necesidad de proceder a una revisión y actualización del PLEGEM que asegure su adecuación a los retos actuales y futuros del sistema nacional de protección civil.

5.- AYUDAS Y SUBVENCIONES PARA ATENDER SITUACIONES DE EMERGENCIA O CATÁSTROFE

Las ayudas o subvenciones destinadas a atender las necesidades derivadas de situaciones de emergencia o catástrofe, vienen reguladas por tres normas básicas: la Ley General de Subvenciones, y los Reales Decretos 307/2005, de 18 de marzo, por el que se regulan las subvenciones en atención a determinadas necesidades derivadas de situaciones de emergencia o de naturaleza catastrófica y 477/2007, de 13 de abril, que modifica el anterior.

La Ley 38/2003, de 17 de noviembre, General de Subvenciones[1239], se completa con el Reglamento establecido en el Real Decreto 887/2006[1240], de 21 de julio.

La Ley establece las obligaciones abril, que modifica el anterior o entidad colaboradora, someterse a actuaciones de comprobación, comunicar al órgano concedente la obtención de otras subvenciones, acreditar la observancia de las obligaciones tributarias y de Seguridad Social, conservar los documentos justificativos de la aplicación de los fondos percibidos al menos durante cuatro años, entre otras. La norma establece las causas de reintegro, derivadas del incumplimiento de las obligaciones antes mencionadas, así como otras como es el caso de no adoptar las medidas de difusión, o cualquier supuesto previsto en la normativa reguladora de la subvención.

1239 Ley 38/2003, de 17 de noviembre, General de Subvenciones. Boletín Oficial del Estado (BOE), número 276, de 18 de noviembre de 2003. https://www.boe.es/buscar/pdf/2003/BOE-A-2003-20977-consolidado.pdf

1240 Real Decreto 887/2006, de 21 de julio, por el que se aprueba el Reglamento de la Ley 38/2003, de 17 de noviembre, General de Subvenciones. Boletín Oficial del Estado (BOE), número 176, de 25 de julio de 2006. https://www.boe.es/buscar/pdf/2006/BOE-A-200613371-consolidado.pdf

El reintegro podrá consistir en todo o en parte de las cantidades percibidas más los correspondientes intereses generados por la demora[1241].

El Reglamento establecido en el Real Decreto 887/2006[1242], de 21 de julio, por el que se aprueba el Reglamento de la Ley 38/2003, de 17 de noviembre, General de Subvenciones, establece hasta seis modos diferentes de justificación, entre las que destaca una en concreto, de utilidad clara en situaciones de emergencia y catástrofe: la cuenta justificativa sin aportación de facturas u otros documentos de valor probatorio equivalente, para subvenciones de importe inferior a 60.000 euros[1243], conforme a lo establecido en el art. 30.7 de la Ley 38/2003, de 17 de noviembre[1244].

El Real Decreto 307/2005[1245], de 18 de marzo, por el que se regulan las subvenciones en atención a determinadas necesidades derivadas de situaciones de emergencia o de naturaleza catastrófica, y se establece el procedimiento para su concesión, regula las subvenciones llamadas a atender necesidades nacidas de situaciones de emergencia o de naturaleza catastrófica, estableciendo el sistema para su concesión. Este Real Decreto se enmarca en las acciones a posteriori en materia de protección y socorro de personas y bienes en aquellos casos de situaciones de emergencia[1246] o de naturaleza catastrófica.

1241 El interés de demora en materia de subvenciones será el interés legal del dinero incrementado en un 25%, salvo que la Ley de Presupuestos Generales establezca otra cuantía.

1242 España. (2006). Real Decreto 887/2006, de 21 de julio, por el que se aprueba el Reglamento de la Ley 38/2003, de 17 de noviembre, General de Subvenciones. Boletín Oficial del Estado, número 176, de 25 de julio de 2006. https://www.boe.es/buscar/pdf/2006/BOE-A-2006-13371-consolidado.pdf

1243 En estos casos, basta con la presentación de una Memoria de Actuación, relación clasificada de gastos así como un detalle de los ingresos.

1244 Ley 38/2003, de 17 de noviembre, General de Subvenciones. Boletín Oficial del Estado, número 276, de 18 de noviembre de 2003. Referencia: BOE-A-2003-20977. Artículo 30. Justificación de las subvenciones públicas. 7. Las subvenciones que se concedan en atención a la concurrencia de una determinada situación en el perceptor no requerirán otra justificación que la acreditación por cualquier medio admisible en derecho de dicha situación previamente a la concesión, sin perjuicio de los controles que pudieran establecerse para verificar su existencia.

1245 Real Decreto 307/2005, de 18 de marzo, por el que se regulan las subvenciones en atención a determinadas necesidades derivadas de situaciones de emergencia o de naturaleza catastrófica, y se establece el procedimiento para su concesión. Boletín Oficial del Estado, número 67, de 19 de marzo de 2005. Última modificación el 26 de enero de 2019. https://www.boe.es/buscar/pdf/2005/BOE-A-2005-4573-consolidado.pdf

1246 Real Decreto 307/2005, de 18 de marzo:
Artículo 1. Ámbito de aplicación.

Atendiendo al artículo 17, sobre la cuantía de las ayudas, se observa la baja cuantía de las mismas. Así, índole en relación con el hogar, por la destrucción total de la vivienda habitual, se fija una ayuda de hasta un máximo de 15.120 euros. Cuando se produzca el fallecimiento de personas, la cuantía máxima será de 18.000 euros. Como señala la Disposición Final Segunda, las cuantías podrán ser revisadas mediante orden del Ministro del Interior, previo informe favorable del Ministerio de Economía y Hacienda, para adaptarlas a la evolución del coste de la vida registrada desde la aprobación de la presente norma.

El Real Decreto 477/2007[1247], de 13 de abril, modifica el Real Decreto 307/2005, de 18 de marzo, que ya hemos resumido anteriormente. El objetivo del Real Decreto 477/2007 es extender el ámbito[1248] de la protección que ofrecía el Real Decreto 307/2005[1249] a aquellos ciudadanos que ven cómo su actividad profesional se interrumpe involuntariamente por causa de un suceso catastrófico. La subvención pretende atender esta contingencia, con el propósito de que se pueda restablecer la actividad y continuar siendo el modus vivendi del interesado. Estas subvenciones están dirigidas a una comunidad de propietarios que ve cómo se afectan los bienes comunes,

---

2. Se entenderá por situación de emergencia el estado de necesidad sobrevenido a una comunidad de personas ante un grave e inminente riesgo colectivo excepcional, el cual, por su propio origen y carácter, resulta inevitable o imprevisible, y que deviene en situación de naturaleza catastrófica cuando, una vez actualizado el riesgo y producido el hecho causante, se alteran sustancialmente las condiciones de vida de esa colectividad y se producen graves daños que afectan a una pluralidad de personas y bienes.

1247 Real Decreto 477/2007, de 13 de abril, por el que se modifica el Real Decreto 307/2005, de 18 de marzo, por el que se regulan las subvenciones en atención a determinadas necesidades derivadas de situaciones de emergencia o de índole catastrófica, y se establece el procedimiento para su concesión. Boletín Oficial del Estado, número 90. https://www.boe.es/boe/dias/2007/04/14/pdfs/A16459-16462.pdf.

1248 Real Decreto 477/2007, de 13 de abril. Artículo 27. Beneficiarios y requisitos. 1. Podrán ser beneficiarios los establecimientos industriales, comerciales y de servicios, debidamente registrados, en funcionamiento, y con un número de empleados igual o inferior a cincuenta, que hayan sufrido daños o perjuicios de cualquier naturaleza en las edificaciones, instalaciones o bienes de equipamiento afectos a la actividad empresarial como consecuencia de la situación de emergencia o de naturaleza catastrófica.

1249 Real Decreto 307/2005, de 18 de marzo: Artículo 16. Beneficiarios. 1. Las unidades familiares o de convivencia económica podrán ser beneficiarias de las ayudas económicas establecidas en este capítulo siempre que sus ingresos anuales netos estén en los límites que a continuación se indican. A efectos del cálculo de los ingresos anuales netos, se tomarán los doce meses anteriores al hecho causante o, en su defecto, los del último ejercicio económico completo que facilite la Agencia Estatal de Administración Tributaria

alterando las condiciones de habitabilidad esenciales, y por tanto son susceptibles de ayuda para la rehabilitación o reparación de dichos elementos comunes, además de las propias viviendas. Las ayudas a familias y unidades de convivencia son graduadas en función de ingresos y los daños producidos, aumentando el número de potenciales beneficiarios.

Además, es relevante señalar que este Real Decreto amplía efectivamente el marco de protección administrativa en el contexto de la responsabilidad del Estado por asegurar condiciones de vida adecuadas tras los desastres, lo cual es una manifestación del principio de solidaridad social y de intervención mínima necesaria, alineada con el objetivo de restaurar la normalidad y la continuidad de las actividades económicas y sociales afectadas. Esta regulación subraya la adaptabilidad del derecho administrativo frente a situaciones inesperadas y su capacidad de ofrecer respuestas específicas a necesidades concretas, reflejando un enfoque de gobernanza que busca el equilibrio entre la autonomía individual y el interés general.

En el caso de subvenciones derivadas de daños en infraestructuras de carácter municipal, red viaria provincial e insular, originados de situaciones de emergencia o de naturaleza catastrófica, como es el caso de los incendios forestales o catástrofes naturales, podemos reseñar diversas normativas como Reales Decretos, Acuerdos de Consejo de Ministros, así como Órdenes Ministeriales y Resoluciones. Así, por su repercusión en medios nacionales e internacionales, y a propósito de la borrasca denominada "Filomena": se destacan el Real Decreto-ley 10/2021, de 18 de mayo[1250], por el que se adoptan medidas urgentes para paliar los daños causados por la borrasca «Filomena» y la Resolución de 16 de octubre de 2021[1251], de la Secretaría de Estado de Política Territorial, que aprueban la convocatoria de subvenciones.

Entre otros: Acuerdo del Consejo de Ministros de 23 de agosto de 2022, por el cual se declara "zona afectada gravemente por una emergencia de protección civil", el territorio afectado como consecuencia de los incendios

---

1250 Real Decreto-ley 10/2021, de 18 de mayo, por el que se adoptan medidas urgentes para paliar los daños causados por la borrasca «Filomena». BOE núm. 119 de 19 de mayo de 2021. https://www.boe.es/eli/es/rdl/2021/05/18/10/dof/spa/pdf

1251 Resolución de la Secretaría de Estado de Política Territorial, por la que se aprueba la convocatoria de las subvenciones previstas en el artículo 8 del Real Decreto-ley 10/2021, de 18 de mayo, por el que se adoptan medidas urgentes para paliar los daños causados por la borrasca "Filomena". https://www.mptfp.gob.es/dam/es/portal/politica-territorial/local/coop_econom_local_estado_fondos_europeos/catastrofes_naturales/RDL_10_2021/doc_prueba.pdf.pdf

forestales acaecidos durante los meses de junio, julio y agosto de 2022. Acuerdo de Consejo de Ministros de 17 de diciembre de 2021, por el que se declaran las Comunidades Autónomas de Andalucía, Aragón, Principado de Asturias, Cantabria, Castilla y León, Comunitat Valenciana, Extremadura, Illes Balears, La Rioja, Navarra, País Vasco y Región de Murcia como "zona afectada gravemente por una emergencia de protección civil", como consecuencia de inundaciones, incendios y otros fenómenos de distinta naturaleza.

La aplicación de estos mecanismos normativos no solo facilita la recuperación rápida de las áreas afectadas sino que también garantiza la distribución equitativa de recursos financieros para mitigar el impacto económico en las comunidades más golpeadas.

El Real Decreto-ley 2/2017, de 27 de enero, fue promulgado para adoptar medidas urgentes destinadas a paliar los daños causados por los vientos, temporales marítimos, fuertes nevadas, pedrisco, etc. durante el mes de diciembre de 2016 y enero de 2017 en distintas Comunidades Autónomas de la geografía española. Las ayudas iban destinadas a paliar daños personales, en vivienda y enseres, y también en establecimientos industriales, mercantiles, marítimo-pesqueros y turísticos, explotaciones del ámbito agrícola y ganadero. Se incluyeron también prestaciones personales o materiales de personas físicas y jurídicas. El decreto contemplaba además reducciones fiscales especiales para las actividades agrarias y apoyo a las corporaciones locales, con el fin de compensar los gastos realizados para hacer frente a estas contingencias.

La Orden HAP/196/2015, de 21 de enero [1252], estableció las bases reguladoras de las subvenciones destinadas a la ejecución de obras de reparación o restitución de infraestructuras, equipamientos e instalaciones y servicios de titularidad municipal y de las mancomunidades, así como redes viarias de las diputaciones provinciales, cabildos, consejos insulares y comunidades autónomas uniprovinciales. Estas bases deben ser fijadas por normativa del Ministerio del Interior antes de la convocatoria. En la instrucción del procedimiento colaboran las subdelegaciones y Delegaciones del Gobierno, quienes verifican la documentación requerida mediante la Comisión de Asistencia al Subdelegado o Delegado del Gobierno. Esta comisión, a su vez, remite la información a la Dirección General de Coordinación de Competencias con las Comunidades Autónomas y las Entidades Locales. Esta dirección, por delegación del Secretario de Estado de Administraciones Públicas, resolverá la asignación que corresponda en cada caso.

[1252] Boletín Oficial del Estado núm. 37, 12.02.2015. https://bit.ly/3l11LuX

Con la promulgación del Real Decreto-ley 6/2024, de 5 de noviembre, se adoptaron medidas urgentes para impulsar el Plan de respuesta inmediata, reconstrucción y relanzamiento frente a los daños causados por la Depresión Aislada en Niveles Altos (DANA) que afectó a diversos municipios entre el 28 de octubre y el 4 de noviembre de 2024, catalogada como la peor DANA registrada en lo que va de siglo. Este Real Decreto-ley habilita la concesión de ayudas directas de gran cuantía para personas físicas, empresas y entidades locales, e incluye beneficios fiscales, medidas en materia de Seguridad Social, aplazamientos en pagos y suspensión de plazos procesales para facilitar la recuperación en las zonas afectadas. Reconociendo la magnitud de la emergencia y la necesidad de una respuesta integral, el Gobierno amplió el alcance de estas medidas mediante el Real Decreto-ley 7/2024, seis días después, y el Real Decreto-ley 8/2024, diecisiete días más tarde, reforzando así el apoyo a las áreas damnificadas y extendiendo las disposiciones para abarcar aspectos adicionales de reconstrucción y ayuda social. Estas disposiciones integran un paquete legislativo multidimensional orientado a restablecer la normalidad y mitigar los impactos socioeconómicos derivados del fenómeno meteorológico, orientado a garantizar la recuperación efectiva y la rehabilitación de las zonas afectadas, estableciendo instrumentos específicos para la concesión de ayudas directas, la flexibilización de obligaciones tributarias y laborales, así como la promoción de inversiones para la reconstrucción.[1253]

Entre las reformas más destacadas, se eliminó la dependencia económica como requisito para recibir la ayuda por fallecimiento y se amplió la cobertura a familiares no convivientes, suprimiendo también las limitaciones de renta. En cuanto a daños materiales, se facilitó la acreditación mediante recibos del IBI o informes periciales validados por las administraciones, se extendió la cobertura de ayudas a bienes no esenciales y se incluyó a los arrendatarios como beneficiarios. Asimismo, se suprimió el límite del 50% para valorar daños estructurales y no estructurales.

En un esfuerzo por atender los gastos municipales ocasionados por la emergencia, se eliminaron requisitos como el porcentaje mínimo de gasto

---

[1253] Gobierno de España. *(2024).* Real Decreto-Ley 6/2024, de 11 de noviembre, por el que se adoptan medidas para el impulso del Plan de respuesta inmediata, reconstrucción y relanzamiento frente a los daños causados por la Depresión Aislada en Niveles Altos (DANA) en diferentes municipios entre el 28 de octubre y el 4 de noviembre de 2024. *BOE núm. 273, de 12 de noviembre de 2024. Recuperado de* https://acortar.link/r2EIY8. Ampliado por el Real Decreto-ley 7/2024, de 11 de noviembre. https://acortar.link/6JTU83 y por el Real Decreto-ley 8/2024, de 28 de noviembre, https://acortar.link/r2EIY8.

respecto a los presupuestos locales y se subvencionó el 100% de los costes relacionados con las tareas de emergencia, incluyendo peritaciones y la retirada de bienes inservibles.

Los procedimientos para la concesión de ayudas fueron simplificados, estableciendo autorizaciones tácitas para consultar los datos necesarios de las unidades familiares y ampliando los plazos de solicitud hasta el 6 de febrero de 2025. Estas modificaciones, junto con la eliminación de numerosos requisitos previos, evidenciaron un enfoque orientado a la agilidad y la accesibilidad.

En definitiva, los Reales Decretos-leyes 6/2024, 7/2024 y 8/2024 no solo representaron un incremento significativo en las ayudas económicas destinadas a paliar los efectos de una catástrofe natural, sino también un notable esfuerzo legislativo para garantizar una respuesta ágil y efectiva a través de procedimientos administrativos más flexibles, en consonancia con los principios de justicia social y eficiencia administrativa.

Los formularios y modelos normalizados para solicitar estas ayudas fueron establecidos mediante las siguientes órdenes:

- Orden INT/1265/2024, de 12 de noviembre.
- Orden INT/1283/2024, de 14 de noviembre.
- Orden INT/1390/2024, de 5 de diciembre.

El Consejo de Ministros aprobó el Real Decreto-ley 12/2025, de 28 de octubre, por el que se adoptan medidas urgentes de reactivación, refuerzo y prevención en el marco del Plan de respuesta inmediata, reconstrucción y relanzamiento frente a los daños causados por la Depresión Aislada en Niveles Altos (DANA) en diferentes municipios entre el 28 de octubre y el 4 de noviembre de 2024. Dicho real decreto-ley se destinó a reforzar las actuaciones de reconstrucción y apoyo a los municipios afectados por la última Depresión Aislada en Niveles Altos (DANA), enmarcando la respuesta del Estado en una estrategia integral de resiliencia territorial. La norma, dotada con 60 millones de euros, incorpora un enfoque de prevención estructural frente a futuros desastres naturales, coherente con las obligaciones derivadas de la Ley 17/2015, de 9 de julio, del Sistema Nacional de Protección Civil, y con los principios del Mecanismo Europeo de Protección Civil.

Este real decreto-ley amplía el alcance de las ayudas estatales al permitir la reparación, restitución o reconstrucción de infraestructuras, equipamientos e instalaciones de titularidad municipal, provincial o insular, con una intensidad que puede alcanzar el 100 % del coste de la obra. Asimismo, introduce una novedad relevante desde la perspectiva del derecho administrativo de la emergencia: la posibilidad de financiar actuaciones preventivas y no solo reparadoras, integrando la reconstrucción con la planificación de riesgos. De este modo, se consideran subvencionables las obras de mejora, ampliación y adaptación para prevenir daños derivados del cambio climático, así como la adquisición de suelos o viviendas destinadas a reducir la exposición de las personas y bienes en zonas de riesgo.

Tras la aprobación del Real Decreto-ley 12/2025, el Gobierno no dictó un nuevo real decreto-ley específico sobre la DANA, pero sí desplegó un conjunto de normas reglamentarias destinadas a ejecutar y profundizar en las medidas ya previstas. Destaca, en el ámbito laboral, la Orden TES/1302/2025, de 14 de noviembre, que establece las bases reguladoras y la convocatoria de subvenciones del "Plan DANA Ocupación", dirigido a la contratación de personas trabajadoras en los territorios afectados, con el doble objetivo de ofrecer oportunidades de empleo a la población damnificada y de reforzar materialmente las tareas de reconstrucción y rehabilitación de las zonas dañadas, en el marco del Plan de Recuperación, Transformación y Resiliencia.

En paralelo, se aprobaron reales decretos de desarrollo sectorial ligados al paquete DANA. El Real Decreto 681/2025, de 29 de julio, regula el Fondo de Emprendimiento y de la Pequeña y Mediana Empresa (FEPYME), previsto en el Real Decreto-ley 8/2024, como instrumento financiero para canalizar inversión hacia pymes en los territorios afectados. Por su parte, el Real Decreto 684/2025, también de 29 de julio, establece una ayuda extraordinaria para compensar los daños no cubiertos por el seguro agrario combinado en explotaciones afectadas por la DANA, completando así la protección del sector agrario ante pérdidas que quedaban fuera de la indemnización aseguradora. Estas normas, junto con diversas órdenes y resoluciones de convocatoria y ejecución recogidas en el portal oficial de información para personas afectadas por la DANA, consolidan en 2025 un marco normativo de desarrollo orientado a que las medidas de reactivación, refuerzo y prevención previstas en los Reales Decretos-leyes 6/2024, 7/2024, 8/2024 y 12/2025 se traduzcan efectivamente en apoyo económico, ocupacional y financiero sobre el territorio.

En el ámbito autonómico, la Generalitat Valenciana articuló un conjunto de medidas normativas excepcionales destinadas a atender los graves daños ocasionados por la Depresión Aislada en Niveles Altos (DANA) registrada entre el 28 de octubre y el 4 de noviembre de 2024, configurando uno de los marcos de actuación más completos en materia de recuperación postcatástrofe en el plano regional. El Decreto 136/2024, de 4 de noviembre, estableció las bases reguladoras y el procedimiento para la concesión directa de ayudas urgentes dirigidas a paliar la pérdida de bienes de primera necesidad de las personas físicas afectadas. Posteriormente, el Decreto 177/2024, de 4 de diciembre, amplió y precisó el alcance de dichas ayudas, elevando su cuantía máxima hasta 6.000 euros por vivienda dañada y fijando un límite presupuestario global de 200 millones de euros.

Asimismo, mediante el Decreto 164/2024, de 4 de noviembre, se aprobaron ayudas directas a los municipios afectados con el fin de cubrir los gastos extraordinarios derivados del temporal, asignando un presupuesto máximo de 50 millones de euros cuya gestión recae en la Agencia Valenciana de Seguridad y Respuesta a las Emergencias (AVSRE). Este decreto fue complementado por tres resoluciones posteriores: la de 19 de noviembre, que actualizó la relación de municipios beneficiarios; la de 2 de diciembre, que amplió los plazos de solicitud; y la de 16 de diciembre, que incorporó nuevos municipios, amplió los gastos subvencionables y extendió nuevamente los plazos administrativos.

En el ámbito de la vivienda, el Decreto 167/2024, de 12 de noviembre, aprobó las bases reguladoras de las ayudas al alquiler dirigidas a personas damnificadas, con la finalidad de mitigar el impacto social y económico derivado del siniestro. Con posterioridad, la Dirección General de Vivienda de la Generalitat Valenciana dictó diversas resoluciones de desarrollo que han ido concretando su aplicación y adaptándola a la evolución de la situación, mediante la ampliación de plazos de solicitud, la incorporación de nuevos municipios beneficiarios y la precisión de los criterios de valoración y evaluación (entre otras, resoluciones de 2, 4, 13, 19 y 26 de diciembre de 2024, así como ulteriores disposiciones hasta julio de 2025).

De forma paralela, la Generalitat aprobó un conjunto de medidas complementarias, enmarcadas en un plan integral de recuperación y resiliencia territorial, orientadas al mantenimiento del empleo y la reactivación económica, incluyendo bonificaciones fiscales a empresas, ayudas a comunidades de regantes y apoyos al sector cultural, entre otras actuaciones sectoriales.

Como subraya Jordano Fraga, J., tanto Andalucía como Cataluña han implementado enfoques estables en los ámbitos de mitigación, prevención y gestión de catástrofes. En Andalucía, se permite la justificación de las ayudas "ex post" en situaciones excepcionales y se ha creado una aplicación presupuestaria específica, el "Fondo de Catástrofe", destinada a canalizar las subvenciones para la reparación de daños. Por su parte, en Cataluña, según el mismo autor, existe una "provisión de ley auténtica" para abordar los daños catastróficos, aunque esta se encuentra condicionada por una notable carga burocrática. Estos modelos regionales contrastan con la aparente fragmentación normativa observada a nivel estatal, evidenciando la necesidad de un marco más coherente y eficiente para gestionar las emergencias.

El análisis realizado evidencia una concatenación de Reales Decretos-leyes y normativas,[1254] que pone de manifiesto la falta de un sistema sólido y permanente en España para afrontar los efectos catastróficos de manera eficiente y estructurada, y que evite su instrumentalización con fines ajenos, más allá de los estrictamente relacionados con la ayuda y y la asistencia necesarias.

1254 De ser una herramienta de "extraordinaria y urgente necesidad", evolucionan hacia un instrumento ordinario, para lo cual no fueron creados. Si cada día más nos vamos a encontrar con catástrofes que devienen en daños en propiedades y personas, se podría hacer el esfuerzo de aprobar una ley que dejara menos margen a la discrecionalidad del Ejecutivo.

Conclusiones

DE LA REACCIÓN A LA ANTICIPACIÓN: EL VALOR DEL ENFOQUE PREVENTIVO

El panorama actual de las catástrofes naturales presenta escenarios crecientemente complejos y multirriesgo agravados por factores globales como el cambio climático. Esta realidad exige una gestión anticipatoria. Es urgente integrar la reducción del riesgo de desastre en todas las políticas, priorizando la prevención para proteger eficazmente a las personas, sus bienes y el entorno, fortaleciendo la resiliencia de las comunidades. En línea con este imperativo, este enfoque de precaución debe guiar la acción pública. Este principio –consagrado en el Derecho internacional y de la Unión Europea (art. 191 TFUE)– postula que, ante una amenaza grave para las personas o el medio ambiente, la falta de certeza científica absoluta no debe utilizarse como razón para posponer medidas efectivas de protección (Comisión Europea, 2000)[1255]. La incorporación explícita de este enfoque precautorio en la toma de decisiones permite adoptar medidas preventivas tempranas frente a riesgos emergentes, evitando daños irreversibles y reforzando la cultura de la anticipación en la gestión de emergencias. En síntesis, la planificación estratégica bajo incertidumbre, inspirada por el principio de precaución, resulta esencial para afrontar desafíos complejos y garantizar una resiliencia efectiva a largo plazo.

Como se señala en el Marco de Sendai:

"Es urgente y fundamental prever el riesgo de desastres, planificar medidas y reducirlo para proteger de manera más eficaz a las personas, las comunidades y los países, sus medios de subsistencia, su salud, su patrimonio cultural, sus activos socioeconómicos y sus ecosistemas, reforzando así su resiliencia"[1256].

[1255] Principio de precaución. (s. f.). *EUR-Lex*. https://eur-lex.europa.eu/ES/legal-content/glossary/precautionary-principle.html

[1256] Asamblea General de las Naciones Unidas. 69/283. Marco de Sendai para la Reducción del Riesgo de Desastres 2015-2030. 23 de junio de 2015. A/RES/69/283

FORTALEZAS Y DESAFÍOS DEL MARCO JURÍDICO VIGENTE

El ordenamiento jurídico-administrativo español, nutrido por normas internacionales y europeas, presenta un grado elevado de desarrollo en materia de gestión de riesgos y protección civil. Los principios y marcos normativos básicos están bien definidos y los problemas correctamente enfocados –desde la planificación de emergencias hasta los mecanismos de respuesta–. Sin embargo, persisten desafíos importantes para materializar estos marcos en la práctica: es necesario que *todas* las Administraciones públicas actúen coordinadamente conforme a esta normativa dinámica, superando los déficits de aplicación. Actualmente, conviven entes públicos muy avanzados en políticas de prevención y respuesta, junto a otros con tareas pendientes de desarrollo. La tragedia derivada de la DANA de octubre de 2024, por ejemplo, evidenció de forma dolorosa las consecuencias de eventuales descoordinaciones o insuficiencias en algunos niveles gubernamentales que en estos momentos son objeto de escrutinio por la Administración de Justicia. Es imprescindible, por tanto, impulsar una actualización permanente de planes, protocolos y estrategias en materia de protección civil en todas las escalas administrativas, garantizando que el conjunto del sistema opere con la excelencia y eficacia que la ciudadanía exige. En otras palabras, existe aún recorrido para la mejora, que pasa menos por crear nuevas leyes que por hacer efectivos los instrumentos ya vigentes y reforzar los puntos débiles detectados en su aplicación práctica.

COOPERACIÓN INTERADMINISTRATIVA Y ENFOQUE SISTÉMICO

La gestión de emergencias y riesgos en España se fundamenta en un enfoque sistémico e interadministrativo: el Sistema Nacional de Protección Civil integra las capacidades de la Administración General del Estado, las comunidades autónomas y las entidades locales, articulando una respuesta unitaria ante desastres, junto al sector privado. Esta arquitectura multinivel es un logro destacable, pero demanda una coordinación leal y permanente entre las partes. La jurisprudencia del Tribunal Constitucional ha subrayado el principio de lealtad institucional entre los distintos niveles de gobierno en materia de protección civil, reconociendo que en estas situaciones concurren competencias de diversas Administraciones. Para evitar solapamientos de funciones o vacíos de atribución, dicha cooperación debe estar estructurada en normas e instituciones. La Ley 17/2015, del Sistema Nacional de Protección Civil, por ejemplo, profundiza en una filosofía de colaboración continua mediante órganos específicos (Consejo Nacional de Protección Civil, comisiones territoriales, etc.), buscando asegurar una respuesta cohesionada del sector público.

En esta línea, organismos internacionales han destacado la importancia de fortalecer la coordinación: la OCDE recomienda clarificar las responsabilidades y alinear las instituciones en *todos* los niveles de gobierno para la gestión de riesgos críticos. Asimismo, el Consejo de la Unión Europea (2022) instó a establecer mecanismos de mando único adaptados a la naturaleza de cada emergencia, de modo que en situaciones de crisis exista una dirección clara y única que evite duplicidades y conflictos de competencia. Para lograr estos objetivos, es preciso traducir dichas recomendaciones en protocolos operativos concretos: por ejemplo, aprobando normas técnicas de coordinación que eliminen márgenes interpretativos y aseguren que la actuación conjunta no dependa de la voluntad política del momento, sino que opere como una obligación jurídica reglada y verificable.

No se trata solo de coordinación vertical entre Estado, autonomías y municipios, sino también de fomentar la colaboración horizontal. La creación de redes y foros permanentes de intercambio de información y buenas prácticas entre administraciones resulta muy conveniente. A nivel local, por ejemplo, se echa en falta la existencia de foros de innovación municipal en protección civil; su impulso (por ejemplo, a través de la Federación Española de Municipios y Provincias) permitiría compartir experiencias, datos y lecciones aprendidas entre ciudades y provincias. De igual manera, sería beneficioso activar el foro autonómico de protección civil acordado en la Conferencia de Presidentes –pendiente de implementación desde 2017– para reforzar la cooperación territorial en esta materia. Estas iniciativas reforzarían la solidaridad interterritorial y contribuirían a una respuesta más homogénea en todo el país.

En conclusión, la cooperación interadministrativa efectiva es un pilar fundamental de la gestión de riesgos. Se debe afianzar el enfoque de *"sistema"* único, evitando tanto la centralización excesiva como la fragmentación: cada nivel institucional ha de aportar sus recursos y competencias de forma coordinada, bajo principios de *lealtad institucional* y responsabilidad compartida. Solo así el entramado administrativo podrá responder con agilidad y unidad de acción frente a catástrofes, garantizando la máxima protección a la población.

INNOVACIÓN TECNOLÓGICA, DIGITALIZACIÓN E INTELIGENCIA ARTIFICIAL

Como expresa el Profesor RIVERO et al.[1257]: "La falta de congruencia entre un ambiente dinámico y la Administración, que trabaja con modelos referenciales y tiempos propios de principios del siglo XIX, está en la base de la profunda crisis de legitimidad que acecha a nuestras instituciones."

La rápida evolución tecnológica proporciona herramientas sin precedentes para mejorar la gestión de emergencias, desde la fase de prevención hasta la respuesta y recuperación. Tecnologías emergentes como la Inteligencia Artificial (IA), el Big Data, la inteligencia geoespacial, el Internet de las Cosas (IoT) y los sistemas de alerta temprana están revolucionando la forma de anticipar y afrontar los desastres. Por ejemplo, los algoritmos de *machine learning* permiten analizar ingentes volúmenes de datos con alta eficiencia y así predecir escenarios de daño futuro, identificando patrones de riesgo antes inimaginables. Asimismo, sensores ambientales y redes de dispositivos conectados pueden detectar condiciones peligrosas en tiempo real (crecidas súbitas, cambios meteorológicos extremos, concentración de gases nocivos, etc.), activando protocolos de alerta de manera automática. La conclusión es clara: la transformación digital bien aprovechada multiplica la capacidad de vigilancia, alerta y coordinación de los sistemas de protección civil.

Por ello la innovación debe integrarse de forma efectiva en la acción administrativa. De poco sirven normas innovadoras si no acompaña en su ejecución los poderes públicos, en todos los niveles. Y de poco sirve negar en ocasiones esta capacidad, cuando hay múltiples referencias en sentido contrario. Además, corremos con ventaja en el caso español dado el carácter descentralizado de nuestra administración, lo cual confiere margen dentro de los marcos comunes.[1258]

Ahora bien, el despliegue de estas innovaciones exige adaptar el marco jurídico como hemos apuntado para integrarlas con seguridad jurídica y garantías. El derecho administrativo debe proporcionar una regulación clara que facilite la incorporación de tecnologías disruptivas en los sistemas de protección civil, asegurando al mismo tiempo la protección de datos personales, la privacidad y

[1257] Rivero Ortega, R., & Merino, V. (2014). Innovación y gobiernos locales: Estrategias innovadoras de ayuntamientos y diputaciones en un contexto de crisis. Instituto Nacional de Administración Pública. Pg. 12

[1258] Rivero Ortega, R., & Merino, V. (2014). Innovación y gobiernos locales: Estrategias innovadoras de ayuntamientos y diputaciones en un contexto de crisis. Instituto Nacional de Administración Pública. Pg. 19.

los derechos fundamentales de la ciudadanía. Incluso en situaciones de crisis, cualquier empleo de herramientas automatizadas que pueda afectar derechos (v.gr. sistemas de monitoreo poblacional, aplicaciones móviles de emergencia, drones de vigilancia) ha de respetar los principios de legalidad, necesidad y proporcionalidad exigidos por el Tribunal Constitucional. En este sentido, resulta pertinente recordar que el propio Tribunal Constitucional español ha establecido que aún bajo estados de alarma o situaciones excepcionales, las limitaciones de derechos deben estar previstas en la ley y aplicarse de forma proporcionada al riesgo que se enfrenta. Por tanto, cualquier proceso de digitalización administrativa en el ámbito de emergencias debe ir acompañado de cláusulas de salvaguarda que eviten una "automatización mal dispuesta" divorciada de consideraciones humanísticas. La tecnología ha de ser un *medio* al servicio de las personas, nunca un fin en sí misma ni motivo para degradar la dignidad humana en nombre de la eficiencia.

Un aspecto crucial de la modernización tecnológica es la consolidación de una administración electrónica inclusiva y robusta. Las plataformas digitales deben concebirse como un servicio público esencial en materia de alertas y atención de emergencias, garantizando su disponibilidad y estabilidad incluso bajo condiciones críticas. Dado que la mayoría de la población posee *smartphones* u otros dispositivos conectados, se presenta la oportunidad de desarrollar aplicaciones y canales oficiales que provean a la ciudadanía de información en tiempo real y personalizada durante emergencias. Estas herramientas podrían, por ejemplo, difundir alertas tempranas geolocalizadas, ofrecer instrucciones de autoprotección claras según el tipo de incidente, facilitar la comunicación directa con los servicios de emergencia e incluso permitir que los propios ciudadanos aporten datos útiles (como imágenes o ubicación) que enriquezcan el panorama situacional para las autoridades. Para maximizar su eficacia, es recomendable establecer un único punto de acceso oficial (aplicación o plataforma integrada) gestionado por las administraciones públicas, evitando la dispersión de esfuerzos entre múltiples aplicaciones no coordinadas. La reciente experiencia demuestra que, en ausencia de un canal unificado, proliferan aplicaciones privadas o iniciativas aisladas que pueden confundir al usuario o dejar vacíos en la cobertura del servicio. Por ello, el Gobierno puede –y debe– asumir un rol activo en la provisión de estas soluciones digitales de emergencia, incluyendo cuando sea necesario la imposición de obligaciones de servicio público a operadores de telecomunicaciones y proveedores tecnológicos para garantizar la conectividad y el acceso universal en situaciones críticas. Normativamente, la legislación española ofrece base para ello: la Ley 8/2011, de protección de infraestructuras críticas, define las comunicaciones de emergencia como servicios esenciales, y aun tras la liberalización del sector (Ley 12/1997), existen habilitaciones para imponer obligaciones de servicio público por razones de seguridad pública y protección civil.

Otro campo de innovación tecnológica con impacto directo en la gestión del riesgo es el de los sistemas inteligentes en entornos urbanos. Un ejemplo citado en esta tesis es el de las *"farolas inteligentes"*, equipadas con sensores que regulan la iluminación según las condiciones y presencia de personas. Cabe imaginar una ampliación de este concepto: si además estos postes de luz incorporaran sensores de nivel de agua, anemómetros, termómetros y detectores de gases peligrosos, junto con cámaras (instaladas con todas las garantías legales) y altavoces para emitir señales de alerta, se convertirían en verdaderos puntos de monitoreo y aviso temprano distribuidos por nuestras ciudades. Este tipo de iniciativas ilustran cómo la innovación abierta puede traducirse en mayor seguridad para la población. Es cierto que implican inversiones significativas, pero debe prevalecer la idea de que *ningún coste es excesivo cuando se trata de salvar vidas.* Además, muchas de estas tecnologías (sensores, IoT, analítica de datos) son cada vez más asequibles, y su implementación puede generar economías de escala y valiosos datos para la gestión pública.

La introducción de Inteligencia Artificial en los procesos administrativos, por su parte, ofrece ventajas, pero también retos. Ya existen algoritmos que optimizan la planificación de recursos de emergencia, predicen la propagación de incendios o identifican las zonas más vulnerables ante inundaciones. Estas aplicaciones de IA no son maldiciones bíblicas, como se ha dicho gráficamente, sino instrumentos que pueden *ayudar en el día a día de la actividad administrativa.* Sin embargo, es prioritario garantizar que su uso no merme los derechos de los ciudadanos ni introduzca sesgos o arbitrariedades en la toma de decisiones. La IA debe implementarse de manera transparente, explicable y bajo supervisión humana, más aún en ámbitos sensibles como la protección civil donde están en juego la vida y la integridad de las personas. A este respecto, la Carta de Derechos Digitales y las recientes regulaciones sobre algoritmos proporcionan un marco relevante que habrá que articular con la normativa de seguridad y emergencias.

En resumen, el binomio tecnología-administración se perfila como un eje transformador en la gestión de riesgos. Para capitalizar sus beneficios, el ordenamiento jurídico debe adaptarse proactivamente, fomentando la innovación pública (interna y en colaboración con el sector privado y académico) al tiempo que resguarda los valores fundamentales del Derecho público: la legalidad, la igualdad de trato, la responsabilidad y la tutela de los derechos ciudadanos. Solo así lograremos una "administración digital" que no solo sea más eficiente, sino también más humana y cercana, capaz de hacer frente con solvencia a las amenazas del siglo XXI. Aun con avances en automatización, la decisión pública en emergencias exige juicio profesional y responsabilidad humana.[1259]

FLEXIBILIDAD NORMATIVA Y ADAPTACIÓN A ENTORNOS CAMBIANTES

La naturaleza evolutiva de los riesgos contemporáneos –desde las amenazas climáticas globales hasta las crisis sanitarias o tecnológicas– pone de relieve la necesidad de un marco normativo adaptativo. Un ordenamiento jurídico demasiado estático o rígido corre el riesgo de volverse obsoleto ante escenarios inéditos. Por ello, se aboga por una actualización periódica y flexible de las normas relacionadas con la gestión de emergencias, basada en la evidencia científica y la experiencia práctica acumulada. No debe temerse a la reforma normativa; al contrario, la voluntad de revisar y adecuar las reglas a entornos cambiantes es síntoma de *buena administración* y de compromiso con la eficacia. Como ha señalado la doctrina, gran parte de la crisis de legitimidad que pueden afrontar nuestras instituciones proviene precisamente de la falta de congruencia entre un entorno dinámico y una Administración anclada en modelos del pasado (Rivero & Merino, 2014). Para cerrar esa brecha, es imprescindible que el derecho administrativo acelere su ritmo de evolución, adoptando esquemas normativos del siglo XXI que reemplacen paradigmas decimonónicos que ya no responden a la realidad.

Un ámbito donde esta adaptación es crítica es el urbanismo y la ordenación del territorio bajo el prisma del cambio climático. Fenómenos cada vez más extremos obligan a replantear los criterios de planificación: por ejemplo, incorporar "modelizaciones climáticas" en la ordenación territorial, definiendo *zonas no urbanizables* sobre la base de mapas de riesgo actualizados (inundaciones, incendios, sequías) y previendo medidas de adaptación obligatorias para las áreas ya consolidadas en zonas de peligro. La legislación vigente ofrece algunas herramientas en esta dirección –la Ley de Suelo exige que los planes urbanísticos incluyan un mapa de riesgos naturales de su ámbito–, pero sería necesario desarrollarlas con mayor rigor y alcance. Autores especializados insisten en la importancia de esta aproximación: "una modelización climática en la ordenación del territorio" permitiría evitar

---

1259 Rivero Ortega, R. (2023). ¿Pueden los robots reemplazar a los funcionarios? Derecho Digital e Innovación. Digital Law and Innovation Review, (16). ISSN: 2659-871X.

nuevas exposiciones al riesgo y mitigar las existentes (Olcina, 2008). Así, instrumentos como la cartografía de riesgos deben ser de uso común en la toma de decisiones: identificar claramente dónde no se debe edificar y en qué condiciones, establecer corredores de inundación, planes de defensa contra incendios forestales en interfase urbano-rural, etc. Del mismo modo, se podrían contemplar incentivos y ayudas para la relocalización o protección de viviendas ya asentadas en zonas de alto riesgo, evitando perpetuar situaciones de peligro crónico. En definitiva, el principio de precaución territorial debiera permear la normativa de desarrollo urbano y ordenación ambiental.

La cooperación supranacional constituye otro pilar de la adaptabilidad normativa. Los riesgos de gran escala trascienden fronteras (piénsese en pandemias, contaminación transfronteriza, eventos climáticos regionales), por lo que las respuestas jurídicas también deben hacerlo. En este sentido, la "*europeización*" del derecho administrativo de emergencias no ha de verse como una pérdida de soberanía, sino como una oportunidad de fortalecimiento mutuo entre Estados. La Unión Europea, a través de directrices, regulaciones y del *Mecanismo de Protección Civil*, fija estándares mínimos comunes de seguridad y promueve la solidaridad entre países miembros. Compartir recursos, información y estrategias a nivel europeo aumenta la capacidad nacional para responder a desastres, complementando los esfuerzos locales con una red más amplia de apoyo. España debe seguir participando activamente en esta construcción normativa comunitaria, adaptando su legislación interna para cumplir (e idealmente superar) esos estándares europeos en reducción del riesgo. Un ejemplo concreto es la incorporación del concepto de resiliencia en las políticas europeas recientes: la UE ha situado la resiliencia, junto con la transición verde y digital, como eje de los planes de recuperación post-COVID (Next Generation EU), instando a los Estados a invertir en adaptación climática y protección civil como parte de su estrategia de crecimiento (Consejo de la UE, 2020). Sería deseable que España aproveche plenamente estos cauces, orientando proyectos y reformas financiados con fondos europeos hacia la mejora de la resiliencia climática y la gestión de emergencias, dado que hasta ahora tales aspectos han recibido una atención limitada en el Plan de Recuperación nacional.

La flexibilidad normativa implica también apertura a la innovación regulatoria y a la experimentación controlada. Podría valorarse, por ejemplo, la creación de "espacios de prueba" o *sandbox regulatorios* en materia de protección civil, donde ciertas tecnologías o protocolos novedosos se ensayen a pequeña escala bajo supervisión antes de su adopción general. Esta técnica, ya utilizada en ámbitos como el financiero o el de movilidad, permitiría ajustar las normas con menor riesgo y con feedback directo de su efectividad.

Igualmente, los planes de emergencia y las estrategias nacionales deben actualizarse con frecuencia (idealmente cada pocos años) incorporando las lecciones aprendidas tras cada incidente relevante y los avances científicos disponibles. Un ordenamiento adaptativo debería prever mecanismos de revisión periódica obligatoria de las políticas de protección civil –similar a como se revisan las estrategias de seguridad nacional–, para no depender únicamente de reacciones tras grandes desastres.

Otra vertiente de mejora es reforzar la responsabilización y rendición de cuentas de los diversos actores, públicos y privados, involucrados en la gestión del riesgo. Esto requiere clarificar *ex ante* las competencias y deberes de cada administración y entidad, para que en caso de desastre no haya vacilaciones sobre quién debe hacer qué. Asimismo, deben existir procedimientos ágiles para depurar responsabilidades y compensar daños *ex post*. Una víctima de una catástrofe (v.gr. inundación) debe tener garantizado su acceso a la justicia de forma rápida y sencilla, sin verse atrapada en laberintos competenciales o burocráticos. La simplificación de trámites para reclamar ayudas o indemnizaciones en estas situaciones es fundamental, así como el fortalecimiento de los mecanismos de asistencia legal y defensoría de las personas afectadas. Cabe mencionar, a título ilustrativo, el Dictamen 665/2019 del Consejo de Estado, que en su función consultiva propuso modificar las directrices básicas de planificación de protección civil para mejorar la atención a personas con discapacidad y otros colectivos vulnerables en caso de emergencias. Este ejemplo refleja cómo la administración puede ir ajustando el marco normativo para no dejar atrás a los más vulnerables, integrando consideraciones de accesibilidad universal y equidad en los planes de emergencia. En la misma línea, las Conclusiones del Consejo de la UE de 2022 sobre protección civil y cambio climático han abogado por articular mecanismos específicos de protección de grupos de riesgo (mayores, enfermos, etc.) y por promover el principio de solidaridad tanto dentro como fuera de las fronteras de la Unión.

Por último, la adaptabilidad normativa demanda una visión multidisciplinar. Es preciso superar el excesivo positivismo o aislamiento del derecho administrativo, incorporando saberes de otras ciencias para enriquecer la regulación de riesgos. La formulación de políticas debe alimentarse de la climatología, la ingeniería, la economía del riesgo, la sociología del desastre, entre otros campos. Solo una aproximación transdisciplinaria permitirá captar la complejidad de amenazas como el cambio climático o los riesgos sistémicos. En palabras de la doctrina, conectar el derecho administrativo con otras ciencias sociales y naturales potencia su capacidad transformadora y evita respuestas legales formales *desconectadas de la realidad*. Por ejemplo, integrar conocimientos de neurociencia podría mejorar la comunicación de alertas al público (entendiendo mejor cómo reaccionamos ante distintos tipos de mensajes de emergencia), mientras que apoyarse en el análisis Big Data e inteligencia artificial ayuda a regular con mayor precisión campos técnicos en rápida evolución. Por tanto, un derecho administrativo adaptativo debe ser también *permeable* a la evidencia científica y flexible en sus métodos, lo que exigirá formar a una nueva generación de juristas familiarizados con disciplinas diversas. Lejos de diluir el rigor jurídico, esta apertura dotará al ordenamiento de herramientas más efectivas para anticipar y gestionar riesgos complejos.

CULTURA DE RESILIENCIA, TRANSPARENCIA Y PARTICIPACIÓN CIUDADANA

Ningún sistema de gestión de emergencias estará completo sin la implicación activa de la sociedad. La construcción de una cultura de seguridad y resiliencia a todos los niveles es un objetivo estratégico reconocido tanto en los foros internacionales como en nuestro propio país. Un público informado y educado en materia de riesgos (y es capital hacerlo desde la escuela en sus primeros estadios) asume un papel protagonista en la prevención y respuesta: los ciudadanos conscientes de los peligros que les rodean toman mejores decisiones y colaboran más eficazmente con las autoridades en momentos críticos. Por ello, debe garantizarse el derecho de acceso a la información relativa a riesgos y emergencias, así como la transparencia proactiva de las Administraciones en este ámbito. Herramientas como los mapas de riesgo públicos, la difusión de escenarios de amenaza (por ejemplo, áreas inundables, niveles de alerta terrorista, etc.), y la publicación accesible de los Planes de Protección Civil, permiten a la población conocer a qué atenerse y cómo actuar en caso de desastre. Esta transparencia, además, fomenta la confianza en las instituciones y facilita la rendición de cuentas: cuando los procedimientos y decisiones están abiertos al escrutinio público, los responsables políticos y técnicos se ven incentivados a elevar sus estándares de actuación.

La participación ciudadana debe entenderse en un doble sentido. Primero, en la planificación y toma de decisiones previas: involucrar a la sociedad civil en la elaboración y revisión de los planes de emergencia, mediante consultas públicas, encuestas o ejercicios participativos, enriquece estos instrumentos y aumenta su legitimidad. La ley reconoce ya ciertos cauces (como la información pública ambiental o la participación en evaluaciones de planes), que conviene usar eficazmente en el contexto de la protección civil. Segundo, la participación se da en la propia gestión de la emergencia:

aquí encaja el concepto de "toda la comunidad" (*whole community*) impulsado en estrategias como la de FEMA en Estados Unidos. Dicho enfoque procura integrar a todos los actores sociales –autoridades en todos los niveles, sector privado, organizaciones no gubernamentales y ciudadanía– en la preparación y respuesta a desastres. La visión resultante es la de "una nación resiliente donde las comunidades estén preparadas para los riesgos actuales y surjan fortalecidas tras las crisis". España puede tomar nota de estas buenas prácticas: por ejemplo, fomentando el voluntariado de protección civil y creando espacios donde los particulares aporten soluciones innovadoras. Iniciativas como la plataforma *Challenge.gov* del gobierno estadounidense –que convoca concursos abiertos para desarrollar aplicaciones y herramientas útiles en desastres– demuestran que la inteligencia colectiva de la sociedad puede contribuir de forma valiosa a la gestión pública.

En nuestro país, la Ley 17/2015 ya reconoce el papel auxiliar de los voluntarios de protección civil y promueve la sensibilización social. Pero podemos ir un paso más allá: se ha propuesto la creación de una "Reserva Virtual de Protección Civil", consistente en una plataforma en línea donde ciudadanos voluntarios puedan formarse y adiestrarse mediante simulacros y recursos digitales, para estar preparados y ser movilizados en situaciones reales de desastre. Esta iniciativa, inspirada en conceptos de reservas estratégicas civiles, permitiría canalizar la voluntad de participación de muchos ciudadanos a través de entrenamientos prácticos y contenidos educativos. Al mismo tiempo, impulsaría a las administraciones a mejorar la transparencia de toda la información relevante (planes, protocolos, datos de riesgos) de forma fácilmente accesible en dicha plataforma. Una ciudadanía formada y entrenada no solo actúa mejor durante la emergencia (auto-protección, ayuda al prójimo, etc.), sino que también entiende y respalda con mayor convicción las políticas preventivas, generando un círculo virtuoso.

Especial atención merece la educación jurídica y cívica en materia de gestión de riesgos. Tanto los operadores jurídicos (jueces, fiscales, abogados, funcionarios) como el ciudadano común deben conocer los derechos y responsabilidades que surgen en contextos de emergencia. Por un lado, esto implica difundir conocimiento sobre los procedimientos excepcionales (por ejemplo, qué supone la declaración de alarma, o cuáles son los protocolos de evacuación obligatoria) y sobre las vías de reclamación de daños o solicitud de ayudas. Por otro, implica inculcar desde la escuela nociones básicas de autoprotección y solidaridad ante emergencias, para que desde temprana edad se comprenda la importancia de seguir las instrucciones oficiales, colaborar en los planes de evacuación y respetar las normas dictadas para la seguridad colectiva. Una ciudadanía jurídicamente informada está mejor equipada para tomar decisiones acertadas en momentos críticos y para exigir a los poderes públicos el cumplimiento de sus deberes. Asimismo, reduce la conflictividad legal posterior, pues si las reglas del juego (qué puede hacer el Estado, qué puede exigir el ciudadano) están claras para todos, es menos probable que surjan malentendidos o litigios tras la emergencia. En consecuencia, se recomienda incorporar planes de formación y sensibilización ciudadana continuos: campañas divulgativas sobre riesgos locales, ejercicios de simulación abiertos al público, plataformas digitales de aprendizaje en protección civil, etc.

Finalmente, cabe destacar que esta cultura de resiliencia debe ser promovida desde las instituciones con el ejemplo y con políticas coherentes. Los poderes públicos han de priorizar la reducción de los factores de riesgo subyacentes –como la degradación ambiental, la vulnerabilidad social o la falta de mantenimiento de infraestructuras– cumpliendo los compromisos internacionales y la normativa interna en esos ámbitos. Cada euro invertido en prevención y preparación puede ahorrar decenas en reconstrucción o asistencia post-desastre, además de evitar pérdidas humanas irreparables. Por ello, adoptar una perspectiva de resiliencia comunitaria no es solo deseable, sino económicamente racional y éticamente necesaria. En marzo de 2024, el Congreso de Autoridades Locales y Regionales del Consejo de Europa instó a las administraciones territoriales precisamente a desarrollar una auténtica *cultura de gestión del riesgo*, promoviendo la solidaridad interterritorial e impulsando transiciones ecológicas y sociales que conduzcan a comunidades más resilientes (Consejo de Europa, 2024). Este llamamiento europeo confirma que la construcción de resiliencia es un esfuerzo compartido: implica a gobiernos, sector privado y ciudadanía en un propósito común, y requiere tanto cambios normativos como transformaciones culturales profundas.

PROPUESTAS DE MEJORA PARA EL ORDENAMIENTO JURÍDICO

A la luz de todo lo expuesto, se pueden formular **propuestas concretas de mejora** dirigidas a reforzar el marco jurídico-administrativo de la gestión de riesgos, emergencias y protección civil:

- **Integrar la prevención y la resiliencia en todas las fases del ciclo de riesgo:** Esto supone incorporar el principio de precaución de manera transversal en la normativa sectorial (urbanismo, medio ambiente, salud pública, etc.), de forma que las decisiones públicas valoren sistemáticamente el impacto en la seguridad de las personas incluso ante incertidumbre científica. Asimismo, se sugiere explicitar en las leyes de protección civil la promoción de la resiliencia como objetivo, dotando de base legal a planes y programas que fortalezcan la capacidad adaptativa de comunidades y territorios (por ejemplo, planes locales de adaptación al cambio climático, estrategias de infraestructura resiliente, etc.). Esta integración debe ir acompañada de financiación suficiente y de indicadores para medir los avances en reducción del riesgo. En el ámbito internacional, España ha de continuar alineada con marcos globales como el Marco de Sendai 2015-2030 y cumplir sus metas de disminución de pérdidas y daños.

- **Reforzar la cooperación interadministrativa bajo criterios de claridad y lealtad:** Se recomienda desarrollar instrumentos normativos específicos (reglamentos, protocolos nacionales) que regulen la coordinación entre administraciones en emergencias complejas, fijando *quién dirige* y *qué competencias asume cada cual* según el tipo de desastre. Esto incluye, por ejemplo, protocolos para activar mandos únicos interinstitucionales cuando una catástrofe afecta a varias comunidades autónomas, o para integrar los recursos de la Administración General del Estado con los autonómicos y locales sin duplicidades. Igualmente, habría que activar órganos como el Consejo Nacional de Protección Civil con mayor frecuencia y dotarlos de capacidad resolutiva vinculante en la planificación conjunta. La "cooperación leal" debe pasar de ser un principio político para concretarse en obligaciones jurídicas verificables, asegurando que la protección civil funcione realmente como un sistema nacional integrado más que como sumatorio de subsistemas.
- **Establecer un marco regulatorio robusto para la digitalización y la IA en emergencias:** Es necesario actualizar la legislación (o dictar nuevas normas) que aborden de frente el uso de tecnologías digitales en la gestión del riesgo. Por un lado, deben fijarse estándares para las herramientas de alerta temprana y comunicación de emergencias –por ejemplo, protocolizando el envío de mensajes masivos de alerta a móviles (sistema 112 inverso)– y declarando dichos sistemas como servicios públicos esenciales bajo responsabilidad de la autoridad competente. Por otro lado, se recomienda desarrollar guías o reglamentos sobre la utilización de Inteligencia Artificial y Big Data en la Administración Pública, estableciendo criterios de transparencia algorítmica, supervisión humana y protección de datos en aplicaciones como la evaluación de daños mediante drones/IA, la priorización de recursos de auxilio, etc. Estas normas específicas complementarán el marco general de la Ley 40/2015 y Ley 39/2015 (procedimiento administrativo electrónico), adaptándolo a las peculiaridades de la gestión de emergencias. De igual modo, se debe prever la accesibilidad

universal de todas las herramientas digitales de emergencia, para no excluir a personas mayores, con discapacidad o sin acceso a Internet.

- **Promover la flexibilidad y revisión periódica del ordenamiento ante nuevos riesgos:** Institucionalizar mecanismos de evaluación y actualización normativa que operen de forma continua. Por ejemplo, podría crearse en el seno de la Comisión Nacional de Protección Civil un comité técnico-legislativo encargado de revisar, cada cierto tiempo (bienalmente, p. ej.), la adecuación de la normativa de gestión de riesgos a la luz de las experiencias de emergencias recientes, emitiendo recomendaciones de reforma. Este comité reuniría a juristas, científicos, gestores y sociedad civil, en línea con el enfoque multidisciplinar recomendado. Adicionalmente, se sugiere incorporar *cláusulas de revisión* en las principales normas (v.gr. que la Ley 17/2015 sea evaluada cada 5 años por el Parlamento con participación de expertos), para garantizar que el marco legal evoluciona al ritmo de las amenazas. Paralelamente, a nivel autonómico y local, se debe instar a actualizar con frecuencia los planes de protección civil, integrando nuevos escenarios de riesgo (como los derivados de fenómenos extremos más intensos) y las mejores prácticas identificadas.
- **Incentivar las inversiones en prevención y resiliencia mediante instrumentos económicos y de planificación:** Propuesta clave es establecer incentivos fiscales y financieros que alienten la adopción de medidas de reducción del riesgo tanto por entes públicos como por privados. Por ejemplo, deducciones o créditos fiscales para empresas que refuercen la seguridad de sus instalaciones críticas, bonificaciones en impuestos locales a viviendas que instalen medidas contra incendios o antiinundaciones, e incluso condicionantes positivos en la contratación pública (puntuando a empresas con planes de continuidad frente a desastres). Asimismo, incorporar criterios de resiliencia en la planificación de inversiones públicas: que la financiación estatal o europea para infraestructuras nuevas exija análisis de riesgo climático y criterios de construcción resiliente. El sector asegurador también puede contribuir ampliando seguros paramétricos o reduciendo primas a quienes adopten medidas preventivas, lo cual podría ser estimulado mediante convenios o regulación promotora. En resumen, alinear las políticas económicas con los objetivos de prevención logrará que la resiliencia sea una prioridad en las decisiones de todos los actores, públicos y privados.
- **Fortalecer la formación, sensibilización y participación ciudadana en materia de protección civil:** Finalmente, se propone desarrollar un pro-

grama nacional de cultura de prevención que englobe acciones educativas (desde incluir contenidos sobre gestión de riesgos en la enseñanza básica hasta cursos especializados para profesionales), campañas de sensibilización periódicas (simulacros públicos, días temáticos de protección civil, aplicaciones interactivas de autoprotección) y cauces estables para la participación ciudadana (voluntariados, consultas, observatorios locales de riesgo). Además, garantizar la transparencia informativa mediante portales unificados donde cualquier persona pueda acceder fácilmente a mapas de riesgos de su municipio, planes de emergencia vigentes, consejos de actuación, etc., cumpliendo así el derecho a la información ambiental y de protección civil. Se trata de empoderar a la población con conocimiento y medios para que sea parte de la solución y no solo receptora pasiva de ayuda. Comunidades bien informadas tienden a responder con mayor calma y eficacia durante los desastres, reduciendo el pánico y mejorando la cooperación con los servicios de emergencia. En palabras del Congreso del Consejo de Europa (2024), *"desarrollar una auténtica cultura de gestión de riesgos"* es indispensable para lograr sociedades resilientes y solidarias en el contexto actual.

En conclusión, la gestión de riesgos, emergencias y protección civil demanda un derecho administrativo moderno, proactivo y adaptable. Las propuestas aquí presentadas buscan consolidar un marco normativo que *aprenda* de cada crisis y *se anticipe* a las próximas; un ordenamiento que fomente la cooperación institucional, abrace la innovación tecnológica con garantías, potencie la resiliencia mediante incentivos y, sobre todo, coloque a la persona y a la comunidad en el centro de sus preocupaciones. Porque de nada sirven incluso las mejores leyes o planes si quienes deben aplicarlos no lo hacen con conocimiento, diálogo y cooperación auténticos. La protección eficaz frente a catástrofes es, en última instancia, una *tarea colectiva* que exige la concurrencia de ciencia, buena gestión y compromiso ciudadano. Fortalecer nuestro ordenamiento jurídico en esta dirección es apostar por una sociedad más segura y resiliente, capaz de salvaguardar no solo bienes materiales o infraestructuras, sino el bien jurídico supremo que es la vida humana y el desarrollo sostenible de las generaciones presentes y futuras.

Fuentes bibliográficas

AHN, M. (2005). The death toll from natural disasters: The role of income, geography and institutions. Review of Economics and Statistics, 87(2), 271–284. https://bit.ly/42zaTxp

AIR Worldwide. (2012). About Catastrophe Models. http://www.airworldwide.com/Models/About-Catastrophe-Modeling/

ALAEJOS, J. (Director). (s.f.). LIFE RESILIENT FORESTS: Coupling water fire and climate resilience with biomass production from forestry to adapt watersheds to climate change: Layman's Report [Proyecto cofinanciado por el Fondo Europeo de Desarrollo Regional (FEDER), en el marco del Programa Interreg V A España – Portugal (POCTEP) 2014-2020]. Financiado por la Universidad de Huelva. https://firepoctep.eu/

ALLEN CU, M., & HOCHMAN, S. (2023, 22 de enero). Scores of Stanford students used ChatGPT on final exams, survey suggests. The Stanford Daily. https://bit.ly/3Z9TFEu

AMNESTY INTERNATIONAL. (2021). COVID-19 health worker death toll rises to at least 17,000. In: Amnesty International [website]. London: Amnesty International. Recuperado de https://www.amnesty.org/en/latest/pressrelease/2021/03/covid19-health-worker-death-toll-rises-to-at-least-17000-asorganizations-call-for-rapid-vaccine-rollout/, Consultado el 28 de noviembre de 2022.

AMUNDSEN, H., & DANNEVIG, H. (2021). Looking back and looking forward – adapting to extreme weather events in municipalities in western Norway. Regional Environmental Change, 21(108). https://doi.org/10.1007/s10113-021-01834-7.

ARAÚJO, A. C. The 1775 Lisbon Earthquake: the Catastrophe and the Reconstruction. Universitá di Bologna. Storicamente, Laboratorio di Storia. https://bit.ly/3J3B8Vj

ARNEDO LÁZARO, José Vicente. "!Todos a los Refugios! Refugios antiáereos, bombardeos y defensa pasiva: Villena 1935-1939". Ed. Fundación Municipal "José María Soler" (Villana). 2010, Pg. 41.

Arroyo Jiménez, L. (2020) Revista de Derecho Público: Teoría y Método Marcial Pons Ediciones Jurídicas y Sociales Vol. 1 | 2020 pp. 175-206 Madrid, 2020 DOI: 10.37417/RPD/vol_1_2020_28

ARROYO JIMÉNEZ, L. (2022). Las caras del derecho administrativo transnacional. Revista de Administración Pública, 218, 101-122. doi: https://doi.org/10.18042/cepc/rap.218.03

AYALA-CARCEDO, F. J. (2002). El sofisma de la imprevisibilidad de las inundaciones y la responsabilidad social de los expertos: Un análisis del caso español y sus alternativas. Boletín de la Asociación de Geógrafos Españoles, (33), 79-92.

BACHEV, H., & ITO, F. (2013, September 3). Fukushima nuclear disaster – Implications for Japanese agriculture and food chains. Munich Personal RePEc Archive. Institute of Agricultural Economics, Sofia & Tohoku University, Sendai. https://bit.ly/3VA5eDT. Pg. 2

BALOG-WAY, D., K. MCCOMAS AND J. BESLEY (2020). The evolving field of risk communication. Risk Analysis, vol. 40, no. S1, pp. 2240–2262.

BANAFA, A. (2022, 13 de octubre). Capacidades intelectuales de la inteligencia artificial. BBVA Open Mind. https://bit.ly/3UHpn99

BARISHANSKY, RAPHAEL M. (2015, October). The Word on "Resilience" in Emergency Management. https://bit.ly/3Ar1ATD

BATTEN, S. (2018). Cambio climático y macroeconomía: una revisión crítica (Documento de trabajo del personal del Banco de Inglaterra No. 706).

BATTEN, S., SOWERBUTTS, R., & TANAKA, M. (2016). Hablemos del clima: el impacto del cambio climático en los bancos centrales. Documento de trabajo del Banco de Inglaterra, n.° 603.

BETANCOR, A. (2020). No son los pensionistas. El Mundo, 17.

BIANCO, J. L. (1998, 25 de agosto). Rapport de M. Jean-Louis Bianco. La foret: une chance pour la France. https://bit.ly/3L2WjX0

BIRABEN, J.-N. (1975). Les hommes et la peste en France et dans les pays européens et méditerranéens [Tesis doctoral, Ès-Lettres]. Paris.

BODANSKY, D. (2016). The Legal Character of the Paris Agreement. Review of European, Comparative & International Environmental Law, 25, 142-145.

BOIX, A. (2020). Revista de Derecho Público: Teoría y Método, 1, 223-270. Publicado por Marcial Pons Ediciones Jurídicas y Sociales. https://bit.ly/3K9nZsH

BOLTON, R. (2019, 30 de diciembre). Back To Basics: What Is Innovation?. Forbes Business Council.https://bit.ly/3VN9sXS

BORINS, S. (1998). Innovating with integrity: How local heroes are transforming American government. Washington, DC: Georgetown Univ. Press. Citado por Borins, S. (2012). Making Narrative Count: A Narratological Approach to Public Management Innovation. Journal of Public Administration Research and Theory, 22(1), pp. 185-204. pg. 171, https://doi.org/10.1093/jopart/muq088

BORINS, S. (2010). Innovation as Narrative. Harvard Kennedy School. Citado por Rivero Ortega, R., & Merino, V. (2014). Innovación y gobiernos locales: estrategias innovadoras de ayuntamientos y diputaciones en un contexto de crisis. Instituto Nacional de Administración Pública.Pg. 37

BOWYER, P., BENDER, S., RECHID, D., & SCHALLER, M. (2014). Adapting to climate change: Methods and tools for climate risk management (p. 124). Climate Service Center.

BRITTON, N. R. (1986). Developing an understanding of disaster. Australian and New Zealand Journal of Sociology, 22(2), 254-271. Citado por Arcos González, P., & Castro Delagado, R. (2015). La construcción y evolución del concepto de catástrofe-desastre en medicina y salud pública de emergencia. Index de Enfermería, 24(1-2), 59-61. https://bit.ly/3HurtWw

BROWDER, G., OZMENT, S., REHBERGER, I., GARTNER, T., & LANGE, G. M. (s.f.). Integrating green and gray: Creating Next Generation Infrastructure. World Bank Group and World Resources Institute. http://hdl.handle.net/10986/31430

BURGER, M., & WENTZ, J. (2015). Climate Change and Human Rights. En M. Faure (Ed.), Elgar Encyclopedia of Environmental Law (pp. 198-205).

BURKE, M., HSIANG, S., & MIGUEL, E. (noviembre de 2015). Global nonlinear effect of temperature on economic production. Nature, 527(7577).

CADIÑANOS BARDECI, I. Ordenanzas municipales y gremiales de España en la documentación del "Archivo Histórico Nacional. Cuadernos de Historia del Derecho, 24, 253-410. https://doi.org/10.5209/CUHD.56790 Pg. 262

CADIÑANOS BARDECI, I.Ordenanzas municipales y gremiales de España en la documentación del Archivo Histórico Nacional. Cuadernos de Historia del Derecho, 24, 253-410. https://doi.org/10.5209/CUHD.56790

CAMPBELL, B. M. S. (2010). Nature as historical protagonist: Environment and society in pre-industrial England. The Economic History Review, 63(2), 281–314.

CARDOSO, M. (2018). El tamaño de las ciudades. BBVA Research. https://bit.ly/3VHNlCn

CEBOTARI, A., & YOUSSEF, K. (2020). Natural Disaster Insurance for Sovereigns: Issues, Challenges and Optimality. Documento de trabajo del FMI, WP/20/3. ISBN: 9781513525891.

CERNEV, T. (2022). Global Catastrophic Risk and Planetary Boundaries: The Relationship to Global Targets and Disaster Risk Reduction. GAR2022 Contributing Paper. United Nations Office for Disaster Risk Reduction. www.undrr.org/GAR2022

CHAPPLE, G. (2021, febrero). Australian Geographic: Christchurch earthquake, 10 years on. Recuperado de https://bit.ly/3kW9kYN.

CHAVDA, S., DRIGO, V., & TAU, J. (2022). Why are people still losing their lives and livelihoods to disaster? 100,000 perceptions of risk from Views From the Frontline 2019 [GAR2022 Contributing Paper]. United Nations Office for Disaster Risk Reduction. www.undrr.org/GAR2022

CHEN, Y.-E., Li, C., Chang, C.-P., & ZHENG, M. (2021). Identifying the influence of natural disasters on technological innovation. Economic Analysis and Policy, 70(C), 22-36.

CHOURABI, H., NAM, T., WALKER, S., GIL-GARCÍA, J. R., MELLOULI, S., NAHON, K., PARDO, T. A., & SCHOLL, H. J. (2012). Understanding Smart Cities: An Integrative Framework. In Proceedings of the 2012 45th Hawaii International Conference on System Sciences, Maui, HI, USA, 4–7 January 2012.

CLARK, N. (2005). Disaster and Generosity. The Geographical Journal, 171(4), 384-386

CLAVERÍA Y ZALDÚA, Narciso (1795-1851). Conde de Manila. Fue gobernador y capitán general de las Filipinas, senador del Reino. Entre las disposiciones que promulgó, señalamos la creación de un cuerpo de seguridad pública en los territorios de ultramar.

CRUZ VILLALÓN. (1981). La Ley Orgánica 4/1981, de 6 de junio. Revista de Derecho Constitucional, 1(2), 96.

CUMMINS, J. D., & DOHERTY, N. (2002). Federal terrorism reinsurance: An analysis of issues and program design alternatives. Conferencja presentada en el NBER Insurance Project Workshop, Cambridge, MA, 01 de febrero.

CUTTER, S. L., ISMAIL-ZADEH, A., ALCÁNTARA-AYALA, I., ALTAN, O., BAKER, D. N., BRICEÑO, S., ... WU, G. (2015). Global risks: Pool knowledge to stem losses from disasters. Nature, 522(7556), 277–279.

DAVOUDI, S., EVANS, N., GOVERNA, F., & SANANGELO, M. (2008). Territorial governance in the making: Approaches, methodologies, practices. Boletín de la Asociación de Geógrafos Españoles, (46), 33–52.

DE GROEVE, T., POLJANSEK, K., EHRLICH, D., & CORBANE, C. (2014). Current status and best practices for disaster loss data recording in EU Member States: A comprehensive overview of current practice in the EU Member States (EUR 26879, JRC9229). Luxembourg: Publications Office of the European Union. ISBN 978-92-79-43549-2. (p. 63).

DE WOLF, D. (2022, noviembre). Ushering in a new era of computing. MIT Industrial Liaison Program. https://bit.ly/3P6CS0M

DELGADO Y VARGAS, I. (1909). La prevención contra el incendio (Primer arquitecto nombrado arquitecto jefe del Cuerpo de Bomberos de Madrid). Madrid: Imprenta de Eduardo Arias.

DELOZIER, J. L., & BURBACH, M. E. (2021). Boundary spanning: Its role in trust development between stakeholders in integrated water resource management. Current Research in Environmental Sustainability, 3, 100027.

DÍAZ CARO, Á., & DE BLASE GÓMEZ, F. (2011). Sociedades de Seguros de Incendios en la Aplicación de la Normativa de Prevención de Incendios, 2ª Parte. Revista Prevención de Incendios, 50, 70.

DIFFENBAUGH, N. S., & FIELD, B. (2013). Changes in ecologically critical terrestrial climate conditions. Science, 341(6145). Burgess, S. D., Bowring, S., & Shen, S. (2014). High-precision timeline for Earth's most severe extinction. Proceedings of the National Academy of Sciences, 111(9).

DJEFFAL, C. (2024). AI, democracy and the law. En The democratization of artificial intelligence: Net politics in the era of learning algorithms (p. 255). Transcript.

DLUGOLECKI, A. (Mayo de 2009). The Climate Change Challenge. The Geneva Association, Risk & Insurance Economics, Risk Management SC1.

DOUHET, G. (1942/1983). The Command of the Air. (D. Ferrari, Ed. y Trad.). Washington, DC: Office of Air Force History.

DOUHET, G. (1988). O Domínio do Ar (El dominio del aire). (Escuela de Capacitación de Oficiales de Aeronáutica, Trad.). Belo Horizonte: Editora Italiana; Rio de Janeiro: Instituto Histórico de Aeronáutica.

DUEÑAS, F. (1997). La Milicia Nacional local en Barcelona durante el trienio liberal (1820-1823) (Vol. 1). Universidad Autónoma de Barcelona. Op. cit., p. 256.

EARGLE, A., & ESMAIL, A. (Eds.). (2015). Savage Sand and Surf: The Hurricane Sandy Disaster. ISBN-13: 978-0761865445.

EISER, J. R., BOSTROM, A., BURTON, I., JOHNSTON, D. M., MCCLURE, J., PATON, D., VAN DER PLIGT, J., & WHITE, M. P. (2012). Risk interpretation and action: A conceptual framework for responses to natural hazards. International Journal of Disaster Risk Reduction, 1, 5–16.

ELIZAGARATE, V. (2022). Barómetro de Catástrofes 2021 del Observatorio de Catástrofes de la Fundación Aon España. Consorseguros, Revista Digital, (núm. 17), Otoño.

ELIZAGARATE, V. (Diciembre de 2023). Conclusiones del VIII Simposium "Barómetro de Catástrofes 2022". Fundación Aon España. https://acortar.link/7LzljA

ENKVIST, I. (2022, 21 de septiembre). Salida a la crisis de la educación. Diario ABC.

ESCRIBANO, B., & CENTENO, L. (Fecha no proporcionada). Consideraciones sobre el impacto de la propuesta de normativa europea sobre IA en los órganos de gobierno. EY Building a better working world. https://go.ey.com/3VP4kSU

ESPEJO GIL, F. (2022). Revista Digital Consorseguros, número 17, página 3. Otoño 2022. https://bit.ly/3LU6izL

ESPEJO GIL, F. (23 de noviembre de 2022). Ponencia titulada "Retos para el seguro de catástrofes" presentada en el VII Simposium del Observatorio de Catástrofes. Subdirector de Estudios y Relaciones Internacionales del Consorcio de Compensación de Seguros, Ministerio de Asuntos Económicos y Transformación Digital.

ESPINOSA PRIETO, J. (2021). Prescribed burning to reduce fire severity effects on pine forests in the Iberian System / La quema prescrita para reducir la severidad del fuego: efectos en pinares del Sistema Ibérico [Prescribed burning to reduce fire severity: effects on pine forests in the Iberian System, Universidad de Valladolid]. https://bit.ly/3zZBM05

FACHE ROUSOVÁ, L., GIUIZO, M., KAPADIA, S., KUMAR, H.,

MAZZOTTA, L., PARKER, M. Y ZAFEIRIS, D. (julio de 2021). Cambio climático, catástrofes y los beneficios macroeconómicos de los seguros. Informe de Estabilidad Financiera, Autoridad Europea de Seguros y Pensiones de Jubilación.

FANKHAUSER, S. (1992). Global warming damage costs: Some monetary estimates. GEC Working Paper 92-29. Citado por López Zafra, J. M. & Paz Cobo, S. en "El sector asegurador ante el cambio climático: riesgos y oportunidades". Fundación MAPFRE. Página 33.

FAO. (2021). Los bosques para la salud y el bienestar de los seres humanos–Fortalecimiento del nexo entre los bosques, la salud y la nutrición (Documento de trabajo forestal N.º 18). Roma. https://bit.ly/42mnGC9

FARBER, D.A. y CHEN, J., en su libro: "Disasters and the law". Ed. Aspen Publishers (12 septiembre de 2006).

FERGUSON, N. (2021). Desastre. Historia y política de las catástrofes. Debate. (p. 102).

FERNÁNDEZ SEGADO, F. (1993, 23 DE JUNIO). EL reparto de competencias entre el Estado y las Comunidades: su problemática general. Ponencia presentada en el curso "Xornadas de estudio sobre a rexión como expacio político e administrativo", Escola Galega de Administración Pública.

FERNÁNDEZ-FONTECHA TORRES, M. El Estado de Alarma: algunas cuestiones fundamentales. El derecho.com. Visto el 4 de abril de 2024. https://bit.ly/3VQhT45.

FERNANDO PABLO, M. Ley 17/2015, de 9 de julio, del Sistema Nacional de Protección Civil. AIS: Ars Iuris Salmanticensis. 4 (1). 193-194.

Field et al., supra nota 37, en la página 62. Ottmar Edenhofer, et al., Resumen Técnico, en Cambio Climático 2014: Mitigación del Cambio Climático: Contribución del Grupo de Trabajo III al Quinto Informe de Evaluación del Panel Intergubernamental sobre el Cambio Climático, en la página 33, 50 (editado por Ottmar Edenhofer, et al., 2014).

FIGUEROA, U. (1991). Organismos Internacionales (p. 251). Editorial Jurídica de Chile.

FORZIERI, G., BIANCHI, A., MARÍN HERRERA, M. A., BATISTA E SILVA, F., FEVEN, L., & LAVALLE, C. (2015). Resilience of large investments and critical infrastructures in Europe to climate change. Luxembourg: Publications Office, European Commission, Joint Research Centre and Institute for the Protection and the Security of the Citizen.

FRITZ, CH. E. (1961). Disaster. En Merton, R. K. y Nisbet, R. A. (Eds.), Contemporary Social Problems (pp. 651-694). New York: Harcourt.

FURCERI, D., LOUNGANI, P., OSTRY, J. D., & PIZZUTO, P. (2020). Will Covid-19 affect inequality? Evidence from past pandemics. Covid Economics: Vetted and Real-Time Papers, (12), 138–157. https://bit.ly/3JATFaf

GARCÍA DE ENTERRÍA, E. (1962). La lucha contra las inmunidades de poder en el Derecho Administrativo. Revista de Administración Pública (RAP), 38, 171.

GARCÍA DE ENTERRÍA, E. (1976). El problema jurídico de las sanciones administrativas. Revista Española de Derecho Administrativo (REDA), 10, 399-420.

GARCÍA LÓPEZ, J. M. (1995). Breve repertorio histórico de los orígenes de la ordenación de montes en España (1852-1899). Cuadernos de la S.E.CF., número 1, pp. 139-148. https://bit.ly/3mrJCN5

GARCÍA RENEDO, M., GIL BELTRÁN, J. M., & VALERO VALERO, M. (2007). Psicología y desastres, aspectos psicosociales. Publicaciones de la Universitat Jaume I. ISBN: 978-84-8021-588-6.

GARCÍA, A., & BOLAÑO, M. C. (2018). Nuevas perspectivas del derecho ambiental en el siglo XXI. En N. Arrese (Ed.), La respuesta del derecho a las catástrofes naturales (pp. 101-126). Marcial Pons.

GARCÍA-ÁLVAREZ, A. (2010). Historia del Cuerpo de Ingenieros de Montes (1853-2010). Colegio Oficial y Asociación de Ingenieros de Montes. https://bit.ly/3mm2DAx

GARMENDIA, C., RASILLA, D. F., & RIVAS, V. (2017). Distribución espacial de los daños producidos por los temporales del invierno 2014 en la costa norte de España: peligrosidad, vulnerabilidad y exposición. Estudios Geográficos, 78(282), 71-104.

GAUPP, F. (2020). Extreme events in a globalized food system. One Earth, 2, 518–521. doi:https://doi.org/10.1016/j.oneear.2020.06.001.

GILL, J. C., & MALAMUD, B. D. (2014). Reviewing and visualizing the interactions of natural hazards. Review of Geophysics, 52, 680–722. DOI:10.1002/2013RG000445

GOLDSTEIN, J. A., SASTRY, G., MUSSER, M., DIRESTA, R., GENTZEL, M., & SEDOVA, K. (enero de 2023). Generative Language Models and Automated Influence Operations: Emerging Threats and Potential Mitigations. Georgetown's Center for Security and Emerging Technology, OpenAI, Stanford Internet Observatory. Página 63. https://arxiv.org/pdf/2301.04246.pdf

GONZALEZ LÁZARO SUEIRAS, B. (Abril, 2024). Ejército virtual español: Una propuesta estratégica para fortalecer el vínculo entre la sociedad y las fuerzas armadas en el siglo XXI.

GORDON, R. (2024, April 18). Researchers create the first artificial vision system for both land and water. MIT CSAIL. The paper was recently published in Nature Electronics. MIT professor Durand, F. wrote the paper alongside 15 coauthors, https://bit.ly/3iJ9stD

GROVE, K. (2018). Resilience. Florida International University. p. 268. Recuperado de https://www.academia.edu/42008696/Resilience

GUERRA TSCHUSCHKE, A. (2022). Zonas inundables y límites a los usos urbanísticos. Actualidad Jurídica Ambiental, (120), "artículos doctrinales". ISSN: 1989-5666. https://doi.org/10.56398/ajacieda.00177

GULLIVER-GARCÍA, T. (2019). Citado por Gulliver-García, T., Directora de Aprendizaje y Asociaciones del Center for Disaster Philanthropy's, en el artículo: Disasters versus Catastrophes: The Difference Matters. https://bit.ly/3WU5ooF

H. DAMON ET AL., "Focus on cumulative emissions, global carbon budgets, and the implications for climate mitigation targets," Environmental Research Letters, January 2018, Volume 13, Number 1. MATTHEWS, H. Damon and Ken Caldeira, "Stabilizing climate requires near zero emissions," Geophysical Research Letters, February 2008,

Volume 35, Issue 3; Myles R. Allen et al., "Warming caused by cumulative carbon emissions towards the trillionth tonne," Nature, April 2009, Volume 458, Issue 7242.

HADMANN JASPER, F. N. (2020). La influencia de los arquitectos del poder aéreo en la estructuración de las fuerzas aéreas. Revista Fuerza Aérea EAU, ed. 2020, 1.

HALLEGATTE, S., SHAH, A., LEMPERT, R., BROWN, C., & GIL, S. (2012). Investment decision making under deep uncertainty — Application to climate change. Policy Research Working Paper. World Bank, Washington, DC.

HAUBOLD, J., STEELE, J.M., & STEVENS, K. (2019). Keeping watch in Babylon: The astronomical diaries in context. Culture and history of the ancient Near East, volume 100. Brill.

HAUSTEIN, KARSTEN et al., "A real-time Global Warming Index", Nature Scientific Reports, 13 de noviembre de 2017; MILLAR, Richard J. y FRIEDLINGSTEIN, Pierre, "The utility of el registro histórico para evaluar la respuesta climática transitoria a las emisiones acumulativas", Philosophical Transactions of la Royal Society, mayo de 2018, volumen 376, número 2119.

HEIPERTZ, M. & NICKEL, C. (2008). El cambio climático trae días tormentosos: estudios de casos sobre el impacto de los fenómenos meteorológicos extremos en las finanzas públicas. SSRN 1997256.

HINTON, G. (1 de mayo de 2023). The Godfather of A.I.' Leaves Google and Warns of Danger Ahead. New York Times. https://binged.it/3M1jVgt.

HOEPPE, P., & BERZ, G. (2005). Risks of climate change the perspective of the (Re) insurance industry. Recuperado de http://ieeexplore.ieee.org. Citado en López Zafra, J. M. & Paz Cobo, S. en "El sector asegurador ante el cambio climático: riesgos y oportunidades". Fundación MAPFRE. Páginas 91-92.

HOLLMAN, B. (2009). The Next War in the Air: Civilian Fears of Strategic Bombardment in Britain 1908-1941 (Tesis doctoral, University of Melbourne).

HOOGHE, L. (Ed.). (1996). Cohesion Policy and European Integration:

Building Multi-Level Governance. Oxford, UK: Oxford University Press.

HUGGINS, A. (2018). The Evolution of Differential Treatment in International Climate Law: Innovation, Experimentation, and "Hot" Law. Climate Law, 8, 195-204.

IBÁÑEZ, J. M. (2023, 13 de febrero). ¿Qué ha fallado?: Los seísmos se pueden prevenir. Diario La Razón, p. 15.

JOHNSON, B. (2012). Tiny 'spherules' reveal details about Earth's asteroid impacts. Universidad de Purdue. https://acortar.link/QtQynv

JORDANO FRAGA, J. (2000). La Reparación de los Daños Catastróficos: Catástrofes Naturales, Administración y Derecho Público–Responsabilidad, Seguro y Solidaridad. Editorial Marcial Pons.

KAHN, M. E., et al. (julio de 2019). Long-term macroeconomic effects of climate change: A cross-country analysis. Federal Reserve Bank of Dallas, Globalization Institute Working Paper 365. Colacito, R., et al. (agosto de 2018). The impact of higher temperatures on economic growth. Federal Reserve Bank of Richmond, North Carolina, Economic Brief EB18-08.

KAIHO, K., & OSHIMA, N. (2017). Site of asteroid impact changed the history of life on Earth: The low probability of mass extinction. Scientific Reports, 7(14855). https://doi.org/10.1038/s41598-017-14199-x

KÄLIN, W., & HAENNI DALE, C. (2008). Reducir el riesgo de catástrofes: ¿por qué importan los derechos humanos? Revista Migraciones Forzadas, (31), 38-39.

KAYA, Y., & YOKOBORI, K. (1997). Environment, energy, and economy: Strategies for sustainability. The United Nations University Press.

KINDELÁN, A. (1924). Doctrina de la guerra aérea, características y modo de empleo. En A. Kindelán, Conferencias Teóricas: Primer curso para Jefes de unidades tácticas aéreas (p. 34). Madrid: Talleres Tipográficas Stampa.

KING, M., & HOBART, K. (2021). Vredefort impact crater: The largest impact structure with visible evidence on Earth's surface. NASA Earth Observatory. Recuperado el 28 de diciembre de 2021, de https://earthobservatory.nasa.gov/images/92689/vredefort-crater

KLEIN, I. (1984). When the rains failed: Famine, relief, and mortality in British India. Indian Economic & Social History Review, 21, 185-214

KLEIN, N. (2008). Rise of Disaster Capitalism in Nation. Picador Paper; First edition. ISBN: 978-0312427993.

KREIBICH, H., THIEKEN, A. H., PETROW, TH., MÜLLER, M., & MERZ, B. (2015). Reducción de pérdidas por inundaciones en hogares privados debido a medidas de precaución en la construcción: lecciones aprendidas de la inundación del Elba en agosto de 2002. Peligros naturales y Ciencias del Sistema Terrestre. Disponible en: https://bit.ly/3jUvvP6

LADERO QUESADA, M. A., & GALÁN PARRA, M. I. (1982). Las ordenanzas locales en la Corona de Castilla como fuente histórica y fuente de investigación (siglos XIII-XVII). Anales de la Universidad de Alicante, (1982), pg. 221-243.

LALLEMANT, D., LOOS, S., MCCAUGHEY, J. W., BUDHATHOKI, N., & KHAN, F. (2020). Supporting equitable disaster recovery through mapping and integration of social vulnerability into post-disaster impact assessments. Informatics for Equitable Recovery Project. Earth Observatory Singapore. www.research-collection.ethz.ch/handle/20.500.11850/423856

LAPORTE, G., RANCOURT, M., RODRÍGUEZ-PEREIRA, J., & SILVESTRI, S. (2022). Optimizing access to drinking water in remote areas: Application to Nepal. Computers & Operations Research, 140, 105669. https://doi.org/10.1016/j.cor.2021.105669.

LARA SAN MARTÍN, A. (2012). Percepción social en la gestión del riesgo de inundación en un área mediterránea. Universitat de Girona. https://bit.ly/3nAlYxW

LATORRE, J. I. (26 de diciembre de 2022). EL MUNDO, suplemento sobre inteligencia artificial. Página 8.

LEE, H. (2019, 2 de diciembre). Sesión Inaugural de la Conferencia de la ONU sobre el Cambio Climático, COP25 [Discurso]. Madrid.

LIMPANONT, T. (febrero de 2023). ChatGPT and natural disasters: can chatbots help us cope. https://bit.ly/3YgUVVh

LOMBARDI, P., GIORDANO, S., FAROUH, H., & YOUSEF, W. (2012). Modelling the smart city performance. Innovation: The European Journal of Social Science Research, 25, 137–149. https://doi.org/10.1080/13511610.2012.660325.

LÓPEZ CALERA, N. (2010). El interés público: entre la ideología y el Derecho. Anales de la Cátedra Francisco Suárez, 44, 133.

LÓPEZ DE LERMA G., J. The right to receive faithful information in the constitutional system. The professional exercise of journalism as a democratic guarantee. https://revista-estudios.revistas.deusto.es/article/view/1534/1883.

LÓPEZ ORTIZ, I., & MELGAREJO, J.: Riesgo de inundación en España: análisis y soluciones para la generación de territorios resilientes. En Olcina, J. (Ed.), Ordenación del Territorio para la Gestión del Riesgo de Inundaciones: Propuestas (p. 506). Editorial X., https://orcid.org/0000-0002-4846-8126

LÓPEZ VILLALBA, J. M. (2006). Los Fueros y Ordenanzas Medievales: embrión del Gobierno de los Cabildos Coloniales Hispanoamericanos. HID, 33, 339-363. UNED.

LÓPEZ VIÑA, J. (2021). La "Ley de Resiliencia": Luces y sombras. Ed. Tuayuntamientoaqui.com. https://bit.ly/3OZsRT5

LÓPEZ ZAFRA, J. M. & PAZ COBO, S. (sin fecha). El sector asegurador ante el cambio climático: riesgos y oportunidades. En Fundación MAPFRE (Eds.)

LÓPEZ, V. (AFI RESEARCH), LABAKA, L. (TECNUN), & CARO, R. (Universidad Pontificia de Comillas). (2022). Datos publicados en la Revista Digital Consorseguros, número 17, Otoño 2022. https://bit.ly/3LU6izL

MARAMAI, A., GRAZIANI, L., & BRIZUELA, L. (Año). Italian tsunami effects database (ITED): The first database of tsunami effects observed along the Italian coasts. Nat. Peligros Tierra Syst. Sci. Discutir. [Preprint]. https://doi.org/10.5194/nhess-2019-241

MARCHENA GÓMEZ, M. (2022). Inteligencia artificial y Jurisdicción Penal. Discurso leído en el acto de su recepción como Académico de número de la Real Academia de Doctores de España. ISBN: 978840944902-6.

MARTÍNEZ LÓPEZ, D. (2019). Disparando contra el cielo: La construcción del sistema de defensa antiaéreo republicano durante la Guerra Civil (1936-1938). Revista Universitaria de Historia Militar, 8(17), 203-228.

MASOZERA, M., BAILEY, M., & KERCHNER, C. (2007). Distribution of impacts of natural disasters across income groups: A case study of New Orleans. Ecological Economics, 63(2-3), 299-306. ISSN 0921-8009, https://doi.org/10.1016/j.ecolecon.2006.06.013

MATTHEWS, H. DAMON ET AL. (2018). Focus on cumulative emissions, global carbon budgets, and the implications for climate mitigation targets. Environmental Research Letters, 13(1).

MAYER, B. (S/F). Climate Change Mitigation as an Obligation Under Human Rights Treaties? Publicado por Cambridge University Press en nombre de The American Society of International Law. doi:10.1017/ajil.2021.9

MCDONALD, R. (2003). Introduction to Natural and Man-made Disasters and their Effects on Buildings. Architectural Press. Pg. 13.

MCFARLANE, A. C., & NORRIS, F. H. (2006). Definitions and Concepts in Disaster Research. En F. H. Norris, S. Galea, M. J. Friedman, & P. J. Watson (Eds.), Methods for disaster mental health research (pp. 3–19). The Guilford Press.

MESSER, ED., & BOWEN, ST. (Febrero de 2023). Gallagher Re Global InsurTech Report.

MOHANTY, S. P., CHOPPALI, U., & KOUGIANOS, E. (2016). Everything you wanted to know about smart cities: The Internet of things is the backbone.

IEEE Consumer Electronics Magazine, 5, 60–70. https://doi.org/10.1109/mce.2016.2556879.

MOLERO MARTÍN-SALAS, M. P., & PACHECO JIMÉNEZ, M. N. (2014). Los Servicios Públicos esenciales en España. Revista Luso-Brasileira de Derecho del Consumo, IV(15), 61.

MONTANDON, R. (1924). La géographie des calamités. Matériaux pour l'Étude des Calamités, (1), 20.

MONTILLA MARTOS, J. A. (2016). "El Informe CORA". IDP. Observatorio de Derecho Público. https://idpbarcelona.net/el-informe-cora/

MORA GARCÍA, M.A. (2020). Antecedentes históricos de las plagas de langosta. https://bit.ly/3wlcY15

MORALES, A. J., PASTOR-ESCUREDO, D., TORRES, Y., FRÍAS-MARTÍNEZ, V., FRÍAS-MARTÍNEZ, E., OLIVER, N., RUTHERFORD, A., LOGAR, T., CLAUSEN-NIELSEN, R., BACKER, O. D., & LUENGO-OROZ, M. A. (2015).

Studying human behavior through the lens of mobile phones during floods. [Net Mob 2015]. https://bit.ly/42Ze5Cx

MOREIRA, C., ARIANOUTSOU, M., CORONA, P., DE LAS HERAS, J., DELUCA, T. H., EVARISTO, J., ... & XANTHOPOULOS, G. (2011). Landscapewildfire interactions in southern Europe: Implications for landscape management. Journal of Environmental Management, 92(10).

MOROTE, A. F., & OLCINA CANTOS, J. (2021). El riesgo de inundación en el contexto actual de cambio climático: Propuestas didácticas para su enseñanza en la Geografía escolar [The flood risk in the current context of climate change: Didactic proposals to teach in school Geography]. PAPELES, 13(26).https://doi.org/10.54104/papeles.v13n26.1122

MUÑOZ GÓMEZ, Á. El control de constitucionalidad del estado de alarma.. Comentario a la STC 148/2021, de 14 de julio. Revista de la Facultad de Derecho de ICADE. https://bit.ly/3Cko7mc

NEVADO-BATALLA, P. T. (2022). Política vs. Gestión Pública: la tentación del abuso. Colex.

NEVADO-BATALLA, P.T. (2022). Buena gobernanza y control de las decisiones públicas. El papel del ciudadano. Universidad de Salamanca. Centro de Investigación para la Gobernanza Global.

NOJI, E. K. (1997). The Public Health Consequences of Disasters. Oxford University Press. ISBN: 0-19-509570-7.

OCHOA MONZÓ, J. El régimen jurídico de los riesgos mayores. La protección civil. Universidad de Alicante. Facultad de Derecho. Área de Derecho Administrativo. 1995.

OCHOA MONZÓ, J. El derecho a la información sobre riesgos en las emergencias de protección civil. Revista Española de la Transparencia, (18). 105-131.

OLCINA, J., ET AL. (2018). Evaluación de los riesgos naturales en las políticas de ordenación urbana de los municipios de la provincia de Alicante. Legislación y cartografía del riesgo. Cuadernos Geográficos, 57(3), 152-176. http://dx.doi.org/10.30827/cuadgeo.v57i3.6390

OLIVER-SMITH, A (1996). Anthropological Research on Hazards and Disasters. Annual Review of Anthropology 25: 303–328, DOI: https://doi.org/10.1146/annurev.anthro.25.1.303

OLIVER-SMITH, A., ALCÁNTARA-AYALA, I., BURTON, I., & LAVELL, A. (2017). The social construction of disaster risk: Seeking root causes. International Journal of Disaster Risk Reduction, 22, 469-474. ISSN 2212- 4209, https://doi.org/10.1016/j.ijdrr.2016.10.006. (https://acortar.link/QtQynv)

ORTIZ, R. (Ed.). (1996). Riesgo volcánico. Lanzarote: Casa de los Volcanes, CSIC, p. 15.

OTKER, I., & LOYOLA, J. (2016). Fiscal Challenges in the Caribbean: Coping with Natural Disasters. In Alleyne, R., Otker, I., Ramakrishnan, U., & Srinivasan, K. (Eds.), Unleashing Growth and Strengthening Resilience in the Caribbean (Chapter 5). International Monetary Fund. (Publication year of the book is 2017). https://bit.ly/3n9BVeo

PAPE, R. A. (1996). Bombing to Win: Air Power and Coercion in War. Ithaca, NY: Cornell University Press.

PAREJO ALFONSO, L. (1984). El Concepto del Derecho Administrativo. Caracas: Editorial Jurídica Venezolana, pg. 37.

PAREJO ALFONSO, L. (1998). Capítulo X: El interés general o público. Las potestades generales o formales para su realización. En Parejo Alfonso, L., Jiménez-Blanco, A., & Ortega Álvarez, L. (Eds.), Manual de Derecho Administrativo (Vol. I, 5ª ed., p. 605). Ariel Derecho.

PATON, D., & JOHNSTON, D. (2006). Disaster Resilience: An Integrated Approach. Charles C Thomas Publisher Ltd. (p. 9).

PATON, D., & JOHNSTON, D. (2017). Disaster Resilience: An Integrated Approach. Springfield: Charles C. Thomas Publisher Ltd.

PEEL, J. (2017). Climate Change. En A. Nollkaemper & I. Plakokefalos (Eds.), The Practice of Shared Responsibility in International Law (pp. 1009-1024).

PÉREZ DE ARMIÑO, K. (2006). Diccionario de acción humanitaria y cooperación al desarrollo (pp. 187-191). En Fernández Liesa, C. R. (2011). Desarrollos del Derecho Internacional frente a los desastres/catástrofes internacionales. Anuario Español de Derecho Internacional, pp. 211.

PÉREZ MORALES, A. (2009). La valoración del riesgo de inundación en los instrumentos de gobernanza municipales del sur de Murcia. Investigaciones Geográficas, 48, 97-123.

PÉREZ-MORALES, A., NAVARRO HERVÁS, F., & ALVAREZ ROGEL, J. (2016). Propuesta metodológica para la evaluación de la vulnerabilidad social en poblaciones afectadas por el peligro de inundación. Documents d'Anàlisi Geogràfica, 62(1), 137. https://binged.it/3M024qv.

PETRAGLIA, M. ET AL. (2012). Reafirman su hipótesis de que el Homo sapiens probablemente fabricó las cajas de herramientas del Paleolítico Medio que se encontraron antes y después de la erupción de Toba. Quaternary International.

PICKETT, S., BOONE, C. G., MCGRATH, B. P., CADENASSO, M. L., CHILDERS, D. L., OGDEN, L. A., MCHALE, M., & GROVE, J. M. (2013). Ecological science and transformation to the sustainable city. Cities, 32, S10–S20. https://doi.org/10.1016/j.cities.2013.02.008

PLADIGA 2022 (Plan de Prevención y Defensa contra los Incendios Forestales en Galicia), https://bit.ly/3LrJtTs.

QADIR, J., ALI, A., UR RASOOL, R., ZWITTER, A., SATHIASEELAN, A., & CROWCROFT, J. (2016). Crisis Analytics: Big Data-Driven Crisis Response. Journal of International

Humanitarian Action, 1(1), 12. Available from https://doi.org/10.1186/s41018-016-0013-9 (acceso 18 de abril de 2024).

QUARANTELLI, E. L. (1985). What is disaster? The need for clarification in definition and conceptualization in research. Universidad de Delaware. Citado por Arcos González, P., & Castro Delagado, R. (2015). La construcción y evolución del concepto de catástrofe-desastre en medicina y salud pública de emergencia. Index de Enfermería, 24(1-2), 59-61. https://bit.ly/3HurtWw

RADU, D. (2021). Financiamiento del riesgo de desastres: conceptos principales y evidencia de los Estados miembros de la UE. Economía europea: Documento de debate, 150, octubre de 2021,

REDMAN, C.L., & KINZIG, A.P. (2003). Resilience of past landscapes:

Resilience theory, society, and the Longue Durée. Ecology and Society, 7(1).

RENN, O., & SCHWEIZER, P.-J. (2009). Inclusive Risk Governance: Concepts and Application to Environmental Policy Making. Environmental Policy and Governance.

RENN, O., KLINKE, A., & VAN ASSELT, M. (2011). Coping with Complexity, Uncertainty and Ambiguity in Risk Governance: A Synthesis.

AMBIO: A Journal of the Human Environment.

RENN, O., P.-J. SCHWEIZER, U. MÜLLER-HEROLD and A. STIRLING. 2009. Precâutionary Risk Appraisal and Management. An Orientation for Meeting the Precautionary Principle in the European Union. Bremen. Europäischer Hochschulverlag

RIFKIN, J. (2022, 10 de noviembre). Entrevista en la Revista PAPEL del Diario El Mundo, páginas 39-42.

RÍOS, B. (2018, enero 22). Las catástrofes naturales que cambiaron la historia. Geografía Infinita. Recuperado de https://bit.ly/3woREre

RIVERO, R., & MERINO, V. (2014). Innovación y gobiernos locales: Estrategias innovadoras de ayuntamientos y diputaciones en un contexto de crisis. Instituto Nacional de Administración Pública.

RIVERO ORTEGA, R. (2023). Derecho Administrativo (2.ª ed.). Editorial Tirant lo Blanch.

RIVERO ORTEGA, R. (2023). Derecho al medio ambiente, cambio climático y prevención de incendios: el papel de los gobiernos locales. Revista Aranzadi de Derecho Ambiental, 21-40. ISSN: 1695-2588.

RIVERO ORTEGA, R. (2023). ¿Pueden los robots reemplazar a los funcionarios? Derecho Digital e Innovación. Digital Law Innovation Review, (16). ISSN: 2659-871X.

RIVERO ORTEGA, R. (2024). Homo ex machina. Ética de la inteligencia artificial y derecho digital ante el horizonte de la singularidad tecnológica. Revista de Administración Pública. (224), 437-439-

ROBINSON, M. (2014). Social and Legal Aspects of Climate Change. Journal of Human Rights and Environment, 5, 15.

ROCA VERNET, J. (2000). La milicia nacional o la ciudadanía armada. El contrapoder revolucionario frente al liberalismo institucional. Bulletin d'Histoire Contemporaine de l'Espagne, 54, 13.

ROCKSTRÖM, J., GUPTA, J., QIN, D., et al. (2023, 31 de mayo). Safe and just Earth system boundaries. Nature. https://doi.org/10.1038/s41586- 023-06083-8

RODRÍGUEZ GRAJERA, A. (2000). Las Ordenanzas locales como fuente para la historia ambiental durante el antiguo régimen en Extremadura. Chronica Nova, 27, 183.

RODRÍGUEZ PASCUA, M.A., SILVA BARROSO, P.G., GINER ROBLES, J., PÉREZ LÓPEZ, R., PERUCHA ATIENZA, M.A., & MARTÍN GONZÁLEZ, F. (2005).

Fuentes medievales y posibles evidencias arqueológicas del terremoto de Andújar de 1170. Boletín de Estudios Giennenses, (192), 139-177. I.S.S.N.: 0561-3590.

RODRÍGUEZ-PASCUA, M.A., PERUCHA, M.A., SILVA, P.G., MONTEJO CÓRDOBA, A.J., GINER-ROBLES, J.L., ÉLEZ, J., BARDAJÍ, T., ROQUERO, E., & SÁNCHEZ SÁNCHEZ, Y. (2023). Archaeoseismological evidence of seismic damage at Medina Azahara (Córdoba, Spain) from the early 11th century. Applied Sciences, 13(3), 1601. https://doi.org/10.3390/app13031601

ROHR, C. (2003). Man and natural disaster in the Late Middle Ages: The earthquake in Carinthia and northern Italy on 25 January 1348 and its perception. Environment and History, 9, 127-149. The White Horse Press.

ROLDÁN PASCUAL, J. E. (2010). De la Brigada de Artillería Volante a la Unidad Militar de Emergencias. Memorial de Artillería, 166(2).

ROLDÁN PASCUAL, J. E. (sin fecha). Protección Civil y Fuerzas Armadas. De la Academia de las Ciencias y las Artes Militares. Visto el 30 de marzo de 2024, en https://www.acami.es/wp-content/uploads/2022/05/Proteccion-civily-FAS-I.pdf

ROSA, E. A. (2008). White, black, and gray: Critical dialogue with the International Risk Governance Council's Framework for Risk Governance. En O. Renn y K. Walker (Eds.), Global Risk Governance: Concepts and Practice Using the IRGC Framework (pp. 101-118). Dordrecht: Springer.

ROUBINI, N. (2023, 12 de enero). La fusión nuclear como motor de desarrollo económico y social. La Vanguardia, p. 37.

ROVATSOS, M., MITTELSTADT, B., & KOENE, A. (2019). Landscape Summary: Bias in Algorithmic Decision Making: What is Bias in Algorithmic Decision-Making, How Can We Identify It, And How Can We Mitigate It? Edinburgh: UK Government.

RUBIN, E. S. (s/f). Innovación y cambio climático. OpenMind BBVA. Recuperado el 30 de octubre de 2021, de https://bit.ly/3pRHgGo

RUBIO, A., MAÑEZ, M., PULIDO, M., GARCIA, A., CELLIERS, L., LLARIO, F., & MACINA, J. (2021, octubre). Structuring Climate Service Co-Creation Using a Business Model Approach. https://doi.org/10.1029/2021EF002181

RUIZ MITJANA, L. (s. f.). El concepto "sesgo de la normalidad". En Psicología y Mente. Recuperado de https://bit.ly/3YBEfZh

RUIZ NÚÑEZ, J. B. (2018). Los no combatientes y las reacciones ante los bombardeos aéreos republicanos. Investigaciones Históricas, 38, 403-428.

SALVAGO GONZÁLEZ, B. (2018). La Función de inteligencia y la gestión de emergencias y catástrofes (Documento de Trabajo n.º 02/2018). Instituto Español de Estudios Estratégicos. Centro Superior de Estudios de la Defensa Nacional (CESEDEN), p. 82.

SÁNCHEZ GONZÁLEZ, D., & CHÁVEZ, R. (2016). Personas mayores con discapacidad afectadas por inundaciones en la ciudad de Monterrey, México: Análisis de su entorno físico-social. Cuadernos Geográficos, 55(2), 85-106, recuperado a partir de https://bit.ly/3MqLjVC

SÁNCHEZ MORÓN, M. (2018). El retorno del derecho administrativo. Revista de Administración Pública, 206, 37-66. doi: https://doi.org/10.18042/cepc/rap.206.02

SANDOZ, Y. (1996). Derecho o deber de injerencia. Derecho de asistencia: ¿de qué hablamos? En Instituto Interamericano de Derechos Humanos (Ed.), Serie Estudios Básicos de Derechos Humanos, Tomo VI (p. 336).

SANGKYUN, K. (2022). El metaverso. Ed. Anaya.

SARASIBAR IRIARTE, M. "El derecho ante los riesgos y desastres naturales". Revista General de Derecho Administrativo, 61. 2022.

SARASIBAR IRIARTE, M. El Derecho Forestal ante el cambio climático: las funciones ambientales de los bosques. Pamplona: Aranzadi. 301 pgs. VLEX, 2007.

SARKISSIAN, R. D., CARIOLET, J.-M., DIAB, Y., & VUILLET, M. (2022). A holistic approach to assess the systemic resilience of critical infrastructures: Insights from the Caribbean Island of Saint-Martin in the aftermath of Hurricane Irma [GAR2022 Contributing Paper]. United Nations Office for Disaster Risk Reduction. www.undrr.org/GAR2022

SAURÍ, D., SERRA, A., OLCINA, J., & VERA, J. F. (2011). Climate change and Europe's regions: Key findings. Case study Spanish Mediterranean coast. En S. Greiving (Coord.), ESPON Climate Change and Territorial Effects on Regions and Local Economies (pp. 30-39).

SAUVÉ, J. M. (2012, 29 de junio). Intervention de Jean-Marc Sauvé lors de la Conférence nationale des présidents de la juridiction administrative: Le juge administratif face au défi de l'efficacité. Conseil d'État, France.

SHERWOOD, S. C., & HUBER, M. (25 de mayo de 2010). An adaptability limit to climate change due to heat stress. Proceedings of the National Academy of Sciences, 107(21).

SILVER, N., & DLUGOLECKI, A. (2009). The insurability of the impacts of climate change. Science, 324(5934), 1551-1554.

SIMONCINI, M. y HERWIG, A. Law and the Management of disasters: The Challenge of Resilience (Law, Science and Society). Ed. Publisher Quality, (18 de febrero de 2017).

SIVA KUMAR, R. S., & JOHNSON, A. (octubre de 2022). Cyberattacks against machine learning systems are more common than you think. https://bit.ly/3IZhwRG

SNYDER, T. (2021). El ocaso de la democracia. Debate. Pgs. 112-113.

SOUTHGATE, R. J., ET AL. (2013). Using science for disaster risk reduction. Report of the UNISDR Scientific and Technical Advisory Group.

TAALAS, P. (2023, 10 de enero). La capa de ozono se dirige hacia su total recuperación. El País, p. 25.

TARRÉS, M. (s.f.). Introducción al derecho administrativo. Universitat Oberta de Catalunya. Página 42.

TILLING, R. (1993). Los peligros volcánicos. Santa Fe de Nuevo México: Organización Mundial de Observatorios Vulcanológicos. En García Renedo, M.,

Gil Beltrán, J. M., & Valero Valero, M. (2007). Psicología y desastres: aspectos psicosociales (p. 44). Publicaciones de la Universitat Jaume I.

TORROJA, H. (2016). Estrategia Internacional para la seguridad humana en los desastres naturales. Araucaria, Revista Iberoamericana de Filosofía, Política y Humanidades, (36), 241-263.

TOUMI, R., & RESTELL, L. (2014). Lloyds: Catastrophe Modelling and Climate Change (p. 8).

UNDRO. (1979). Natural Disasters and Vulnerability Analysis. Ginebra. Recuperado de https://bit.ly/42yEbMk. Van Essche, L. (1985). Algunos aspectos de la estimación de la vulnerabilidad y el riesgo sísmico. En Seminario sobre Sismicidad y Riesgos Sísmicos (p. 139).

VAN BAVEL, B., CURTIS, D. R., DIJKMAN, J., HANNAFORD, M., DE KEYZER, M., VAN ONACKER, E., & SOENS, T. (2020). Disasters and History: The Vulnerability and Resilience of Past Societies. Cambridge University Press. (pp. 44-54). ISBN 9781108477178.

VAN ROOSBROECK, F., & SUNDERB, A. (Año). Culling the herds? Regional divergences in rinderpest mortality in Flanders and South Holland, 1769-1785. https://bit.ly/3wp1oBN

VOSOUGHI, S., ROY, D., & ARAL, S. (2018). The spread of true and false news online. Science, 359(6380), 1146–1151.

WAHBA, S., & VAPAAVUORI, J. (2020). A functional city's response to the COVID-19 pandemic. Sustainability in Cities.

WALTON, M. (2005). Scientists: Sumatra quake longest ever recorded. CNN. Recuperado de https://cnn.it/3jmztQc

WEISAETH, L. (1992). Prepare and repair: Some principles in prevention of psychiatric consequences of traumatic stress. Psychiatria Fennica, 23(Suppl.),

11-28. Citado por Arcos González, P., & Castro Delagado, R. (2015). La construcción y evolución del concepto de catástrofe-desastre en medicina y salud pública de emergencia. Index de Enfermería, 24(1-2), 59-61. https://bit.ly/3HurtWw

WESTLEY, F., OLSSON, P., FOLKE, C., HOMER-DIXON, T., VREDENBURG, H., LOORBACH, D., ET AL. (2011). Tipping toward sustainability: emerging pathways of transformation. Ambio, 40.doi:10.1007/s13280-011-0186-9.

WHITMORE, A. (2000). Compulsory environmental liability insurance as a means of dealing with climate change risk. Energy Policy, 28, 739–741.

WILLIAMS, G.E., & GOSTIN, V.A. (2010). Geomorphology of the Acraman impact structure, Gawler Ranges, South Australia. Cadernos Lab. Xeolóxico de Laxe Coruña, 35, 209-220.

WISNER, B., BLAIKIE, P., CANNON, T., & DAVIS, I. (2004). At risk: Natural hazards, people's vulnerability and disasters (p. 50). Routledge.

WOOD, M. M., MILETI, D. S., KANO, M., KELLEY, M. M., REGAN, R., & BOURQUE, L. B. (2012). Communicating actionable risk for terrorism and other hazards. Risk Analysis, 32(4), 601–615.

YANG, Z. (febrero de 2023). Inside the ChatGPT race in China. MIT Technology Review. https://bit.ly/3GikZsW

YOVANOF, G. S., & HAZAPIS, G. N. (2009). An Architectural Framework and Enabling Wireless Technologies for Digital Cities & Intelligent Urban Environments. Wireless Personal Communications, 49, 445–463. https://doi.org/10.1007/s11277-009-9693-4.